le Guide du **routard**

Directeur de collection et auteur
Philippe GLOAGUEN

Cofondateurs
Philippe GLOAGUEN et Michel DUVAL

Rédacteur en chef
Pierre JOSSE

Rédacteurs en chef adjoints
Amanda KERAVEL et Benoît LUCCHINI

Directrice de la coordination
Florence CHARMETANT

Rédaction
Olivier PAGE, Véronique de CHARDON,
Isabelle AL SUBAIHI, Anne-Caroline DUMAS,
Carole BORDES, André PONCELET,
Marie BURIN des ROZIERS, Thierry BROUARD,
Géraldine LEMAUF-BEAUVOIS,
Anne POINSOT, Mathilde de BOISGROLLIER,
Alain PALLIER, Gavin's CLEMENTE-RUÏZ
et Fiona DEBRABANDER

CÔTE D'AZUR

2008

D1232332

Hachette

Avis aux hôteliers et aux restaurateurs

Les enquêteurs du *Guide du routard* travaillent dans le plus strict anonymat. Aucune réduction, aucun avantage quelconque, aucune rétribution n'est jamais demandé en contrepartie. Face aux aigrefins, la loi autorise les hôteliers et restaurateurs à porter plainte.

Hors-d'œuvre

Le *Guide du routard,* ce n'est pas comme le bon vin, il vieillit mal. On ne veut pas pousser à la consommation, mais évitez de partir avec une édition ancienne. Les modifications sont souvent importantes.

ON EN EST FIERS : www.routard.com

● *routard.com* ● Vous avez votre *Routard* en poche, mais vous êtes un inconditionnel de la petite souris. Sur routard.com, vous trouverez tout pour préparer votre voyage : fiches pratiques sur les régions françaises, itinéraires, météo, agenda culturel... Mais aussi des services comme la réservation d'hôtels et de campings, et la possibilité de trouver sa location, de partager ses photos et de découvrir des milliers de clichés, d'échanger ses bons plans dans les forums... Le site indispensable pour bien voyager.

Petits restos des grands chefs

Ce qui est bon n'est pas forcément cher ! Partout en France, nous avons dégoté de bonnes petites tables de grands chefs aux prix aussi raisonnables que la cuisine est fameuse. Évidemment, tous les grands chefs n'ont pas été retenus : certains font payer cher leur nom pour une petite table qu'ils ne fréquentent guère. Au total, plus de 700 adresses réactualisées, retenues pour le plaisir des papilles sans pour autant ruiner votre portefeuille. À proximité des restaurants sélectionnés, 280 hôtels de charme pour prolonger la fête.

Nos meilleurs campings en France

Se réveiller au milieu des prés, dormir au bord de l'eau ou dans une hutte, voici nos 1 700 meilleures adresses en pleine nature. Du camping à la ferme aux équipements les plus sophistiqués, nous avons sélectionné les plus beaux emplacements : mer, montagne, campagne ou lac. Sans oublier les balades à proximité, les jeux pour enfants... Des centaines de réductions pour nos lecteurs.

Avis aux lecteurs

Les réductions accordées à nos lecteurs ne sont jamais demandées par nos rédacteurs afin de préserver leur indépendance. Les hôteliers et restaurateurs sont sollicités par une société de mailing, totalement indépendante de la rédaction, qui reste donc libre de ses choix. De même pour les autocollants et plaques émaillées.

Le contenu des annonces publicitaires insérées dans ce guide n'engage en rien la responsabilité de l'éditeur.

Mille excuses, on ne peut plus répondre individuellement aux centaines de CV reçus chaque année.

TABLE DES MATIÈRES

LES ALPES-MARITIMES

LA BAIE DE CANNES ET L'ARRIÈRE-PAYS

LES ALPES D'AZUR

LA CÔTE DE NICE À MENTON

Recommandation à nos lecteurs qui souhaitent profiter des réductions et avantages proposés dans le *Guide du routard* par les hôteliers et les restaurateurs : à l'hôtel, prenez la précaution de les réclamer **à l'arrivée** et, au restaurant, **au moment** de la commande (pour les apéritifs) et surtout **avant** l'établissement de l'addition. Poser votre *Guide du routard* sur la table ne suffit pas : le personnel de salle n'est pas toujours au courant et une fois le ticket de caisse imprimé, il est difficile pour votre hôte d'en modifier le contenu. En cas de doute, montrez la notice relative à l'établissement dans le guide et ne manquez pas de nous faire part de toute difficulté rencontrée.

SPÉCIAL DÉFENSE DU CONSOMMATEUR

Un routard informé en vaut dix ! Pour éviter les arnaques en tout genre, il est bon de les connaître. Voici un petit vade-mecum destiné à parer aux coûts et aux coups les plus redoutables.

Affichage des prix : les hôtels et les restos sont tenus d'informer les clients de leurs prix, à l'aide d'une affichette, d'un panneau extérieur ou de tout autre moyen. Vous ne pouvez donc contester des prix exorbitants que s'ils ne sont pas clairement affichés.

HÔTELS

1 - Arrhes ou acompte ? : au moment de réserver votre chambre par téléphone – par précaution, toujours confirmer par écrit, il n'est pas rare que l'hôtelier vous demande de verser à l'avance une certaine somme, celle-ci faisant office de garantie. Il est d'usage de parler d'arrhes et non d'acompte (en fait, la loi dispose que « sauf stipulation contraire du contrat, les sommes versées d'avance sont des arrhes »). Légalement, aucune règle n'en précise le montant. Toutefois, ne versez que des arrhes raisonnables : 25 à 30 % du prix total, sachant qu'il s'agit d'un engagement définitif sur la réservation de la chambre. Cette somme ne pourra donc être remboursée en cas d'annulation de la réservation, sauf cas de force majeure (maladie ou accident) ou en accord avec l'hôtelier si l'annulation est faite dans les délais raisonnables. Si, au contraire, l'annulation est le fait de l'hôtelier, il doit vous rembourser le double des arrhes versées. À l'inverse, l'acompte engage définitivement client et hôtelier.

2 - Subordination de vente : comme les restaurateurs, les hôteliers ont interdiction de pratiquer la subordination de vente. C'est-à-dire qu'ils ne peuvent pas vous obliger à réserver plusieurs nuits d'hôtel si vous n'en souhaitez qu'une. Dans le même ordre d'idée, on ne peut vous obliger à prendre votre petit déjeuner ou vos repas dans l'hôtel ; ce principe, illégal, est néanmoins répandu dans la profession, toléré en pratique... Bien se renseigner avant de prendre la chambre dans les hôtels-restaurants. Si vous dormez en compagnie de votre enfant, il peut vous être demandé un supplément.

3 - Responsabilité en cas de vol : un hôtelier ne peut en aucun cas dégager sa responsabilité pour des objets qui auraient été volés dans la chambre d'un de ses clients, même si ces objets n'ont pas été mis au coffre. En d'autres termes, les éventuels panonceaux dégageant la responsabilité de l'hôtelier n'ont aucun fondement juridique.

RESTOS

1 - Menus : très souvent, les premiers menus (les moins chers) ne sont servis qu'en semaine et avant certaines heures (12h30 et 20h30 généralement). Cela doit être clairement indiqué sur le panneau extérieur : à vous de vérifier.

2 - Commande insuffisante : il arrive que certains restos refusent de servir une commande jugée insuffisante. Sachez, toutefois, qu'il est illégal de pousser le client à la consommation.

3 - Eau : une banale carafe d'eau du robinet est gratuite – à condition qu'elle accompagne un repas – sauf si son prix est affiché. La bouteille d'eau minérale, quant à elle, doit, comme le vin, être ouverte devant vous.

4 - Vins : les cartes des vins ne sont pas toujours très claires. Exemple : vous commandez un bourgogne à 16 € la bouteille. On vous la facture 32 €. En vérifiant sur la carte, vous découvrez que 16 € correspondent au prix d'une demi-bouteille. Mais c'était écrit en petits caractères illisibles.
Par ailleurs, la bouteille doit être obligatoirement débouchée devant le client.

5 - Couvert enfant : le restaurateur peut tout à fait compter un couvert par enfant, même s'il ne consomme pas, à condition que ce soit spécifié sur la carte.

6 - Repas pour une personne seule : le restaurateur ne peut vous refuser l'accès à son établissement, même si celui-ci est bondé ; vous devrez en revanche vous satisfaire de la table qui vous est proposée.

7 - Sous-marin : après le coup de bambou et le coup de fusil, celui du sous-marin. Le procédé consiste à rendre la monnaie en plaçant dans la soucoupe (de bas en haut) : les pièces, l'addition puis les billets. Si l'on est pressé, on récupère les billets en oubliant les pièces cachées sous l'addition.

LES GUIDES DU ROUTARD
2008-2009

(dates de parution sur **www.routard.com**)

France

Nationaux

- Nos meilleures chambres d'hôtes en France
- Nos meilleurs campings en France
- Nos meilleurs hôtels et restos en France
- Petits restos des grands chefs
- Tables à la ferme et boutiques du terroir

Régions françaises

- Alpes
- Alsace
- Aquitaine
- Ardèche, Drôme
- Auvergne, Limousin
- Bourgogne
- Bretagne Nord
- Bretagne Sud
- Châteaux de la Loire
- Corse
- Côte d'Azur
- Franche-Comté
- Languedoc-Roussillon
- Lorraine
- Lot, Aveyron, Tarn
- Nord-Pas-de-Calais
- Normandie
- Pays basque (France, Espagne), Béarn
- Pays de la Loire

- Poitou-Charentes
- Provence
- Pyrénées, Gascogne

Villes françaises

- Bordeaux
- Lille
- Lyon
- Marseille
- Montpellier
- Nice
- Strasbourg
- Toulouse

Paris

- Environs de Paris
- Junior à Paris et ses environs
- Paris
- Paris balades
- Paris exotique
- Paris la nuit
- **Paris, ouvert le dimanche (avril 2008)**
- Paris sportif
- **Paris à vélo (nouvelle éd. ; avril 2008)**
- Paris zen
- Restos et bistrots de Paris
- Le Routard des amoureux à Paris
- Week-ends autour de Paris

Europe

Pays européens

- Allemagne
- Andalousie
- Angleterre, Pays de Galles
- Autriche
- Baléares
- Belgique
- Castille, Madrid (Aragon et Estrémadure)
- Catalogne, Andorre
- Crète
- Croatie
- Écosse
- Espagne du Nord-Ouest (Galice, Asturies, Cantabrie)
- Finlande
- Grèce continentale
- Hongrie, République tchèque, Slovaquie

- Îles grecques et Athènes
- Irlande
- Islande
- Italie du Nord
- Italie du Sud
- Lacs italiens
- Malte
- **Norvège (avril 2008)**
- Pologne et capitales baltes
- Portugal
- Roumanie, Bulgarie
- Sicile
- **Suède, Danemark (avril 2008)**
- Suisse
- Toscane, Ombrie

LES GUIDES DU ROUTARD
2008-2009 *(suite)*

(dates de parution sur **www.routard.com**)

Villes européennes

- Amsterdam
- Barcelone
- Berlin
- Florence
- Lisbonne
- Londres
- Moscou, Saint-Pétersbourg
- Prague
- Rome
- Venise

Amériques

- Argentine
- Brésil
- Californie
- Canada Ouest et Ontario
- Chili et île de Pâques
- Cuba
- Équateur
- États-Unis côte Est
- **Floride (nouveauté)**
- Guadeloupe, Saint-Martin, Saint-Barth
- Guatemala, Yucatán et Chiapas
- **Louisiane et les villes du Sud (nouveauté)**
- Martinique
- Mexique
- New York
- Parcs nationaux de l'Ouest américain et Las Vegas
- Pérou, Bolivie
- Québec et Provinces maritimes
- République dominicaine (Saint-Domingue)

Asie

- **Bali, Lombok (mai 2008)**
- Birmanie (Myanmar)
- Cambodge, Laos
- Chine (Sud, Pékin, Yunnan)
- Inde du Nord
- Inde du Sud
- Indonésie (voir Bali, Lombok)
- Istanbul
- Jordanie, Syrie
- Malaisie, Singapour
- Népal, Tibet
- Sri Lanka (Ceylan)
- Thaïlande
- **Tokyo-Kyoto (mai 2008)**
- Turquie
- Vietnam

Afrique

- Afrique de l'Ouest
- Afrique du Sud
- Égypte
- Île Maurice, Rodrigues
- Kenya, Tanzanie et Zanzibar
- Madagascar
- Maroc
- Marrakech
- Réunion
- Sénégal, Gambie
- Tunisie

Guides de conversation

- Allemand
- Anglais
- Arabe du Maghreb
- Arabe du Proche-Orient
- Chinois
- Croate
- Espagnol
- Grec
- Italien
- **Japonais (mars 2008)**
- Portugais
- Russe

Et aussi...

- Le Guide de l'humanitaire
- **G'palémo (nouveauté)**

NOS NOUVEAUTÉS

G'PALÉMO (paru)

Un dictionnaire visuel universel qui permet de se faire comprendre aux 4 coins de la planète ET DANS TOUTES LES LANGUES (y compris le langage des signes), il suffisait d'y penser !... Que vous partiez trekker dans les Andes, visiter les temples d'Angkor ou faire du shopping à Saint-Pétersbourg, ce petit guide vous permettra d'entrer en contact avec n'importe qui. Compagnon de route indispensable, véritable tour de Babel... Drôle et amusant, *G'palémo* vous fera dépasser toutes les frontières linguistiques. Pointez simplement le dessin voulu et montrez-le à votre interlocuteur... Vous verrez, il comprendra ! Tout le vocabulaire utile et indispensable en voyage y figure : de la boîte de pansements au gel douche, du train-couchettes au pousse-pousse, du dentiste au distributeur de billets, de la carafe d'eau à l'arrêt de bus, du lit *king size* à l'œuf sur le plat... Plus de 200 dessins, déclinés en 5 grands thèmes (transports, hébergement, restauration, pratique, loisirs) pour se faire comprendre DANS TOUTES LES LANGUES. Et parce que le *Guide du routard* pense à tout, et pour que les langues se délient, plusieurs pages pour faire de vous un(e) séducteur(trice)...

SUÈDE, DANEMARK (avril 2008)

Depuis qu'un gigantesque pont relie Copenhague et la Suède, les cousins scandinaves n'ont jamais été aussi proches. Les Suédois vont faire la fête le week-end à Copenhague et les Danois vont se balader dans la petite cité médiévale de Lund. À Copenhague et à Stockholm, c'est la découverte d'un art de vivre qui privilégie l'écologie, la culture, la tolérance et le respect d'autrui. Les plus curieux partiront à vélo randonner dans un pays paisible qui se targue depuis les Vikings d'être le plus ancien royaume du monde mais qui ne néglige ni le design ni l'art contemporain. Les plus sportifs partiront en trekking vers le Grand Nord où migrent les rennes et où le soleil ne se couche pas en été.

Nous tenons à remercier tout particulièrement Loup-Maëlle Besançon, Thierry Bessou, Gérard Bouchu, Grégory Dalex, Fabrice de Lestang, Cédric Fischer, Carole Fouque, Michelle Georget, David Giason, Lucien Jedwab, Emmanuel Juste, Jean-Sébastien Petitdemange, Thomas Rivallain, Claudio Tombari et Solange Vivier pour leur collaboration régulière.

Et pour cette nouvelle collection, nous remercions aussi :

David Alon et Andréa Valouchova
Bénédicte Bazaille
Jean-Jacques Bordier-Chêne
Nathalie Capiez
Louise Carcopino
Florence Cavé
Raymond Chabaud
Alain Chaplais
Bénédicte Charmetant
François Chauvin
Cécile Chavent
Stéphanie Condis
Agnès de Couesnongle
Agnès Debiage
Tovi et Ahmet Diler
Fabrice Doumergue et Pierre Mitrano
Céline Druon
Nicolas Dubost
Clélie Dudon
Aurélie Dugelay
Sophie Duval
Alain Fisch
Aurélie Galliot
Lucie Galouzeau
Alice Gissinger
Adrien et Clément Gloaguen
Angela Gosmann
Romuald Goujon
Stéphane Gourmelen
Claudine de Gubernatis
Xavier Haudiquet
Claude Hervé-Bazin
Bernard Hilaire

Sébastien Jauffret
François et Sylvie Jouffa
Hélène Labriet
Lionel Lambert
Francis Lecompte
Jacques Lemoine
Sacha Lenormand
Valérie Loth
Béatrice Marchand
Philippe Martineau
Philippe Melul
Kristell Menez
Delphine Meudic
Éric Milet
Jacques Muller
Anaïs Nectoux
Alain Nierga et Cécile Fischer
Hélène Odoux
Caroline Ollion
Nicolas Pallier
Martine Partrat
Odile Paugam et Didier Jehanno
Laurence Pinsard
Xavier Ramon
Dominique Roland et Stéphanie Déro
Déborah Rudetzki
Corinne Russo
Caroline Sabljak
Prakit Saiporn
Jean-Luc et Antigone Schilling
Laurent Villate
Julien Vitry
Fabian Zegowitz

Direction : Nathalie Pujo
Contrôle de gestion : Joséphine Veyres, Céline Déléris et Vincent Leav
Responsable éditoriale : Catherine Julhe
Édition : Matthieu Devaux, Magali Vidal, Marine Barbier-Blin, Géraldine Péron, Jean Tiffon, Olga Krokhina, Virginie Decosta, Caroline Lepeu, Delphine Ménage et Émilie Guerrier
Secrétariat : Catherine Maîtrepierre
Préparation-lecture : Agnès Petit
Cartographie : Frédéric Clémençon et Aurélie Huot
Fabrication : Nathalie Lautout et Audrey Detournay
Couverture : Seenk
Direction marketing : Dominique Nouvel, Lydie Firmin et Juliette Caillaud
Responsable partenariats : André Magniez
Édition partenariats : Juliette Neveux et Raphaële Wauquiez
Informatique éditoriale : Lionel Barth
Relations presse France : COM'PROD, Fred Papet ☎ 01-56-43-36-38 ● info@com prod.fr ●
Relations presse : Martine Levens (Belgique) et Maureen Browne (Suisse)
Régie publicitaire : Florence Brunel

NOS NOUVEAUTÉS

BALI, LOMBOK (mai 2008)

Bali et Lombok possèdent des attraits différents et complémentaires. Bali, l'« île des dieux », respire toujours charme et beauté. Un petit paradis qui rassemble tout ce qui est indispensable à des vacances réussies : de belles plages dans le Sud, des montagnes extraordinaires couvertes de temples, des collines riantes sur lesquelles les rizières étagées forment de jolies courbes dessinées par l'homme, une culture vivante et authentique, et surtout, l'essentiel, une population d'une étonnante gentillesse, d'une douceur presque mystique.

Et puis voici Lombok, à quelques encablures, dont le nom signifie « piment » en javanais et qui appartient à l'archipel des îles de la Sonde. La vie y est plus rustique, le développement touristique plus lent. Tant mieux. Les plages, au sud, sont absolument magnifiques et les Gili Islands, à deux pas de Lombok, attirent de plus en plus les amateurs de plongée. Paysages remarquables, pureté des eaux, simplicité et force du moment vécu... Bali et Lombok, deux aspects d'un même paradis.

TOKYO-KYOTO (mai 2008)

On en avait marre de se faire malmener par nos chers lecteurs ! Enfin un *Guide du routard* sur le Japon ! Voilà l'empire du Soleil-Levant accessible aux voyageurs à petit budget. On disait l'archipel nippon trop loin, trop cher, trop incompréhensible. Voici notre constat : avec quelques astuces, on peut y voyager agréablement et sans se ruiner. Dormir dans une auberge de jeunesse ou sur le tatami d'un *ryokan* (chambres chez l'habitant), manger sur le pouce des sushis ou une soupe *ramen*, prendre des bus ou acheter un *pass* ferroviaire pour circuler à bord du *shinkansen* (le TGV nippon)... ainsi sommes-nous allés à la découverte d'un Japon accueillant, authentique mais à prix sages ! Du mythique mont Fuji aux temples millénaires de Kyoto, de la splendeur de Nara à la modernité d'Osaka, des volcans majestueux aux cerisiers en fleur, de la tradition à l'innovation, le Japon surprend. Les Japonais étonnent par leur raffinement et leur courtoisie. Tous à Tokyo ! Cette mégapole électrique et fascinante est le symbole du Japon du IIIe millénaire, le rendez-vous exaltant de la haute technologie, de la mode et du design. Et que dire des nuits passées dans les bars et les discothèques de Shinjuku et de Roppongi, les plus folles d'Asie ?

Remerciements

Pour ce guide, nous remercions tout particulièrement :

– Sophie Brugerolles, du CRT Riviera Côte-d'Azur ;
– l'équipe toujours aussi accueillante du CDT du Var, en particulier Gabrielle Choisy, Michel Caraisco et Pierre Baronnet-Fruges.

Pour les Alpes-Maritimes

– Isabelle Billey-Queré et Sylvia Karoly, de l'office de tourisme et des congrès de Nice ;
– Marion, Martine et Bernard pour leurs conseils et leur hospitalité ;
– Patrick Le Tiec de l'OT d'Èze ;
– l'équipe de l'OT de Menton, en particulier Patricia Mertzige ;
– Stéphanie Faray, du service Patrimoine de Menton ;
– l'équipe de l'OT de Cannes, en particulier Karine Osmuk, Frédérique Tang et Chantal ;
– Christine Million, de l'OT de Mougins ;
– Isabelle Viano, de l'OT de Grasse, et Laurent Pouppeville, du service Patrimoine ;
– Sylvain Roger, de l'OT de Cagnes-sur-Mer ;
– Magali Calgano, de l'OT de Sospel ;
– Geneviève Berti, de l'OT de Monaco ;
– Elisabetta Ernina et Christine Coulet, de l'OT de Roquebrune ;
– sans oublier Jean-Louis Heudier, de l'observatoire de Nice.

Pour le Var

– Dominique Baviera, adjoint à la culture, pour nous avoir aidés à poser un autre regard sur La Seyne-sur-Mer ;
– Manu Bertrand et l'équipe de la maison du Golfe de Saint-Tropez ;
– les deux Valérie (Casali et Collet), de l'OT de Bormes-les-Mimosas ;
– Nathalie Gerthoux-Betthaeuser et l'équipe de l'OT de Toulon, pour leur gentillesse et leur disponibilité toujours aussi grande ;
– David Hameau, de l'OT de Hyères-les-Palmiers ;
– Elizabeth Loffreda, à la Maison du tourisme de la Provence d'Azur ;
– Valérie Sarda, de l'OT intercommunal de la Provence Verte ;
– Christiane Thomas, à la Maison du Patrimoine de Roquebrune-sur-Argens ;
– Sandrine Legendre, de l'OT de Saint-Raphaël, pour ses milliers d'infos.

LES COUPS DE CŒUR DU ROUTARD

- À Toulon, grignoter dans les rues de la vieille ville une cade achetée sur le marché du cours Lafayette.

- Se balader à vélo sur les petits chemins de Porquerolles.

- Lézarder (hors saison...) sur la plage de Cabasson, face à la massive silhouette du fort de Brégançon.

- Admirer d'un seul coup d'œil les immensités verdoyantes du massif des Maures au passage du col de Gratteloup.

- S'offrir un bain de végétation méditerranéenne au domaine du Rayol.

- Pour se réconcilier avec Saint-Tropez, suivre le sentier du littoral jusqu'à la discrète plage de l'Escalet.

- À Fréjus, se dépayser en visitant une authentique pagode bouddhique.

- Se perdre dans les pittoresques petites rues de Fayence.

- Grimper jusqu'au village de Mons, pour apercevoir les montagnes corses, à l'horizon.

- Prendre le temps de découvrir autour de Draguignan les derniers villages purement authentiques du Var : Callas, Claviers, Bargemon ou Châteaudouble.

- Aller faire sa cagole ou son cacou dans les bars branchés de Cannes.

- Admirer le coucher du soleil en sirotant un verre depuis le *Bar Fitzgerald* à Juan-les-Pins.

- Visiter le musée de Gourdon et sa superbe collection Art déco.

- Jouer à cache-cache avec les marmottes au col de la Bonette.

- Admirer le panorama à la Madone d'Utelle.

- Se perdre dans les ruelles baroques et populaires du vieux Nice.

- Suivre une visite guidée au port de la Darse, à Villefranche-sur-Mer.

- Manger une part de socca au marché de Monaco.

- Profiter de Saint-Paul-de-Vence hors saison.

COMMENT Y ALLER ?

PAR LA ROUTE

➢ Par la classique **nationale 7,** chère à Charles Trénet. Bouchons en prime lors des grandes migrations estivales.

➢ Par l'**autoroute :** depuis le Nord, Paris et l'Est de la France, de Lille à Menton, le long ruban de l'autoroute du Soleil vous y conduit directement, avec cependant une inévitable petite saignée au portefeuille. Depuis l'ouest et le sud-ouest du pays, prendre l'A 71 Orléans-Clermont-Ferrand qui rejoint l'autoroute du Soleil dans la région de Lyon ou passer par Bordeaux, Toulouse et Montpellier (A 62). Pour terminer, l'A 50 dessert le littoral varois, l'A 8 dessert la Sainte-Baume, le Centre-Var et le Verdon.

➢ Si vous n'êtes pas trop pressé, nous vous engageons vivement à quitter l'autoroute pour rejoindre la destination de votre choix par l'un des adorables itinéraires qui constellent le centre de la Provence :
– Pour gagner le Var et les Alpes-Maritimes, par la basse vallée de la Durance, Barjols, Cotignac, Lorgues, Draguignan en zigzaguant par les villages haut perchés.
– Superbe itinéraire depuis Grenoble en traversant les Alpes par la **route Napoléon** (la N 85) : Digne, Castellane, Grasse, etc.
– Pour les inconditionnels de l'**auto-stop,** sachez qu'il vaut mieux éviter les grandes villes. À Toulon, où l'autoroute traverse la ville, les voitures prennent rapidement de la vitesse et ne vous voient pas. Un conseil, donc, faites du stop aux gares de péages autoroutières ou dans les petits villages le long de la N 7 (nombreux feux et croisements).

➢ **Le covoiturage :** le principe est simple, économique et écologique. Il s'agit de mettre en relation un chauffeur et des passagers afin de partager le trajet et les frais, que ce soit de manière régulière ou de manière exceptionnelle (pour les vacances par exemple). ● covoiturage.fr ●

EN CAR

Le réseau régional Provence-Côte d'Azur assure des liaisons régulières de ville à ville, dans un très grand confort. Une dizaine de compagnies en tout.
Rens à la gare routière d'Aix : ☎ *0891-024-025 (0,22 €/mn). Pour le Var, consulter le site* ● *transports.var.fr* ● *Très bien fait, il suffit d'indiquer ses villes de départ et d'arrivée, et le site vous affiche horaires et tarifs.*
– **Toulon, Aix-en-Provence, Hyères-les-Palmiers, Le Lavandou, Saint-Tropez et Saint-Raphaël :** *avec la Sodetrav,* ☎ *0825-000-650 (0,15 €/mn).* ● *sodetrav.fr* ● Pour la liaison Toulon-Aix, 4 à 5 allers-retours/j., 2 les dim et j. fériés (1h15 de trajet).
– **Toulon-Draguignan :** *avec Transvar,* ☎ *04-94-28-93-28.* Quatre allers-retours/j. Trajet env 2h.
– **Toulon-Bandol :** *avec Littoral Cars,* ☎ *04-94-74-01-35.*
– **Nice-Aix-Marseille :** *avec Phocéens Cars,* ☎ *04-93-85-66-61.*
– **Nice-Gap :** *avec la compagnie Scal,* ☎ *04-92-51-06-05.*

EN TRAIN

Voyages-sncf.com

Voyages-sncf.com, première agence de voyages sur Internet, propose des billets de train, d'avion, des chambres d'hôtel, des locations de voitures et des séjours clés en main ou Alacarte® sur plus de 600 destinations et à des tarifs avantageux.

Leur site • voyages-sncf.com • permet d'accéder tous les jours 24h/24 à plusieurs services : envoi gratuit des billets à domicile, Alerte Résa pour être informé de l'ouverture des réservations et profiter du plus grand choix, calendrier des meilleurs prix (TTC), mais aussi des offres de dernière minute et des promotions...
Et grâce à l'Éco-comparateur, en exclusivité sur • voyages-sncf.com •, possibilité de comparer le prix, le temps de trajet et l'indice de pollution pour un même trajet en train, en avion ou en voiture.

Au départ de Paris-Gare de Lyon

➤ *Paris-Toulon :* 18 TGV/j. en moyenne, directs ou avec un changement à Marseille, à Valence ou à Avignon. Temps de trajet moyen : 4h. Également un train de nuit.
➤ *Paris-Saint-Raphaël :* 6 TGV directs/j. en moyenne, d'autres liaisons avec changement à Lyon ou Marseille. Temps de trajet moyen : 5h. Également un train de nuit.
➤ *Paris-Nice :* 6 TGV directs/j. en moyenne, d'autres liaisons avec changement à Marseille ou à Toulon. Temps de trajet : env 5h40. Également un train de nuit.
➤ *Paris-Monaco :* 1 TGV direct/j. en moyenne, d'autres liaisons avec changement à Nice, Toulon ou Marseille. Temps de trajet moyen : 6h. Également un train de nuit.
🚂 Les autos/trains (permettant de transporter votre voiture ou votre moto jusqu'à l'arrivée) sont au départ de la *gare de Bercy* et à destination de Toulon, Fréjus-Saint-Raphaël et Nice.

Au départ de la province

Des autos/trains relient aussi la Côte d'Azur depuis Bordeaux, Lille (Seclin), Nantes et Strasbourg.
➤ Au départ de *Lille,* TGV directs pour Toulon (env 5h30 de trajet), Saint-Raphaël (env 6h30 de trajet) et Nice (env 7h30 de trajet). Un train de nuit dessert aussi ces 3 destinations.
➤ Au départ de *Lyon,* TGV direct pour Nice (4h30 de trajet env) ou avec liaisons via Marseille.
➤ Trains de nuit à destination de Nice au départ de *Bordeaux, Metz, Reims* et *Strasbourg.*

Pour préparer votre voyage

– *Billet à domicile :* commandez et payez votre billet par téléphone au ☎ 36-35 (0,34 € TTC/mn) ou sur Internet, la SNCF vous l'envoie gratuitement à domicile.
– *Service « Bagages à domicile » :* appelez le ☎ 36-35 (0,34 € TTC /mn), la SNCF prend en charge vos bagages où vous le souhaitez et vous les livre là où vous allez en *24h de porte à porte.*

Pour voyager au meilleur prix

La SNCF propose de nombreuses réductions. Pour en profiter au maximum, il faut réserver à l'avance. Les billets sont en vente 3 mois avant la date de départ. Toutes ces offres sont soumises à conditions.
➤ *Prem's : plus vous anticipez, plus vous voyagez au meilleur prix*
Découvrez les prix *Prem's* à partir de 22 €[1] l'aller en 2de classe TGV, 17 €[1] en 2de classe Téoz et 35 €[1] en 2de classe Lunéa couchettes.
➤ *Les cartes : réduction garantie*
– La Carte *12-25* est destinée aux voyageurs âgés de 12 à 25 ans. Elle est valable 1 an et offre jusqu'à 60 % de réduction sur le train (25 % garantis même au dernier moment), dans la limite des places disponibles à ce tarif.

– Avec les Cartes *Enfant* + et *Senior* (destinée aux voyageurs de 60 ans et plus), vous avez jusqu'à 50 % de réduction (- 25 % garantis sur tous les trains) sur un nombre illimité de voyages pendant 1 an.

– La Carte *Escapades* s'adresse aux voyageurs de 26 à 59 ans. Elle offre jusqu'à 40 % de réduction (25 % garantis), sur tous les trains, pour des allers-retours de plus de 200 km effectués sur la journée du samedi ou du dimanche, ou comprenant la nuit du samedi au dimanche sur place.

➤ **Les Tarifs Loisir**

Les tarifs *Loisir* sont proposés en 2de et 1re classes. Ils sont valables pour tous sans distinction d'âge. Plus vous anticipez votre voyage, plus vous obtenez des prix intéressants.

Vous pouvez également bénéficier de prix avantageux « week-end » en réservant vos billets dans les jours précédant votre départ si vous effectuez un aller-retour comprenant une nuit du samedi au dimanche sur place ou un aller-retour sur la journée du samedi ou du dimanche.

Les billets *Loisir* sont échangeables et remboursables gratuitement jusqu'à la veille du départ ; le jour du départ, ils sont échangeables et remboursables moyennant une retenue de 10 € (3 € pour les porteurs d'une carte de réduction).

➤ **Les Bons Plans du Net**

Les « Bons Plans du Net » sont proposés sur Internet. Ils offrent en permanence des prix réduits toute l'année et jusqu'à - 60 % sur une sélection de trains (TGV, Téoz ou Lunéa) sur lesquels des déstockages de places invendues sont effectués.

$^{(1)}$ *Prix Prem's pour un aller simple en 2de classe (période normale pour TGV), dans la limite des places disponibles. Billet non échangeable, non remboursable.*

Pour obtenir plus d'informations sur les conditions de réservation et d'achat de vos billets

– ***Internet :*** • voyages-sncf.com • tgv.com • corailteoz.com • coraillunea.fr •

– ***Téléphone :*** ☎ 36-35 (0,34 € TTC/mn).

– *Également dans les gares, les boutiques SNCF et les agences de voyages agréées SNCF.*

Comment circuler sur la Côte d'Azur ?

Le Transport Express Régional (TER)

Le TER PACA met à votre disposition trains et autocars quotidiens pour vous déplacer dans la région et pour rejoindre les différentes villes importantes des régions voisines.

Pour tout renseignement

– ***Internet :*** • ter-sncf.com •

– ***Ligne directe :*** ☎ 0891-703-000 (0,34 €/mn).

EN AVION

Compagnie régulière

▲ **AIR FRANCE**

☎ 36-54 (0,34 €/mn, tlj 24h/24), sur • airfrance.fr •, dans les agences Air France et dans ttes les agences de voyages. Fermées dim et parfois lun.

➤ ***Depuis Paris : Nice*** est relié à Orly-Ouest par « la navette » (au moins ttes les heures) et à Roissy par 7 vols/j.

➤ Également des liaisons directes pour ***Nice*** depuis ***Ajaccio, Bastia, Biarritz, Bordeaux, Brest, Caen, Calvi, Clermont-Ferrand, Figari, Lille, Lyon, Metz-Nancy, Nantes, Rennes, Strasbourg*** et ***Toulouse***.

Best Western®

Les plus français des hôtels internationaux

www.bestwestern.fr

▶ N°Vert 0 800 90 44 90

270 HOTELS EN FRANCE

Air France propose une gamme de tarifs accessibles à tous :
– « Évasion » : en France et vers l'Europe, Air France propose des réductions. « Plus vous achetez tôt, moins c'est cher. »
– « Semaine » : pour un voyage aller-retour pendant la semaine.
– « Évasion week-end » : pour des voyages autour du week-end avec des réservations jusqu'à la veille du départ.
Air France propose également sur la France des réductions jeunes, seniors, couples ou famille. Pour les moins de 25 ans, Air France émet une carte de fidélité gratuite et nominative, *Fréquence Jeune,* qui permet de cumuler des miles sur l'ensemble des compagnies membres de *Skyteam* et de bénéficier de billets gratuits et d'avantages chez de nombreux partenaires.
Tous les mercredis dès 0h, sur ● airfrance.fr ●, Air France propose les tarifs « Coup de cœur », une sélection de destinations en France pour des départs de dernière minute.
Sur Internet, possibilité de consulter les meilleurs tarifs du moment, rubrique « Offres spéciales », « Promotions ».

Compagnie *low-cost*

Les compagnies *low-cost* sont des compagnies dites « à bas prix ». De nombreuses villes de province sont desservies, ainsi que les aéroports limitrophes des grandes villes. Réservation sur Internet ou par téléphone (pas d'agence et pas de « billet papier », juste un n° de réservation) et aucune garantie de remboursement en cas de difficultés financières de la compagnie. En outre, les pénalités en cas de changement d'horaires sont assez importantes et les taxes d'aéroport rarement incluses. Ne pas oublier non plus d'ajouter le prix du bus pour se rendre à ces aéroports, souvent assez éloignés du centre-ville.

▲ EASYJET
● *easyjet.com* ●
➢ *Depuis Paris :* Easyjet relie *Nice* à Orly et vice versa, à raison de 5 allers-retours/j. en moyenne. Avec Roissy-Charles-de-Gaulle, seulement 2 vols en moyenne.
Voir également les liaisons avec les aéroports de :
– *Toulon-Hyères :* ☎ 0825-018-387. ● *aeroport.var.cci.fr* ● Vols pour Bruxelles notamment.
– *Marseille-Provence :* ☎ 04-42-14-14-14. ● *marseille.aeroport.fr* ●

Préparez vos vacances en vous connectant sur Internet

S'informer sur nos différents produits, notre actualité, nos promotions

Consulter tous les gîtes et toutes les chambres d'hôtes :
- par un moteur de recherche multicritères qui permet de choisir son séjour sur mesure,

Réserver - par une cartographie qui permet de s'affranchir des limites administratives.

Gagner des séjours, des lots en participant à nos jeux-concours

Commander les Guides Gîtes de France

 www.gites-de-france.com

CÔTE D'AZUR UTILE

Pour la carte générale de la Côte d'Azur, se reporter au cahier couleur.

ABC DE LA CÔTE D'AZUR (RÉGION PACA)

- *Superficie :* 31 400 km².
- *Préfecture régionale :* Marseille.
- *Préfectures :* Digne, Gap, Nice, Toulon, Avignon.
- *Population :* 4 781 000 hab.
- *Densité :* 152,3 hab./km².
- *Population active :* 1 892 000 hab.
- *Taux de chômage :* 11,7 %.
- *PIB régional :* 95,67 millions d'euros (3e rang national).
- *Spécialités industrielles :* chimie, construction navale, armement.
- *Agriculture :* vins, fruits, légumes, fleurs et plantes.

AVANT LE DÉPART
Adresses utiles

⊞ Comité régional du tourisme Provence-Alpes-Côte d'Azur : *Les Docks, Atrium 10.5, 10, pl. de la Joliette, BP 46214, 13567 Marseille Cedex 02.* ☎ 04-91-56-47-00. ● decouvertepaca. fr ●

⊞ Comité régional du tourisme Riviera-Côte d'Azur : *400, promenade des Anglais, BP 3126, 06203 Nice Cedex 03.* ☎ 04-93-37-78-78. ● guideriviera.com ● Envoi de documentation sur demande. Très efficace.

⊞ Comité départemental du tourisme du Var : *1, bd Foch, BP 99, 83003 Draguignan Cedex.* ☎ 04-94-50-55-50. ● tourismevar.com ● vardestination. com ●

■ Gîtes de France : *pour commander des brochures, s'adresser au 59, rue Saint-Lazare, 75009 Paris.* ☎ 01-49-70-75-75. ● gites-de-france.fr ● Les résas sont à effectuer auprès des relais départementaux des *Gîtes de France :*
– *Alpes-Maritimes :* 57, promenade des Anglais, BP 21614, 06011 Nice Cedex 01. ☎ 04-92-15-21-30. ● gites-de-france-alpes-maritimes.com ●
– *Var :* 37, av. Lazare-Carnot, BP 215, 83000 Draguignan. ☎ 04-94-50-93-93. ● gites-de-france-var.fr ●

Carte internationale des auberges de jeunesse (FUAJ)

Cette carte, valable dans 80 pays, permet de bénéficier des 4 000 AJ du réseau *Hostelling International* réparties dans le monde entier. Les périodes d'ouverture

Comment y aller **au meilleur prix ?**

D'après Solé - @fullsix

Hertz offre des réductions aux Routards

Bénéficiez immédiatement sur simple présentation de ce guide de

-15 € sur les forfaits Hertz Week-end*
-30 € sur les forfaits Hertz Vacances*

Réservation au 0 825 861 861** en précisant le code CDP 967 130.

varient selon les pays et les AJ. À noter, la carte AJ est surtout intéressante en Europe, aux États-Unis, au Canada, au Moyen-Orient et en Extrême-Orient (Japon...).

Pour tout renseignement et réservation en France

Sur place

■ **Fédération unie des auberges de jeunesse (FUAJ)** : 27, rue Pajol, 75018 Paris. ☎ 01-44-89-87-27. ● fuaj.org ● Ⓜ Marx-Dormoy ou La Chapelle. Lun 10h-17h ; mar-ven 10h-18h. Montant de l'adhésion : 11 € pour les moins de 26 ans et 16 € pour les autres (tarifs 2007). Munissez-vous de votre pièce d'identité lors de l'inscription. Une autorisation des parents est nécessaire pour les moins de 18 ans (une photocopie de la carte d'identité du parent qui autorise le mineur est obligatoire).
– Inscription possible également dans toutes les AJ, points d'information et de réservation FUAJ en France.

Par correspondance

Envoyez une photocopie recto verso d'une pièce d'identité et un chèque correspondant au montant de l'adhésion, plus 2 € pour les frais d'envoi de la FUAJ. Vous recevrez votre carte sous 15 jours.
– La FUAJ propose aussi une **carte d'adhésion « Famille »,** valable pour les familles de 2 adultes ayant un ou plusieurs enfants âgés de moins de 14 ans. Fournir une copie du livret de famille. Coût : 23 €.
– La carte donne également droit à des réductions sur les transports, les musées et les attractions touristiques de plus de 80 pays. Ces avantages varient d'un pays à l'autre, ce qui n'empêche pas de la présenter à chaque occasion. Liste de ces réductions disponible sur ● hihostels.com ● et les réductions en France sur ● fuaj.org ●

En Belgique

Son prix varie selon l'âge : entre 3 et 15 ans, 3 € ; entre 16 et 25 ans, 9 € ; après 25 ans, 15 €.

Renseignements et inscriptions

■ **À Bruxelles :** LAJ, rue de la Sablonnière, 28, 1000. ☎ 02-219-56-76. ● laj. be ●
■ **À Anvers :** Vlaamse Jeugdherbergcentrale (VJH), Van Stralenstraat, 40, Antwerpen B 2060. ☎ 03-232-72-18. ● vjh.be ●

– Votre carte de membre vous permet d'obtenir de 5 à 9 € de réduction sur votre première nuit dans les réseaux LAJ, VJH et CAJL (Luxembourg), ainsi que des réductions auprès de nombreux partenaires en Belgique.

En Suisse (SJH)

Le prix de la carte dépend de l'âge : 22 Fs pour les moins de 18 ans, 33 Fs pour les adultes et 44 Fs pour une famille avec des enfants de moins de 18 ans.

Renseignements et inscriptions

■ **Schweizer Jugendherbergen :** (SJH) service des membres, Schaffhauserstr., 14, Postfach 161, 8042 Zurich. ☎ 044-360-14-14. ● youthhostel.ch ●

ON A BEAU RETOURNER LA QUESTION DANS TOUS LES SENS, TGV, IL N'Y A PAS MIEUX POUR VOYAGER.

Et oui, TGV est bel et bien la réponse simple et rapide pour vous rendre sur la Côte d'Azur. Rejoignez directement Toulon, Nice, Saint-Raphaël et Cannes avec TGV et partez à la découverte de toute la région en réservant à des conditions avantageuses votre voiture de location AVIS en même temps que votre billet de train. En fait, voyager avec TGV, c'est une question de bon sens. **ORGANISEZ DÈS MAINTENANT VOTRE SÉJOUR SUR LA CÔTE D'AZUR SUR TGV.COM**

À PARTIR DE 22 EUROS*

Prenez le temps d'aller vite

Au Canada

Elle coûte 35 \$Ca pour une durée de 16 à 26 mois et 175 \$Ca à vie (tarifs 2007). Gratuit pour les enfants de moins de 18 ans qui accompagnent leurs parents. Pour les juniors voyageant seuls, la carte est gratuite, mais la nuit est payante (moindre coût). Ajouter systématiquement les taxes.

Renseignements et inscriptions

■ *Auberges de jeunesse du Saint-Laurent / St-Laurent Youth Hostels :*
– À Montréal : 3514, av. Lacombe, Montréal (Québec) H3T-1M1. ☎ (514) 731-10-15. Sans frais (au Canada) : ☎ 1-866-754-10-15.
– À Québec : 94, bd René-Lévesque-Ouest, Québec (Québec) G1R-2A4. ☎ (418) 522-25-52.
■ *Canadian Hostelling Association :* 205 Catherine Street, bureau 400, Ottawa (Ontario) K2P-1C3. ☎ (613) 237-78-84. ● info@hihostels.ca ● hiho stels.ca ●

– Il n'y a pas de limite d'âge pour séjourner en AJ. Il faut simplement être adhérent.
– La FUAJ propose un guide gratuit répertoriant les adresses des AJ en France. Il existe un autre guide, pour le monde, qui est payant.
– La FUAJ offre à ses adhérents la possibilité de réserver en ligne depuis la France, grâce à son système de réservation international (● hihostels.com ●), 6 nuits maximum et jusqu'à 6 mois à l'avance, dans certaines auberges de jeunesse situées en France et à l'étranger (le réseau *Hostelling International* couvre plus de 80 pays). Gros avantage, les AJ étant souvent complètes, votre lit (en dortoir, pas de réservation en chambre individuelle) est réservé à la date souhaitée. Vous réglez à l'avance, plus des frais de réservation (environ 6,15 €). Vous recevrez en échange un reçu de réservation que vous présenterez à l'AJ une fois sur place. Ce service permet aussi d'annuler et d'être remboursé. Le délai d'annulation varie d'une AJ à l'autre. Le système de réservation international, accessible sur le site ● hihostels. com ●, permet d'obtenir toutes informations utiles sur les auberges reliées au système, de vérifier les disponibilités, de réserver et de payer en ligne.

Cartes de paiement

Quelle que soit la carte que vous possédez, chaque banque gère elle-même le processus d'opposition et le numéro de téléphone correspondant ! Avant de partir, notez donc bien le numéro d'opposition propre à votre banque (il figure souvent au dos des tickets de retrait, sur votre contrat ou à côté des distributeurs de billets), ainsi que le numéro à seize chiffres de votre carte. Bien entendu, conservez ces informations en lieu sûr et séparément de votre carte. Par ailleurs, sachez que l'assistance médicale se limite aux 90 premiers jours du voyage.
– *Carte MasterCard :* numéro d'urgence assistance médicale incluse ; numéro d'urgence : ☎ 01-45-16-65-65. ● mastercardfrance.com ● En cas de perte ou de vol, composez le numéro communiqué par votre banque ou, à défaut, le numéro général : ☎ 0892-69-92-92, pour faire opposition 24h/24.
– *Carte Bleue Visa :* numéro d'urgence assistance médicale incluse (Europ Assistance) : ☎ 01-45-85-88-81. ● carte-bleue.fr ● Pour faire opposition, contactez le numéro communiqué par votre banque.
– Pour la carte *American Express,* téléphonez en cas de pépin au ☎ 01-47-77-72-00. Numéro accessible tous les jours 24h/24 ; PCV accepté en cas de perte ou de vol. ● americanexpress.fr ●
– Pour toutes les cartes émises par *La Banque postale,* composez le ☎ 0825-809-803 (0,15 €/mn).
– Également un numéro d'appel valable quelle que soit votre carte de paiement : ☎ 0892-705-705 (serveur vocal à 0,34 €/mn). Ne fonctionne pas en PCV.

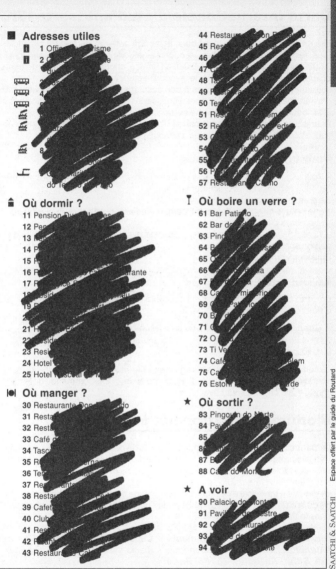

■ **Adresses utiles**

ℹ 1 Offic░ ░░░risme
ℹ 2 C░░░░░░
3 ░░░░░
4 ░░░░░
5 ░░░░░
8 ░░░░░

do Te░░░░░░░░

⌂ **Où dormir ?**

11 Pension Du░░░░░░
12 Pe░░░░
13 ░░░░
14 P░░░░
15 P░░░░
16 P░░░░░░░░░░rante
17 R░░░░
18 ░░sid░░░░
19 ░░░░░
20 ░░░
21 H░░░░
22 ░░sid░
23 Resi░
24 Hotel ░░░
25 Hotel ░ascual ░░░

|○| **Où manger ?**

30 Restaurante Don ░░░do
31 Resta░
32 Rest░
33 Café d░
34 Tasc░
35 R░░░░░░
36 Te░░
37 Re░░urant░
38 Restau░
39 Cafet░
40 Club
41 Res░
42 R░░░
43 Restaur░░ CAf░

44 Restau░░░░░
45 Res░░░░
46 ░░
47 C░
48 Ta░░░
49 P░░░
50 Te░
51 Res░░░░░m
52 Re░░░░ Don ░░░da
53 ░░░░
54 ░░░░
55 ░░░
56 P░░░
57 Restauran░ C░mo

🍸 **Où boire un verre ?**

61 Bar Pati░░o
62 Bar d░░░
63 Pin░░
64 B░░░░░░
65 C░
66 C░░░░░░a
67 ░░░░a
68 Ca░░░░ mi░░░rio
69 C░░ Pa░░░░
70 B░░░░░
71 C░
72 O ░
73 Ti Ve░
74 Café ░░░░░░░░░em
75 Ca░
76 Estol░░░░░░░de

★ **Où sortir ?**

83 Pingouin do N░rte
84 Pav░░░░░░stre
85 ░░░
86 ░░░░
87 B░
88 Casa do Mor░░

★ **A voir**

90 Palacio do ░ont░
91 Pavi░░░░ ░estre
92 C░░░░░tural
93 ░░░ de ░░░
94 T░░░░░te

Espace offert par le guide du Routard

SAATCHI & SAATCHI

www.rsf.org

N'attendez pas qu'on vous prive de l'information pour la défendre.

Carte internationale d'étudiant (carte ISIC)

Elle prouve le statut d'étudiant dans le monde entier et permet de bénéficier de tous les avantages, services, réductions étudiants du monde, soit plus de 37 000 avantages, dont plus de 8 000 en France, concernant les hébergements, la culture, les loisirs... c'est la clé de la mobilité étudiante !

La carte ISIC donne aussi accès à des avantages exclusifs sur le voyage (billets d'avion spéciaux, assurances de voyage, carte téléphonique internationale, cartes SIM, location de voitures, navette aéroport...).

Pour plus d'informations sur la carte ISIC et pour la commander en ligne, rendez-vous sur les sites internet propres à chaque pays.

Pour l'obtenir en France

– Pour localiser un point de vente proche de chez vous : ● isic.fr ● ou ☎ 01-49-96-96-49. Il est possible de l'acheter en ligne.

Se présenter au point de vente avec :

– une preuve du statut d'étudiant (carte d'étudiant, certificat de scolarité...) ;

– une photo d'identité ;

– 12 ou 13 € par correspondance, incluant les frais d'envoi des documents d'information sur la carte.

Émission immédiate.

En Belgique

La carte coûte 9 € et s'obtient sur présentation de la carte d'identité, de la carte d'étudiant et d'une photo auprès de :

■ *Connections :* ☎ *02-550-01-00 ou* ● *isic.be* ●

En Suisse

La carte s'obtient dans toutes les agences *STA Travel (*☎ *058-450-40-00),* sur présentation de la carte d'étudiant, d'une photo et de 20 Fs. Commande de la carte en ligne : ● *isic.ch* ● ou ● *statravel.ch* ●

Monuments nationaux à la carte

Le Centre des monuments nationaux accueille le public dans tous les monuments français propriétés de l'État, pour des visites libres ou guidées, des expositions et des spectacles historiques, lors de manifestations événementielles.

Pour la région Côte d'Azur, sont concernés les monuments suivants : le trophée d'Auguste à La Turbie et le monastère de Saorge dans les Alpes-Maritimes, le cloître de la cathédrale de Fréjus, l'abbaye du Thoronet et le site archéologique d'Olbia dans le Var.

■ *Rens au* **Centre des monuments nationaux,** *centre d'information : 62, rue Saint-Antoine, 75186 Paris* Cedex 04. ☎ *01-44-61-21-50.* ● *monuments-nationaux.fr* ● Ⓜ *Saint-Paul.*

Musées

Il existe une carte *Musées Côte d'Azur* qui offre un accès libre, direct et illimité aux collections permanentes et aux expositions temporaires de 65 musées, monuments et jardins des Alpes-Maritimes pendant 1, 3 ou 7 jours. Vous pouvez vous la procurer dans les offices de tourisme et les musées de la région. Rens : ☎ *04-97-*

En avion Simone

Grâce à l'EcoComparateur de voyages-sncf.com, vous pouvez comparer le prix, le temps de trajet et un indice moyen d'émissions de CO_2 correspondant à des offres du site, disponibles pour un même trajet en train et en avion, ou en utilisant votre véhicule personnel.

Compagnie à bas coût.

NE VOUS TROMPEZ PAS DE MOYEN DE TRANSPORT. COMPAREZ.

EcoComparateur
TRAIN | AVION | LOW COST* | VOITURE

exclusivement sur
Voyages-sncf.com

03-82-20. • cmcariviera.com • Tarifs : 10 € pour 1 j., 17 € pour 3 j. et 27 € pour 7 j. Dans le Var, il existe aussi un *Pass Sites* permettant d'accéder aux musées majeurs (voir les « Adresses et infos utiles » de ce département).

Travail bénévole

■ **Concordia :** 17-19, rue Etex, 75018 Paris. ☎ 01-45-23-00-23. • concordia@ wanadoo.fr • concordia-association. org • Ⓜ Guy-Môquet. Envoi gratuit de brochure sur demande, par téléphone ou e-mail. Travail bénévole. Logé, nourri. Chantiers très variés : restauration du patrimoine, valorisation de l'environnement, travail d'animation, etc. Places limitées. Également des stages de formation à l'animation et des activités en France. Sachez toutefois que les frais d'inscription coûtant entre 126 et 180 € selon la destination, le voyage, l'assurance et les formalités sont à la charge du participant.

BUDGET

Nous vous indiquons ci-dessous l'échelle des tarifs auxquels nous nous référons pour le classement de nos adresses en France.

Hébergement

– Les tarifs des *campings* sont calculés sur la base d'un emplacement pour 2 personnes avec voiture et tente en haute saison. Ils sont classés en tête de rubrique « Où dormir ? ».

– Les *auberges de jeunesse* et *gîtes d'étape* pratiquent en règle générale des tarifs « bon marché » pour une nuitée en dortoir (avec ou sans les draps). Le tarif indiqué est celui du lit en dortoir et/ou parfois de la chambre double, quand il y en a.

– En *chambres d'hôtes,* les prix sont donnés sur la base d'une chambre double. Ils incluent toujours le petit déjeuner.

– Concernant les *hôtels,* la base reste celle d'une nuit en chambre double (sans petit déjeuner), sauf exception, notamment pour les chambres familiales.

D'une manière générale, nous indiquons des fourchettes de prix allant de la chambre double la moins chère en basse saison à celle la plus chère en haute saison. Ce qui implique parfois d'importantes fourchettes de prix, pas toujours en adéquation avec la rubrique dans laquelle l'établissement est cité. Le classement retenu est donc celui du prix de la majorité des chambres et de leur rapport qualité-prix.

– *Campings.*
– *Bon marché :* de 20 à 40 €.
– *Prix moyens :* de 40 à 65 €.
– *Plus chic :* de 65 à 100 €.
– *Beaucoup plus chic :* de 100 à 180 €.

Restaurants

Au restaurant, notre critère de classement est le prix du premier menu servi le soir (hors boissons). Les notions de « prix moyens » ou « plus chic » n'engagent donc que les prix. Autrement dit, certains restos chic proposant parfois d'intéressantes formules, notamment au déjeuner, pourront malgré tout être classés dans la rubrique « plus chic ».

– *Très bon marché :* moins de 12 €.
– *Bon marché :* de 12 à 20 €.

– *Prix moyens :* de 20 à 35 €.
– *Plus chic :* de 35 à 50 €.
– *Beaucoup plus chic :* plus de 50 €.

INCENDIES : PRÉCAUTIONS À PRENDRE

– *Les incendies :* chaque été, dans les Alpes-Maritimes, le Var et dans les départements voisins, plusieurs milliers d'hectares, parfois même plusieurs dizaines de milliers, partent en fumée. Si les pyromanes défraient souvent la chronique, ils ne sont pourtant responsables que de 10 à 20 % des feux. La grande majorité des incendies sont provoqués par des imprudences. Alors attention : ne faites ni feu ni barbecue, n'utilisez pas de camping-gaz, ne jetez pas de mégots de cigarettes. Des conseils élémentaires mais toujours utiles.
– *Attention :* sachez que dans le Var, par temps de fort mistral, les massifs forestiers et les sentiers des îles d'Or sont soit déconseillés, soit interdits à la promenade et aux véhicules. Bulletin diffusé quotidiennement sur répondeur automatique de la préfecture du Var : ☎ 04-98-10-55-41. On peut aussi contacter les offices de tourisme.

LIVRES DE ROUTE

– *Aimer la Côte d'Azur et le Pays varois,* de Heinic et Champollion, éd. Ouest-France, 128 p., 1995. Tout est passé devant l'objectif du photographe : plages, villes, villages et arrière-pays, le tout commenté par un enfant du pays.
– *La Côte d'Azur de Jacques-Henri Lartigue,* de Mary Blume, Flammarion, 144 p., 1997. Un témoignage d'une autre Côte, immortalisée par les talents de J.-H. Lartigue : celle de l'entre-deux-guerres, à l'époque où les plaisirs balnéaires étaient réservés à quelques privilégiés. Une époque révolue où tout n'était que luxe, plage et volupté.
– *La Côte d'Azur et la modernité (1918-1958),* Réunion des musées nationaux, 304 p., 1997. Un remarquable ouvrage qui rend hommage aux plus grands peintres « méditerranéens », de Monet à Picasso en passant par Matisse, Chagall, ou encore d'autres moins connus, mais qui ne laisse pas de côté l'architecture et le design. De belles reproductions, des textes qui mettent en valeur le fait que « la Côte d'Azur a été une invention de la modernité », selon Pierre Daix. Surtout, on saisit mieux l'alchimie qui a opéré entre la géographie et les activités humaines. Pour comprendre l'avènement d'une région devenue très touristique et son enracinement, finalement assez récent, dans notre histoire.
– *Étoile errante,* de J.-M.G. Le Clézio, Gallimard, coll. « Folio » n° 2592, 349 p., 1994. La première partie de l'histoire évoque, dans un style limpide à l'émotion retenue, le Saint-Martin-Vésubie de la fin de la Seconde Guerre mondiale, soumis à l'occupation débonnaire des Italiens, puis à la traque impitoyable des juifs par les Allemands.
– *Crim' sur la Prom',* de Bernard Deloupy, éd. Giletta-Nice Matin, 177 p., 2007. Un polar écolo-touristico-politico-gastronomique ! Un suspens haletant sur fond de mafia russe, une enquête menée par un privé haut en couleur, nissard pur souche et gourmand invétéré... Et comme décor, une Riviera plus vraie que nature. Jubilatoire et parfait pour la plage !
– Vous pouvez vous procurer l'excellent guide d'art contemporain en Provence-Alpes-Côte d'Azur, *Guid'Arts,* en vente à la librairie du Centre des monuments nationaux ou dans toutes les librairies spécialisées. Tous les musées, galeries et espaces d'art ainsi que de nombreuses adresses utiles (écoles d'art, institutions culturelles, services divers) sont répertoriés. Un outil précieux (*Centre des monuments nationaux,* voir coordonnées plus haut, rubrique « Avant le départ. Monuments nationaux à la carte »).

PERSONNES HANDICAPÉES

Le label Tourisme et Handicap

Ce label national, créé par le secrétariat d'État à la consommation et au tourisme en partenariat avec les professionnels du tourisme et les associations représentant les personnes handicapées, permet d'identifier les lieux de vacances (hôtels, campings, sites naturels, etc.), de loisirs (parcs d'attractions, etc.) ou de culture (musées, monuments, etc.) accessibles aux personnes handicapées. Il apporte aux touristes en situation de handicap une information fiable sur l'accessibilité des lieux. Cette accessibilité, visualisée par un pictogramme correspondant aux quatre types de handicaps (moteur, visuel, auditif et mental), garantit un accueil et une utilisation des services proposés avec un maximum d'autonomie dans un environnement sécurisant.

Pour connaître la liste des sites labellisés : • franceguide.com • (rubrique tourisme et handicaps).

Par ailleurs, dans notre guide, nous indiquons par le logo ♿ les établissements qui possèdent un accès ou des chambres pouvant accueillir des personnes handicapées. Certaines adresses sont parfaitement équipées selon les critères les plus modernes. D'autres, plus simples, plus anciennes aussi, sans répondre aux normes les plus récentes, favorisent l'accueil des personnes handicapées en facilitant l'accès à leur établissement, tant sur le plan matériel que sur le plan humain. Évidemment, les handicaps étant très divers, les lieux accessibles à certaines personnes ne le seront pas pour d'autres. Appelez donc auparavant pour savoir si l'équipement de l'hôtel ou du resto est compatible avec votre niveau de mobilité. Malgré les combats menés par les nombreuses associations, l'intégration des personnes handicapées à la vie de tous les jours est encore balbutiante en France. Il tient à chacun de nous de faire changer les choses. Une prise de conscience est nécessaire, nous sommes tous concernés.

PLONGÉE SOUS-MARINE

Jetez-vous à l'eau !

Pourquoi ne pas profiter de votre escapade dans ces régions maritimes pour vous initier à la plongée sous-marine ? Quel bonheur de virevolter librement en compagnie des poissons, animaux les plus chatoyants de notre planète, de s'extasier devant les couleurs vives de cette vie insoupçonnée... Pour faire vos premières bulles, pas besoin d'être sportif, ni bon nageur. Il suffit d'avoir plus de 8 ans et d'être en bonne santé. Sachez que l'usage des médicaments est incompatible avec la plongée. De même, les femmes enceintes s'abstiendront formellement de toute incursion sous-marine. Enfin, vérifiez l'état de vos dents, car il est toujours désagréable de se retrouver avec un plombage qui saute pendant les vacances. Sauf pour le baptême, un certificat médical vous sera demandé, et c'est dans votre intérêt. Sinon, l'initiation des enfants requiert un encadrement qualifié dans un environnement adapté (eau tempérée, sans courant, matériel adéquat).
Non, la plongée ne fait pas mal aux oreilles ! Il suffit de souffler gentiment en se bouchant le nez. Il ne faut pas forcer dans cet étrange « détendeur » que l'on met dans votre bouche, au contraire. Et le fait d'avoir une expiration active est décontractant puisque c'est la base de toute relaxation.

Sachez aussi qu'être dans l'eau modifie l'état de conscience car les paramètres du temps et de l'espace sont changés : on se sent (à juste titre) ailleurs. En contrepartie de cet émerveillement, respectez impérativement les règles de sécurité, expliquées au fur et à mesure par votre moniteur. En vacances, c'est le moment ou jamais de vous jeter à l'eau... de jour comme de nuit !
– *Attention :* pensez à respecter un intervalle de 12 à 24h avant de prendre l'avion ou d'entreprendre une balade en montagne, afin de ne pas modifier le déroulement de la désaturation.

Les centres de plongée

En France, la majorité des clubs de plongée est affiliée à la *Fédération française d'études et de sports sous-marins (FFESSM)*. Les autres sont rattachés à l'*Association nationale des moniteurs de plongée (ANMP)* ou encore au *Syndicat national des moniteurs de plongée (SNMP)*. L'encadrement – équivalent quelle que soit la structure – est assuré par des moniteurs – véritables professionnels de la mer – qui maîtrisent le cadre des plongées et connaissent les spots « sur le bout des palmes ». Un bon centre de plongée est un centre qui respecte toutes les règles de sécurité, sans négliger le plaisir. Méfiez-vous d'un club qui vous embarque sans aucune question préalable sur votre niveau ! Il n'est pas « sympa », il est dangereux. Regardez si le centre est bien entretenu (rouille, propreté...), si le matériel de sécurité – obligatoire – (oxygène, trousse de secours, téléphone portable ou radio...) est à bord. Les diplômes des moniteurs doivent être affichés. N'hésitez pas à vous renseigner car vous payez pour plonger : en échange, vous devez obtenir les meilleures prestations... Enfin, à vous de voir si vous préférez un club genre « usine bien huilée » ou une petite structure souple, pratiquant la plongée à la carte et en petit comité.

C'est la première fois ?

Alors, l'histoire commence par un baptême : une petite demi-heure pendant laquelle le moniteur s'occupe de tout et vous tient la main. Laissez-vous aller au plaisir ! Même si vous vous sentez harnaché comme un sapin de Noël déraciné hors saison, tout cet équipement s'oublie complètement une fois dans l'eau. Vous ne descendrez pas au-delà de 5 m. Puis l'histoire se poursuit par un apprentissage progressif...

Formation et niveaux

Les clubs délivrent des formations graduées par niveaux. Avec le *Niveau I,* vous descendez à 20 m accompagné d'un moniteur. Avec le *Niveau II,* vous êtes autonome dans la zone des 20 m mais encadré jusqu'à la profondeur maxi de 40 m. Avec le *Niveau III,* vous serez totalement autonome, dans la limite des tables de plongée (65 m). Enfin, le *Niveau IV* prépare les futurs moniteurs à l'encadrement... Le passage de ces brevets doit être étalé dans le temps, afin de pouvoir acquérir l'expérience indispensable. Demandez conseil à votre moniteur (il y est passé avant vous !). Enfin, tous les clubs délivrent un « carnet de plongée », indiquant l'expérience du plongeur, ainsi qu'un « passeport » mentionnant ses brevets.

Reconnaissance internationale

Indispensable si vous envisagez ensuite de plonger à l'étranger. Chaque brevet passé en France est délivré avec une équivalence internationale *CMAS (Confédération mondiale des activités subaquatiques,* en accord avec la *FFESSM)* ou *CEDIP (European Committee of Professional Diving Instructor,* partenaire de l'*ANMP)*. Le meilleur plan consiste à choisir un club où les moniteurs sont aussi instructeurs *PADI (Professional Association of Diving Instructors,* d'origine américaine), pour obtenir le brevet le mieux reconnu au monde. En France, de plus en plus de clubs ont cette double casquette, profitez-en. À l'inverse, si vous avez fait vos premières bulles à l'étranger, vos aptitudes à la plongée seront jaugées – en France – par un moniteur qui, souvent, après quelques exercices supplémentaires, vous délivrera le *Niveau* correspondant...

La Côte d'Azur

Bercée par son climat velouté, la Méditerranée représente une véritable « mer de prédilection » pour la plongée. Ce n'est donc pas un hasard si ses eaux chaudes et limpides furent l'atelier-laboratoire privilégié des grands pionniers de l'aventure sous-marine... La *Mare Nostrum* livre des épaves mythiques aux plongeurs, et concentre, en certains points, les fabuleuses richesses de la vie sous-marine. Bien réveillé, les yeux grand ouverts, tuba en bouche, vous devriez parvenir à croiser quelques oursins, étoiles de mer ou rougets... Cependant, la Méditerranée, mer fermée à l'équilibre si fragile, est continuellement blessée par des activités humaines intenses et souvent irréfléchies... Il appartient à chacun d'adopter un comportement responsable vis-à-vis de la nature.

Voir aussi à ce sujet la rubrique « Environnement » du chapitre « Hommes, culture et environnement ».

Infos pratiques

– *La météo :* le beau temps s'impose pour plonger (lapalissade !). Période idéale : entre juin et septembre, avec des températures très confortables de 18 à 25 °C en surface (au fond, l'eau est plus froide). *Attention,* les rafales cinglantes de mistral ou vent d'est peuvent remettre en question la plongée ; mais certains coins ont des spots abrités selon chaque régime météo.

■ *Répondeur Météo France :* ☎ 0892-68-08- suivi du numéro du département.

– *La profondeur :* un handicap, car très rapidement importante. Si plonger sur une roche permet, en général, de se maintenir à des petites profondeurs (ce n'est pas une raison pour faire n'importe quoi !), l'exploration des épaves – entre 40 et 60 m de profondeur – est réservée exclusivement aux plongeurs aguerris aux conditions de la plongée profonde.

– *La visibilité :* excellente, 20 m en moyenne ! Sachez que l'eau est cristalline autour des îles et souvent trouble sur les épaves.

– *Les courants :* ils sont bien localisés mais peuvent être violents et conduire à l'annulation de la plongée. Donc, méfiance !

– *La vie sous-marine :* concentrée à certains endroits où elle est très riche. Votre moniteur vous familiarisera avec les beautés et pièges des fonds méditerranéens, tout en dénichant les choses intéressantes à observer. Certaines espèces affichent une présence systématique sur les spots : posidonies, gorgones, anémones, éponges, girelles, congres, murènes, sars, castagnoles, saupes, loups, rascasses, mérous...

– *Règle d'or :* respectez cet environnement fragile. Ne nourrissez pas les poissons, même si vous trouvez cela spectaculaire. Outre les raisons écologiques évidentes, certains « bestiaux » – trop habitués – risqueraient de se retourner contre vous (imaginez donc un bisou de murène !). Enfin, ne prélevez rien, et attention où vous mettez vos palmes !

– *Derniers conseils :* en plongée, restez absolument en contact visuel avec vos équipiers. Attention aux filets abandonnés sur les roches ou les épaves. Sachez enfin qu'en cas de pépin (il faut bien en parler !), votre bateau de plongée dispose d'oxygène (c'est obligatoire !), de produits de traitement (brûlure, coupure, etc.), et qu'il existe des caissons de recompression à Toulon et à Nice.

Quelques lectures

– *100 belles plongées varoises,* par Alain Pochon et Philippe Joachim. Éd. Gap.
– *100 belles plongées en Côte d'Azur,* par Valérie et Jean-Loup Ferretti. Éd. Gap.

– *Sanctuaire de la vie marine : mer Méditerranée,* par Frédéric Denhez et Claude Rives. Éd. Glénat.
– *Découvrir la Méditerranée,* par Steven Weinberg. Éd. Nathan.
– *Code Vagnon Plongée Niveaux 1, 2 ou 3,* par Denis Jeant. Éd. du Plaisancier.
– *Plongée Plaisir Niveau 2,* par Alain Forêt. Éd. Gap.
– *La Plongée expliquée aux enfants,* par Caroline Hardy. Éd. Amphora.
– *Planète Mers,* par Laurent Ballesta et Pierre Descamps. Éd. Michel Lafon.
– En kiosque, le magazine *Plongeurs International.* ● plongeursinternational. com ●

RANDONNÉES

La Côte d'Azur, avec ses plaines littorales, ses plateaux et ses massifs montagneux, se prête bien aux randonnées, que ce soit sur la côte ou en altitude. Mais pas si vite : la marche est aussi une activité sportive. Donc, il y a quelques règles à respecter ! Avant de partir, renseignez-vous toujours sur la durée du parcours et sa difficulté. Les offices de tourisme disposent la plupart du temps de fascicules très pratiques (pour quelques euros seulement).
Les balades que nous proposons sont sans danger ou dépourvues de réelles difficultés. Cependant, pour les apprécier pleinement, n'oubliez pas ces quelques recommandations :
– Il faut être plutôt en bonne condition physique et adapter son rythme de marche au terrain.
– Penser à s'équiper de bonnes chaussures de marche (au moins type basket) et de chaussettes. L'été, le couvre-chef reste indispensable, ainsi que des vêtements légers en coton clair et une petite laine (pas superflue en montagne). De novembre à mars, prévoir un gros pull, un vêtement imperméable et un pantalon tout-terrain. Certains parcours croisent des rivières ou des calanques, alors une petite serviette peut être utile (non, pas le drap de bain !).
– L'alimentation : éviter le copieux repas avec petits plats en sauce, bien arrosés, avant de partir sous un soleil de plomb. Il est préférable que la marche débute après la digestion d'un repas équilibré ou 1h après une (bonne !) collation. Au cours des balades, préférer les céréales (pain), les fruits, le sucre (utile contre les hypoglycémies) à tout ce qui peut s'avarier à la chaleur (jambon, yaourts). L'eau est INDISPENSABLE : compter, en été, au minimum 1 litre par personne pour la demi-journée.
– La météo est également à prendre en considération avant de partir. Répondeur météo départemental : ☎ 0836-68-02-06 ou 83. Cela vous permettra de bien choisir vos itinéraires. Les sentiers du littoral, tel le tour des caps, sont déconseillés et dangereux en cas de forte mer. Le long des rivières, la descente ne s'effectue pas après les grosses pluies (parcours partiellement inondé !). Les orages méditerranéens sont parfois violents et imprévisibles en novembre : seule une consultation de la météo locale pourra vous renseigner. En automne ou au printemps, les sommets « accrochent » le brouillard, ce qui obstrue parfois de belles vues panoramiques. Donc, il est préférable de partir assez tôt pour être sur place vers 10h et profiter des meilleurs moments de la journée.
– Autre précision, la chasse est une tradition du « pays » de septembre à décembre. Pendant cette période, n'hésitez pas à porter des tenues voyantes (vert fluo ?) et évitez le hors-piste ; restez sur des chemins bien larges, balisés et connus de tous.
– Pour marcher malin, il est possible de se procurer les cartes au 1/25 000 de l'Institut géographique national pour obtenir plein de tuyaux sur le coin.

SITES INTERNET

● **routard.com** ● Tout pour préparer votre périple. Des fiches pratiques sur plus de 180 destinations, de nombreuses informations et des services : photos, cartes, météo, dossiers, agenda, itinéraires, billets d'avion, réservation d'hôtels, location de voitures, visas... Et aussi un espace communautaire pour échanger ses bons plans, partager ses photos ou trouver son compagnon de voyage. Sans oublier *routard mag,* ses reportages, ses carnets de route et ses infos pour bien voyager. La boîte à outils indispensable du routard.

- *cr-paca.fr* ● Toutes les infos sur la région, les horaires des TER, l'agenda des événements, une rubrique économique et sociale, et plein d'autres choses.
- *nicetourisme.com* ● Le site de l'office de tourisme. Rien n'y manque évidemment (il y a même une webcam en direct de la promenade des Anglais).
- *guideriviera.com* ● Le site du Comité régional du tourisme. Agenda culturel, idées de balades, infos sur les produits du terroir, la gastronomie, etc.
- *businessriviera.com* ● Un aspect plus « business » de la Côte : économie, congrès, séminaires, sans pour autant négliger l'aspect culturel et touristique. En anglais.
- *tourismevar.com* ● Le site officiel du tourisme varois. Tout pour organiser un séjour, moyens d'accès, logements, loisirs, visites et même la météo.
- *cote.azur.fr* ● Des actualités de toutes sortes (régionales, ciné, financières), des services, de bonnes affaires et une rubrique offres d'emploi.
- *nice-coteazur.org/francais* ● De nombreuses infos : éco, expos touristiques et culturelles, photos et liens sur Nice...
- *index-paca.net* ● Index des sites Internet PACA : Provence-Alpes et Côte d'Azur.
- *provenceweb.fr/f/var.htm* ● Site assez complet sur la région PACA, par département.
- *varmatin.com* ● Toute l'actualité sur le Var et les Alpes-Maritimes : les annonces, la météo, les sorties et même l'horoscope !
- *golfe-infos.com* ● Un site très complet avec près de 6 000 pages pour tout savoir sur le golfe de Saint-Tropez.

VILLES ET VILLAGES FLEURIS

Un panneau jaune et fleuri marque l'entrée de plus de 3 000 communes de France. Ce label de 1 à 4 fleurs est décerné par le Conseil National des Villes et Villages Fleuris (CNVVF). Il est attribué suivant la qualité du fleurissement et contribue à l'amélioration de l'environnement de la commune. L'occasion pour nos lecteurs de découvrir de coquettes communes !

■ *Conseil national des Villes et Villages Fleuris (CNVVF) :* 23, pl. de Cata- | logne, 75014 Paris. ☎ 01-70-39-96-00. ● villes-et-villages-fleuris.com ●

Pour la région Côte d'Azur sont concernées les communes 4 fleurs suivantes : dans les Alpes-Maritimes, Antibes, Cannes, Menton et Nice ; dans le Var, Bormes-les-Mimosas, Hyères-les-Palmiers et Sanary-sur-Mer.

HOMMES, CULTURE ET ENVIRONNEMENT

La Côte d'Azur a toujours ses inconditionnels : ceux qui n'iront que là, contre vents et marées bretonnes, et ceux qui savent que l'on peut explorer l'arrière-pays à la recherche d'une plus grande authenticité.

Et il y a ceux qui ne supportent pas la Côte : trop chaud, trop de monde, prix exorbitants et accueil limite.

Comment réconcilier l'inconciliable ?... Avec le mode d'emploi, en partant hors des périodes de vacances d'été lorsque c'est possible, et en quittant le littoral surpeuplé ou en découvrant Saint-Tropez le matin à 8h. Alors, la « Côte » – qui du coup ne se limite plus à la côte – peut être (presque) paradisiaque. Il subsiste en effet des zones miraculeusement préservées, des villages adorables, des p'tits restos servant les mêmes gentille hospitalité et généreuse nourriture depuis des siècles, des hôtels et des chambres d'hôtes ne provoquant pas d'hémorragie au porte-monnaie... Et puis, levons un peu les yeux et n'oublions pas ce ciel insolement bleu et cette luminosité qui fascinèrent Renoir, Bonnard, Cézanne et les autres, et qui subsistent toujours, aussi limpides et poétiques...

Terre de contrastes géographiques, la Côte d'Azur offre une quantité invraisemblable de paysages différents et la possibilité d'itinéraires géniaux. Il existe encore des coins qui n'appartiennent qu'aux curieux, à ceux qui savent sortir des sentiers battus. Vagabondage presque obligatoire, aux moments les mieux choisis. Forêts inconnues aux riches senteurs aromatiques, routes ne connaissant guère que la camionnette de la poste locale et pittoresques villages haut perchés vous attendent, tout étonnés que vous ne soyez pas encore là !

ÉCONOMIE

Les Alpes-Maritimes et le Var bénéficient d'une position idéale au cœur de l'Europe du Sud, proche des grands centres comme Marseille, Lyon, Turin ou Milan. Par ailleurs, grâce à un réseau de liaisons internationales, la région se trouve à moins de 2h d'avion de nombreuses villes d'Europe, d'Afrique du Nord ou du Proche-Orient.

Une agriculture « florissante »

Comme dans de nombreuses régions, le nombre d'exploitations agricoles a fortement diminué pendant ces vingt dernières années (baisse de 30 % environ). Alpes-Maritimes et Var sont les premiers producteurs français de fleurs coupées. Près de 80 % des œillets cultivés en France proviennent des Alpes-Maritimes, le Var étant, quant à lui, le premier département horticole français. En raison du prix de la terre proche du littoral, les cultures peu rentables ont été délaissées au profit des cultures fruitières, maraîchères et florales. L'horticulture se développe également dans la vallée du Var, sur les terrasses de l'arrière-pays niçois, etc.

À l'intérieur des terres, l'élevage est prédominant en haute et moyenne montagne ; les autres ressources sont les céréales et la vigne. Le Var est aussi le deuxième département forestier de France et le premier producteur français de miel et de... rosé ! Bref, la production de vin, de légumes, de fruits et de fleurs représente un peu plus de 80 % de la production agricole régionale.

Le tourisme roi

Le Var est encore le premier département touristique français pour le nombre de nuits annuel. D'ailleurs, la population fait plus que doubler l'été, même si la fréquentation a un peu baissé ces derniers temps, sans doute à cause de « l'effet canicule » de 2003 et des incendies dans le massif des Maures. Selon les estimations, le nombre d'emplois induits par la fréquentation touristique varie de 45 000 à 133 500 dans l'ensemble de la région ! Ce qui est sûr (et ce n'est pas un scoop !), c'est que le tourisme balnéaire représente de loin la majeure partie de l'emploi touristique (entre 45 000 et 96 000 emplois salariés). Les Alpes-Maritimes ne sont pas en reste, loin de là, et reçoivent chaque année près de 8,5 millions de visiteurs.

Parallèlement, le tourisme d'affaires se développe. On compte dans les Alpes-Maritimes environ 1,8 million de voyageurs d'affaires annuels et un peu moins de 500 000 congressistes. Le seul marché de la plaisance y représente plus de 16 000 emplois (directs et indirects). L'aéroport Nice-Côte-d'Azur, le deuxième de France, accompagne la croissance économique et touristique de la région.

Devant la saturation importante de certains lieux touristiques et les problèmes que cela engendre (comme l'évacuation des déchets), les pouvoirs publics s'efforcent de diversifier leurs offres, notamment vers un tourisme de qualité, mieux réparti sur le pays et sur l'année.

Une industrie peu présente

La part de l'industrie dans l'économie régionale s'est fortement réduite, comme partout, au profit des services et des activités de pointe. L'industrie varoise exploite les mines de bauxite ainsi que les marbre et porphyre de l'Estérel. L'activité industrielle de Toulon liée aux arsenaux nationaux doit aussi faire face à une profonde restructuration commencée il y a quelques années déjà. L'industrie azuréenne (Alpes-Maritimes) occupe près de 6 % des entreprises implantées, loin derrière le commerce (22 %), les services (59 %) et le secteur de la construction (10 %). Il ne faut pas oublier que 80 % du chiffre d'affaires de la Côte d'Azur est réalisé par le commerce et les services !

Les hautes technologies

Les entreprises de hautes technologies (technologies de l'information, télécommunications, sciences du vivant, sciences de la terre, etc.) ont diversifié l'économie du département et ont relancé son développement avec un total de 1 245 entreprises high-tech, engendrant quelque 30 000 emplois. La recherche y occupe une place importante : on compte dans les Alpes-Maritimes 2 700 chercheurs qui travaillent dans près de 140 laboratoires du secteur public. Le parc scientifique de Sophia-Antipolis constitue en outre la première technopole d'Europe.

ENVIRONNEMENT

Sur le littoral méditerranéen, quand les touristes se font plus nombreux chaque saison, la faune sous-marine se fait plus rare chaque été. Certes, les visiteurs de la Côte se bousculent au portillon, venus du monde entier pour la voir, mais invasion touristique rime malheureusement avec pollution. Le bleu azur de la mer ne doit pas vous aveugler.

La faune sous-marine en danger

Aujourd'hui, beaucoup d'espèces sous-marines de la Méditerranée ont disparu. Rien là de bien évident pour un aoûtien non averti, seuls quelques déchets flottant à la surface de l'eau pourraient attirer son attention quand un drame écologique s'opère en mer. Le problème, c'est qu'il en est acteur. N'ayons pas peur des mots, la Méditerranée fait un peu trop office de poubelle. Sur la Côte d'Azur plus qu'ailleurs, déchets chimiques des usines, ordures des vacanciers et trop-plein des égouts déversés dans la mer pendant l'été ne font pas bon ménage. Le phénomène fait d'autant plus de mal que les eaux de la Méditerranée se renouvellent très lentement, essentiellement en raison de l'absence de marées.

En surface flottent les détritus, au fond croissent les posidonies. Cette plante, tirant son nom du dieu Poséidon, est très répandue dans les fonds marins de la belle bleue. Refuge de nombreux poissons, elle produit d'énormes quantités d'oxygène, à ceci près que la méchante *Caulerpa taxifolia,* algue vorace qui se nourrit de la pollution, menace son existence. La *Caulerpa taxifolia,* algue d'origine tropicale, a été introduite accidentellement en Méditerranée voici plus de quinze ans. Partout où elle se développe, cette algue très vigoureuse étouffe de nombreuses espèces en les recouvrant, pour devenir dominante. Son expansion est alarmante (1 m² en 1984, plusieurs milliers d'hectares en 2007), et certains sites de plongée magnifiques sont d'ores et déjà transformés en luxuriants tapis vert fluo (style terrain de foot !)...

S'il est trop tard aujourd'hui pour enrayer ce fléau, les scientifiques tentent quand même de contrôler et limiter le développement de la *Caulerpa taxifolia,* en pratiquant l'éradication systématique de petites colonies et en s'impliquant dans des campagnes de prévention et d'information auprès des usagers de la mer : plaisanciers, pêcheurs et, bien sûr, plongeurs. *Attention,* l'algue peut être transportée involontairement d'un site colonisé vers des zones encore saines, simplement par les ancres des bateaux et même par les sacs et équipements de plongée, qu'il convient de vérifier avant toute nouvelle immersion. Enfin, ne jamais rejeter en mer même un simple fragment de *Caulerpa* qui aurait été remonté.

Pour suivre la progression de cette algue aux allures de fougère, toute information est précieuse. Si vous la rencontrez, contactez le *Laboratoire environnement marin littoral* de l'université de Nice-Sophia-Antipolis en appelant le ☎ 04-92-07-68-46, ou sur Internet : • unice.fr/LEML • ou • caulerpa.org •

Des soucis dans l'air

Après l'eau, l'air, lequel ne se porte guère mieux. Les conditions climatiques de l'année 2001 ont remis au goût du jour l'importance de la loi sur l'air votée en 1996 : 46 pics de pollution à l'ozone ont été à déplorer sur la région PACA cette même année, sans parler de la canicule de 2003... Pour la première fois, des mesures d'urgence ont été prises dans les Bouches-du-Rhône. La Côte d'Azur a eu chaud ; ce sera pour une autre fois !

Alors n'oubliez pas : oui la mer y est toujours azurée, oui le ciel y est toujours bleu. Mais derrière cette façade maritime souffre une faune sous-marine chaque jour endommagée, à côté des plages dorées poussent usines chimiques et viaducs autoroutiers.

GÉOGRAPHIE

Les départements des Alpes-Maritimes et du Var, ceux de la douceur de vivre, s'étendent paradoxalement dans un contexte naturel assez rude : enchevêtrement complexe des massifs, vallées intérieures étroites et profondes, violence des vents et des pluies...

Les Alpes du Sud

Le massif alpin au nord s'étend sur toute la partie est de la Côte d'Azur, interdisant jusqu'aux abords du littoral toute communication avec l'Italie voisine. Ses ramifications s'étirent vers l'ouest, avec une altitude moins élevée, mais restent encore compactes et escarpées. Elles forment les magnifiques massifs de l'Estérel et des Maures.
Les Maures sont formés de schistes cristallins dont le mont le plus élevé culmine à 780 m. La côte est ponctuée de caps et de larges baies. La vallée de l'Argens les sépare de l'Estérel, magnifique citadelle de porphyre sculptée par l'érosion. Son point culminant est le mont Vinaigre (618 m).
De profondes vallées s'encastrent dans les massifs : vallées de la Tinée, de La Vésubie, du Paillon, de la Roya. Mais l'érosion n'a pu entamer le Mercantour.

Les « plans » de Provence

Les Préalpes, à l'ouest des Alpes-Maritimes, sont bordées de plateaux calcaires, les *plans,* spectaculaires, creusés de gorges impressionnantes comme celles du Loup ou de la Siagne. En contrebas s'étend une zone de dépression qui se prolonge à l'ouest par les plaines littorales d'Hyères et de Fréjus.

La côte

Dans l'expression Côte d'Azur triomphent non seulement l'azur des cieux et des flots, mais aussi la « côte », si différente de Toulon à Menton. Un dénominateur commun toutefois : une urbanisation intensive... bien regrettable. À l'est des Alpes-Maritimes, les Alpes tombent de façon très abrupte dans la mer, d'où ces corniches spectaculaires de Nice à Menton. À l'ouest du Var (le fleuve, qui ne coule jamais dans le département éponyme), les plateaux calcaires sont ponctués de dépressions dans lesquelles se sont lovées les stations balnéaires, comme Cannes. Au-delà de cette ville, l'Estérel tombe à pic dans la mer, et la côte, rocheuse et escarpée, est néanmoins bordée de petites plages de sable favorables à la construction de stations plus ou moins réussies. Le littoral varois de Fréjus à Toulon est resté plus longtemps protégé, en raison d'un environnement assez hostile (falaises tombant dans la mer), mais il a vite rattrapé son retard.

Un climat idéal

L'ensoleillement moyen de la région est deux fois supérieur à celui du Nord de la France. Évidemment, contrairement au reste du pays, le climat n'est pas soumis aux influences atlantiques et aux rigueurs continentales. Mais la rançon d'un tel ensoleillement est une forte sécheresse, à l'origine de nombreux incendies ravageurs.

Les précipitations annuelles sont équivalentes, approximativement, à celles de la région parisienne, mais le régime des pluies y est très irrégulier : les fortes averses au printemps et à l'automne provoquent souvent des crues violentes (coupure des routes des vallées).

Le mistral

C'est le vent du nord, froid et sec. Engendré par les hautes pressions situées sur le Massif central ou l'est de la France, il suit le couloir rhodanien pour aller combler les dépressions en Méditerranée. Rafraîchissant l'été, il donne l'impression de pénétrer partout en hiver. Il souffle alors couramment à 80-100 km/h et pendant 80 jours jusqu'à Saint-Raphaël.

HABITAT ET ARCHITECTURE

Les villages perchés

On en rencontre beaucoup (et des plus jolis) dans l'arrière-pays varois, et des bien vivants, pas de simples villages-musées visités uniquement en été. Mais les stars se trouvent surtout en pays niçois, là où les montagnes dégringolent dans la mer. Quelques tournants plus haut, ces vaisseaux de pierre, juchés sur des crêtes improbables, forment une flottille qui fait partout lever la tête : Èze-Village, La Colle-sur-Loup, L'Escarène, Peille et Peillon... Le plus beau et le moins connu joue les funambules dans la vallée de la Roya : Saorge s'incruste dans la falaise, jetant par-dessus l'abîme ses ruelles pavées de galets qui, faute d'espace, traversent parfois les cours des maisons.

Ce sont les contraintes liées tant à l'histoire qu'à la géographie qui ont poussé les gens à se percher ainsi. La menace d'une voie d'invasion, la Côte d'Azur en constitue une belle, empruntée par Ligures, Celtes, Romains, Vandales et autres barbares ! Le pouvoir central ou local n'ayant pas doté la région de fortifications, les habitants se sont regroupés en hauteur, moins exposés. Les sites sont si accidentés qu'il faut conserver le moindre méplat pour les cultures vivrières. Conséquence de cette situation géographique et de ce manque d'espace : les maisons sont en hauteur (les murs, prolongeant la roche, deviennent murailles défensives), les ruelles étroites et les locaux exigus. Ce qui explique que le climat doit permettre de se satisfaire de moyens de culture modestes et ne doit pas exiger de bâtiments volumineux pour le stockage (récoltes échelonnées toute l'année). Il faut aussi une communauté très structurée, réglant les problèmes de voisinage, la gestion de l'espace et de l'eau. Toutes les conditions ont été réunies en Provence. Dès que les invasions ne menacèrent plus, les habitants ont migré vers les plaines.

Aujourd'hui, la qualité des routes, les moyens de télécommunication aisés faisant mieux accepter l'éloignement, les villages perchés où l'on trouve silence et cadre naturel sont devenus synonymes de qualité de vie.

Architecture

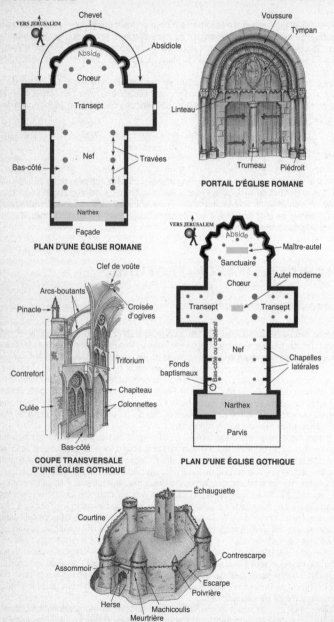

VERS JÉRUSALEM

Chevet

Absidiole

Abside

Chœur

Transept

Nef

Travées

Bas-côté

Narthex

Façade

PLAN D'UNE ÉGLISE ROMANE

Voussure

Tympan

Linteau

Trumeau

Piédroit

PORTAIL D'ÉGLISE ROMANE

Clef de voûte

Arcs-boutants

Pinacle

Croisée d'ogives

Triforium

Contrefort

Chapiteau

Culée

Colonnettes

Bas-côté

COUPE TRANSVERSALE D'UNE ÉGLISE GOTHIQUE

VERS JÉRUSALEM

Abside

Maître-autel

Sanctuaire

Autel moderne

Chœur

Transept

Transept

Bas-côté ou colatéral

Nef

Chapelles latérales

Fonds baptismaux

Narthex

Parvis

PLAN D'UNE ÉGLISE GOTHIQUE

Échauguette

Courtine

Contrescarpe

Assommoir

Escarpe

Poivrière

Herse

Machicoulis

Meurtrière

CHÂTEAU FORT

HISTOIRE

Préhistoire et Antiquité

Il y a un million d'années, des êtres humains vivaient déjà dans la région : des galets découverts à Roquebrune-Cap-Martin attestent la présence d'*Homo erectus* ou d'*Homo habilis* à cette époque. Le site de Terra Amata (400 000 av. J.-C.), à Nice, nous a laissé des témoignages d'habitat permanent. L'homme maîtrise alors le feu et taille la pierre. Les plus anciennes gravures rupestres de la vallée des Merveilles remontent, quant à elles, à quelques jours plus tard... 2 000 ans av. J.-C.

Les Ligures s'installent sur la côte de 900 à 600 av. J.-C. Ils construisent les premiers villages perchés pour se défendre. Les Celtes, venus du Nord, s'intègrent progressivement aux populations locales, donnant naissance à la civilisation celto-ligure.

Au IIᵉ siècle av. J.-C., les Phocéens débarquent à Massalia (Marseille) et développent rapidement un commerce intense le long de la côte méditerranéenne, créant des comptoirs comme Olbia (Hyères), Antipolis (Antibes) et Nikaia (Nice). Ils importent aussi sur la côte les cultures de l'olivier, de la figue, de la vigne, etc.

Vers 100 av. J.-C., des peuplades attaquent les villes du littoral. Rome intervient pour défendre les Phocéens et en profite pour les annexer au passage... Les Romains créent les cités de Fréjus, Antibes et Cimiez, alors capitale des Alpes-Maritimes, et construisent des routes *(via Julia Augusta, via Domitia)*.

Les premiers chrétiens s'installent dès le IIIᵉ siècle apr. J.-C. Leur religion se développe parallèlement aux cultes anciens. Ceux-ci resteront tenaces, au grand dam du clergé. C'est au IVᵉ siècle que se multiplient les églises.

Après la chute de l'Empire romain suit une longue période d'invasions barbares : Vandales, Wisigoths, Burgondes, Ostrogoths et Francs. Ces derniers occupent pacifiquement la Provence, marquant le début de la Provence franque.

La Provence franque

En 843, suite au partage de l'empire de Charlemagne instauré lors du traité de Verdun, la Provence revient à Lothaire. Quarante ans plus tard, les Sarrasins s'installent dans la région des Maures, créant une redoutable forteresse à Fraxinet (ou Freinet), d'où ils sèment la terreur dans la région.

Le comte d'Arles, dit « le libérateur », chasse les Sarrasins en 972 et devient le premier maître du comté de Provence.

Le comté de Provence

Malgré le rattachement au XIᵉ siècle de la Provence au Saint Empire romain germanique, les comtes de Provence disposent d'une certaine indépendance. On assiste à la mise en place du système féodal. Se forme alors un réseau de fiefs, de villages, auxquels l'Église ajoute son propre réseau de chapelles, églises, etc. À cette même époque se multiplient les villages perchés, composante essentielle du paysage de l'arrière-pays niçois.

En 1125, les territoires du nord-ouest de la Durance sont attribués au comte de Toulouse, le comte de Barcelone héritant du reste de la Provence. Les comtes catalans dirigent donc la région, ce qui est mal vécu par les seigneurs locaux.

En 1215, Nice se place sous l'autorité de Gênes. Cette expansion apparaît comme une menace pour le comte Raymond Bérenger V qui contraint la ville à se soumettre à son autorité.

La première maison d'Anjou

Raymond Bérenger V ne laissant pas d'héritier masculin, la lignée catalane s'éteint. Béatrix, sa fille, épouse Charles d'Anjou, frère de Saint Louis, qui devient comte de

Provence. Charles d'Anjou occupe une partie du comté de Vintimille et tente de conquérir l'Italie du Sud. Il prend le titre de roi de Naples. Ainsi, pendant deux siècles, la maison d'Anjou va ambitionner de donner naissance à un grand royaume italien.

En 1343, rebelote : Robert d'Anjou, successeur de Charles II, meurt sans héritier. Le comté revient donc à Jeanne Ire d'Anjou.

La deuxième maison d'Anjou

Plusieurs épidémies de peste déciment la population au cours du XIVe siècle ; certaines régions perdent jusqu'au tiers de leurs habitants. De nombreux villages sont désertés, des terroirs se vident. Enfin, des bandes armées dévastent la région. Pour fournir la population nécessaire à la remise en valeur du comté, les seigneurs font appel aux paysans et artisans d'Italie, qui viendront des villages de Ligurie. Cette immigration italienne marquera régulièrement les siècles à venir. Des villages comme Biot ou Vallauris sont ainsi reconstruits.

Entre-temps, suite à de nombreuses intrigues, le comté de Savoie annexe Nice et une partie de la Provence orientale. Nice est désormais sous la tutelle de la Savoie et, en 1419, la ville est cédée officiellement au duc de Savoie. En 1489, Monaco accède à l'indépendance. Celle-ci sera confirmée par un édit royal en 1512.

Ce n'est qu'en 1482 que le comté de Provence est rattaché au royaume de France et devient une province française.

La Provence française

Dès le début du XVe siècle, la Provence va subir les conséquences de l'annexion au royaume de France : les rivalités entre Charles Quint et François Ier vont trouver, entre autres, terre d'élection en Provence et en Italie voisine. Les armées impériales envahissent la Provence en 1524. En 1536, c'est de nouveau l'invasion des troupes de Charles Quint qui sont obligées, devant la résistance des paysans, de s'enfuir après avoir laissé quelque 20 000 victimes. En 1542, Nice, alors aux mains de Charles Quint, est assiégée par les Français et les Turcs, leurs alliés...

Les guerres de Religion vont prendre le relais des guerres de conquête : de 1559 à 1610, la Provence se trouve plongée en pleine anarchie.

Au cours du XVIIe siècle, Toulon devient, avec un arsenal agrandi, le premier port de la Méditerranée.

Pendant les guerres qui rythment la fin du siècle de Louis XIV, Nice est occupée à plusieurs reprises. Lors de la guerre de Succession d'Espagne, le duc de Savoie et son allié, le prince Eugène, assiègent Toulon. Par le traité d'Utrecht (1713), la France restitue le comté de Nice, annexé en 1705, à la Savoie. Le royaume de Sardaigne – qui englobe le comté de Nice – est créé en 1718.

Pour la Provence, 1720 est une année terrible : une nouvelle fois, la peste, qui s'est déclarée à Marseille, s'étend sur tout l'est de la région, décimant les populations.

Révolution et Empire

Réunis au début de l'année 1789, les États de Provence annoncent les revendications du tiers état, qui vont éclater aux États généraux. Le froid glacial de l'hiver augmente la crainte d'une mauvaise récolte. Ces éléments conjugués excitent l'opinion, et des émeutes violentes se déroulent à Brignoles, Hyères, etc.

En 1790, les départements des Bouches-du-Rhône, du Var et des Basses-Alpes sont créés. L'agitation ne cesse pas, en particulier à Toulon. Les nobles émigrés affluent dans le comté de Nice. Trois ans plus tard, la Convention décide l'annexion du comté de Nice et de la principauté de Monaco à la France.

Des *barbets,* ultraroyalistes, refusent la conscription et organisent la résistance dans la montagne, semant la terreur. Bonaparte, lui, s'illustre au siège de Toulon (durant quatre mois) qui s'est livré face aux Anglais. Toulon perd à cette occasion la préfecture au profit de Draguignan.

L'Empire ne sera pas populaire en Provence, le blocus continental entraînant la ruine du commerce en Méditerranée.

Avec l'abdication de Napoléon, le comté de Nice, constamment occupé et ballotté d'un pouvoir à un autre, est restitué en 1815 à Victor-Emmanuel, roi de Sardaigne.

Les Anglais et la Riviera

Les Britanniques ont, durant deux siècles, quasiment annexé la Côte d'Azur en créant une vraie société parallèle, mais ils furent plutôt bien accueillis par la population locale car ils apportaient à la région richesse et renommée.

Dès 1820, la ville de Nice comptait plus de cent familles britanniques, et même une église anglicane. La reine Victoria tomba elle aussi sous le charme de la Côte d'Azur et y passa les sept hivers précédant sa mort. Alexandre Dumas déclarait en 1851 que Nice était une ville anglaise où l'on pouvait

ROUTARD AVANT L'HEURE

Quand Tobias Smollett traversa la rivière du Var à « dos d'homme » en 1763, le Niçois qui le portait ne se doutait sûrement pas que son « cavalier » allait être à l'origine du tourisme sur la Côte d'Azur ! Smollett, un écrivain anglais qui publiait des récits de voyage, fut séduit par Nice, et toute l'Angleterre fut émerveillée d'apprendre que les amandiers y étaient en fleur au mois de janvier. Il en fallut peu pour les convaincre que la Côte d'Azur était un endroit formidable pour hiverner !

même rencontrer des Niçois ! Loin de prendre ombrage de cette véritable colonisation, ces derniers – outre la fameuse « promenade des Anglais » – baptisèrent beaucoup de rues en hommage à leurs étranges « invités », comme la « rue Smollett »...

Menton était si célèbre pour son climat que les médecins anglais y prescrivaient des séjours à la moindre petite toux !

La rive française du Var fut délaissée par les Anglais jusqu'en 1834, date à laquelle lord Henry Brougham – un homme politique à l'origine de l'abolition de l'esclavage – découvrit Cannes. Il acheta immédiatement un terrain et fit construire la villa Éléonore. Sous son impulsion, beaucoup d'autres Anglais y firent construire des palais baroques et obtinrent du roi des Français, Louis-Philippe, l'aménagement d'un port dont l'unique raison d'être consistait en l'importation de... gazon.

Une fois son accès facilité par le chemin de fer, la Côte d'Azur attira une clientèle nettement moins sportive mais beaucoup plus fêtarde, à l'image du fils aîné de la reine Victoria – le futur roi Édouard VII qui a sa statue à Cannes –, bon vivant, joueur et coureur de jupons. Durant les Années folles, la Côte d'Azur fut l'endroit où l'on s'amusait le plus : une faune internationale envahit la « French Riviera », et la France découvrit elle aussi les charmes de son Sud-Est.

Avec l'avènement des congés payés et les années 1950 qui sonnèrent le glas des rentes coloniales, la colonie anglaise finit par se dissoudre, noyée dans la foule des nouveaux arrivants. En 1975, le consulat britannique de Nice fermait ses portes, mettant un point final à cette page d'histoire anglo-provençale où la définition du bonheur terrestre pouvait se résumer ainsi : naître à Cannes, vivre à Monte-Carlo et mourir à Menton...

Quand Nice devient française

Le début du XIXe siècle voit se développer le tourisme hivernal (voir le paragraphe ci-dessus « Les Anglais et la Riviera »). Mais les conflits politiques n'en sont pas pour autant apaisés. La révolution de 1848 est suivie de nombreuses manifestations en Provence ; et après le coup d'État de 1851, des foyers de résistance éclatent, notamment dans le Var. L'armée est envoyée pour mettre fin à la rébellion, causant de nombreuses victimes.

1860 est une date déterminante pour l'histoire de la Côte d'Azur : le comté de Nice est rattaché à la France par référendum. S'ensuit la création du département des Alpes-Maritimes.

La fin du XIXᵉ siècle est une période d'expansion : elle voit l'arrivée du chemin de fer et le développement du tourisme. C'est aussi à cette période que de nombreux peintres et artistes tombent sous le charme et s'installent dans la région, comme à Saint-Paul-de-Vence ou à Nice. Ah ! comme la Côte d'Azur devait être chouette à cette époque et même jusque dans les années 1950...

Dans les années 1930, les Américains lancent la station balnéaire de Juan-les-Pins et contribuent à l'essor touristique de la Côte d'Azur. On y voit de grands noms de la littérature, Hemingway et Fitzgerald entre autres, qui lancent le jazz en Europe avec la venue d'Armstrong, d'Errol Garner ou de Count Basie.

Au cours de la Seconde Guerre mondiale, les Italiens occupent Menton en juin 1940, puis Nice à partir du 11 novembre 1942, alors que les Allemands envahissent le Sud (lire sur ce sujet le beau roman de Le Clézio, *Étoile errante,* qui retrace la fuite des juifs de la région ; coll. Folio, Gallimard). Pour ne pas tomber aux mains de l'ennemi, la flotte française se saborde à Toulon.

En août 1944, les forces alliées débarquent sur la côte et libèrent Toulon et Nice.

Quand tourisme rime avec béton

À partir des années 1950, le tourisme de masse entraîne la construction à tout-va de nouvelles stations (Port-Grimaud, Marina Baie-des-Anges, Isola 2000), auxquelles les moyens dérisoires du Conservatoire du littoral ne permettent guère de s'opposer, d'autant que les intérêts des promoteurs et des banquiers qui les financent, ceux des propriétaires locaux de terrains, ceux des entreprises de bâtiment et donc des élus locaux s'y retrouvent... Quand le béton va, tout va ! Seuls quelques rares coins sont vraiment protégés (cap d'Antibes, cap Ferrat...), mais ils sont habités par des gens fortunés.

Le festival de Cannes et toutes les festivités estivales de la côte, mais aussi l'art moderne avec l'École de Nice *(Ben)* et le nouveau réalisme *(Arman, César, Klein)* contribuent à la renommée de la Riviera.

Le complexe technologique de *Sophia-Antipolis* se développe dans les années 1970, et la mise en service de l'autoroute « La Provençale » rend la région beaucoup plus accessible, « faisant de Paris un p'tit faubourg de Saint-Paul-de-Vence », pour le meilleur et pour le pire...

Principales dates historiques

– *594 av. J.-C. :* les Phocéens établissent un comptoir à Massalia (Marseille).

– *181 av. J.-C. :* Marseille fait appel aux Romains pour lutter contre des envahisseurs.

– *154 et 121 av. J.-C. :* les Romains interviennent à deux reprises pour défendre les Phocéens menacés d'invasion.

– *118 av. J.-C. :* création de la *Provincia,* la nouvelle province, par les Romains.

– *Iᵉʳ siècle av. J.-C. :* les Romains deviennent les maîtres des lieux.

– *27 av. J.-C. :* Octave-Auguste réorganise la *Provincia,* sous la dénomination de Gaule narbonnaise ; au cours des années suivantes, création de la *via Julia Augusta,* qui relie Gênes à Fréjus.

– *8 av. J.-C. :* construction du trophée d'Auguste à La Turbie.

– *IIIᵉ siècle apr. J.-C. :* arrivée des premiers chrétiens.

– *412 :* saint Honorat fonde l'abbaye de Lérins.

– *536 :* les Francs occupent pacifiquement la Provence.

– *883 :* les sarrasins envahissent le golfe de Saint-Tropez.

– *972 :* Guillaume, comte de Provence, chasse les sarrasins. L'économie redémarre, la féodalité se met en place.

– *1112 :* en conséquence du mariage de Douce, fille de Guillaume, avec Raymond Bérenger III, comte de Barcelone, une partie des droits sur le comté de Provence lui revient. Début de la lignée catalane des comtes de Provence.

– *1166-1245 :* règnes successifs d'Alphonse Ier d'Aragon, Alphonse II d'Aragon et de Raymond Bérenger V.

– *1245 :* à la mort de ce dernier, Charles d'Anjou devient comte de Provence en épousant sa belle-sœur, Béatrix.

– *1258 :* Charles d'Anjou part à la conquête de la Sicile ; il devient roi de Naples en 1263.

– *1343 :* le comté échoit à Jeanne Ire d'Anjou, dont le règne sera marqué par une suite d'intrigues.

– *1382-1480 :* règne de la deuxième maison d'Anjou ; le plus célèbre des rois successifs est René, dit le « bon roi René », poète, artiste et mécène, qui, après avoir renoncé à s'établir en Italie, fixe sa cour à Aix et contribue activement au renouveau économique de la Provence.

– *1482 :* rattachement du comté de Provence au royaume de France.

– *1524 :* invasion de la Provence par les troupes impériales.

– *1536 :* les troupes de Charles Quint envahissent à nouveau la région.

– *1559 :* début de la guerre civile entre catholiques et protestants.

– *1580-1582 :* épidémie de peste.

– *XVIIe siècle :* Richelieu puis Louis XIV renforcent le pouvoir royal.

– *1630 :* révolte du parlement d'Aix contre une décision royale. Le parlement est exilé à Brignoles, les rebelles ont pour insigne un grelot *(cascavèu)*.

– *1642 :* Toulon devient un grand centre naval.

– *1660 :* Toulon est le premier port de guerre de la Méditerranée.

– *1713 :* traité d'Utrecht ; la France rétrocède au duc de Savoie le comté de Nice annexé en 1705.

– *1720 :* terrible épidémie de peste qui part de Marseille et se propage dans toute la région.

– *1789 :* nombreuses émeutes ; les émigrés s'exilent dans le comté de Nice.

– *1790 :* création des départements des Bouches-du-Rhône, du Var et des Basses-Alpes.

– *1793 :* annexion du comté de Nice et de la principauté de Monaco.

– *1814 :* Napoléon part de Fréjus pour l'île d'Elbe.

– *1815 :* Napoléon débarque à Golfe-Juan et emprunte par Grasse, Digne et Gap, la route dite « Napoléon ». Après l'abdication de l'Empereur, le comté de Nice est restitué au roi de Sardaigne.

– *1848-1851 :* de nombreuses villes manifestent de profonds sentiments républicains à l'occasion de la révolution d'abord, du coup d'État du futur Napoléon III ensuite.

– *1860 :* le comté de Nice et la Savoie sont rattachés à la France en partie, en échange de l'intervention de Napoléon III en faveur de l'unité italienne contre les Autrichiens.

– *1855-1880 :* création de nombreuses stations balnéaires : Menton, Monaco, Saint-Raphaël, Golfe-Juan, etc.

– *1936 :* les lois sociales orientent la Côte d'Azur vers un tourisme de masse.

– *1942 :* la flotte française se saborde à Toulon ; la zone libre du sud de la France est occupée par les troupes allemandes.

– *1944 :* débarquement des forces alliées sur la côte varoise ; Nice et Toulon sont libérées.

– *1946 :* le festival international du film de Cannes est lancé (après un report dû à la Seconde Guerre mondiale). Premiers primés : René Clément et Michèle Morgan.

– *1947 :* rattachement des communes de Tende et de La Brigue, encore italiennes, à la France.

– *1950-1970 :* développement du tourisme ; création de nouvelles stations : Isola 2000, Marina Baie-des-Anges, Port-Grimaud.
– *1964 :* création de la région PACA ; développement du complexe technologique *Sophia-Antipolis* ; transfert de la préfecture de Draguignan à Toulon.
– *1989 :* 12 880 ha sont ravagés par le feu dans le Var.
– *2003 :* les incendies ravagent environ 17 000 ha de forêt dans le massif des Maures (Var) et 2 000 ha dans les Alpes-Maritimes.
– *6 avril 2005 :* mort du prince Rainier III de Monaco. Son fils Albert accède au trône.

LANGUE RÉGIONALE

Le provençal

Si le latin est la langue écrite des Romains, les populations locales parlent un latin vulgaire appelé le gallo-romain. Au VIIIe siècle, deux grands groupes dialectiques apparaissent au nord et au sud de la future France : celui de la langue d'oc, au sud, et celui de la langue d'oïl, au nord. Ces deux noms proviennent de la façon de dire « oui » dans ces deux langues. Progressivement, la langue d'oc – dite « occitan » – va devenir la langue de l'écrit, remplaçant le latin. En même temps, les troubadours diffusent cette langue qu'ils enrichissent. Mais l'édit de Villers-Cotterêts en 1539 portera un coup fatal au développement de l'occitan : il oblige à l'usage du français dans tous les textes officiels. L'occitan disparaît de l'écrit mais reste la langue de la population du sud de la France. Au XIXe siècle, on le parle moins dans les villes et l'école obligatoire contribue à son extinction.
Le provençal est une variante de l'occitan, au même titre que le languedocien ou le gascon. Il s'en différencie par certains éléments d'orthographe et de prononciation, et se décline en quatre sous-dialectes : le provençal rhodanien, celui de Mistral, le provençal maritime, de Marseille, le nissart, parlé à Nice et dans sa région, et le gavot, parlé dans le Luberon et les Alpes-de-Haute-Provence. Au cours du XIXe siècle, écrivains et historiens se firent les défenseurs du provençal, constituant sous l'impulsion de Mistral une association pour faire revivre la langue locale ; c'est le félibrige. Au cours du XXe siècle, de nombreux intellectuels se mobilisent à leur tour. Dans les années 1980, l'occitan devient une option au baccalauréat et est enseigné à l'université.
– *Peuchère ! :* le pauvre !
– *Un pitchoun, un miston :* un enfant.
– *Le cagnard :* le soleil.
– *Boudiou ! :* exclamation exprimant la surprise.
– *Une coucourde :* une courge. Par extension, quelqu'un de bête.
– *Degun :* personne. « Je crains degun », « Y'a degun ce soir »...
– *Être ensuqué :* être un peu fatigué, avoir la gueule de bois.
– *La castagne :* la bagarre.
– *Lou capeou :* le chapeau.
– *S'escagasser :* s'écraser au sol. Par extension, faire quelque chose avec difficulté.
– *Fada :* fou, idiot.
– *Un cacou :* un play-boy du Sud.
– *Une cagole :* une « pouffe ».

MERVEILLES DE GUEULE

Une cuisine riche et délicieuse à base d'huile d'olive, d'herbes odorantes, d'ail et de divers aromates. À signaler : à part ceux de la bouillabaisse et quelques variétés locales, les poissons que vous mangerez ne proviennent pas de la Méditerranée (ce qui ne les empêche pas d'être fort bien accommodés).

Voici les spécialités les plus savoureuses, dont les effluves viendront sans cesse titiller vos narines :

– *L'ail rouge :* un miracle d'arôme que ce petit ail du pays niçois, aux petites gousses rouges, qui relève la purée d'anchois et la pissaladière.

– *Les anchois :* les pêcheurs se contentaient hier de les poser sur un morceau de pain. Ils sont aujourd'hui accommodés en purée (c'est la fameuse anchoïade, lire ci-dessous), en beignets ou en marinade.

– *L'anchoïade :* purée d'anchois, mélangée à de l'huile d'olive et à des câpres, très onctueuse au goût.

– *Les barbajouans :* beignets délicieusement fourrés, selon les recettes, d'une farce de blettes, de riz, de fromage, de courge, d'ail et d'oignons.

– *Le bœuf en daube :* morceaux de bœuf cuits à l'huile d'olive avec du lard et des oignons, de l'ail et des aromates, servis avec une sauce au vin rouge.

– *La brousse :* fromage de brebis, compact et crémeux, qui ne se mange que très frais (ou conservé dans l'huile d'olive...). À déguster telle quelle ou en vinaigrette garnie d'ail et d'aromates. Elle provient généralement de La Vésubie, haute vallée de l'arrière-pays niçois.

– *Les courgettes niçoises :* petites courgettes qui poussent dans la région (indispensable ingrédient de la célèbre ratatouille) qu'on fait cuire dans un coulis de tomates, relevé d'une pointe de basilic.

– *L'estocaficada :* du poisson – de la morue ou de l'aiglefin (son cousin des mers du nord) – séché au soleil, puis trempé cinq à six jours dans de l'eau. On le cuit ensuite en ragoût avec quelques pommes de terre, tomates, poivrons, oignons, ail, olives... Pas vraiment léger mais délicieux.

– *Les farcis niçois :* aubergines, poivrons, tomates, tout y passe ! Mais les meilleurs sont sans doute les fleurs de courgette...

– *La fougasse :* galette parfumée, à l'origine, à la fleur d'oranger.

– *Les ganses :* minces beignets sucrés qu'on ne mange qu'à l'occasion du Carnaval.

– *Les gnocchi :* ces délices à base de pommes de terre seraient d'origine niçoise ; ils ont été annexés par l'Italie. Les *merda di can* (les crottes de chien, pour être poli !) en sont une variante typiquement niçoise.

– *Le loup au fenouil :* un des rois de la table provençale, qu'on retrouve sur les tables niçoises. Appelé « bar » dans d'autres régions. Se prépare principalement grillé avec du fenouil ou farci.

– *Le mesclun :* mélange (en nissart) de salades. Il se fait à la base avec de jeunes pousses de laitue, de la roquette, des pissenlits et un peu de cerfeuil. Ensuite, on y ajoute ce qu'on veut au gré des saisons : chicorée, pourpier, scarole, trévise...

– *Les olives et l'huile :* Nice est la patrie de la *cailletier,* une délicieuse olive noire qui donne tout son parfum aux recettes du pays. Quant à l'huile locale, elle est réputée dans tout le Sud pour sa finesse, son arôme et sa suavité.

– *Le pan-bagnat :* typiquement niçois. Gros sandwich de pain rond imbibé d'huile d'olive, d'où son nom de « pain mouillé » *(pan bagnat).* Il est garni de tout ce qu'on trouve dans une salade niçoise. Il faut d'ailleurs, pour qu'il prenne toute sa saveur et conserve son moelleux, bien le laisser s'imbiber.

– *La panisse :* galette à base de farine de pois chiches, qui se découpe en tranches et se fait frire.

– *La pissaladière :* encore une vraie spécialité niçoise, genre de tarte de pâte à pain couverte d'un mélange d'oignons longuement revenus et de *pissala* (purée de petits anchois au sel), garnie également d'anchois et d'olives. À noter que si l'on remplace les deux « s » nissart par deux « z » italien, on obtient la racine du mot *pizza.*

– *La porchetta :* cochon de lait farci avec ses propres abats et plein d'autres bonnes choses : ail, oignons, herbes et surtout des graines de fenouil, indispensables à sa confection.

– *Le poulet à la niçoise :* cuit – puisqu'on est à Nice – avec ail, tomates, olives noires... au vin blanc ou au bouillon.

– *La poutina (ou poutine)* : également appelée *nonnat*. Alevins (de sardine généralement). Les Niçois les mangent frits, en beignets ou en omelettes, et uniquement au printemps, car la pêche est réglementée.

– *La ratatouille niçoise* : un plat sain, léger, parfumé et économique. Courgettes, aubergines, tomates, parfois poivrons, et ail ou oignons, herbes de Provence, le tout cuit à l'eau et revenu à l'huile... d'olive, évidemment. Les légumes doivent avoir cuit séparément. À noter : les courgettes poussant dans la région niçoise sont plus petites et renflées que les autres, plus parfumées aussi. Elles rendent, dit-on, inimitable la ratatouille locale. Délicieux froid également, en entrée.

– *Les raviolis* : on les croit italiens, ils sont niçois aussi. Genre de gros carrés de pâte farcis à la viande ou aux légumes et qu'on fait cuire à l'eau. Encore meilleurs fabriqués maison et vendus frais dans certaines boutiques spécialisées.

– *Les sardines* : il n'y en a pas que de Marseille ! À Nice, on les mange de presque toutes les façons : farcies, grillées, sautées, frites ou en tian avec des blettes ou des épinards.

– *La socca* : galette à base de farine de pois chiches, d'eau et d'huile d'olive, cuite au charbon de bois sur une plaque de cuivre enduite, une fois encore, d'huile d'olive.

– *La soupe au pistou* : un des temps forts de la cuisine provençale, typique de l'arrière-pays niçois. Soupe aux légumes (des haricots, rouges, blancs et verts, des courgettes, des pommes de terre) parfumée avec une sauce épaisse composée de basilic

> ### Y'A DE QUOI EN FAIRE UNE SALADE !
>
> *Grande spécialité locale, la salade niçoise constitue un repas à elle seule le midi, à savourer quand il fait trop chaud et qu'on veut manger bon et léger. Elle se compose uniquement de crudités (aucun légume cuit). Salade de quartiers de tomates (salés trois fois, s'il vous plaît), de févettes (petites fèves vertes), de poivrons verts effilés, d'artichauts poivrades (en saison seulement), de filets d'anchois, de radis, d'œufs durs, d'olives de Nice, de feuilles de salade, etc. Le tout arrosé d'huile d'olive et d'un trait de citron (surtout pas de vinaigre !). Mais en réalité, il en existe autant de recettes que de Niçois !*

(pistou en provençal) et d'ail, pilés dans de l'huile d'olive, de la sauce tomate et du parmesan râpé.

– *La tapenade* : purée d'olives noires, d'anchois et de câpres mélangée à de l'huile d'olive. Délicieuse sur des tartines grillées.

– *La tourte de blettes* : « tourta de blea » en nissart. Grosse tourte garnie de feuilles de blettes hachées, puis mélangées avec des œufs battus, des raisins secs, des pignons de pin et parfois des quartiers de pomme. Un saupoudrage de sucre glace, et voilà un dessert typiquement niçois.

– *Les tripes à la niçoise* : tripes et gras-double cuits avec les classiques du terroir provençal : huile d'olive, ail, oignons et tomates, plus une rasade de vin blanc.

PERSONNAGES

– **Arman** *(Armand Pierre Fernandez, dit, 1928-2005)* : trois ans aux Arts déco de sa ville natale (qu'il juge vite trop conservateurs), une amitié avec Yves Klein autour d'une passion commune pour le judo, et des débuts comme peintre. Il s'attaque à la sculpture en 1959 et devient un grand nom de l'art contemporain grâce à ses objets de récup' accumulés ou inclus dans du ciment ou de la résine. Arman a vécu et travaillé à New York.

– **Paul de Barras** *(1755-1829)* : on a oublié le prénom de ce natif de Fox-Amphoux mais pas son rôle pendant la Révolution. Jacobin, il dirigea la répression de Toulon en 1793 et fut membre du Directoire.

– **Gilbert Bécaud** *(1927-2001)* : il a chanté le marché provençal de Toulon, sa ville natale et visité Moscou avec Nathalie (il avait un joli nom, son guide).

– **Ben** (Benjamin Vautier, dit, né en 1935) : artiste contemporain presque inutile à présenter. Ses aphorismes tracés d'une écriture naïve, blanche sur fond noir, sont aujourd'hui aussi célèbres que le logo d'une multinationale. Depuis la fin des années 1950, c'est l'une des figures incontournables de Nice (bien qu'il soit né à Naples), ville que, à la différence de ses condisciples de l'École de Nice, il n'a jamais quittée. Génie pour certains, bouffon mégalomane pour d'autres, jetez un œil sur son site internet (● ben-vautier.com ●) pour vous faire votre propre idée du personnage.

– **Gaspard de Besse** : le Robin des Bois de l'arrière-pays varois. Bandit de grand chemin à la fin du XVIIᵉ siècle, réputé pour ne s'attaquer qu'aux riches. Capturé, il fut roué à Aix à l'âge de 24 ans et pleuré par les femmes. Gaspard de Besse a inspiré le roman éponyme à l'écrivain Jean Aicard.

– **Louis Bréa** (1450-1523) : il est le grand maître de la peinture niçoise de la seconde moitié du XVᵉ siècle et le fondateur d'une étape stylistique historique donnant naissance à une véritable école dite « des Primitifs niçois ».

– **Georges Clemenceau** (1841-1929) : vendéen d'origine, le Tigre a vécu avec le Var une histoire d'amour politique mouvementée. Élu député après avoir aidé la ville de Toulon à sortir d'une épidémie de choléra en 1884, puis battu, il retrouvera, quelques années plus tard, un fauteuil de sénateur. La commune de Cotignac répudiera publiquement le Clemenceau président du Conseil, pour ses prises de position antitravailleurs.

– **Mireille Darc** (née en 1938) : née à Toulon, son inimitable sourire à la fois malicieux et nostalgique a traversé le cinéma français des années 1970.

– **Giuseppe Garibaldi** (1807-1882) : fils d'un marin d'origine génoise, figure emblématique de l'unité italienne, il est né à Nice. Un révolutionnaire dans l'âme : il participe au soulèvement des carbonari génois en 1834, s'exile, prend part à la révolte du Rio Grande Do Sul au Brésil, puis à celle de l'Uruguay contre l'Argentine. De retour en Italie, il proclame la république à Rome en 1849. Nouvel exil, dont il revient en 1859, pour combattre – du côté du roi de Sardaigne... – les Autrichiens et s'emparer de la Sicile (c'est la fameuse expédition des Mille ou des Chemises rouges). Député, il s'oppose à la cession de Nice à la France. France pour laquelle il combattra pourtant en 1871, à l'appel de Gambetta, contre les Prussiens.

– **Daniel Herrero** (né en 1948) : ancien entraîneur du club de rugby de Toulon. Avec son bandana vissé pour l'éternité autour de sa crinière blanche, il est de ces humanistes qu'on invite volontiers sur les plateaux TV pour qu'il y fasse parler son cœur et ses tripes.

– **Yves Klein** (1928-1962) : son nom est aujourd'hui systématiquement associé au bleu, ce bleu monochrome (International Klein Blue, le modèle est déposé !) qui fut inspiré à ce jeune peintre niçois par les ciels de Giotto, découverts à Assise. Mais sa carrière aussi brève (il meurt d'une crise cardiaque à 34 ans) que pléthorique (plus de mille œuvres en moins de sept ans) ne peut se résumer aux monochromes : provocation avec une exposition de murs nus en 1958, dernières sculptures auxquelles participent les éléments naturels (pluie, vent, feu)... Quarante ans après sa mort, l'œuvre d'Yves Klein reste d'une vraie modernité.

– **Joseph-Louis Lambot** (1814-1887) : toutes les inventions ont un inventeur. Le sieur Lambot, né à Montfort-sur-Argens, a inventé, lui, par hasard, le béton armé (pour, à l'origine, fabriquer des bateaux). Quand on voit ce que certains en ont fait sur la côte, faut-il lui dire merci ?

– **Georges Lautner** (né en 1926) : ceux qui connaissent par cœur les dialogues (signés Audiard, bien sûr) des Tontons Flingueurs savent peut-être aussi que le réalisateur de ce film culte (et d'un nombre assez impressionnant de comédies policières et autres polars) est né à Nice. Un grand du cinéma français, qui fit tourner Delon, Gabin, Ventura, Blier et tant d'autres.

– **Jean-Marie Gustave Le Clézio** (né en 1940) : talentueux écrivain révélé à 23 ans avec Le Procès-Verbal, roman en partie écrit sur les plages de Nice. Il poursuit depuis une œuvre très personnelle, multipliant les recherches d'écriture. On aime particulièrement son roman dont l'action se déroule en partie à Saint-Martin-Vésu-bie, *L'Étoile errante* (Gallimard, coll. « Folio »).

– *Philippe (1940-2001) et François (né en 1942) Léotard :* le comédien et l'homme politique sont nés à Cannes. Quand l'un était ministre de la Défense, l'autre se déclarait « ministre de la Défonce ». Philippe était acteur *(Tchao Pantin ; Il y a des jours et des lunes...)*, poète et chanteur.

– *Henri Matisse (1869-1954) :* il s'installe à Nice en 1917, et alterne les séjours entre Nice et Vence. Il rencontre périodiquement Picasso qui admirait les à-plats de couleurs du maître du fauvisme. Le musée Matisse à Nice a su lui dédier la place qu'il méritait. Henri Matisse meurt en 1954 dans l'ancien grand *Hôtel Régina*, à Cimiez.

– *Félix Mayol (1872-1941) :* quelques générations ont fredonné les refrains des chansonnettes (*Viens Poupoule*, la *Cabane Bambou...*) de ce dandy toulonnais (toujours un petit brin de muguet glissé dans la boutonnière).

– *Hippolyte Mège-Mouriès (1817-1880) :* ce pharmacien de Draguignan qui avait déjà proposé – sans succès – une baguette sans farine (!) invente en 1869 la margarine (connue à l'époque sous le nom de copahine). Il n'aura pas l'argent du beurre : ayant abandonné à d'autres la commercialisation de son produit, le génial Hippolyte est mort dans la misère...

– *Michel Petrucciani (1962-1999) :* incroyable pianiste de jazz, né à Toulon. Le drôle de petit bonhomme aux doigts magiques doit faire un sacré bœuf, là-haut, avec Miles, Monk ou Coltrane...

– *Picasso (1881-1973) :* né à Málaga, il découvre la Côte en 1919 à Saint-Raphaël et ne s'en lassera pas, séjournant dans ses diverses résidences, à Vallauris, Cannes, Antibes et Mougins, où il s'éteindra. Le musée Picasso d'Antibes abrite quelques-unes des œuvres les plus importantes de cet artiste qui a su par ailleurs redonner un nouveau souffle à la poterie de Vallauris.

– *Lily Pons (1898-1976) :* star du music-hall et d'Hollywood dans les années 1930, Mademoiselle Lily (alias « la Française à la bouche d'or ») est née à Draguignan (et non à Cannes, comme elle le prétendait toute sa vie, par coquetterie).

– *Raimu (1883-1946) :* né à Toulon. Monstre sacré du cinéma français, immortalisé par la trilogie *Marius, Fanny* et *César* de Pagnol. « Meilleur acteur du monde » d'après Orson Welles, autre monstre sacré.

– *Django Reinhardt (1910-1953) :* le mythique guitariste manouche a vécu avec sa famille dans le quartier toulonnais des Ferrailleurs, aujourd'hui disparu.

– *Antoine de Saint-Exupéry (1900-1944) :* la vie de l'écrivain aviateur est liée à cette côte. Enfant, il passait ses vacances au château de La Mole dans le massif des Maures (il l'évoque dans *Le Petit Prince*). Adulte, il séjournera souvent au château d'Agay, où il épousera Consuelo Suncin. Il s'installera quelque temps à Cabris et disparaîtra en vol au large de Marseille.

– *Emmanuel Joseph Sieyès (1748-1836) :* né à Fréjus. Un des pivots de la Révolution française. Auteur de *Qu'est-ce que le tiers état ?*, rédacteur du serment du Jeu de paume.

– *... Et les autres :* ils sont tellement nombreux à avoir apprécié la Côte d'Azur et le Var qu'on ne peut les citer tous, de Cocteau à Fernand Léger en passant par Signac, Bonnard ou Coluche. Vous les retrouverez au détour d'une description de ville ou de village...

TÉ, TU TIRES OU TU POINTES !

La pétanque (de l'occitan *pé,* pied, et *tanco,* fixé au sol) est le jeu le plus populaire du Midi. Jusque dans les années 1910, on jouait au jeu provençal, en faisant trois pas avant de lancer la boule. En raison de ses rhumatismes, un joueur dénommé Jules Le Noir proposa de jouer pieds « tanqués », c'est-à-dire fixés dans le rond. La pétanque se joue par équipe de deux (doublette) ou de trois (triplette). On utilise des boules métalliques mesurant de 7,5 à 8 cm de diamètre et pesant entre 0,620 et 0,800 kg. Le jeu consiste à « pointer », c'est-à-dire à expédier sa boule le plus près possible d'une grosse bille en bois appelée « cochonnet ». En principe, on joue, les pieds immobiles, sur une distance d'environ 10 m. En Provence, cette distance peut être supérieure à 10 m et les joueurs sont autorisés à bouger : c'est la « longue ». Si l'on a trop bien « pointé », l'adversaire doit alors « tirer », c'est-à-dire chasser, en la frappant, la boule trop bien placée. Parfois, les grands tireurs réussissent même à enlever la boule adverse et à prendre sa place. Ça s'appelle « faire un carreau ».

VINS ET ALCOOLS

Un « petit jaune » pour commencer ?

Invité privilégié des tables du Midi, le « petit jaune » flirte avec le soleil et n'en reste pas moins délicieusement rafraîchissant. Goûtez à certains mélanges harmonieux : avec du sirop de menthe (un « perroquet »), avec de la grenadine (une « tomate ») et avec du sirop d'orgeat (une « mauresque »).

N.B. : le pastis est obtenu par triple distillation d'alcool pur et neutre, mélange de sucre et de divers arômes naturels provenant de la macération de plantes comme la réglisse. Son parfum anisé est dû à l'anéthol, substance extraite de l'anis vert, de la badiane ou du fenouil. À consommer avec modération !

Les rosés ont la cote

Aujourd'hui plus qu'hier, en œnologie, la qualité prime sur la quantité, une philosophie qui joue en faveur des vignobles de la Côte d'Azur, généralement de petite taille. Moins d'une cinquantaine d'hectares de coteaux de sable et galets sur les hauteurs de Nice ont suffi au *vin de Bellet* à bâtir sa réputation. Ici plus qu'ailleurs, les vins rosés ont la cote. L'arrière-pays varois en est quelque peu le porte-drapeau, avec de très nombreux domaines. Dans les vignes, on s'essaie à d'astucieux mariages entre raisins pour dénicher la graine de champion.

Des *muscats secs* et quelques belles *liqueurs* valent encore le détour. Les *coteaux varois* ont également reçu le label AOC. Délicieuse réjouissance, l'appellation d'origine contrôlée *Bandol* est même l'une des plus anciennes de France. Aujourd'hui, la prestigieuse appellation *vins de Bandol* regroupe 53 exploitants indépendants situés sur les communes voisines de Bandol. Succès de l'appellation, les rouges profonds sont généralement des grands vins de garde vieillis en fûts de chêne, quand les excellents rosés frais et jeunes à la couleur rose pâle presque orangée représentent l'essentiel de la production.

Toutefois, s'il fallait en choisir un, disons que les *rosés de saignée* ont belle réputation mais ne ternissent en rien la renommée de domaines privés comme le *Domaine de l'Île* à Porquerolles ; quelque 30 ha de terre et le premier vignoble à appellation contrôlée, AOC côtes-de-provence. Senteurs de lavande, romarin, ces vins-là méritent bien qu'on aille y fourrer notre nez. Jusqu'aux moines qui en ont fait leur péché mignon. Sur l'île Saint-Honorat, on cultive la vigne du Seigneur pour en tirer le meilleur : blanc, rouge, près de 8 000 bouteilles par an descendues tout droit du paradis. À vous d'en trouver les clés, celles d'un séjour réussi sur la Côte d'Azur.

HOMMES, CULTURE ET ENVIRONNEMENT

LE VAR

ABC DU VAR

- *Superficie :* 5 973 km^2.
- *Population :* 967 000 hab.
- *Densité :* 158,4 hab./km^2.
- *Préfecture :* Toulon.
- *Sous-préfectures :* Brignoles, Draguignan.

Adresses et infos utiles

ⓘ *Comité départemental de tourisme du Var :* Conseil général du Var, 1, bd Foch, BP 99, 83003 Draguignan Cedex. ☎ 04-94-50-55-50. Service documentation : ☎ 04-94-50-55-65.
– *Le Pass Sites :* il est gratuit et disponible dans chacun des 24 sites culturels y participant. La liste de ces sites est disponible dans tous les offices de tourisme. Ayant pour objectif de promouvoir la visite et l'accessibilité de lieux culturels du Var, le *Pass Sites* donne droit à des réductions sur le prix des entrées. Le premier site visité est à plein tarif, et une fois le *pass* en poche, les autres sites vous ouvriront leurs portes en vous proposant de 25 à 40 % de réduction.
– *Randonnées pédestres et pistes cyclables :* le *Comité départemental de la randonnée pédestre* propose des balades accompagnées et gratuites, le plus souvent au mois d'octobre. *Infos*

sur le site : • http://cdrp83.free.fr • D'autre part, un *Parcours cyclable du littoral* de 140 km de long a été créé entre Toulon et Saint-Raphaël (le tracé reprenant grosso modo le tracé de l'ancienne voie ferrée de la *Compagnie des Chemins de Fer de Provence*).
– *Transports en commun :* vu la densité des réseaux, les transports en commun (trains express régionaux, bus sinon bateaux...) restent un bon moyen de découverte du département, de l'arrière-pays à la côte (où, de surcroît, ils permettent d'éviter embouteillages et parkings payants – lire ci-dessous). Nous vous les indiquons dans chaque commune où cela se justifie.
– *Parkings :* si vous êtes en voiture, mieux vaut savoir que le parking est très souvent payant (à l'heure ou par forfait d'environ 3 € par jour) dans nombre de villages touristiques et, évidemment, le long des plages...

LA CÔTE VAROISE

Et si la côte varoise n'était pas ce qu'on imagine, cette vaste suite d'immeubles en béton avec boutiques et restos de luxe, de plages aussi surpeuplées que leurs routes d'accès sont embouteillées ? De Saint-Cyr à Saint-Raphaël, en comptant les îles d'Or, elle offre déjà aux promeneurs, ici rarement solitaires, un sentier littoral sur plus de 200 km. Pas mal pour un département qui compte 432 km de côtes...

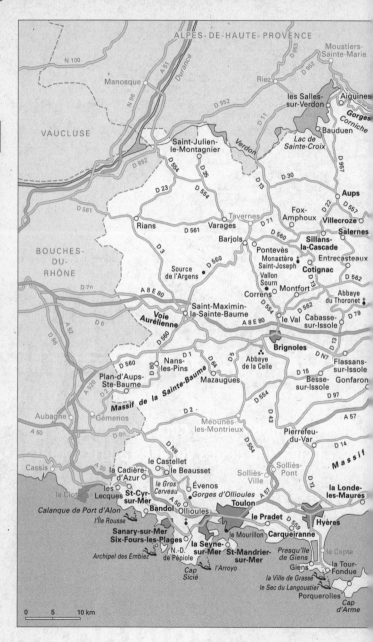

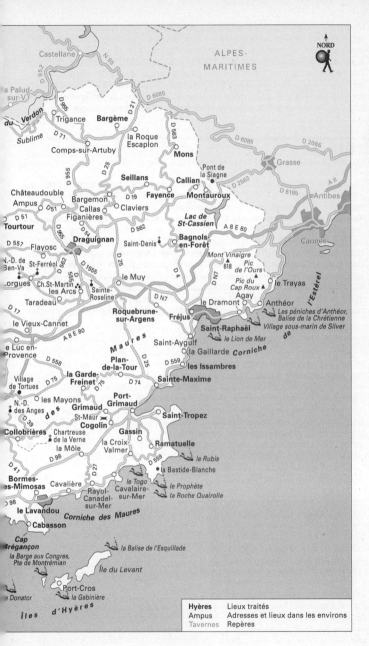

LE VAR

Ensuite, il n'y a peut-être pas moins « côte d'Azur » que Toulon, préfecture du département que nous vous invitons à (re)découvrir en début de chapitre. Puis nous suivrons la côte, de Toulon à Saint-Cyr-sur-Mer, dans sa partie la plus « provençale », avant de filer vers Hyères, Le Lavandou, Saint-Tropez et Saint-Raphaël, direction la Côte d'Azur, en passant par le massif des Maures et celui de l'Estérel. Un peu compliqué ? Prenez une carte et suivez le tracé de l'auto-route qui a coupé le Var en deux : tout ce qui est au nord appartient à l'arrière-pays, qu'on s'en ira visiter quand vous en aurez assez de la plage !

TOULON   (83000)   166 400 hab.

Le premier port militaire français pourra surprendre agréablement ceux qui prendront la peine de s'y arrêter. Comme à Marseille, les gens prennent le temps de vivre sur les quais ; plaisanciers, pêcheurs et vacanciers profitent du soleil et du bleu de la mer. À la tombée de la nuit, pour peu qu'un bateau fasse relâche, les bars font le plein de marins. Savourez bien ces instants rares car, la nuit installée, Toulon est plutôt calme. En dehors des quelques bars des quais ou du Mourillon, il est difficile de retrouver l'ambiance que venaient chercher Carco, Cendrars ou Mac Orlan. Et si votre grand-père vous a raconté ses exploits d'autrefois dans le quartier « chaud » du Petit Chicago, ne croyez pas nécessaire de les renouveler. Là aussi, tout a bien changé ! Le port, comme le quartier du Mourillon, vieux village resté authentique, ou le mont Faron, sont autant d'endroits qui font de Toulon une ville agréable et pleine de contrastes.

UN PEU D'HISTOIRE

Au XVᵉ siècle, la petite ville de *Tolon* (la *Télo Martius* des Romains) fait ses premiers pas dans l'Histoire quand, avec tout le comté de Provence, elle tombe dans le domaine royal français. Grâce à sa grande rade enserrée dans de hautes collines, elle trouve tout de suite sa vocation maritime et militaire. Louis XII préfère d'ailleurs pour ses vaisseaux la rade de Toulon au port d'Aigues-Mortes. Il commence à fortifier la ville, tâche que poursuit Henri IV. Mais c'est sous le règne du Roi-Soleil que la ville prend sa réelle expansion, grâce à Colbert. Un arsenal est installé, d'où sortent les galères royales. Vauban en améliore bien sûr les systèmes de défense par la construction de tours et de forts (Saint-Louis, Lamalgue, Beaumont).

En 1793, à la mort de Louis XVI, la ville reste royaliste et pactise avec les Anglais. Elle est prise par Bonaparte, qui y gagne ses galons de général. Toulon gagnant – quant à elle – le titre de « ville infâme », 12 000 ouvriers sont réquisitionnés pour la raser. Au dernier moment, la Convention reporte l'ordre de destruction et Toulon ne perd finalement que son nom (elle est temporairement rebaptisée Port-la-Montagne, ce qui lui allait plutôt bien !) et son titre de préfecture (ce qui explique que jusqu'à

L'ÉVADÉ DE VICTOR HUGO

En 1748, les galères sont supprimées et remplacées par le célèbre bagne d'où Victor Hugo fait échapper Jean Valjean dans Les Misérables *(Vidocq aussi y purgea sa peine et s'en évada deux fois, avant de devenir... chef de la sûreté à Paris !). Ce bagne, où les condamnés s'affairaient à la construction de la rade autant que des navires, est définitivement désaffecté en 1873 et remplacé par celui de Cayenne...*

une date récente, c'est Draguignan, ville moins importante, qui a détenu ce titre). Plus tard, Napoléon fait de Toulon son premier port de guerre, et de la Marine sa principale industrie. C'est de là qu'il part pour la campagne d'Italie et l'expédition d'Égypte. C'est de Toulon aussi que Dumont d'Urville s'embarque en direction d'une terre lointaine à qui il donne le nom de sa femme, toulonnaise de souche : Adélie. C'est ici que débarquent, vous expliqueront les érudits locaux, les premiers mimosas d'Australie, une certaine Vénus (de Milo) et un obélisque en transit pour la place de la Concorde, à Paris.

Un certain préfet du Var, persuadé que la ligne droite était le meilleur moyen d'aller d'un point de la ville à un autre, fait déjà parler de lui au milieu du XIXe siècle : le baron Haussmann, à qui Napoléon III demande d'aérer la ville. Ainsi naît la *haute ville,* avec ses beaux immeubles bourgeois, l'Opéra, la gare, le boulevard de Strasbourg, le lycée Impérial, la place de la Liberté, le Grand Hôtel et, pour l'aspect sanitaire des choses, le jardin Alexandre-Ier.

La Seconde Guerre mondiale met fin aux rêves d'une grande capitale méditerranéenne. En 1942, lorsque les Allemands envahissent la zone libre, la flotte française se saborde plutôt que de tomber entre leurs mains. La ville est libérée en 1944, en majeure partie, par les troupes coloniales. Envoyés en première ligne, ces soldats africains, maghrébins, canaques subiront les plus grosses pertes des combats de Provence. Rasée pour moitié, reconstruite à la hâte, Toulon aura du mal à retrouver une identité architecturale.

Aujourd'hui, Toulon possède autant une vocation de port de plaisance que de port militaire. C'est d'ailleurs toujours le premier port militaire français. Mais depuis que les mousses de la Royale sont autorisés à sortir en civil lors des permissions, la ville y a quand même perdu une grande partie de son folklore coloré. C'est la rançon du progrès... Longtemps absente de la carte, entre Marseille et Nice, Toulon semble avoir trouvé un second souffle. Un signe, entre autres : les Toulonnais sont un peu plus nombreux aujourd'hui qu'hier, ce qui n'était pas arrivé depuis des années.

Adresses et infos utiles

🛈 *Office de tourisme* (plan C3) **:** 334, av. de la République. ☎ 04-94-18-53- | 00. ● toulontourisme.com ● *Ouv tte l'année, lun-sam 9h (10h mar)-18h (20h*

■ **Adresses utiles**

- 🛈 Office de tourisme
- ✉ Poste et téléphone
- 🚆 Gare SNCF
- 🚌 Gare routière
- @ 1 Cybercafé Bar Puget
- @ 2 Toulon Web Café

🛏 **Où dormir ?**

- 11 Hôtel Les 3 Dauphins
- 12 Grand Hôtel Dauphiné
- 13 Hôtel Lamalgue
- 14 Hôtel des Allées
- 15 Hôtel Le Jaurès
- 16 New Hôtel Amirauté
- 17 La Corniche
- 18 Hôtel Little Palace
- 19 Grand Hôtel de la Gare
- 20 Hôtel Bonaparte

🍽 **Où manger ?**

- 30 La Feuille de Chou
- 31 Les Enfants Gâtés
- 32 Pizza Folli's
- 33 Loona
- 34 Le Petit Prince
- 35 D'un coin à l'autre

- 36 Le Sidi-Bou-Saïd
- 38 Le Jardin du Sommelier
- 39 Le Confetti
- 40 Les Mouettes
- 57 Le B des Cochons

🍦 **Où manger une bonne glace ?**

- 50 L'Igloo

🍸 🎵 🎶 **Où boire un verre ?**
Où écouter de la musique ?
Où danser ?

- 51 Le Puget
- 52 Le Navigateur
- 53 Le Grand Café de la Rade
- 54 La Part des Anges
- 55 Le Bar à Thym
- 56 Le 113 Café
- 57 Le B des Cochons

∞ 🎵 **Où voir un spectacle ?**
Où assister à un concert ?

- 60 Le Café-Théâtre de la porte d'Italie
- 61 Zénith-Oméga et Oméga-Live

TOULON

↑ Le mont Faron

A

B

NORD

↑ Av. de la Victoire

Square De Broglie

Rue

R. Henri

Vienne

Av. Berthon

Collet

Boulevard

Pierre

Toesca

Boulevard

Av. Saint Roch

Amiral

Dardanelles

Touche

Chalucet

PL. DE L'EUROPE

MARSEILLE

Av. Gén. Noguès

Avenue

des

Av. L. de

la

PL. ALBERT 1er

Boulevard

19

Mirabeau

LA CIOTAT, MARSEILLE ←

Avenue

Av. Mal Lyautey

Rageot

Carnot

Rue

Rue

Av. Vauban

d'Urville

Gimelli

MARSEILLE ←

Avenue

Av. Rageot

Maréchal

Jardin Alexandre 1er

Rue

Peyresc

Foch

PL. G. PÉRI

Rue

R. Revel

Musée des Beaux-Arts
Muséum d'Hist. nat.

PLACE DE LA LIBERTÉ

Av.

Général

Leclerc

P

Palais de justice

Rue Robert Guillemard

Av. W. Churchill

Av. Jean Moulin

Hôtel des Arts

R. Saunier

Guiot

16

R. Pastoureau

PLACE L. BLUM

Rue

15

Jean

36

14

38

R. Dr Carence

PLACE

R. Jourdan

Rue de la Corderie

D'ARMES

Saint-Louis

20

R. des Savonnières

Arsenal maritime

R. A. France

Rue

V. Micholet

Darse de Castigneau

Darse Neuve

Porte de l'Arsenal

PL. ING. G. MONSENERGUÉ

Musée national de la Marine

Avenue

Q. de Cronstadt

52

Préfecture maritime

Darse Vieille

A

B

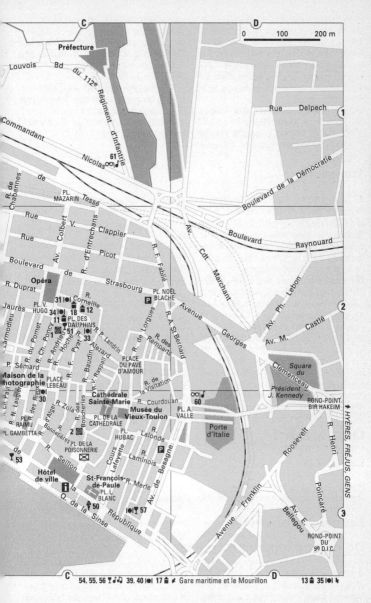

TOULON

TOULON

en juil-août) ; dim et j. fériés 10h-12h. Visites commentées de la ville, notamment celles proposées chaque mer avr-sept à 10h par l'écrivain et conteur (à l'humour décapant !) Jean-Pierre Cassely. Compter 2h. Pour plus d'infos : ● provence-insolite.org ● Sérieux, souriant et compétent.

@ **Internet : Cybercafé Bar Puget** (plan C2, **1**), pl. Pierre-Puget. ☎ 04-94-93-05-54. Quelques postes à l'étage d'un de nos bistrots préférés à Toulon

(voir également « Où boire un verre ? »). **Toulon Web Café** (plan C3, **2**), 33, rue des Boucheries. ☎ 04-94-22-95-16. Sympathique déco bricolo-kitsch, accueil bon esprit et petite restauration pas chère du tout.

– **Marché provençal :** ts les mat sf lun, le long du cours Lafayette. Très coloré et très parfumé. À ne pas rater.

– **Marché bio :** ven mat, pl. Dupuy-de-Lôme (Le Mourillon).

Transports

🚆 **Gare SNCF** (plan B1) : pl. Albert-Ier. Rens : ☎ 36-35 (0,34 € TTC/mn).
🚌 **Gare routière** (plan B1) : 223, bd de Tessé. ☎ 04-94-24-60-00. Juste à côté de la gare SNCF. Bus pour les principales villes de la région et navettes pour l'aéroport d'Hyères-Toulon.
■ **Réseau Mistral :** ☎ 04-94-03-87-03. Un réseau de bus qui englobe tout « Toulon Provence Méditerranée », soit 11 communes, de Six-Fours-les-Plages à Hyères-les-Palmiers. Correspondances gratuites pendant 1h après la validation du ticket. Gère également les liaisons maritimes avec La Seyne-sur-Mer et Saint-Mandrier (lire ci-dessous). Possibilité d'abonnement à la journée (le « Pass Téléphérique »), qui permet de combiner bus, bateau et télé-

phérique pour le mont Faron.
✈ **Aéroport de Hyères-Toulon :** sur la commune d'Hyères, à 18 km. ☎ 04-94-00-83-83.
🚤 **Bateaux :** liaisons tlj en saison pour l'île de Porquerolles avec Les Bateliers de la Rade (☎ 04-94-46-24-65) à l'embarcadère est (au niveau du cours Lafayette), seulement sur réservation. Durée : 1h15. Confirmation impérative la veille. Visite combinée des îles de Porquerolles et de Port-Cros, certains jours. Liaisons maritimes tte l'année tlj avec La Seyne-sur-Mer, Tamaris-Les Sablettes et Saint-Mandrier avec le réseau Mistral (☎ 04-94-03-87-03). Il est même désormais possible de rallier Rome par ferry. Infos : ☎ 04-94-22-80-69 ou 04-94-87-11-45.

Où dormir ?

Camping

Pas de camping à Toulon même, mais on vous en a dégoté un très sympathique au Pradet (voir plus loin dans « La Provence d'Azur »).

Dans le centre-ville

De bon marché à prix moyens

🛏 **Hôtel des Allées** (plan B2, **14**) : 18, allées Amiral-Courbet. ☎ 04-94-92-83-04. ● contact@hoteljaures.fr ● hoteljaures.fr ● Doubles avec douche et w-c communs ou privés 30-35 €. Réduc de 10 % sur le prix de la chambre, hors juil-août, sur présentation de ce guide. Un poil à l'écart du centre, un petit hôtel pour petits budgets ; pas luxueux mais

avec une patronne accueillante, qui vous donnera beaucoup de renseignements sur la ville. Chambres bruyantes côté allées ; en revanche, les n°s 8, 11 et 12 sont grandes et donnent sur la rade. 🛏 **Hôtel Le Jaurès** (plan B2, **15**) : 50, rue Jean-Jaurès. ☎ 04-94-92-83-04. ● contact@hoteljaures.fr ● hoteljaures. fr ● Ouv tte l'année. Doubles avec douche et w-c ou bains, TV 38-40 €. Garage à vélos gratuit. Réduc de 10 % sur le prix de la chambre, hors juil-août, sur présentation de ce guide. Central, propre et assez bon marché. Au calme côté cour. Les chambres sont toutes rénovées progressivement.

🛏 **Hôtel Les 3 Dauphins** (plan C2, **11**) : 9, pl. des Trois-Dauphins. ☎ 04-94-92-65-79. ● gienal@wanadoo.fr ● Doubles avec lavabo ou douche, w-c

communs 32-39 € ; avec douche et w-c privés 44 €. Petit déj 8 €. Dans un ancien hôtel du vieux Toulon entièrement refait, une quinzaine de chambres propres et bien insonorisées. Bonne literie. Certaines sont même assez spacieuses et possèdent une cheminée (bien sûr, seulement pour la déco !). Les rideaux et les dessus-de-lit donnent de la couleur. Accueil charmant.

De prix moyens à plus chic

🛏 **Grand Hôtel Dauphiné** (plan C2, **12**) : 10, rue Berthelot. ☎ 04-94-92-20-28. ● contact@grandhoteldauphine. com ● grandhoteldauphine.com ● Ouv tte l'année. Doubles avec bains, TV (satellite et Canal +) 58-64 €. Réduc de 10 % sur le prix de la chambre, hors juil-août, sur présentation de ce guide. Un hôtel qui s'impose comme un classique de la ville (à deux pas du théâtre lyrique, pas étonnant !). Chambres où l'on peut prendre ses aises, vraiment confortables (climatisées, insonorisées...) et à la déco fraîche et contemporaine. Accueil charmant.

🛏 **Hôtel Little Palace** (plan C2, **18**) : 6, rue Berthelot. ☎ 04-94-92-26-62. ● gienal@wanadoo.fr ● hotel-littlepalace. com ● Ouv tte l'année. Doubles avec douche et w-c, TV 54-56 € selon saison ; triples et suites 65-80 €. En d'autres lieux, l'enseigne prêterait à sourire. Ce n'est pas le cas pour cette charmante adresse familiale, rénovée au goût de l'époque. Très agréable déco « Grand Sud » dès la réception. Chambres standard, pas immenses mais mignonnettes avec leurs meubles peints et leurs dessus-de-lit colorés. Bon petit déjeuner, servi en terrasse sur la rue piétonne aux beaux

jours. Et un très bon accueil.

🛏 **Grand Hôtel de la Gare** (plan B1, **19**) : 14, bd de Tessé. ☎ 04-94-24-10-00. ● contact@grandhotelgare.com ● grandhotelgare.com ● ♿ (2 chambres). Ouv tte l'année. Doubles 62-69 € avec douche et w-c ou bains, TV satellite et Canal +. Réduc de 10 % sur le prix de la chambre (sf juil-août) sur présentation de ce guide. Un grand hôtel à la mode d'autrefois (une imposante façade XIXe siècle, une enseigne peinte à l'ancienne) mais au confort d'aujourd'hui : joli décor contemporain dans les chambres (carrément spacieuses pour les plus chères), clim', vraie isolation phonique (face à la gare, il vaut mieux !)... Excellent accueil.

🛏 **Hôtel Bonaparte** (plan B2, **20**) : 16, rue Anatole-France. ☎ 04-94-93-07-51. ● reservation@hotel-bonaparte. com ● hotel-bonaparte.com ● Doubles avec douche et w-c ou bains, TV 52-57 €. Mêmes propriétaires que le Little Palace et même ambiance. Soit une vieille maison provençale rénovée sans y perdre son âme, des chambres mignonnes comme tout et un vrai accueil. Si on a la vue sur la place d'Armes et l'Arsenal, la rue est, en revanche, plutôt bruyante...

Plus chic

🛏 **New Hôtel Amirauté** (plan B2, **16**) : 4, rue Adolphe-Guiol. ☎ 04-94-22-19-67. ● toulonamiraute@new-hotel.com ● new-hotel.com ● ♿ Ouv tte l'année. Double avec bains et TV 85 €. Tarif préférentiel au parking « Liberté ». Sur présentation de ce guide, réduc de 10 %

sur le prix de la chambre. Un beau gros vaisseau juste en face de la place de la Liberté. Neuf, moderne, manquant un peu d'âme mais offrant un confort tout à fait honorable. Une cinquantaine de chambres joliment décorées, avec un petit côté contemporain, et pleines de couleurs. Clim'. Service et accueil en rapport avec les 3 étoiles affichées ; un excellent rapport qualité-prix dans sa catégorie.

Au Mourillon

De bon marché à beaucoup plus chic

🛏 **Hôtel Lamalgue** (hors plan par D3, **13**) : 124, rue Gubler, Le Mourillon. ☎ 04-94-41-36-23. ● hotel.lamalgue@ free.fr ● http://hotel.lamalgue.free.fr ● À 2,5 km du centre-ville, au-dessus des plages du Mourillon. Ouv tte l'année. Doubles 23 € avec lavabo (w-c et douche sur le palier), 41 € avec douche et w-c, TV. Réduc de 10 % sur le prix de la chambre la 1re nuit sur présentation de ce guide. Un petit jardin bien entretenu, tout comme l'hôtel d'ailleurs, des chambres simples, avec un coup de cœur pour celles du dessus, à côté de la terrasse, avec vue superbe sur la mer. Et la plage est à deux pas. Accueil sympathique.

🛏 **La Corniche** (hors plan par C-D3, **17**) : 17, littoral Frédéric-Mistral, Le Mourillon. ☎ 04-94-41-35-12. ● info@ cornichehotel.com ● bestwesternhotel corniche.com ● Face au port Saint-Louis et à deux pas des plages. Ouv tte l'année. Doubles avec bains, TV (câble et Canal +) et suites 110-125 € selon saison. Réduc de 10 % sur le prix de la chambre mai-sept et 20 % le reste de l'année sur présentation de ce guide. Tout le confort des grands hôtels. Chambres classiques mais d'un vrai confort : clim' et minibar. Les plus chères ont un balcon avec vue sur la mer. Jolie terrasse verdoyante pour prendre le petit déjeuner ou salle élégante avec cheminée et lumière tamisée. Accueil professionnel.

Où manger ?

Dans le centre-ville

De très bon marché à bon marché

– Pour un casse-croûte en plein air, essayez les spécialités toulonnaises. La *cade* (galette de farine de pois chiches servie chaude, version locale de la *socca* niçoise) devrait vous caler : on peut acheter des parts uniquement sur le marché du cours Lafayette (plan C3), à côté des marchandes de poisson. Au moment du dessert, goûtez le *chichi frégi*, beignet croustillant de sucre, qu'on ne trouve qu'à une seule adresse (et depuis 1914 !) : chez *G. Toine*, dans un joli petit kiosque de la place Paul-Conte, en haut du cours Lafayette.

🍽 **Loona** (plan C2, **33**) : 9, rue Paul-Lendrin. ☎ 04-94-31-13-84. Tlj sf dim et lun, le midi slt. Menus 7,40-8,50 €. Salades rigolotes, sandwichs, plats de pâtes... C'est simple, frais et bon, à emporter avec soi ou à grignoter dans la petite salle très verte, très mode.

🍽 **La Feuille de Chou** (plan C2-3, **30**) : 15, rue de la Glacière. ☎ 04-94-62-09-26. ⚒. Fermé ts les soirs, dim et j. fériés. Plat du jour 9,80 € ; carte env 19 €. Apéritif maison offert sur présentation de ce guide. On y vient surtout pour son adorable terrasse, posée sur une petite place tranquille et ombragée par des oliviers. Service familial, vite dans le jus ; cuisine tout aussi familiale, propice (mais sans plus) à satisfaire une envie de plat du jour.

🍽 **Pizza Folli's** (hors plan par A1, **32**) : 6, av. Valbourdin. ☎ 04-94-62-35-45. Tlj sf mer 18h-3h. Carte 15 €. « Les meilleures pizzas de la ville ! ». Beaucoup de Toulonnais nous l'ont assuré. On n'a pas fait toutes les autres pizzerias, mais ici, pas de doute, les pizzas sont toutes réussies, cuites au feu de bois comme il se doit. Cadre très rustique et accueil à bras ouverts.

🍽 **Le B des Cochons** (plan C3, **57**) : voir « Où boire un verre ? ».

De prix moyens à plus chic

I●I Les Enfants Gâtés *(plan C2, 31) : 9, rue Corneille.* ☎ *04-94-09-14-67. En été, ouv midi et soir lun-ven ; hors saison, le midi en sem et sam midi et soir. Compter 19 € à la carte ; menu 27 € sam soir.* La « petite adresse entre amis » d'un jeune couple sympa, quelque peu routard dans l'âme et dans la vie aussi. Salle aussi reposante que charmante, dont les murs s'offrent aux artistes du coin. Quelques tables sur le trottoir quand le temps s'y prête. Dans l'assiette, des vieilles recettes piquées chez la belle-famille, là-bas, du côté de Sète, ou des idées ramenées de périples lointains : de bons petits plats accommodés avec une touche personnelle créative. Et du pain maison tous les jours !

I●I Le Petit Prince *(plan C2, 34) : 16, rue Charles-Poncy.* ☎ *04-94-93-03-45. Fermé sam midi et dim. Congés : 3 sem en été et 2 sem en hiver. Carte env 25 €. Café offert sur présentation de ce guide.* Une salle avec des avions et autres objets volants pendus au plafond, et une cave voûtée avec une décoration médiévale. Ambiance détendue, accueil charmant, service diligent et plats dans un registre familial et traditionnel, bien amenés : timbale de saumon au coulis de crustacés, foie gras, ravioles de champignons à la truffe blanche, magret au miel et à la figue,
nougat glacé.

I●I Le Sidi-Bou-Saïd *(plan B2, 36) : 43 bis, rue Jean-Jaurès.* ☎ *04-94-91-21-23.* ♿ *Fermé dim et lun. Congés : oct. Compter 25 € pour un couscous, un thé et un dessert. Digestif maison offert sur présentation de ce guide.* Si vous souhaitez traverser la Méditerranée, pas d'hésitation ! Tout est comme là-bas ! Superbe déco blanc et bleu ; les couleurs de Sidi, quoi ! Les grands classiques de la cuisine tunisienne sont au rendez-vous. Couscous très généreux (les meilleurs de la ville). Accueil chaleureux. De mémoire de routards, on n'a jamais vu de w-c aussi luxueux.

I●I Le Jardin du Sommelier *(plan B2, 38) : 20, allées Amiral-Courbet.* ☎ *04-94-62-03-27.* ● *contact@le-jardin-du-sommelier.com* ● *Fermé sam midi et dim. Menus 27 € le midi en sem ; menus-carte 34-39 €. Apéritif maison offert sur présentation de ce guide.* Pour le jardin, on s'interroge encore. En revanche, il y a bien ici un sommelier, qui ne se fait pas prier pour vous guider dans une carte des vins courte mais pertinente. Grands crus et jolies découvertes (dans les vins de pays notamment), servis pour une dizaine d'entre eux au verre. Ils accompagnent une belle cuisine au gré du marché, méditerranéenne, aux parfums d'aujourd'hui.

Au Mourillon

De prix moyens à plus chic

I●I Le Confetti *(hors plan par C-D3, 39) : 40, rue Castillon.* ☎ *04-94-42-54-56.* ● *daube83@wanadoo.fr* ● *Fermé sam midi. Résa conseillée, car le bouche-à-oreille fonctionne bien à Toulon ! Plats 7 € ; formules 10,50-13 € à composer parmi 3 entrées, 3 plats et 3 desserts. Digestif maison offert sur présentation de ce guide.* Dans ce petit resto pas plus grand qu'un confetti, maman est en cuisine et le fiston au service. On vient pour son atmosphère sympa, pour sa cuisine familiale et régionale qui change régulièrement. Mais la daube provençale avec sa triplette (gnocchis,
pâtes, polenta) tient toujours le haut de l'affiche. Bons desserts. Accueil charmant.

I●I Les Mouettes *(hors plan par C-D3, 40) : plage du Mourillon.* ☎ *04-94-31-04-45.* ♿ *Tte l'année, tlj. Plats du jour 9,50-14,50 € ; carte env 25 €. Parking : entrée côté cap Brun.* A priori, rien de très différent par rapport à la dizaine de restos qui se partagent le front de mer. Une terrasse et une baie vitrée face à la mer, un cadre qui reste, somme toute, classique. Alors ? Eh bien, la différence est dans les assiettes ! Viande grillée et poisson avec un petit plus : c'est bon,

TOULON

juste, sans surprise et gentiment facturé. Service agréable.

|●| **D'un coin à l'autre** (hors plan par D3, **35**) : 87, rue Muiron. ☎ 04-94-03-21-96. Carte env 25 €. Une table au goût d'aujourd'hui, à la déco très... déco et à la cuisine qui mêle saveurs d'ici et d'ailleurs. Petite terrasse sur la rue. Manque peut-être juste un ou deux menus, parce que à, la carte, l'addition peut vite devenir aussi salée que l'eau de la mer voisine.

À l'anse Magaud

|●| **Bernard** : 367, chemin de la Mer, anse de Magaud. ☎ 04-94-27-20-62. ● restaurant.bernard@tiscali.fr ● Fléché depuis la route de la Garde, après le cap Brun quand on arrive du Mourillon. Fermé lun et dim soir hors saison. Congés : d'oct à mi-mars. Formule déj en sem 14 € ; carte env 35 €. Apéritif et digestif maison offerts sur présentation de ce guide. Planquée au fond d'une minuscule calanque, une de ces adresses que les Toulonnais vous révèlent avec des mines de conspirateurs. Un décor de carte postale en bord de mer, idyllique si vous avez décidé de casser votre tirelire pour jouer les séducteurs sur fond de soleil couchant... Au programme, du poisson, toujours du poisson, encore du poisson : bonne soupe avec sa rouille, bouillabaisse, andouillette du pêcheur... ou poissons frais pêchés du jour (facturés au poids). Bons desserts minute à commander en début de repas. Une cuisine très agréable.

Où manger une bonne glace ?

♟ **L'Igloo** (plan C3, **50**) : 15, quai de la Sinse. ☎ 04-94-03-19-02. Tlj. Congés : 4-26 déc. Des dizaines de sorbets et de crèmes glacées faits maison, à déguster sur la terrasse, face aux bateaux qui dansent dans le port.

Où boire un verre ? Où écouter de la musique ? Où danser ?

Cafés et terrasses

♟ **Le Puget** (plan C2, **51**) : 1, pl. Pierre-Puget. ☎ 04-94-93-05-54. ● cyberpuget@wanadoo.fr ● Ouv 6h30-23h (8h-20h dim ; enfin, c'est en fonction de la saison, de l'ambiance et des clients !). Parmi les accueillantes terrasses de cette sympathique place chère aux Toulonnais, on a un faible pour celle du Puget avec ses fauteuils moelleux et ses inamovibles joueurs d'échecs, face à la fontaine des Trois-Dauphins. À l'apéro, l'ambiance au comptoir n'est pas mal non plus. Cybercafé à l'étage.

♟ **Le Navigateur** (plan B3, **52**) : 128, av. de la République. ☎ 04-94-92-34-65. ● lenavigateur@wanadoo.fr ● Tlj 6h-3h (1h en basse saison). Café offert sur présentation de ce guide. Un des (nombreux !) cafés qui se rangent le long des quais. Classique : de profonds fauteuils d'osier en terrasse, des cocktails et une jolie carte de bières, des concerts et des soirées de temps en temps, pour l'ambiance. Petite restauration de brasserie le midi.

♟ **Le Grand Café de la Rade** (plan C3, **53**) : 224, av. de la République. ☎ 04-94-62-76-69. ● legrandcafedelagare@orange.fr ● & Ouv tte l'année midi et soir. Menus 12-20 €. Apéritif maison offert sur présentation de ce guide. Élégant café-brasserie, haut lieu de rendez-vous du Tout-Toulon.

Bars musicaux

♟ ♪ |●| **Le Bar à Thym** (hors plan par C-D3, **55**) : 32, bd du Docteur-Cunéo, Le Mourillon. ☎ 04-94-41-90-10. ● barathym@wanadoo.fr ● barathym.

com ● Tlj sf dim 18h-3h. Entrée gratuite. C'est LE grand classique des nuits toulonnaises depuis près de 20 ans ! Superbe décor Belle Époque, très théâtral avec un petit côté saloon. Même si l'ambiance ne décolle vraiment qu'à partir de 23h et surtout le week-end, c'est l'un des rares endroits vivants de Toulon en semaine. Concerts réguliers (rock, blues, jazz, samba...) et autres soirées avec DJs (funk, house...). Une dizaine de bières pression. Cuisine brésilienne si le cœur vous en dit. Et l'adéquat mélange de clientèle qui fait les soirées réussies.

🍸 La Part des Anges (hors plan par C-D3, **54**) : 57, rue Lamalgue. ☎ 04-94-03-06-31. ● confetti_fa@hotmail.com ● Entrée gratuite. Ouv ts les soirs jusqu'à 3h. Afters dim mat 5h-10h. Sur présentation de ce guide, café offert au resto ou le 50 cl de bière au prix du 25 cl sur ttes les bières pression. Déco façon pub, avec autant d'angelots (qui auront leur part ?) que de recoins. Nombreuses soirées à thème : DJs house et électro en fin de semaine, salsa, hip-

hop... Légère sélection à l'entrée. Pizzeria attenante pour caler sa faim.

🍸 🎵 🍴 Le 113 Café (hors plan par C-D3, **56**) : 113, av. de l'Infanterie-de-Marine. ☎ 04-94-03-42-41. ♿ Entrée gratuite. Ouv en sem 8h-3h, sam à partir de 16h. Fermé dim. Installé dans un ancien hangar, un bar-resto qui fait aussi boîte les vendredi et samedi, avec un petit dancefloor. Clientèle plutôt jeune, plutôt bien comme il faut. Physio à l'entrée, d'ailleurs. Plein de billards et des soirées à thème : salsa, rock, DJs le week-end. Cuisine de région si vous avez un creux.

🍸 🍴 Le B des Cochons (plan C3, **57**) : 503, av. de la République. ☎ 04-94-03-04-75. Fermé lun midi, sam midi et dim. Plats ou salades à la carte 10-16 €. Digestif maison offert sur présentation de ce guide. Un petit endroit coloré, avec quelques tables pour manger cubain (et c'est bon !). On peut aussi, comme les habitués, squatter le comptoir pour y prendre un verre, le soir, sur fond de musique latino, bien sûr.

Où voir un spectacle ? Où assister à un concert ?

∞ 🎵 **Le Café-Théâtre de la porte d'Italie** (plan D3, **60**) : pl. Armand-Vallé. ☎ 04-94-89-36-18. Congés : de juil à mi-sept. Résa conseillée. Dans une petite salle intime et conviviale, une programmation variée : pièces de théâtre, concerts de jazz, one man shows, etc. L'occasion aussi de découvrir de jeunes talents et des groupes locaux.

∞ 🎵 **Le Centre national de la Création et de la Diffusion culturelle :** BP 118, 83192 Ollioules Cedex. ☎ 04-94-22-02-02. ● chateauvallon.com ● Ce fut un lieu culturel sans équivalent en France. Rappelez-vous, vous le connaissiez sous un autre nom, plus romantique : Théâtre national de la danse et de l'image de Châteauvallon. Sa disparition restera attachée aux heures noires du Front national à Toulon... Mais plantons le décor. Le site, d'abord, est magnifique : un amphithéâtre de plein air de 1 200 places et un ensemble de bâtiments (studios de répétition, théâtre couvert) construits autour d'une

ancienne bastide du XVIIᵉ siècle. Fondé en 1965, le TNDI s'est ensuite fait une réputation nationale en œuvrant pour la diffusion de la culture contemporaine. De 1972 à 1976, son festival de jazz a permis de faire découvrir le free-jazz au public français. Son travail de promotion de la danse contemporaine restera. Ce n'est malheureusement pas uniquement pour ces raisons que Châteauvallon est aujourd'hui célèbre. Pendant toutes les années 1990, le TNDI s'est heurté à la droite dure : interdiction d'un concert de NTM par le préfet du Var, retrait financier de la ville de Toulon... Un bras de fer qui a abouti à l'exclusion du cofondateur du lieu, Gérard Paquet. Fin d'une belle aventure ? Oui et non. Le TNDI existe toujours, sous un autre nom. Le lieu reste magique, la programmation ambitieuse et ouverte aux expérimentations. Mais pour les inconditionnels de l'époque Paquet, Châteauvallon est devenu un centre culturel comme il en existe beaucoup en France...

∞♪ **Zénith-Oméga et Oméga-Live** *(plan C1,* **61** *) : bd Commandant-Nicolas.* ☎ 04-94-22-66-77. *Congés : pdt la période estivale.* Concerts, spectacles, conventions, etc. À l'*Oméga-Live,* intéressante programmation de la scène de musiques actuelles *Tandem.* – Une belle saison d'opéras et opérettes, à... *l'Opéra,* place Victor-Hugo. *Rens :* ☎ 04-94-92-70-78.

À voir

La vieille ville

🏃 **La fontaine des Trois-Dauphins** *(plan C2) : pl. Pierre-Puget.* Une des multiples fontaines de la ville (Toulon doit d'ailleurs son nom à *Télo,* déesse celto-ligure des sources jaillissantes). Ces trois dauphins sculptés en 1782 ont été littéralement engloutis par la végétation et le calcaire déposé par l'eau. Curieuse fontaine donc, qui ressemble presque à une source naturelle. Terrasses de bistrot tout autour, où les Toulonnais passent de longues heures (voir « Où boire un verre ? »). Au n° 14, remarquer les quatre couleurs du jeu de cartes, qui indiquaient autrefois aux adeptes la présence d'un tripot en sous-sol.

🏃 **La rue d'Alger** *(plan C3) :* piétonne, c'est la principale artère commerçante de la vieille ville. De part et d'autre de cette rue s'étend la partie la plus ancienne de la vieille ville. Enchevêtrement de ruelles et de placettes. Un quartier à atmosphère. Glissez-vous dans l'étroite *rue Saint-Vincent,* baladez-vous le nez en l'air dans les *rues du Noyer, des Tombades, de la Fraternité.* Ici une franche rénovation qui progresse d'année en année, là des taudis qui sont d'authentiques maisons médiévales. En empruntant l'un des passages couverts récemment rouverts, vous serez certainement surpris de humer une douce odeur de jasmin. Pourtant, point d'arbrisseau. La municipalité a eu la bonne idée d'installer de discrets diffuseurs de parfum... Eh oui, n'oublions pas que la mer n'est pas loin et que lorsque la pluie s'annonce, quelques odeurs qui ne sont pas de toute première fraîcheur remontent parfois à la surface... (c'est d'ailleurs un très bon baromètre !). Il fallait y penser ; en tout cas, c'est efficace !
Étonnante vision à l'angle de la rue Vezzani et du passage des Capucins : une monumentale figure de proue à l'effigie de Neptune surgit d'un mur. C'est la copie conforme de l'avant d'un navire royal du XVIIe siècle, dont l'original est exposé au musée de la Marine. En glissant vers la place d'Armes, on traverse un quartier populaire, à la population d'origine maghrébine. Impression subite d'avoir déjà traversé la Méditerranée : couscous à prix d'amis dans de petites échoppes, chaises sorties dans la rue, gosses souriants qui jouent au foot, effluves de raï qui s'échappent des fenêtres...

🏃 **La maison de la Photographie** *(plan C2-3) : pl. du Globe (rue Nicolas-Laugier).* ☎ 04-94-93-07-59. *Mar-sam 12h-18h. Fermé les j. fériés. Entrée gratuite.* Intéressantes expositions temporaires de photographes plasticiens contemporains.

🏃 **Le « Petit Chicago »** *(plan B2) :* entre la place d'Armes, création de Colbert, et les quais, quelques ruelles aux façades délavées et lézardées rappellent le Toulon colonial des années d'après-guerre. Bars interlopes, néons agressifs ou agonisants, sirènes trop fardées, filles à matelots... une atmosphère avant tout. Le dernier « quartier réservé » de la Côte encore un peu structuré. Même s'il se rétrécit d'année en année...

🏃 **L'église Saint-Louis** *(plan B2) :* de la fin du XVIIIe siècle et néoclassique, elle ressemble plus à un temple grec qu'à une église. Impression confirmée dans le chœur avec ses colonnes corinthiennes.

🏃 **La cathédrale Sainte-Marie-de-la-Seds** *(plan C3) :* construite au XIe siècle, elle a été restaurée au XIIe siècle et agrandie au XVIIe siècle. De ces derniers travaux datent la façade classique et le clocher massif. Pour visiter l'intérieur, apporter sa lampe de poche... en attendant le futur projet d'éclairage. Dommage pour l'autel baroque réalisé par un neveu et élève de Puget, les nombreux tableaux des XVIIe et XVIIIe siècles dont une belle *Annonciation*... Face à l'entrée principale, remarquer l'un des plus vieux magasins de Toulon, avec ses mannequins d'époque. Diable !

🚶 **Le cours Lafayette** *(plan C3) :* cours provençal typique où se tient, tous les matins sauf le lundi, un marché... provençal typique. Le fameux marché de Provence chanté naguère par Gilbert Bécaud, natif de Toulon (eh oui, ça ne nous rajeunit pas tout ça).

🚶 **Le musée du Vieux-Toulon** *(plan C3) :* 69, cours Lafayette. ☎ 04-94-62-11-07. *À gauche au fond du porche. Mar-sam, 14h-17h45. Fermé les j. fériés. Entrée gratuite.* Maquettes, toiles et photos anciennes pour cerner ce qu'était le Toulon d'avant les bombardements de la Seconde Guerre mondiale. Étonnants objets fabriqués par des bagnards : noix de coco délicatement sculptées, messe (eh oui, avec douze personnages et trois autels !) glissée dans une bouteille.

🚶 **L'église Saint-François-de-Paule** *(plan C3) :* construite au XVIIIe siècle pour servir de chapelle au couvent attenant. Durement touchée lors des bombardements de 1944 puis restaurée, elle dresse à l'angle de l'avenue de la République et du cours Lafayette sa façade en courbes et contre-courbes, si typique des églises baroques de cette époque, et son clocher génois. Trois nefs séparées par des colonnes doubles, et un bel autel en marbre polychrome.

Le port

🚶 **Les quais :** masqués par les immeubles d'après-guerre de l'avenue de la République. Seuls vestiges du passé : les *Atlantes* de Pierre Puget (XVIIe siècle), gigantesques sculptures qui soutiennent le balcon d'honneur de l'ancien hôtel de ville. Ils représentent deux allégories (la Force et la Fatigue) parfaitement à leur place ici. Juste en face, saluez pour nous la statue du « Génie de la Navigation », l'index toujours tendu vers la mer et le derrière vers la ville. Les facétieux Toulonnais l'ont d'ailleurs surnommé « Cuverville »... Le vieux bassin (ou darse vieille) du port n'est désormais consacré qu'à la plaisance, mais la balade reste agréable, surtout en fin de journée.

🚶🚶 **Le musée national de la Marine** *(plan B3) :* pl. Monsenergue. ☎ 04-94-02-02-01. ♿ *Tlj sf mar et j. fériés 10h-18h. Congés : janv, 1er mai et 25 déc. Visite guidée en juil-août (sous réserve), tlj sf w-e à 14h.* Comme pour tt musée national, entrée gratuite jusqu'au 30 juin 2008, puis entrée : 5 € ; réduc ; gratuit jusqu'à 18 ans. Nombreuses expos temporaires. Superbe porte monumentale du XVIIIe siècle : c'est l'ancienne porte de l'arsenal, déplacée en 1976. À sa gauche, la statue de Mars (réalisée par Verdiguier) ; à sa droite, Minerve (réalisée par Maucord). À l'intérieur, au rez-de-chaussée, maquettes géantes de voiliers du XVIIIe siècle, d'une impressionnante minutie (elles servaient à l'instruction des élèves officiers de marine) ; quelques superbes pièces sorties des ateliers de sculpture de l'arsenal, dont une magnifique figure de proue représentant Neptune, et une foule d'étonnants objets : la marmotte ou mèche où les fumeurs venaient prendre du feu parce que les allumettes étaient interdites à bord, d'impressionnants clous de bardage. À l'étage, quelques souvenirs des guerres coloniales (cloche de pagode, maquettes de jonque), entre autres.

🚶 **La base navale** *(plan A-B2) :* elle s'étend au sud de la place d'Armes, création de Colbert. Une ville dans la ville, avec 268 ha ! L'arsenal et le port militaire (le plus grand de France) font vivre près de 15 000 personnes, civiles et militaires, sur l'agglomération toulonnaise. Pas de visite (pour l'instant). Rattrapez-vous avec les visites commentées de la rade (voir « À faire »).

La haute ville

Au nord de la « basse ville », prenez le temps de découvrir ce quartier haussmannien aéré (le baron Haussmann fut préfet du Var au milieu du XIXe siècle), riche en monuments, dont la construction fut décidée après la visite de l'empereur Napoléon III, qui trouvait la ville un peu trop à l'étroit dans ses murailles.

🕯 L'Opéra (plan C2) : édifié en 1862 sur les plans du célèbre Charles Garnier, c'est le plus grand de province avec 1 800 places. Façade surchargée de statues, qui a récemment retrouvé son lustre d'antan, jusqu'à sa frise, dorée à la feuille. Reconnaissons-lui le mérite de proposer chaque année l'une des rares saisons d'opéras et d'opérettes dignes de ce nom en France, dans un décor typiquement Napoléon III, lui aussi joliment rénové.

Sur la place, une fresque monumentale et une statue en pied de Raimu : deux des nombreux hommages de sa ville natale au plus illustre des Toulonnais. Raimu a également son buste, place des Trois-Dauphins et une place à son nom, vers l'office de tourisme, sur laquelle trône une évocation sculptée de la célèbre partie de cartes...

🕯 La place de la Liberté (plan B-C2) : c'est le cœur – radicalement rénové – de la haute ville, idéal pour se donner rendez-vous et boire un verre en terrasse, à l'ombre des platanes ou palmiers qui la bordent. Admirez au passage la façade du Grand Hôtel et la fontaine de la Fédération, réalisée par les frères Allar pour célébrer le centenaire de la Révolution française.

🕯🕯 L'Hôtel des Arts (plan B2) : 236, av. du Maréchal-Leclerc. ☎ 04-94-91-69-18. Tlj sf lun et j. fériés 11h-18h. Entrée gratuite. Situé dans un beau bâtiment de la fin du XIXe siècle, ce musée est consacré à l'art de la seconde moitié du XXe siècle à nos jours. Expos temporaires de peinture, sculpture ou de photographie.

🕯 Le musée des Beaux-Arts (plan B2) : 113, bd du Maréchal-Leclerc. ☎ 04-94-36-81-00. Tlj sf lun et j. fériés 12h-18h. Entrée gratuite. À partir des très riches fonds du musée, des expos temporaires font se rencontrer grands classiques et artistes contemporains autour de thématiques variées. Collection de peintres provençaux du XIXe siècle.

🕯 Le muséum d'Histoire naturelle : ☎ 04-94-36-81-10. ♿ (rez-de-chaussée). Lun-ven 9h-18h ; w-e 11h-18h. Fermé les j. fériés. Entrée gratuite. Autre musée municipal dans le même bâtiment de style Renaissance mais construit au XIXe siècle. Tous les mammifères et oiseaux de la région empaillés ou des expos temporaires dans la première salle. Une autre pièce consacrée aux minéraux et à la paléontologie (moulage grandeur nature d'un dinosaure du Crétacé !). À l'ancienne...

Le mont Faron

Rio a son Pain-de-Sucre, Toulon (toutes proportions gardées) le Faron. Aride montagne qui dresse ses pentes de calcaire blanc en arrière-plan de la ville, le Faron a hérité son nom des vigies ou « faro » qui étaient autrefois installées pour surveiller l'arrivée des pirates et autres sarrasins. Du sommet, à plus de 584 m d'altitude, vue franchement époustouflante sur la rade, la ville et les environs.

– Sentier de découverte balisé. Possibilité d'y monter par la route ou en téléphérique. ☎ 04-94-92-68-25. Attention : le téléphérique ne fonctionne pas les j. de grand vent. Départ de la gare inférieure, bd Amiral-Vence. Juil-août, tlj 9h30-19h45 ; sept-juin, tlj sf lun 9h30-17h30. Trajet en 6 mn. Aller-retour : 6,20 € ; réduc. Possibilité de billet groupé téléphérique + visite du zoo avec navette gratuite (en juil-août surtout), ou un pass bus-bateau-téléphérique à 6 € (en vente à l'office de tourisme).

🚶 👫 **Le zoo** (hors plan par A1) : au sommet. ☎ 04-94-88-07-89. Mai-sept, tlj 10h-18h ; oct-avr, lun-sam 14h-17h et dim. Fermé les j. de pluie. Entrée : 8 € ; 5 € pour les enfants ; gratuit jusqu'à 4 ans. Animaux domestiques interdits. Plus qu'un zoo, l'endroit se présente comme un centre de reproduction des fauves. Les naissances alimentent des parcs ou réserves en France ou à l'étranger. Et, depuis peu, un parc à tigres s'est ouvert...

🚶 **Le mémorial du Débarquement en Provence** (hors plan par A1) : au sommet. ☎ 04-94-88-08-09. Juil-sept, tlj 10h-13h (dernière entrée à 12h) et 14h-18h30 (dernière entrée à 17h30) ; oct-juin, jusqu'à 17h30 (dernière entrée à 16h30). Fermé lun de mi-sept à fin juin. Entrée : 3,80 € ; réduc ; gratuit jusqu'à 8 ans. Un monument pour commémorer la libération du sud-est de la France par les armées alliées en août 1944. Un musée qui retrace le détail des opérations.

Le Mourillon et la corniche varoise

Au sud-est du centre-ville, sur une pointe fermant la petite rade. Créé à la fin du XIXe siècle pour loger les officiers de marine, il est devenu rapidement le quartier chic de Toulon. C'est aujourd'hui un des plus attachants quartiers de la ville. Oh, rien d'extravagant : quelques rues qui sillonnent une grosse colline, un petit port, le fort Saint-Louis et la plage populaire du Lido. Mais une ambiance, une vraie vie de village. Petit marché tous les matins sauf le lundi sur la place Émile-Claude.

Au-delà de la plage du Lido débute la corniche varoise. Comme celle de Marseille, c'est un quartier plutôt chic avec son jardin d'acclimatation, ses villas cossues noyées dans la verdure, un petit morceau de Côte d'Azur aux portes de la ville. Les quatre anses qui se succèdent constituent les plages du Mourillon. Elles ont été aménagées dans les années 1970 à grands coups de remblais dans la mer, de construction de digues et d'enrochement, d'apport de sable. Elles sont très prisées des Toulonnais, qui viennent ici en famille dès qu'il fait beau. Normal, à côté des plages, une bonne dizaine de restos, un grand espace paysager pour pique-niquer et un parking gratuit. Signalons plus particulièrement deux coins sympas :

– **l'anse Méjean** : pour y accéder, prendre la route du littoral vers le cap Brun, tourner au panneau « fort du Cap-Brun » et descendre la petite route étroite (prudence...) vers le « sentier littoral » du même nom. Se garer tt en bas. Les plus courageux se gareront en haut et descendront à pied ! Jolie crique pour se baigner et maisons de pêcheurs assez croquignolettes. Buvette sur place (pas donnée) dans la tradition des cabanons toulonnais, et qui fait aussi resto. Ambiance typique garantie en compagnie des pêcheurs du coin qui ont amarré leurs petits « pointus » à proximité... Un must pour les « vrais » Toulonnais.

– **L'anse Magaud** : sur la même route littorale, se garer à proximité du bar Le Magot (La Machine à Chanter), puis prendre la ruelle qui démarre en face. Petite plage très mignonne au bout pour faire trempette, ainsi qu'un resto chic (voir plus haut « Où manger ? »).

🚶 **La tour Royale** (hors plan par D3) : av. de la Tour-Royale. Construite au XVIe siècle pour protéger le port : des canons étaient installés sur la plate-forme. Mais elle a surtout servi de prison. Actuellement, la tour ne se visite pas.

🚶🚶 **Le musée des Arts asiatiques** (hors plan par D3) : 106, bd Eugène-Pelletan (entrée : 169, littoral Frédéric-Mistral). ☎ 04-94-36-83-10. Tlj sf lun et j. fériés 12h-18h. Entrée gratuite. Installé dans une villa qui a appartenu à Jules Verne. Même si le grand écrivain a, de fait, peu séjourné dans ces murs, il est amusant de trouver aujourd'hui un musée des Arts asiatiques dans la maison de l'auteur des Tribulations d'un Chinois en Chine ! Une succession de legs bienvenus a permis la création de ces 400 m² d'exposition permanente de collections acquises en Extrême-Orient, au Tibet et dans le Sud-Est asiatique par, entre autres, le baron de Rothschild ou Fauverge de French, grand reporter au Temps. Sur les deux étages, quelques véritables chefs-d'œuvre : un stupa votif des XIe-XIIe siècles, une très élégante tête de Bodhisattva du début de la dynastie des Tang, trois superbes tangkas du Tibet et de Mongolie, des portraits sur soie d'un mandarin et de son épouse (époque Ming)... Et quelques curiosités comme ce bouclier « pavillon noir » du Tonkin, souvenir des guerres coloniales, des marionnettes du théâtre d'ombres de Java (dont l'une ressemble étrangement à une caricature de Jacques Chirac !), d'étonnantes statuettes en terre et mosaïques venues de Birmanie... Jolie maison et muséographie moderne et didactique.

🛡 **Le fort Saint-Louis** (hors plan par D3) : littoral Frédéric-Mistral. Construit une première fois en 1696 sur les ordres de Vauban, le fort visait à préserver la rade de Toulon contre les attaques ennemies. Entièrement détruit au XVIIIe siècle, il a été reconstruit conformément aux plans d'origine. Ne se visite pas.

À faire

⛵ **Visites commentées de la rade :** pendant 1h, en bateau, découverte de l'arsenal, du cimetière de bateaux, du port de La Seyne... Tarif : 9 €/pers. Rens sur les quais ou à l'office de tourisme. Navettes entre Porquerolles et Port-Cros en été.

⛵ **Navettes maritimes :** vers la plage des Sablettes, La Seyne-sur-Mer, la presqu'île de Saint-Mandrier. Voir avec Les Bateliers de la Rade (cf. « Adresses et infos utiles »).

➤ **Le sentier des Douaniers :** la balade familiale classique des Toulonnais. De l'école municipale de voile du Mourillon jusqu'à l'anse Méjean. Une heure aller-retour. Superbe panorama tout au long de la balade. On croise en chemin quelques villas luxueuses cachées au fond de parcs luxuriants, le massif fort du cap Brun (XIXe siècle). Puis, vers l'anse Méjean, ce ne sont que criques secrètes, calanques aux eaux turquoise et petits rendez-vous de pêcheurs...

Fêtes et manifestations

– **Jazz à Toulon :** en juil pdt 10 j. Rens : ☎ 04-94-09-71-00. Festival gratuit avec, chaque soir, concerts de rue et ateliers musicaux.
– **Festival pyrotechnique :** en juil-août.
– **Rythm'Estival :** 1 sem en août. Rens : ☎ 04-94-09-71-00. Un grand festival gratuit. Concerts de musiques du monde sur la plupart des places de la ville, projections de films en plein air.
– **Festival international du film maritime et d'exploration :** 1 sem début oct, au palais Neptune, pl. Besogne. Rens : ☎ 04-98-00-83-83. Compétition des films internationaux réalisés sur ces thèmes et celui du monde animalier. Entrée gratuite dans la journée, payante le soir.
– **Festival de musique de Toulon et sa région :** mi-oct. Rens : ☎ 04-94-93-55-45. Concerts classiques.

LA « CÔTE PROVENÇALE »

De villages de pêcheurs devenus stations balnéaires en villages perchés ayant conservé leur pittoresque (on est donc bien à la fois sur la côte et en Provence), une jolie balade sur l'ouest de la côte varoise.

LA SEYNE-SUR-MER   (83500)   61 000 hab.

Le boom économique de La Seyne, village fondé au XVIe siècle par des habitants de Six-Fours, est dû à la création, en 1855, des Forges et Chantiers de la Méditerranée. Jusqu'au dépôt de bilan de la *Normed* en 1988, ces chantiers navals ont fabriqué cargos, paquebots, vaisseaux de guerre et autres plates-formes pétrolières. Ce qui explique la physionomie que l'on connaissait de la ville : des cités HLM, des friches industrielles...

Mais La Seyne-sur-Mer est en train de changer. Le centre ancien s'est souvenu qu'il était en Provence et a repris des couleurs. Et un vaste projet de réhabilitation des chantiers navals est en cours. Les Sablettes, quartier balnéaire original signé Fernand Pouillon, change également doucement de visage. Balade agréable le long de la promenade Charcot, en front de mer, avec une jolie vue sur les « Deux Frères », rochers jumeaux qui prolongent le cap Sicié. Des Sablettes, petit détour obligatoire jusqu'aux villas cossues du XIXe siècle des Tamaris face à la baie du Lazaret, ponctuée de parcs à moules et de fermes aquacoles (loups et daurades).

Adresse et info utiles

🛈 Office de tourisme : corniche Georges-Pompidou, Les Sablettes. ☎ 04-98-00-25-70. ● ot-la-seyne-sur-mer.fr ● En juil-août, lun-sam 9h-13h, 14h-19h ; dim 10h-13h ; horaires réduits hors saison.
– **Marché traditionnel :** grand marché mar-dim et les lun fériés sept-mai, cours Louis-Blanc et bd du 4-Septembre.

Où dormir ? Où manger ?

De bon marché à prix moyens

|●| La Vague d'Or : av. du Général-de-Gaulle, promenade Charcot, Les Sablettes. ☎ 04-94-94-80-00. ● contact@lavaguedor.com ● ♿ Ouv tlj en saison ; le midi slt et sam soir hors saison. Formules brasserie 10-18 € le midi en sem ; menus 23 et 34 € ; carte env 35 €. Posé juste au bord de la plage, un élégant resto, tout de blanc vêtu. Belle terrasse et quelques tables à même la promenade du front de mer, pour qui voudrait entendre le bruit des vagues. Cuisine de tradition, pleine de fraîcheur et de saveurs : sous ses airs de grande dame, cette adresse cache un rapport qualité-prix époustouflant pour la région ! Les gens du coin sont d'ailleurs nombreux à en avoir fait leur cantine. D'où une affluence, à l'heure du déjeuner, à laquelle font face sans broncher une foule de serveurs, stylés mais décontract'.

|●| Le Mas Bleu : lieu-dit Petite-Mer, entre Les Sablettes et Saint-Mandrier (fléché). 📱 06-16-91-82-79. Fermé ven soir et dim midi hors saison ; se renseigner en saison. Congés : 15 déc-15 janv. Compter 12-14 € pour une assiette, mais jusqu'à 120 € pour les plateaux de coquillages. Café et digestif maison offerts sur présentation de ce guide. L'occasion ou jamais de goûter aux moules de Tamaris, cultivées autour de ces pittoresques cabanes montées sur pilotis que l'on aperçoit depuis cette petite maison bleu et blanc posée au bord de l'eau. Dégustation à la bonne franquette de coquillages (moules bien sûr, huîtres ou violets) en direct du producteur. Pour info, c'est de mai à novembre que les moules de Tamaris sont les plus charnues.

Plus chic

🏠 |●| Chambres d'hôtes Villa Héliotropes : av. de la Grande-Maison, Tamaris. ☎ 04-94-87-86-26. ● heliotropes@villa-heliotropes.com ● villa-helio tropes.com ● *Ouv tte l'année. Doubles avec douche et w-c ou bains 80-100 €. Table d'hôtes le soir slt pour les résidents 25 € tt compris. Apéritif maison, café et digestif offerts sur présentation de ce guide.* Fidèles lecteurs du *Routard,* vous connaissez notre attachement de longue date à ce cher Michel Pacha et à son quartier des Tamaris. Y séjourner était un de nos (nombreux !)

vieux fantasmes. Devenu aujourd'hui réalité avec ces 3 vastes chambres, très joliment arrangées dans une villa des années 1920. Deux ont un balcon ou une terrasse face à la baie, la dernière donne sur un parc où les arbres ont eu, au fil des siècles, le temps de pousser. L'accueil est souriant, il y a un jacuzzi, des petits plats de Provence à la table d'hôtes. Le bonheur est complet.

À voir. À faire

➢ L'office de tourisme propose toute l'année des visites guidées, balades nature accompagnées et randonnées palmées (sic !), permettant de découvrir les richesses culturelles et naturelles de La Seyne-sur-Mer. *Informations et résa (obligatoire) :* ☎ 04-98-00-25-70.

LA CÔTE PROVENÇALE

🎎 **Les villas de Tamaris :** *visites guidées, se renseigner à l'office de tourisme.* Vous ne connaissez pas Michel Pacha, natif de Sanary ? Impossible pourtant, dans le coin, de rater le bonhomme : chaque lieu-dit a sa rue Michel-Pacha ! Il faut dire que Blaise Jean Marius Michel (1819-1907) s'est taillé un joli destin. Directeur général des phares de l'Empire ottoman, puis ingénieur des entrepôts et quais d'Istanbul, il fut anobli par le sultan et devint Michel Pacha. Rentré au pays, il fut élu maire de Sanary et arrosa la région avec prodigalité. À La Seyne-sur-Mer, il est à l'origine de la création, à la fin du XIXᵉ siècle, d'une des premières stations balnéaires de la côte, qui se posait en concurrente de Nice et de Cannes. Sur le littoral, au lieu-dit Tamaris, Michel Pacha fit assécher 100 ha de marais et édifier villas, hôtels et édifices publics. Tombées dans l'oubli (la station ne devint jamais à la mode), aujourd'hui réhabilitées, ces constructions offrent un réjouissant mélange de styles (un minaret ici, des colonnes néoclassiques là), symbolique de l'architecture balnéaire de l'époque.

Sur la route du bord de mer se dresse la *villa Sylvacane,* maison-bateau de béton construite à la fin des années 1930, immédiatement repérable grâce à sa tour éolienne (jetez un œil, même si ce n'est pas une villa de Pacha). Puis l'*Institut de physiologie marine,* construit en 1899 et aux faux airs de palais oriental. Planquée sous les frondaisons, l'imposante *villa Tamaris-Pacha,* construite à partir de 1890 et d'inspiration toscane, accueille désormais des expos d'art contemporain. *Chemin de la Grande-Maison.* ☎ 04-94-06-84-00. *Ouv pdt les expos, tlj sf lun et j. fériés 14h-18h30. Entrée gratuite.*

🎎 **Le fort Balaguier (Musée municipal) :** *924, corniche Bonaparte.* ☎ 04-94-94-84-72. *En juil-août, mer-dim 10h-12h, 15h-19h (14h-18h hors saison). Fermé lun, mar et j. fériés. Entrée : 3 € ; réduc ; gratuit jusqu'à 5 ans.* Une tour fut d'abord érigée en 1636 sur l'ordre de Richelieu pour parfaire le système de défense de la rade. Le petit fort date, lui, des XVIIIᵉ et XIXᵉ siècles. Sur les remparts, un chemin offre une belle vue sur la rade de Toulon. Petit musée installé dans les salles rondes du fort (remarquez les murs, d'au moins 4 m d'épaisseur). Dans l'ancienne chapelle, intéressante évocation du bagne de Toulon et de Cayenne (dessins et objets d'art réalisés par les bagnards). Expositions ponctuelles tout au long de l'année.

🎎 **Le fort Napoléon :** *chemin Marc-Sangnier.* ☎ 04-94-87-83-43. *Ouv pdt les expos mar-sam 14h-18h. Entrée gratuite.* Construit évidemment sous les instances de l'Empereur de 1812 à 1821, c'est un fort carré et entièrement casematé qui dut attendre la Libération en 1944 pour connaître des combats. Expos temporaires (gratuites). Festival de jazz en été (lire ci-dessous). Concerts de jazz certains vendredis soir hors saison (payants).

Fêtes et manifestations

– *Janvier dans les étoiles :* en... janvier ! Festival du cirque contemporain qui accueille les plus grandes troupes actuelles du genre.
– *Festival des musiques du monde et festival cubain :* en juil. Concerts de musiques venues d'ailleurs et marchés de produits issus du commerce équitable. Pour le festival cubain, événements dans l'événement : cours de salsa, apéritifs musicaux, stages de percussions...
– *Festival de jazz :* fin juil.-début août. Au fort Napoléon. Le plus ancien festival de jazz du département (créé en 1985), avec une programmation qui mêle figures emblématiques de cette musique et nouveaux talents. Et qui allie musique et expos d'art contemporain. Apéritifs Jazz aux Sablettes et dans le centre ancien.
– *Portraits de Femmes :* en déc. Une trentaine de courts et longs métrages de tous les pays pour un festival de cinéma consacré, comme son intitulé l'indique, à la femme.
– *Fêtes calendales :* à Noël, toujours dans le fort Napoléon.

LA PRESQU'ÎLE DE SAINT-MANDRIER   (83430)

Elle ferme la rade de Toulon au sud. Ce fut une île ; le sable, accumulé par les courants marins, l'a définitivement rattachée au continent au XVIIᵉ siècle. Sur l'isthme, entre Les Sablettes et le port de Saint-Elme, s'étend donc logiquement une plage de sable fin. Pittoresque petit port de Saint-Mandrier, autour d'une minuscule baie, le creux de Saint-Georges, où les galères romaines faisaient déjà relâche. Comme un peu partout autour de la rade de Toulon, présence immanquable de la Marine nationale...

Adresse utile

🛈 *Office de tourisme :* pl. des Résistants, 83430 Saint-Mandrier. ☎ 04-94-63-61-69. Ouv tte l'année, lun-ven 9h-12h, 14h-17h ; en été, lun-sam 9h-12h, 15h-18h.

Où manger ?

|●| *Le Goût Thé 2 :* 30, quai Jean-Jaurès. ☎ 04-94-63-51-57. ♿ Ouv tte l'année, midi et soir jusqu'à 21h30. Repas à la carte 30 €. Une petite adresse toute simple, avec un menu unique autour d'une cuisine provençale à l'ancienne, avec un quart de vin compris, et quelques douceurs au dessert. Accueil gentil comme tout. Petite terrasse, sur le port, les pieds dans l'eau.

|●| *Bar de la Marine :* 2, quai Jean-Jaurès. ☎ 04-94-63-97-12. Menu 22 € ; carte 15-30 €. Un bistrot populaire qui, derrière une salle bien banale et une carte de snack bien basique, cache une agréable terrasse-jardin et des plats de poisson simplement mais joliment amenés. Une autre terrasse sur le port pour les amateurs et un service qui garde le sourire même quand il est débordé...

SIX-FOURS-LES-PLAGES   (83140)   33 200 hab.

Si les plages ne sont pas difficiles à trouver (notamment celle de Brutal Beach, connue de tous les véliplanchistes), on s'égare assez vite dans Six-Fours, commune pour le moins étendue. Le centre de Six-Fours n'étant pas d'un inté-

LA CÔTE PROVENÇALE

rêt primordial, on vous conseille de filer vers Le Brusc, chouette petit port de pêche et de plaisance. Les Grecs, dès la fin du IIIe siècle av. J.-C., aimaient y faire relâche après le passage du cap Sicié. Du Brusc, embarquez pour l'île des Embiez, sauvage et préservée (10 mn de traversée en bateau).

Juste après Le Brusc, la minuscule et étonnante presqu'île du Gaou (ses côtes rocheuses évoquent presque la Bretagne), accessible par une passerelle de 8h à 20h (21h en été). Un lieu idéal pour retrouver le calme et la sérénité en fin de journée. Petit sentier de découverte botanique pour les plus curieux.

Adresse et info utiles

🏠 *Office de tourisme :* promenade Charles-de-Gaulle. ☎ 04-94-07-02-21. • six-fours-les-plages.com • En juil-août, lun-sam 9h-13h, 14h-19h et dim 10h-13h ; horaires restreints hors saison.

– *Marchés traditionnels :* ts les mar mat, quartier Reynier (centre-ville) ; grand marché ts les sam mat (en centre-ville) et dim mat, bd de Cabry (aux Lônes) ; marché forain ts les jeu mat sur le port du Brusc.

LA CÔTE PROVENÇALE

Où dormir ? Où manger ?

Prix moyens

🍴 |●| *Hôtel du Parc :* 112, rue Marius-Bondil, Le Brusc. ☎ 04-94-34-00-15. • lo canna.com • À 50 m du port. Selon saison, doubles avec lavabo 47-49 €, avec douche et w-c 58-66 €. Sur présentation de ce guide, petit déj offert pour 3 nuits. Tranquille petit hôtel familial. Chambres simples mais confortables, bien tenues et avec de beaux vieux meubles. Salle de resto fraîche, donnant sur un joli jardinet. Cuisine familiale, bonne ambiance et accueil sympathique.

|●| *Lou Figuier :* 43, rue Marius-Bondil, Le Brusc. ☎ 04-94-34-00-29. • loufi guier@tiscali.fr • loufiguier.com • Fermé lun, plus mer hors saison. Menus 25-35 € et carte. Digestif maison offert sur présentation de ce guide. Tout petit resto, qu'il faut aller dénicher, à deux pas du port. Heureusement d'ailleurs, car il ne peut accueillir qu'une trentaine de couverts en terrasse. La salle, à la déco sympathique, offre un cadre intimiste et feutré pour qui voudrait se détendre, en se régalant de plats tout simples, tout bons, qui changent chaque semaine. Produits frais, à commencer par ceux de la mer...

|●| *Le Bistro du Dauphin :* 36, sq. des Bains. ☎ 04-94-07-61-58. Sur la route du bord de mer qui mène vers Sanary, sur la droite, en retrait de la promenade Charles-de-Gaulle. Fermé lun soir et dim soir hors saison. Formule déj en sem 13 € ; carte env 25 €. Digestif maison offert sur présentation de ce guide. Trois salles plaisantes, façon bistrot d'aujourd'hui et une terrasse aux beaux jours (qui, ici, sont nombreux). Gentille cuisine provençale qui garde le cap malgré le changement de propriétaires : croustillant de râble de lapin et gnocchis au basilic, pâtes au pistou, gambas et tomates confites julienne de parmesan, marmite du pêcheur, etc.

|●| *Le Mafana :* 261, corniche de la Coudoulière. ☎ 04-94-07-02-18. ⚹ Tlj sf lun. Carte 15-20 € ; brunch à partir de 17 €. « Zen Café », dit l'enseigne. Ce qui donne une idée de l'ambiance de cette toute nouvelle adresse. Rigolote petite cuisine qui s'amuse autant avec les contenants qu'avec les contenus. Goûters et jeux de société l'après-midi, concerts le samedi et brunch le dimanche.

À voir

👣 *La chapelle Notre-Dame-de-Pépiole :* chemin de Pépiole. Tlj 15h-18h. Messe dim à 9h30 et en sem à 18h30 (18h en hiver). Sortir de Six-Fours centre, direction

Sanary ; prendre à droite av. du Président-John-Kennedy, direction La Seyne/ Toulon (A 50) ; à gauche au feu tricolore, une petite route fléchée conduit à cette intéressante étape architecturale. Rens (visites accompagnées) : ☎ 04-94-63-38-29. Croquignolette chapelle préromane du VIe siècle, construite sur le modèle des premières églises syriennes. Quelques retouches au cours des siècles ont transformé l'édifice en un exemple unique d'architecture orientalo-provençale. Absidioles lui donnant un air fortifié, meurtrières, porche massif, campaniles asymétriques, toits de guingois, belle pierre mise à nu. À l'intérieur, une pénombre délicieuse et intimiste.

🍴 *La collégiale Saint-Pierre :* sortir de Six-Fours par l'av. du Maréchal-Juin (direction La Seyne-sur-Mer) ; une petite route fléchée sur la gauche conduit à la collégiale. ♿ *Juin-fin sept, tlj 10h-12h, 15h-19h ; le reste de l'année, tlj sf mar 10h-12h, 14h-18h. Rens :* ☎ 04-94-34-24-75. Perchée sur une grosse colline (jolie vue sur la rade de Toulon), un peu écrasée par les massives murailles du fort militaire voisin, belle église, romane à l'origine (XIe siècle), seul vestige de l'ancien village de Six-Fours. Une bizarrerie : elle possède deux nefs qui se coupent à angle droit, l'une romane, l'autre de style gothique construite au XVIIe siècle. Dans la partie romane, fouilles d'un sanctuaire souterrain aménagé par les premiers chrétiens. Intéressant mobilier : *Descente de croix* de l'école flamande (XVIIe siècle), statue de la Vierge attribuée à Pierre Puget et beau polyptyque du XVIe siècle qui représente en dix niches les saints vénérés en Provence, entourant une *Vierge à l'Enfant* et un *Christ en croix.*

🚶 *La maison du Cygne :* bois de la Coudoulière. ☎ 04-94-10-49-90. Accès fléché depuis la route qui mène au port du Brusc. Tlj sf mar et j. fériés 9h-12h, 14h-17h (18h de mi-mars à mi-oct). Entrée gratuite. Mignonne petite maison Art déco, ancienne résidence du propriétaire d'une tuilerie aujourd'hui disparue dont l'histoire est brièvement évoquée à l'étage. C'est au cygne qui estampillait les tuiles fabriquées à Six-Fours que la maison doit son nom. Au rez-de-chaussée, expos temporaires (une par mois, en moyenne) qui explorent tous les champs de l'art contemporain. Dans le jardin : potager, roseraie et sculptures. Agréable endroit.

Randonnées

L'office de tourisme propose toute l'année des visites guidées, balades nature accompagnées et randonnées palmées (sic !), permettant de découvrir les richesses culturelles et naturelles de Six-Fours. *Infos et résa :* ☎ 04-94-07-02-21.

➤ *Le cap Sicié :* par le sentier du littoral, de la plage de Bonnegrâce à Fabregas. Distance : 9-10 km. Durée : 7h, mais on peut fractionner l'itinéraire. Balade tranquille de la plage au Brusc, puis plus sportive dans un massif presque montagneux au cœur d'une forêt méditerranéenne encore intacte. Du sommet du cap, quelques points de vue inoubliables.

➤ Quatre circuits vélo parcourent aussi la ville (près de 70 km de circuits balisés à thème !). Infos et plan à l'office de tourisme. Plusieurs locations à Six-Fours.

Fêtes et manifestations

– *Les Voix de la collégiale :* de mi-juin à mi-juil. Rens : ☎ 04-94-93-55-45. Concerts classiques de haute tenue dans la collégiale.
– *Les Voix du Gaou :* la 2de quinzaine de juil. • *voixdugaou.com* • Grand festival de musiques actuelles internationales. En plein air sur l'île du Gaou. Funk, musique africaine, gospel, chanson française...

➤ *DANS LES ENVIRONS DE SIX-FOURS-LES-PLAGES*

LE CAP SICIÉ

Au sud de Six-Fours par la D 16. Dans le quartier des Hauts-Mouriès, suivre le fléchage « Notre-Dame-du-Mai ». Attention, la route est inaccessible 15 juin-15 sept en raison des risques d'incendie (prolongation possible en cas de risque majeur).
Un poumon vert aux portes de la très urbanisée rade de Toulon. La route traverse quelques-unes des 1 600 ha de forêt méditerranéenne qui s'étendent entre Le Brusc et Fabregas.

À l'aplomb du cap Sicié (360 m), roches schisteuses pointées comme un doigt dans la mer, se perche joliment la *chapelle Notre-Dame-du-Mai (ouv le 1er sam mat de chaque mois oct-avr, puis pour les pèlerinages, soit tt le mois de mai, les jeudi de l'Ascension, lundi de Pentecôte, lundi de Pâques, 15 août et 14 sept ; collection d'ex-voto).*

De la chapelle, un panorama dont on ne se lasse pas, des calanques de Marseille aux îles d'Hyères. Au-delà, la route (surnommée la Corniche merveilleuse, et vous allez comprendre pourquoi) redescend doucement vers Fabregas et La Seyne-sur-Mer. Plusieurs plages et criques : celle de Fabregas, au sable gris d'origine volcanique qui, paraît-il, guérit des rhumatismes, ou celle du Jonquet, naturiste (la seule de cette portion de côte), accessible uniquement à pied.

L'ARCHIPEL DES EMBIEZ

Une poignée d'îles à quelques encablures du port du Brusc.

➤ *Traversée env ttes les 40 mn 7h-1h du mat en saison. Rens : ☎ 04-94-10-65-20 ou 21. Aller-retour : 12 € ; réduc ; gratuit jusqu'à 3 ans.*
Seule l'île des Embiez, la plus grande avec 95 ha, se visite. Comme Bendor (voir le chapitre Bandol), l'île a été rachetée par la société Paul-Ricard en 1958. On débarque dans le port de plaisance (le premier à avoir été créé en Méditerranée, en 1963), pavillon bleu – label de qualité et gage du respect de l'environnement. Autour s'étend le village, pas vilain mais ici ou là d'un kitsch absolu. Allez plutôt user vos chaussures sur les sentiers de la côte ouest, le long d'abruptes falaises rocheuses battues par les flots. Paul Ricard repose là, sous quelques pierres, face au large. Petite balade tranquille hors saison, mais en été, comme nous l'a dit un randonneur marseillais, « c'est la Canebière » ! L'accès aux criques, plus ou moins facile, permet d'éviter les foules. N'oubliez pas vos palmes et votre masque-tuba : l'île possède des fonds sous-marins préservés et très riches. Grimpez jusqu'à la tour de la Marine et ses chèvres imperturbables. Beau panorama.

À voir

🦑 🚶 *L'institut océanographique Paul-Ricard – Aquarium de l'Institut :* ☎ 04-94-34-02-49. *Ouv tlj sf sam mat (et dim mat oct-mars) 10h-12h30, 13h30-17h30. Fermé les 1er janv, 25 et 26 déc. Entrée : 4,50 € ; 2 € pour les enfants.* Petit musée installé dans une ancienne batterie de marine. Un endroit intéressant, notamment pour la mission qu'il s'est fixée : sensibiliser le public à la protection des mers et des océans (en été, conférences, rencontres avec les chercheurs). Au rez-de-chaussée, poissons naturalisés et céphalopodes dans le formol, amphores et poteries trouvées au large des Embiez, historique de l'île. À l'étage, dans une trentaine d'aquariums, une centaine d'espèces représentatives de la faune aquatique méditerranéenne. Le bâtiment abrite l'Institut océanographique, créé en 1966 pour lutter contre la pollution des environs de Cassis par les « boues rouges ». Dans ses laboratoires, des chercheurs étudient notamment les moyens de lutter contre la pollution des mers et des océans (un procédé inventé ici, a, par exemple, servi à contrer les dégâts de la marée noire de l'*Exxon Valdez*).

SANARY-SUR-MER   (83110)   17 200 hab.

Très fréquenté en été, Sanary retire hors saison son masque de station balnéaire familiale pour retrouver son vrai visage de petit port de pêche traditionnel. On peut y attendre le retour des bateaux. Comme en Bretagne ! Sanary tient d'ailleurs son nom de saint Nazaire (*san Nari* en provençal, histoire de ne pas être confondu avec les dix autres Saint-Nazaire de France !), saint très atlantique dont on se demande un peu comment il a échoué sur la côte méditerranéenne... En tout cas, comme les Toulonnais qui y fuient la ville le temps d'une soirée ou d'un week-end, on a trouvé du charme à ses quais plantés de palmiers et aux vieilles ruelles du centre.
Curieusement, entre 1933 et 1942, ce petit port fut la capitale de la littérature allemande en exil ! Plus de 500 opposants, dont de nombreux écrivains germanophones (Thomas Mann, Lion Feuchtwanger, Franz Werfel, etc.) s'y établirent, fuyant les autodafés nazis. Parmi eux, beaucoup s'embarquèrent pour les États-Unis en 1942. D'autres, moins chanceux, furent internés au camp des Milles, de sinistre mémoire... Un parcours de mémoire a été mis en place par la ville pour honorer les *lieux de vie des intellectuels exilés à Sanary-sur-Mer* (pour reprendre le titre d'une brochure remarquable éditée par le service du Patrimoine) ; renseignez-vous auprès de l'office de tourisme si le sujet vous passionne. On y apprend également que c'est ici, à Sanary, qu'Aldous Huxley écrivit en 1932 son best-seller *Le Meilleur des mondes*.

Adresses et infos utiles

🛈 *Maison du tourisme :* 1, quai du Levant, BP 24. Sur le port. ☎ 04-94-74-01-04. ● *sanarysurmer.com* ● Ouv en été lun-sam 9h-19h ; dim 9h30-12h30.
🛈 *Point information :* sur le port. Tlj en juil-août 10h-12h30, 18h-23h. Infos sur les activités nautiques slt.

– *Marchés :* tte l'année, mer mat. Un des plus gros du coin (près de 300 commerçants), typiquement provençal. Devant la mairie, marché aux primeurs sur les allées d'Estienne-d'Orves et marché aux poissons sur le port à l'arrivée des pêcheurs.

Où dormir ?

Campings

🏕 *Le Mas de Pierredon :* 652, chemin Raoul-Coletta (quartier de Pierredon). ☎ 04-94-74-25-02. ● *pierredon@campasun.com* ● *campasun.com* ● 🏕 À 3 km des plages de Sanary et de Bandol ; prendre la route d'Ollioules et, juste après l'A 50, tourner à gauche. Ouv avr-sept. Emplacement pour 2 pers avec voiture et tente 16-30 € selon saison. Loc de chalets, mobile homes et tentes meublées 180-840 €/sem. Sur présentation de ce guide, réduc de 5 %

sur le prix du séjour de plus de 3 j. hors juil-août. Le plus beau camping du secteur, selon nous, mais quel dommage que l'on ait un peu l'autoroute en bruit de fond... Certains emplacements grand confort, avec sanitaires individuels. Piscine chauffée, toboggan aquatique et resto agréable (ce n'est pas toujours le cas !). Animations en été.
🏕 *Les Girelles :* 1003, chemin de Beaucours. ☎ 04-94-74-13-18. ● *lesgirelles. com* ● À 2,5 km du centre, en bord de

mer. En bus depuis Bandol, par la compagnie Littoral Cars *(ligne Bandol-Toulon), arrêt « Beaucours ». Ouv Pâques-fin sept. Résa souhaitée. Emplacement pour 2 pers avec tente et voiture 15,90-25 € selon saison. Loc de*

mobile homes et caravanes (2 nuits min) 420-700 €/sem. Camping plutôt bien ombragé et en bord de plage. Accès réglementé avec surveillance vidéo. Pizzas, resto sur place, etc.

De prix moyens à plus chic

🛏 🍴 *Hôtel-restaurant Bon Abri :* 94, av. des Poilus. ☎ 04-94-74-02-81. ● ac cueil.client@bon-abri.com ● bon-abri. com ● *Resto fermé jeu. Congés : de mi-nov à mi-déc, et 1 mois après les vac de Noël. Doubles avec douche et w-c ou bains, TV, 58-93 € selon saison. ½ pens. demandée pdt les vac de Pâques et juin-sept, 42-58 €/pers. Menu 17 €. Parking gratuit. Réduc de 10 % sur le prix de la chambre en basse saison (sf vac et w-e) sur présentation de ce guide.* Un endroit vraiment charmant, fréquenté par pas mal d'habitués, alors pensez à réserver... Il n'y a en effet que 9 chambres dans cette mignonne petite maison tranquillement posée derrière un jardin touffu. Resto surtout réservé aux clients de l'hôtel...

🛏 🍴 *Hôtel-restaurant de la Tour :* 24, quai du Général-de-Gaulle. ☎ 04-94-74-10-10. ● la.tour.sanary@wana

doo.fr ● sanary-hoteldelatour.com ● *Resto fermé mar et mer hors saison, ainsi que 1ᵉʳ déc-10 janv. Doubles avec douche et w-c ou bains, TV, 60-84 € selon confort et saison. Menus 33-46 € ; carte env 55 €. Apéritif maison offert sur présentation de ce guide.* Une institution locale qui accueille, sur le port, les visiteurs depuis 1898. Haute maison bizarrement accolée à une tour de guet du XIIIᵉ siècle. Ample escalier qui conduit vers des chambres confortables (climatisées), déco à l'ancienne et d'un goût un brin bourgeois. Prévoir un peu de bruit pour les chambres côté port en saison, mais la situation est tout de même assez idéale... Les chambres avec bains sont plus spacieuses et ont vue sur mer. Bonne table tournée vers les produits de la mer. Accueil fort aimable.

Beaucoup plus chic

🛏 *Chambres d'hôtes Le Jujubier :* 753, chemin de Beaucours. ☎ 04-98-00-06-20. ● mussgens@orange.fr ● le jujubier.com ● *À 2,5 km du centre, route de Bandol (près du camping Les Girelles). Doubles avec douche et w-c ou bains, TV satellite, 100-170 € selon saison. Une coupe de champagne offerte sur présentation de ce guide.* Une agréable bâtisse du XVIIᵉ siècle couleur vieux rose, dans un petit parc avec piscine. Cinq belles chambres admirablement décorées avec des couleurs douces, un mobilier étudié et des salles de bains nickel. Petit déjeuner-buffet très complet. Bref, tout ce qu'on attend d'une chambre d'hôtes de luxe.

Où manger ?

On vous rappelle que la plupart des adresses citées dans « Où dormir ? » font également resto, et ce fort honorablement...

De bon marché à prix moyens

🍴 *L'En K Fé :* 4, rue Louis-Blanc. ☎ 04-94-74-66-57. *Ouv de mi-mai à mi-sept. Compter 12 € à la carte. Café* offert sur présentation de ce guide. Deux, trois tables sur la rue piétonne, une salle minuscule et furieusement

« film de Jean Yanne dans les années 1970 », où grignoter au bar. C'est le p'tit frangin branché de *L'En K* (voir plus loin). Clientèle dans la vingtaine et qui fait gaffe à son look. Petits plats tout simples mais avec du goût. Ambiance inévitablement très cool.

|●| *Un Coin de Table* : 31, rue Siat-Marcellin. ☎ 04-94-74-00-37. ●ycoyet@ hotmail.com ● Juin-août, fermé lun midi et jeu midi ; le reste de l'année, lun midi et soir. Congés : de mi-nov à mi-mars. Formule déj en sem 17 € ; carte env 35 €. Digestif maison offert sur présentation de ce guide. Voilà un nom qui sonne juste lorsqu'il y a du monde. Parce qu'entre la petite terrasse et la minuscule salle à l'étage, il n'est pas toujours facile à dégoter, ce coin de table ! Déco minimaliste qui imite avec succès une certaine patine. Fine cuisine, évidemment méditerranéenne, qui s'amuse avec les fruits et les épices. Côté fraîcheur, pas de souci. Ici, on se lève tôt chaque jour pour aller faire les courses au marché.

|●| *L'En K* : 13, rue Louis-Blanc. ☎ 04-94-74-66-57. ● len-k.com ● ✆ Dans les petites rues piétonnes du centre, derrière la mairie. Fermé dim soir et lun hors saison. Congés : janv. Menu le midi 14 € ; carte 28 €. Digestif maison offert sur présentation de ce guide. Un resto, un vrai, un bon, dans une de ces pittoresques petites rues qui semblent pourtant prédisposées à l'« attrape-touristes ». Son succès auprès des gens du coin ne se démentant d'ailleurs pas, il vous faudra presque impérativement réserver pour une place à l'une des tables à la queue leu leu de terrasse ou dans la salle à la déco colorée. Cuisine pleine de bonnes idées.

|●| *Le Baroudeur* : 32 bis, rue Siat-Marcellin. ☎ 04-94-88-32-55. En saison, lun-dim sf sam midi, dim midi, lun midi. Hors saison, ouv mar-sam midi et soir. Verrines env 2 € ; assiette de fromage affiné 12 €. Avec un tel nom, on ne pouvait le rater ! Ici, tout le monde connaît ce bar à vin où l'on se goinfre de tapas, de charcutaille (comme l'andouillette Bobosse) ou de poissons accompagnés d'un p'tit verre de vin, du cru bien sûr (belle sélection, d'ailleurs).

Plus chic

|●| ⌂ *Le Mas de la Frigoulette (Chez Bernard)* : 130, av. des Mimosas. ☎ 04-94-74-13-46. ● lemasdelafrigou lette@wanadoo.fr ● lafrigoulette.com ● ✆ Sur la route de la plage de Portissol. Ouv tte l'année. Doubles avec douche et w-c ou bains, TV, 50-120 €. Menus 26-33 € et carte. Digestif offert sur présentation de ce guide. Sympathique petite maison dans la verdure. On est donc chez Bernard, un personnage ! Et une ambiance en saison, genre bande de potes, apéritifs et galéjades qui pourra déplaire à certains. Pour les autres, une bonne cuisine de tradition et de région, des plats conviviaux (viandes cuites sur la pierre, potences...), une très agréable terrasse avec piscine (et olivier séculaire). C'est également un hôtel (*Logis de France*) aux chambres plutôt plaisantes et récemment rénovées. Mais attention, elles sont dans l'ensemble tout de même vraiment petites... et certaines profitent en plein de l'animation du resto.

À voir. À faire

🤿 *Le musée de l'Histoire de la plongée (musée Frédéric-Dumas)* : sur le port. Infos à la Maison du tourisme : ☎ 04-94-74-01-04. Jeu-dim 10h-12h30, 14h-18h30. Entrée gratuite. Installé dans l'immanquable tour de guet médiévale (belle vue depuis la terrasse), petit musée initié par Frédéric Dumas, pionnier de la plongée sous-marine, l'un des trois « Mousquemers » avec Cousteau et Tailliez. Collection d'équipements et de matériel des années 1930 à nos jours : fusils sous-marins, dont le modèle américain de 2 m de long et le Jaguar utilisé par Sean

Connery dans *Opération Tonnerre,* le premier appareil photo sous-marin entière-ment étanche (le *Calypso Phot*), quelques amphores et objets archéologiques, etc. Autre salle « Maurice Fargues » à visiter, rue Lauzet-Ainé.

– *Plongée sous-marine :* école de plongée de Sanary, 📱06-28-05-24-57. Bap-tême, forfait, sortie à la journée avec barbecue inclus, plongée de nuit et stage d'obtention du brevet Niveau I.

– *Pêche au gros :* de mi-juillet à mi-octobre, excursions en mer avec *Le Mistigri-Albacore* (☎ 04-94-74-36-54), *Le Flawless* (📱06-80-45-28-45) et *Le Fanny* (📱06-13-09-46-39).

➢ Possibilité de balades en mer vers les calanques de Cassis, de Marseille, les Baies du Soleil avec *La Croix du Sud IV* (📱06-09-87-47-97). Liaisons saisonnières également avec les îles des Embiez.

Fêtes et manifestations

– *Brocante :* le dernier sam du mois, dans les rues piétonnes.
– *Floralies :* ts les 4 ans, en avr. Prochaine édition en 2009.
– *Le Vent des Arts :* ts les 2 ans, 10 j. à partir de l'Ascension. Expos de peintres, sculpteurs et autres plasticiens sur un thème différent chaque année.
– *Procession à la Saint-Pierre (fête des pêcheurs) :* dernier w-e de juin, ts les ans. Bouillabaisse géante une année sur deux (années paires).
– *Joutes :* juin-sept.
– *Festival brésilien :* en juil, une année sur deux (années paires).
– *Fête du Nom :* 1er w-e d'oct. Fête costumée avec de nombreuses animations de rues et repas provençal.

BANDOL   (83150)   7 970 hab.

La plus célèbre station balnéaire de cette partie de la côte. Lové dans ses collines, bien protégé du mistral, le port, hier de commerce (au XIXe siècle, on y embarquait huile d'olive et vin), est désormais dévolu à la plaisance. Agréa-ble promenade du front de mer. Les anciennes villas nichées au-dessus de petites criques donnent un certain charme à Bandol. Par contre, côté plaisirs de la table, ce n'est pas toujours l'authenticité qui prime. Bien sûr, il y a foule le week-end et en été.

Adresses utiles

🛈 *Service de tourisme :* allées Alfred-Vivien (sur le port), BP 45. ☎ 04-94-29-41-35. ● bandol.fr ● En juil-août, tlj 9h30-18h30 ; hors saison, lun-ven 10h-12h, 14h-17h et sam mat.
🚆 *Gare SNCF :* sur la ligne Marseille-Toulon. ☎ 36-35 (0,34 € TTC/mn).
🚌 *Renseignements pour les cars :*

☎ 04-94-74-01-35 pour la ligne Ban-dol-Toulon. ☎ 04-42-08-41-05 pour la ligne Bandol-Marseille.
■ *Location de VTT :* Holiday Bikes, 127, route de Marseille. ☎ 04-94-32-21-89. Compter env 15 €/j. ; une cau-tion assez élevée est demandée.

Où dormir ?

Camping

⚠ *Camping Vallongue :* 936, av. des Reganeou. ☎ 04-94-29-49-55. • camping.vallongue@wanadoo.fr • campingvar.com • À 2 km de la mer, sur la route de Saint-Cyr-La Ciotat. À 15 mn à pied de la gare. Ouv avr-sept. « Forfait piéton » (tente et 2 pers) 13 € en hte saison. Loc de bungalows 190-750 €/ sem. En bord de route, plus ou moins ombragé mais c'est le seul de la ville. Piscine.

De prix moyens à beaucoup plus chic

🏠 |●| *Hôtel-restaurant L'Oasis :* 15, rue des Écoles. ☎ 04-94-29-41-69. • infos@oasisbandol.com • oasisbandol.com • ⅍ Prendre la rue Gabriel-Péri qui monte face au port de plaisance, c'est la 3ᵉ rue à gauche. Resto fermé dim soir hors saison. Congés : 1ᵉʳ déc-3 janv. Doubles avec douche et w-c ou bains, TV, 65-76 €. ½ pens souhaitée de mi-juin à mi-sept : 64 €/pers. Menus 22-49 € ; carte env 30 €. Parking. Sur présentation de ce guide, 10 % de réduc sur le prix de la chambre 1ᵉʳ oct-31 mars. À mi-chemin du port et de la plage, un petit hôtel-resto agréable avec jardin ombragé et terrasse. Petit détail qui a son importance, le patron est très sympa. Une douzaine de chambres seulement, simples mais bien tenues. Évitez quand même celles qui donnent sur la rue. Si ça vous tente, la n° 14 est un peu à part, au fond du jardin, avec une petite terrasse.

🏠 |●| *Hôtel Bel Ombra :* 32, rue de la Fontaine. ☎ 04-94-29-40-90. • bel.ombra@wanadoo.fr • hotelbelombra.com • Entre le port et la plage de Rènecros (accès fléché). Congés : de mi-oct à mars. Doubles avec douche et w-c ou bains 56-69 € selon saison. ½ pens souhaitée de mi-juin à mi-sept 62-65 €/pers. Menu pensionnaires 21,50 €, le soir slt. Quelques petites places de stationnement à gauche de l'hôtel. Petite maison bien entretenue dans un quartier de villas très tranquille, à l'écart du centre-ville. Hôtel et chambres à la décoration fraîche et pimpante. Certaines ont un balcon. Propreté impeccable. Accueil aimable et ambiance de pension familiale. Tonnelles au soleil ou à l'ombre, c'est au choix.

🏠 |●| *Golf Hôtel :* 10, promenade de la Corniche, plage de Renecros. ☎ 04-94-29-45-83. • golfhotel.surplage@wanadoo.fr • golfhotel.fr • Resto ouv le soir mais fermé en cas de mauvais temps. Congés : de mi-nov à mi-mars. Doubles avec douche 45 €, avec douche et w-c ou bains et TV 54-92 € selon saison. ½ pens souhaitée en juil-août : supplément de 33 €/pers. Menu 21 €. Parking gratuit. Apéritif maison offert sur présentation de ce guide. Derrière la façade un peu vieillissante de cet ancien casino municipal des années 1920, posé juste au-dessus de la plage de Renecros, se cachent en fait un charmant jardinet et des chambres qui ne le sont pas moins. Toutes ont, détail appréciable, la clim'. Certaines ont un balcon ou une loggia avec vue sur la mer ou sur la plage. Très bon accueil de l'équipe féminine.

🏠 |●| *Splendid Hotel :* 83, av. Foch, BP 62. ☎ 04-94-29-41-61. • info@splendidhotel.com • splendidhotel.com • Sur la plage de Rènecros. Congés : nov-Pâques. Doubles avec douche et w-c ou bains, TV, 59-107 € selon saison. Suites et duplex dans la partie villa 150-300 €. Possibilité de se garer gratuitement dans la rue, ou parking payant. Au bout de la plage, les pieds dans l'eau, voici un petit hôtel des années 1920. La villa attenante hébergera en principe en 2008 trois suites et un duplex. C'est plus cher côté plage que sur l'arrière, bien sûr. Animaux acceptés.

🏠 |●| *Hôtel Le Délos :* île de Bendor. ☎ 04-94-05-90-90 ou 04-94-05-54-94 (résa). • hoteldelos.com • ⅍ Doubles avec douche et w-c ou bains, TV satellite 180-200 € selon saison ; suites 210-360 €. Sur l'île de Bendor, joliment situé face à la baie. Chambres dans l'hôtel lui-même, joliment rénovées et décorées dans un réjouissant mélange de styles. Suites dans le même esprit, judicieusement installées dans de petites villas provençales. Et d'autres chambres, dans un design plus contemporain, dans le Palais, face à l'embarcadère. Très belle piscine. Bars et resto.

Où manger ?

Prix moyens

|●| **L'Assiette des Saveurs :** 1, rue Marçon. ☎ 04-94-29-80-08. Tte l'année, tlj. Formules déj 11-14 € ; menus 22-28 €. Il faut assumer pareille enseigne ! Ce petit resto aux murs de pierre et à la tranquille petite terrasse le fait pleinement : c'est tout simplement bon, joyeusement servi, et les additions ne sont pas de celles auxquelles on se résigne malheureusement dans la région. Pourvu que cette nouvelle adresse tienne la distance...

|●| **Le Clocher :** 1, rue de la Paroisse. ☎ 04-94-32-47-65. ● le.clocher@wanadoo.fr ● Fermé mer et dim soir hors saison ; mer et le midi des jeu, sam et dim en hte saison. Formule déj en sem 11 € ; menus 26-35 €. Apéritif offert sur présentation de ce guide (sf avec la formule déj). Un petit décor classique de bon ton, une terrasse en teck dans la ruelle et un charmant sourire vous invitent à tenter l'aventure pour revisiter le terroir. Faites votre choix au hasard de la carte, pour déguster une cuisine de marché qui suit l'inspiration du chef et des saisons. Spécialités provençales impeccablement revues et corrigées.

|●| **La Brise :** 12, bd Victor-Hugo. ☎ 04-94-29-41-70. Tlj sf lun-mer soir hors saison. Menus 15 € le midi, puis 20-30 €. On avait quitté un petit hôtel familial aux chambres vieillissantes, on ne retrouve qu'un resto, drivé par une jeune et hospitalière équipe. Le décor n'a malheureusement pas beaucoup bougé, mais en cuisine se troussent de sympathiques plats de région à prix gentils.

|●| **Le Bar à vin de L'Auberge du Port :** 9, allée Jean-Moulin. ☎ 04-94-29-42-63. ♿ Ouv tlj. Plat du jour 12 € le midi (ou salades env 10 €). Autres menus 15 € et 30 € ; plus cher à la carte : seiche a la plancha ou aïoli env 18 €. Pour les autochtones, l'endroit s'appellera toujours « Chez Toche », du nom de l'ancien patron auquel Raimu avait, paraît-il, emprunté quelques mimiques. La plus ancienne brasserie de Bandol est aujourd'hui une annexe un peu moins chère de la chic Auberge du Port (voir ci-dessous). Honnête cuisine de brasserie.

Très chic

|●| **L'Auberge du Port :** 9, allée Jean-Moulin. ☎ 04-94-29-42-63. ♿ Ouv tlj. Carte env 50 €. L'adresse « côté mer » un peu huppée. Pour ceux qui ne peuvent se passer d'une terrasse sur le port mais qui exigent un minimum de distinction dans le décorum et le service. Poisson (au poids, attention !) en croûte de sel, coquillages, crustacés et cuisine de région. Tout ça est pas mal amené mais souffre parfois de quelques irrégularités.

À voir. À faire

🦷🦷 **L'île de Bendor :** à 200 m du port de Bandol. Traversée (7 mn) ttes les 30 mn en été. Aller-retour : 10 € en juil-août, sinon 8 € ; 5 € pour les enfants. Rens : ☎ 04-94-29-44-34. 📱 06-11-05-91-52. Raimu faillit acheter cet îlot désertique et caillouteux mais, comme il détestait prendre le bateau, c'est Paul Ricard qui en fit l'acquisition dans les années 1950. L'industriel oublia vite la vie à la Robinson qu'il voulait y mener. Et aujourd'hui, cette île minuscule ressemble vaguement à Portmeirion, le village gallois qui apparaît dans la série culte *Le Prisonnier.* Village néoprovençal, très kitsch, statues gréco-romaines, sentier bétonné pour faire le tour de l'île (cinq grosses minutes). Une toute petite plage et, pour les amateurs de belles bouteilles, 8 000 pièces présentées dans le bâtiment de l'*exposition universelle des vins et spiritueux* (juin-sept, tlj sf mer et sam mat 10h30-12h30, 15h-19h ; entrée gratuite). Également une petite expo sur la vie de l'île et les travaux entrepris par Paul Ricard, et puis des artisans, des boutiques... S'il fallait choisir entre les multiples « îles Paul Ricard », visitez plutôt celle des Embiez (voir précédemment « Dans les environs de Six-Fours-les-Plages »), plus nature.

🦌 🚶 *Le jardin exotique et le zoo de Bandol-Sanary :* à 3 km de la ville. ☎ 04-94-29-40-38. L'été, tlj 8h-12h, 14h-19h. Oct-mai, ouv jusqu'à 18h, fermé dim mat. Adulte : 8,50 € ; enfant 3-10 ans : 6 €. Des milliers de plantes et de fleurs tropicales réparties sur 2 ha, ainsi que de nombreux oiseaux (aras, cacatoès, toucans, paons, etc.). Également une quarantaine de mammifères (singes, lémuriens, fennecs, etc.).

⌂ *Les plages :* celle de *Rènecros,* notre préférée, est bien abritée dans une anse autour de laquelle se pressent de vieilles villas (dont la *Ker Mocotte,* qui appartenait autrefois à Raimu, mais qui a fini en appartements...). Pour ceux qui ne rechignent pas devant quelques kilomètres à pied, quelques petites plages tranquilles le long du sentier du littoral.

♿ À noter, la plage du Casino est équipée pour accueillir les personnes à mobilité réduite. Prêt de fauteuils adaptés au sable et à l'eau.

Idées randos

➤ De Bandol à Saint-Cyr/Les Lecques, en empruntant le sentier du littoral balisé en jaune, au départ de la plage de Rènecros (4h aller). Si le début de la balade est urbanisé, le sentier (pas toujours facile à trouver) gagne ensuite des pointes encore sauvages et suit une côte percée de calanques comme celles de Port-d'Alon. Retour par le même chemin ou en bus (descriptif du sentier et horaires des bus au service de tourisme).

➤ Le sommet du *Gros Cerveau* (voir plus loin « Le vignoble de Bandol ») : depuis le jardin exotique. 12 km. Balade facile.

➤ La *balade à vélo* (location : voir plus haut « Adresses utiles ») est un must, l'arrière-pays étant superbe.

Où acheter du vin ?

🍷 *Maison des vins de Bandol :* 22, allées Vivien. ☎ 04-94-29-45-03. Fermé dim ap-m en saison ; lun et dim le reste de l'année. Congés : janv ou fév. La maison regroupe la production d'une trentaine de vignerons. Si vous cherchez les vingt autres, ils ne sont pas loin : allez faire un tour au *Caveau des Vins,* sur les mêmes allées (☎ 04-94-29-60-45 ; fermé dim ap-m en saison, jeu et dim ap-m hors saison).

Fête et manifestation

– *Le printemps des Potiers :* w-e de Pâques. Expo-vente de poteries et de céramiques. Artistes et artisans au travail dans les rues.
– *La fête du Millésime :* sur le port, 1er dim de déc. Les producteurs de vin de Bandol font goûter le vin nouveau. Très populaire.

SAINT-CYR-SUR-MER   (83270)   9 010 hab.

Petit bourg avec son gros marché le dimanche matin. Village de l'intérieur des terres, Saint-Cyr est vraiment sur mer, à 2 km au sud-ouest, avec *Les Lecques*, station balnéaire familiale et petit port au fond d'un golfe. Belle plage entre Les Lecques et La Madrague.

> ### LIBRE COMME L'EAU !
>
> *Sur la place centrale de Saint-Cyr-sur-Mer trône l'une des quatre répliques françaises de la statue de la Liberté. Installée en 1913, elle commémore la mise en place du premier réseau d'adduction d'eau dans la commune. Le rapport ? Eh bien, avoir l'eau courante chez soi était considéré comme un signe de liberté, tout simplement.*

Adresse et info utiles

🏛 **Office de tourisme :** pl. de l'Appel-du-18-Juin, 83270 Les Lecques. ☎ 04-94-26-73-73. ● saintcyrsurmer.com ● À côté de la poste des Lecques. En été, lun-sam 9h-19h ; dim et j. fériés 10h-13h, 16h-19h. Hors saison, lun-ven 9h-18h (17h nov-fév) ; sam 9h-12h, 14h-18h (13h-17h nov-fév) ; fermé dim.
– **Marché :** dim mat.

Où dormir ? Où manger ?

De prix moyens à plus chic

🛏 🍴 **Le Petit Nice :** 11, allée du Docteur-Seillon, 83270 Les Lecques. ☎ 04-94-32-00-64. ● francoise.chavant@wanadoo.fr ● hotelpetitnice.com ● ♿ Congés : 4 nov-15 mars. Doubles avec douche et w-c ou bains, TV satellite, 56-72 € selon saison. Juin-sept, ½ pens souhaitée 53-67,50 €/pers. Parking payant. *Café offert sur présentation de ce guide.* Une construction moderne aux murs ocre, sans grand charme mais tranquille, au cœur d'un grand jardin et à proximité de la mer. Chambres rénovées, à la déco standard. Piscine et resto.

🛏 🍴 **Hôtel Beau Séjour :** 34, av. de la Mer, Les Lecques. ☎ 04-94-26-54-06. ● beausejour-la-mer@wanadoo.fr ● hotel-beau-sejour.fr ● Ouv tte l'année. Doubles avec douche et w-c ou bains 66-99 € selon saison, petit déj inclus. Menu 25 €. On n'est pas loin de la chambre d'hôtes en plein village, sauf que le lieu, tenu par une équipe de copains, est tout de même géré comme un hôtel. Accueil très décontracté. Agréable cour sous des platanes centenaires pour prendre le petit déjeuner ou le dîner. Cuisine méditerranéenne, poisson acheté à La Ciotat, plats italiens, tajines, etc.

Beaucoup plus chic

🛏 🍴 **Grand Hôtel Les Lecques :** 24, av. du Port, BP 3, Les Lecques. ☎ 04-94-26-23-01. ● info@lecques-hotel.com ● lecques-hotel.com ● Congés : déc-fév. Doubles avec douche et w-c ou bains, TV satellite 99-149 € selon saison et exposition ; petit déj-buffet 14 €. *Un petit déj offert par pers et par nuit sur présentation de ce guide.* Une agréable maison Belle Époque (malgré un crépi qui mériterait d'être refait) dressée au bout d'une allée de palmiers, dans un parc planté de pins. À l'intérieur, un vaste hall à colonnades, de beaux couloirs rénovés et du sisal... Les chambres, toutes différentes, sont aménagées au goût du jour. Les moins chères en rez-de-jardin côté pinède, les plus chères côté mer et dotées d'un balcon. Belle piscine (autour de laquelle on peut manger aux beaux jours), tennis et plage à 200 m. Accueil gentil tout plein | et une ambiance qui sait rester familiale.

À voir

🕇🕇 **Le Musée gallo-romain de Tauroentum** : 131, route de La Madrague. ☎ 04-94-26-30-46. Juin-sept, tlj sf mar et dim 15h-19h ; mai-oct, w-e et j. fériés 14h-17h. Entrée : 3 € ; réduc ; gratuit jusqu'à 7 ans. Le nom du site vient des premiers navigateurs qui s'y échouèrent au Ve siècle av. J.-C. : la figure de proue de leur bateau était tout simplement... un taureau. Plus tard, les Romains latinisèrent le nom. D'autre part, la « vue imprenable sur la mer » n'est pas une invention des promoteurs immobiliers des années 1970. Les Romains, toujours eux, avaient, dans la seconde moitié du Ier siècle av. J.-C., construit ici une *villa maritima* avec pergola et jardins en terrasse descendant vers la mer. Une construction, en fait, inhabituelle dans cette région où l'on connaît plus de *villa rustica,* implantées à l'intérieur des terres. Le musée a été aménagé autour des fondations de l'édifice, trois pièces recouvertes de mosaïques datant du Ier siècle, des colonnes torsadées en marbre blanc des Ier et IIe siècles... Des vitrines présentent une foule d'objets grecs et romains. À l'extérieur, un monument unique en son genre, qui tient de la tombe et de la maison. Deux chambres, une pour le corps (l'enfant du propriétaire de la villa y était inhumé) recouverte de plaques de marbre rose, l'autre, au-dessus, pour les offrandes, coiffée d'un toit qui, à l'origine, était le seul à dépasser du sol. Également un sarcophage orné de strigiles (cannelures).

🕇 **Le centre d'art Sébastien** : 12, bd Jean-Jaurès. ☎ 04-94-26-19-20. Dans le centre-ville de Saint-Cyr. Tte l'année, tlj sf mar 9h-12h et 14h-18h (15h-19h juin-sept). Entrée : 1 €. Ancienne usine à câpres joliment transformée en centre d'art. On peut y voir une collection permanente des œuvres (peintures, aquarelles, dessins, bronzes, terres cuites, céramiques) de Sébastien (1909-1990), ami de Picasso, Cocteau et Gide, et l'un des promoteurs du style de Vallauris. C'est lui aussi qui a dessiné la Palme d'or du festival de Cannes. Expos temporaires qui changent très régulièrement.

🕇🕇 **La calanque de Port-d'Alon** : à 4,5 km au sud de Saint-Cyr par la D 559, puis une petite route fléchée à droite. Une calanque comme celles qui entaillent la côte de Marseille à La Ciotat : falaises piquetées de pins, jolie petite plage. Autrefois repaire de contrebandiers, aujourd'hui pas mal fréquentée par les baigneurs. Un souci : le parking, payant (et cher !). Les courageux pourront gagner la calanque par le sentier du littoral et découvrir, comme dit la brochure de l'office, « les paysages d'un littoral méditerranéen aux mille facettes surplombant de superbes fonds marins » (voir à Bandol) !

Fête

– **Fête des Vendanges** : mi-sept. Au centre-ville. Défilé d'attelages, danses provençales et cavalcades.

Plongée sous-marine

C'est autour de Toulon, berceau de la plongée moderne, que le scaphandre autonome fut mis au point dans les années 1940 par une palanquée de pionniers farfelus. Ainsi Jacques-Yves Cousteau, Frédéric Dumas et Philippe Tailliez – « les Mousquemers » – firent-ils de l'exploration sous-marine un véritable loisir, et semèrent la révolution à l'École de plongée de la Marine nationale établie à Saint-Mandrier... Les routards accros visiteront le petit musée de Sanary (voir à « Sanary-sur-Mer »), dédié à cette grande aventure sous-marine. Et puis réjouissez-vous ! Voici quelques spots d'une exceptionnelle beauté par petits fonds...

LA CÔTE PROVENÇALE

Clubs de plongée

■ *Cap Plongée :* capitainerie du port de la Coudoulière, à Six-Fours-les-Plages. ☎ 04-94-07-64-36. 📱 06-12-51-85-46. ● *capplongee.com* ● *Ouv tte l'année. Baptême env 45 € ; plongée 25-38 € selon équipement ; forfaits dégressifs 6-11 plongées. Résa obligatoire. Réduc de 10 % sur les tarifs sur présentation de ce guide.* Embarquement immédiat sur la petite barge rapide de ce centre (*FFESSM, ANMP* et *PADI*), vraiment confortable (vestiaires, douches, salle de cours...). Avec Olivier Ingargiola, le proprio-moniteur sympa, vous ferez : baptêmes, formations jusqu'au niveau III et brevets *PADI*, mais aussi des explorations à la carte, en petit comité, et en toute sécurité (petites profondeurs). Stages enfants à partir de 8 ans.

■ *CIP Bendor :* sur l'île de Bendor, au large de Bandol. ☎ 04-94-29-55-12. 📱 06-80-47-59-97. ● *cipbendor.com* ● *Ouv mars-nov. Baptême env 50 €, reportage photos-souvenirs compris ; plongée 25-35 €, selon équipement ; forfaits dégressifs 6-10 plongées. Résa obligatoire.* Depuis le bateau rapide de ce club (*FFESSM* et *PADI*) tout confort, Jean-Yves Piquet et son équipe de moniteurs assurent baptêmes, formations jusqu'au monitorat fédéral et brevets *PADI*, sans oublier des explorations dont vous garderez le plus vif souvenir. Plongée en comité restreint. Stages enfants à partir de 8 ans et *snorkelling*. Équipements complets fournis. Hébergement sur l'île possible en pension complète ou demi-pension et dans un cadre exceptionnel.

■ *Lecques Aquanaut Center :* dans le nouveau port des Lecques, à Saint-Cyr-sur-Mer. ☎ 04-94-26-35-35. 📱 06-09-55-24-26. ● *lecques-aquanaut.fr* ● *Ouv tte l'année. Résa conseillée. Baptême env 40 € ; plongée 23-41 € selon équipement ; forfaits dégressifs 10-20 plongées.* Dans ce centre (*ANMP* et *PADI*), une sérieuse palanquée de moniteurs, animée par Patrick Bellantonio, encadre : baptêmes, enseignement jusqu'au niveau IV et brevets *PADI*. Ils guident aussi vos explorations des spots situés à l'ouest de Bandol et en baie de La Ciotat. Matériel fourni. Plongée enfants à partir de 8 ans, et stage d'initiation à la biologie marine possible. Plongée *Nitrox* (air enrichi en oxygène) pour les confirmés. Locaux et bateaux confortables.

Nos meilleurs spots

➷ *Les îles des Embiez :* un site exceptionnel et peu profond au large de Sanary-sur-Mer ; siège de l'Institut océanographique Paul-Ricard. Sur les *plateaux des Basses-Moulinières* (- 22 m maxi), rendez-vous réussi avec un banc de petits barracudas effilés (pas de panique !), à l'affût dans un dédale rocheux très poissonneux, et tapissé d'anémones jaunes et de gorgones. Niveau I. Puis, en explorant fiévreusement les *failles de la Sèche Guéneaux,* les néophytes apprécieront la vie sous-marine intense (spirographes, gorgones, rascasses, corbs, sars, etc.), dans à peine 20 m d'eau ! Enfin, vous débusquerez les langoustes de la *Merveilleuse* (de 24 à 33 m de profondeur), une roche qui reçoit parfois la visite inopinée d'un poisson-lune très gracieux. Niveau II requis.

➷ *L'île Rousse :* pour les plongeurs de tous niveaux. À l'ouest de Bandol. De blocs rocheux en mini-tombants où se cache, çà et là, du corail rouge flamboyant (c'est exceptionnel !), vous dévalez les pentes en inspectant les nombreuses failles, où murènes et rascasses jouent les stars sous les feux de votre lampe torche (ne pas l'oublier !). Au sable (- 18 m maxi), le tombant se transforme en grotte s'enfonçant sous l'île.

➷ *L'Arroyo :* à partir du niveau II. À l'est du cap Sicié, ce bateau-citerne militaire fut coulé par la Marine en 1953 pour servir à l'entraînement de ses plongeurs (de 18 à 36 m de fond). L'épave, brisée en deux, est recouverte de gorgones rouges, et son nouvel équipage – mérous, congres, rascasses, poulpes, chapons – inspire la même sympathie que nos pompons rouges ; entendez, les matelots de la flotte ! Très fréquentée en été.

🐟 *La pointe Fauconnière :* à quelques encablures du port des Lecques. Pour plongeurs de tous niveaux. Amusant et curieux ensemble de grottes, tunnels et tombants (de 10 à 25 m de fond), où rascasses, castagnoles, labres et girelles folâtrent dans le faisceau de votre lampe torche. Également quelques nacres. Une plongée exceptionnelle.

LE VIGNOBLE DE BANDOL

Entre la Méditerranée et le massif de la Sainte-Baume, de rondes collines calcaires dessinent un robuste arrière-plan au littoral. Ici ou là, de vieux villages se sont perchés. Avant les foules juillettiste et aoûtienne, c'est ce proche arrière-pays qui faisait vivre la côte, point d'embarquement des fruits et légumes qui poussent ici, comme le célèbre vignoble de Bandol planté sur ces vastes terrasses appelées *restanques.*

LA CADIÈRE-D'AZUR (83740)

Perché sur un éperon rocheux, un très beau village médiéval, avec son treillis de ruelles autour de la place principale (ne manquez pas de boire un verre ou de jeter un œil au *Cercle des Travailleurs*) et quelques vestiges de ses remparts (mais attention, village labyrinthique !). Belle balade sur la D 266, à travers les vignobles, entre La Cadière et Bandol.

Adresse utile

🛈 **Office de tourisme :** pl. Charles-de-Gaulle. ☎ 04-94-90-12-56. ● ot-lacadie redazur.fr ● Mar-sam 10h-12h, 15h-19h (14h-18h hors saison).

Où dormir ? Où manger ?

Camping

⛺ **Camping du Domaine de la Malissonne :** 1845, route de Saint-Cyr. ☎ 04-94-90-10-60. ● info@domainemalissonne.com ● domainemalissonne.com ● 🚗 Sur la D 66, entre La Cadière et Saint-Cyr-sur-Mer. Au milieu des vignes de Bandol. À 4 km de la mer (navettes payantes pour la plage en été). Ouv de mars à mi-nov. En hte saison, emplacement pour 2 pers avec voiture et tente 23,50 €. Loc de mobile homes, de chalets et de villas 124-980 €/sem. Très confortable. Épicerie, resto, possibilité de laver son linge, piscine, tennis, pétanque. Très bon accueil.

De prix moyens à plus chic

🏠 **Chambres d'hôtes La Cypriado :** 605, chemin de Fontanieu. ☎ 04-94-98-64-32. ● la.cypriado@infonie.fr ● la cypriado.com ● À 3 km de la sortie d'autoroute, suivre la direction La Cadière et, à 500 m, la 1ʳᵉ route à gauche (chemin de l'Argile). À 1,4 km, prendre en face le chemin de Fontanieu ; c'est 600 m plus loin, à gauche. Ouv tte l'année. Doubles avec douche et w-c 80 €. Thé ou rafraîchissement offert sur présentation de ce guide. Une ancienne ferme du XIXᵉ siècle idéalement située au milieu des vignes, des pins, des oliviers et des amandiers, dans un vrai décor préservé. Trois chambres d'hôtes très joliment décorées, dont deux en « suite » avec salle de bains commune. Vue et calme garantis. Belle piscine.

🍴 *Le Petit Jardin :* 16, rue Gabriel-

Péri. ☎ 04-94-90-11-43. ● berard@ho tel-berard.com ● hotel-berard.com ● Fermé mer-jeu hors saison, slt jeu en hte saison. Congés : janv-début fév. Compter 40 € à la carte. Apéritif maison offert sur présentation de ce guide. C'est la table « bis » de la voisine chic, l'Hostellerie Bérard (voir ci-dessous). Un petit jardin qui sent la Provence d'aujourd'hui

et non, comme dans la chanson de Dutronc, le métropolitain. Une adresse presque secrète, qu'on gagne par un étroit escalier voûté. Adorable terrasse face aux vignes ondoyantes. Cuisine ouverte d'où sortent de petits plats de terroir témoignant d'autant de savoir-faire que de goût de l'époque.

Beaucoup plus chic

🏠 **Chambres d'hôtes Château de Saint-Côme** : chemin de Saint-Côme (D 266). ☏ 06-20-30-37-98. ● contact@ chateaudestcome.com ● chateaudest come.com ● Accès : par la D 266 direction Bandol, laisser le village de Saint-Côme sur la droite, c'est fléché env 1 km plus loin. Ouv tte l'année. Doubles avec bains 100-140 € selon saison. Table d'hôtes sur résa 25 €. Apéritif maison offert sur présentation de ce guide. Une bastide provençale du XVIᵉ siècle superbement rénovée, au milieu du vignoble familial. Les chambres ont été décorées avec beaucoup de goût : tomettes et carrelage d'époque judicieusement conservés, tons pastel raffinés et petits souvenirs de famille encadrés apportant la touche finale. La chambre « Calanques », à l'étage auparavant destiné aux domestiques, pos-

sède des ouvertures en œil-de-bœuf originales. Une piscine et une jolie cour intérieure où déguster une cuisine d'été achèvent de séduire le visiteur.

🏠 |●| **Hostellerie Bérard** : 7, rue Gabriel-Péri. ☎ 04-94-90-11-43. ● be rard@hotel-berard.com ● hotel-berard. com ● ⛄ Dans le cœur médiéval du bourg. Fermé lun-mar (slt lun et mar mat de mi-avr à sept). Congés : de début janv à mi-fév. Doubles avec douche et w-c ou bains, TV satellite, 90-150 € selon saison. Menus 50-135 €. À l'intérieur d'un ancien couvent du XIᵉ siècle, l'institution du village propose des chambres d'un vrai confort et pour lesquelles on peut vraiment y aller du qualificatif « de charme ». Très belle cuisine provençale au resto et non moins superbe terrasse. Piscine et jardin.

LE CASTELLET (83330)

Le Castellet s'est fait un nom grâce au circuit automobile Paul-Ricard autour duquel, chaque année, pour l'épreuve culte du Bol d'or, se rassemblaient des motards de toute l'Europe. Depuis peu, le circuit est devenu le HTTT (High Technology Test Track) où les plus grandes écuries automobiles réalisent des essais, évidemment très secrets...
Pour nous, Le Castellet est avant tout un très joli village perché, possédant encore ses remparts, une église du XIIᵉ siècle, un château, des ruelles médiévales. C'est dans ce décor que Pagnol tourna l'inoubliable Femme du boulanger avec Raimu. Nombreux artisans.

Où dormir ? Où manger ?

Bon marché

|●| **La Souco** : 1, rue de la Poste. ☎ 04-94-32-67-94. Fermé le soir en basse saison. Plat du jour 8,50 € ; carte env 15 €. Apéritif maison offert sur présentation de ce guide. Pour une halte rapide au

cœur du village. Le bon vieux bistrot familial avec ses habitués qui déplient le journal local en terrasse, ses plats du jour et autres salades.

Prix moyens

|●| La Farigoule : 2, pl. du Jeu-de-Paume. ☎ 04-94-32-64-58. Fermé mar et mer hors saison. Menus 26 et 38 €. Salle d'auberge de campagne, terrasse nichée sur une charmante placette. Un cadre approprié pour une cuisine qui parle joliment du pays, concoctée par un jeune chef doué. Des plats pleins de saveurs et de bonnes idées, un service qui a trouvé ses marques : bref, un très bon rapport qualité-prix.

Où acheter de bons produits ?

⊛ **La Femme du Boulanger :** 3, rue du Portail. ☎ 04-94-32-65-33. Fermé lun et mar hors vac scol. Une pâtisserie-chocolaterie artisanale, qui vante les produits du terroir. Biscuits et chocolats maison, cornes de gazelle, macarons, calissons, glaces purs fruits et autres délicieux produits qui fleurent bon la Provence : gelée de rose (avec un bon fromage de chèvre, succulent !), sirop de lavande (un supplice !) et mille et une bonnes choses dans cet antre pour gourmands. Produits régionaux de qualité !

⊛ Pour les assoiffés, un vigneron aimable (on précise !) producteur d'un bon bandol : le **domaine du Galantin** (village du Plan-du-Castellet, 690, chemin du Galantin. Rens : ☎ 04-94-98-75-94).

LE BEAUSSET (83330)

Au pied du massif de la Sainte-Baume, c'est un gros bourg provençal qui n'a pas le charme des villages perchés des environs. Son nom provient du provençal *bau* qui signifie « rocher ». De l'ancien village construit sur la colline du Beausset-Vieux (383 m d'altitude) à partir du Xe siècle ne subsiste qu'une charmante chapelle que les amateurs de style roman provençal ne manqueront pas d'aller voir.

Adresse et info utiles

🛈 **Office de tourisme :** pl. Charles-de-Gaulle. ☎ 04-94-90-55-10. ● ot-lebeausset.fr ● Ouv tte l'année lun-sam 9h-12h, 14h30-18h. Ouv dim mat en juil-août ; fermé sam ap-m oct-mars.

– **Marché :** ven mat, sur la pl. Charles-de-Gaulle et dans les rues environnantes. Également dim mat. Très animé.

Où dormir ? Où manger ?

De prix moyens à plus chic

🛏 **Chambres d'hôtes Lou Bastidoun :** 197, chemin du Grand-Canadeau. ☎ 04-94-90-26-12. ● contact@bastidoun.com ● bastidoun.com ● À 1 km du centre (c'est fléché). Doubles avec douche et w-c ou bains 65-85 € selon saison. Apéritif maison offert sur présentation de ce guide. Une adresse perdue au bout d'un de ces chemins qui sillonnent les collines, au cœur de 1 ha d'une nature encore un peu sauvage. Éminemment tranquille donc. Chambres plaisantes, accueil à l'unisson. Piscine. Ni table d'hôtes, ni cuisine à disposition.

🛏 **|●| Auberge de la Cauquière :** 7, rue du Puits-d'Isnard. ☎ 04-94-98-42-75. Resto tlj sf dim soir hors saison. Doubles avec douche et w-c ou bains, TV satellite 55-82 € selon saison. Menus 21-35 € et carte. Au cœur du village mais tranquille derrière son jardin, une auberge de campagne aux petites chambres agréables comme tout avec leur côté rétro : murs crème, tableaux et meubles anciens. Cuisine de région. Terrasse au bord de la piscine.

|●| La Fontaine des Saveurs : 17, bd Chanzy. ☎ 04-94-98-50-01. ● fontaine dessaveurs.eu ● Au cœur du bourg. Fermé dim soir et lun hors saison, mer midi et jeu midi en saison. Congés : 1er juin-4 juil. Formule déj en sem 14 € ; carte env 38 €. Apéritif maison ou café offert sur présentation de ce guide. Un genre d'auberge de campagne en plein centre du village. Du sérieux côté cuisine, car le chef a composé une carte mêlant des spécialités de son Sud-Ouest natal, tel l'inévitable foie gras, à des recettes du coin, comme la rouille de seiches à la sétoise. Une cuisine goûteuse, qui évolue au gré des saisons.

À voir

🚶 🏃 **La maison de la Poupée :** 46, rue de la République. ☎ 04-94-98-63-37. Ouv avr-sept, mar-sam 14h-18h. Entrée libre. Pour tout savoir sur l'histoire des poupées de 1850 à 1950. Expositions temporaires également. Stages de création et de restauration de poupées.

🏃🏃 **La chapelle du Beausset-Vieux :** à la sortie du Beausset, prendre la N 8 en direction de Toulon. À 1,5 km env, petite route sur la droite, puis suivre les panneaux. On peut aussi y monter par le chemin des Oratoires au départ du village. Ouv en général l'ap-m, 14h-18h en saison (15h-19h l'été), jusqu'à 17h hors saison (rens : ☎ 04-94-98-61-53). Ravissante chapelle du XIIe siècle au subtil dépouillement. À l'intérieur, Vierge à l'Enfant de l'atelier de Pierre Puget et, dans une galerie attenante à la chapelle, une émouvante collection d'ex-voto dont « la Saumeto », la fuite en Égypte évoquée par un groupe de santons (vieux de quatre siècles !), symbolique, apparemment, de l'abandon du vieux village. Malheureusement, « la Saumeto » a été dérobée en 2006...

➢ Aussi un superbe panorama sur les environs avec une table d'orientation, et une crèche permanente.

Fêtes et manifestations

– **Fête de l'Olive :** dernier dim de mars.
– **Grand vide-grenier :** chaque lun de Pâques, très animé.
– **Fête de la Saint-Éloi :** 1er w-e de juil. Fête votive dans la tradition : procession au son des fifres et tambourins, cavaliers en costumes traditionnels.
– **Fête du vin :** 2e dim d'oct.

ÉVENOS (83330)

Depuis la N 8 en direction de Toulon, grimper par la D 462 jusqu'au vieil Évenos doucement réanimé, construit sur une gigantesque coulée de lave. Un des plus beaux villages perchés du coin, moins connu pourtant que ses voisins plus proches de l'autoroute. Vieux bistrot dont on partage la terrasse avec les poules, tranquilles ruelles caladées (pavées de galets), maisons de basalte serrées autour d'une église romane, et sombres et massives ruines d'un donjon féodal. De l'ancien chemin de ronde, superbe panorama sur toute la région.

Où dormir ? Où manger ?

🏠 |●| **Chambres d'hôtes le Mas du Cimaï :** 2473, route d'Évenos. ☎ 04- 94-25-28-41. 📱 06-68-13-42-75. ● cer danfrederic@hotmail.com ● masduci mai.com • À 1,5 km en contrebas du village, sur la D 62. Ouv tte l'année. Doubles avec douche et w-c ou bains 58-62 €. Également des gîtes pour 3-4 pers 225-525 €/sem selon saison. Table d'hôtes sur résa 22 €. Sur présentation de ce guide, réduc de 10 % sur le prix de la chambre au-delà de 3 nuits oct-fin mars. Un joli petit mas face à un bout de campagne provençale qui aurait inspiré Cézanne ou Van Gogh. Piscine intelligemment posée au creux de ce paysage. Chambres toutes mignonnes et confortables. Accueil évidemment sympathique.

LES GORGES D'OLLIOULES

Traversées par la N 8 et franchement spectaculaires. L'eau s'est ici faite artiste, transformant les falaises abruptes en gigantesques sculptures contemporaines. Une multitude de cavernes habitées depuis la préhistoire et qui ont, dans une histoire plus récente, servi de planque à quelques bandits de grand chemin, dont le fameux Gaspard de Besse. Divisées par de nombreuses parcelles privées, les gorges ont été déséquipées pour des raisons de responsabilité civile, tout bêtement, plus que pour de véritables raisons de sécurité. L'office de tourisme d'Ollioules conseille donc de les découvrir en voiture ou avec un moniteur diplômé (contact à l'office de tourisme). À pied, c'est donc, comme on dit, « à vos risques et périls ».

OLLIOULES (83190)

À 5 km de la mer, Ollioules, au débouché des célèbres gorges, s'étend le long de la Reppe. Le centre ancien n'est pas mal. Un peu médiéval retapé années 1950. Il a conservé de très jolis porches et autres maisons à arcades, ainsi qu'une église romane du XIe siècle. Pour les amateurs de vieilles pierres, les ruines du château féodal des seigneurs de Vintimille, qui servait surtout à la défense de la cité, datent de la même époque. Également une *maison du Patrimoine,* dans un petit hôtel particulier du XVIIe siècle avec des expos temporaires *(visite guidée : ☎ 04-94-30-41-19).*

C'est à Ollioules qu'était installé le célèbre (pour diverses raisons... voir précédemment à « Toulon ») Théâtre national de la danse et de l'image de Châteauvallon, reconverti aujourd'hui en Centre national de création et de diffusion culturelles (CNCDC). Possibilité de balades dans le coin.

Adresse et infos utiles

🛈 *Office de tourisme :* accueil centre-ville, 116, rue Philippe-de-Hauteclocque. ☎ 04-94-63-11-74. • ollioules.com • Juil-août, lun-ven 9h-12h, 15h-19h ; sam 9h-13h, 16h-19h. Horaires restreints hors saison. Autre point accueil annexe ouv mai-oct dans la zone commerciale Carrefour. Peut conseiller de jolies promenades (canal des Arrosants) et vous guider auprès des artisans d'art qui font désormais la réputation de ce gros bourg (céramistes, tisserands, peintres...). Également des visites guidées et balades nature accompagnées pour découvrir les richesses culturelles et naturelles d'Ollioules (réservation obligatoire à l'office de tourisme).

– *Marché traditionnel :* grand marché le jeu mat et petit marché le sam mat, pl. Jean-Jaurès.

Fêtes et manifestations

– *Fête des Fleurs :* 1 j. en avr ts les 2 ans (années impaires). Expos. S'achève par un corso.

– **Les Médiévales** : le 1er w-e de juil ts les 2 ans (années paires). Animations, spectacles de rue. Vous serez invité à vous costumer en gente dame ou seigneur.
– **Fête de l'Olivier** : 1er w-e d'oct.
– **Foire aux Santons** : en déc. Expo-vente de santons.

LE GROS CERVEAU

Une importante colline qui, avec ses 430 m d'altitude, mérite l'appellation de « mont ». Accès depuis Ollioules par la D 20, route en corniche assez impressionnante dans son genre. On peut aussi s'offrir une petite rando pédestre après avoir pris un plan à l'office de tourisme. Signalons que le GR 51 passe dans le coin. Panorama exceptionnel sur toute la côte, d'Hyères à Marseille. Ce sont les hautes collines situées entre le Gros Cerveau (au nom prédestiné même s'il est, paraît-il, une déformation de « gros cerf ») et la rade de Toulon qui ont servi de point d'appui à l'artillerie pour tirer « à boulets rouges » sur les bateaux anglais et espagnols en 1793. Mais voilà, la portée de tir des canons ne dépassait pas 1 km ! Un malheureux général, du nom de Carteaux, fut alors limogé au profit de Bonaparte, à qui revint la lourde tâche de s'emparer du fort du Gros Cerveau tenu par les Anglais.

LA « PROVENCE D'AZUR »

Provence ou Côte d'Azur, cette portion de côte entre Toulon et Le Lavandou ? Le débat n'en finirait pas, entre ceux qui revendiquent le côté provençal des vignes et villages que vous trouverez sur votre chemin et les tenants d'un tourisme balnéaire azuréen en diable (auxquels on serait tenté de donner raison puisque c'est à Hyères qu'est née officiellement l'appellation « Côte d'Azur »). Pour les réconcilier, le tourisme a inventé cette formule plus consensuelle que conceptuelle : la Provence d'Azur. Il suffisait d'y penser !

Adresse utile

🛈 **Maison du tourisme de la Provence d'Azur** : relais info service, quartier de La Recense. ☎ 04-94-38-50-91. ● provence-azur.com ● En bordure de l'A 570, sur l'aire de la Maison du tourisme. Autre adresse à Hyères (voir ce chapitre). Central de réservation.

LE PRADET   (83220)   11 160 hab.

Une petite station balnéaire azuréenne typique, plus calme et plus reposante que Toulon, la grande ville voisine.
« Pradet » vient de pra (qui signifie pré en provençal), et la ville a toujours exploité son espace agricole et forestier. Le massif de la Colle-Noire qui domine la rade de Toulon était riche et verdoyant ; malheureusement, il a subi un incendie particulièrement dévastateur. Dès le Moyen Âge, on y planta de la vigne, et quelques châteaux évoquent ce passé historique. Évidemment, avec l'avènement du tourisme de masse et l'aménagement de la côte, la ville a bien changé.

Adresse utile

🛈 **Office de tourisme** : pl. du Général-de-Gaulle. ☎ 04-94-21-71-69. ● ot-le pradet.fr ● Ouv en saison, tlj sf dim ap-m 9h30-13h, 15h-19h, sam 10h-17h ; hors *saison, lun-ven 9h-12h, 14h-17h et sam mat.* Infos sur les visites guidées des espaces naturels protégés du Pradet et sur les balades nature commentées. Vente de billets à tarifs préférentiels sur les visites des environs.

Où dormir ? Où manger ?

Camping

⚐ *Le Pin de Galle : 760, chemin des Douaniers, quartier San-Peyre.* ☎ 06-03-38-71-92. ● *campingpindegalle@free.fr* ● *campingpindegalle.fr* ● ♿ *À 1 km à l'ouest du centre-ville, quartier San-Peyre. Ouv mai-fin oct. Emplacement pour 2 pers avec voiture et tente 23,50 € en hte saison. Loc de bungalows 230-540 €/sem. Apéritif maison et café* offerts sur présentation de ce guide. À l'orée d'un quartier de petits immeubles mais dans un coin encore très nature. Une cinquantaine d'emplacements seulement, à l'ombre des pins. Sanitaires nickel. Et à 150 m d'une sympathique petite plage (avec un coin où le naturisme est toléré).

De prix moyens à plus chic

|●| *Le Médaillon : 96, chemin San-Peyre.* ☎ 04-94-21-05-68. ● *lemedaillon@wanadoo.fr* ● ♿ *Fermé lun, mar et dim soir. Menus 29,50-52,50 € et carte. Digestif maison offert sur présentation de ce guide.* Une adresse maligne qui sait évoluer avec les saisons. En été, on vous sert plutôt poisson grillé et saveurs provençales ; en hiver, c'est une bonne et copieuse cuisine du Sud... -Ouest ! Du gascon pur et dur, qui va bien avec la cheminée et la rusticité de la salle. Terrasse et jardin aux beaux jours, pour ceux qui viennent ici se refaire une santé.

|●| *La Chanterelle : port des Oursiniè-res.* ☎ 04-94-08-52-60. ● *chanterelle@nerim.net* ● ♿ *Fermé lun et mar hors saison. Congés : janv-fév. Menus 37-47 € ; carte env 52 €.* Une belle adresse pour les gastronomes autant que pour les amateurs de jardin (et de tortues !). L'intérieur est un havre de paix, où le bois sculpté (entièrement fait main) rassure. La jolie terrasse fleurie, avec sa fontaine, est là aussi pour ravir les amateurs de verdure. Des produits frais, cuisinés maison à la perfection, comme la fricassée de queues de gambas au caramel de framboise ou le râble de lapereau farci d'une tapenade. Succulents desserts pour finir en beauté.

À voir. À faire

🐜♿ *Le musée de la Mine du cap Garonne : chemin du Bau Rouge.* ☎ 04-94-08-32-46. ● *mine-capgaronne.fr* ● ♿ *Hors vac scol, ouv mer, w-e et j. fériés 14h-17h ; pdt les vac scol (ttes zones) ainsi qu'en sept, tlj 14h-17h (18h en juil-août). Fermé 24, 25, 31 déc et 1er janv. Entrée : 6,20 € ; réduc. Visite guidée (env 1h). Prévoir une petite laine.*
Ouverte à l'exploitation en 1863 par décision de Napoléon III, devenue champignonnière après la Seconde Guerre mondiale, l'ancienne mine de cuivre du cap Garonne a été transformée en musée en 1994. On y découvre, au travers de reconstitutions scéniques, la vie des mineurs il y a un siècle ; puis, à l'aide de microscopes, une infinie variété de microcristaux aux formes mystérieuses et aux couleurs éblouissantes. Enfin, la dernière partie du circuit conduit le visiteur dans un musée du Cuivre, unique en son genre. Intéressant voyage au cœur de la terre, qui passionnera petits et grands.
À l'entrée du site débute le sentier de découverte du cap Garonne (1,2 km) qui offre des points de vue remarquables sur la rade de Toulon et les îles d'Hyères. Visite guidée possible en compagnie d'un écoguide. Se renseigner auprès de l'office de tourisme.

🦎 🧍‍♂️ *Le parc Cravero :* au centre-ville. On y trouve différentes sortes de palmiers et des espèces rares. Superbe bassin en pierre du XVIe siècle. Voir aussi les jardins du *Bois de Courbebaisse,* en face, avec notamment un jardin des sauges des cinq continents.

– *Le sentier marin :* rens à l'office de tourisme. ● naturoscope.fr ● Des accompagnateurs spécialisés vous font découvrir la faune et la flore marines. Prêt de masques, palmes et tubas. Propose également des balades natures commentées du Pradet.

CARQUEIRANNE   (83320)   8 560 hab.

Gros bourg typique qui vit tranquillement toute l'année. C'est par ici que poussent 80 % des tulipes françaises, mais elles sont sous serres... on ne profitera donc pas vraiment du paysage... Sur le littoral, petit port de pêche des Salettes et quelques plages sympas comme la crique du Canebas. Mais depuis quelques années, Carqueiranne a la cote ! De nombreuses résidences secondaires y fleurissent et les projets immobiliers ne manquent pas...

Adresse utile

🛈 *Point-infos tourisme :* au rez-de-chaussée de la mairie, pl. de la République. ☎ 04-94-23-44-67. En été, lun-sam 8h30-12h, 14h-18h30 (sam mat slt) ; le reste de l'année, ouv jusqu'à 17h30, fermé mer, et le sam oct-fév. Accueil efficace et charmant. Expos temporaires.

Où dormir ? Où manger ?

De prix moyens à plus chic

🛏 *Hôtel Richiardi :* 18, av. Élie-Gauthier, au port des Salettes. ☎ 04-94-58-50-13. ● le-richiardi@orange.fr ● hotelrichiardi.com ● Ouv tte l'année. Doubles avec douche et w-c ou bains 45-95 € selon saison et exposition ; petit déj complet 7,50 €. Un petit déj par pers et par nuit offert sur présentation de ce guide. Petit hôtel à l'ambiance plutôt design, face au port. Une vingtaine de chambres toutes simples, joliment rénovées. Les plus agréables ont une terrasse côté port. Accueil sympathique.

🍽 *La Réserve :* av. Élie-Gauthier, port des Salettes. ☎ 04-94-48-03-77. 🍴 Fermé jeu en hiver. Carte env 20-25 €. Une jeune (dans tous les sens du terme) adresse du port. Déco un peu mode, de la salle à la terrasse, qui change des ambiances standardisées que proposent habituellement les restos de bord de mer. Ce qui change aussi : la musique, tranquillement *lounge,* le sourire du service et la cuisine, simple et juste. Pâtes, poisson...

De chic à beaucoup plus chic

🛏 *Chambres d'hôtes L'Aumônerie :* 620, av. de Font-Brun. ☎ 04-94-58-53-56. ● pierrotdominique@free.fr ● laumonerie.com ● À la sortie de Carqueiranne, direction Hyères, prendre la 1re route à droite après celle qui conduit au camping. Doubles avec douche ou bains (w-c sur le palier) 75-100 € selon saison. Rafraîchissement servi à l'arrivée sur présentation de ce guide. Ce haut mur presque rébarbatif cache un endroit plutôt idyllique : la mer et la presqu'île de Giens comme seuls vis-à-vis, à peine le jardin à traverser pour descendre sur une petite plage privée. Trois chambres charmantes dans une grande maison, ancienne propriété d'un aumônier de marine ; la plus petite est d'ailleurs installée dans l'ancienne chapelle. Les deux autres chambres, à l'étage, disposent d'une douche ou d'une baignoire mais se partagent les w-c. Également une petite maison individuelle avec cuisine équipée. Petit déjeuner servi en terrasse ou dans le jardin sous les pins. Très bon accueil.

🏠 |●| **Hôtel Brise Marine :** *impasse Brise-Marine ; plage du Pradon.* ☎ 04-94-58-53-67. *Fax : 04-94-58-61-41. Doubles avec douche et w-c ou bains, TV* *95-180 €. Également des apparts. Resto de plage avec cuisine provençale, en saison slt. Résa indispensable. Parking gratuit.* Non, il ne s'agit pas de chambres d'hôtes mais bien d'un hôtel. C'est vrai qu'on a du mal à faire la différence en entrant dans le beau salon qui fait office de réception. Une dizaine de chambres de très bon confort, dont 5 appartements avec vue sur la mer, terrasse ou jardinet privé. Pas de clim', juste la brise marine. Atmosphère sereine et très bon accueil. Remarquable piscine à débordement qui surplombe la mer et une petite crique de sable fin.

Manifestations

– **Fête des fleurs :** arrivée du printemps. *En principe, ts les deux ans.*
– **Corso :** *en général, mi-avr.* Joli défilé de chars décorés de fleurs (pour la capitale de la tulipe française, c'est un minimum...).
– **Les moments de Clair Val :** *l'été. Rens et résa :* ☎ 04-94-01-40-26. Concerts, soirée magique...
– **Les Instants du Clair Val :** *rens et résa :* ☎ 04-94-01-40-26. Concerts d'instruments à corde surtout.
– **Festival in Situ :** *1er-15 août.* Pièces de théâtre au fort de la Bayarde. Entrée payante et réservation indispensable (☎ 04-94-01-40-26).

HYÈRES-LES-PALMIERS (83400) 56 000 hab.

C'est la grande ancêtre des stations balnéaires de la Côte d'Azur. C'est ici que le goût oriental – très à la mode en France aux XVIIIᵉ et XIXᵉ siècles – avait commencé à prendre forme, dans l'art de la pierre comme dans celui des jardins, plantés de palmiers et de plantes exotiques. On comprend ceux qui sont tombés sous son charme, au XIXᵉ siècle...
Mais Hyères-les-Palmiers a durement payé ces dernières décennies pour une image de marque écornée par un milieu politique qui la faisait plus ressembler à un décor pour un remake des *Tontons Flingueurs* qu'à un rêve d'Orient.
Heureusement, Hyères a pas mal d'atouts dans son jeu pour redevenir une ville où il fait bon vivre, à commencer par ses espaces verts... et bleus. C'est en effet l'une des communes les plus étendues de France : son territoire s'allonge sur 30 km, de la pointe de la presqu'île de Giens à la vallée de Sauvebonne. Sans compter les îles... Et puis, la ville conserve les traces d'un riche passé médiéval à travers des ruelles étroites que l'on ne manquera pas d'arpenter.

UN PEU D'HISTOIRE

Les Grecs, fondateurs de Marseille, avaient déjà installé sur le littoral, là où aujourd'hui s'éclatent les véliplanchistes, un comptoir fortifié appelé *Olbia,* occupé plus tard par les Romains. Au début du Moyen Âge, le bord de mer, peu sûr, est abandonné au profit d'une colline voisine sur laquelle les seigneurs de Fos ont édifié leur château. Le sel extrait des marais place Hyères en concurrent direct de Toulon sur cette portion de côte. Toulon retrouve sa prédominance après le démantèlement du château d'Hyères en 1620 sur ordre de Louis XIII.

Hyères devra attendre les prémices du tourisme pour se refaire une santé économique. Au XIXᵉ siècle, le développement du chemin de fer permet l'extension du tourisme d'hiver. Tolstoï, Michelet (qui se paie le luxe d'y mourir), la reine d'Espagne et, avant eux, Mme de Staël, Lamartine, Talleyrand apprécièrent la cité des palmiers. Les Anglais furent les plus enthousiastes pour ce littoral au climat doux même en plein cœur de l'hiver. Ça change de la perfide Albion à la même époque ! Le grand bourlingueur Arthur Young, l'écrivain Stevenson, la reine Victoria et quelques autres séjournèrent à Hyères, la station concurrente de Nice. Les médecins londoniens recommandaient chaudement le climat de l'endroit pour leurs patients atteints de tuberculose, la maladie du XIXᵉ siècle. Du coup, de splendides villas s'édifièrent ; il en reste encore quelques-unes, un peu moins fastueuses. À partir de 1936, le visage de toute la Côte se trouve quelque peu changé par les premières vagues de congés payés. Encore aujourd'hui, avec ses environs et la presqu'île de Giens, Hyères affirme sa vocation de station populaire. Autant dire que vous ne serez pas vraiment seul l'été...

Adresses et infos utiles

🛈 **Office de tourisme :** 3, av. Ambroise-Thomas. ☎ 04-94-01-84-50. ● hyerestourisme.com ● Ouv tlj en saison, 8h30-19h30. Organise des visites commentées de mi-juin à mi-septembre sur des thèmes divers.

🛈 **Maison du Tourisme de la Provence d'Azur :** ☎ 04-94-01-84-35. Central de réservation.

▣ **Internet :** Maison de l'Internet, Centre Olbia, rue du Soldat-Bellon. ☎ 04-94-65-92-82. Compter 3 € les 30 mn de connexion.

▣ **Geryweb :** 4, rue Brossolette. ☎ 04-94-33-43-86. Propose des tarifs intéressants et dégressifs.

🚄 **Gare SNCF :** ☎ 36-35 (0,34 € TTC/mn).

⛴ **Bateaux :** au départ du port d'Hyères (☎ 04-94-57-44-07) pour Port-Cros et Le Levant, au départ du port de la Tour-Fondue (☎ 04-94-58-21-81) pour

Porquerolles. Voir « Les îles d'Hyères », « Comment y aller ? ».

🚌 **Gare routière :** pl. Joffre. Compagnie Sodetrav : ☎ 04-94-13-88-44.

✈ **Aéroport Toulon-Hyères :** ☎ 0825-01-83-87. ● toulon-hyeres.aeroport.fr ● Sur la commune de Hyères. Plusieurs vols tlj pour Paris, 3 vols/sem pour Bruxelles, 2 vols/sem pour Brest, 1 vol/sem pour Bordeaux, plusieurs vols/sem pour Rotterdam, Londres, Stockholm et Rome.

– **Grand marché des Îles d'Or :** le sam mat, en centre-ville.

– **Marché paysan :** ts les mar mat, pl. de la République, et le sam mat av. Gambetta.

– **Marché biologique :** ts les mar, jeu et sam mat, pl. Vicomtesse-de-Noailles.

– **Marché aux puces :** ts les dim mat, à La Capte.

Où dormir ?

Au centre-ville

De prix moyens à plus chic

🏠 **Hôtel du Soleil :** 4, rue Neuve. ☎ 04-94-65-16-26. ● contact@hotel-du-soleil.fr ● hotel-du-soleil.fr ● À deux pas de la ville médiévale et de la villa Noailles. Ouvtte l'année. Doubles avec douche et w-c ou bains, TV satellite 47-89 € selon saison, petit déj inclus. Réduc de 10 % sur le prix de la chambre à partir de 2 nuits sur présentation de ce guide. Au hasard des escaliers aux marches un peu de guingois de cette vieille et belle maison en pierre mangée par le lierre, des chambres toutes différentes, gentiment rénovées. Tout en haut, les chambres familiales nichées sous les toits offrent la vue sur une mer de tuiles et, au loin, la mer tout court. Bon accueil et ambiance familiale.

🛏 *Hôtel Les Orangers : 64, av. des Îles-d'Or.* ☎ 04-94-00-55-11. • *contact@ orangers-hotel.com* • *orangers-hotel. com* • *Congés : 2ᵈᵉ quinzaine de janv. Doubles avec douche et w-c ou bains, TV 40-77 € selon saison ; petit déj 7 €. Réduc de 10 % sur le prix de la chambre en basse saison à partir de 2 nuits sur présentation de ce guide. Parking pour motos.* Hôtel familial à l'accueil décontracté et bon enfant, qui doit son nom aux quelques orangers plantés dans le patio. La confiture du petit déjeuner vient de là : un régal ! Préférez les chambres qui donnent sur cette cour bien agréable. Côté rue, elles sont équipées d'un double vitrage. Plus fonctionnel que charmant mais très correct pour le prix.

🛏 *Hôtel du Portalet : 4, rue de Limans.* ☎ 04-94-65-39-40. • *hotel.por talet@orange.fr* • *hyeres-hotel-portalet. com* • *Doubles avec douche et w-c ou* bains 50-85 € *selon saison. Réduc de 10 % sur le prix de la chambre (sf en août) sur présentation de ce guide.* Dans la vieille ville. Chambres gentiment rénovées (mais qui restent modestes). Celles du dernier étage avec un petit balcon et vue sur les rues de la ville sont les plus agréables. L'accueil l'est aussi....

🛏 *Chambres d'hôtes Domaine de l'Aufrène : 83, vieux chemin de Toulon.* ☎ 04-94-65-45-89. • *aufrene@wana doo.fr* • *aufrene.com* • *À 2 km du centre par la route de Toulon, le chemin est sur la gauche, juste avt de sortir de la ville. Ouv tte l'année. Doubles avec douche et w-c ou bains 75-98 € ; petit déj 8 €. Bouteille de vin rosé offerte sur présentation de ce guide.* Un (tout) petit morceau de campagne aux portes de la ville, où les proprios font pousser des violettes. Vieille bastide à la mode du XVIIIe siècle comme on en trouve surtout autour d'Aix-en-Provence. Trois sympathiques chambres à thème (il y a même une voile de windsurf dans la chambre marine). Piscine. Hôtes aussi accueillants que disponibles. Enfants bienvenus : c'est gratuit pour les moins de 12 ans et il y a des jeux pour eux dans le jardin.

À l'Almanarre et au Mont des Oiseaux

De prix moyens à beaucoup plus chic

🛏 *Hôtel Port-Hélène : D 559, l'Almanarre.* ☎ 04-94-57-72-01. • *contact@ hotel-port-helene.fr* • *hotel-port-helene. fr* • *Ouv tte l'année. Doubles avec douche et w-c ou bains, TV 55-89 € selon saison ; quelques-unes avec w-c communs 40-68 €. Également des studios avec cuisinette. Parking gratuit. Réduc de 10 % sur le prix de la chambre de mi-oct à mi-mars, hors w-e, vac scol et j. fériés, sur présentation de ce guide.* Certes, il faut traverser la route pour être sur la plage de l'Almanarre et les chambres sont conventionnelles, mais elles ont récemment subi un bon petit lifting. Propres et nettes donc (toutes avec balcon et certaines avec vue sur la baie de Giens), dans une maison un peu années 1950. Bon accueil.

🛏 *Chambres d'hôtes La Buanderie :* 36, av. des Colibris, Le Mont des Oiseaux. ☎ 04-94-38-30-98. • *la-buan derie@wanadoo.fr* • *la-buanderie. com* • *De Hyères, direction Le Port-Les Îles, puis Carqueiranne et Almanarre ; passer devant l'hôpital San Salvadour et entrer à droite dans la résidence du Mont des Oiseaux ; attention, le n° 36 de l'av. des Colibris est après le n° 38. Ouv tte l'année. Doubles avec douche et w-c 100-165 € ; suites 150-165 € selon saison.* Belle propriété perchée sur le très boisé Mont des Oiseaux, un lieu vraiment privilégié à deux pas de la mer et de Hyères. Vous serez accueilli par un couple de Lillois. Lui est architecte d'intérieur et ça se voit : chambres chaleureuses à la décoration très étudiée, lit à baldaquin dans la suite, vastes salles d'eau donnant envie de chanter *I'm singing in the rain* et superbe piscine pour se prélasser toute la journée... Accueil

très souriant de sa charmante épouse. Vrai petit déjeuner avec fruits, viennoiseries, yaourts bio, etc.

À l'Ayguade

🏕 *Camping du Domaine du Ceinturon :* rue des Saraniers, L'Ayguade-Ceinturon. ☎ 04-94-66-32-65. • cein turon3@securmail.net • provence-campings.com/azur/ceinturon3.htm • 🚲. À 80 m de la grande plage de l'Ayguade. Bus n° 66 (à la gare routière d'Hyères), arrêt « place Daviddi ». Ouv de mi-mars à fin sept. Emplacement pour 2 pers avec voiture et tente 17,65 € en hte saison. Loc de jolis chalets en bois et d'habitats légers de loisirs (260-520 €/sem). Un camping

4 étoiles, bien ombragé et tout confort. Épicerie en saison.

🏨 |●| *La Reine Jane :* Le Ceinturon, port de l'Ayguade. ☎ 04-94-66-32-64. • ho tel@reinejane.com • reinejane.com • 🍴 (resto). Fermé mar soir et mer hors saison. Congés : 1re sem d'oct et janv. Doubles 58-80 €. Menus 16-34 € et carte. Dans une petite maison en bleu et blanc, une quinzaine de chambres doucement rénovées et dont les fenêtres ouvrent sur le port. Bonne cuisine au resto : bourride, aïoli, bouillabaisse...

À Hyères-Plage
De prix moyens à beaucoup plus chic

🏨 *Hôtel Le Calypso :* 36, av. de la Méditerranée, Hyères-Plages. ☎ 04-94-58-02-09. • lecalypso-hotel@orange.fr • http://hotelcalypso.monsite.orange.fr • Congés : déc-janv. Doubles 34-41 € avec lavabo selon saison, 49-53 € avec douche et w-c ou bains, TV dans certaines ; petit déj 4 €. Réduc de 10 % sur le prix de la chambre oct-mars à partir de 2 nuits sur présentation de ce guide. Une maison de poupée agréable et pleine de charme. La mer est pratiquement à côté. Certaines chambres disposent d'une terrasse avec vue sur mer ou d'un petit jardin privé. Excellent accueil.

🏨 *La Potinière :* 29, av. de la Méditerranée, Hyères-Plages. ☎ 04-94-00-51-60. • lapotiniere@libertysurf.fr • hotel-lapotiniere.com • Congés : janv-fév. Doubles avec douche et w-c ou bains, TV 55-95 € selon exposition et saison. Parking gratuit. Les pieds dans l'eau. De l'hôtel d'autrefois ne reste, à deux enjambées de la petite plage privée, qu'un bar à l'ancienne. Pour le reste, les chambres – tout confort – ont été radicalement rénovées, dans un style provençal peut-être un peu chargé. Une grosse moitié donne côté mer. Clim' sur demande (avec un léger supplément). Accueil charmant.

🏨 *Hôtel Le Méditerranée :* 8, av. de la Méditerranée, Hyères-Plage. ☎ 04-94-00-52-70. • contact@hotellemediterra nee.fr • hotellemediterranee.fr • Ouv tte l'année. Doubles avec douche et w-c ou bains, TV 48-78 € selon exposition et saison. Parking gratuit. Sur présentation de ce guide, apéro maison offert avr-oct et 10 % de réduc nov-mars. Un hôtel au look un peu béton, aux chambres toutes simples mais claires et nettes (et en cours de complète rénovation), où l'on a surtout été emballés par l'accueil et l'extrême serviabilité des proprios. À défaut de la vue sur la mer, on découvre, au matin, le spectacle des chevaux à l'entraînement sur l'hippodrome.

🏨 *Hôtel Bor :* 3, allée Émile-Gérard. ☎ 04-94-58-02-73. • hotel-bor.com • contact@hotel-bor.com • Doubles avec douche et w-c ou bains, TV, wi-fi 110-150 €, selon vue et saison. Un hôtel furieusement design, posé tout au bor(d) de la mer, face aux îles. Toutes les chambres (pas immenses...) ne donnent pas de ce côté-là, mais on se console avec la plage privée si l'on dort côté pinède... Accueil qui ne se la joue pas du tout (ce qui n'est pas toujours le cas dans ce genre d'endroit...).

Où manger ?

Au centre-ville

De bon marché à prix moyens

|●| *Le Café Italien :* 5, av. des Îles-d'Or. ☎ 04-94-00-38-05. À deux pas de la pl. Clemenceau. Ouv tlj sf dim 12h-16h30. Congés : vac scol de fév (zone B), 2 sem début juil et vac scol de la Toussaint. Plats 11-12,50 €. Un tout petit bar-resto au cadre chaleureux, avec de belles expos de peinture et une agréable terrasse en fond de cour-jardin sous la tonnelle. Très sympa pour prendre un verre ou manger sur le pouce paninis, salades italiennes, pâtes et *bruschette*.

|●| *Chez Lucas :* 3, rue des Porches. ☎ 04-94-35-86-22. Fermé dim et lun. Congés : 1 sem en fév, 1 sem en mars, la dernière sem d'oct et autour des vac de Noël. Compter 15 €. Cade et socca cuites, comme les pizzas, au feu de bois, planches de charcutailles de Laguiole ou tartines de pains Poilâne. Un resto « sur le pouce » aux couleurs du pays, simple, frais et bon. Belle sélection de vins au verre (le patron – qui ne s'appelle pas Lucas ! – est sommelier). Petite salle aux murs de pierre et terrasse dans la rue la plus pittoresque de la vieille ville, pour ceux qui ne sont pas des inconditionnels du « à emporter ».

|●| *Le Jardin :* 19, av. Joseph-Clotis. ☎ 04-94-35-24-12. En face de l'hôtel de ville. Tlj 12h-minuit. Salades 7,50-15 €, plats 13,50-16,25 €. Compter 25 € pour un repas complet. Comme son nom l'indique, un resto qui étale largement les tables en céramique de sa terrasse dans un verdoyant jardin au cœur de la ville. Cadre à la fois élégant, décontracté et décontractant pour grignoter léger le midi ou prendre son temps, le soir, sous les loupiotes. Sympathique cuisine, plutôt originale et qui se pique parfois d'exotisme.

|●| *Le Haut du Pavé :* 2, rue du Temple (pl. Massillon). ☎ 04-94-35-20-98. Tlj sf lun et mar. Formules déj 16-19 € ; menus 25-32 €. Sur cette place éminemment touristique, on peut s'attendre au pire. Ben non ! À part la radio un peu braillarde, tout va bien : le service efficace et souriant, les caves aux belles voûtes de pierre (à préférer à la salle du rez-de-chaussée) et la cuisine de région joliment tournée. Terrasse sur la place, si vous voulez comprendre d'où vient l'enseigne.

|●| *Le P'tit Clos :* 27, av. Riondet. ☎ 04-94-35-75-29. Fermé sam midi, dim soir et mer. Menus env 17 € le midi (sf dim et j. fériés) et autour de 35 € le soir. D'extérieur, ce p'tit resto ne paie pas de mine, mais dès la porte franchie, un certain charme opère. Décor champêtre qui ne déplairait en rien à Perrette... Frais, fleuri et gentil. L'accueil timide et souriant est charmant. Cuisine au gré du marché, pleine de finesse. De bons p'tits plats à choisir sur la carte accrochée à des ailes de papillons géants !

À l'Ayguade et aux Salins

De prix moyens à plus chic

|●| *L'Abri Côtier :* pl. J.-P.-Daviddi. ☎ 04-94-66-42-58. Sur la promenade qui longe la plage de l'Ayguade. Tlj sf mer avr-fin sept. Plats du jour 10 € ; carte env 25 €. CB refusées. Digestif maison offert sur présentation de ce guide. Quelques tables seulement pour ce minuscule resto de bord de plage. Baraque de bois multicolore qu'on imaginerait facilement sur une plage plus exotique. Petits plats sympas, cuisine du coin, méditerranéenne, corse ou de beaucoup plus loin. Accueil et service nécessairement très cool.

|●| *Le Pothuau :* 4, pl. des Pêcheurs, port des Salins. ☎ 04-94-66-40-37. ♿ Ouv tlj. Congés : de mi-nov à mi-déc. Menu 19 € ; carte env 40 €.

Bouillabaisse pour 2 pers 80 €. Vous avez lu l'adresse ? Pile poil sur le port de pêcheurs, l'emplacement idoine pour un resto de poisson. Salle qui n'a pas dû beaucoup changer depuis l'ouverture du resto, il y a une bonne trentaine d'années, prolongée d'une vaste véranda que viennent battre les flots. La réputation du lieu tient à ses poissons et fruits de mer, préparés simplement mais d'une fraîcheur jamais prise en faute. Essayez seulement la bouillabaisse, une merveille, qui vous fera oublier ce qu'il arrive qu'on vous serve sous ce nom...

Où boire un verre ? Où sortir ?

L'Endroit : 1, allée Émile-Gérard, Hyères-Plage. ☎ 04-94-58-00-97. Avr-fin sept, tlj sf lun hors saison ; service jusqu'à minuit. Menu 20 € ; carte 30-40 €. L'endroit... où il faut se montrer ! Il faut dire que ce bar-resto a plus d'un atout dans son jeu : un site pas désagréable du tout (les pieds dans l'eau), un cadre latino-psychédélique qui colle à l'air du temps, un accueil efficace et souriant, une bonne cuisine exotico-provençale moderne (!) qui surprend. Très sympa à l'heure de l'apéro.

Le Sax : résidence Alizées, port Saint-Pierre. ☎ 04-94-38-68-74. Tlj 7h30-2h. Sur le port, le bar où Hyères se chauffe en début de soirée, ces derniers temps. Déco high-tech et tubes à la pelle en fond sonore. Grande terrasse où il n'est apparemment pas nécessaire de s'asseoir pour être dans le coup.

À voir. À faire

La ville médiévale

Elle mérite vraiment une visite pour ses vieux quartiers et ses ruelles pittoresques. Pour les fans de Truffaut, ce sera une balade nostalgique sur les lieux du tournage de son dernier film : *Vivement dimanche !* On entre dans la vieille ville par la porte Massillon, vestige des fortifications. Quelques mètres plus loin, sur la gauche, débute la pittoresque rue couverte des Porches.

La tour des Templiers : pl. Massillon. ☎ 04-94-35-22-36. Ouv mer-dim 10h-12h, 14h-17h30 ; en juil-août, 10h-12h30, 15h-19h. On y accède par la rue Massillon, ancienne Grande-Rue toujours très commerçante, encore riche en portails Renaissance. Cette *tour des Templiers* (ou *tour Saint-Blaise*), abside massive d'une ancienne commanderie des Templiers, domine la place Massillon, la plus touristique de la ville, noyée sous les terrasses des bistrots et autres restos. Expos temporaires dans la tour. Entrée libre. Visites guidées également (gratuites).

La collégiale Saint-Paul : ☎ 04-94-65-83-30. Avr-sept, tlj sf mar 10h-12h, 16h-19h ; le reste de l'année, mer-dim 10h-12h, 14h-17h30. Entrée libre. Escalier monumental menant à une porte Renaissance. La collégiale composite (narthex roman, nef gothique) et un peu fatiguée par les années mérite une visite, notamment pour sa surprenante collection d'ex-voto (près de 400, soit la plus importante de la région), dont le plus ancien date de 1613.

De la collégiale au château : juste à côté de la collégiale, une superbe maison Renaissance percée d'une porte de ville et surmontée d'une tourelle d'angle ronde. Quelques rues à arpenter encore autour de la collégiale : la **rue Sainte-Claire** menant à la porte des Princes et au castel Sainte-Claire, bâtiment du XIXe siècle mais néoroman où vécut la romancière américaine Edith Warton, la **rue Paradis** et son élégante maison romane (au n° 6) à fenêtre à colonnettes.

Après avoir passé le joli et luxuriant *parc Saint-Bernard (ouv tlj 10h-19h, entrée gratuite)*, la route, puis un sentier montent aux *ruines du château.* De là-haut, magnifique panorama.

🎭 *La villa Noailles :* montée de Noailles. ☎ 04-98-08-01-98 ou 95. ♿ *De la pl. Clemenceau, prendre le cours de Strasbourg jusqu'à la police municipale, puis itinéraire fléché. Juil-sept, tlj sf mar et j. fériés 10h-12h30, 16h-19h30 ; le reste de l'année, mer-dim 10h-12h30, 14h-17h30 (fermé lors des montages d'expos). Visites commentées (min 8 adultes) de mi-juin à mi-sept, ven à 16h30, organisées par la* Maison du tourisme de la Provence d'Azur. *Rens :* ☎ *04-94-01-84-43. Durée :* 1h30. Tarif : 6 € ; gratuit jusqu'à 10 ans. Sinon, la villa se visite tt au long de l'année lorsqu'elle accueille les expos (entrée libre).

Superbe villa construite par Mallet-Stevens, entre 1924 et 1933, pour Charles et Marie-Laure de Noailles, richissimes mécènes, amateurs d'art moderne. Ce fut l'un des lieux phares du bouillonnement intellectuel et créatif de l'entre-deux-guerres. Man Ray y tourna son premier film : *Les Mystères du château de Dé,* Giacometti travailla dans un atelier au milieu du parc, Buñuel y écrivit en 1930 le scénario de *L'Âge d'or.* Bien d'autres heureux mortels, dont Cocteau, séjournèrent dans cet immense volume de cubes superposés accueillant la lumière par de grandes baies vitrées. Contrairement aux apparences, l'architecte n'a pas utilisé le béton mais les matériaux traditionnels des constructions provençales : brique et enduits naturels. Cette « maison infiniment pratique et simple », comme le souhaitait le vicomte de Noailles, s'étendait toutefois dans les années 1930 sur 2 400 m² dont 600 de terrasses, et englobait une piscine, un gymnase, un terrain de squash. Une ouverture sur la nature indispensable en ces temps où l'on mettait en avant (différemment d'aujourd'hui !) le culte du corps.

Aujourd'hui, de remarquables expositions temporaires y sont montées, ainsi que plusieurs festivals (mode, photo, design, musique...). La villa anime également des ateliers pour enfants toute l'année.

🎭 *L'église Saint-Louis :* du XIIIᵉ siècle. C'est ici que le premier roi routard de l'histoire vint prier au retour de sa première croisade. À l'intérieur, mobilier néogothique et vierge en marbre du XIXᵉ siècle.

La ville du XIXᵉ siècle

En contrebas de la ville médiévale, de grandes avenues, des villas et édifices publics, élégants vestiges du premier âge d'or touristique d'Hyères au XIXᵉ siècle. Quand un certain Alexis Godillot (1816-1893), qui avait fait fortune en fournissant des chaussures (le mot « godillot » vient de là) aux armées de Napoléon III pendant la guerre de Crimée, possédait un quart de la ville.

🎭 *Les villas Belle Époque :* petite balade à la rencontre de ces témoins d'une époque révolue comme l'imposant *Park Hôtel,* sur l'avenue Jean-Jaurès, où Bonaparte déposa Joséphine avant d'embarquer pour la campagne d'Égypte. Ou la rigolote *villa Godillot* au 70, av. Riondet. Juste en face descend l'avenue Godillot (« interdite aux voitures non suspendues », prévient encore une vieille pancarte de fonte), d'où l'on aperçoit la belle *maison mauresque.* En tournant à gauche dans l'avenue de Beauregard, on trouvera au n° 1 une autre villa d'inspiration orientale, la *villa tunisienne.*

🎭 *Le parc Olbius-Riquier :* av. A.-Thomas. ☎ 04-94-00-78-65. *Ouv tlj ; en été, 7h30-20h ; hors saison, 8h-17h. Entrée gratuite.* Annexe du Jardin d'acclimatation de Paris, aménagée au milieu du XIXᵉ siècle. Sur 7 ha, une végétation franchement luxuriante avec, bien sûr, ces palmiers dont la ville d'Hyères s'est autoproclamée capitale française (il y a même ici une association des « Fous de palmiers » !). Également quelques animaux, des attractions pour les enfants et une serre exotique.

🐾 *Le musée municipal :* rotonde Jean-Salusse. ☎ 04-94-00-78-42. Avr-oct, tlj sf mar 10h-12h, 16h-19h ; nov-mars, mer-dim 10h-12h, 14h-17h30. Fermé les j. fériés. Entrée gratuite. Archéologie, meubles et section d'histoire naturelle. Si vous avez du temps...

🐾 *L'observatoire du pic des Fées :* allée des Pinsons, sur le Mont des Oiseaux. ☎ 04-94-00-53-90. ● astrosurf.com/opf/accueil.htm ● Conférences, observations. Se renseigner pour le programme.

Sur le littoral

🐾 *Le site archéologique d'Olbia :* vers la plage de l'Almanarre. ☎ 04-94-57-98-28. ♿ Ouv avr-sept, mar et sam 15h-18h30, jeu et ven 9h30-12h30, 15h-18h30 ; visites guidées à 10h et 16h à partir de 5 pers. Entrée : 5 € ; réduc ; gratuit jusqu'à 18 ans. Visite commentée par des guides passionnés et passionnants que l'on vous recommande (réservation conseillée). Vestiges d'un comptoir maritime gréco-romain : on distingue encore nettement les traces des habitations, de thermes romains... Les fouilles ont lieu en juillet ou en août selon les années.

🐾 *La résidence Simone Berriau Plage :* juste avt le port des Salins, sur la droite. Résidence de tourisme conçue en 1962 par l'architecte Pascalet pour Simone Berriau, productrice et directrice de théâtre. De grands noms du spectacle y avaient acheté des appartements. Bel exemple d'architecture inspirée par le mouvement moderne qu'on ne pourra malheureusement découvrir que de loin...

🐾 *Les plages :* Hyères en totalise une bonne vingtaine de kilomètres. D'est en ouest, on rencontre la *plage des Salins* (réservée en partie aux militaires...). La très longue plage de sable brun de l'*Ayguade* s'étend ensuite jusqu'au port Saint-Pierre. Le long de la route du Sel qui mène à la presqu'île de Giens s'allonge la plage de l'*Almanarre,* très souvent ventée et devenue LE spot de *funboard* de la côte. Elle accueille régulièrement une étape de la Coupe du monde de la discipline. Le long du tombolo de la presqu'île de Giens, des plages familiales abritées du vent comme la *Capte* ou la *Bergerie*. Idéales pour les enfants du fait de la faible profondeur de l'eau. Et pour ceux qui ne rechignent pas à faire une balade avant la baignade, quelques belles petites plages à découvrir sur la presqu'île comme celle de la *pointe des Chevaliers* (lire ci-dessous).

Fêtes et manifestations

– *Foire à la brocante et aux antiquités :* le 1er dim du mois, 9h-19h, pl. Clemenceau et République.
– *Foire du 1er jeudi du mois :* pl. Vicomtesse-de-Noailles et dans les rues avoisinantes.
– *Festival international des arts de la mode :* le dernier w-e d'avr. Défilés de jeunes stylistes qui, pour certains, seront les grands couturiers de demain.
– *Semaine olympique française de voile d'Hyères :* dernière sem d'avr. Près de 1 600 compétiteurs, 45 nations représentées.
– *Les Vignades :* pdt une journée en juil. Dans le vieux Hyères, dégustation gratuite des vins AOC côtes-de-provence.

➤ *DANS LES ENVIRONS D'HYÈRES-VILLE*

LA PRESQU'ÎLE DE GIENS (83400)

À une poignée de kilomètres au sud d'Hyères-Ville. Sa forme évoque une botte (dommage, le surnom est déjà pris par l'Italie).

Les flamants roses venus en voisins de Camargue et une foule d'autres oiseaux semblent s'y trouver à leur aise. On pourra les observer depuis la *route du Sel* qui longe la côte ouest du tombolo au départ de l'Almanarre. Pour une visite guidée, contacter la *Ligue protectrice des oiseaux* (☎ 04-94-12-79-52).

Attention, la *route du Sel* est interdite à la circulation automobile du 15 novembre au 15 avril. Il faut dire

> **TOMBOLO : QUÈSACO ?**
>
> *La presqu'île est reliée au continent par un double tombolo. Un phénomène rarissime (il n'en existe que deux en Europe) : deux cordons de sable qui ont formé un isthme à l'intérieur duquel subsistent des marais salants. Ces salins du Pesquier ont été exploités depuis le milieu du XIXe siècle jusqu'en 1995. Le Conservatoire du littoral a aujourd'hui acquis les terrains.*

qu'elle est constamment exposée au mistral et souvent inondée. Poussez aussi jusqu'au joli village perché de *Giens* qu'adorait Saint-John Perse (il repose au cimetière) ou jusqu'au croquignolet petit port de pêche du *Niel,* niché dans une calanque.

Où dormir ? Où manger ?

Camping

⚓ **L'International :** *La Réserve, 1737, route de La Madrague, Giens.* ☎ 04-94-58-90-16. ● thierry.coulomb@wanadoo.fr ● international-giens.com ● ♿ ♨ À env 1 km de Giens. Bus n° 67 (à la gare routière d'Hyères), arrêt « Pousset ». Ouv de mi-mars à début nov. Emplacement pour 2 pers avec voiture, tente et électricité 24,50 €. Loc de mobile homes 335-770 €/sem. Apéritif maison offert sur présentation de ce guide. Correct. Pas de piscine, mais la mer est à 50 m. Resto.

De prix moyens à beaucoup plus chic

🛏 |●| **Le Provençal :** *pl. Saint-Pierre, Giens.* ☎ 04-98-04-54-54. ● leprovencal@wanadoo.fr ● provencalhotel.com ● *Dans le village. Congés : de fin oct à mi-mars. Doubles avec bains, TV satellite et Canal +, 90-140 € selon vue et saison ; petit déj 14 €. ½ pens 115-170 €/pers. Menus 27-50 €. Loc à la sem de studios et d'apparts. Apéritif maison offert sur présentation de ce guide.* Un hôtel de charme avec ses vieux meubles et une quarantaine de chambres pas immenses mais confortables et coquettes, la plupart disposant d'un balcon. Les plus chères (n°ˢ 129 et 130) ont une vue imprenable sur la mer. Belle terrasse panoramique sur les îles d'Hyères et piscine naturelle dans les rochers remplie d'eau de mer. La classe ! Accueil professionnel.

🛏 |●| **Hôtel Le Bon Accueil :** *route du Niel, à Giens.* ☎ 04-98-04-55-10. Fax : 04-98-04-55-12. *À gauche à la sortie du village en direction du port du Niel. Resto fermé nov-mars (sf pdt les fêtes de Noël). Doubles avec douche et w-c ou bains, TV 65-90 €. ½ pens possible : 65-78 €/pers. Menus 25-30 €.* Au cœur d'un jardin carrément luxuriant : on déjeune ou on dîne à l'ombre d'arbres magnifiques, dans des senteurs quasi tropicales, au calme qui plus est ! Les chambres, restées dans leur jus, sont d'un chic rustico-classique début XXe siècle, mais les lits, ici ou là, ont vécu.

Idées rando

➢ **La presqu'île de Giens** (8 km, 2h30 aller-retour sans les arrêts) : calanques, pointes et baies. Il s'agit d'une randonnée assez sportive, à faire par beau temps. Les îles d'Hyères sont à vos pieds, mais il y a peu de monde sur ce sentier solitaire.

En boucle, de l'extrémité ouest du port de La Madrague à l'ouest de Giens. Balisage jaune. Ne pas s'approcher des zones militaires ou du rebord des falaises. Faire attention aux sentiers escarpés. Mais cela vaut le coup car on se prend à imaginer toute la côte à l'image de ce joli coin. À consulter : *PR en littoral varois*, éd. FFRP ; *Randonnées dans les îles d'Or et la côte varoise*, éd. Édisud. Carte IGN au 1/25 000, n° 3446 O.

➤ Pour les plus courageux, le tour complet de la presqu'île (18 km, 5h environ).

➤ *Balades nature accompagnées* organisées par l'Office national des forêts et consacrées à différents thèmes (« Le long du Réal Martin », « La pointe des Chevaliers et le littoral », « Balades nocturnes » et bien d'autres). Toute l'année. Réservation indispensable à la *Maison du tourisme de la Provence d'Azur (☎ 04-94-01-84-30)*, et n'oubliez pas de bonnes chaussures !

➤ DANS LES ENVIRONS D'HYÈRES-LES-PALMIERS

PIERREFEU (83390)

À 18 km de Hyères, Pierrefeu est un petit village provençal tranquille, niché sur les contreforts du massif des Maures. Les amoureux de la nature trouveront dans ses environs de quoi remplir de bonnes journées de marche avec de nombreux sentiers de rando. Les amateurs de bons crus ne seront pas déçus puisque la commune compte près d'une quinzaine de domaines viticoles classés AOC côtes-de-provence. Alors, bonne dégustation !

Où dormir ? Où manger ?

📖 |●| *Gîte de groupes La Portanière :* hameau de La Portanière. ☎ 04-94-28-21-48. 📱 06-25-84-47-25. ● gitepor taniere@wanadoo.fr ● gite-portaniere. com ● ♿ (1 chambre). À Pierrefeu, prendre la route de Collobrières, après le camping Le Deffends, 1re à gauche, puis suivre les panneaux. Ouv tte l'année. Sept chambres de 4 lits avec douche mais w-c communs : compter 18 €/pers, petit déj compris et 30 € en ½ pens. Loc de draps : 6 €. Également un studio pour 4 pers avec cuisine équipée 300 €/sem. Apéro maison offert sur présentation de ce guide. Gîte d'architecture moderne, donc sans charme, mais le coin se prête vraiment bien à de belles randonnées. Agnès s'occupe de la cuisine avec le sourire et concocte des plats provençaux à base de produits frais (certains légumes viennent de son potager). Marcel, ancien ouvrier viticulteur, grand marcheur et rédacteur de topoguides, a ouvert quelques sentiers autour du gîte. Le GR 51 passe juste à côté. Demandez-lui conseil. Bien sûr, il connaît aussi les vignerons du coin... Petit garage à vélo et machine à laver.

📖 |●| *Chambres d'hôtes La Broquière :* 124, chemin du Plan. ☎ 04-94-48-20-57. ●la-broquiere@wanadoo. fr ● domaine-la-broquiere.com ● À Pierrefeu, prendre la route de Collobrières, puis la 1re à gauche direction Puget. Après le petit pont, panneau sur la gauche. Ouv tte l'année. Doubles avec douche et w-c 71-79 € selon saison. ½ pens 58-65 €/pers. Loc à la sem souhaitée en juil-août. Table d'hôtes 25 €. Apéritif maison offert sur présentation de ce guide. Dans une maison au cœur d'un petit vignoble que les proprios cultivent à l'ancienne (labours à cheval, s'il vous plaît !). Chambres plaisantes. Également un studio pour quatre. Dans le salon, plus de 2 500 bouquins, dont certains du XVIIe siècle et une belle collection de bouddhas rieurs.

Où faire une dégustation de vin ?

■ **Domaine La Tour des Vidaux :** quartier Les Vidaux. ☎ 04-94-48-24-01. Ouv lun-sam 9h-12h, 14h30-18h30 (14h-18h en hiver). Fermé dim et j. fériés. Visite de la superbe cave. Il y a même des expos.

■ **Château de l'Aumerade :** D 12, route de Puget. ☎ 04-94-28-20-31.

Ouv lun-sam 8h30-12h30, 14h-18h (14h-19h en juil-août ; 13h30-17h30 nov-mars). Fermé dim et j. fériés. Dégustation possible, certes, mais on peut aussi y admirer une fabuleuse collection de santons du monde patiemment rassemblés par M. Fabre.

LES ÎLES D'HYÈRES   (83400)

Trois îles fameuses : Porquerolles, Port-Cros et le Levant, appelées les *îles d'Or* à la Renaissance (probablement une déformation d'*insulae Arearum,* îles d'Hyères, en *insulae Aureum...*). Bien que très fréquentées, elles constitueront dans votre itinéraire autant d'étapes extrêmement agréables et reposantes. On vous conseille plutôt d'y faire une petite escale avant ou après les deux mois de fièvre touristique.

PORQUEROLLES (83400)

La plus vaste des trois : environ 7 km de long sur 2,5 km de large. La plus fréquentée aussi : près de 10 000 touristes par jour pendant l'été. Résultat : les plages – accessibles en bateau, voire en scooter des mers ! – sont surpeuplées, et les déchets rejetés à la mer se multiplient. De quoi inquiéter les amoureux de Porquerolles... Quant à l'origine de son nom (port des Poteries, port de la Bonté-Divine, port des Rochers ou port des Lavandes), l'étymologie n'est pas claire, chaque interprétation étant plausible. Mais paradis de la marche familiale, c'est sûr. Faisons un bref état des lieux. Environ 350 habitants permanents, dont certains se battent pour instaurer des quotas avant qu'il ne soit trop tard. Rares voitures. Il n'y a pas de vraies routes. Seuls des chemins de terre se faufilent entre les pins. On peut louer des vélos à l'heure ou à la journée. Sur la côte nord, de superbes plages abritées par endroits, auxquelles on accède à travers une flore très protégée. Côte sud très accidentée. C'est là que se trouve le phare que trois gardiens font fonctionner à tour de rôle. En dehors de juillet et août, possibilité de se promener sans rencontrer trop de monde. Village très agréable s'ordonnant autour de la charmante place d'Armes.

Un peu d'histoire

Constituant un abri pour les navigateurs de l'Antiquité, Porquerolles fut tour à tour le siège d'un village de pêcheurs grecs, sis dans l'anse dite de la Galère, et d'une base navale romaine, à l'emplacement de l'actuel port. Des assaillants « barbaresques » y firent moult incursions, et des pirates, forcément sans foi ni loi, ne manquèrent pas de se dissimuler dans ses criques et ses calanques, avant de fondre sur les honnêtes navires de commerce, nombreux à sillonner cette Méditerranée bénie des dieux... Dure époque. François Ier fit construire, pour sa défense, le fort Sainte-Agathe, une parmi les nombreuses constructions qui rappellent la vocation militaire de l'île. Celle-ci fut aussi un lieu de convalescence, voire de mise en quarantaine, pour soldats coloniaux.

Pour la petite histoire, on retiendra que l'île fut par deux fois offerte en cadeau de noces. La première fois lors du mariage d'Henri IV avec Marie de Médicis, en 1600, et la seconde fois par un certain François-Joseph Fournier, à sa seconde épouse, en 1912.

Celui-ci eut un destin peu commun. Ingénieur issu d'une famille de mariniers belges, il participa, à Panamá, à la construction du canal de Ferdinand de Lesseps, puis partit pour le Mexique construire des lignes de chemin de fer. Il y découvrit l'un des plus importants gisements d'or de la planète. Obligé de s'enfuir en 1907 en raison de la révolution mexicaine, il rejoignit le Vieux Continent et se remaria avec la fille d'un célèbre savant anglais. Séduit par la beauté de l'île, il l'acheta aux enchères pour un million de francs (environ 3,2 millions d'euros !) et décida d'y vivre sur le mode de l'hacienda mexicaine. Il y fit venir des familles italiennes et entreprit de grands travaux d'exploitation agricole, la reboisant avec des vignes et des plantes exotiques. Il constitua ainsi une communauté autonome possédant sa propre école, son médecin, son usine électrique... Il mourut en 1935, et la guerre mit fin à cette prospérité (l'île fut entièrement évacuée pendant l'occupation allemande). En 1971, l'État, afin de préserver l'île d'une urbanisation anarchique, se porta acquéreur de 1 000 ha, dont il confia la gestion au parc national de Port-Cros.

La fin d'une époque, mais pour d'autres le début du rêve. Car la couleur de l'eau et la douceur du climat font de Porquerolles la « section terrestre du paradis », pour reprendre les mots de Simenon... De belles et bonnes vignes y prospèrent même joliment sur quelque 200 ha : Domaine de l'Île, toujours propriété des descendants de la famille Fournier, Domaine de la Courtade et Domaine Perzinsky...

Comment y aller ?

🚢 **Du port de la Tour-Fondue,** à l'extrémité de la presqu'île de Giens, par la compagnie TLV. Rens : ☎ 04-94-58-21-81. ● tlv-tvm.com ● De 5 départs/j. en basse saison à près de 20 départs/j. en juil-août ; se renseigner pour les horaires. 20 mn de trajet. Compter 15,70 € l'aller-retour, plus le parking pour les voitures à environ 6 € la journée. Possibilité de faire le circuit Porquerolles – Port-Cros en une journée (seulement en haute saison).

🚢 En été, bateaux également de **Toulon,** du **Lavandou,** de **Cavalaire,** de **La Londe-les-Maures,** de **La Croix-Valmer.**

– Liaisons entre Porquerolles et Port-Cros avec le *bateau-taxi Le Pélican* (ainsi que pour d'autres traversées à la demande), sur réservation au ▯ 06-09-52-31-19. ● locamarine75.com ● Pour routards fortunés...

– *Attention :* lorsque le mistral souffle et qu'il y a des risques d'incendie, l'accès au massif forestier peut être interdit (les plages restent accessibles). Se renseigner, par téléphone, avant l'embarquement, au bureau d'information de Porquerolles.

Adresses et infos utiles

▯ **Bureau d'information :** *carré du Port.* ☎ 04-94-58-33-76. ● *porquerolles.com* ● *Avr-fin sept, tlj 9h-17h30 ; le reste de l'année, 9h-12h30.* Demandez la « carte marine et terrestre » de l'île, avec l'ensemble des sentiers, très pratique et payante, ou, plus sommaire (mais avec la durée des randonnées), la « carte des sites et itinéraires ».

▯ **La Maison du Parc :** *dans le jardin du Palmier, à la sortie du village, route du Phare.* ☎ 04-94-58-07-24. *Avr-oct, tlj sf sam 9h30-12h30, 13h30-17h30 (14h30-18h30 en juil-août).* Point d'info du parc

national de Port-Cros. ☎ 04-92-12-30-40. ● *portcrosparcnational.fr* ● Une mine de renseignements sur les sites naturels et le patrimoine bâti de l'île. Mais aussi sur sa flore et sa faune (comme les murins à oreilles échancrées, une espèce de chauve-souris) ou les collections fruitières et botaniques du Conservatoire botanique national. Visites et randonnées accompagnées sur résa.

– Une dizaine de loueurs de VTT près du port et au centre du village. Compter environ 12 € la journée.

Où dormir ? Où manger ?

Seulement huit hôtels sur l'île, de chers à très chers (il y a même un 4-étoiles avec piste d'hélicoptère...). Réservation plusieurs mois à l'avance pour la haute saison. La plupart demandent la demi-pension. Quelques chambres d'hôtes et des locations de meublés. En revanche, pas de camping. Pour satisfaire les fringales, une quinzaine de restos plus ou moins touristiques. Rien ne vous empêche d'apporter votre casse-croûte ou de préparer votre pique-nique sur place (magasins d'alimentation au port et au village, plutôt chers). Attention : pas de point d'eau en dehors du village et de la plage d'Argent.

De très bon marché à bon marché

|●| *Chez Jean* : rue de la Douane, île de Porquerolles. ☎ 04-94-58-35-47. Pas un resto mais un comptoir (ouv avr-sept), avec de bonnes pizzas à emporter (9-12,50 €), ainsi que sandwichs, salades et boissons. Tous les produits sont de qualité et préparés sur place. Pratique pour un pique-nique, surtout si l'on commande à l'avance...

De prix moyens à un peu plus chic

🛏 *Le Clos des Galéjades* : 1, rue de la Poste. ☎ 04-94-58-30-20. ● les.galeja des@wanadoo.fr ● galejades-porquerol les.com ● Congés : de mi-déc à mi-janv. Les prix varient selon la saison : de 53 €/j. pour un studio en basse saison à 1 115 €/sem pour un 2-pièces en août pour 4/6 pers. Sur présentation de ce guide, réduc de 20 % sur la loc de VTT. Les sympathiques propriétaires proposent à la location des chambres, studios et appartements avec mezzanine, au village et, plus agréable, au cap d'Arme, près du phare. Fonctionnels, ces derniers disposent chacun d'un petit jardin-terrasse où prendre ses repas (les commerçants livrent, et, à vélo, il n'y a que 2 km jusqu'au village...).

|●| *La Plage d'Argent* : à la belle saison, sur la plage du même nom. ☎ 04-94-58-32-48. ♿ Tlj 12h-15h30. Congés : oct-mars. Résa conseillée. Planchas env 20 €. Vin au verre.

Emplacement de rêve, mais pas seulement : la cuisine est une vraie bonne surprise. Tout est frais, agréablement présenté, dans une atmosphère de vacances, sans vulgarité. Bons desserts.

|●| *L'Alycastre* : 1, rue de la Ferme. ☎ 04-94-58-30-03. En plein cœur du village. Ouv tlj de Pâques à fin sept. Formules assiettes env 12-18 € ; carte 30-35 €. Un endroit sympa avec sa terrasse sous des arcades blanches, agrémentée de quelques plantes vertes. L'intérieur, lui, joue sur un registre un peu plus contemporain. Le poisson y est fort bien traité, le client également. Une bonne adresse porquerollaise (dont le nom évoque un monstre mythique), restée dans la famille de l'ancien patron, tout comme *L'Aventure* voisine (☎ 04-94-58-39-53), bien agréable au bord de la place, où manger plus simplement de bonnes pizzas, en famille ou entre amis.

De plus chic à beaucoup plus chic

🛏 *Chambres d'hôtes Le Roustidou* : 17, rue du Phare. ☎ 04-94-58-31-54. ● contact@leroustidou.com ● lerousti dou.com ● Tte l'année. Doubles 85-120 € selon saison. Repas le soir (tt compris) 32 € sur résa 48h avt. Apéritif maison et 10 % de réduc sur la chambre (basse saison) offerts sur présentation de ce guide. Au sein d'une bien belle maison particulière, aux couleurs douces, à la déco un brin design égayée de quelques objets rapportés de périples lointains, 3 chambres d'hôtes avec douche privée. Une jaune avec patio, une orange et une autre bleue. Agréable petit jardin, au calme parfait. L'ambiance est sereine, l'accueil familial et sympathique.

🛏️ 🍴 *Villa Sainte-Anne : pl. d'Armes.* ☎ 04-98-04-63-00. ● *courrier@saintean ne.com ● sainteanne.com ● ⛄ Ouv de fin fév à début nov. ½ pens pour 2 pers (boissons non comprises) 74-124 € selon saison et catégorie. Lits supplémentaires ou appart possibles. Menus 18 € (le midi en sem) et 25 €. Apéritif maison offert sur présentation de ce guide.* Idéalement situé au flanc de l'église, sur le haut de la place d'Armes, cet hôtel-resto allie le confort au charme provençal. Ses 25 chambres tout confort et joliment meublées ne sont pas son seul atout : la cuisine de la talentueuse chef est authentique, goûteuse à souhait et tire le meilleur parti des produits de cette Méditerranée bénie des dieux. Servis en terrasse, sous les eucalyptus, agneau au thym, gambas au chorizo, croustillant au chocolat, sans oublier les vins ensoleillés de Porquerolles... Un repas simple où tout est bonheur.

🛏️ 🍴 *Auberge L'Arche de Noé : pl. d'Armes.* ☎ 04-94-58-33-71. ● *auber ge-arche-de-noe@wanadoo.fr ● arche-de-noe.com ● Fermé mar en basse saison. Quatre chambres avec douche et w-c ou bains 135-260 € selon confort et saison. Menus 18 € le midi, puis 27-45 € ; compter 50 € à la carte. Apéritif maison offert sur présentation de ce guide.* Poutres et buffet à l'ancienne, vivier de langoustes, cuisine traditionnelle, poisson découpé devant le client : tout est là pour rassurer. Qualité incontestable, service à l'avenant. Il faut dire que la maison s'enorgueillit de ses illustres visiteurs : Churchill, Chaplin, Cocteau, Simenon... Pour la bourride ou la bouillabaisse, c'est ici qu'il faut venir (ne pas oublier de commander à l'avance : là aussi, c'est bon signe...).

🛏️ *Les Glycines : pl. d'Armes.* ☎ 04-94-58-30-36. ● *auberge.glycines@orange. fr ● aubergedesglycines.com ● Ouv tte l'année. Doubles 99-269 € selon saison et confort ; petit déj inclus.* Rénové dans un esprit très provençal, un hôtel de charme à découvrir en mars, à la saison des glycines ou à l'automne. Chambres coquettes avec douche ou bains. Un patio très agréable aux couleurs bleutées où prendre le petit déjeuner. On ne peut, hélas, guère recommander la cuisine...

À voir. À faire

Avant toute chose, quelques règles élémentaires : camping sauvage et bivouac proscrits, interdiction également de faire du feu et de fumer en dehors du village. Respect de la nature : pas de fleurs coupées ni de fruits cueillis, pas d'abandon d'ordures sur place. Économie de l'eau douce (très, très précieuse !). Enfin, certains sentiers sont interdits aux VTT. Se renseigner auprès des loueurs de vélos ou au bureau d'information (voir plus haut « Adresses et infos utiles »).

Les plages

🏖️ *La plage d'Argent :* à gauche du port. À 1 km du village. Resto en terrasse et snack ouv tlj. Pâques-fin sept, sf lorsqu'il ne fait pas beau (voir « Où dormir ? Où manger ? »). La plage doit son nom à son beau sable, à base de quartz blanc. Bien abritée et entourée d'arbres. Eaux transparentes.

🏖️ À 4,5 km, à la pointe ouest de l'île (il est préférable d'avoir de bons mollets), *plage du Grand-Langoustier,* en bordure d'une presqu'île dominée par un fort.

🏖️ *La plage de la Courtade :* à droite du port, la plus fréquentée. Assez longue, très belle aussi, bordée de tamaris, de pins et d'eucalyptus. Petites criques de sable jusqu'au fort de Lequin.

🏖️ *La plage Notre-Dame :* la plus grande de l'île, la plus éloignée et aussi la plus sauvage. Agréable promenade de 3 km pour l'atteindre. Bordée d'arbousiers et de bruyère. La préférée des adorateurs du soleil. À l'extrémité de la plage, les cinéphiles retrouveront la *calanque de la Treille,* où Godard tourna quelques-unes des plus belles scènes de *Pierrot le Fou*. Au-delà, vers le cap des Mèdes, le terrain, propriété de l'armée, devait être dévolu au parc national. En attendant sa « démilitarisation », ne pas s'aventurer en dehors du sentier...

Visites et quelques promenades

En plus des plages, voici quelques balades réalisables tranquillement en quelques heures.

➢ *Le phare, le cap d'Arme et la calanque des gorges du Loup :* plutôt que de prendre la route directe, suivre le petit chemin passant par le cimetière. Itinéraire moins « boulevard ». Compter de 1h30 à 2h de balade.
Le phare ne se visite plus. Le plus puissant de la Méditerranée après celui de Marseille, avec une portée de 54 km, il domine les falaises de la côte sud.
Après le cap d'Arme, on atteint les impressionnantes *gorges du Loup,* où la mer se précipite impétueusement. Mais attention, le rebord de la falaise est très friable, et la baignade extrêmement dangereuse dans ce coin-là. Lorsque le mistral souffle, on peut à peine tenir debout.

🎇🎇 *La balade des forts :* vu sa situation géographique, Porquerolles fut de tout temps une position stratégique de première importance (voir en introduction « Un peu d'histoire »). La poliorcétique (l'art d'assiéger une ville ou de soutenir un siège, quoi !) s'y est donc beaucoup développée, ainsi qu'à Port-Cros.

– Au-dessus du village, *expo au fort Sainte-Agathe : mai-oct tlj 10h-12h30, 13h30-17h. Entrée : 3 € ; réduc enfants.* Expo présentée par le parc national de Port-Cros sur Porquerolles et la rade d'Hyères. Fort construit au XVIᵉ siècle, sur l'emplacement d'une ancienne fortification romaine. Impressionnante épaisseur des murailles. De la terrasse, beau point de vue.

– À la pointe ouest de l'île, sur un îlot, *fort du Petit-Langoustier,* construit par Richelieu. Celui du *Grand-Langoustier,* à la pointe Sainte-Anne, possède encore de l'allure, d'autant qu'un ancien chirurgien, passionné de vieilles pierres, a entrepris sa restauration !

– Belle petite balade vers le *fort de la Repentance,* au nord-est, enfoui dans les buttes de terre, lui aussi en cours de restauration, pierre par pierre, par le père Séraphin. Ces deux forts ne se visitent pas.

– Enfin, l'ascension vers le *sémaphore* (point culminant de l'île : 142 m !) est récompensée par un magnifique point de vue.

🎇 *Le conservatoire botanique :* se rendre au Hameau, au centre de l'île. Il n'y a pas que certaines espèces animales à être en danger de disparition. Les espèces végétales sauvages ou cultivées sont, elles aussi, menacées par la modification de leur habitat ou par les effets de l'agriculture à haut rendement. Parmi ses actions de préservation de la flore méditerranéenne, le conservatoire stocke sous forme de graines 2 000 espèces qui pourraient disparaître. Il possède également des collections de figuiers, pêchers, mûriers et oliviers, et sauvegarde des espèces anciennes et rustiques. Seul le joli jardin de plantes aromatiques ou médicinales est ouvert au public (voir aussi « La Maison du Parc » dans « Adresses et infos utiles ».)

🎇 En saison, nombreuses expositions temporaires à la mairie, sur la place d'Armes. *Horaires variables. Gratuit.*

– *Attention,* on se répète, mais une partie de l'île (ancien terrain militaire pas encore complètement déminé !) est encore dangereuse, du cap des Mèdes à la pointe de la Galère. Alors prudence !

Fêtes et manifestations

– *Porquerolles' Cup :* *dim de Pentecôte.* Tour de l'île en bateau, avec un départ de course, comme aux 24 Heures du Mans...
– *Jazz à Porquerolles :* *une petite sem début juil. Infos :* ● *jazzaporquerolles.org* ●
Concerts payants au fort Sainte-Agathe. Quelques concerts également en journée dans les bars.
– *Fête de la Sainte-Anne :* *26 juil.* En l'honneur de la sainte patronne de l'île.

PORT-CROS (83400)

Depuis 1963, c'est à 100 % un parc national, et le seul d'Europe qui soit en même temps parc sous-marin et terrestre. Clause obligatoire des époux Henry, derniers propriétaires de l'île, dans leur acte de donation à l'État de ce qui n'a longtemps été qu'un bastion, avant de devenir ce havre de paix (qui envoûtait aussi bien Gide et Malraux que Jules Supervielle). Une tentative de préserver un petit morceau de forêt méditerranéenne resté intact et d'empêcher la dégradation des fonds marins, ainsi que la disparition de la végétation marine, très menacée aujourd'hui. L'île propose un vaste réseau de sentiers aménagés pour découvrir une flore très riche. Des trois îles d'Hyères, c'est la plus montagneuse. Presque circulaire et d'une superficie de 647 ha, on peut en faire le tour dans la journée. Son point le plus élevé, le *mont Vinaigre,* culmine à 194 m. Les rivages rocheux et déchiquetés ne livrent que deux toutes petites plages.
Ce paradis écologique est cependant menacé par un ennemi que l'on n'attendait point : son propre succès. Pas tant dû aux centaines de milliers de touristes qui lui rendent visite chaque année qu'aux innombrables bateaux de plaisance qui y jettent l'ancre chaque jour. Difficile de dire combien avec précision, mais le chiffre est déjà beaucoup trop élevé aux yeux des amoureux de l'île...
Le seuil de saturation étant depuis longtemps dépassé, les effets négatifs deviennent vraiment alarmants. Certaines variétés d'arbres des rivages commencent à dépérir, rongées par les eaux usées des plaisanciers et les détergents qu'ils véhiculent. Si les poissons semblent pour le moment s'en accommoder, les herbiers sous-marins le supportent en revanche très mal. D'autant plus que les centaines d'ancres jetées et remontées quotidiennement les arrachent impitoyablement du fond. Et ne parlons pas de la pollution par le plomb des rejets des moteurs...
Cela dit, la situation ne se révèle pas encore désespérée. Ne noircissons pas le tableau, quelques mesures radicales ont déjà été prises pour contrer ces effets pervers, comme l'interdiction du mouillage dans certaines zones pour protéger l'herbier de posidonies, la plongée réglementée et la pêche de loisir interdite.
Bien que l'île soit petite, elle abrite une grande variété d'animaux, 114 espèces très exactement, principalement à plumes. Les oiseaux migrateurs habituels y font escale : fou de Bassan, huppe, passereau, guêpier, etc. Les autres (goéland, fauvette mélanocéphale, hypolaïs polyglotte, bruant zizi, pipit, rousseline, puffin cendré) n'ont pas envie de quitter ce petit paradis. L'île abrite également des espèces rares : le faucon pèlerin, celui d'Éléonore, l'épervier. Mais surtout, les eaux du parc offrent une richesse sous-marine remarquable avec quelques espèces devenues rares : mérou, corb, denti et la grande nacre (ou *Pinna nobilis*), sorte de moule géante (elle peut dépasser le mètre) qui vit plantée à la verticale dans le sable.
Sachez enfin que l'île servit de décor au film *Le Parfum de la dame en noir,* de Bruno Podalydès (2005), qui a fait de ses fabuleux paysages un personnage du film à part entière.

Comment y aller ?

⛵ *Du Lavandou :* avec les *Vedettes Îles d'Or, 15, quai Gabriel-Péri ; face à l'office de tourisme.* ☎ *04-94-71-01-02.* ● *vedettesilesdor.fr* ● Certains bateaux accostent à l'île du Levant. Le trajet dure 35 à 50 mn. De 1 départ/j. en basse saison à une petite dizaine en été. Aller-retour : 23 € ; moins de 12 ans : 19,10 €. Même prix pour Le Levant. Croisière Bleue (Port-Cros, Porquerolles) : 44 € ; enfants : 36 €.

⚓ *Du port d'Hyères :* avec la *TLV (*☎ *04-94-57-44-07).* Aller-retour : 23 €. En juil-août, 4 départs/j. Fréquence réduite hors saison. Circuit deux îles (Port-Cros + île du Levant) 3 fois/j. en juil-août slt. Tarifs : 26 € (tarif unique à partir de 4 ans). 40 mn de navigation pour Port-Cros.

⚓ En saison, liaisons 2 fois/sem entre Porquerolles et Port-Cros avec *Bateau-Taxi Pélican :* ☎ *04-94-58-31-19.*

Adresse utile

🛈 *Maison du Parc :* ☎ 04-94-01-40-70. ● portcrosparcnational.fr ● *Horaires variables suivant saison, téléphoner.* | Informations sur l'île et le parc. Excellent accueil et indiscutables compétences.

Où dormir ? Où manger ?

Quelques chambres d'hôtes, deux hôtels, dont un plein de charme mais très cher. Pas de camping (camping sauvage et bivouac interdits). Quelques restos sur le port (un seul ouvert en hiver). Et le tout à des prix pas prohibitifs mais presque. Toutes les infos sont disponibles à l'office de tourisme d'Hyères (☎ *04-94-01-84-50).* Si l'on souhaite rester dans le coin, il vaut mieux résider au Levant, qui n'est, au fond, qu'à 15 mn en bateau (et où la plupart des adresses acceptent les « textiles »). De mars à novembre, 1 départ par jour ; sinon, 1 départ les mercredi, vendredi et le week-end.

À voir. À faire

Le village de Port-Cros aligne ses charmantes demeures et ses palmiers dans une superbe petite rade. C'est le point de départ pour aller à la découverte du plus merveilleux concentré de la flore méditerranéenne. Le parc national est protégé par une réglementation : pas de pêche sous-marine, de VTT, de scooter des mers. Interdiction de fumer et, bien sûr, de faire du feu.
Même avertissement qu'à Porquerolles : en cas de risques d'incendie, les sentiers sont interdits. Seul l'accès aux plages est autorisé. Enfin, prévoyez de l'eau et de la nourriture, car il n'y a aucune possibilité de s'approvisionner en dehors du village.

➤ Si vous ne disposez pas de beaucoup de temps, empruntez le *sentier des Plantes* qui contourne le fort du Moulin et qui grimpe au-dessus de l'adorable petit cimetière marin planté de cyprès, comme presque tous les cimetières de Provence (les cyprès symbolisent la vie éternelle et la liaison entre le ciel et la terre). Compter 45 mn aller. À l'aide de la brochure du parc, vous pouvez identifier le ciste de Montpellier ou oléastre (olivier sauvage). En chemin, vous verrez le *fort de l'Estissac,* édifié sous Richelieu (visite et expo en été). Du haut de la tour, vous pouvez admirer la grande rade d'Hyères, avec la presqu'île de Giens, l'île de Porquerolles, le rocher de Brégançon, le cap Béna, les communes littorales et le cap Camanat. Par beau temps clair, vous apercevez la chaîne montagneuse du Mercantour.
Tout au long du sentier, les espèces sont signalées. On peut ainsi faire connaissance avec la pinède de pins d'Alep, la « yeuseraie » (peuplement de chênes verts dans les vallons humides) et l'« oléolentisque » (brousse à oliviers, myrtes et lentisques). Au passage, l'euphorbe arborescente rappelle sa curieuse nature : elle se

dénude totalement en été, rameaux et feuilles poussant en automne. L'herbe aux chats est tellement odorante que son parfum entêtant rend fous tous les matous (surtout mi-août).

Le maquis recèle aussi de nombreux arbustes et plantes : l'arbousier, un des rares végétaux à porter en même temps des fleurs et des fruits, la bruyère arborescente qui peut atteindre jusqu'à 7 m de hauteur et qui, dès mars, offre de belles fleurs blanches, le romarin, la lavande des îles, le ciste à feuilles de sauge, le genêt à feuilles de lin, etc. Sans compter toute la végétation halophile (qui aime le sel) aux si jolis noms : crithme (ou perce-pierre), laiteron glauque, lotus à feuilles de cytise, griffe de sorcière, etc.

⌂ Au bout de votre initiation d'herboriste, la **plage de la Palud.** Assez bondée en été. Un choc. Et n'espérez pas trouver un débit de boissons pour vous rafraîchir ! Au retour de la balade, passez devant le *fort de l'Éminence.*

Pour les plus courageux, deux autres balades :

➤ **Le sentier des Crêtes :** 3h. Le sentier musarde d'abord à l'ombre de l'épaisse forêt du vallon de la Solitude (joli nom !). Après une grimpée digne d'un relief alpin, on suit par la droite les crêtes au pied du *mont Vinaigre.* Le sentier longe ensuite les impressionnantes falaises rocheuses de la côte sud en passant par les ruines d'Anthinéa, ancien poste militaire, jusqu'à la *pointe de Malalongue* face à la réserve intégrale de l'*île de Bagaud.*

➤ Ceux qui disposent de plus de temps peuvent effectuer le **sentier de Port-Man,** grande boucle de 10 km (soit 4h) passant par le *col des Quatre-Chemins,* l'ancienne *fabrique de soude,* le *fort de Port-Man* (belle vue sur l'île du Levant toute proche). Retour par la *pointe de la Galère* et la *plage de la Palud.* Itinéraire très complet (vallonné, ombragé et beaux paysages).

⌂ Pour ceux qui souhaitent découvrir les fonds marins, le parc propose une animation intéressante : le **sentier sous-marin de la Palud,** situé entre la plage de la Palud et l'îlot du Rascas, sans danger (il ne dépasse pas 8 m de profondeur) et parfaitement balisé. Il suffit d'être équipé de palmes, masque et tuba, et d'être capable de nager sur une longueur de 300 m. Le parc national a même édité une plaquette plastifiée permettant de suivre le parcours sous l'eau. Nombreuses espèces végétales dans l'herbier de posidonies, véritable prairie de la mer, algues, etc.

Vous rencontrerez de merveilleux poissons, dont certains sont fort peu farouches : bancs de sars, saupes, daurades, rougets, girelles-paons, etc. Pour les groupes, possibilité de visite guidée avec un animateur du 15 juin au 15 septembre, sur réservation à la *Maison du Parc.* Gratuit. Autour de l'île, des spots somptueux attendent les plongeurs expérimentés comme le très riche *îlot de la Gabinière,* réputé pour ses mérous et cité parmi les 80 plus belles plongées au monde (voir plus loin « Plongée sous-marine »).

L'ÎLE DU LEVANT (83400)

Longue de 8 km, large de 1,5 km, elle est peut-être bien la plus sauvage des trois : il n'y a pas d'eau courante (uniquement des citernes et des forages) et l'électricité a fait son apparition il y a une quinzaine d'années seulement. Au village, en l'absence d'éclairage public, une lampe électrique n'est parfois pas un outil superflu ! Côté continent, ce ne sont que pentes escarpées qui plongent dans la mer. On comprend vite pourquoi l'île du Levant a, de tout temps, été peu habitée. Pourtant, si Le Levant reste aujourd'hui la moins fréquentée des trois îles, c'est pour d'autres raisons. Dans les années 1930, 10 % de l'île ont été achetés par deux médecins, André et Gaston Durville, afin d'y promouvoir le naturisme. Il est difficile aujourd'hui d'imaginer que cette petite île fit tant parler d'elle voici déjà quelques solides décennies de cela. D'autres centres naturistes se sont aujourd'hui fait une réputation beaucoup plus sulfureuse que Le Levant, où règne maintenant un état d'esprit très,

très cool, presque baba... Qui plus est, ici, un habillement « minimum » (maillot de bain ou paréo) est conseillé au village ou sur le port... Le Levant est avant tout un lieu de repos total avec ses villas, ses petits hôtels noyés dans les mimosas et les lauriers-roses, ses sentiers qui serpentent dans la garrigue.

Il n'y a évidemment pas de voitures sur l'île : on gagne le village d'Héliopolis en navette ou, mieux, à pied. Dépaysement garanti en grimpant (ça grimpe vraiment !) en un gros quart d'heure le chemin du val de l'Ayguade. Si vous voulez vous muscler les mollets, prenez

UN BAGNE POUR ENFANTS

Un épisode honteux de l'histoire du Levant, d'ailleurs longtemps enfoui dans les archives de l'île, ou comment ce petit paradis a pu se transformer en enfer. À la fin du XIXe siècle, le propriétaire de l'île, un certain comte de Pourtalès, obtient de Napoléon III l'autorisation de créer sur l'île une « colonie agricole » pour jeunes délinquants. Des mineurs détenus à la prison parisienne de la Roquette sont transférés sur l'île, dans ce qu'il faut bien appeler un bagne pour enfants. Maltraités, affamés et exténués, 99 de ces enfants et adolescents (de 5 à 21 ans) mourront sur l'île.

plutôt le sentier à gauche du port, puis à droite le chemin de la Perspective (belle vue, effectivement). Du village (un vrai village dont l'école compte une poignée d'élèves...), un chemin conduit vers les 25 ha de la réserve naturelle volontaire du Domaine des Arbousiers, parcourus de sentiers balisés. Pour le reste, l'île est, à 90 %, un domaine militaire...

Comment y aller ?

⛴ La plupart des bateaux se rendant à Port-Cros du *Lavandou* font escale au Levant. Voir « Comment y aller ? » dans la partie sur Port-Cros.

⛴ Bateaux au port d'*Hyères* avec la compagnie *TLV* (infos : ☎ 04-94-57-44-07 ● tlv-tvm.com ●). En principe, 3 départs/j. en hte saison ; un seul, certains jours, en basse saison. Compter 1h30 de trajet. Aller-retour : 23,20 €. Possibilité de combiner Port-Cros et Le Levant dans la journée.

Adresses utiles

🛈 Petit kiosque d'*informations touristiques* en face du débarcadère. ☎ 04-94-05-93-52. ● iledulevant.fr ● De mi-juin à début sept, tlj 10h-18h.

🚐 *Les Transports du Soleil :* 🛈 06-85-27-79-70. Navette port-village. En situation de monopole. Compter 5 € par personne.

Où dormir ? Où manger ?

Campings

⛺ *Colombéro :* chemin du Val-de-l'Ayguade. ☎ 04-94-05-90-29. À 100 m du port. Ouv Pâques-fin sept. Emplacement tente pour 2 pers 16 € ; bungalows avec douche et w-c communs 40 € pour 2 pers. Le camping aménagé en terrasse est tout petit et son confort plutôt rudimentaire. Même remarque pour les bungalows, à la literie un peu mollassonne. Certains dis-

posent d'une petite cuisine.

⛺ *La Pinède :* corniche de la Pinède. ☎ 04-94-05-92-81. ● dorichert@wanadoo.fr ● http://campingdulevant.free.fr ● ♿ Accès par le port du Lavandou. Ouv avr-fin sept. Emplacement tente pour 2 pers 24 € ; bungalows 60-100 € selon saison. Apéritif maison offert sur présentation de ce guide. Le plus cher des deux campings de l'île avec, logiquement, un peu plus de confort (piscine, jacuzzi, sauna, hammam...), même si tout ça reste très « à la Robinson » (camping naturiste oblige ?). Épicerie, bar, resto et discothèque à proximité.

De prix moyens à beaucoup plus chic

🛏️ 🍴 *Le Gecko : corniche de la Côte 60.* ☎ 04-94-05-90-49. ● contact@le-gecko.com ● le-gecko.com ● *Depuis le port, prendre direction La Perspective, puis la 2e à droite. Congés : janv-fév. Doubles avec douche et w-c, TV 60-95 € selon saison ; bungalows 40-50 €. Menu 25 €. Apéritif maison offert sur présentation de ce guide.* Disséminées dans un jardin, des chambres récemment rénovées, simplement agréables et climatisées, avec vue sur la mer. Et une poignée de bungalows avec coin cuisine. Cuisine provençale et familiale au resto. Petite piscine. Accueil très sympathique.

🛏️ 🍴 *Hôtel Le Ponant : corniche du Pin-Pignon.* ☎ 04-94-05-90-41. ● info@ponant.fr ● ponant.fr ● *Sur la côte, au-dessus de la plage des Pierres-Plates. Ouv juin-fin sept. Chambres avec douche et w-c en ½ pens slt : 92,50 €/pers.. Apéritif maison offert sur présentation de ce guide.* Une adresse coup de cœur, posée sur l'arête d'une des falaises qui bordent l'île ; un coin à oublier le reste du monde. Des chambres comme de vastes terrasses, vue sur la mer, pour laquelle le qualificatif « somptueuse » semble avoir été inventé. Chambres « faites main » (quand il ne sculpte pas de sublimes créatures...) par Frets, atypique patron de cet atypique endroit. Toutes différentes, toutes séduisantes : de la roche qui affleure dans une salle de bains ici, du bois à profusion là. Ambiance nécessairement très, très cool. Cuisine simple à partager, selon l'envie, à la table du maître des lieux.

🛏️ 🍴 *Villa Marie-Jeanne : corniche de la Côte 60.* ☎ 04-94-05-99-95. ● villamariejeanne@wanadoo.fr ● villamariejeanne.fr ● *Entre le village et la plage des Pierres-Plates. Congés : janv. Selon saison, studios ou loft équipés pour 2 pers* 65-115 € et apparts pour 3-4 pers 85-105 €. Réduc de 10 % sur présentation de ce guide. Établissement réservé à une clientèle naturiste (et, presque exclusivement gay...). Une « résidence hôtelière » dans une grande villa d'architecture très balnéaire (ce fut, en 1935, le premier hôtel de l'île). La déco des studios et appartements rappellera quelque chose à ceux qui fréquentent les enseignes de design scandinave. Balcon ou terrasse avec vue sur la mer pour le côté... mer. Un peu sur le chemin de l'autre côté. Sauna (payant), salle d'exposition et cybercafé. Jacuzzi et plage à débordement... Discothèque pour les clients un soir par semaine. Accueil très sympa.

🍴 *La Palmeraie : chemin de l'Ayguade, île du Levant.* ☎ 04-94-05-90-85. ● lapalmeraie@aol.com ● *Ouv Pâques-fin oct. Fermé mer et dim soir hors saison. Formule 12 € et menu 26 €. Repas à la carte 30-40 €. Digestif maison offert sur présentation de ce guide.* Un petit resto à la cool, avec quelques tables et un hamac sous les pins et les palmiers. Tartines de pain bio avec salades pour les petites faims le midi, menu du marché le soir. Très bon accueil.

🛏️ 🍴 *Chez Valéry : corniche des Arbousiers.* ☎ 04-94-05-90-83. ● chez.valery@free.fr ● *Congés : fin sept-début avr. Menu 30 € le soir ; carte 12-30 €. Doubles 55-85 € selon saison.* Salle rustique d'auberge de campagne avec vue sur mer et terrasse tranquille (sans vue, elle). Ambiance familiale vraiment plaisante et cuisine toute simple mais goûteuse. Moules, poissons juste grillés, pâtes le midi. Le soir, cuisine un peu plus travaillée. Propose aussi, plus haut vers le village, chambres et bungalows dans l'esprit du Levant.

À faire

➤ *La réserve naturelle des Arbousiers :* un sentier jalonné de quatorze stations thématiques permet de découvrir la vingtaine d'hectares de la première (historiquement) réserve naturelle volontaire du Var. Comme à Port-Cros, belle végétation typique des îles méditerranéennes : un maquis qui cache arbousiers, myrtes, orchidées et l'odorante herbe aux chats. Peut-être aurez-vous la chance d'y surprendre un gecko ou le très rare crapaud discoglosse sarde. Panoramas sublimes en prime.

⌒ Une seule plage de sable, à 300 m environ à droite du port, *Les Grottes,* où vous ne serez évidemment pas seul au monde... Sinon, en prenant à gauche du port le sentier des Naturistes, on découvre une succession de rochers aménagés *(le Bain de Diane, les Plates)* et de petites calanques *(les Phoques-Moines, les Pierres-Blanches).* On range évidemment son maillot de bain dans son sac à dos pour éviter tout regard désapprobateur...

Plongée sous-marine

Des eaux incroyablement limpides et poissonneuses ; telles sont les richesses inestimables des îles d'Or, véritable petit paradis sous-marin sur la Côte d'Azur. Dans le parc national de Port-Cros, véritable sanctuaire de la vie marine, les mérous débonnaires resteront béats devant votre palmage nonchalant ! Particulièrement « chou-

> ### LÉGENDE SORTIE DES EAUX
> *Excellentes nageuses, les filles du roi Olbianus s'étaient aventurées au large, où elles furent bientôt prises en chasse par des pirates. Les dieux intervinrent et transformèrent les jeunes femmes en « îles d'Or »...*

choutés », ils donnent la réplique aux autres espèces : daurades, loups, sars, saupes, castagnoles, girelles-paons, congres, murènes, poulpes... Derrière l'île de Porquerolles, on trouve aussi l'épave du *Donator,* l'un des musts de la plongée sur les côtes françaises. Très généreux en curiosités, ce vieux cargo ne doit pas pour autant vous faire oublier les lois de la plongée sous-marine... *Règle d'or aux îles d'Or* : respectez absolument cet environnement fragile. N'apportez aucune nourriture aux poissons (à Port-Cros, c'est interdit), ne prélevez rien, et attention où vous mettez vos palmes ! Gare à la météo. Courants fréquents.

Clubs de plongée

■ *Porquerolles Plongée :* ZA n° 7, sur l'île de Porquerolles. ☎ 04-98-04-62-22. 📱06-13-06-32-37 ou 06-21-62-53-76. ● porquerolles-plongee.com ● Ouv tte l'année ; tlj avr-nov. Résa conseillée. Baptême env 50 € ; plongée 30-50 €, selon équipement. C'est l'unique centre de plongée (FFESSM et PADI) de l'île. Les proprios, Olivier Oltra et Franck Bonnet, assurent avec une équipe d'instructeurs professionnels : baptêmes, formations jusqu'au niveau III et brevets PADI, ainsi que des explorations à la journée ou à la demi-journée sur Porquerolles, Port-Cros, Giens, Cavalaire et Saint Mandrier. Après avoir enfilé votre équipement complet, vous rejoindrez les spots sur l'un des bateaux rapides. Initiation enfants à partir de 8 ans, après-midi snorkelling, et journée en famille à Port-Cros un jour par semaine.

■ *Isadora Croisières Plongée :* des journées croisières inoubliables à partir de Cavalaire-sur-Mer (voir « Plongée sous-marine » à cette ville).
■ *Destination Plongée :* av. du Docteur-Robin, sur le port d'Hyères. ☎ 04-94-57-02-61. 📱06-62-37-53-27. ● destination-plongee.com ● Ouv de mi-mars à mi-nov. Résa souhaitée. Baptême env 50 € ; plongée 27-42 € selon équipement ; forfaits dégressifs 6-10 plongées. Ce club (FFESSM et PADI) dispose de plusieurs navires, dont un ancien chalutier reconverti avec compresseur à bord (pas de bouteilles à porter, ouf !). Claire Arfeuillere et David Coublant y proposent : baptêmes, formations jusqu'au niveau IV et brevets PADI, plongées-explo autour des îles d'Or et de la presqu'île de Giens. Également ment des stages d'initiation à la biolo-

gie marine et découverte d'épaves, et de la plongée *Nitrox* (air enrichi en oxygène) pour les confirmés. Équipements complets fournis. Boutique de matériel sur place.

■ *CIP Lavandou :* quai des Îles-d'Or, au port du Lavandou. ☎ 04-94-71-54-57. ● cip-lavandou.com ● Ouv tte l'année. Baptême env 40 € ; plongée 34-45 € ; forfait dégressif 10 plongées. Ce club *(FFESSM)* – très bien équipé – arme plusieurs gros navires pour acheminer ses plongeurs sur les spots. Sur place, une équipe de moniteurs animée par Julien Duquenoy encadre : explorations, baptêmes, formations jusqu'au niveau III et *snorkelling.* Départs quotidiens pour les îles d'Or et les épaves du coin. Plongée *Nitrox* (air enrichi en oxygène) pour confirmés.

■ *Aqualonde :* pl. de l'Hélice, carré du Nouveau-Port, à La Londe-les-Maures. ☎ 04-94-01-20-04. 📱 06-09-88-45-55. ● aqualonde-plongee.com ● Situé juste en face des îles. Ouv de mi-mars à minov, et sur demande en hiver. Résa souhaitée. Baptême env 50 € ; plongée 30-46 €, selon équipement ; forfaits dégressifs 5-10 plongées. Si plonger est votre seule ambition, embarquez donc sur *Idefixe,* le navire de ce club *(FFESSM, ANMP* et *PADI).* Jérôme Boutiée et son équipe de moniteurs mettent à votre disposition des équipements complets pour les explos, baptêmes, formations jusqu'au niveau III et *PADI.* Deux départs/j. pour Port-Cros ou Porquerolles, et plongée à la carte possible. Stages « épaves » (hors saison) et plongée *Nitrox* (air enrichi en oxygène) pour les cracks. Ambiance chaleureuse.

Nos meilleurs spots

À Port-Cros

🐟 *La Gabinière :* à partir du niveau I. Au sud de l'île, la plongée à ne pas manquer. En dévalant ce tombant (- 40 m maxi) aux eaux cristallines, vous recevrez l'accueil enjoué des innombrables mérous « pépères » devenus, au fil des années, les maîtres incontestés du lieu. Comment copiner avec eux ? Ignorez-les, et ils viendront tout seuls, par simple curiosité. Également d'impressionnants bancs de sars, saupes, mulets, girelles, castagnoles, loups, etc., engagés dans une parade frénétique au-dessus des gorgones, spirographes, éponges... Courant fréquent. « À deux brassées de palmes » et toujours au sud de l'île, deux autres spots très cotés : la *pointe du Vaisseau* et la *pointe de la Croix* offrent de fameuses tranches de vie sous-marine... Plongée en dérive et paliers de décompression au parachute. Sites très fréquentés en été.

🐟 *La pointe de Montrémian :* pour plongeurs de tous niveaux. Au nord-ouest immédiat de l'île, cette belle plongée (- 40 m maxi) offre un paysage unique et très curieux : une dune hydraulique immaculée de 10 m de dénivelée où, à l'automne, d'imposantes raies pastenagues viennent se reproduire. Également pas mal de poissons plats, et sur les arêtes rocheuses à proximité : gorgones rouge éclatant, anémones jaune chatoyant ; un grand jardin de couleurs habité par de petites langoustes, des loups, sars...

À Porquerolles

🐟 *Le « Donator » :* pour plongeurs confirmés (niveau III). Au sud-est de l'île, l'une des épaves phares de la Méditerranée. Pour rêver comme un gamin, survolez donc la grande barre à roue de ce cargo – magnifiquement conservé – reposant par 50 m de fond depuis 1945. Ensuite, effleurant les gorgones aux couleurs pimpantes (prendre une lampe torche), explorez les ponts et le nid de pie abattu. Très belle hélice de rechange et panorama superbe à la poupe. La faune est aussi exceptionnelle : mérous, congres, sars, daurades, rougets en brochettes... Ne pas trop s'attarder et éviter toute incursion à l'intérieur. Cette plongée délicate ne doit pas excéder 15 mn. Attention, courant souvent violent. À proximité, la **Sèche du Sarranier** (15-45 m) : un « caillou » où la nature farouche prend merveilleusement ses aises. Niveau II.

◡ **Le Sec du Langoustier :** à partir du niveau I confirmé. À l'ouest de l'île, sur ce riche îlot rocheux (18-40 m), vous admirerez le curieux flirt des congres et murènes réfugiés par deux dans les mêmes failles (prendre une lampe torche). Plusieurs mérous paisibles entament un bal de bienvenue au-dessus des magnifiques gorgones, et les petits poulpes solitaires n'ont rien d'effrayant au regard des *Travailleurs de la mer* (Victor Hugo). Quelques petites branches de corail rouge (pas touche !).

◡ **Le « Ville-de-Grasse » :** accessible aux plongeurs de niveau III confirmés. Au nord-ouest de l'île, une autre épave mythique accessible aux plongeurs aguerris. Coupé en deux lors d'un abordage en 1851, ce paquebot à vapeur gît par 50 m de fond. La partie arrière, avec la machine à vapeur et deux grandes roues à aubes, représente un joli petit monument historique dédié à la marine d'antan. Cousteau s'y est beaucoup intéressé dans les années 1950, et l'on prétend aujourd'hui encore que l'épave recèle un trésor... Rêvons un peu ! Pour votre sécurité, cette plongée ne doit pas excéder 15 mn. Courant sensible.

À l'île du Levant

◡ **La balise de l'Esquillade :** à partir du niveau II confirmé. À l'est de l'île, ces magnifiques paysages chaotiques (jusqu'à - 35 m) offrent d'excellents abris pour les murènes, congres, rascasses et poulpes que survolent d'impressionnants bancs de barracudas (on les a vus !). Également quelques petites langoustes peu craintives. Claquez des doigts devant les superbes spirographes, la réaction est instantanée ! Plongée en dérive et paliers de décompression au parachute. Courant fréquent.

LA LONDE-LES-MAURES (83250) 8 840 hab.

Un gros bourg à mi-chemin des palmiers d'Hyères et du massif des Maures, dont elle marque l'entrée discrète. Sa rue principale, tout en longueur, évoque presque une ville du Nord. Normal. À la différence de ses voisines, La Londe ne doit pas son expansion du XIXᵉ siècle au tourisme balnéaire mais à l'exploitation minière : on y a extrait du plomb jusqu'en 1907. Pas de charme débonnaire donc, mais les plages ne sont pas loin (3 km de sable fin), les domaines et châteaux viticoles non plus : on en compte vingt en plus de la cave coopérative, à découvrir le long d'une petite route que l'on adore. L'office de tourisme tient à disposition des adeptes des dégustations un livret sur la route des Vins. Mais rappelez-vous, boire ou conduire... L'oléiculture (la culture des olives, bien sûr, rien à voir avec la tauromachie !) a repris de l'activité, avec cinq producteurs, dont un possédant la plus grande oliveraie du Var (sur une seule parcelle d'exploitation !).

Adresses et info utiles

🛈 **Office de tourisme :** av. Albert-Roux. ☎ 04-94-01-53-10. ● ot-lalonde lesmaures.fr ● Juin-août, lun-sam 9h-12h30, 15h-19h (10h-13h dim et j. fériés). Organise d'intéressantes visites guidées de la commune. Point-

accueil également sur le port Miramar. À compléter par une visite à la Maison du Patrimoine londais, où sont organisées régulièrement des expos temporaires.
■ **Les Bateliers de la Côte d'Azur :**

Port-Miramar. ☎ 04-94-05-21-14. Avr-oct, liaisons tlj pour Porquerolles. Bateaux pour Port-Cros tlj en été sf sam (sur résa). Parking gratuit et moins d'affluence qu'à La Tour-Fondue, sur la presqu'île de Giens.
– **Marché provençal** : *dim mat tte l'année, av. G.-Clemenceau. Juin-sept, mar mat aux Bormettes.*

Où dormir ? Où manger ?

Camping

⚏ **Camping Le Pansard :** *chemin des Moulières.* ☎ 04-94-66-83-22. ● pansardcamping@aol.com ● provence-campings.com/azur/pansard/ ● ⚒ Depuis le centre-ville, prendre le petit train touristique (en saison), descendre au niveau de la maison de retraite Bellisa distante de 600 m env. Ouv avr-fin sept.

Forfait avec voiture et tente (jusqu'à 3 pers) 28 €. Loc de mobile homes 325-860 €/sem. Un bon camping sur la plage pour passer l'été à l'ombre des pins et les pieds dans l'eau. Bien équipé : tennis, ping-pong, terrains de sport, pétanque, resto et supérette.

De prix moyens à plus chic

|●| **Le Jardin Provençal :** *18, av. Georges-Clemenceau.* ☎ 04-94-66-57-34. ⚒ Fermé lun et mar midi, plus mar soir hors saison et ven midi en hte saison. Congés : 15 déc-20 janv. Formule déj en sem 18 € (plat + verre de vin + dessert) ; menus 28-40 € ; carte env 45 €. Café offert sur présentation de ce guide. Elle annonce la couleur dès la façade, cette petite maison très provençale avec, nécessairement, une agréable terrasse dans le jardin. Accueil charmant, service à la hauteur et une bien bonne cuisine de région, notamment la traditionnelle bourride...

Intéressante formule du midi.

|●| **Le Bistrot à l'Ail :** *22, av. Georges-Clemenceau.* ☎ 04-94-66-97-93. Ouv slt le soir en saison. Fermé lun, plus mar et mer midi hors saison. Congés : de minov à Noël. Résa conseillée. Menu 32 € ; menu « truffe » 68 €. Plus qu'un bistrot, un vrai resto à la jolie salle un rien chic. Accueil avenant. Selon les saisons, on goûtera, au gré du menu unique, aux fleurs de courgette farcies ou aux médaillons de homard rôtis au lard avec un mousseux aux morilles. Menu truffe pour un coup de folie. Peu de couverts malgré la terrasse.

À voir. À faire

🦜🦤 **Le jardin d'oiseaux tropicaux :** *RN 559.* ☎ 04-94-35-02-15. ⚒ Sur la D 559. Suivre le fléchage. Juin-sept, tlj 9h-19h ; en intersaison, tlj 14h-18h ; nov-janv, ouv slt mer, w-e, j. fériés et pdt les vac scol 14h-17h. Entrée : 8 € ; réduc ; gratuit jusqu'à 2 ans. Assez unique en son genre, avec ses quelque 450 oiseaux et près de 90 espèces différentes. Des célèbres calaos asiatiques aux pigeons gouras de Nouvelle-Guinée en passant par les perroquets d'Amérique du Sud, balade agréable dans un parc de 6 ha. Ici, vous ne pouvez faire que de jolies rencontres. Comme avec le martin de Rothschild, venu directement de Bali : rien à voir avec les oiseaux de nuit de la jet-set, ceux-ci étant vraiment rarissimes (il ne reste plus qu'une vingtaine de représentants de cette espèce). En plus, une démarche fort intéressante à souligner : certains oiseaux nés en captivité sont expédiés pour des projets de réintroduction dans leurs pays d'origine. Beau jardin botanique avec des plantes venues de régions arides. Sympathique aire de pique-nique.

➤ **Balades nature commentées** avec des professionnels de la nature, autour du village, en littoral et dans le massif des Maures. Rens et résa à l'office de tourisme.

➤ *Le Tour de la Londe :* 11 km de circuit balisé pour circuler, à pied ou à vélo, entre le village et le bord de mer, à travers vignes et pinèdes. Topoguide disponible à l'office de tourisme.

➤ 🏊 *Le sentier sous-marin de l'Argentière « le Jardin des Mattes » : à la pointe de l'éperon rocheux de la plage de l'Argentière et du Pellegrin. Ouv juil-sept. Visite accompagnée en juil-août mar et jeu à 10h. Compter 6 € ; 8-12 ans : 3 € ; gratuit jusqu'à 8 ans. Infos et résa à l'office de tourisme.* Il suffit de savoir nager et utiliser palmes, masque et tuba pour découvrir, depuis la surface, l'écosystème marin grâce à 7 bouées numérotées, équipées de mains courantes et de panneaux immergés. La zone est sans danger, interdite à la circulation et au mouillage des bateaux.

Fêtes et manifestations

– *Fête des Vins, du Terroir et foire aux Plants :* 1 dim en avr. Les produits du terroir envahissent les rues.
– *La Maurin des Maures :* en avr. 10ᵉ édition en 2008. Randonnée VTT familiale.
– *Fête du nautisme :* en mai.
– *Soirées artisanales :* en juil-août.
– *Festival de musique des oliviers :* en été. Concerts gratuits en plein air. Du jazz au classique, en passant par la variété.

CABASSON ET LE CAP BRÉGANÇON   (83230)

Sur la commune de Bormes-les-Mimosas. Quitter la N 98 et emprunter la délicieuse *route des Côtes-de-Provence,* qui va vers le cap Brégançon. La promenade à vélo rêvée. Ça monte sans peine, ça descend tranquillou dans de sereins paysages. Coin absolument pas urbanisé. On se pince pour y croire. Traversée de nombreux domaines viticoles, dont certains ont pratiquement les ceps dans l'eau, et quelques palmiers... Adorables plages de sable fin de Pellegrin, Cabasson et l'Estagnol (peut-être bien nos préférées de cette portion de côte...). Elles longent une petite baie, noyée dans la verdure. Beaucoup de monde en été et, évidemment, le parking est payant et très cher (y compris pour les vélos !). Bon, pratiquement personne en basse saison, si vous voyez ce qu'on veut dire. Un bon petit resto et une aire de loisirs pour les enfants. Au loin se profile la silhouette massive du fort de Brégançon. C'est là que le président de la République vient se reposer de temps à autre des turpitudes du pouvoir. Visite des jardins du fort et balade le long du chemin de ronde sous l'œil vigilant de la garde présidentielle lors des Journées du patrimoine. Croquignolet village de Cabasson. Prendre la route qui grimpe sur la colline surplombant le village. Panorama superbe sur toute la région.

Où dormir ? Où manger ?

⛺ *Camping de la Griotte :* 2168, route de Cabasson, Le Pas-de-la-Griotte, 83230 Bormes-les-Mimosas. ☎ 04-94-15-20-72. • info@campinglagriotte. com • campinglagriotte.com • ♿. *Situé à mi-parcours (env 3 km) sur la petite route entre Cabasson et Le Lavandou, au milieu des vignes. Véhicule indispensable pour s'y rendre. Ouv de mi-avr à* fin sept. Selon saison, compter 13,85-16,70 € l'emplacement pour 2 pers avec voiture et tente. Loc de chalets, mobile homes et bungalows toilés 210-600 €/ sem. Apéritif maison offert sur présentation de ce guide. Un petit camping agréable, à taille humaine (65 emplacements), très calme et très bien ombragé. Accès sécurisé. En saison, snack et pain frais chaque jour.

🛏 |●| *Les Palmiers : 240, chemin du Petit-Fort, Cabasson, 83230 Bormes-les-Mimosas.* ☎ 04-94-64-81-94. ● *les. palmiers@wanadoo.fr* ● ⚒ *Congés : nov-fév. Doubles avec bains et TV satellite 60-160 € selon confort et saison ; petit déj 10-15 €.* ½ *pens demandée avr-oct. Menus 25-65 €. Apéritif maison offert* *sur présentation de ce guide.* Architecture moderne sans grand charme de cette maison, tout de même posée au milieu d'un superbe jardin. Certaines chambres ont une terrasse donnant sur le jardin et la piscine (les plus chères). Allez, ne boudons pas notre plaisir, les environs sont magnifiques et ici, le repos total est assuré. Bonne cuisine renouvelée régulièrement.

BORMES-LES-MIMOSAS (83230) 7 122 hab.

L'un des plus beaux villages de la Côte et l'un des plus étendus puisqu'il compte plus de 9 700 ha entre le vieux village et le cap Brégançon. Le vieux village est un chouia trop touristique (mais les parkings – c'est à souligner par ici – sont gratuits) surtout en été : tout y est bien propre, léché, rénové, restauré, peaufiné. Signalons aussi que grâce à son microclimat, on y recense près de 700 espèces de fleurs différentes (dont de nombreuses espèces tropicales et subtropicales !). Hors saison, vous trouverez à Bormes un charme certain. De nombreux artisans et artistes y puisent en tout cas leur inspiration, et un grand nombre de célébrités viennent s'y reposer : les familles royales de Luxembourg et de Belgique, ainsi que quelques acteurs soucieux de leur anonymat.

Et le mimosa ? Ici, pas la peine de chercher à faire son intéressant en prétendant tout savoir. Quand vous quitterez les pépinières du pays, vous finirez même par douter de sa couleur. Ce qu'on appelle bêtement mimosa a pour nom botanique *Acacia* et il en existe plus de 1 200 variétés au monde (une soixantaine à Bormes !) : « Ce qui est dit botaniquement pour le mot mimosa a pour nom français *mimeuse* et pour nom commun *sensitive* ».

Ce n'est qu'à partir de 1920, pourtant, qu'on associa les mimosas à Bormes, avant d'officialiser l'appellation en 1968, année où partout ailleurs c'était le rouge, et non le jaune, la couleur du moment. Depuis cette époque, Bormes rougit à peine lorsque les distinctions pleuvent car la commune s'y est habituée. Dernière récompense en date, la médaille d'or 2003 au concours européen des villes et villages fleuris !

Adresses et infos utiles

🛈 *Office de tourisme : 1, pl. Gambetta.* ☎ 04-94-01-38-38. ● *bormesles mimosas.com* ● *Avr-sept, tlj 9h30-12h30, 14h30-18h30 ; oct-mars, lun-sam 9h-12h30, 13h30-17h30.* Petit circuit de visite du vieux village et plan détaillé de la commune de Bormes (utile, vous verrez !). Visites historiques et botaniques du village. Activités nautiques.

🛈 *Annexe estivale : bd du Front-de-Mer.* ☎ 04-94-64-82-57. *Avr-sept, tlj 9h30-12h30, 15h-18h30.*

🛈 *Maison de Bormes-les-Mimosas :* 2273, av. Lou-Mistraou. ☎ 04-94-00-43-43. *Avr-sept, lun-sam 9h30-12h30, 14h30-18h30.*

– En juillet-août, service de *navettes* (Sodetrav, ☎ 0825-000-650) qui relient Le Lavandou au vieux village de Bormes-les-Mimosas en desservant les quartiers de Lavandou-Plages, La Favière et Bormes-Pin. Horaires disponibles à l'office de tourisme.

– *Marchés provençaux :* mer mat tte l'année, pl. Saint-François-de-Paule, et sam en saison à La Favière. En été, marché artisanal lun en nocturne à La Favière.

Où dormir ?

Camping

⋔ *Camp du Domaine :* 2581, route de Bénat, La Favière. ☎ 04-94-71-03-12. ● mail@campdudomaine.com ● camp dudomaine.com ● *Sur la plage. Par la N 559 depuis Toulon, tourner à droite 500 m avt Le Lavandou. Pas de bus direct : 2 km à pied depuis Bormes. Ouv Pâques-fin oct. Résa indispensable plusieurs mois à l'avance pour juil-août. Forfait emplacement pour 2 pers, avec voiture et tente 25,50 € en hte saison. Loc de bungalows et de mobile homes 500-910 €/sem.* L'un des plus grands campings de la Côte d'Azur : 1 200 emplacements sur 45 ha de pinède, avec une grande plage de sable fin en bordure. Si grand que, comme nous l'a soufflé une lectrice, il faudrait une carte routière pour s'y retrouver... Épicerie, resto, bazar, machines à laver et, pour les jeunes parents, un bloc sanitaire réservé et équipé pour les bébés. Espace à peu près raisonnable entre les tentes. Côté distractions : tennis, terrains de basket, de foot, etc.

De bon marché à plus chic

🛌 *Hôtel Le Paradis :* 62, imp. du Castellan, domaine du Mont des Roses. ☎ 04-94-01-32-62. ● belecu@aol.com ● hotelparadis.fr ● *Ouv tte l'année (réception fermée entre 13h et 17h novmars). Doubles avec douche et w-c ou bains, TV 38-82 € selon confort et saison. Parking gratuit. Un petit déj offert pour 3 nuits consécutives sur présentation de ce guide.* Agréablement perché à mi-chemin du nouveau et du vieux Bormes, cet hôtel à l'ancienne est tenu par un couple sympathique. Pour la déco : murs patinés et jolies frises artisanales. Comme dans les anciennes maisons, les chambres sont toutes différentes, certaines avec balcon, vue jardin, village ou mer, d'autres plus petites, etc. Belle terrasse au milieu d'un jardin de fleurs et de plantes rares surplombant le village, idéal pour rêvasser et prendre le petit déjeuner.

🛌 *Hôtel Le Bellevue :* 14, pl. Gambetta, vieux village. ☎ 04-94-71-15-15. ● bellevue83@wanadoo.fr ● bellevuebormes.fr.st ● ♿ *Congés : de mi-nov à mijanv. Doubles avec douche et w-c ou bains 39-74 €.* Un petit hôtel-brasserie à la douce atmosphère provinciale... hors saison, du moins. Les chambres, restaurées de fond en comble, donnent pour la plupart sur une forêt de toits. À la fois simples et agréables, toutes dotées d'un double vitrage. Certaines, plus grandes, avec balcon.

🛌 *Hôtel La Parenthèse :* 259, av. des Girelles, La Favière. ☎ 04-98-04-10-14. ● hotel-la-parenthese@wanadoo.fr ● hotel-bormes-parenthese.com ● *Doubles avec douche et w-c ou bains, TV, 39-75 € selon saison. Dans le Bormes côté mer.* Bâtiment années 1970, tranquille dans sa pinède. La nouvelle et charmante propriétaire s'est employée à donner un peu de personnalité aux chambres, simples mais plaisantes.

🛌 *Le Grand Hôtel :* 167, route du Baguier. ☎ 04-94-71-23-72. ● augran dhotel@wanadoo.fr ● augrandhotel. com ● *Congés : oct-fév. Doubles avec douche et w-c 34-70 €, avec bains 55-115 €. Parking gratuit.* Le grand hôtel dans toute sa splendeur, un peu fanée (il a été construit en 1903). Dominant superbement le village, au milieu des palmiers et des pins, probablement l'un des 3-étoiles les moins chers de la côte, même si ce n'est pas le plus luxueux, bien sûr. Grande variété de chambres, certaines mansardées avec ou sans vue (les moins chères), d'autres au rez-de-chaussée, d'autres avec balcon, etc. Pas toutes de première jeunesse, pas immenses, pas vraiment insonorisées. Mais vu les prix... Atmosphère un peu curiste début de XXe siècle pas désagréable du tout. On peut aussi prendre le petit déjeuner dans le jardin.

Beaucoup plus chic

🏠 *Chambres d'hôtes La Bastide des Vignes* : 464, chemin du Patelin. ☎ 04-94-71-20-29. ● bastidedesvignes@wanadoo.fr ● bastidedesvignes.fr.st ● *Au sud de Bormes, route de Cabasson. Doubles avec douche et w-c ou bains 105-128 € selon saison. Table d'hôtes le soir sur résa 38 €.* Oh, joie, quelle belle découverte que cette belle bastide rose posée au milieu des vignes ! Cinq chambres superbement décorées avec murs patinés, tons ocre, couleurs chaudes, petites frises, le tout style *Côté Sud*. L'une des chambres possède un salon et une cheminée, mais elles sont toutes différentes. Très belle piscine pour se prélasser en écoutant le chant des cigales. Bon accueil. Une belle adresse au calme à deux pas du village.

🏠 *Chambres d'hôtes Les Plumbagos* : 88, imp. du Pin, Le Mont des Roses. ☎ 06-09-82-42-86. ● plumbagos@wanadoo.fr ● lesplumbagos.com ● *Congés : nov-janv. Doubles avec douche, w-c et TV 90-125 €.* Une agréable maison avec un beau jardin et une piscine offrant une vue imprenable sur le village. Trois chambres aux tons chaleureux, avec du mobilier bien choisi ; clim'. La plus petite possède une terrasse privée pour compenser sa petite taille. Ici, tout est de bon goût, y compris le petit déjeuner composé de fruits, de yaourts et de viennoiseries. Accueil charmant.

Où manger ?

De prix moyens à plus chic

|●| *Chez Sylvia* : 872, av. Lou-Mistraou. ☎ 04-94-71-14-10. ⚹ *Fermé mer (le midi slt en hte saison) et jeu midi. Congés : déc-janv. Pizzas 10-30 € env. Digestif maison offert sur présentation de ce guide.* Certes, c'est un peu en bord de route. Mais on y mange les meilleures pizzas de Bormes dans la plus ancienne pizzeria du village, tenue par la même famille depuis deux générations. Aujourd'hui, c'est Sylvia qui tient la barre. Pizzas de tailles différentes, *antipasti* et quelques spécialités siciliennes comme les *cannoli* (biscuit à la ricotta, fruits confits et chocolat). Accueil sans fioritures.

|●| *Lou Poulid Cantoun* : 6, pl. du Lou-Poulid-Cantoun. ☎ 04-94-71-15-59. *Fermé lun tte l'année, ts les midis en hte saison et dim soir hors saison. Congés : oct-mars. Résa conseillée. Menu 29 € ; carte env 34 €. Digestif maison offert sur présentation de ce guide.* Tout le monde n'a pas la chance de tenir un resto sur la place la plus photographiée de Bormes ! L'été, les tables sont en terrasse dans la ruelle au pied des marches, quoi de plus normal ! L'ambiance est intime et décontractée, une vraie carte postale dont le succès ne se dément pas, surtout auprès des touristes étrangers, *it's so charming !* Dans les assiettes, une cuisine au gré des saisons, assez raffinée et qui joue avec les parfums provençaux.

|●| *Lou Portaou* : 1, rue Cubert-des-Poètes. ☎ 04-94-64-86-37. ● la.cueva@wanadoo.fr ● *Fermé dim soir et mar hors saison, sam midi en été. Congés : 12 nov-20 déc. Résa indispensable. Assiette dégustation le midi en sem 24 € ; menus 34 et 42 € ; carte env 45 €. Digestif maison offert sur présentation de ce guide.* Avec sa terrasse judicieusement installée sous un antique porche et sa déco intérieure pleine de tableaux, de vieilles pierres et de beau mobilier, l'ambiance évoque à la fois l'époque de Molière et le romanesque du *Bossu*, la comédie et le film de cape et d'épée. On joue ici la carte du romantisme le plus échevelé... Amoureux transis, bienvenue ! Cuisine de terroir provençal, inventive et raffinée, réputée depuis un certain temps déjà.

|●| *La Tonnelle de Gil Renard* : pl. Gambetta. ☎ 04-94-71-34-84. ● restau.la.tonnelle@free.fr ● *Ouv ts les soirs en juil-août. Fermé mer midi tte l'année, ainsi que mer soir et jeu midi hors juil-août. Congés : de mi-nov à mi-déc. Menus 27-42 € ; carte env 45 €.* Des

patrons adorables, un cadre chaleureux qui baigne dans des tons jaune orangé et une cuisine de marché délicieuse. Tous ceux qui avaient eu, autrefois, la chance de venir jusqu'ici pour goûter la cuisine de Guy Gedda font aujourd'hui leur pèlerinage à Bormes pour découvrir la cuisine provençale futée de Gil Renard.

Où dormir ? Où manger dans les environs ?

Camping

⚲ *Camping Manjastre :* 150, chemin des Girolles, 83230 Bormes-les-Mimosas. ☎ 04-94-71-03-28. ● manjastre@infonie.fr ● http://perso.infonie.fr/manjastre ● *À 6 km env de Bormes-les-Mimosas. Prendre la D 559 en direction d'Hyères, puis la N 98 vers Saint-Tropez ; c'est à 2 km sur la gauche. Ouv tte l'année. Forfait pour 2 pers avec voiture et tente 14-22,90 € selon saison.* Sur une colline, en pleine nature et donc au calme, un camping de 350 emplacements : tenu par la même famille, d'origine hollandaise, depuis plus de 40 ans ! Bien ombragé par des pins et des chênes verts. Grande piscine, petite alimentation, bar et snack en saison.

De prix moyens à plus chic

🏠 |●| *Chambres d'hôtes La Villa Naïs :* 1568, route de Martegasse, 83230 Bormes-les-Mimosas. ☎ 04-94-71-28-57. ● villanais@wanadoo.fr ● villanais.com ● ♿ *À 6 km env de Bormes-les-Mimosas. Prendre la D 559 en direction d'Hyères, puis la N 98 vers Saint-Tropez ; panneau à 1,5 km sur la droite. Doubles avec douche et w-c ou bains 69,70-86,70 € ; petit déj 7,50 €. Repas env 24 € (sf dim et de nov à mi-déc). Digestif maison offert sur présentation de ce guide.* Au sein d'une maison familiale récente et en pleine campagne, sept chambres simples mais agréables. Petit déj servi, s'il vous plaît, autour de la piscine. Également un tennis. La jeune et sympathique Laura vous mitonne une cuisine provençale (gambas au pastis, daurade) avec le goût de l'innovation. Service comme au resto.

|●| *Le Vieux Sauvaire :* route des Crêtes, 83980 Le Lavandou. ☎ 04-94-05-84-22. ● roland.gallo@wanadoo.fr ● ♿ *De Bormes, grimper au col de Cagoven, où l'on bifurque sur la droite. Après env 10 km où les vues imprenables s'enchaînent, on y est ! Juste au-dessus du Lavandou, commune dont dépend administrativement cette adresse, malgré la distance... Congés : de fin sept à mi-mai. Menus 19,50-36 € ; carte env 25 €. Apéritif maison offert sur présentation de ce guide.* À 468 m d'altitude, face à l'île du Levant, un lieu en or. Même si la tente n'est peut-être pas du meilleur goût, le site est superbe et si le temps est dégagé, on embrasse toute la chaîne des Maures et même ses voisins, tellement on est content d'être là ! À la carte de ce relais ouvert depuis plus de 40 ans, des choses simples mais plutôt bien faites, comme les pizzas à base de tomates fraîches (parfaites pour les petits budgets) ou le loup en croûte de sel. Enfin, petit plaisir supplémentaire, on peut se baigner dans la piscine entre 11h et 18h30 environ.

|●| *Ferme-auberge La Colline :* route des Crêtes, Le-Pas-de-L'Isle, 83230 Bormes-les-Mimosas. ☎ 04-94-64-82-87. *À 1 km du village, prendre la piste des Crêtes ; poursuivre sur 7 km. Après le cimetière (beaux points de vue au passage), guetter le panneau sur la gauche. Ouv Pâques-fin août, slt sur résa. Menu 32 € tt compris.* Ravissante ferme peinte à la chaux, ornée d'une belle treille avec une grande table en bois pour prendre le temps de la dégustation. Il faut dire aussi que la vue est superbe sur les îles d'Hyères... Ici, vous avez la certitude de déguster une cuisine authentique inspirée par les saisons et composée exclusivement de produits fermiers et bio.

LA « PROVENCE D'AZUR »

Beaucoup plus chic

🏠 *Chambres d'hôtes La Grande Maison* : *domaine des Campaux, 6987, route du Dom, 83230 Bormes-les-Mimosas.* ☎ 04-94-49-55-40. ● contact@lagrandemaisondescampaux.com ● lagrandemaisondescampaux.com ● *À env 10 km en empruntant la D 98 sur la route du Dom, en direction de La Mole-Cogolins. Fermé janv. Doubles avec bains 95-170 €. Deux suites pour*

4 pers 200-250 €. Table d'hôtes slt le soir, sur résa. Dans une ancienne bastide bourgeoise du XVIIIe siècle, au milieu des vignes. Cinq chambres raffinées, récemment rénovées, une déco florale et des salles de bains spacieuses. Tout confort : wi-fi, écran plat, etc. Une piscine et un lac tout près pour pique-niquer au bord de l'eau. Une belle adresse, au charme indéniable.

À voir

Bormes, c'est avant tout la découverte d'un réseau de ruelles fleuries, bordées de jolies maisons, dans la fraîcheur du matin ou au soleil couchant. Et même si la foule envahit les ruelles aux beaux jours, on comprend pourquoi Bormes attire tant de monde...

🎭 *La chapelle Saint-François-de-Paule :* édifiée en 1560 par la population pour remercier saint François d'avoir sauvé la cité de la peste. Jolis vitraux en façade.

🎭 *L'église Saint-Trophyme :* date du XVIIIe siècle, mais l'architecture est plutôt romane. Cadran solaire sur la façade que tous les Français connaissent pour l'avoir vu à la TV quand l'ancien président de la République, Jacques Chirac, sacrifiait au bain de foule d'après la messe. Trois nefs aux lignes pures et de bien vieilles fresques datant de sa construction, redécouvertes en 1999 lors de la restauration de l'église.

🎭🎭 *Les vieilles rues :* en contrebas de l'église s'étend le vieux Bormes. Un labyrinthe d'escaliers, de jardins fleuris, de passages voûtés dits « cuberts », de poternes, culs-de-sac et autres venelles aux noms évocateurs. Un seul coup d'œil à ses dalles usées et pentues et l'on comprend où la rue Rompi-Cuou a été chercher son nom. La venelle des Amoureux se trouve juste à côté de la place où l'on dansait pour les fêtes du village ; quant à la montée du Paradis, essayez-la...

🎭 *Le musée d'Arts et d'Histoire :* 103, rue Carnot. ☎ 04-94-71-56-60. *Mar-sam 10h-12h, 14h30-17h (en juil-août, 15h30-18h30) ; dim 10h-12h. Entrée gratuite.* Le premier musée créé par le peintre E. C. Bénézit en 1926 occupait la salle du conseil municipal de la mairie. Il fut installé ensuite au cœur du village médiéval, dans une belle maison de maître du XVIIe siècle, ancienne école de garçons, ancien tribunal, ancienne prison, typique de la région avec ses pierres du pays (notez le plafond en pierre). Pour les beaux-arts : quelques toiles régionales de Cazin, peintre paysagiste, des œuvres de H. E. Cross, Henri Rivière, J. C. Cazin, Carrier-Belleuse, T. Van Rysselberghe (adepte du pointillisme belge) et des sculptures, dont une esquisse de Rodin (eh oui !). Expositions temporaires d'artistes contemporains. Et en général, de septembre à novembre, grande exposition à thème.

🎭🎭 *Les ruines du château :* on y grimpe pour jouir d'un panorama exceptionnel sur Bormes, le cap Bénat et les îles d'Hyères.

🎭 *Le parc municipal du Cigalou :* *le long du bd du Soleil, en montant au vieux village.* Un havre de fraîcheur ombragé par de nombreux arbres majestueux.

🎭 *La chapelle Notre-Dame-de-Constance :* *sur la route de Collobrières. Ouv certains j. en été.* Construite depuis le XIIIe siècle, cette petite chapelle reste toujours un lieu de pèlerinage. Les intéressés punaisent désormais leurs vœux au mur. On y accède par un ancien chemin de croix jalonné d'oratoires (compter une bonne demi-heure de grimpette qui chauffe bien les mollets !) débutant à deux pas de l'office de tourisme. À côté, quelques très vieilles tombes. De la terrasse, belle vue sur le village. Au sommet, table d'orientation avec un majestueux panorama qui s'étend jusqu'à Toulon.

🍴 *Les pépinières Gérard Cavatore :* Le Mas du Ginget, 488, chemin de Bénat (sur la D 559, en direction du Lavandou). ☎ 04-94-00-40-23. Juin-oct, lun-ven 9h-12h ; nov-mai, lun-ven 9h-12h, 13h30-17h30. Entrée libre. Pas de visite commentée pour les individuels (groupe de 15 pers min), mais on peut tt de même jeter un coup d'œil aux pépinières. Pour les amoureux des jardins, une visite incontournable. La plus belle collection de mimosas de France, tout simplement (qu'est-ce que vous espériez ? qu'on vous parle de tulipes ou d'anémones ?). Sachez que Gérard Cavatore est LE spécialiste national officiellement reconnu !

➤ *La route des Crêtes :* si vous la suivez, en été ou en hiver (quand la forêt est la plus belle), le spectacle est saisissant. D'un côté : panorama superbe sur les îles d'Hyères et le golfe du Lavandou ; de l'autre : magnifique vue sur les sommets enneigés des Alpes du Sud. Toute l'année, le maître des lieux peut croiser votre chemin : c'est le lézard des Lamberts, il est superbe, long, très long et vert. Protégez-le.

À faire

➤ Pour les valeureux cyclistes, la région nécessite des mollets d'acier. Superbe balade dans le *massif des Maures* (voir plus loin) par Bormes-les-Mimosas, les cols de Gratteloup et de Babaou, Collobrières (charmante bourgade), Notre-Dame-des-Anges (point culminant du Var), Pignans, les Vidaux, etc. Finalement, la piste de l'Issemble vous ramène au Lavandou par La Londe-les-Maures.

➤ Il existe également dans le coin plusieurs sentiers de randonnée qui serpentent le long du littoral, sillonnent la forêt de Dom, pour simples amateurs ou randonneurs plus chevronnés. Se procurer le topoguide avec ses neuf fiches techniques détaillées auprès de l'office de tourisme (5 €). *Attention,* lorsque le mistral souffle et qu'il y a des risques d'incendie (la cloche du village sonne cinq fois à 11h), l'accès est interdit. Se renseigner à l'office de tourisme.

Fêtes et manifestations

– *Mimosalia :* le dernier w-e de janv, dans le vieux village et dans le parc du Cigalou. Deux journées d'expo-vente de plantes de collection avec des spécialistes venus de la France entière. Très prisé des collectionneurs.
– *Corso Fleuri :* 4e w-e de fév, dans le vieux village. La plus vieille fête du village. Un des plus grands, un des plus beaux corsos de la Côte d'Azur.
– *Pentecôte :* fêtée dans la tradition provençale. Procession, fête foraine, bal du village, aïoli géant.
– *Santo-Coupo :* un w-e fin sept. Pin de Bormes (en contrebas du vieux village). Fête autour du vin et des produits du terroir. Producteurs du terroir et stands de dégustation.
– *Foire aux Santons :* 1er w-e de déc. Dans le vieux village. Exposition de nombreux artisans régionaux.

LE LAVANDOU   (83980)   5 470 hab.

Une autre station balnéaire populaire de la Côte, qui doit son nom, non pas à la lavande (c'était trop beau), mais au lavoir (*lavandou* en provençal). Nettement moins charmante que sa voisine, Bormes-les-Mimosas, elle est néanmoins renommée pour ses belles plages de sable fin. C'est la station aux douze sables (comprenez : les douze plages), qui s'étirent sur 12 km de littoral. Tous les dépliants de la ville vous le rappelleront ! Quelques belles criques également le long de la côte, mais vous y serez rarement seul. Petit centre historique bien léché, grand comme un mouchoir de poche et qui a connu d'importants travaux de restauration ces dernières années. Le Lavandou est aussi le port d'embarquement principal pour Port-Cros et Le Levant. Pour celui qui veut concilier les baignades et les balades à vélo, Le Lavandou peut constituer un agréable camp de base. Nombreux et superbes itinéraires au-dessus, dans le massif des Maures.

Adresses et infos utiles

ⓘ *Lavandou Tourisme :* « Le Château ». ☎ 04-94-00-40-50. ● ot-lelavan dou.fr ● Lun-sam 9h-12h, 14h30-18h ; en été, tlj 9h-12h30, 14h30-19h.

■ *Holiday Bikes :* av. du Président-Auriol. ☎ 04-94-15-19-99. Ouv avr-sept. Location de vélos, de scooters, de motos et de voitures. Caution demandée.

■ *Sur Bike :* rue des Écoles, Cavalière. ☎ 06-24-88-30-41. Avr-sept. Location de vélos, quads, tandems.

🚌 *Gare routière :* av. de Provence, D 559, à deux pas du centre-ville. ☎ 0825-000-650. En juillet-août, *navettes* Sodetrav (n° 112) qui relient Le Lavandou au vieux village de Bormes-les-Mimosas en desservant les quartiers de Lavandou-Plages, La

Favière et Bormes-Pin. Horaires à l'office de tourisme.

■ *Vedettes Îles d'Or et Le Corsaire :* gare maritime, face à l'office de tourisme. ☎ 04-94-71-01-02. ● vedettesi lesdor.fr ● Départs pour les îles du Levant et de Port-Cros tte l'année, liaisons avec Porquerolles et Saint-Tropez avr-sept. Également une promenade d'observation des fonds sous-marins en saison (le *Seascope*, voir « À faire »).

– *Marchés :* important marché très coloré jeu mat, sur la pl. du Marché. À Cavalière, un autre marché, plus petit, le lun mat en été, toujours sur la pl. du Marché, et un marché aux puces le dim sur le grand parking.

Où dormir ? Où manger ?

Au centre-ville

Camping

Pas de camping en bord de mer au Lavandou même. Le plus proche de la mer est situé sur la plage de Bormes-les-Mimosas (voir plus haut).

⛺ *Camping Saint-Pons :* av. du Maréchal-Juin. ☎ 04-94-71-03-93. ● info@ campingsaintpons.com ● campingsaint pons.com ● À 800 m de la plage et 700 m env de la gare routière. Ouv mai-

fin sept. Emplacement pour 2 pers avec voiture et tente 25 € en hte saison. Loc de mobile homes 215-685 €/sem. Camping de taille raisonnable, bien ombragé et agréable.

De prix moyens à plus chic

🏠 *Le Rabelais :* 2, rue Rabelais ; face au port de plaisance. ☎ 04-94-71-00-56. ● hotel.lerabelais@wanadoo.fr ● le-rabe lais.fr ● Congés : de mi-nov à Noël. Dou-

bles avec douche et w-c, TV, 45-105 € selon saison. Parking gratuit. Sur présentation de ce guide, 10 % de réduc sur le prix de la chambre (en fév-mars).

Jolie maison à deux pas du centre. Une vingtaine de chambres récemment rénovées, confortables et mignonnes comme tout, avec de jolies touches de couleurs qui chantent comme l'accent du pays. Certaines sont vue sur la mer avec balcon et sont climatisées. Bon petit déjeuner, servi aux beaux jours sur une terrasse qui surplombe le port de pêche. Et accueil franchement chaleureux.

🛏 *Hôtel California :* av. de Provence, BP 2. ☎ 04-94-01-59-99. ● contact@ hotelcalifornia.fr ● hotelcalifornia.fr ● Congés : de la fin des vac de la Toussaint à mars. Doubles avec douche et w-c, TV satellite 44-75 € selon situation et saison. Une bouteille de rosé par chambre et par séjour offerte sur présentation de ce guide. « *Welcome to the hotel California* » : l'occasion ou jamais de fredonner l'immortel tube des *Eagles* ! D'autant qu'il y a justement un peu de ces petits hôtels branchés de Californie ou de Floride dans ce bâtiment vertical années 1960. Un accueil très cool, du design chaleureux, des chambres qui, même si elles ne sont pas immenses, ont été bien pensées. L'emplacement en surplomb de la route n'est pas génial, mais on se sent bien ici, le regard perdu vers la baie et les îles (d'Hyères). Quelques chambres moins chères sur l'arrière et

le jardin. À 8 mn à pied des plages du Lavandou, top chrono !

🛏 ◖◗ *Hôtel L'Escapade :* 1, chemin du Vannier. ☎ 04-94-71-11-52. ● hotel.es capade@wanadoo.fr ● pro.wanadoo.fr/ hotel.escapade ● Hôtel ouv tte l'année ; resto ouv de mi-mars à mi-nov env, slt pour les pensionnaires. Doubles avec douche et w-c ou bains, TV 47-63 € selon saison. ½ pens 50-61 €/pers selon saison, demandée en juil-août. Petit parking gratuit. Apéritif maison offert sur présentation de ce guide. Petit hôtel bien tenu à l'ambiance familiale. Les chambres sont classiques, climatisées et parfaitement insonorisées mais un brin tristounettes côté nord. Préférer celles donnant sur le village, plus lumineuses (les n⁰ˢ 1 et 2 sont dotées de terrasse).

🛏 ◖◗ *La Petite Bohème :* 5, av. Franklin-Roosevelt. ☎ 04-94-71-10-30. ● ho telpetiteboheme@wanadoo.fr ● hotel-petiteboheme.com ● Resto ouv tlj sf mar soir et mer (hors saison). Congés : 12 nov-20 déc. Doubles avec douche et w-c ou bains, TV 52,50-80 €, selon saison. Menus 23-31 €. Hôtel récent, dans une rue tranquille à deux pas du centre. Les chambres, simplement confortables, donnent agréablement sur un joli patio-jardin et la mer au loin. L'accueil est décontracté et la cuisine un peu chèrement facturée...

Sur la côte

De prix moyens à plus chic

🛏 *Azur Hôtel :* domaine de l'Aragail, Cavalière. ☎ 04-94-01-54-54. ● azurho tel@wanadoo.fr ● azur-hotel.org ● À 5,5 km du centre du Lavandou, fléché depuis Cavalière. Congés : de mi-oct au 1ᵉʳ mars. Doubles avec douche et w-c, TV 49-82 € selon saison ; petit déj 7 €. Une nuit offerte pour tt séjour de 5 j. en basse saison sur présentation de ce guide. Si l'agitation de la côte vous stresse, il suffit de grimper au sommet de cette petite colline boisée. Calme absolu ! Pour peu que les cigales se tiennent tranquilles... Une grosse maison de famille et une vingtaine de chambres disséminées dans de petits pavillons. Elles ont été récemment réno-

vées et toutes ont une terrasse avec vue sur la mer (pas de jaloux !). Et quelle vue ! Au loin, les îles d'Hyères... Superbe ! Le matin, petit déjeuner à l'ombre des eucalyptus. Agréable piscine (de juin à septembre). Excellent accueil et douce ambiance familiale.

🛏 ◖◗ *Hôtel Beau Soleil :* Aiguebelle-Plage. ☎ 04-94-05-84-55. ● beausoleil@ hotel-lavandou.com ● hotel-lavandou. com ● ⚒ (pour le resto). À 5 km du centre, sur la route de Fréjus. Congés : oct-Pâques. Doubles avec douche et w-c ou bains, TV 72-119,50 € selon confort et saison. En juil-août, ½ pens souhaitée : 29,50 €/2 pers. Formule 15 € le midi en sem, menus 25 et 34 €.

LA « PROVENCE D'AZUR »

Parking gratuit. Réduc de 10 % hors saison, sf w-e, sur présentation de ce guide. Un petit hôtel tranquille, à l'écart de l'agitation nocturne et estivale du Lavandou. Chambres à la décoration classique, climatisées. Certaines ont une terrasse avec vue sur la mer, les autres donnent sur la colline. Les patrons accueillent leurs clients avec beaucoup de prévenance. Au menu, pléthore de spécialités locales : mention spéciale pour la bouillabaisse et la cassolette de homard. Agréable terrasse ombragée.

🛏 |●| **Le Mas** : 9, av. du Capitaine-Ducourneau, Pramousquier. ☎ 04-94-05-80-43. ● hotel-lemas.com ● À 6 km du Lavandou, un peu sur les hauteurs de Pramousquier (c'est fléché). Congés : fin oct-début avr. Doubles avec douche et w-c ou bains 51-72 € selon saison, petit déj inclus. Possibilité de ½ pens : 38-50 €/pers. Pot d'accueil sur présentation de ce guide et apéritif maison offert en ½ pens à partir de 6 nuits. Dans le calme d'une petite rue, une gentille adresse familiale déjà repérée par bon nombre d'habitués. Accueil souriant, chambres toutes simples mais bien tenues, les plus chères se payant

le luxe d'un balcon ou d'une terrasse face à la mer. Il y a une petite piscine et la plage est à 300 m.

🛏 **Les Tamaris** : plage de Saint-Clair. ☎ 04-94-71-79-19. ● hoteltamaris.fr ● ♿ À 2 km du centre, face à la plage de Saint-Clair. Fermé 11 nov-1er avr. Doubles avec bains 60-90 € selon saison ; familiales pour 4 pers. Parking clos gratuit. À peine à l'écart de la plage, un bâtiment tout en longueur. Entièrement climatisé. Chambres fonctionnelles, pas désagréables avec leur balcon ou leur terrasse au rez-de-chaussée, donnant toutes sur la mer (évidemment, à l'étage, la vue est plus belle). Accueil à la bonne franquette et familial, loin des grands standards.

|●| **Les Tamaris** : plage de Saint-Clair. ☎ 04-94-71-02-70. À env 50 m de l'hôtel du même nom. Fermé mar (midi slt juil-sept). Congés : de mi-nov à mi-fév. Carte env 50 €. Une institution locale (les habitués disent « Chez Raymond ») ! Un resto de classe mais sans chichis, joliment décoré, au charme désuet, et proposant une cuisine de qualité couleur locale. La maison doit sa réputation à son poisson et à sa bouillabaisse.

À faire

🚤 **Balade en bateau vers Port-Cros, l'île du Levant, Porquerolles et Saint-Tropez** : voir plus haut « Adresses et infos utiles » et « Les îles d'Hyères ». Possibilité de jumeler les deux visites. On peut aussi faire de la pêche au gros au départ du Lavandou !

➤ Quelques **parcours à pied** mémorables à effectuer dans le coin pour ceux qui séjourneraient au Lavandou. Mais attention, les sentiers sont interdits en été quand il y a du vent (à cause des risques d'incendie). Infos : ☎ 04-98-10-55-41 ; ou auprès de l'office de tourisme.

➤ Du port du Lavandou vers la pointe de la Tripe sur la commune de Bormes, le **sentier du littoral** se divise en deux parties. La première, accessible à tous, va jusqu'à la **pointe de la Ris** et la **plage du Gau** (1h de randonnée environ). La deuxième partie, sans être trop difficile, demande un peu plus d'expérience : quelques grimpettes escarpées et des escaliers jusqu'au petit **port du Pradet,** puis une très agréable section jusqu'au sud du **cap Bénat** (superbe panorama depuis les ruines du château sur le massif des Maures et le littoral).

🚤 🚶 **Seascope** : gare maritime sur l'ancien port : ☎ 04-94-71-01-02. Avr-sept, tlj 9h40-16h40, selon la visibilité, avec une rotation ttes les 40 mn en été. Tarif : 12 € ; 4-12 ans : 9,20 €. Durée : env 40 mn. Assez intéressant, surtout pour les enfants. Grâce à sa coque transparente, ce trimaran, créé par l'architecte Jacques Rougerie, permet une visite guidée des fonds sous-marins à la découverte des loups, des girelles et des herbiers de posidonies... sans oublier quelques superbes boîtes de conserve !

⚠ **Les plages :** au nombre de douze (les douze sables, dixit le slogan touristique local). ⚘ D'ouest en est, on trouve l'*Anglade,* aux portes de Bormes, la plus branchée (enfin, il paraît) ; la plage du *Lavandou* ⚘ , centrale et familiale ; *Saint-Clair* ⚘ , à fréquenter le matin ; la *Fossette,* nichée entre deux pointes rocheuses, puis *Aiguebelle.* Plus loin, nichées dans de petites criques quelque peu difficiles d'accès donc moins fréquentées, *Jean-Blanc* et l'*Éléphant.* Une jolie petite plage (et un bon resto de poisson) pour les naturistes : la plage du *Layet,* qui déborde souvent sur celle du *Rossignol.* Plus à l'est dans une anse, la belle et longue plage de *Cavalière,* le *cap Nègre* à la pointe d'une discrète presqu'île et *Pramousquier,* enfin, située entre deux pointes rocheuses, juste avant Le Rayol.
Selon les saisons, nombreux sports : voile, jet-ski, croisières, plongée, golf, beach volley, tennis, ping-pong, tir à l'arc, pétanque...

– Ne pas oublier la superbe **route des Crêtes** (lire plus haut les pages consacrées à Bormes).

Fêtes et manifestations

– **Corso :** *1 j. mi-mars.* Une vingtaine de chars défilent dans la rue (de 8 000 à 25 000 fleurs fraîches par char !).
– **Concerts et spectacles :** *en saison, au théâtre de verdure (payants) et sur la plage (gratuits).* Quelques têtes d'affiche. Du jazz à la salsa, il y en a pour tous les goûts.
– **Fête du Romérage :** *une journée début sept, plage de Saint-Clair.* Procession en costumes traditionnels, en l'honneur du saint patron des couturières qui, paraît-il, avait le pouvoir de guérir la cécité.

LE GOLFE DE SAINT-TROPEZ
ET LE PAYS DES MAURES

S'il est une destination au monde qui fait encore rêver, c'est bien celle-là. Mais si vous parvenez à y trouver rapidement une chambre d'hôtel libre en plein cœur de l'été tropézien, même aux prix souvent astronomiques pratiqués ici, on vous tirera notre canotier. Si vous prétendez venir en été pour son merveilleux climat, et pensez mieux l'apprécier à Saint-Tropez en vous éveillant quand le soleil se couche et en vous couchant quand il se lève, vous avez certainement d'autres adresses que celles du *Guide du routard* pour être hébergé et véhiculé. En revanche, si vous êtes venu ici pour goûter, avec modération, à la vie tropézienne tout en ayant envie de voir ce qui se passe aux alentours, alors bienvenue au club !
Le pays est fabuleux, découvrez-le sur les petites routes du massif des Maures, et faites comme chacun, promettez-vous de revenir aux mois tendres, au printemps ou en automne, pour partir à la découverte d'un art de vivre encore préservé.

LA FORÊT DES MAURES

Les villages des Maures ont longtemps vécu du chêne, ressource naturelle d'une grande richesse. Les troncs orange vif des chênes étaient écorcés lors de la montée de sève, pour en récolter le liège. On fabriqua ici jusqu'au XIXe siècle (particulièrement à La Garde-Freinet) des bouchons de liège (un chêne normalement constitué fournissant en moyenne 800 bouchons... tous les dix ans !). Cette petite industrie a vécu : ce sont des compagnies étrangères qui exploitent aujourd'hui le liège des Maures. Les châtaigneraies continuent, elles, à être cultivées. Environ 900 ha de châtaigniers, dont un tiers est entretenu (regardez les nombreux panneaux interdisant la cueillette), produisent quelque 200 tonnes de châtaignes et marrons par an. Et Collobrières s'est fait, faut-il le rappeler aux

> ### LE MAURE DANS L'ÂME...
>
> *Ce ne sont pas les Maures qui ont donné leur nom à ce massif longeant la côte sur 60 km entre Hyères et Fréjus ! Maures vient en fait du provençal mauro qui signifie « sombre ». Plutôt pertinent quand on parcourt ce massif forestier de 12 000 ha excessivement boisé mais quasi exclusivement composé de... chênes et de châtaigniers !*

gourmands, une spécialité de ses marrons glacés.

Terre rude, les Maures ont longtemps été isolées. Durant des siècles, Saint-Tropez ne fut accessible que par voie maritime. Le littoral était encore quasiment inhabité en 1885, quand la percée du chemin de fer de Provence allait décider de la vocation touristique de toute la région.

À moins que vous ne soyez un inconditionnel des plages et ayez décidé de rejoindre Saint-Trop' et sa région par la N 98 (qui n'est certainement pas la plus belle), via La Mole, on vous conseille les petites routes du massif des Maures. La plus magique est la D 41, au départ de Bormes-les-Mimosas. Elle serpente d'abord jusqu'au *col de Gratteloup,* puis traverse en surplomb la superbe et profonde *forêt du Dom,* dont les pentes semblent encore résonner des exploits du fameux Maurin des Maures. Après le *col du Babaou* (414 m d'altitude, Hyères et ses îles à l'horizon), la route redescend dans la *vallée de Collobrières,* le « pays des marrons ». De Collobrières, la non moins superbe D 14 gagne Grimaud via le *col de Taillude* (petit crochet pour admirer l'intéressante *chartreuse de la Verne*).

Adresse utile

Maison du tourisme Golfe de Saint-Tropez – Pays des Maures : carrefour de La Foux, 83580 Gassin. ☎ 04-94-55-22-00. ● st-tropez-lesmaures.com ●

Répond à toute demande d'information ou de réservation sur l'ensemble des 14 communes du site. Une équipe de choc et de charme.

COLLOBRIÈRES
(83610)   1 700 hab.

Nichée dans la vallée du Réal Collobrier, au cœur du massif, petite « capitale » des Maures, cette paisible bourgade ne manque pas de charme : un pont du XIe siècle qui jette son arche unique sur un ruisseau, d'opulentes maisons bourgeoises le long de la rue principale, témoins d'un passé florissant. En effet, en 1850, on comptait 17 bouchonneries (c'est un enfant du pays qui alla chercher en Espagne le secret de la transformation du liège en bouchon), trois scieries et plusieurs mines, qui contrastent avec les maisons médiévales du vieux village, tout en ruelles et passages couverts, au pied des émouvantes ruines d'une église du XIIe siècle.

Animation les jours de marché : le jeudi en saison et le dimanche toute l'année, place de la Libération. Et surtout, des parties de pétanque âprement disputées le long du mail ombragé, l'impression fugace qu'on n'a jamais, ici, entendu parler de Saint-Tropez. Ne pas manquer de goûter aux fameux mar-

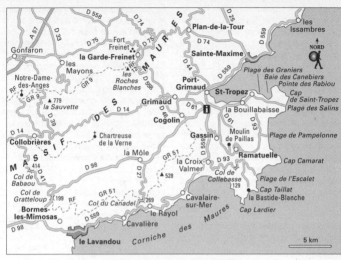

LE MASSIF DES MAURES

rons glacés. Mais il y a aussi, pour ceux qui n'aimeraient pas ça, bien d'autres choses : des marrons en pâte de fruit, en crème, en liqueur, en confiture, en glace...

Adresse utile

🏢 **Office de tourisme :** bd Charles-Caminat. ☎ 04-94-48-08-00. • collobrie res-tourisme.com • En juil-août, tlj 10h- 12h, 14h-18h ; hors saison, mar-sam aux mêmes horaires. Installé dans les anciens bains-douches municipaux.

Où dormir ? Où manger ?

Camping

⛺ **Camping municipal Saint-Roch :** à 200 m du village. ☎ 04-94-28-15-72. 📱 06-76-94-52-01. Hors saison, infos à l'office de tourisme : ☎ 04-94-48-08-00. • contact@collobrieres-tourisme. com • Ouv juil-août. Emplacement pour 2 pers avec voiture et tente env 8 €. Petit camping de 38 emplacements. Lave-linge et épicerie à proximité. Seul défaut : accès très étroit, ce qui est assez gênant pour les caravanes...

De bon marché à plus chic

🏠 |●| **Hôtel-restaurant des Maures :** 19, bd Lazare-Carnot. ☎ 04-94-48-07-10. Fax : 04-94-48-02-73. Double avec douche (w-c sur le palier) 23 €. ½ pens 29 €/pers. Menus 11-28 €. Café offert sur présentation de ce guide. La vraie adresse familiale et populaire : un bis- trot où tout le bourg – ou presque – se retrouve les soirs de match de foot. Des chambres simples (« à ce prix-là, faut pas s'attendre à Versailles », nous a soufflé un voisin de palier) mais proprettes. Gentille cuisine provençale décli- née dans de pantagruéliques menus et agréable terrasse sur la rivière. Accueil évidemment authentique. Ici, on pratique les mêmes prix en saison « parce que les gens ne sont pas plus riches l'été ! ». Bien appréciable...

|●| *La Petite Fontaine :* pl. de la République. ☎ 04-94-48-00-12. *Fermé dim soir et lun, le midi les j. fériés et le soir oct-mars. Congés : vac de fév (zone B) et la 2de quinzaine de sept. Résa indispensable, tellement l'adresse est courue. Menus 25 € (en sem) et 29 €. Digestif maison offert sur présentation de ce guide. À l'adorable petit resto à l'atmosphère aussi savoureuse que la cuisine. Très agréable terrasse ombragée aux beaux jours, vieux outils aux murs, vin de la coopérative locale dans les verres, fricassée de poulet à l'ail ou lapin au vin blanc, daube à la provençale ou magret de canard aux cèpes dans*

l'assiette, difficile de trouver mieux dans le genre à des kilomètres à la ronde...

🛏 |●| *Un Air de Rien :* 3, pl. de la Libération. ☎ 04-94-28-17-73. ●unairderien. com ● *Doubles avec douche et w-c, TV 90-105 € selon saison. Carte 15-25 € env.* À l'étage de cette vieille maison stratégiquement posée en face de l'église, des chambres simplement jolies. Au rez-de-chaussée, un bar à vins (et à bières belges !) où grignoter (en terrasse sur la place, si le temps le permet) tapas et petits plats du coin.

|●| *La Terrasse Provençale :* 6, pl. de la République. ☎ 04-94-28-19-57. *Plat du jour env 10 € ; menu 23 €.* Avec un nom comme ça, il fallait s'attendre à une belle et grande terrasse, devant une maison toute pimpante. La cuisine, très traditionnelle, parle aussi du pays. Service enjoué.

Où dormir ? Où manger dans les environs ?

Prix moyens

🛏 |●| *La Chèvrerie du Peïgros :* col du Babaou, 83610 Collobrières. ☎ et fax : 04-94-48-03-83. *Quitter le village par la D 14 en direction de Pierrefeu, puis prendre la D 41 vers Bormes. Ouv tte l'année. Resto fermé le midi ven, sam et dim hors saison ; ts les midis en hte saison. Résa souhaitée. Deux maisons individuelles pour 2 à 5 pers et un studio à louer à la sem 260-370 €, selon formule choisie et saison). Également mobile home (intégré au paysage). Menu unique 22 €. Apéritif maison offert sur présentation de ce guide.* Une adresse magique dans une forêt de châtaigniers et de chênes-lièges, au bout d'une piste de 1,8 km qui part du col. Des poules, des lapins, des cochons, des ânes... À la table, produits du pays et de la ferme, selon la saison. Accueil sympathique des propriétaires. Un bon point de départ pour une balade aux menhirs de Lambert et au gouffre de Destéou (compter environ

1h30 en famille pour l'une comme pour l'autre).

🛏 |●| *Chambres d'hôtes et gîte d'étape de la ferme de Capelude :* route de Grimaud, Capelude, 83610 Collobrières. ☎ 04-94-56-80-35. ●contact@ capelude.com ● capelude.com ● *À 12 km de Collobrières par la D 14 direction Grimaud, en contrebas de la chartreuse de la Verne. Formule chambres d'hôtes avr-fin oct et gîte d'étape de mi-sept à fin mai. Congés : 30 oct-1er avr. Double avec douche et w-c 48 € ; petit déj 4,80 €. Également 1 chambre pour 4 pers avec cuisine à disposition 72 €. Loc min 2 nuits. Gîte d'étape env 20 €/ nuit. CB refusées.* En pleine nature, dans une ferme du XVIe siècle gentiment restaurée, cinq chambres d'hôtes, pas immenses mais plaisantes. Côté gîte, seize places réparties en deux dortoirs. Enfin, des gîtes ruraux à louer et un paddock pour les chevaux. Vente de produits fermiers. Piscine.

Plus chic

🛏 |●| *Chambres d'hôtes La Bastide de la Cabrière :* quartier Canebières, 83610 Collobrières. ☎ 04-94-48-04-

31. ● loic.de.saleneuve@libertysurf.fr ● saleneuve.com ● *À 6 km de Collobrières par la D 39 direction Gonfaron*

Ouv tte l'année sur résa. Doubles avec douche et w-c ou bains 75-105 € selon saison, petit déj compris. Table d'hôtes sur résa 35 €. Apéritif maison offert sur présentation de ce guide. Dans une ferme en activité. Pour ceux qui ont un besoin urgent de calme, de nourriture saine, c'est l'adresse rêvée. Piscine. À la table d'hôtes, produits de l'exploitation bio.

Randonnées

Plusieurs belles balades dans les environs (sentiers parfois interdits l'été en raison des risques d'incendie, renseignez-vous à l'office de tourisme). Descriptifs donnés à l'office de tourisme. Le plus simple : les sentiers botaniques (2 km) et de découvertes nature (6 km). Les plus courageux partiront, pour 4h environ, sur le plateau du Lambert (et ses deux impressionnants menhirs, les plus hauts du Var, datant d'une période comprise entre la fin du néolithique et la fin de l'âge du bronze).

Fêtes

– **Festival Nature :** *1 w-e en mai.* Randonnées, ateliers ludiques et expo sur le thème de la nature.
– **Village des Arts :** *en juin.* Expos d'artistes régionaux dans les rues du village.
– **Fête des Fontaines :** *autour du 15 août.* Le pinard est directement branché sur la fontaine municipale, on ne vous en dit pas plus...
– **Fête de la Châtaigne :** *les 3 derniers dim d'oct.* Vente de produits du terroir, groupes folkloriques et animations de rue.

Où acheter de délicieuses friandises ?

🚶 🌐 **La Confiserie Azuréenne :** *bd du Général-Kœning.* ☎ 04-94-48-07-20. *Tlj en été 9h-13h, 14h-19h30 ; en hiver, 9h30-12h30, 14h-18h30.* Petit musée gratuit sur le ramassage de la châtaigne et ses techniques de transformation, et surtout une boutique : marrons glacés, surprenante mais très bonne glace aux marrons... glacés l'été, liqueur de châtaigne... À propos, la châtaigne est énergétique et, paraît-il, antistress.

➤ *DANS LES ENVIRONS DE COLLOBRIÈRES*

🚶🚶 **La chartreuse de la Verne :** ☎ *04-94-43-45-41 (répondeur) ou 48-28 (12h30-17h slt). À 12 km au sud-est de Collobrières par la D 14, direction Grimaud ; à 6 km, prendre à droite une petite route qui mène au site, 6 km plus loin (le dernier km n'est pas goudronné). Juin-août, ouv 11h-18h ; hors saison, ouv 11h-17h. Fermé mar, les jours de fête religieuse et en janv. Entrée : 6 € ; réduc ; gratuit jusqu'à 12 ans.*
Construite en terrasses, sur un promontoire rocheux, dans un coin superbement paumé du massif. Une fois de plus, on constate que les moines savaient choisir leurs sites ! La chartreuse fut fondée en 1170 par les évêques de Toulon et de Fréjus. Restaurés par une association d'amoureux du site, les bâtiments sont occupés par une communauté d'une quinzaine de sœurs contemplatives qui respectent la loi du silence (faites-en autant).
On rencontre d'abord un très haut mur d'enceinte dont l'austère façade de pierre blonde contraste avec les encadrements en serpentine (une pierre verte avec de jolies nuances) de la monumentale porte d'entrée. Elle s'ouvre sur la cour des obédiences, entourée des bâtiments de service. Au cours de la visite, on découvrira les vestiges du petit cloître (belles arcades en serpentine), de l'église romane, de l'église du XVIIe siècle, etc. Intéressante reconstitution d'une cellule de moine du XVIIe siècle. Quatre murs simplement blanchis à la chaux, du verre dépoli aux fenêtres, un

passe-plat... Toute l'existence des moines (qui ne sortaient de leur cellule que pour les deux célébrations liturgiques quotidiennes) était concentrée sur ces quelques mètres carrés : un jardin potager, un « promenoir », un lit de planche et une paillasse... Un autre monde, à quelques kilomètres à vol d'oiseau des étés tropéziens... Au cœur de la chartreuse, le grand cloître autour duquel s'ouvrent les cellules des moniales, toutes réhabilitées.

🥾🥾 *La chapelle Notre-Dame-des-Anges :* à 17 km de Collobrières, par la D 14 puis à gauche par la D 39 ; au col des Fourches, tourner à gauche, puis suivre le fléchage. Chapelle du XIXe siècle (donc d'un intérêt architectural limité), construite à l'emplacement d'un édifice qui existait déjà au VIe siècle. Lieu de pèlerinage très fréquenté, d'où la présence de nombreux ex-voto (dont un vrai crocodile suspendu à la voûte !). En revanche, la vue sur le massif des Maures (table d'orientation) est superbe !

LA CORNICHE DES MAURES

Si vous venez de Collobrières et si vous avez du temps, faites-vous plaisir en arrivant par les hauteurs au Rayol-Canadel : vous ne pouvez rêver meilleure entrée dans le petit monde des Tropéziens.
Empruntez la D 41, puis la N 98 jusqu'à La Môle ; bifurquez ensuite sur la D 27 juste au niveau de l'aéroport international de La Môle.

LA MÔLE (83810)

À une dizaine de kilomètres de Saint-Tropez, La Môle est un petit village blotti au sein d'une vallée heureuse. Son église, minuscule, est adorable et le coin offre la possibilité de faire de belles randos. Si vous avez un petit creux, arrêtez-vous à la boulangerie de La Môle, remarquée pour ses viennoiseries à l'ancienne et ses délicieux cookies (en sortant du village, sur la gauche).

Adresse utile

🛈 *Mairie :* ☎ 04-94-40-05-80. • mairie-lamole.fr •

Où manger ?

|●| *L'Auberge de La Môle :* N 98. ☎ 04-94-49-57-01. *Fermé dim soir et lun. Congés : de mi-oct à mi-mars. Menus le midi 28 €, le soir 55 €.* Resto-bar-tabac ! Posées au bord de la terrasse ombragée, des pompes à essence témoignent du temps où ils faisaient aussi station-service. L'auberge de campagne pur jus, avec un cadre tout simple... et pourtant, c'est l'une des tables les plus prisées du golfe de Saint-Tropez ! Menus pantagruéliques qui font le bonheur de la jet-set tropézienne venant, de temps à autre, goûter au terroir vrai.

À voir. À faire

➢ *Balade autour du barrage de la Verne :* à la sortie du village en direction de Toulon, prendre à droite au feu rouge (suivre le panneau « Usine des eaux »). Après 1 km environ, la route se transforme en piste. Continuer pendant près de 2 km jusqu'au portail (où on laisse la voiture). Le barrage n'est qu'à 200 m. Cette retenue artificielle sert à alimenter en eau tout le golfe de Saint-Tropez et le pays des Maures. La pêche, la baignade et la navigation y sont évidemment interdites, mais l'endroit est idéal pour pique-niquer. Et observer les familles de hérons cendrés et de cormorans qui ont élu domicile sur les rives. À gauche du barrage, les plus courageux suivront le petit sentier jusqu'à la chartreuse de la Verne (2h30 – voir plus haut).

🎥🎥 **Le col du Canadel :** en empruntant la D 27 qui mène au Rayol (10 km environ). En face de l'aérodrome, pour les fans de Saint-Exupéry, s'arrêter pour jeter un œil sur un château visible de la route (à 400 m environ – ne se visite pas) où l'auteur passa une partie de son enfance (il le décrit dans *Le Petit Prince*).
Roulez lentement, la D 27 est une route étroite et sinueuse, où vous croiserez de valeureux cyclotouristes. C'est là qu'au détour d'un virage, on accède au col du Canadel à 267 m d'altitude et qu'apparaît un bleu qui fait presque mal aux yeux... La vue sur la corniche des Maures et les îles d'Hyères est superbe ! Impossible alors de ne pas faire une halte !

RAYOL-CANADEL-SUR-MER *(83820)*

Si vous venez directement du Lavandou, la route de la côte suit la corniche, livrant de beaux points de vue, notamment à votre arrivée au Rayol. La commune du Rayol-Canadel s'étend dans un cirque de verdure, ouvert au sud sur la mer et les îles, et dominé au nord par le massif de la chaîne des Maures. Le littoral rocheux est très découpé, formant des caps, des hauts fonds, des criques et des baies abritant plusieurs plages de sable fin. Le site est boisé depuis les crêtes couvertes de forêts de chênes-lièges, de bruyères, d'arbousiers et de mimosas.
Difficile d'imaginer qu'ici, il n'y avait que très peu d'habitants jusqu'au début du XXe siècle, le littoral de la chaîne des Maures n'étant devenu accessible qu'avec la percée du chemin de fer de Provence, en 1883. La station balnéaire et climatique du Rayol fut créée d'une extension de La Môle en 1925, sur environ 300 ha. D'importants travaux furent entrepris, 35 km de routes, des escaliers, des jardins, des hôtels, la pergola du Patek (inscrite depuis 1989 à l'inventaire supplémentaire des Monuments historiques, avec l'escalier monumental), la jetée de la plage et même la construction d'un petit port de plaisance... C'est sur une plage du Canadel qu'eut lieu le Débarquement de Provence la nuit du 14 août 1944. D'abord dépendante de La Môle, Rayol-Canadel est devenue une commune à part entière en août 1949.

Adresse utile

🔲 **Office de tourisme :** pl. Michel-Goy, BP 14, 83820 Rayol-Canadel. ☎ 04-94-05-65-69. ● lerayolcanadel@wanadoo.fr ● Ouv tte l'année ; horaires variables.

Où dormir ? Où manger ?

Prix moyens

|●| **Bar-restaurant Maurin des Maures :** av. du Touring-Club-de-France, Rayol-Canadel. ☎ 04-94-05-60-11. ● maurin-des-maures@wanadoo.fr ● maurin-des-maures.com ● 🍴 Ouv tlj. Menu le midi en sem 13,50 € ; autres menus 22,50-28 €. Apéritif maison offert sur présentation de ce guide. « Dédé », le pittoresque patron, a quitté les lieux. Mais rien ou presque n'a – heureusement ! – changé dans cette désormais institution populaire de la côte des Maures. Un petit coup de neuf pour la salle largement vitrée où, pour peu qu'on choisisse une table bien placée, s'offre une large vue sur la baie et les îles d'Hyères. Pour le reste, le sourire est toujours de mise à l'accueil et au service (même

quand ça tourne un peu à l'usine...), et la cuisine, toute de simplicité et de générosité, toujours aussi méditerranéenne et ouvrant grandes ses recettes au poisson : bouillabaisse (sur réservation), scampi, friture mixte... Des poissons tout juste tirés de l'eau par les fidèles pêcheurs, amis du « Maurin ».

Beaucoup plus chic

⌂ *Chambres d'hôtes Villa du Plageron :* chemin du Plageron, Pramousquier. ☎ 04-94-05-61-15. ▯ 06-09-32-28-85. ● info@plageron.com ● plageron.com ● Doubles avec douche et w-c ou bains 110-130 € selon saison. Suites 160-200 €. CB refusées. Par quoi commencer ? Par le grand jardin, peut-être, qui descend de cette villa des années 1920 jusqu'à une petite crique privée, léchée par les flots. Ou bien par l'accueil, naturellement décontracté. Il faudrait aussi évoquer la vue, depuis des chambres aussi tranquilles que charmantes. Et préciser qu'une adresse comme celle-là se mérite un peu...

À voir

🎭🎭🎭 *Le domaine du Rayol – Jardins méditerranéens du monde :* av. des Belges. ☎ 04-98-04-44-00. ♿ Ouv tte l'année, tlj 9h30-18h30 (17h30 nov-mars, 19h30 en juil-août). Entrée : 8 € ; réduc ; gratuit jusqu'à 6 ans. Visite guidée tlj à 14h30. Propose également des visites spécialisées, des ateliers et des formations tte l'année, par exemple sur les plantes médicinales, les jardins exotiques, etc.
Acquis à l'origine par un banquier quinquagénaire pour les beaux yeux de sa jeune moitié, le domaine ne trouve sa véritable vocation qu'avec l'installation de l'industriel Henry Potez qui y fait planter plus de 400 espèces exotiques. Après la Seconde Guerre mondiale, la propriété passe de main en main, les jardins retournent peu ou prou à l'état sauvage mais échappent miraculeusement aux promoteurs immobiliers. Ce n'est qu'en 1983 que le Conservatoire du littoral rachète le terrain et décide de réhabiliter les jardins.
Petite brochure fournie à l'accueil pour suivre les sentiers tracés à travers le jardin et identifier les plantes. Mais le domaine du Rayol mérite, pour vraiment s'imprégner de son atmosphère magique, qu'on s'y balade au hasard : grimper le long du vallon empli de fougères arborescentes au retour de la petite maison de la plage, rêver face à la Méditerranée sur la terrasse de la superbe villa...
– L'été, sur réservation, possibilité de faire le sentier marin, une randonnée palmée ou une excursion sous-marine (à partir de 8 ans). L'été toujours, soirées musicales le lundi à 21h (places à 25 €).
⦿ Sympathique petit *snack* sur place.

CAVALAIRE-SUR-MER (83240)

Plus fameuse pour son immense plage de sable fin que pour le charme de la ville elle-même... Difficile, là aussi, d'imaginer le petit hameau de pêcheurs du XVIIIe siècle, resté longtemps dans son jus, et qui dépendait, jusqu'en 1929, du village de Gassin. C'est la station balnéaire des familles par excellence car on y trouve encore des hôtels abordables. Elle possède un casino avec machines à sous, resto et night-club, pour routard flambeur !

Adresses et infos utiles

ⓘ *Office de tourisme :* maison de la Mer, sq. Maréchal-de-Lattre-de-Tassigny, BP 32. ☎ 04-94-01-92-10. ● cavalaire-sur-mer.fr ● Sur le front de mer. En été, tlj 9h-19h. Expos temporaires.

■ *Location de vélos et motos :* **Holidays Bikes,** Les Régates, rue du Port. ☎ 04-94-64-18-17. • wanadoo.fr • *Fermé de début nov au 1er avr.* **Abela Motos,** bd Pasteur. ⌨ 06-89-57-34-28. *Ouv tte l'année.*

■ *Wouafou Club :* plage de Cavalaire (entre les plages de Tamaris et des Flots-Bleus). ⌨ 06-80-95-23-31 ou 06-20-56-07-17. • wouafou.fr • *Ouv l'été tlj 9h-23h.* Assez rare pour être signalé, ce chouette club de plage met à la seule disposition des enfants des trampolines, des jeux gonflables géants (dont une magnifique girafe !), ainsi qu'une piscine pour apprendre à nager. Également une garderie. Accueil décontracté mais sérieux.

⌨ *Bateaux :* avr-sept, liaisons pour les îles de Porquerolles et de Port-Cros avec les *Vedettes Îles d'Or* et le *Corsaire.* ☎ 04-94-71-01-02. Bateaux également pour Saint-Tropez.

– *Marché provençal :* mer mat.

Où dormir ?

Campings

Avec les bus de la *Sodetrav* (ligne Toulon – Saint-Tropez), descendre au centre-ville. Les campings sont relativement proches.

⌂ *Camping de la Baie :* bd Pasteur, BP 12. ☎ 04-94-64-08-15. • camp baie@club-internet.fr • camping-baie. com • ⌨ Situé en ville même, à 400 m de la mer. Ouv de mi-mars à mi-nov. Résa nécessaire 1er juin-15 sept et 1 sem min de séjour exigée. Emplacement pour 2 pers avec voiture et tente 41,80 € en hte saison. Loc de mobile homes et de chalets 353-902 €/sem. Propose 440 emplacements dans un grand parc de verdure. Bon confort. Piscine, jacuzzi, épicerie, bar, resto... Évidemment, bondé en été.

⌂ *Camping La Pinède :* chemin des Mannes. ☎ 04-94-64-11-14. • le-cam ping-la-pinede.com • ⌨ À l'entrée de la ville (300 m du centre-ville), accès par la N 559. À 500 m de la mer. Ouv de mi-mars à mi-oct. Résa conseillée en juil-août. Forfait pour 2 pers avec voiture et tente 21 €. Confortable et ombragé. Épicerie, lave-linge. Évitez de vous installer sur le côté gauche, surplombant la route de Toulon.

De chic à beaucoup plus chic

⌂ |●| *Hôtel Villa Provençale :* rue des Maures. ☎ 04-94-00-47-90. • hotel-vil la-provencale@wanadoo.fr • hotelvilla provencale.com • *Doubles avec douche et w-c ou bains, TV 67-110 € selon confort et saison, petit déj inclus. Au resto (pour les pensionnaires slt), menu 21 €. Parking gratuit.* Des chambres au calme, avec des couleurs fraîches, à 600 m de la plage, dans une villa rénovée dans le style provençal (on vous aurait dit un chalet suisse, vous y auriez cru ?) et une atmosphère familiale qui fait plaisir... Bonne cuisine traditionnelle que l'on vous sert, le soir, à la fraîche, dans le jardin.

⌂ *Le Château de Sable :* av. des Anthémis. ☎ 04-94-00-45-90. • château.ri gnac@wanadoo.fr • chateaudesable. net • ⌨ *Doubles avec douche et w-c ou bains 160-250 € selon saison, petit déj en sus.* Un château de sable, c'est toujours les pieds dans l'eau, et celui-ci, à 10 m de la plage, n'échappe pas à la règle ! Superbe maisonnette des années 1960, avec un non moins superbe jardin. Chambres avec balcon, toutes plus ravissantes les unes que les autres. Terres cuites anciennes au sol, planches de récup' du XVIIIe siècle pour les têtes de lit, rideaux de lin, meubles chinés, bois flotté, œuvres d'art, objets de marine et quelques touches design. De la douceur, du charme à l'état pur et une vraie atmosphère ! Certes, c'est cher, mais si votre budget vous le permet...

LE GOLFE DE SAINT-TROPEZ ET LE PAYS DES MAURES

Où manger ?

De bon marché à prix moyens

|●| *Les Rôtisseurs de la Côte :* promenade du Port. ☎ 04-94-15-46-47. ❧. *Fermé dim hors saison et ts les soirs en hte saison. Congés : de nov à mi-fév. Plat du jour le midi en sem 10 € ; carte env 20 €. Digestif maison offert sur présentation de ce guide.* L'adresse sympa, où l'on mangera, comme son enseigne l'indique, viandes grillées (du bœuf au cheval, en passant par le taureau) et grosses salades. Cuisine ouverte sur la salle, bonne musique et ambiance décontractée. Terrasse avec vue sur le port et les bateaux.

|●| *La Petite Crêperie :* promenade de la Mer. ☎ 04-94-64-02-65. *Fermé lun, plus mar hors saison. Congés : janv. Compter 12 € pour un repas. Apéritif, café ou digestif maison offert sur présentation de ce guide.* Vous serez pleinement rassasié dans cette gentille petite salle qui regarde les flots bleus, où les bolées et les anciennes photos bretonnes ornent les murs. Ici, point de poisson grillé... juste des galettes au sarrasin et au froment. Mais pas n'importe lesquelles, puisque ce sont tout simplement les meilleures du coin. Une annexe sur la promenade du Port, même cadre mais en plus spacieux (fermé le lundi).

|●| *La Table des Saveurs :* pl. du Parc (RD 559), résidence Mistral. ☎ 04-94-64-10-31. *À la sortie de la ville sur la gauche, direction La Croix-Valmer. Fermé dim soir et lun hors saison. Congés : janv. De nombreux plats au choix sur l'ardoise pour le menu unique à 25 €. Café offert sur présentation de ce guide.* L'endroit ne paie pas de mine, coincé entre des commerces au sein d'une résidence, mais Cavalaire non plus après tout... En fait, on vient surtout ici pour la promesse contenue dans le nom du resto. Et il faut reconnaître qu'elle est solidement tenue par Christophe Gilbergue, aux commandes de ce sympathique resto. On vous accueille avec des tapas et on continue avec une cuisine d'une vraie créativité, au goût d'aujourd'hui, entre sushis et produits d'ici.

Fêtes et manifestations

– *Rencontres d'art contemporain :* de mi-juin à mi-sept, sur l'esplanade du Port. Grandes expos de photos ou de peintures. Et l'esplanade du Port est offerte à un sculpteur.

– *Festival du théâtre de verdure de Pardigon :* quasiment un spectacle/j. en juil-août. Rens : ☎ 04-94-64-14-73. ● tragos.fr ● Un surprenant festival bourré d'humour qui se déroule chaque année depuis 30 ans, emmené par la Compagnie de Tragos. Certains spectacles sont gratuits, on passe seulement le chapeau à la fin...

– *Les Estivales :* ts les jeu en juil-août, sur l'esplanade du Port. Concerts (gratuits), groupes folkloriques...

Plongée sous-marine

Haut lieu de la plongée sur la Côte d'Azur, la baie de Cavalaire – bordée d'une longue plage de sable clair – s'ouvre généreusement sur le large. Surnommée « la baie aux épaves », elle conserve dans ses profondeurs limpides plusieurs navires engloutis : *Ramon Membru, Torpilleur 178, Togo, Espingole* et *Prophète* ; mais également quelques *Duckw,* camions amphibies américains, vestiges du Débarquement en Provence de 1944... En partie protégée du mistral par ses collines verdoyantes, repères des navigateurs depuis l'Antiquité, la baie est très exposée au vent d'est, qui rend la plongée assez aléatoire. Mêmes conditions autour de la magnifique presqu'île de Saint-Tropez, petit bijou de nature, largement épargnée par le béton des promoteurs. Au large du cap Camarat, on trouve l'épave du sous-marin *Rubis,* un must de la plongée sur les côtes françaises...

Clubs de plongée

■ *Isadora Croisières Plongée :* quai Patrice-Martin, à Port-Cavalaire. 📱 06-80-32-10-57. ● plongee-isadora.com ● Ouv tte l'année. Env 75 €/pers pour 1 journée de croisière comptant 2 plongées. Vous serez séduit par *Isadora,* superbe et pittoresque goélette turque en bois, à bord de laquelle Michel Charbonnier, capitaine, responsable du club (*FFESSM, ANMP* et *PADI*) et... fin cuistot, propose des croisières-plongées d'une journée à Port-Cros, en comité restreint. Au programme : baptêmes, formations jusqu'au monitorat et brevets *PADI,* sans oublier de magnifiques balades encadrées, et du *snorkelling.* Pour les plongeurs confirmés, également des croisières de 5-15 jours autour des îles d'Hyères, vers Marseille et ses calanques, et jusqu'en Corse ou en Italie (plus cher). Aménagements intérieurs magnifiques. Sorties voile à la journée possibles (familles et non-plongeurs bienvenus). Notre adresse coup de cœur.

■ *Éperlan Club :* à Port-Cavalaire. ☎ 04-94-05-41-82. 📱 06-09-75-62-17. ● eperlan.fr ● ♿ Ouv tte l'année. Résa souhaitable la veille. Baptême env 50 € ; plongée 35-52 €, selon équipement ; forfaits dégressifs 10 plongées. Embarquement immédiat à bord de *L'Éperlan 2,* le gros navire rapide de ce centre (*FFESSM*) où Momo et Jules, les chaleureux moniteurs, assurent baptêmes, formations jusqu'au niveau IV, et encadrent de bien belles explorations sur les épaves du coin et autres roches très vivantes. Une foule de plongeurs, mais ambiance sympa et équipements complets fournis. Initiation enfants à partir de 8 ans, et pour les confirmés : plongée *Nitrox* (air enrichi en oxygène) et *Trimix* (mélange air-hélium), et stages épaves (hors saison).

Nos meilleurs spots

⚓ *La roche Quairolle :* pour plongeurs de tous niveaux. Devant le cap Lardier. L'une des plus belles plongées du coin. Sous 10 m d'eau très claire, accueil chatoyant des girelles-paons multicolores ; puis joli ballet argenté des sars sous les rayons perçants du soleil. On y croise également d'impressionnants bancs de barracudas. En vous faufilant parmi les gorgones jaunes ou d'un rouge flamboyant bercées d'un léger courant, vous épaterez les mérous « pépères » avec votre palmage gracieux ! Rascasses paisibles et murènes craintives dans les nombreuses failles (se munir d'une lampe torche) jusqu'à 40 m de fond environ.

⚓ *Le Prophète :* à partir du niveau II. À proximité du spot précédent, ce vapeur coulé en 1860 par 32 m de fond dégage un charme qui ne vous laissera pas indifférent. À partir de la vieille machine dominée par une grande roue d'entraînement et deux chaudières, vous suivrez l'arbre de propulsion jusqu'à l'hélice très curieuse (deux pales !). Quelques congres, rascasses et petites langoustes peu farouches agrémentent la visite de ce véritable petit musée de la marine d'antan.

⚓ *Le Rubis :* pour plongeurs de niveau II confirmés. Le « joyau » de la plongée méditerranéenne ! Après une carrière exemplaire, ce sous-marin de la Royale est sabordé en 1958 par 40 m de profondeur devant le cap Camarat. Sa magnifique silhouette fuselée repose sur un écrin de sable clair. En survolant le pont, vous constaterez que les « monstres du *Rubis* » – un équipage complet de murènes et congres impressionnants et peu farouches – manquent singulièrement de discipline (attention à vos patounes !). Aussi, évitez absolument de les nourrir et d'entrer dans l'épave... Classiques castagnoles en bancs compacts, et ronde majestueuse des loups et daurades à la recherche d'un casse-croûte. Visibilité excellente, mais courant parfois très violent.

⚓ *Le Togo :* pour plongeurs de niveau III confirmés. Encore une épave somptueuse mais réservée aux plongeurs aguerris uniquement. Ce fier cargo repose droit sur sa quille entre 50 et 60 m de fond depuis son naufrage en 1918. À partir de l'étrave droite et massive, offrez-vous une balade *first class* dans les coursives investies de gorgones rouges, imposantes comme l'ensemble de l'épave. Après un bref coup d'œil dans la cuisine (elle existe encore !), le survol des cales béantes donne un aperçu de la danse des congres en pleine eau... Parfois, en remontant (il le faut bien !), un poisson-lune gracieux vient parachever l'envoûtement. Pour votre sécurité, cette plongée un peu hors normes ne doit pas excéder 15 mn.

LA CROIX-VALMER (83420)

Un nom qui sent bon la Côte d'Azur des années 1950, quelques belles constructions anciennes (comme l'imposant *hôtel Kensington* de 1895, qui sert de point de repère aux navigateurs, ou la villa Couadan construite en 1914 pour Sarah Bernhardt), dans un environnement naturel préservé. Une succession de criques et de plages de sable fin, de la plage du Débarquement au cap Taillat, à découvrir à pied par le sentier du littoral ou en kayak.

Adresses et infos utiles

🛈 Office de tourisme : *esplanade de la Gare, BP 56.* ☎ 04-94-55-12-12. • *la croixvalmer.fr* • *De mi-juin à mi-sept, lun-sam 9h15-12h30, 14h30-19h et dim 9h-13h ; de mi-sept à mi-juin, lun-ven 9h15-12h, 14h-18h.*

■ Location de vélos et motos : *Holidays Bikes,* 1, bd Georges-Seilliez. ☎ 04-94-79-75-12. *Le patron a fait le* Paris-Dakar : c'est dire s'il connaît le métier !

⛵ Bateaux : *en juil-août, liaisons pour les îles de Porquerolles et de Port-Cros avec les* Vedettes Îles d'Or *et le* Corsaire. ☎ 04-94-71-01-02. *Bateaux également pour Saint-Tropez.*

– Marché provençal : *dim mat, pl. des Palmiers.*

Où dormir ?

Camping

⚑ Sélection Camping : *12, bd de la Mer, La Ricarde.* ☎ 04-94-55-10-30. • *camping-selection@wanadoo.fr* • *se lectioncamping.com* • ♿ *À 400 m de la mer. Bus de la Sodetrav (ligne Toulon-Saint-Tropez), arrêt « Croix-Valmer Plage », puis 200 m à pied. Ouv de mi-mars à mi-oct. Résa conseillée en été.* Emplacement pour 3 pers avec voiture et tente 31,50 € en hte saison. Loc de mobile homes et studios 350-900 €/ sem. Parc de 5 ha, bien ombragé, dans lequel se perdent les 210 emplacements dont les plus agréables sont en terrasse. Tout le confort moderne. Piscine chauffée.

De prix moyens à plus chic

🏠 Hostellerie La Ricarde : *quartier de la plage du Débarquement.* ☎ 04-94-79-64-07. • *laricarde@golfe-infos.com* • *hotel-la-ricarde.com* • *À 3 km du centre du village, juste après le rond-point du Débarquement (direction Cavalaire), à 50 m sur la droite. À 150 m de la plage. Congés : oct-mars. Selon saison, doubles avec douche 35-44 €, avec douche et w-c 44-65 €. Parking* gratuit. Rafraîchissement offert sur présentation de ce guide. Un craquant petit hôtel au charme à l'ancienne et à l'ambiance familiale. Chambres toutes simples, joliment décorées, dans l'esprit d'une maison d'hôtes. Les plus chères disposent de la clim' et de surcroît donnent sur le jardin (on les préférera à celles côté route). Ravissant d'ailleurs, ce jardin verdoyant où prendre le petit déjeuner. Bon rapport qualité-prix.

🛏 *Chambres d'hôtes La Sultanine :* quartier de la Galiasse. ☎ 04-94-79-72-07. ● lasultanine@free.fr ● lasultanine. com ● *À l'entrée du village (en venant du golfe de Saint-Tropez), prendre à gauche la route du Brost. Après le stade, dans la descente, la 1re à droite. À env 3 km, panneau sur la droite, 50 m après le sommet de la colline. Doubles avec bains et TV* 80-110 € *selon saison. Une bouteille de vin du domaine offerte sur présentation de ce guide.* Au milieu de la lavande et des vignes, une agréable demeure, récente, avec trois chambres spacieuses disposant chacune d'une terrasse privée. Sol de brique, teintes doucement rosées, beau salon avec cheminée et fauteuils, mariage réussi des vieux meubles et d'une décoration plus design. Ici, seul le silence vous réveille.

Où manger ?

De prix moyens à plus chic

|●| *Le Resto :* N 559. ☎ 04-94-79-67-76. ● *brunosanglier@yahoo.fr* ● *Au centre du village. Fermé jeu. Menu le midi en sem* 12,50 € *; carte* 25-30 €. *Digestif maison offert sur présentation de ce guide.* Un resto qui s'appelle... Le Resto. Pourquoi faire compliqué quand on peut faire simple ? Petite salle et invraisemblable terrasse qui tient du campement de fortune. Le patron (folklo, le patron !) a collé une seule et unique grande table dans un semblant de pelouse encombré d'un étonnant bric-à-brac. Tout le monde s'installe autour pour une simple, bonne et roborative cuisine, au gré du marché. Bonnes viandes. Une ambiance et des prix qui éloignent de la côte à grands coups de pagaie !

|●| *La Petite Auberge de Barbigoua :* av. des Gabiers. ☎ 04-94-54-21-82. *Au rond-point du Débarquement, tourner vers la colline et poursuivre sur 1,2 km, puis prendre le bd de la Mer et ensuite l'av. Neptune. Fermé lun et ts les midis. Congés :* 1er *oct-*1er *avr. Résa conseillée. Compter* 30-50 € *pour un repas complet.* Sur les hauteurs, un resto à part, où la propriétaire fait une cuisine à son image, sans frontières, selon l'humeur du jour et du marché. Cadre très agréable (meubles anciens, antiquités), très calme, même en juillet-août. Terrasse ombragée.

À voir. À faire

🍴 *La croix de Constantin :* monument en pierre érigé en 1893 au croisement de la D 559 et de la D 93 qui mène à la plage de Gigaro. Il a été élevé en mémoire de l'empereur romain, au lieu supposé de la vision qu'il eut lorsque, partant combattre son beau-frère en Italie, sa mère Hélène lui apparut pour lui signaler que, par le signe de la croix rayonnant dans le ciel, il vaincrait. Le village aurait pu continuer de s'appeler *La Croix*, mais grâce à l'administration des Postes et aux ambitions électorales d'un maire qui ne voulait pas porter cette croix durant tout son mandat, il devint, en 1934, *La Croix-Valmer*.

➢ *Balade aquatique avec l'observatoire marin :* découverte de la faune et de la flore sous-marines avec palmes, masque et tuba. Activités en juillet-août. *Rens à l'office de tourisme.*

Randonnée

➢ *Le cap Lardier :* en suivant le sentier du littoral. Aller-retour 2h30 à 3h. Départ de la plage de Gigaro (parking et bon resto de plage *Couleurs Jardin*). Prévoir de bonnes chaussures. Balisage jaune. Descriptif complet dans le petit guide des randonnées disponible à l'office de tourisme. Un des derniers coins de cette portion de la côte à être resté sauvage, grâce (une fois encore) au Conservatoire du littoral. Paysage typique de maquis, falaises abruptes et vue panoramique garantie.

Fêtes et manifestations

– *Fête locale : 3e w-e de juin.* Traditions locales.
– *Festival des anches d'azur : 3 j. fin juin, début juil.* Concours d'instruments à vent, concerts, harmonie et autres fanfares.
– *Nocturnes croisiennes : juil-août.* Cabaret, jazz, théâtre, concerts...
– *Le Festi' pichoun : en déc.* Animations tout le mois pour les enfants.

➤ À nos lecteurs motorisés, on conseille, pour rejoindre le golfe de Saint-Tropez, la D 93 vers Ramatuelle, sinueuse mais superbe.

SAINT-TROPEZ   (83990)   5 540 hab.

Pas facile d'échapper aux clichés quand on parle de Saint-Tropez, d'autant plus que ceux-ci sont pour la plupart vrais : délicieux petit port de pêche, un charme fou, une qualité de lumière extraordinaire, une séduisante homogénéité architecturale... Une image valable dix mois par an, même onze, avec un peu de chance. Ce qui n'évite pas le tableau apocalyptique dressé par les aoûtiens de passage qui n'ont pas pu éviter les pièges habituels (tarifs prohibitifs, embouteillages, etc.).

Et puis une frime, un cinoche insupportable, le royaume du faux-semblant... Long défilé, devant un public qui n'a pas raté un seul documentaire consacré à la jet-set, de vedettes sur l'arrivée ou sur le retour, de parasites du show-biz, de starlettes en folie et de vieux beaux trouvant là leur « cimetière des éléphants »... Quai Suffren, on est en représentation permanente. Des bateaux de plaisance et des yachts ventrus qui ne naviguent jamais font s'extasier les familles. Y a-t-il beaucoup de milliardaires qui sont conscients que leur joujou est garé quai... Jean-Jaurès ? Allons, on arrête, parce que les lecteurs vont penser que nous sommes aigris !

Que nenni, on adore et il faut absolument aller à Saint-Trop'. Ah, petite parenthèse : on ne dit plus « Saint-Trop' » ! Il paraît que ça fait ringard et que le petit port de pêche devenu célèbre dans le monde entier cherche à retrouver son authenticité... Va donc pour « Saint-Tropez » et le retour aux origines... Cela dit, en basse saison, la ville déploie un charme incomparable : vous serez conquis et rencontrerez les vrais habitants avant qu'ils ne rentrent dans leur coquille en juillet et août.

On y trouve l'un des plus intéressants musées de peinture de la Côte. Une véritable explosion de couleurs ! Les photophobes mettront des lunettes noires... Enfin, un des secrets cachés de Saint-Tropez : l'orientation du port vers l'ouest permet de siroter son apéro face au coucher de soleil. Une orientation rare sur la Côte d'Azur.

Et pour finir, un conseil : en période estivale, évitez d'aller à Saint-Tropez lorsqu'il pleut (si, si, ça arrive !), sinon vous risqueriez bien de passer 2h dans les bouchons !

UN PEU D'HISTOIRE

Cette baie exceptionnelle devait, à coup sûr, attirer les conquérants. Ligures, Celtes, Grecs bien évidemment et Romains tombèrent amoureux du site. Puis l'histoire devint légende.

En l'an 68, *Torpes,* intendant du palais de Néron, refusant d'abjurer sa foi chrétienne, fut torturé, décapité et son corps jeté dans une barque, à l'embouchure de l'Arno, en compagnie d'un coq et d'un chien censés grignoter ce qui restait. Les courants ligures et le vent d'est ramenèrent la barque jusqu'au rivage, sur la plage du lieu-dit Le Pilon. Les chrétiens du coin, prévenus (par le téléphone arabe ?) de l'événement, trouvèrent la barque, cachèrent le corps du martyr (si bien qu'on ne le retrouva jamais en entier : seul reste son crâne, partagé entre Pise, Gênes et Saint-Tropez), puis ils lui élevèrent une chapelle. Sancti-Torpeti devint finalement Saint-Tropez. Les villages de Cogolin (« petit coq ») et de Grimaud (« chien » en vieux français), situés à proximité, continuent de rappeler cette légende.

La région demeura l'un des derniers bastions des sarrasins après leur défaite à Poitiers. Relancé par les Génois, débarqués en famille en 1471, le port devint, du XVe au XVIIe siècle, une sorte de petite république autonome qui prospéra (ils s'étaient exemptés d'impôts !) et se couvrit de belles demeures. Colbert, le centralisateur, mit fin à ce statut privilégié dont la nostalgie perdure aujourd'hui dans le cadre de la *Bravade,* célébration de ce glorieux passé militaire qui vit, durant 150 ans, les marins, pêcheurs ou corsaires tropéziens repousser toutes les attaques venues de terre comme de mer.

Pendant la Révolution française, le bourg, qui compte alors 3 000 habitants, reprend son nom romain d'Heraclea. À la fin du XVIIIe siècle, concurrencé par Marseille et les bateaux à vapeur, le port va se confiner dans le cabotage, avec les tartanes. Une activité que le rail fera disparaître...

Enfin, les bombardements du Débarquement, le 15 août 1944, endommagèrent gravement le port. Mais il fut heureusement reconstruit sur le même modèle, donnant aujourd'hui une image à peu près fidèle de ce qu'était Saint-Tropez il y a quatre siècles.

SAINT-TROPEZ, LES ÉCRIVAINS, LES PEINTRES ET LES AUTRES...

L'exceptionnelle qualité de la lumière, la violence et la variété des couleurs dans la région devaient fatalement y attirer les artistes et écrivains. Au XIXe siècle, Saint-Trop' était en outre un port actif, pittoresque : on chargeait sur les tartanes le gouleyant rosé de la presqu'île, les écorces de chêne-liège, les châtaignes du massif des Maures. Autant de scènes authentiques propres à susciter l'émotion et à inspirer les artistes. Les premiers résidents firent venir des essences exotiques pour les planter : palmiers, cactus, yuccas et agaves du Mexique, eucalyptus d'Australie, etc.

Colette savourait ces « nuits pleines d'odeurs de matou et d'embrocation ». Elle qui se moquait des « boîtes à débardeurs truqués pour touristes riches » ajoutait aussitôt, en 1932 : « Je connais l'autre Saint-Tropez. Il existe encore. Il existera toujours pour ceux qui se lèvent à l'aube. Quand mon golfe des Cannebiers dort encore... »

Le premier « étranger » à succomber au charme de Saint-Trop' fut un ministre de Napoléon III qui y acheta un château. *Guy de Maupassant* s'enthousiasma : « C'est là une de ces charmantes et simples filles de la mer... On y sent la pêche et le goudron qui flambe, la saumure... On y voit, sur les pavés des rues, briller, comme des perles, des écailles de sardines. » Le peintre *Paul Signac* craqua également quand il accosta avec son *Olympia* et décida d'y vivre : « Je ne fais pas escale, je me fixe. » Il fut le vrai découvreur de Saint-Tropez. Il y produisit ses plus belles toiles, mais surtout, en tant que président des Indépendants, le salon qui faisait rêver tous les peintres de l'époque, il draina à Saint-Tropez tous les inconnus célèbres du moment : *Henri Matisse* qui y peignit *Luxe, Calme et Volupté,* *Marquet,* *Bonnard, Dunoyer de Segonzac...*

Et c'est là que les ennuis commencèrent, pourrait-on dire. Dans les années 1920, Saint-Tropez va prendre, sans le vouloir, un petit air « à la mode ». *Francis Picabia,* *Errol Flynn, Anaïs Nin* fréquentent la ville assidûment. Après la dernière guerre, la vague existentialiste arrive jusque-là avec la bande de *Juliette Gréco, Daniel* *Gélin, Annabel Buffet,* etc. Puis c'est vraiment le décollage médiatique avec les années 1950-1960, et l'apparition des nouvelles locomotives : *Sagan, Bardot,* *Vadim, Eddie Barclay* et tout le petit monde du show-biz... Nouvelle Vague, nudistes, gendarmes en folie. La suite, on la connaît !

Adresses et infos utiles

▪ ***Office de tourisme :*** *bureau principal, quai Jean-Jaurès.* ☎ *0892-68-48-28.* ● *ot-saint-tropez.com* ● *En juil-août, tlj 9h30-20h.*
▪ ***Location de vélos, scooters et*** ***motos : Rolling Bikes,*** *14, av. du Général-Leclerc.* ☎ *04-94-97-09-39. Fermé dim et lun hors saison. Congés : janv.* ***Établissements Mas-Jean-Louis,*** *3, rue Quaranta.* ☎ *04-94-97-00-60. Face à la place des Lices. En été, ouv tlj. Loue également des vélos hollandais.*
▪ ***Promenades en mer : Excursions*** ***Maritimes Tropéziennes,*** *sur le port.* ☎ *et fax : 04-94-54-53-54.* 🕿 *06-08-31-99-28. Croisières vers les calanques de l'Estérel, les îles de Lérins et celles de*

Hyères, Cannes, etc. Liaisons avec Grimaud et les Marines de Cogolin. Également ***Les Bateaux Verts,*** *basés à Sainte-Maxime.* ☎ *04-94-49-29-39.* Navettes entre Saint-Tropez et Sainte-Maxime quasiment toute l'année. Plein d'excursions vers les plus beaux sites maritimes de la région.
▪ ***Renseignements pour les cars :*** *Sodetrav, à Hyères.* ☎ *0825-000-650.* ● *sodetrav.fr* ● *À Saint-Tropez en saison :* ☎ *04-94-97-88-51.*
– *En été, liaisons en autocar avec la Sodetrav pour l'*aéroport de Toulon-Hyères.*
– ***Marché :*** *les mar et sam mat, pl. des Lices.*

Où dormir ?

Camping-cars

Il n'y a pas de campings sur la commune : ils sont tous à Ramatuelle (voir plus loin ce chapitre). En revanche, il y a *deux aires privées* de stationnement pour les camping-cars. *L'une se trouve chemin Fontaine-du-Pin, quartier des Canebiers (à 800 m de la plage des Salins).* 🕿 *06-14-83-48-40. Tarif : 10 € le j. et 10 € la nuit. Vidange des eaux usées gratuite ; eau, électricité et douche payantes. Pour l'autre, s'adresser au Snack des Tamaris, bd des Tamaris.* 🕿 *06-75-01-50-91. Ouv avr-oct. Tarif : 7 € le j. et 7 € la nuit ; moins cher en basse saison.* Vidange, eau et recharge de batterie payantes.

De prix moyens à beaucoup plus chic

🏚 ***Hôtel Lou Cagnard :*** *18, av. Paul-Roussel.* ☎ *04-94-97-04-24.* ●*hotel-lou-cagnard.com* ● *Juste derrière la place des Lices et à 5 mn à pied du port. Congés : début nov-fin déc. Résa conseillée. Selon saison, doubles 52-63 € avec douche, 62-122 € avec*

douche et w-c ou bains, TV satellite ; petit déj 9 €. Parking privé gratuit. Grosse maison de style provençal avec un jardin fleuri. D'ailleurs, mieux vaut réserver une chambre sur le jardin pour dormir en été, celles sur rue s'avérant un peu bruyantes malgré le double vitrage.

LE GOLFE DE SAINT-TROPEZ ET LE PAYS DES MAURES

Chambres sobrement mais agréablement rénovées, presque toutes climatisées. Agréable terrasse où se prend le (copieux) petit déjeuner. Bon accueil. Bref, un bon rapport qualité-prix.

🏠 *Hôtel B. Lodge :* 23, rue de l'Aïoli. ☎ 04-94-97-06-57. ● *contact@hotel-b-lodge* ● *hotel-b-lodge.com* ● Ouv tte l'année. Doubles avec douche et w-c ou bains, TV 80-110 € selon saison. Café offert sur présentation de ce guide. Un petit hôtel de style provençal offrant paix et tranquillité (excepté pendant les heures chaudes de juillet-août), au pied des jardins de la citadelle et à 2 mn du port. Une dizaine de chambres un peu exiguës mais à la déco agréable, au confort très appréciable et à prix raisonnables (pour le secteur...), ainsi qu'une suite pour 4 personnes, un peu plus chère. Bar à bières. Bon accueil. Pour l'anecdote, le patron était un passionné de Harley dans sa jeunesse. D'ailleurs, il vaut mieux arriver chez lui à moto qu'en voiture, ça évite de payer les parcmètres (payants jusqu'à 1h en été).

🏠 *La Bastide du Port :* port du Pilon, av. du Général-Leclerc. ☎ 04-94-97-87-95. ● *bastide-du-port@wanadoo.fr* ● *bastideduport.com* ● ♿ À l'entrée du village, face au grand port. Congés : nov-mars (ouv certains w-e sur résa). Doubles avec douche et w-c ou bains, TV satellite 130-190 € selon saison. Par-

king clos gratuit. Un petit déj par chambre et par nuit offert sur présentation de ce guide. Un hôtel avec des chambres bien insonorisées, toutes climatisées et entièrement refaites dans un style provençal sobre et charmant. Celles qui s'ouvrent face à la mer offrent une belle vue sur le golfe. Quelques tables sous les palmiers, côté jardin.

🏠 ▮●▮ *La Ponche :* port des Pêcheurs, 3, rue des Remparts. ☎ 04-94-97-02-53. ● *hotel@laponche.com* ● *laponche.com* ● Congés : de nov à mi-fév. Doubles avec douche et w-c ou bains, TV satellite 150-305 € selon saison. Menus 25 € (le midi slt en saison) et 38 € ; carte env 60 €. L'hôtel de luxe le plus petit, coincé dans les vieilles ruelles du port, est sans doute celui qui possède le plus de charme. Une institution sortie des entrailles d'un simple bar de pêcheurs ! Picasso venait prendre le « pastaga » au bar, Boris Vian y noircissait du papier, Brigitte Bardot y séjourna pendant le tournage du film *Et Dieu créa la femme*, et Mouloudji y chantait pendant les dîners. Ces quelques maisons de pêcheurs, formant aujourd'hui un hôtel de charme et agencées avec un goût exquis, raviront nos riches lecteurs amoureux. Cuisine d'une belle authenticité, fraîche et de très bonne tenue, avec un premier menu d'un étonnant rapport qualité-prix.

Où manger ?

Sur les plages

Plus chic

▮●▮ *Plage des Graniers :* Le Mazot, route des Salins. ☎ 04-94-97-38-50. À 10 mn à pied du centre, sur la 1re plage après le port des pêcheurs et le cimetière marin. Ouv ts les midis, service jusqu'à 16h. Congés : de mi-oct à fin avr. Plat du jour 20 € ; carte env 45 €. Apéritif maison offert sur présentation de ce guide.

Tables et parasols qui frôlent le sable. Il faudra vous contenter d'une salade, ou à la rigueur de moules-frites, pour ne pas trouer votre portefeuille : les grillades et poisson sont en effet assez chers. Un resto de plage de bonne réputation et qui, malgré la foule de l'été, maintient une qualité constante.

En ville

Prix moyens

▮●▮ *Sorelle :* 23, quai Suffren. ☎ 04-94-43-87-78. ♿ Sur le port. Ouv tlj. Compter 20 €. Deux charmantes sœurs (d'où

l'enseigne...) qui proposent plein de petits trucs sympas à emporter ou à grignoter sur place le midi : sandwichs, tartines, salades pour l'été, soupes pour l'hiver... Et une cuisine plus raffinée le soir. L'emplacement est stratégique, et pourtant le café est peut-être bien le moins cher du port.

|●| *La Grange* : 9, rue du Petit-Saint-Jean (dans le vieux village). ☎ 04-94-97-09-62. Ouv ts les soirs. Congés : 15 janv-15 mars et 15 nov-20 déc. Compter 20-25 € à la carte. Digestif maison offert sur présentation de ce guide. Un petit troquet plein de charme, décoré de carreaux de faïence rouge et blanc. On a un peu l'impression d'entrer dans une brocante. Dans les assiettes, des pâtes maison, savoureuses et avec du tempérament comme les tortellini à la truffe blanche. Grillades également.

|●| *La Cantina* : 14, rue des Remparts. ▯ 06-17-92-56-39. ● cantinamaina@oran ge.fr● Congés : nov-mars. Menu le midi 15 € ; carte env 35 €. Digestif maison offert sur présentation de ce guide. La Cantina s'évertuant à changer de cadre chaque année ou presque, on ne vous dira rien de la déco sinon qu'elle fait toujours dans le kitsch coloré, l'exubérance un peu folle. Même tendance dans l'assiette avec une fraîche et joyeuse cuisine du monde : enchiladas, spaghettis au homard frais, woks... Excellent accueil et ambiance qui vire vite à la fête, le soir, après quelques margaritas aux fruits rouges...

|●| *La Table du Marché* : 38, rue Clemenceau. ☎ 04-94-97-85-20. ● info@ christophe-leroy.com ● Ouv tte l'année, tlj. Formule 18 € et menu 26 € midi et soir. Carte env 45 €. L'hyperactif Christophe Leroy a planté sa façade lie de vin et son décor bistrot à 50 m du marché, pas étonnant que sa cuisine s'en inspire autant ! Très bon rapport qualité-prix de la formule (plat du jour + dessert du jour + verre de vin) autant que du menu, qui inclut un verre de vin. Selon les saisons, on goûtera à la tarte à la tomate, au gratin de homard, au poulet au gratin de penne ou à n'importe quel plat servi avec l'excellente purée maison. Si c'est votre première visite à Saint-Tropez, un gendarme au chocolat s'impose peut-être en dessert...

|●| *Le Café* : pl. des Lices. ☎ 04-94-97-44-69. Ouv tte l'année. Plats du jour ou salades 12-14 € ; menu 30 € ; carte 20-25 €. Très connu (voir « Où boire un verre ? Où sortir ? »), mais à ne pas confondre avec son voisin, *Le Café des Arts*. Tout le décor est en place pour accueillir la faune tropézienne : le vieux zinc, les murs patinés, le carrelage usé, les tables de bistrot... Et la grande terrasse sur la place. Allez-y pour le déjeuner, autour d'un plat du jour provençal.

De plus chic à beaucoup plus chic

|●| *L'Auberge des Maures* : 4, rue du Docteur-Boutin. ☎ 04-94-97-01-50. ● au bergedesmaures@wanadoo.fr ● Dans une toute petite ruelle perpendiculaire à la rue Allard, où l'on ne marche, en saison, qu'à la queue leu leu. Fermé ts les midis. Congés : déc-fév. Menu 47 € avec un choix de 10 entrées, 10 plats et 10 desserts. À la carte, compter min. 55 €. Avec son patio ombragé, sa tonnelle recouverte de vigne et son champ de lavande, c'est un vrai resto provençal au cœur du Saint-Tropez éternel. Spécialités de la région, bien sûr (petits farcis, jarret de veau caramélisé, artichauts barigoules, etc.), mais aussi une grosse carte barbecue et du poisson.

|●| *Au Caprice des Deux* : 40, rue du Portail-Neuf. ☎ 04-94-97-76-78. Ouv le soir slt. Fermé mar-mer. Congés : janv. Menu-carte 57 €. Apéritif maison ou café offert sur présentation de ce guide. Dans une mignonne petite rue, un resto au décor rustico-chic où l'on ne vient pas en famille, surtout si l'on invite ! Par contre, un dîner en amoureux s'y prête bien. Cuisine chère mais vraiment raffinée.

Où boire un verre ? Où sortir ?

Cafés et terrasses

Évidemment, les terrasses en bordure du port ne manquent pas ! Il suffit de suivre la foule. Malgré tout, voici les « incontournables »...

Notre café préféré se trouve sur le port, dans la salle en étage (au superbe décor marin) du discret hôtel **Sube** (15, quai Suffren, ☎ 04-94-97-30-04), qui offre, en outre, avec ses tables posées sur un petit balcon, la plus croquignolette des terrasses de la ville. Vue imprenable sur la statue de Suffren, qui elle-même regarde avec effarement les yachts de milliardaires avec leur personnel de bord en tenue... Garantie de prendre le soleil couchant en pleine face ! Accès par l'hôtel du même nom dans la petite galerie commerciale sur le côté gauche.

Sinon, l'une des institutions locales s'appelle tout simplement **Le Café** (à ne pas confondre avec son voisin, *Le Café des Arts,* qui a pourtant repris l'ancien nom du *Café,* comprenne qui pourra !). Stratégiquement situé sur la place des Lices (voir plus haut « Où manger ? »), c'est un peu le *Café de Flore* local, idéal pour regarder les boulistes en sirotant un pastis à un prix qui vous flanquera lui-même les boules. On y va pour sa grande terrasse sur la place et son décor de bistrot à l'ancienne, mais on ne peut pas dire que l'atmosphère soit exceptionnelle. Et puis, évitez d'y prendre un petit déjeuner, c'est vraiment cher pour trois fois rien.

Pour les lève-tôt, il y a toujours **Sénéquier,** sur le port *(quai Jean-Jaurès,* ☎ *04-94-97-00-90),* autrefois fréquenté par Paul Éluard et Paul Valéry, puis par de moins lettrés. Aujourd'hui, les vedettes n'y vont presque plus. Cependant, si vous voulez passer pour un vrai Tropézien, il faut l'aborder par derrière et non par devant et, si possible, gagner le « Paradis », carré de tables situé à l'extrême gauche. L'alléchante pâtisserie se trouve derrière le café...

Bars musicaux et boîtes

En juillet et août, c'est bien connu, le soleil ne se couche plus sur Saint-Tropez. Mais point de précipitation, la nuit sera longue... Commençons donc par l'apéro.

♪ **Le Bar du Port** : 7, quai Suffren, sur le port pardi ! ☎ 04-94-97-00-54. *Congés : de mi-janv à fin-fév.* La déco assez design, un bon DJ qui fait l'avant-boîte dès l'apéro *(ts les soirs en été et en fin de sem avr-oct),* il n'en fallait pas plus pour que l'endroit, ouvert depuis le début des années 1960, devienne le lieu de rendez-vous de tous les jeunes branchés. Restauration rapide possible.

♪ **Chez Maggie** : 5, rue Sibille, ☎ 04-94-97-16-12), une autre institution locale, très *gay-friendly,* qui s'est refait un prénom et a refait dans la foulée sa déco dans le plus pur style *seventies.*

♪ **L'Octave-Café** : pl. de la Garonne. ☎ 04-94-97-22-56. Le seul piano-bar pour les amateurs de soirées musicales éclectiques. Pas la peine d'y aller avant minuit... Fermeture à 5h.

♪ **Le Pigeonnier** : 13, rue de la Ponche. ☎ 04-94-97-84-26. *Ouv ts les soirs en saison et en fin de sem hors saison (23h30-6h). Entrée gratuite.* Situé dans l'ancien four du village, *Le Pigeonnier* est animé par Sophie Rallo, une figure locale et pionnière des nuits tropéziennes. Aujourd'hui, on se chauffe sur une musique surtout choisie en fonction de la clientèle présente (techno, house, R & B, etc.).

♫ Pour les heures plus avancées ou des nuits encore plus chaudes, vous avez déjà sûrement repéré **Les Caves du Roy** (av. Paul-Signac, ☎ 04-94-97-16-02), la boîte la plus strass de Saint-Trop' ! Là, sortez vos lunettes, lookez-vous, jouez la star... et si vous arrivez à entrer, vous ressortirez peut-être avec un rendez-vous dans une grande agence de mannequinat !

♫ **L'Esquinade** : rue du Four. ☎ 04-94-97-87-44. C'est la boîte gay fondée en 1956 à l'instigation de B.B. Tenue aujourd'hui par Philippe Raga. Deux salles dans une cave voûtée aux pierres nues, mais on y vient plutôt pour l'ambiance un peu folle, bien sûr...

♫ Une des adresses les plus courues de Saint-Tropez : le **VIP Room** (☎ 04-94-97-14-70), résidence du Port, la boîte de nuit de Jean Roch, très classe.

À voir. À faire

🎨🎨🎨 *Le musée de l'Annonciade :* pl. Grammont. ☎ 04-94-17-84-10. L'hiver, tlj sf mar 10h-12h, 14h-18h ; horaires plus larges l'été. Fermé 1er janv, 1er et 17 mai (c'est la fête du village !), jeudi de l'Ascension, 25 déc et tt le mois de nov. Entrée : 6 € pour les expos et en saison, 5 € en hiver ; réduc. Superbement installé dans une ancienne chapelle du XVIe siècle, le musée présente une exceptionnelle collection de toiles de grands noms de l'art moderne. La qualité des œuvres proposées est telle que l'on est finalement étonné de trouver pareil musée dans un petit port de marins, si l'on ignore qu'un riche mécène, tropézien d'adoption, fit don en 1955 de sa collection particulière à la ville. Il s'appelait Georges Grammont. Merci donc, cher Georges, de nous permettre de voir aujourd'hui de magnifiques œuvres d'artistes qui ont puisé leur inspiration à Saint-Tropez ou sur la Côte d'Azur : Signac (avec évidemment une vue de Saint-Tropez), Matisse et sa *Femme à la fenêtre,* Picabia *(Saint-Tropez vu de la citadelle),* un *Paysage à l'Estaque* de Braque... On « s'ébouriffe » les yeux de couleurs devant les Dufy, formidablement inspirés eux par la côte... normande. Et puis il y a Auguste Chabaud, Derain et bien d'autres grands artistes encore. Intéressantes expositions temporaires de juillet à octobre au rez-de-chaussée.

🎨🎨 *Balade dans la ville :* débarrassée de ses touristes, Saint-Tropez livre de bien charmants secrets : ruelles médiévales comme la *rue de la Miséricorde* et ses arcades, passages étroits mangés par la végétation, jardins secrets, placettes poétiques où glougloutent d'antiques et nobles fontaines, le vieux *quartier de la Ponche* avec son petit port de pêche et son hôtel de luxe du même nom (à l'origine, un simple bar à pêcheurs !), des vestiges de tours et remparts, le *portique du Revelen* bâti au XVe siècle, les superbes portails de serpentine verte, etc.
– Rue Gambetta, la *chapelle de la Miséricorde,* qui date du XVIIe siècle, possède un bien joli toit de tuiles vernissées bleues, vertes et dorées. *Rue Allard,* nombre de demeures présentent des détails pittoresques, comme la « maison du Maure » et sa tête de Barbaresque enturbanné.
– La croquignolette *place aux Herbes* n'a, elle, jamais changé, avec son adorable petit marché aux poissons, ses étals de légumes, de fruits et de fleurs...
– *Place de l'Hôtel-de-Ville,* noter cette porte insolite, véritable dentelle de bois qu'on dit avoir été sculptée par des « indigènes de Zanzibar ».
– *La place des Lices :* les joutes s'y déroulaient autrefois. Aujourd'hui, un marché animé s'y tient les mardi et samedi matin. D'âpres parties de boules opposent, de temps à autre, vieux pêcheurs à la retraite aux vedettes du show-biz, tandis que *Le Café* se transforme en *Deux-Magots* estival. Pour voir et être vu, comme toujours !

🎨🎨 *La citadelle :* ☎ 04-94-97-59-43. Avr-sept, tlj 10h-18h30 (nocturnes jusqu'à 20h-22h pdt les expos d'été) ; le reste de l'année 10h-12h30, 13h30-17h30. Entrée : 2,50 € et 5,50 € pour les expos ; réduc. Grimper jusqu'à la citadelle (une grimpette à affronter si possible de bon matin) et sur la terrasse du donjon (le point le plus haut de Saint-Tropez !), pour bénéficier du plus beau coup d'œil sur la forêt de toits aux tuiles patinées. Saluez en passant les paons majestueux. La citadelle fut édifiée aux XVIe et XVIIe siècles. Les canons qui gardent les murailles ont été pris aux Espagnols. On y grimpe surtout pour le panorama, mais les récentes expositions estivales de sculptures méritent aussi le trajet. Petit Musée naval fermé, en cours de restauration jusqu'en 2010.

🎨🎨 *Le cimetière marin :* en bord de mer, au pied de la citadelle. Un des rares en France fusionnant véritablement avec les flots. Certaines familles tropéziennes qui y sont enterrées descendent directement des 21 familles génoises qui relevèrent la ville au XVe siècle. La dernière demeure, toute sobre, de Vadim se trouve tout de suite à gauche de l'entrée, dans l'un des caveaux enchâssés dans le mur. Au fil des tombes, vous trouverez sans doute celle du peintre André Dunoyer de Segonzac et celle du général Allard, un enfant du pays au service de Napoléon, qui connut aux Indes une destinée peu commune en organisant les armées d'un maharadjah et en épousant une princesse sikh.

¶¶ 🕴 *La maison des Papillons :* 9, rue Étienne-Berny. ☎ 04-94-97-63-45. 🚻 (sf étage). Avr-oct, tlj sf dim 14h30-18h ; déc-mars, visite sur rendez-vous. Fermé en nov. Entrée : 3 € ; gratuit jusqu'à 8 ans. Petit musée joliment installé au rez-de-chaussée et à l'étage d'une maison de village, percée d'un adorable patio. Abrite plus de 20 000 lépidoptères du monde entier (sur 35 000 en stock !) capturés par Dany Lartigue, un grand voyageur-explorateur (et routard avant l'heure). Rien à voir avec une collection poussiéreuse ; les papillons sont mis en scène dans des compositions artistiques pleines de poésie. Quelques spécimens rarissimes, comme l'*Apollon noir du Mercantour,* qui, eux, sont soigneusement protégés dans des tiroirs-vitrines de muséum à l'ancienne. Également de touchantes photos de famille, souvenirs de son père, Jacques-Henri Lartigue, grand photographe, de son grand-père, compositeur, André Messager, de son fils Martin (dont le personnage de Petit Gibus dans la *Guerre des Boutons,* film d'Yves Robert, est resté dans toutes les mémoires).

Fêtes et manifestations

– *La Bravade :* 16-18 mai. L'une des plus vieilles traditions provençales. Son origine remonterait au XIIIe siècle, mais c'est en 1558 qu'on en trouve les premières descriptions. Fête patronale célébrant à la fois l'arrivée du corps de saint Torpes dans sa barque vermoulue et la défense de la cité, sur laquelle il fallait veiller jour et nuit. À cette occasion, un capitaine de ville est élu. La statue du saint parcourt la ville en procession. D'archaïques pétoires et autres tromblons font parler la poudre. La ville se pare de rouge et de blanc, couleurs des corsaires.

– *La petite Bravade, dite « des Espagnols » :* le 15 juin. Elle commémore une victoire navale des Tropéziens contre une vingtaine de galères espagnoles, en 1637. Elle fut d'ailleurs instituée par décret, cette année-là, par le « conseil vieux et nouveau » de la ville.

– *Les Voiles de Saint-Tropez :* fin sept ou début oct. Le plus beau rassemblement de vieux gréements de la Méditerranée. Gros succès, alors pensez à réserver votre hôtel à l'avance et faites-vous à l'idée que vous allez en payer le prix comme en juillet-août...

Les plages

🛶 *La plage des Graniers :* la plus proche du centre, près du cimetière. Facilement accessible à pied. Vite bondée. Un peu plus loin, la *baie des Canebiers* attire tout autant de monde mais possède quelques criques.

🛶 *La plage des Salins :* à env 4 km à l'est. Toute petite. Peu de place pour se garer. Quasiment vide en basse saison.

🛶 *La baie des Canebiers :* avec la célèbre *Madrague* de Bardot et la *Treille Muscate* de Colette, remise au goût du jour par le sitcom *Sous le soleil* (signe des temps !).

🛶 *La plage de la Bouillabaisse :* à l'entrée du village, sur la gauche.

🛶 Voir plus loin la partie « Ramatuelle » puisque les plages mythiques de Saint-Tropez sont à... *Ramatuelle.*

Randonnées

➢ **Le tour de la presqu'île :** c'est une portion du sentier du littoral. Un sentier piéton balisé part de la *plage des Graniers* et effectue le tour de la pointe nord-est de la presqu'île (par la *pointe de Rabiou,* le *cap de Saint-Tropez,* la *pointe de Capon)* jusqu'à la *plage de Tahiti.* Compter une douzaine de kilomètres. Chouettes vues sur les contreforts du massif des Maures et les fantastiques paysages de l'Estérel. Variante possible : après la baie des Canebiers, le chemin communal des Salins menant directement à la plage des Salins. Des itinéraires balisés par le Conservatoire du littoral circulent entre les pins parasols. Les plus courageux peuvent pousser jusqu'au cap Camarat après la plage de Pampelonne. Est-il alors besoin de préciser que le camping sauvage et le vélo sont interdits ?

➢ Possibilité aussi d'une courte excursion à la petite **chapelle Sainte-Anne,** au sud de la ville. Compter 4 km. Construite au XVIIe siècle, pour remercier Dieu d'avoir épargné la région de la peste qui frappait la Provence. Pittoresques ex-voto et beau panorama sur le golfe.

RAMATUELLE

(83350) 2 170 hab.

Vieux village accroché à flanc de colline, dominant les vignobles. Ses maisons lui servent d'enceinte. Abondamment restauré et très touristique en haute saison, Ramatuelle a conservé un brin d'esprit de clocher pas désagréable. Au centre, la place de l'Ormeau semble avoir été figée pour l'éternité avec son bon vieux bistrot sous les frondaisons. Nombreux artisans et pas mal de restos. Balade plaisante dans ses ruelles étroites à arcades. Au cimetière, tombe très visitée, depuis 1959, de Gérard Philipe et de sa femme Anne. Facile à trouver : contre le mur à droite. C'est le plus simple et le plus émouvante (juste une pierre blanche sous un chêne vert).

Adresse utile

🛈 **Office de tourisme :** pl. de l'Ormeau. ☎ 04-98-12-64-00. ● ramatuelle-tourisme.com ● Juil-août, lun-ven 9h-13h, 15h-19h30 et w-e 10h-13h, 15h-19h ; le reste de l'année, lun-ven 9h-12h30, 14h-18h, ainsi que sam 10h-13h, 15h-19h avr-juin et en sept-oct.

Où dormir ?

Campings

On accède aux différents campings en empruntant la route des Plages entre Ramatuelle et Saint-Tropez. En juillet-août, 4 à 5 bus quotidiens (n° 105) relient les deux villages par cette même route.

🏕 🏠 **Camping à la ferme et gîtes Les Eucalyptus :** Pampelonne, chemin des Moulins. ☎ 04-94-97-16-74. ● leseucalyptus.com ● Assez excentré de la route des Plages, y aller en voiture. Camping ouv de juin à mi-sept ; gîtes de mi-avr à mi-oct. Forfait pour 2 pers avec voiture et tente 17-22 € selon saison. Douche payante. Gîte pour 2-3 pers 395-685 €/sem. Possibilité de loc à la nuit : 59-106 € pour 2-3 pers selon saison. Un charmant et tranquille petit camping ombragé par les pins. Rien à voir avec l'ambiance des autres campings de la côte. Normal, il n'y a qu'une vingtaine d'emplacements ! Et la plage de Pampelonne est à 100 m du camping, accessible par un petit chemin privé serpentant entre les vignes de la propriété. Dans la maison viticole familiale, studios et appartements avec cuisine équipée, chacun avec terrasse privée. Possibilité de prendre le petit déjeuner dans le jardin au milieu de superbes oliviers.

⌗ *Les Tournels* : route de Camarat. ☎ 04-94-55-90-90. • info@tournels. com • tournels.com • À 700 m de la mer. Arrêt du bus n° 105 à 500 m env. Ouv début mars-début janv. Forfait pour 2 pers avec voiture et tente 19-45 € selon saison. Loc de bungalows 329-952 €/sem. C'est le plus éloigné de Saint-Trop' mais l'un des plus sympas car il s'étage sur une colline au milieu des pins. Une véritable petite ville de près de 1 000 emplacements. Bien ombragé. De la terrasse de certains bungalows, belle vue sur le golfe de Saint-Tropez. Piscine avec sauna, hammam, etc.

⌗ *Camping à la ferme, chez Marcel* : chemin des Boutinelles, Le Fond-du-Plan. ☎ 04-94-79-86-07. • infobastide@ yahoo.fr • À 1 km des plages de Pampelonne et de L'Escalet. Prendre la route de Camarat, puis traverser le petit pont sur la droite. À 300 m env après le magasin d'alimentation Spar, panneau sur la droite. Le bus n° 105 passe à 500 m env. Ouv avr-oct. Résa vivement conseillée. Forfait pour 2 pers, avec voiture et tente, 18,50 € ; 1 bungalow 190-310 €/sem. Une vingtaine de places. Ombragé et agréable, au milieu des vignes. Ambiance familiale.

⌗ *Camping La Croix du Sud* : route des Plages. ☎ 04-94-55-51-23. • cplcroixdu sud@atciat.com • campeole.com • À 2 km de la mer. Arrêt du bus n° 105 juste devant. Forfait pour 2 pers avec voiture et tente 36,10 € en hte saison. Loc de bungalows et mobile homes env 370-825 €/sem. Assez surchargé, mais les emplacements sont séparés par pas mal de verdure. Petite piscine et resto.

De plus chic à beaucoup plus chic

⌂ *Chambres d'hôtes Leï Souco* : quartier Le Plan, route des Plages. ☎ 06-10-09-73-76. • leisouco.com • À 3,5 km du village, par la route des Plages, tourner à droite après la station-service. Congés : de mi-oct à fin mars. Doubles avec douche et w-c ou bains, TV satellite et Canal +, 76-116 € selon saison. Difficile d'imaginer qu'on est à seulement 7 km de Saint-Trop'. Ici, rien de surfait. De belles chambres accueillantes dans un mas provençal tranquille, entouré d'oliviers et de mûriers. On peut lire en terrasse, faire un tour dans les vignes (il y en a 10 ha !). Tennis. Propreté irréprochable. Un coup de cœur !

⌂ *Résidence Motel des Sellettes* : chemin de l'Oumède. ☎ 04-94-79-88-48. • motel.sellettes@tiscali.fr • http:// sellettes.chez.tiscali.fr • À 4 km du village, par la route des Plages ; panneau sur la gauche. Congés : nov-fin mars. Studios pour 2 pers avec douche et w-c ou bains, TV satellite 70-146 € selon saison. Possibilité de forfaits à la sem. Également des apparts pour 4-6 pers. Réduc de 10 % accordée en oct sur

présentation de ce guide. Les studios sont modernes, en rez-de-jardin, très fonctionnels avec une mezzanine. Et puis, il y a les vignes, la pinède, la piscine, le calme, la plage de Pampelonne à 10 mn.

⌂ |●| *La Figuière* : route de Tahiti. ☎ 04-94-97-18-21. • la.figuiere@wana doo.fr • ♿ Congés : de mi-oct à début avr. Doubles avec douche et w-c ou bains, TV satellite 100-250 € selon saison. Compter env 45 € à la carte du resto. Géographiquement plus proche de Saint-Tropez que de Ramatuelle et à seulement 500 m de la plage de Pampelonne. Une classieuse maison de campagne provençale, au cœur du vignoble. Une adresse raffinée qui conjugue proximité de la plage, architecture de mas provençal, vignes et piscine. Chambres fraîches et confortables, les moins chères dans le bâtiment principal autour de la piscine, les autres divinement plantées face aux vignes... Toutes avec clim', coffre, minibar et téléphone. Accueil assez classe. Cuisine fraîcheur dans l'air du temps au resto.

Où manger ?

Côté plage

Le long de la plage de Pampelonne, en saison, les parkings sont payants (4 €) jusqu'à 17h.

De prix moyens à plus chic

I●I **Plage de L'Orangerie :** bd Patch, plage de Pampelonne. ☎ 04-94-79-84-74. ⚐ Ouv le midi (jusqu'à 17h) de mai à fin sept. Env 25 € à la carte pour un repas complet. Café et digestif maison offerts sur présentation de ce guide. Un bar-resto sympa au cadre un brin exotique. Salades, poisson frais grillé, plat du jour.

I●I **Les Murènes (Cap 21) :** bd Patch, plage de Pampelonne. ☎ 04-94-79-83-15. Ouv le midi 1er fév-31 oct. Env 40 € à la carte. On vous conseille de prendre du poisson. Bon rapport qualité-prix pour ce resto largement ouvert sur la plage et qui tient le cap.

I●I **Key West Beach :** bd Patch, plage de Pampelonne. ☎ 04-94-79-86-58. ● key-west-beach@wanadoo.fr ● ⚐ Ouv tte l'année, le midi ; midi et soir en juil-août. Carte env 40 €. Un resto monté sur des planches au cadre un tantinet classe. L'ambiance, ici, ne manque pas. Surtout le soir en été, quand il y a de la salsa dans l'air. Bonne cuisine exotique (loup à la thaïe, poulet noix de

cajou...) ou poisson grillé. Une de nos adresses préférées dans le coin.

I●I **Les Bronzés :** plage de Pampelonne, route de Bonne-Terrasse. ☎ 04-94-79-81-04. ● michel.perez@wanadoo.fr ● Au pied du cap Camarat. Ouv d'avr à mi-oct env. Carte env 35 €. Apéritif maison offert sur présentation de ce guide. Resto-bar en bordure de plage privée. Une cuisine méditerranéenne toute simple, proposant notamment l'incontournable aïoli (à déguster le vendredi) et les filets de mérou à l'ail et au safran.

I●I **Le Migon :** plage de Pampelonne, route de Bonne-Terrasse. ☎ 04-94-79-93-85. Fermé mer, plus mar hors saison. Congés : de nov à mi-déc. Carte env 30 €. Café et digestif maison offerts sur présentation de ce guide. Un genre de paillote améliorée tout en bois et face à la mer. De jolies nappes et des bouquets de fleurs : un cadre sympathique donc. Carte généreuse en salades. Sinon, cuisine aux tonalités provençales qui se défend bien.

Côté village

I●I **L'Estable :** 6, rue Victor-Léon. ☎ 04-94-79-10-76. Ouv tlj sf le soir en sem en basse saison. Congés : de début nov à mi-fév. Plat du jour 13,80 € ; carte env 20 €. Apéritif maison offert sur présentation de ce guide. Dans une petite

salle climatisée aux murs blancs et à la déco rustico-provençale, ou installé sur une jolie terrasse en bord de rue, on y savoure une cuisine régionale honnête et des pizzas maison. Accueil sympathique.

Sur la route des Plages

I●I **Le Will :** route des Plages. ☎ 04-94-79-81-45. ⚐ À env 3,5 km de Ramatuelle en direction de Saint-Tropez. À droite, juste avt la station-service Total. Fermé ts les midis et lun. Congés : de mi-oct à Pâques. Menu 25 € et carte. Ni en bord de plage ni dans le village,

mais tout simplement au milieu des vignes ! Comme il est doux de prendre le frais sous les pins où pendent quelques loupiotes multicolores, et ce n'est pas vos chères têtes blondes gambadant en toute quiétude qui nous contrediront ! Le choix n'est pas très large, mais les poissons et les viandes sont bons. Pas mal de monde, ce n'est pas un hasard...

I●I Auberge de l'Oumède : *chemin de l'Oumède.* ☎ *04-94-44-11-11.* ● *contact@ aubergedeloumede.com* ● *À 3 km du centre, par la route des Plages ; panneau sur la gauche. Ouv slt le soir en hte saison. Compter 30-35 € à la carte le midi, 70 € le soir.* Parmi les vignes, un mas provençal accueillant où l'on se régale le soir de petits farcis, de cannellonis de rouget aux épinards, d'un parmentier de queue de bœuf au foie gras de canard. Belle terrasse. Salle élégante et tables raffinées. Cuisine plus basique le midi. Pour qui voudrait prolonger le plaisir, quelques toutes nouvelles chambres, superbes mais à des prix très tropéziens. Piscine chauffée.

À voir

🎄 **L'église Notre-Dame :** du XVIe siècle. Très beau portail en serpentine, de 1620. L'église est appuyée sur les anciens remparts (le chemin de ronde passe encore sur le toit !). Le clocher était d'ailleurs à l'origine une tour de guet. À l'intérieur, statuaire pas inintéressante : deux statuettes en bois doré du XVIe siècle, un buste de saint André, patron de Ramatuelle, taillé dans une souche de figuier, et deux retables du XVIIe siècle.

Les plages

🏖 **La plage de Pampelonne :** la plus longue plage de Ramatuelle (5 km de sable fin), qui abrite quelques établissements très jet-set. On y accède en empruntant les différents petits chemins qui bifurquent depuis la route des Plages. Pour ceux qui ne sont pas véhiculés, bus n° 105 depuis la gare routière de Saint-Tropez (4 à 5 départs quotidiens en juillet-août). Parkings payants (de mai à octobre). Au cœur de l'été, l'horizon est bouché par une véritable barrière de yachts de luxe. Sur la plage, une trentaine d'établissements à des prix pas franchement démocratiques (voir précédemment « Où manger ? ») où, comme à Saint-Tropez, l'important est moins de regarder ce qu'on avale que de voir et d'être vu. Tout ça fait un peu tache dans un site considéré par plusieurs décisions de justice comme « paysage remarquable » au titre de la loi Littoral, non ? En saison s'y agglutinent près de 25 000 visiteurs par jour. Cela dit, il reste à Pampelonne des portions où l'on peut un peu plus respirer ; en gros, plus on va vers le sud (soit vers le cap Camarat), considéré comme beaucoup moins chic, voyez-vous, plus on est tranquille.

🏖 **La plage de L'Escalet :** plus au sud, entre le cap Camarat et le cap Taillat, accessible par une petite route. Parking gratuit oct-mai ; payant juin-sept. Des mini-bandes de sable alternant avec des criques et des eaux profondes, vivifiantes et claires. Nettement moins de monde.

🏖 **La plage de Taillat :** la plus au sud. Pour ceux qui ne supportent pas les foules et les douches au champagne. Le seul moyen pour s'y rendre est d'y aller à pied, depuis la plage de L'Escalet, par exemple, en trottant 30 mn sur le sentier du littoral.

Fêtes et manifestations

– **Les santons de Ramatuelle :** *2 sem en avr.* Expo-vente de santons. Entrée payante.

– **Les Temps musicaux :** *1 sem fin juil.* Musique classique essentiellement.

– **Festival de Ramatuelle :** *la 1re quinzaine d'août.* Dirigé par Michel Boujenah. Programme plutôt éclectique, de Molière à Gad Elmaleh (!).

– **Jazz Festival :** *mi-août, pdt une petite sem.*

– **La Provence des Noël :** *de mi-déc à début janv.* Crèches dans la rue, village illuminé, animations.

GASSIN

(83580)   2 800 hab.

Par une route en lacet, on atteint ce village perché propret, classé parmi les « Plus beaux villages de France » (donc très touristique). Mais il faut bien reconnaître que du belvédère, le panorama est époustouflant sur toute la région et le golfe de Saint-Tropez ! Vestiges de remparts, de ruelles et de passages charmants. Quand il fait trop chaud sur la côte, c'est une saine habitude de venir y boire un verre de vin du pays au frais, entre chien et loup. Car Gassin a su rester fidèle à sa viticulture, ce qui fut autant bénéfique à son économie qu'à son environnement. Les domaines possèdent des étiquettes qu'il ne tient qu'à vous de collectionner en allant acheter quelques bonnes bouteilles ici et là...

Adresse utile

🏛 *Maison du tourisme Golfe de Saint-Tropez – Pays des Maures :* carrefour de La Foux, 83580 Gassin. ☎ 04-94-55- 22-00. ● st-tropez-lesmaures.com ● En été, lun-ven 9h-19h ; w-e et j. fériés 9h30-18h (17h30 dim).

Où manger ?

🍽 *Au Vieux Gassin :* pl. Deï-Barri. ☎ 04-94-56-14-26. Ouv tlj. Congés : de fin oct à mi-mars. Menus 19,50 € le midi en sem, puis 24-55 €. À partir de 14h, c'est « à la pièce » (à choisir parmi les propositions du jour). Digestif maison offert sur présentation de ce guide. Un bien joli resto, au cadre soigné et fleuri. En saison, on a du mal à résister à sa terrasse ombragée et à ses tables nappées de tissus provençaux. Salades et plat du jour plutôt bon marché. Cuisine honnête qui hésite entre ses racines provençales et des plats venus d'ailleurs.

🍽 *Auberge La Verdoyante :* 866, chemin de la Coste-Brigade. ☎ 04-94-56- 16-23. ● la.verdoyante@wanadoo.fr ● À la sortie de Gassin, à 1 km du village par la petite route partant à droite du cimetière, prendre ensuite un chemin de terre (fléché). Fermé lun midi et mer en saison ; lun-jeu en fév-mars. Congés : de mi-nov à début fév. Menus 27-48 € et carte. Grande maison dans la campagne, jouissant d'une situation exceptionnelle avec vue sur le golfe de Saint-Tropez. Grande salle bien agréable aux grosses poutres. À partir de mai, on mange évidemment en terrasse au son des cigales. Cuisine de région au goût d'aujourd'hui. Accueil et service courtois, voire un peu précieux.

À voir

🕯 *L'église :* elle date du XVIe siècle. À l'intérieur, très ancien bénitier en marbre blanc orné de quatre têtes d'anges et un buste en bois doré de saint Laurent, patron du village, ainsi que quelques beaux tableaux de l'époque de la construction. Petite histoire amusante : le curé de la paroisse, ne voulant pas payer les frais de la cérémonie de consécration que l'évêque désirait présider, s'enfuit avec la clé de l'église. C'était en 1582, mais c'est à méditer !

PORT-GRIMAUD

(83310)

Situé à 7 km de Saint-Tropez, sur la route de Fréjus. Vaut la peine d'y jeter un œil (mais vous y serez rarement seul : c'est désormais l'une des villes les plus visitées de France).

Un des rares ensembles immobiliers modernes réussis de la Côte, comptant désormais 2 500 habitations et 7 km de voies navigables bordées par 12 km de quais. Construit à partir de 1966 sur un terrain marécageux de 100 ha par l'architecte alsacien François Spoerry (on lui doit, dans un tout autre genre, la tour de l'Europe à Mulhouse) en forme de village méditerranéen typique et coloré, autour d'un canal à la vénitienne. Et pour une fois, c'est la mer qui a gagné sur la terre et non l'inverse puisque l'architecte a permis à celle-ci d'entrer par les nouveaux canaux...

Parking (payant) pour la voiture, puis balade à pied. Possibilité aussi d'emprunter une navette pour remonter le canal. Visite de 20 mn avec un des « coches d'eau » affrétés pour le transport de passagers dans la cité lacustre. *Départ pl. du Marché, tte l'année, sf 15 nov-15 déc.* ☎ 04-94-56-21-13.

On peut aussi grimper sur la terrasse de l'église Saint-François (qui imite une église fortifiée, vitraux de Vasarely), pour s'offrir une vue d'ensemble du port, désormais classé Patrimoine du XXᵉ siècle.

Adresses utiles

🛈 *Office de tourisme :* chemin communal. ☎ et fax : 04-94-56-02-01. Hors saison, lun-sam 9h-12h30, 14h15-17h30 (14h30-18h15 à la mi-saison) ; juil-août, 9h-12h30, 15h-19h et dim 10h-13h. Possibilité aussi de contacter l'office de tourisme de Grimaud (voir le chapitre suivant).

■ *Location de vélos, scooters, motos :* Bike Shop, Les vitrines du Soleil, RD559. ☎ 04-94-96-65-86.

Où manger ?

|●| *La Table du Mareyeur :* 10 et 11, pl. des Artisans. ☎ 04-94-56-06-77. ● in fo@mareyeur.com ● Hors saison, fermé lun, mar midi et sam midi ; en hte saison, fermé le midi lun, mar, mer, ven et sam. Congés : 1ᵉʳ nov-21 déc et 7 janv-15 mars. Formule déj 25 €, vin et café compris ; menu 55 € avec terrine de foie gras et médaillons de langouste. Repas à la carte 50-60 €. Apéritif maison offert sur présentation de ce guide. Toutes les tables sont au bord de l'eau. Terrasse fleurie en été, fermée et chauffée en hiver, la grande classe. Une superbe adresse, en toute saison, au cœur de la cité lacustre, pour les amateurs de fruits de mer et de bon poisson, cuisinés avec talent : *fettucine* aux écrevisses sauce homardine, gambas sur lit d'épinards et pommes de terre sauce champagne, etc. Et puis, si vous ne voulez pas vous déplacer, la maison propose un service de livraison à domicile de plateaux de fruits de mer.

|●| *Pasta et Via :* 10, pl. du Marché. ☎ 04-94-56-54-62. Congés : de nov à mi-mars. Compter 15 €. Sur la place, la petite adresse qui dépanne : pâtes, pizzas et autres petits plats à l'italienne.

GRIMAUD   (83360)   3 750 hab.

Un des villages-pitons les plus célèbres de la région. Évidemment très touristique, même s'il a conservé un caractère provençal marqué (aucune rue du village ne porte par exemple le nom d'un personnage historique ou célèbre). Restauré, abondamment fleuri, il propose une délicieuse promenade mi-ombre mi-lumière, dans ses ruelles entrelacées et sur ses délicieuses places, avec arrêts pour souffler et admirer au passage escaliers de pierre, lourdes portes en bois, façades cachées sous les bougainvillées. Une longue marche qui vous mènera, épuisé mais ravi, vers le superbe château féodal en ruine.

Adresse utile

🅸 *Office de tourisme :* 1, bd des Aliziers. ☎ 04-94-55-43-83. ● grimaud-provence.com ● Ouv tte l'année. Lun-sam 9h-12h30, 14h15-17h30 (14h30-18h15 mi-saison, 15h-19h juil-août). Propose dans ses brochures plusieurs petits circuits de randonnée et un circuit de découverte du vieux village et de ses monuments (gratuits).

Où dormir ?

Camping

⚓ *Camping Charlemagne :* Le Pont-de-Bois, route de Collobrières. ☎ 04-94-43-22-90. ● infos@camping-charlemagne.com ● camping-charlemagne.com ● De Grimaud, direction La Garde-Freinet, c'est juste avt la bifurcation pour Collobrières. Ouv tte l'année. Emplacement pour 2 pers avec tente 16-20 € selon saison. Loc de caravanes et tentes tt équipées, de mobile homes et de chalets 260-590 €/sem. Un camping familial bien ombragé. Une cinquantaine d'emplacements pour les tentes. Sanitaires corrects. Piscine, ping-pong, épicerie, dépôt de pain et resto en été. Très bon accueil.

De prix moyens à plus chic

🛏 *Chambres d'hôtes domaine du Prignon :* route du Val-de-Gilly. ☎ 04-94-43-34-84. ● http://leprignon.free.fr ● Prendre d'abord la direction de Collobrières. Ouv tte l'année. Doubles avec douche et w-c 60-67 € selon saison, petit déj compris. Sur présentation de ce guide, une bouteille de vin offerte à partir de 3 nuits. Aux portes de Grimaud, entre vignes et collines, trois chambres coquettes, toutes entretenues avec soin et amour, dans un agréable domaine viticole. Vous pourrez toujours déguster le vin maison à la fraîche. Pas de table d'hôtes, mais faites confiance à votre hôtesse pour vous indiquer ses adresses...

🛏 *Hôtel Le Ginestel :* chemin des Blaquières. ☎ 04-94-43-48-45. ● leginestel.hypermart.net ● À 3 km du village de Grimaud, en direction de Port-Grimaud. Ouv mai-sept. Doubles avec douche et w-c 56-75 € selon saison. Parking gratuit. Des chambres du style motel, sans charme mais ayant toutes une terrasse privée donnant sur le parc et la piscine. La Giscle coule en contrebas, mais le charme s'arrête là aussi. Valable surtout en basse saison, d'autant plus que les prix ne s'affolent pas.

Plus chic

🛏 *Hôtel La Pierrerie :* RD 61, quartier du Grand-Pont. ☎ 04-94-43-22-55 ou 24-60. ● info@lapierrerie.com ● lapierrerie.com ● À 2 km de Port-Grimaud par la D 61, en direction de Saint-Tropez. Congés : 10 janv-20 mars et 10 nov-20 déc. Doubles avec douche et w-c ou bains, TV (satellite et Canal +) 75-107 € selon saison. En basse saison et sur présentation de ce guide, la 7e nuit consécutive est gratuite. Gentil petit hôtel qui semble perdu en pleine campagne, à un jet de pierre pourtant des foules du golfe de Saint-Tropez. Cet ensemble de petits bâtiments en pierre noyés dans les fleurs et la verdure évoque d'ailleurs un mas provençal. Et quel calme ! Chambres confortables (toutes climatisées), avec un certain cachet. Agréable piscine.

🛏 *Hôtel Athénopolis :* quartier Mouretti. ☎ 04-98-12-66-44. ● hotel@athenopolis.com ● athenopolis.com ● 🍴 À 3 km de Grimaud, sur la route de La Garde-Freinet. Congés : nov-mars. Doubles avec douche et w-c ou bains, TV satellite 82-110 € selon saison ; petit déj 9 €. Sur présentation de ce guide,

10 % de réduc sur le prix de la chambre en avr-mai et sept-oct. Le nom de l'hôtel fait référence au comptoir grec qui a donné naissance à Saint-Tropez. Et l'entrée de l'établissement dans le genre gréco-romain peut faire peur, on vous l'accorde. Une fois arrivé au milieu du parc, on respire mieux. Des chambres climatisées (sans colonnes) et décorées dans les tons pastel, avec loggia ou terrasse, une piscine qui en jette, et surtout un environnement et une atmosphère paisibles (malgré peut-être le bruit de la route ?).

Où manger ?

|●| *Le Pâtissier du Château :* 19, bd des Aliziers. ☎ 04-94-43-21-16. ✗. Tlj sf mer 7h-19h. Congés : fév et nov. Formule 11 € avec une salade, une tourte, un dessert et un verre de vin. À prendre sur le balcon ou en terrasse aux beaux jours. Pour les gourmands et amateurs de sucré-salé, une super adresse, du petit déj au *teatime,* autour d'une tarte au citron (pas donnée mais délicieuse !), en passant par les tourtes aux herbes le midi.

À voir

🕏 *Le musée des Arts et Traditions populaires :* route départementale, à 100 m de l'office de tourisme. ☎ 04-94-43-39-29 ou numéro de l'office de tourisme, voir plus haut. Mai-sept, ouv lun-sam 14h30-18h ; oct-avr, ouv lun-sam 14h-17h30. Entrée gratuite. Installé dans les bâtiments d'un ancien moulin à huile (au 1er étage subsistent les niches de pierre appelées « chapelles » où l'on pressait les olives) et d'une bouchonnerie. Outils de la forêt, des champs, de la vigne, de la forge, harnais et licols, meubles provençaux... On peut également y voir un appartement provençal typique du XIXe siècle. Expos à thème toute l'année.

🕏🕏 *Le vieux village :* on y grimpe par la *rue du Porche,* où les Grimaudois discutent le coup à l'ombre des micocouliers sur le banc dit « des menteurs » (sic !). À deux pas, mignonnette *place du Cros.* La *rue des Templiers* est la plus spectaculaire du vieux village et la plus belle avec ses élégantes arcades de basalte. Au n° 10, belle porte en serpentine du XVIIIe siècle.

🕏🕏 *L'église Saint-Michel :* un petit bijou d'église romane provençale (fin XIIe-début XIIIe siècle) qui n'a subi que peu de modifications (un clocher ajouté au XVIe siècle, une sacristie au XVIIIe siècle). Évidemment d'une grande pureté de lignes et d'une certaine austérité. À l'intérieur, un bénitier du XVe ou XVIe siècle, en marbre blanc, qui aurait été offert par le célèbre roi René. Vitraux modernes de Jacques Gaultier (1975). Fresque du XIXe siècle montrant saint Michel terrassant le dragon...

🕏 *La chapelle des Pénitents :* encore un édifice roman. Mignonne petite chapelle de la fin du XVe siècle, agrandie au XVIe siècle et modifiée au XVIIIe siècle. Un petit air mexicain. Joli retable et reliques de saint Théodore.

🕏🕏 *Le château :* quelques vieilles pierres encore dignes, seuls vestiges d'un puissant château médiéval (XIe-XVe-XVIIe siècle) pillé à la Révolution. On distingue nettement les trois enceintes, et le corps de logis est toujours flanqué de deux grosses tours rondes et d'un donjon médiéval.

🕏 Redescendre place du Château et, sur la gauche, rue de Clastre. Rejoindre la rue de la Cabre-d'Or pour aller vers le *moulin à vent de Saint-Roch,* entièrement restauré et remis en état de moudre en 1990. Plein de touffes de lavande tout autour. À voir et à humer. Se visite en juil-août, rens à l'office de tourisme de Grimaud. Gratuit.

Manifestation

– **Les Grimaldines :** en juil-août. Rens : ☎ 04-94-55-43-83. Concerts de musique du monde au château (payants), avec des avant-spectacles (gratuits) dans les rues du village.

COGOLIN
(83310)   9 180 hab.

Charmante petite ville qui vit à l'année, et qui vit plutôt bien, au pied du massif des Maures. Cogolin a conservé un centre ancien qui mérite une petite balade. Propriété des chevaliers de Malte, le château qu'ils avaient fait construire n'a en revanche pas résisté aux guerres de Religion.

> **DU COQ À L'ÂME !**
>
> *La légende veut que ce soit le coq accompagnant le corps du martyr Torpes, devenu saint par la suite, qui soit à l'origine de la ville. Lorsque l'embarcation toucha les côtes, le coq s'envola et se posa au milieu d'un champ de lin, d'où le « coq au lin » !*

À 5 km du village en direction de Saint-Tropez par la N 98 se trouvent les *Marines de Cogolin,* construites entre la rive droite de la Giscle et la plage. Complexe portuaire, plage, base nautique, le tout sans charme fou.

Adresses et infos utiles

ⓘ Office de tourisme : pl. de la République. ☎ 04-94-55-01-10. ● cogolin-provence.com ● En été, lun-sam 9h-13h, 14h-18h30 ; horaires réduits hors saison.

■ Promenades en mer : Taxi Bateau Brigantin, chemin de Magnan. ☎ 04-94-54-40-61. Propose des balades en mer pour découvrir la baie des Canoubiers et ses villas de stars... Sorties « pêche en mer » également. Sinon, excursions maritimes avec **La Pouncho**

(☎ 04-94-97-09-58). Liaisons entre Saint-Tropez et les Marines de Cogolin. Plein d'excursions vers les plus beaux sites maritimes de la région. Également **Les Bateaux Verts,** basés à Sainte-Maxime (☎ 04-94-49-29-39). Même type de liaisons.

– **Marchés :** ven mat en été. Autres rendez-vous pour les amateurs de marché provençal : mer mat pl. Victor-Hugo et sam mat pl. de la République (attention de ne pas y stationner la veille !).

Où dormir ?

Camping

⚑ **Camping de L'Argentière :** chemin de L'Argentière, D 48, Grenouille. ☎ 04-94-54-63-63. ● camping-largentiere@wanadoo.fr ● camping-argentiere.com ● ⚑ Bus n° 104 (Saint-Tropez – Saint-Raphaël), arrêt « Chemin de L'Argentière », puis env 1,5 km à pied ! En bordure de la D 48, direction Collobrières. À env 5 km des plages des Marines de Cogolin et de Port-

Grimaud. Ouv avr-fin sept. Forfait pour 2 pers avec voiture et tente 22 € en hte saison. Loc de mobile homes et de bungalows 240-690 €/sem. Digestif maison offert sur présentation de ce guide. Un camping calme et ombragé à la lisière du village. Piscine, tennis, snack-bar (en saison) et alimentation. Concerts (variété et disco) tous les soirs.

De prix moyens à beaucoup plus chic

🛏 |●| **Coq'Hôtel :** pl. de la Mairie. ☎ 04-94-54-13-71. ● coqhotel.com ● En plein centre. Resto fermé mer. Congés : janv. Doubles avec douche et w-c ou bains, TV satellite 60-90 € selon saison. Menu 25 €. Parking privé payant. Réduc de 10 % sur le prix de la chambre d'oct à mars sur présentation de ce guide. Un établissement à l'ambiance familiale, au cadre agréable et aux prix qui ne vous feront pas grimper sur vos ergots ! Il porte d'ailleurs très bien son nom, si l'on en juge par la superbe collection de coqs sous toutes les formes ! Pourquoi le coq ? Lisez donc l'introduction à la ville et le panneau à l'entrée de l'hôtel. Chambres rénovées, certaines avec terrasse (côté place, plus bruyantes donc, mais climatisées et insonorisées, en principe...). Agréable jardin pour le petit déj. Cuisine provençale et voyageuse.

🛏 **Hôtel La Maison du Monde :** 63, rue Carnot. ☎ 04-94-54-77-54. ● info@lamaisondumonde.fr ● lamaisondumonde.fr ● Congés : de début nov à mi-mars. Doubles avec douche et w-c, TV 75-185 € selon taille et saison. Un petit déj par chambre et par nuit offert sur présentation de ce guide. Une maison d'une beauté sereine pour voyageurs amoureux d'un confort certain autant que d'un certain art de vivre. Intérieur entre Asie et Provence, où le mariage du contemporain et de l'ancien, du rustique et de l'exotique est parfaitement maîtrisé. Une douzaine de chambres, claires, à la déco minimaliste mais chaleureuse. Demandez de préférence celles côté jardin, la rue s'avérant un peu bruyante. Piscine extérieure dans la verdure.

Où manger ?

Dans le village

De prix moyens à plus chic

|●| **Le Coq o Lin :** 40, rue Marceau. ☎ 04-94-54-60-50. ♿ Fermé lun, mar et mer soir. Menus 13 € (le midi en sem)-27 €. Salle cossue et rustique, vaisselle du pays (tout comme les patrons !). Petit jardin en été. Très bonne viande (on est ici boucher de père en fils), mais, rassurez-vous, en même temps que la carte, on vous présente la pêche du jour dans une assiette.

|●| **Sixième Sens :** 28, rue Gambetta. ☎ 04-94-54-72-41. Tlj sf mar et mer midi. Carte 15-20 € env. Derrière la terrasse (un peu sur la rue...), une salle de poche entre des murs de pierre. Plats de pâtes, tartines et autres salades pour un déjeuner léger. Quelques petits trucs un peu plus travaillés (et avec de l'idée) pour le soir. Service gentil tout plein.

|●| **Pizza del Sol :** 34, rue Gambetta. ☎ 04-94-54-47-39. ● delsolcogolin@aol.com ● Hors saison, ouv slt le midi en sem ainsi que sam soir, fermé dim ; en saison, ouv tlj en sem, slt soir le w-e. Fermé les j. fériés. Congés : 2de quinzaine d'oct et de Noël au Nouvel An. Formule et menus 14-26 €. Café offert sur présentation de ce guide. La pizzeria classique : patron accueillant, pizzas copieuses, clientèle d'habitués et petits prix. Terrasse.

|●| **Allan Restaurant :** 24, bd de Lattre-de-Tassigny. ☎ 04-94-54-47-70. ♿ Fermé dim et lun (lun et à midi en juil-août). Congés : 1re quinzaine d'août et de mi-nov à mi-déc. Menu 36 € ; carte env 50 €. Une brasserie au cadre élégant. Aux beaux jours, on préférera certainement la terrasse dissimulée derrière une haie de bambous. Cuisine toute de simplicité et de fraîcheur, dans l'esprit de la région mais qui s'offre aussi quelques petits détours exotiques. Le patron n'a pas trop de chemin à faire pour dénicher de bons produits de terroir, puisque son resto se trouve juste en face de la place du marché.

Aux Marines de Cogolin

À 6 km environ du village, en prenant la direction de Saint-Tropez jusqu'au célèbre carrefour de La Foux.

|●| ***L'Olivier sur le Port :*** *quai la Galiote. ☎ 04-94-56-19-27. ● krist83@oliviersurleport.fr ● ✗. Sur le port, saperlipopette ! Fermé le midi 21 juin-5 sept ; lun tte la journée et mar midi hors saison. Congés : de janv à mi-fév. Résa conseillée. Menus 19,90-34,90 € et carte.* Si aucun ouragan ne vient perturber la bonne marche de ce gentil resto, autant vous le dire tout de suite, il restera sans doute le meilleur rapport qualité-prix du secteur ! Il faut dire que même le premier menu, servi également le soir, n'est pas un médiocre produit d'appel ni un attrape-touristes. Du presque gastro, servi avec de grands sourires. Alors, imaginez les autres menus... Préférez les jolies tables en terrasse à la réservation.

Où dormir ? Où manger dans les environs ?

De prix moyens à plus chic

🛏 ***Les Gîtes du Merle :*** *chemin de la Gravière. ☎ 04-94-54-43-90. ● gitedumerl@aol.com ● gitesdumerle.com ● À 2 km env de Cogolin, direction Toulon, panneau sur la gauche. Compter 360-610 €/sem selon saison. Possibilité de loc à la nuit : 60-70 € pour 2 pers. Un petit déj par pers et par nuit offert sur présentation de ce guide.* En bordure de la forêt des Maures et d'un grand parc où l'on ne compte plus les arbres centenaires, cinq gîtes pour 4 personnes avec cuisine équipée. Simples mais avec un charme certain : sol recouvert de brique, beaux tissus. Piscine. Le tout pour des prix... très raisonnables.

🛏 |●| ***Chambres d'hôtes La Gavotte :*** *chemin de la Gravière. ☎ 04-94-19-16-61. 📱 06-63-71-12-51. ● csalmon@wanadoo.fr ● À 4 km par la N 98 direction La Môle, puis fléchage sur la gauche. Doubles avec douche et w-c ou bains 55-85 € selon saison. Table d'hôtes 25 €.* Une maison récente dans un coin tranquille. Chambres agréables, accueil à l'unisson. Belle piscine au bord de laquelle on peut manger en été.

|●| ***La Ferme du Magnan :*** *route de La Môle. ☎ 04-94-49-57-54. ● sales@alpazurhotels.com ● À 5 km de Cogolin par la N 98. Congés : mars-nov. Menus 35-45 € et carte.* Ancienne bastide du XVIe siècle sur les premiers contreforts du massif des Maures. Belle terrasse à flanc de colline pour goûter les produits de la ferme comme le coquelet rôti au miel et aux cinq épices, ou le lapin à la provençale, le tout avec un vin de Cogolin... Les prix n'ont, eux, rien de « fermier » (mais ici, c'est bien connu, les poules pondent des œufs en or). Sur réservation, bouillabaisse le mercredi et aïoli le vendredi (avec ses escargots !).

Où goûter et acheter du vin ?

🍷 Ici, le microclimat est propice à la culture de la vigne, grâce à la présence protectrice, au nord et à l'ouest, du massif des Maures, ainsi qu'à l'ensoleillement et aux brises marines venues de l'est. Vous pourrez apprécier les vignobles et le terroir provençal en visitant les domaines et les caves des environs : *Cave des Vignerons* (☎ 04-94-54-40-54) ; *Château des Garcinières* (☎ 04-94-56-02-85) ; *Château Saint-Marc* (☎ 04-94-54-69-92) ; *Château Saint-Maur* (☎ 04-94-54-63-12) ; *Château de Trémouriès* (☎ 04-94-54-66-21) ; *Domaine de la Giscle* et *Domaine du Val-d'Astier* (☎ 04-94-54-05-31).

À voir. À faire

🎭🎭 **Le musée Raimu :** 18, av. Georges-Clemenceau. ☎ 04-94-54-18-00. ♿ Se situe dans le bâtiment du cinéma. Hors saison, ouv tlj sf dim mat (ainsi que mar hors vac scol) 10h-12h, 15h-18h ; en juil-août, tlj 10h-12h30 et 16h (15h quand il pleut !)-19h. Fermé la 2ᵈᵉ quinzaine de nov. Entrée : 3,50 € ; réduc. Orson Welles a dit de Raimu qu'il était le plus grand acteur du monde. Ce qui est sûr, c'est qu'il a marqué de son empreinte une bonne partie du cinéma français. Sa petite-fille, Isabelle Nohain (elle est aussi petite-fille de Jean Nohain) entretient depuis 1989, dans ce musée, la mémoire de son aïeul avec un amour et une passion qui forcent le respect. C'est elle qui vous fera visiter ce musée rassemblant des objets mythiques tout droit sortis de *Marius*, de *La Femme du boulanger* ou de *L'Inconnu dans la maison* (le plus grand Raimu pour nous !), et puis sa correspondance avec Pagnol, Guitry et Simenon. Il faut absolument aller voir ce musée, pas seulement parce qu'il se finance assez difficilement (et risque, qui sait, de disparaître un jour), mais aussi parce que c'est le seul musée privé en France consacré à un acteur, et quel acteur !

🎭 **L'église romane Saint-Sauveur :** des XIᵉ et XVIᵉ siècles, elle contient un beau triptyque en bois de 1540. Beau portail nord en serpentine verte, inspiré par la Renaissance florentine.

🎭 **La ville haute :** avec ses vieilles rues, ses passages voûtés en pierres de lave, elle a peu ou prou conservé son aspect médiéval. Il faut s'attarder devant les porches des maisons, dont certains datent du XIIᵉ siècle, comme dans la *rue de la Résistance* ou dans la *rue du Piquet*. Ils sont pour la plupart taillés dans des blocs de serpentine des Maures.

🎭 **La demeure-musée Sellier :** 46, rue Nationale. ☎ 04-94-54-63-28. Ouv mar-sam : juin-sept, 10h-13h, 15h-18h30 ; hors saison, 10h-12h30, 14h30-17h30. Entrée : 2,30 € ; gratuit jusqu'à 16 ans et pour les étudiants. Dans une jolie maison du XVIIᵉ siècle. Deux expositions permanentes : la première sur les Templiers et le Moyen Âge, la seconde sur le coq, symbole de la ville. Également des expos temporaires de peinture.

🎭 **La manufacture de tapis :** bd Louis-Blanc. ☎ 04-94-55-70-65. Ouv tte l'année sf 2 sem en août, lun-ven 9h-12h, 14h-17h30 (17h en hiver). Entrée gratuite. Créée en 1924. Tous les tapis, des pièces uniques, sont faits à la main, et on en trouve à l'Élysée, à Versailles, dans les ambassades et au palais de Monaco. Les ateliers ne se visitent malheureusement pas. On se contentera donc juste de cette petite salle d'expo-vente (un *showroom*, en langage branché !).

🎭 **La fabrique de pipes Courrieu :** 58, av. Georges-Clemenceau. ☎ 04-94-54-63-82. Ouv tlj. Visite commentée totalement gratuite. Venez donc voir cette sympathique fabrique de pipes élaborées à la main dans le bois de bruyère récolté dans le massif des Maures. Une tradition qui remonte à plus de 200 ans, et les amateurs avertis vous diront qu'elles valent largement celles de Saint-Claude...

➢ **Le sentier botanique :** départ du quartier Négresse, juste après les courts de tennis. Un petit kilomètre de marche (30 mn) pour découvrir des arbres et des plantes connus ou moins connus : chênes-lièges et blancs, daphné garou, fougère doradille des ânes, garance voyageuse, lavande des maures, etc. Aire de pique-nique dans le parcours.

➢ **Le sentier des Crêtes :** départ du quartier des Aubrettes ; 15 km, soit 5h de marche (jonction possible avec le GR 51). Promenade au travers du massif forestier, ponctuée de superbes points de vue.

LA GARDE-FREINET   (83680)   1 660 hab.

Gros village du massif des Maures, semblant flotter à 400 m d'altitude sur une vaste forêt de châtaigniers. C'est justement sa position de sentinelle au sommet du col qui lui valut le nom de « Garde ». La tradition locale veut que les sarrasins y aient trouvé leur dernier point d'appui en France. Chassés de partout, ils seraient parvenus, grâce à la position stratégique du site, à s'y maintenir un siècle de plus. Mais aucune découverte archéologique n'a pu confirmer cette légende... Le village a longtemps vécu en quasi-autarcie autour des cultures traditionnelles : châtaignes (les fameux marrons... du Luc, du nom de leur gare d'embarquement) et liège (la fabrication de bouchons faisait vivre 700 personnes au XIXᵉ siècle). Certes un peu touristique en journée, La Garde reste, pour ceux qui font une allergie aux foules luisantes ou tapageuses de l'été, une base arrière idéale pour visiter la région.

Adresse et info utiles

🛈 *Office de tourisme :* dans la chapelle Saint-Jean, pl. de la Mairie. ☎ 04-94-43-67-41. • lagardefreinet.com • En été, lun-sam 9h30-13h, 16h-18h30 ;

dim et j. fériés 10h-12h30. Horaires légèrement restreints le reste de l'année. Fermé dim hors saison.
– *Marché :* mer et dim mat.

Où dormir ?

Camping et gîte d'étape

⚐ *Camping La Ferme de Bérard :* route de Grimaud. ☎ 04-94-43-21-23. • camping.berard@wanadoo.fr • ♿ Par la D 558, à 5 km du village. Ouv de mars à fin oct. Emplacement pour 2 pers avec voiture et tente 12,10 € en hte saison. Loc de caravanes et de mobile homes env 500 €/sem. Réduc de 10 % sur le prix du séjour en tente ou caravane (mars-mai) sur présentation de ce guide. Camping familial dans une propriété de

50 ha plantée de chênes-lièges et blancs, d'oliviers et de mimosas. Certains emplacements avec tonnelles. Piscine.
🛏 *Gîte d'étape :* hameau de la Cour-Basse. ☎ et fax : 04-94-43-64-63. À 6 km du village. Nuit 15 €/pers, petit déj compris. En juil-août, la maison est slt louée pour 6 pers, env 420 €/sem. Apéritif maison offert sur présentation de ce guide. Douze lits dans 2 dortoirs.

Prix moyens

🛏 |●| *Chambre d'hôtes et gîtes Le Mouron Rouge :* Le Défend-Nord. ☎ 04-94-43-66-33. • lemouron@wanadoo.fr • lemouronrouge.com • À 1 km du village sur la D 558 direction Grimaud. Doubles avec douche, w-c et TV 58-63 €, selon saison ; petit déj 8 €. Studios pour 2-4 pers 80-95 €/nuit, 450-

550 €/sem. Table d'hôtes (sur résa) 25 €. Au cœur d'un petit morceau de campagne avec une jolie vue sur les environs. Une seule chambre, plaisante, et des studios et appartements tout aussi plaisants, avec cuisine américaine et chambres en mezzanine. Piscine en saison.

Où manger ?

|●| *Pizzeria Da Mimmo :* 19, pl. Vieille. ☎ 04-94-43-09-80. Fermé lun (slt midi en été). Congés : oct-fév. Formule 16 € ; repas à la carte env 12-16 €. Café offert sur présentation de ce guide. Vous dégusterez ici des pizzas géantes et

délicieuses, que les autochtones recommandent vivement... Et ils ont raison !
|●| *La Faucado :* route Nationale. ☎ 04-94-43-60-41. À droite, à l'entrée du village, en arrivant de Grimaud.

LE GOLFE DE SAINT-TROPEZ ET LE PAYS DES MAURES

Fermé mar hors saison, slt mar midi en saison. Congés : fév. Résa conseillée. Menus 36 €, puis 63 € (le midi slt). À la carte, slt le soir, compter env 65 €. Superbe salle à manger : du rustique exquis. Terrasse noyée dans la verdure. Belle et bonne cuisine de tradition, avec un soupçon de raffinement : filet de bœuf aux morilles, rognon de veau madère...

À voir

🎬🎬 *Le village :* ruelles aux noms pittoresques, fontaines, vieux lavoirs, église Renaissance avec un autel polychrome.

🎬 *Le conservatoire du Patrimoine du Freinet :* dans la chapelle Saint-Jean, pl. de la Mairie, à côté de l'office de tourisme. ☎ 04-94-43-08-57. ● conservatoiredu freinet.org ● Ouv mar-sam sf j. fériés, 10h-12h30, 15h-18h. Entrée libre. Visite guidée du conservatoire, du fort Freinet et du vieux village entre autres, sur rendez-vous. Si vous avez décidé de grimper jusqu'au fort Freinet, on vous conseille au préalable la visite de ce musée récemment réaménagé sur 200 m². Une maquette permet de mieux comprendre l'organisation du site et quelques vitrines exposent les objets archéologiques trouvés sur place. Très intéressantes expos thématiques bisannuelles sur le patrimoine du massif des Maures et autour des activités traditionnelles. Également plein de visites et balades commentées à thème, réellement passionnantes, de la visite du fort et du village à la plaine des Maures en passant par les chemins de transhumance...

Balades

L'office de tourisme propose une dizaine de circuits de randonnées (pédestres ou à VTT) de 7 à 15 km et tous en boucle. Brochure en vente.

➢ *Le fort Freinet :* accès par la route forestière au-dessus du village ; compter 1h30 de marche pour 4 km. Rens à l'office de tourisme pour cette balade. Le voilà, posé à 450 m d'altitude, ce légendaire nid d'aigle sarrasin (point de vue évidemment exceptionnel) ! Ce village fortifié a en fait certainement été aménagé à la fin du XIIe siècle. Un site étonnant : tout, des douves aux maisons en passant par la chapelle, a été creusé à même la roche. Le village fut abandonné à la fin du XIVe siècle, début du XVe siècle au profit du village actuel, au passage du col de La Garde.

➢ Autre promenade bien sympathique : les *roches Blanches* (à 1h à pied, autre panorama somptueux). Ces rochers qui, de loin, évoquent quelques neiges éternelles sont en fait en quartz blanc !

➢ Possibilité aussi de joindre les hameaux paisibles qui entourent La Garde-Freinet. Le temps semble s'y être arrêté. En particulier, *La Moure, Valdegilly, Camp-de-la-Suyère,* etc.

➢ Vers l'ouest, le fameux GR 9 rejoint *Notre-Dame-des-Anges* (voir à Collobrières).

Fêtes et manifestations

– *Bravade de la Saint-Clément :* dernier sam d'avr. Très différente de celle de Saint-Tropez. Une procession d'hommes en armes porte les cendres du saint patron de l'église à travers le village.
– *Fête de la Transhumance :* 2e ou 3e dim de mai. Quelque 2 000 moutons passent à La Garde. Marché paysan, démonstration de dressage de chiens de berger...
– *Semaine du goût :* 3e sem d'oct. Dégustations toute la journée à l'office de tourisme.

LE GOLFE DE SAINT-TROPEZ ET LE PAYS DES MAURES

– *Fête de la Châtaigne* : *2 derniers dim d'oct.* Grand marché, vente de châtaignes.
– *Bonheurs de Noël* : *3ᵉ sam de déc.* Marché, vin chaud et animations pour les enfants.
– *Foire aux Santons* : *2 dernières sem de déc et 1ʳᵉ sem de janv.*

PLAN-DE-LA-TOUR   (83120)   2 410 hab.

Un nom à retenir, car vous allez tomber amoureux de ce coin de la campagne varoise si vous aimez les longues balades dans les collines, les grimpettes sur de petites routes odorantes aux innombrables virages, menant à des lieux accueillants où l'on a forcément envie de prolonger son séjour...

Adresse utile

🔲 *Office de tourisme* : *pl. du 19-Mars-1962.* ☎ 04-94-43-01-50. ● *plandela tour.net* ● Signalons le sympathique *Festival dans les Vignes* qui a lieu chaque année autour de mi-juillet (spectacles et chanson).

Où dormir ? Où manger ?

De prix moyens à plus chic

🏠 |●| *La Bergerie* : *le Clos de San Peire.* ☎ 04-94-43-74-74. ● *labergeriecaran ta@wanadoo.fr* ● *la-bergerie-caranta. com* ● À 2 km du village, sur la D 44, direction Grimaud. Congés : nov-janv. Doubles avec bains et TV 70-80 € selon saison. Également des gîtes à louer à la nuit ou à la sem. Table d'hôtes le soir (sur résa) 28 €. Au cœur d'une propriété de 6 ha, une ancienne bergerie retapée avec goût, des chambres agréables, des petits déjeuners proposant des produits maison. On croise le mari, fou de vin, en tracteur revenant des vignes, et sa femme vous accueille avec un grand sourire à la table d'hôtes. Un centre de remise en forme (payant) se trouve également sur place (ouvert d'octobre à juin). Piscine. Boules de pétanque, baby-foot et ping-pong à disposition.

🏠 |●| *Les Maisons de Micha* : *Le Lauva.* ☎ 04-94-43-01-45. ● *maisons-de-micha@wanadoo.fr* ● *maisons-de-micha.com* ● ♿ (1 chambre). À 1,5 km au nord-est du village par la D 44 (direction Valauris), c'est fléché sur la gauche. Double avec douche et w-c 90 € ; suite pour 4 pers 120 €. Table d'hôtes, hors saison, 20 €. En surplomb du village, on grimpe gentiment au milieu de la garrigue (les incendies de ces dernières années sont déjà un lointain souvenir) jusqu'à ces jolies maisonnettes jaunes comme le soleil, indépendantes et tout confort. De là-haut, vue époustouflante sur les Maures, le village, les collines et la mer au bout. Piscine. Côté confort, non contente de savoir accueillir ses hôtes avec chaleur, Micha (contraction heureuse de « Mamie-chat » !) a su décorer ses chambres avec goût. Certaines plus grandes que d'autres, avec ou sans terrasse. Au petit déjeuner, produits bio et locaux. Une adresse attachante.

SAINTE-MAXIME   (83120)   12 000 hab.

Trouville et Deauville, Sainte-Maxime et Saint-Tropez. L'image de star de la seconde occulte un peu la première. Et Sainte-Maxime est peut-être un peu moins « agréable » que Saint-Tropez, mais elle offre tout de même une belle alternative et a cet avantage de vivre à l'année, quand Saint-Trop' suit la saison touristique. Ses plages sont belles et elles sont moins remplies de m'as-tu-vu avec leur portable coincé dans le maillot de bain !

Adresse et infos utiles

🖥 *Office de tourisme :* 1, promenade Simon-Lorière. ☎ 04-94-55-75-55. ● ste-maxime.com ● *En été, lun-sam 9h-20h et dim 10h-12h, 16h-19h. Hors saison, lun-sam 9h-12h, 14h-19h (18h oct-mars).* Bonne documentation. Pour en savoir plus sur l'histoire de Sainte-Maxime, demandez les circuits de découverte du centre, notamment des villas de la Belle Époque.

– *Marchés :* produits régionaux de producteurs jeu mat dans les vieux quartiers. Marché couvert tte l'année, tlj sf lun d'oct à mi-juin, 8h-13h ; en été, tlj (sf dim ap-m) 7h30-13h, 16h30-20h. Marché forain ven mat, pl. Mermoz. Brocante ts les mer (promenade du bord de mer).

Où dormir ?

De prix moyens à beaucoup plus chic

🛏 *Hôtel Princesse d'Azur :* 24, route du Plan-de-la-Tour. ☎ 04-98-12-66-55. ● princesse-azur@wanadoo.fr ● prin cesse-azur.com ● *À 100 m du centre-ville et 400 m des plages. Ouv tte l'année. Doubles avec douche et w-c, TV 49-79 € selon saison et situation. Également un appart pour 4 pers 89-119 €. Parking gratuit. Apéritif maison offert sur présentation de ce guide.* On aurait bien tort d'ignorer ce bon petit hôtel, tout neuf, tout propre. Une vingtaine de chambres climatisées aux coloris doux, aux sols de brique, en un mot... agréables. L'espace ne manque pas. L'atmosphère y est sereine. Et pour couronner le tout, l'accueil est fort sympathique.

🛏 *Le Mas des Oliviers :* La Croisette. ☎ 04-94-96-13-31. ● masdesoliviers@ 9business.fr ● hotel-lemasdesoliviers. com ● ⚘ *Sur les hauteurs de la ville, côté Grimaud. Selon saison, doubles avec douche et w-c ou bains, TV 55-152 €. Loc de studios à la sem pour 4 pers. Parking gratuit. Réduc de 10 % sur le prix de la chambre de mi-sept à fin juin sur présentation de ce guide.* Bleu, paisible, charmant, confortable, comme dit le prospectus maison (et vous verrez, c'est vrai). Pins parasols, chant des cigales et vue sur le golfe depuis les plus chères, avec balcon... et bien sûr, belle piscine.

🛏 *Le Montfleuri :* 3, av. Montfleuri. ☎ 04-94-55-75-10. ● hotelmontfleuri@ wanadoo.fr ● montfleuri.com ● *Dans une rue perpendiculaire à l'av. du Général-Leclerc (sortir du centre direction Saint-Raphaël). Resto ouv le soir slt pour les pensionnaires. Congés : début janv-début mars et début nov-Noël (ouv pdt les fêtes). Selon saison, doubles avec douche et w-c 45-85 € ; avec bains et TV satellite 70-195 € ; petit déj 10 €. Menus 21,50-26,50 €. Apéritif, café ou digestif maison offert sur présentation de ce guide.* Dans un quartier résidentiel, donc très calme et où l'on peut se garer gratuitement ! Une belle adresse de vacances. D'autant que l'accueillant jeune couple qui préside à la destinée de cet hôtel s'ingénie, année après année, à lui donner encore plus de charme et de confort : délicieux salon sous les palmiers du jardin, piscine quasi hollywoodienne, petit bar à l'anglaise et, depuis peu, solarium et rénovation complète de l'hôtel. Chambres toutes différentes, toutes plaisantes, toutes climatisées. Vue sur mer et petit balcon pour les plus chères (dont une suite avec jacuzzi et ample terrasse). Accueil d'un professionnalisme décontracté. Bonne petite cuisine de région pour dîner, aux beaux jours, sur une agréable terrasse. Un endroit qu'on aime vraiment bien.

🛏 *Le Petit Prince :* 11, av. Saint-Exupéry (bon sang, mais c'est bien

LE GOLFE DE SAINT-TROPEZ ET LE PAYS DES MAURES

sûr !). ☎ 04-94-96-44-47. ● lepetit.prin
ce@wanadoo.fr ● hotellepetitprince.
com ● ♿ Ouv tte l'année. Doubles avec
douche et w-c ou bains, TV satellite
50-110 € selon saison ; petit déj-buffet
10 €. Parking gratuit. Apéritif maison
offert sur présentation de ce guide. Un
gentil hôtel au look peut-être un peu
trop « chicos années 1970 ». Mais les
chambres sont confortables, spacieuses, climatisées, avec balcon ou loggia.
Bref, agréables à vivre, pas besoin de
vous faire un dessin ! Les n°s 204 et 305
ont un solarium privé et une vue sur mer.
Très bon rapport qualité-prix hors saison. À 100 m des plages.

🏠 **Le Jas Neuf :** 112, av. du Débarquement. ☎ 04-94-55-07-30. ● infos@ho
tel-jasneuf.com ● hotel-jasneuf.com ●
À 2 km des plages de la Nartelle, en
direction du golf de Sainte-Maxime.
Congés : 2de quinzaine de déc et en
janv. Doubles avec douche et w-c ou
bains, TV satellite 67-157 € selon saison. Le quartier n'est pas franchement
emballant, mais cet hôtel ne manque

pas de charme. Chambres très confortables (climatisées) dans un style provençal épuré. Piscine chauffée, jardin
avec transats : la belle vie, à l'écart du
bruit et de la foule...

🏠 **La Croisette :** 2, bd des Romarins.
☎ 04-94-96-17-75. ● hotel.la.croisette@
wanadoo.fr ● hotel-sainte-maxime.
com ● Sur les hauteurs de la ville, côté
Grimaud. Congés : de mi-oct à mi-mars.
Selon saison, doubles avec douche et
w-c ou bains, TV satellite 82-132 € côté
jardin, 122-172 € avec vue sur mer et
chambres « Prestige » ; petit déj 11 €.
Apéritif maison offert sur présentation de
ce guide. Dans une rigolote villa balnéaire qui semble tout droit sortie du
XIXe siècle (mais construite dans les
années 1950...). Déco de la réception
très « pastélisée ». Les chambres, climatisées, ont plus de charme mais, comme
il se doit, elles sont aussi plus chères.
Certaines ont une petite terrasse qui
donne sur le jardin verdoyant ou sur la
mer. Accueil pas du tout guindé, mais
des prix qui s'envolent un peu.

Où manger ?

Prix moyens

🍴 **La Maison Bleue :** 48, rue Paul-
Bert. ☎ 04-94-96-51-92. Dans la zone
piétonne. Fermé mar hors saison, ainsi
que lun en janv-fév. Congés : nov-déc.
Formule déj en sem 15 € ; menus 20 et
26 € et carte. Une maison que toutes les
petites filles aimeraient posséder si elle
se vendait en jouet. C'est un vrai rêve
d'enfant dans lequel on pénètre, une
sorte de « Mille et Une Nuits provençales » aux couleurs bleu (bien sûr), ocre
et jaune. En clair, une déco de très bon
goût. La terrasse, avec ses banquettes
aux coussins coquets et confortables,
permet d'apprécier en plein air la cuisine savoureuse que l'on sert ici. Goûter notamment aux pâtes fraîches et
gnocchis maison ou encore à la pissaladière et aux poivrons marinés.

🍴 **Auberge Sans Souci :** 58, rue Paul-
Bert. ☎ 04-94-96-18-26. Dans le centre piéton. Fermé lun. Congés : de nov à
mi-fév. Formule déj en sem 19 € ; menus
19,50-26,50 €. Une institution locale
(ouverte depuis 1953) où il n'y a effecti-

vement pas trop de souci à se faire : la
cuisine – simple mais goûteuse – sert la
Provence et l'amour du métier, le service s'en sort sans trop de heurts. Salle
d'auberge d'autrefois aux premiers fri-
mas et terrasse agréable en été, plutôt
tranquille pour peu qu'on évite les
tables les plus proches de cette rue
« gourmande » de la ville.

🍴 **Maxim Plage :** La Grande Croisette.
☎ 04-94-96-75-02. ♿ À l'entrée de
Sainte-Maxime en venant de Saint-
Tropez. Ouv midi et soir de Pâques à mi-
oct. Pizza et boisson 15-18 € ; compter
env 35 € à la carte. En bordure de plage,
un resto qui attire bien du monde, à tel
point que les serveurs ne savent parfois
plus trop où donner de la tête ! Une
clientèle variée venue déguster de bons
poissons et des langoustes grillées au
feu de bois, ou siroter un verre au bar
dans une ambiance gentiment branchée. Quelques groupes le soir en saison. Les prix, un peu surévalués, d'un
resto de plage dans le coin.

Où boire un verre ?

🍸 ***Café de France :*** *1, pl. Victor-Hugo (BP 57).* ☎ *04-94-96-18-16. Fermé en fév pour travaux.* On a bien dû passer 10 fois devant sa banale terrasse avant de découvrir qu'elle cachait un vrai café chargé d'histoire, au superbe décor, quasiment inchangé depuis l'ouverture en 1852. On peut aussi y manger : plat du jour le midi, plateau de coquillages, pizzas, etc. Soirées à tendance jazz le week-end.

À voir. À faire

La tour Carrée : *pl. des Aliziers.* ☎ *04-94-96-70-30. Juste derrière le port de plaisance. Ouv tte l'année sf 2de quinzaine de nov, tlj sf lun ap-m et mar 10h-12h, 15h-18h (19h en juil-août). Entrée : 2,30 € ; réduc ; gratuit jusqu'à 5 ans.* Dite aujourd'hui tour Carrée (ce qu'elle est), elle s'appelait autrefois tour des Dames (mais ne nous demandez pas pourquoi !). Construite en 1520 par les moines de Lérins pour que les habitants puissent s'y réfugier en cas d'attaque des pirates, elle a servi par la suite de grenier à grain pour l'abbaye du Thoronet dont dépendait la commune, de prison, d'école, et de mairie jusqu'en 1935 ! Elle abrite désormais un petit musée des Traditions locales, avec une exposition de costumes et objets relatifs à l'histoire provençale, à l'artisanat et à la pêche. À l'entrée, sur la gauche, remarquer le tronc du pin parasol datant de 1753 et ses différentes stries depuis Louis XV jusqu'aux premiers pas de l'homme sur la Lune ! Également des expos temporaires de sculpture, peinture, etc.

Les plages : d'ouest en est, on trouve la *plage de la Croisette* (surveillée et avec une école de voile à partir de 8 ans), les plages du centre-ville pour baigneurs urbains, un peu plus loin dans une calanque, la *Madrague,* qui ravira les plongeurs amateurs. On tombe ensuite sur la *Nartelle* (un brin chic avec ses plages privées, mais les snobs continuent à ne jurer que par Pampelonne), puis sur la plage des *Éléphants* (prolongée par la *Garonnette* et Les Issambres). Vous ne reconnaissez pas les collines en arrière-plan ? C'est que vous ne connaissez pas vos classiques ! Ce sont en effet les mêmes que celles que Babar survole en montgolfière dans *Le Voyage de Babar* !

Fêtes et manifestations

– ***Corso du Mimosa :*** *1er dim de fév.* Défilé de chars fleuris avec du... mimosa pardi, défilé nocturne la veille, etc.
– ***Bravade :*** *15 mai.* Une fête figée dans le même cérémonial depuis des siècles. Un buste contenant dans son socle les reliques de sainte Maxime est promené dans les rues du village au son des instruments traditionnels provençaux, fifre, galoubet et tambourin. Les bravadeurs font également parler la poudre d'antiques fusils.
– ***Fête des Vendanges :*** *1er w-e de sept.*
– ***Fête de l'Huile et de l'Olive :*** *un w-e fin nov.* Pour tout savoir sur le travail et les saveurs de l'olive !

ROQUEBRUNE-SUR-ARGENS (83520) ET LES ISSAMBRES (83380) 11 540 hab.

Une des plus vastes communes françaises, au double nom et aux sites enchanteurs, qui marque la fin de la chaîne des Maures et qui possède un riche patrimoine historique, ainsi qu'un magnifique rocher : 372 m de grès

rouge dominant la vallée et visible de loin. On se croirait dans le Colorado ! C'est aussi la commune la plus contrastée du département : montagneuse au nord, médiévale au cœur du village, elle se fait maritime et plus contemporaine sur sa partie littorale (Les Issambres). Belle balade sur le sentier du littoral.

Adresse et info utiles

🛈 *Office de tourisme :* 12, av. Gabriel-Péri. ☎ 04-94-19-89-89. • roquebrunesurargens.fr • En saison, tlj 9h-19h ; le reste de l'année, lun-sam 9h-12h, 14h-18h.
– *Marchés :* ven mat au village et lun mat aux Issambres.

Où dormir ? Où manger ?

De prix moyens à beaucoup plus chic

🛏 |●| *Hôtel Le Provençal - Restaurant les Mûriers :* N 98, San Peïre, Les Issambres. ☎ 04-94-55-32-33. • hotel-le-provencal@wanadoo.fr • hotel-le-provencal.com • Congés : de mi-oct à début fév. Doubles avec douche et w-c ou bains, TV satellite 65-113,50 € selon saison ; petit déj 11 €. Menus 28-58 € et carte. Parking gratuit. Un vrai rêve de vacances à l'ancienne mode. L'accueillante famille Sauvan a fait de cette vieille maison un hôtel de charme plein d'atmosphère. Les chambres restent classiques mais très confortables, quelques-unes avec terrasse et vue sur le golfe de Saint-Tropez. Agréable terrasse ombragée (par des mûriers, naturellement...) pour goûter à une cuisine de région légitimement réputée : bourride, bouillabaisse, poisson grillé... Pas de piscine, mais il n'y a que la route à traverser pour gagner une sympathique plage de sable.
🛏 |●| *Hôtel Les Calanques :* rue du Nid-au-Soleil, Les Calanques-des-Issambres. ☎ 04-98-11-36-36. • contact@french-riviera-hotel.com • french-riviera-hotel.com • 🍴 En bordure de la N 98. Resto ouv slt le soir, fermé dim-lun. Congés : de fin oct à mi-mars. Doubles avec douche et w-c ou bains, TV 56-85 € selon saison. Menus 22-29,90 €. Café offert sur présentation de ce guide. Ici, tout a été rénové aux couleurs provençales ! Chambres agréables, climatisées et parfaitement insonorisées. Ameublement aux lignes contemporaines. Le must, c'est de pouvoir s'offrir l'une des chambres du 2e étage avec solarium ou balcon et, bien sûr, vue sur la mer (demandez les chambres « Estérel » ou « Horizon »). Cuisine sans prétention mais correcte.
|●| *Le Chante-Mer :* village provençal, Les Calanques-des-Issambres. ☎ 04-94-96-93-23. À une centaine de mètres en retrait de la N 98. Fermé lun et mar midi, plus dim soir d'oct à Pâques. Congés : de mi-déc à fin janv. Menus 24-45 €. Dans un faux village provençal années 1950. Un cadre assez classe, un décor de boiserie et de miroir. Ceux qui recherchent une atmosphère plus décontractée prendront place en terrasse. Une table connue dans le coin pour sa cuisine raffinée, savoureuse et sans fausse note (foie gras, feuilleté d'escargot à la crème d'ail, rognon de veau, filet de sole aux petits légumes). Service familial et irréprochable.

À voir

🍴🍴 *Le vieux village :* perché et remarquablement préservé, le vieux Roquebrune mérite qu'on y use un peu ses semelles. Vieilles rues dont celle des Portiques qui aligne, comme au Moyen Âge, ses commerces sous de belles arcades du XIVe siècle. C'est au XVIe siècle qu'a été achevée la construction de l'église, sous le règne de François Ier dont on remarque la salamandre sur certains chapiteaux. Plusieurs

LE GOLFE DE SAINT-TROPEZ ET LE PAYS DES MAURES

chapelles du village ont été restaurées par la municipalité. Ouvertes de Pâques à fin octobre, elles accueillent des expos temporaires (sculpture, peinture, artisanat). Sympathique (et gratuit) petit musée du Chocolat dans la chapelle Saint-Jacques. C'est la collection privée de Gérard Courreau, excellent chocolatier auquel on vous invite à rendre une visite gourmande *(2, montée Saint-Michel.* ☎ *04-94-45-31-56).*

🍴 *La Maison du Patrimoine : impasse Barbacane. Dans le village de Roquebrune.* ☎ *04-98-11-36-85. En juil-août, tlj 9h-12h, 14h-18h30 ; le reste de l'année, mar- sam 8h-12h, 13h30-17h (à partir de 9h et jusqu'à 18h en sept et juin). Entrée gra- tuite.* Le sol vitré permet de découvrir une glacière du XVIIe siècle. Reconstitution d'une cuisine provençale d'autrefois et fréquentes expositions temporaires autour du patrimoine local.

🍴🍴 *Le rocher de Roquebrune :* ou du Muy... ces deux communes se disputant un peu cette étonnante masse rouge, née il y a quinze millions d'années, des réper- cussions du plissement qui a donné naissance aux Alpes et aux Pyrénées. Frôlé par l'autoroute et la voie ferrée, un endroit pourtant un peu hors du temps. Au som- met, trois croix signées Bernar Venet. Il s'agit d'un site classé et protégé. Possibilité d'emprunter 4 sentiers balisés ou de faire le tour du rocher par le GR 51. Infos auprès de l'office de tourisme.

Achats

🌿🏃 *La cueillette du Rocher :* ferme du Rocher, av Gabriel-Péri. ☎ 04-94- 45-57-90. ● contact@fermedurocher. com ● fermedurocher.com ● *Sur la D 7, à la sortie de Roquebrune, direction Saint-Aygulf. Tlj sf lun hors saison, 9h-12h30, 15h30-19h30.* Une envie de courgettes ou de fraises ? Il n'y a ici qu'à se baisser et remplir son panier, avant de passer à la caisse, bien sûr ! Si le courage vous manque, espace vente dans une pittoresque cabane de jardi- nier où l'on trouvera également œufs, fromages, sirops artisanaux... Adorable petite terrasse où boire un coup. Et accueil tout aussi adorable.

L'ESTÉREL

Un petit morceau d'Afrique sur la Côte d'Azur ! Arraché à son continent d'ori- gine lors de la formation de la Méditerranée, ce massif d'origine volcanique offre, malgré sa faible altitude (le mont Vinaigre culmine à 618 m d'altitude), quelques-uns des plus étonnants paysages de la Côte : de vastes éboulis, des crêtes hachées, des falaises déchiquetées qui plongent dans la mer. Une végétation qui reprend peu à peu ses droits (le massif a été dévasté par les incendies de forêt il y a quelques années). La plus grande partie du massif est d'ailleurs occupée par la forêt et le maquis, un domaine dont 12 000 ha sont désormais classés (sur 32 000) et qui ne compte pas moins de trois réserves biologiques. Et partout ces roches d'une flamboyante couleur rouge, qui se teintent ici ou là de violet, de jaune ou de gris. Terre longtemps hostile (aux XVIIe et XVIIIe siècles, l'Estérel servait surtout de refuge aux bandits de grand chemin, dont le célèbre Gaspard de Besse, et aux forçats évadés du bagne de Toulon), le massif est aujourd'hui sillonné par de nombreux sentiers de ran- donnée pédestre ou à VTT.

FRÉJUS (83600) 48 000 hab.

Au pied des premiers contreforts de l'Estérel. Difficile à première vue de la dissocier de sa sœur jumelle, Saint-Raphaël, les deux villes étant tellement imbriquées l'une dans l'autre qu'on ne voit pas quand on quitte Fréjus pour entrer dans Saint-Raphaël et réciproquement. Surtout en été ! Tant pis, on va essayer quand même de vous montrer l'une et l'autre, en les séparant par une balade sur cette *voie Aurélienne* (actuelle N 7 ; pas si fous que ça, les Romains) qui reliait la Rome italienne à la Rome des Gaules (Arles) et qui vous entraînera jusqu'à Cannes par les Adrets-de-l'Estérel. Si Fréjus-Plage, création très artificielle, ne séduira que les fondus de tourisme balnéaire, la ville construite sur une petite colline mérite une visite. Et pas seulement pour ses monuments romains ! Port-Fréjus vaut une balade autant pour son architecture inspirée du style balnéaire du début du XXe siècle que pour l'animation des quais et ses nombreux restos. La remarque vaut également pour Saint-Aygulf qui cache, derrière les immeubles sans âme de son centre, villas croquignolettes et gentilles petites criques.

UN PEU D'HISTOIRE

En empruntant les quais du port de Fréjus, laissez-vous aller et imaginez... Vous êtes à *Forum Julii,* le port d'Octave Auguste, entre *Olbia* et *Antipolis,* à 600 stades de *Massalia*... Vous venez en un instant de traverser vingt siècles d'histoire, de la création de la cité à ses retrouvailles avec la Méditerranée.

Fréjus est, pendant la période romaine, l'un des plus importants ports de la Méditerranée. Port de lagune, un chenal y amène les galères. Jules César en fait un grand marché-étape sur la route de l'Espagne, d'où son nom de *Forum Julii* qui se transforma en Fréjus. L'empereur Auguste y établit, lui, une grande base militaire. À Fréjus, on dit souvent : « Ici, on ne peut pas creuser un trou sans trouver un Romain. » Lors de vos pérégrinations, vous rencontrerez un tout petit *théâtre romain,* des restes de *remparts,* la *porte des Gaules* (près des arènes), l'emplacement de l'ancien port, la *porte d'Orée* (seule arcade subsistant des anciens thermes), la plate-forme, etc.

La chrétienté marque également la ville avec la création, dès 374, d'un évêché. Une petite cité épiscopale s'installe progressivement sur les vestiges de la ville romaine, saccagée par de multiples invasions des sarrasins. Nouvelle invasion en 940. Le comte Guillaume, qui libère la Provence des sarrasins à la fin du Xe siècle, offre la ville (enfin, ce qu'il en reste...) à l'évêché. Les évêques s'emploient à reconstruire Fréjus et lui redonnent son dynamisme commercial. Ce qui, évidemment, provoque la convoitise des voisins ; la ville est à nouveau envahie, par les Savoyards, les Piémontais... Et la lagune commence à s'ensabler, l'activité portuaire décline pour cesser définitivement au XVIIe siècle. Le port est carrément comblé en 1774. Fréjus vient rejoindre Aigues-Mortes au panthéon des grands ports déchus et disparaît presque de l'actualité...

Jusqu'à l'arrivée des premiers « touristes », au XIXe siècle. Le quartier des Sables sort de terre en 1852, il prend le nom de Fréjus-Plage dans l'entre-deux-guerres. En 1881, une société immobilière achète 200 ha de terrain à Saint-Aygulf et trace hardiment lots et voies d'accès d'une nouvelle station balnéaire, afin d'attirer une clientèle fortunée des pins parasols bordant la mer. En 1911, c'est la destinée militaire de la ville qui s'ébauche avec l'installation du premier aérodrome naval français. Fréjus est choisi, en 1915, pour accueillir le centre de transition des troupes coloniales : on y « acclimate », avant de les envoyer au front, les soldats vietnamiens et les tirailleurs sénégalais... La ville effectue une tragique réapparition à la une des journaux avec la rupture, en 1959, du barrage de Malpasset, qui provoque la mort de plus de 400 personnes. La ville, qui a clairement choisi sa vocation balnéaire, retrouve son port en 1989.

Adresses et infos utiles

🚻 *Office municipal de tourisme de Fréjus :* 325, rue Jean-Jaurès, à Fréjus- | Ville. ☎ 04-94-51-83-83. ● *frejus.fr* *Ouv tte l'année lun-sam 10h-12h, 14h-*

18h ; dim et j. fériés 15h-18h. Visites commentées de la ville.

🛈 *Point Info Tourisme :* bd de la Libération, à Fréjus-Plage. ☎ 04-94-51-48-42. *Ouv en été lun-sam 10h-12h30, 15h-18h30 ; dim et j. fériés 10h-12h, 15h-18h.*

@ *Internet : Cyber Espace,* quai Marc-Antoine, port de Fréjus. ☎ 04-94-52-17-16. 🖳 06-16-11-50-76.

🚌 *Estérel Bus :* pl. Paul-Vernet. ☎ 04-94-53-78-46. Gère le réseau urbain. Lignes qui desservent toute l'agglomération : Port-Fréjus et Fréjus-Plage, Saint-Aygulf et les étangs de Villepey. D'autres lignes pour le quartier de la Tour-de-Mare (chapelle Cocteau), Saint-Raphaël, etc.

■ *Location de vélos et motos : Holiday Bikes,* 41, bd Séverin-Decuers. ☎ 04-94-52-30-65.

🅿 *Parkings :* stationnement gratuit au parking du Clos de la Tour, à 100 m de l'office de tourisme.

Où dormir ?

Dans le centre historique et aux alentours

Bon marché

🛏 *Auberge de jeunesse :* 627, chemin du Counillier. ☎ 04-94-53-18-75. • frejus-st-raphael@fuaj.org • *À 2 km du vieux Fréjus. En train, gare de Saint-Raphaël puis, à la gare routière, à 18h au quai n° 7, un bus vous y conduira. Pour les motorisés, accès par la N 7 direction Cannes ; pour ceux qui arrivent par l'autoroute, sortie Fréjus. Ouv 8h-11h, 17h30-23h30 (fin des enregistrements à 21h30). Attention, pas d'accès automobile au parc en dehors de ces horaires. Congés : nov-fév. Avec la carte FUAJ (obligatoire et vendue sur place) : nuit avec sanitaires collectifs* 13,30 €, avec douche et w-c 16 €, petit déj compris. Compter 10 € pour planter sa tente. Parking sécurisé. La seule auberge de jeunesse du Var, et par chance, elle est agréable, située dans un parc de 7 ha planté de pins parasols. Chambres pour 4 personnes rénovées ; également 2 chambres pour couples. À 4,5 km de la plage mais à quelques minutes à pied du vieux Fréjus. Un bus vient chaque matin et chaque soir à l'auberge de jeunesse et conduit les gens à la plage ou à la gare. Quelques emplacements de camping sous les pins.

De prix moyens à beaucoup plus chic

🛏 *Chambres d'hôtes Les Vergers de Montourey :* quartier Montourey. ☎ 04-94-40-85-76. • http://perso.wanadoo.fr/vergers.montourey • vergers montourey@wanadoo.fr • *À la sortie 38 Fréjus-Centre de l'A 8, prendre, au 1er rond-point, la direction Caïs ; à 100 m sur la gauche, suivre le panneau. Congés : début nov-début fév. Double avec douche et w-c, TV 60 €. Table d'hôtes le soir 20 € (apéro, entrée, plat, salade, fromage, dessert, café et vin !).* On a du mal à imaginer qu'on peut si vite se retrouver en pleine nature, entre l'autoroute et la ville. Chambres toutes pimpantes dans une ancienne bergerie. Elles répondent au nom des fruits que l'exploitation produit, fruits que vous retrouverez dans les confitures du petit déjeuner. Et pour les repas, pris en commun autour d'une longue table, ce sont évidemment les légumes du jardin et les produits fermiers qui sont à l'honneur. Accueil chaleureux. Une adresse pleine d'authenticité.

🛏 *Le Flore :* 35, rue Grisolle. ☎ 04-94-51-38-35. • hotelleflore83@aol.com • hotelleflore.com • *Doubles avec douche et w-c ou bains 55-110 € selon saison. Un petit déj offert par pers et par nuit sur présentation de ce guide.* Dans une ancienne maison familiale, une dizaine de chambres réparties sur trois étages. Pas le grand luxe, mais juste ce qu'il faut (double vitrage côté rue). De plus, l'hôtel a bénéficié récemment d'une cure de rajeunissement. Certaines chambres ont encore une cheminée et, comme dit la propriétaire des lieux, il n'y a plus qu'à imaginer les flammes ! Accueil à la bonne franquette et sans chichis.

🛏 |●| **Hôtel Arena :** 145, rue du Général-de-Gaulle. ☎ 04-94-17-09-40. ● in fo@arena-hotel.com ● arena-hotel. com ● Dans le centre ancien, juste à côté de la place Agricola. Resto fermé lun et sam midi. Congés : déc. Doubles avec bains 80-150 €. TV satellite et

Canal +. Beau menu du jour le midi en sem 26 € ; autres menus 42-58 €. Parking payant. Belle adresse remise au goût du jour. Déco très Provence éternelle : couleurs chaudes sur les murs, mosaïques et meubles peints. Jardin exubérant (eh oui, en plein centre-ville) et belle piscine. Chambres pas toujours très grandes mais mignonnes, climatisées et vraiment insonorisées. Cuisine pleine de saveurs, elle aussi sous influence méditerranéenne mais très personnelle.

À Fréjus-Plage et Saint-Aygulf

Campings

Beaucoup de campings à Fréjus mais peu en bord de mer. Est-il besoin de préciser combien ils sont surchargés en été ? Pour ceux qui ne sont pas véhiculés, bus n° 1-11 ou n° 9-19, devant l'office de tourisme de Fréjus ou depuis la gare routière de Saint-Raphaël.

🏕 **Camping à la ferme – Pépinières Marchesi :** chemin des Étangs, 83370 Saint-Aygulf. ☎ 04-94-81-03-66. ● ro germarchesi@orange.fr ● À 300 m du grand camping L'Étoile d'Argens qui, lui, est bien indiqué. Bus n° 9-19, arrêt « Chemin des Étangs », puis 15 mn à pied. Ouv juin-fin sept. Emplacement pour 3 pers avec tente et voiture 20 € en hte saison. Réduc de 5 % sur l'emplacement en juin et sept sur présentation de ce guide. Un camping qui ne ressemble en rien à ses voisins ! Au milieu des vignes, pas plus d'une vingtaine d'emplacements, isolés les uns des autres par de petites haies. Bien ombragé. Accueil familial charmant.

🏕 **Holiday Green :** route de Bagnols. ☎ 04-94-19-88-30. ● info@holiday-green.com ● holiday-green.com ● ♿ À 7 km de la mer, sur la D 4 ; par l'A 8, sortie n° 38 et direction Bagnols-en-Forêt. Bus n° 1-11, arrêt juste devant. Ouv fin mars-fin sept. Emplacement

pour 2 pers avec voiture et tente 27-47 € selon saison ; résidence luxueuse, chalets, mobile homes, etc. 300-1 280 €/sem. Le meilleur camping 4 étoiles. Environ 700 emplacements qui se répartissent sur des terrasses au sein d'une pinède. Camping célèbre surtout pour son immense piscine. En été, navette gratuite pour les plages. Sur place, resto, discothèque, concerts et soirées à thème.

🏕 **Le domaine du Colombier :** 1052, rue des Combattants-en-Afrique-du-Nord. ☎ 04-94-51-56-01. ● info@clubcolom bier.com ● clubcolombier.com ● ♿ Sur la D 4, à 4 km de la mer. Bus n° 1-11 ; arrêt « Le Colombier ». Ouv 1er mars-1er oct. Emplacement pour 2 pers avec voiture et tente 47 €. Loc de mobile homes de standing 322-1 386 €/sem. Confortable, semi-ombragé et doté d'une piscine, d'une pataugeoire pour les enfants, de toboggans, etc.

De prix moyens à beaucoup plus chic

🛏 **Hôtel L'Oasis :** impasse Jean-Baptiste-Charcot, Fréjus-Plage. ☎ 04-94-51-50-44. ● info@hotel-oasis.net ● ho tel-oasis.net ● Congés : 12 nov-31 janv. Doubles avec douche 38-55 €, avec douche ou w-c ou bains 48-68 € suivant

saison. Parking gratuit. À 5 mn de la plage. Petit immeuble années 1950, bien tranquille au fond de son impasse. Chambres pas bien grandes mais pas désagréables, surtout pour celles à la mignonne déco provençale. Elles sont toutes climatisées et rénovées. Excellent accueil. Petit déjeuner sous la tonnelle aux beaux jours.

🏠 *Hôtel Cap Riviera : 3022, av. de la Corniche-d'Azur, 83370 Saint-Aygulf.* ☎ 04-94-81-21-42. • info@hotelcapriviera.com • hotelcapriviera.com • *Sur la N 98, à la sortie de Saint-Aygulf, direction Sainte-Maxime. Resto fermé dim. Congés : de mi-oct à mi-mars. Doubles avec douche et w-c ou bains, TV satellite 49-97 € selon exposition et saison. Apéritif maison offert sur présentation de ce guide.* Le petit hôtel sympa dont les propriétaires s'emploient tout autant à donner de la personnalité aux chambres qu'à se mettre en quatre pour recevoir leurs clients. Vue sur mer pour la plupart des chambres. Parmi les plus chères, une suite avec terrasse et jacuzzi.

🏠 *Hôtel Le Catalogne : av. de la Corniche-d'Azur, 83370 Saint-Aygulf.* ☎ 04-94-81-01-44. • hotel.catalogne@wanadoo.fr • hotelcatalogne.com • *Congés : oct-avr. Doubles avec bains, TV satellite 86-118 € selon exposition et saison. Parking gratuit.* Adresse un peu bourgeoise dans un vaste immeuble de béton à balcons, très Côte d'Azur des années 1950-1960. Chambres très classiques, très confort (clim', coffrefort) et d'un joli rapport qualité-prix pour la région. Accueil fort aimable. Piscine.

Où manger ?

Dans le centre historique

De bon marché à plus chic

|●| *Cadet Rousselle : 25, pl. Agricola.* ☎ 04-94-53-36-92. • dianedep@wanadoo.fr • *Fermé lun et jeu midi hors saison. Congés : 15 déc-15 janv. Menu 13,50 € ; carte env 15 €.* Petite crêperie appréciée des autochtones, avec une carte généreuse qui aligne une soixantaine de crêpes différentes, des pizzas et autres galettes. Un cadre qui fait dans le simple. Une petite terrasse sympathique. Rien d'extraordinaire, mais on s'y sustente pour pas cher.

|●| *Mon Fromager : 38, rue Sièyes.* ☎ 04-94-40-67-99. *Tlj midi slt. Carte env 15 €.* Une petite boutique où ces (bons) fromagers ont réussi à caser une poignée de tables. Toute petite terrasse itou, sur la rue piétonne. Pour un déjeuner rapide : assiette de fromages, tartines, salades (accompagnées d'un verre de vin).

|●| *L'Arcosolium : 14, pl. des Jésuites.* ☎ 04-94-40-14-44. • arcosolium@orange.fr • *Fermé lun, mer soir et dim soir hors saison. Congés : oct. Menus 15 € le midi en sem, puis 22-35 €. Compter 38 € à la carte. Café offert sur présentation de ce guide.* Installé dans une maison construite autour des vestiges d'un mur romain. À l'intérieur, belles arcades de pierre et atmosphère rustique-chic. Terrasse ombragée mais un peu bruyante. À table : feuilleté d'escargots, filet de loup croûte de crumble...

|●| *Les Potiers : 135, rue des Potiers.* ☎ 04-94-51-33-74. *À 50 m de la place Agricola. Fermé mar et mer midi. Congés : 1er-21 déc. Résa conseillée. Menus 23,50 et 36 €. Café offert sur présentation de ce guide.* Toute petite salle dans une petite rue tranquille : il n'y a que six tables (intimité assurée...), mais il y a des expositions de peintres locaux ! Cuisine imaginative, légère et goûteuse. Bon accueil.

|●| *Restaurant de l'hôtel Arena : 145, rue du Général-de-Gaulle.* ☎ 04-94-17-09-40. *Voir la rubrique « Où dormir ? ».*

À Fréjus-Plage et Saint-Aygulf

De bon marché à prix moyens

|●| *L'Art des Mets : 303, bd Honoré-de-Balzac, 83370 Saint-Aygulf.* ☎ 04-94-81-15-01. *Fermé mar soir, mer et dim soir hors saison, mer midi et sam midi en saison. Menus 16,50-31 € et carte.* Pas grand-chose à écrire sur la salle

– celle d'un resto lambda de station balnéaire – et sur la petite terrasse. En revanche, la cuisine du jeune chef installé ici mériterait presque une demi-page de ce guide. Une cuisine vraiment d'aujourd'hui, simplement créative, mêlant au gré des saisons produits d'ici et saveurs d'ailleurs, souvenirs d'enfance et idées nouvelles. Tout cela à des prix d'un autre monde que la Côte d'Azur. Et il nous faudrait aussi un quart de page pour vous décrire l'efficacité souriante du service.

|●| *La Romana* : 155, bd de la Libération, Fréjus-Plage. ☎ 04-94-51-53-36. *Fermé lun et mar (sf soir) en saison. Congés : 8 janv-9 fév et 18-26 déc. Menus 15,50-22 € et carte. Kir ou café offert sur présentation de ce guide.* Un resto du front de mer, au style brasserie 1900 un peu kitsch, proposant une honnête cuisine méditerranéenne. Dans ce coin très touristique, où il y a plus souvent du mauvais que du bon, une adresse valable malgré un service parfois expéditif.

Où boire un verre ? Où sortir ?

🍸 *El Patio* : 719, bd de la Mer, à Port-Fréjus. ☎ 04-94-17-06-25. *Fermé sam midi et dim midi, plus dim soir hors saison. Fait aussi resto (plat du jour 10 € ; compter 15 € à la carte).* Un bar tendance latino et bien dans l'air du temps. Idéal à l'heure de l'apéro pour *pitrougner* allègrement des tapas arrosés d'un cocktail, d'une sangria ou d'une *caipirinha*. À moins que vous ne préférriez vous initier aux vins venus de contrées lointaines (Argentine, Mexique, etc.).

🍸 *Botafogo* : plage de la Galiote, 83370 Saint-Aygulf. ☎ 04-94-81-22-76. ♿ Sur

la N 98. *Ouv tlj d'avr à mi-oct.* Que diriez-vous d'une soirée aux couleurs brésiliennes, de danseuses à plumes, paillettes et aux fesses généreusement dénudées... ? *Ô Brazil* ! Fait aussi resto.

🎵 Les couche-tard poursuivront la nuit à *La Playa* (*bd de la Libération, à Fréjus-Plage*), qui organise ses fameuses soirées-dînettes, en principe le jeudi à partir de 21h (salades, assiettes de charcuterie, etc., pour environ 15 €, à grignoter dans la boîte !). *Ou encore à l'Odyssée, bd de la Libération, toujours à Fréjus-Plage.* ☎ 04-94-53-52-63. *En saison, tlj ; hors saison, mer-dim.*

À voir

Noter que le *Fréjus'Pass* (6,60 € ; réductions ; gratuit jusqu'à 12 ans), valable 7 jours, donne accès notamment au Musée archéologique, aux arènes (amphithéâtre), à la chapelle Notre-Dame-de-Jérusalem et au cloître. On peut l'acheter dans chacun de ces sites. *Renseignements :* ☎ 04-94-53-82-47.

Dans le centre

🎖🎖🎖 **Le groupe épiscopal** : 58, rue de Fleury. ☎ 04-94-51-26-30. *Dans le centre historique. Fin mai-fin sept, tlj 9h-18h30 ; le reste de l'année, tlj sf lun 9h-12h, 14h-17h. Fermé certains j. fériés. Entrée : 5 € pour le cloître et le baptistère ; réduc ; gratuit jusqu'à 18 ans. Entrée libre pour la cathédrale.*
Cet ensemble remarquable comprend :
– la cathédrale (*tlj 8h-12h, 14h30-18h*) : construite sur l'emplacement d'un édifice paléochrétien, elle est de style roman. Élégant clocher du XVIᵉ siècle. Magnifiques portes Renaissance en bois sculpté. Sur le bord de l'une d'entre elles, noter une évocation très réaliste des massacres des sarrasins. Dans le chœur, stalles du XVᵉ siècle.
– Le baptistère : un des plus anciens de France, datant de la fin du IVᵉ siècle. Au centre, une petite piscine de forme octogonale. Aux huit angles de la salle, colonnes et chapiteaux provenant d'un édifice antique.

L'ESTÉREL

– *Le cloître* : adorable, paisible. Rez-de-chaussée du XIIIe siècle. Certaines colonnes proviennent du *podium* du théâtre romain. Plafonds de bois peint (personnages, animaux fantastiques) datant du XIVe siècle. Double escalier construit également avec les gradins du théâtre.

¶ *Le Musée archéologique* : pl. Calvini. ☎ 04-94-52-15-78. *Ouv 9h30-12h30, 14h-18h (17h nov-avr) ; derniers tickets 15 mn avt la fermeture. Fermé lun et j. fériés. Entrée : 2 €.* Collections de pièces archéologiques essentiellement gallo-romaines. Vous y admirerez notamment une superbe mosaïque retrouvée intacte et l'Hermès découvert il y a quelques années (considéré comme trésor mondial).

¶ *Les arènes (amphithéâtre)* : rue Henri-Vadon. ☎ 04-94-51-34-31. *Mêmes horaires que le Musée archéologique. Entrée : 2 €.* Elles datent du milieu du Ier siècle. Moins spectaculaires que celles d'Arles et de Nîmes, elles n'en accueillaient pas moins 10 000 spectateurs. Il y a cent ans, l'ancêtre de la N 7 traversait les arènes par ses deux portes monumentales. Aujourd'hui, ce « nombril ébréché » fait office de *plaza de toros* et a servi de scène pour de fameux concerts de rock.

Hors du centre

Départ de la voie Aurélienne (voir plus loin), beau circuit vous menant vers les Alpes-Maritimes en passant par Les Adrets-de-l'Estérel. Pour qui aurait encore un peu de temps, quelques arrêts pour découvrir un Fréjus plus contemporain...

¶¶ *L'aqueduc et la villa Aurélienne* : av. du 15e-Corps-d'Armée. *À 2 km du centre (suivre la direction Cannes par la N 7).* Quelques arches d'un *aqueduc* (Ier siècle) autrefois long de 42 km dans un parc de 22 ha, où se cache l'élégante *villa Aurélienne* (☎ 04-94-53-11-30 – accès par l'av. du Général-J.-Calliès) construite, comme son nom ne l'indique pas, en 1880 et entièrement restaurée sur le modèle de la Renaissance italienne. Elle accueille régulièrement des expos temporaires de photos ; se renseigner pour les horaires (variables). Entrée gratuite.

¶ *La pagode bouddhique Hong-Hien* : 13, rue Henri-Giraud. ☎ 04-94-53-25-29. *À 1,5 km du centre (suivre la direction Cannes par la N 7). Tlj 9h-12h, 14h-17h (19h mai-sept). Entrée : 1 €.* Une pagode bouddhique qu'on ne s'attendait pas vraiment à trouver là ! Elle a été construite en 1917 par les troupes indochinoises du 4e régiment d'infanterie coloniale, sur le modèle des pagodes traditionnelles vietnamiennes. C'est toujours un lieu de culte : le temple n'est donc accessible qu'aux seuls bouddhistes. Mais on peut se balader dans le jardin, peuplé bien sûr d'une foule de statues polychromes (pour certaines gigantesques : le bouddha au nirvana est long de 10 m). Étonnant et dépaysant.

¶ Dans le même genre, on pourra voir (de l'extérieur seulement), à 5 km du centre sur la D 4 direction Fayence, une réplique (en plus petit tout de même !) de la *mosquée Missiri,* de Djenné au Mali, en béton à défaut de bois et de pisé. Même les termitières sont là...

¶¶ *La chapelle Notre-Dame-de-Jérusalem* : à 5 km du centre. Suivre la direction Cannes par la N 7. *Mêmes horaires que le Musée archéologique. Entrée : 2 €.* De Cocteau, on connaissait les fresques des chapelles de Milly-la-Forêt et de Villefranche-sur-Mer, mais pas celles de cette sobre petite chapelle contemporaine, un peu isolée dans une pinède. Il faut dire que c'est une œuvre inachevée de l'artiste, décédé subitement en 1963 alors qu'il y travaillait. Ses croquis préparatoires ont permis à son fils adoptif, Édouard Dermit, de terminer la mise en couleur des fresques. C'est donc bien du Cocteau, d'une symbolique parfois énigmatique, mixant allègrement sacré et païen (le Christ pointe du doigt un scarabée, symbole de la vie éternelle dans l'Égypte antique) et s'offrant quelques clins d'œil (on reconnaît parmi les apôtres un autoportrait et celui de Jean Marais).

🎣 🚶 ♦ *Le parc zoologique Safari de Fréjus :* Le Capitou. ☎ 04-98-11-37-37. À 5 km du centre par la D 4 direction Fayence, à proximité de l'entrée de l'A 8. Ouv tlj : 10h-17h juin-oct, 10h30-16h30 nov-fév et 10h30-16h30 le reste de l'année. Entrée : 12 € ; 3-9 ans : 8 €. À pied et en voiture parmi les singes et les fauves...

🎣 ♦ *Le musée des Troupes de Marine :* route de Bagnols. ☎ 04-94-40-81-75. En saison, ouv tlj sf mar et sam 10h-12h, 15h-19h ; le reste de l'année, slt 14h-18h (17h de mi-nov à mi-fév). Fermé 24 déc-2 janv. Entrée gratuite. Un musée qui passionnera tous ceux qui s'intéressent à l'histoire des troupes de la Marine. Normal ! Mais c'est aussi un des rares musées en France qui traitent de l'histoire des colonies françaises... Il possède également des fonds spécialisés sur la mémoire de la France d'Outre-mer.

À Saint-Aygulf

Quartier moins « artificiel » que Fréjus-Plage, qui ne manque finalement pas de charme avec ses criques, son chemin des douaniers, ses plages de sable (celle de l'Esclamandes est réservée aux naturistes) et ses belles maisons bourgeoises. À découvrir : la chapelle moderne, avec des toiles de Carolus Duran, et le sentier du littoral praticable à VTT.

🎣 ♦ *Les étangs de Villepey :* en bordure de la D 7, au niveau du camping Grand Calme. Rens : ☎ 04-94-51-88-00. Visites organisées par l'office de tourisme en juil-août (☎ 04-94-51-83-83). Tarif : 8 € ; moins de 12 ans : 4 €. Une vaste zone naturelle de 260 ha, façonnée par les divagations de l'Argens et acquise par le Conservatoire du littoral. Avec ses milieux diversifiés, cet espace naturel constitue un site très important pour l'avifaune (près de 220 espèces d'oiseaux migrateurs ou sédentaires y ont été recensées). Sentiers de découverte, observatoires, piste cyclable. Le mois de mars est le meilleur moment pour l'observation des oiseaux.

Fêtes et manifestations

– *Bravade de Fréjus :* le 3e dim après Pâques. Fête traditionnelle de la ville.
– *Nuits Auréliennes :* la 2e quinzaine de juil et début août. Au théâtre romain, superbement aménagé. Théâtre exclusivement.
– *Nuits de Port-Fréjus :* le ven soir en juil-août. Festival d'art pyrotechnique.
– *Féria :* en août. Corridas dans les arènes.
– *Fête du Raisin :* la 1re quinzaine d'août, dans la vieille ville.
– *Roc d'Azur :* 1 w-e d'oct. La plus grande course de VTT d'Europe.
– *Festival international de l'air :* 1er w-e de nov. Près de 500 cerfs-volants colorent le ciel de la base nature, en bord de mer.
– *Forêt enchantée :* en déc. Toute la magie de Noël dans le centre historique.

QUITTER FRÉJUS

➤ *Pour Nice et Marseille :* Cars phocéens, ☎ 04-93-85-66-61.
➤ *Pour Saint-Tropez et Toulon (par la côte) :* compagnie Sodetrav, ☎ 04-94-95-24-82.
➤ *Pour Bagnols, Fayence et Les Adrets :* compagnie Gagnard, ☎ 04-94-76-02-29.

LA VOIE AURÉLIENNE

C'est la route qui relie Fréjus à Cannes par l'intérieur. Dans l'Antiquité, la voie Aurélienne allait de Rome à Arles. La N 7 a en grande partie suivi le même tracé. Jolie route de « montagne », paysages un peu âpres côté Var, plus forestiers côté Alpes-Maritimes.

À voir. À faire

🎥 *Le mont Vinaigre :* le point culminant de l'Estérel et le seul sommet qu'on puisse approcher en voiture. De Fréjus, suivre la N 7 sur 11 km jusqu'au col du Testanier (310 m). Là, prendre à droite la route forestière de Malpey (« la mauvaise montagne » !). À la maison forestière, tourner à gauche ; 1 km plus loin, nouveau carrefour, poursuivre à gauche. On arrive ensuite à un parking, où on laisse sa voiture pour monter à pied et en quelques minutes au sommet du mont Vinaigre (618 m). De l'ancienne tour de vigie, la vue, très dégagée, s'étend de la côte italienne à la Sainte-Baume. À ne pas manquer.

SAINT-RAPHAËL   (83700)   36 000 hab.

Sous l'Empire romain, la ville est une banlieue résidentielle de Fréjus baptisée Epulias (« les ripailles », ce qui donne une petite idée du genre de vie que les Romains y menaient...). Un petit village de pêcheurs (c'est ici qu'a été inventée la bouillabaisse, enfin c'est ce que certains prétendent !) vit ensuite tranquillement sur ces rivages jusqu'à (histoire connue sur la Côte !) ce qu'un certain Félix Martin, ingénieur ingénieux en passe de devenir maire de la ville, profite de l'arrivée du chemin de fer en 1864 pour transformer Saint-Raphaël en station balnéaire. Sous son mandat, de 1878 à 1894, sont réalisés les principaux équipements destinés à attirer une foule de célébrités : Fitzgerald qui y écrivit *Tendre est la nuit,* Marcel Aymé, la princesse Elizabeth, future reine d'Angleterre, qui séjourna chez les Rothschild, Gounod qui y aurait composé *Roméo et Juliette* en 1866-1867... De cette époque, la ville a conservé son casino, sa presque démesurée basilique néobyzantine, sa promenade des Bains sur le front de mer et de très chic quartiers résidentiels comme Valescure, peuplés de somptueuses villas de style palladien. Les décennies suivantes ont malheureusement aussi apporté leurs blocs de béton à la ville...
Mais Saint-Raphaël (un nom qu'on doit à l'archange représenté sur les armoiries de la ville, accompagné d'un jeune garçon ayant, grâce à lui, sauvé son père de la cécité !) conserve un certain charme désuet. Et puis, l'Estérel est tout près... et vous êtes toujours en ville, puisque Saint-Raph' comprend, outre la vieille ville et le centre commerçant, Valescure, Boulouris, Le Dramont, Agay, Anthéor et Le Trayas !

Adresses et infos utiles

🛈 *Office de tourisme et des congrès de Saint-Raphaël :* quai Albert-Ier, BP 210. ☎ 04-94-19-52-52. • saint-ra phael.com • En saison, ouv tlj 9h30-19h. Visites commentées de la ville jeu mat. Efficace. Nombreuses activités proposées.
■ *Central de réservation :* 72, rue Waldeck-Rousseau. ☎ 04-94-19-10-60. • re servation@saint-raphael-paysdefayen ce.com • Hébergements, séjours, loisirs pour Saint-Raphaël et les communes du pays de Fayence (Callian, Fayence, Mons, Montauroux, Saint-Paul-en-Forêt, Seillans, Tanneron et Tourrettes).
🚆 *Gare SNCF :* rue Waldeck-Rousseau. ☎ 36-35 (0,34 € TTC/mn). TGV Méditerranée : Paris – Saint-Raphaël en 4h45. Train régional pour Cannes avec arrêts dans les gares de la corniche de l'Estérel : Boulouris, Le Dramont, Agay, Anthéor, Le Trayas, Théoule-sur-Mer.

L'ESTÉREL

▭ *Gare routière :* derrière la gare SNCF. ☎ 04-94-83-87-63. Bus pour Fréjus, Saint-Tropez, Cannes, Draguignan, Fayence, Aix-Marseille.

▭ *Raphaël Bus :* gare routière. ☎ 04-94-83-87-63. Gère le réseau urbain qui dessert entièrement la très étendue commune de Saint-Raph' : les quartiers de Valescure, Boulouris et le littoral jusqu'au Trayas.

⛵ *Les Bateaux de Saint-Raphaël :* gare maritime, sur le vieux port. ☎ 04-94-95-17-46. Avr-oct, liaisons avec Saint-Tropez, Port-Grimaud, l'île de Port-Cros. Pensez-y, ça peut vous éviter de passer bien des heures dans les embouteillages ! En revanche, pour Saint-Tropez, vu la distance, c'est beaucoup plus cher que, par exemple, depuis Sainte-Maxime. Balades en mer également et découverte des calanques de l'Estérel.

– *Nombreux marchés* tte l'année. Ts les mat sf lun, pl. Victor-Hugo, marché aux poissons sur le vieux port. Brocante le mar pl. Coullet. Marchés nocturnes également, en saison.

Où dormir ?

De prix moyens à plus chic

🏠 *Hôtel Le Thimothée :* 375, bd Christian-Lafon. ☎ 04-94-40-49-49. • info@thimothee.com • thimothee.com • À 1,5 km du centre-ville, dans le quartier des Plaines. Congés : fin déc-janv. Doubles avec douche et w-c ou bains, TV satellite 40-85 € selon saison. Loc de studios à la sem. Parking privé gratuit. Réduc de 10 % en basse saison sur présentation de ce guide. Pour ceux qui voudraient partir à la recherche du Saint-Raph' perdu, une villa bourgeoise du XIXᵉ siècle au cœur d'un petit parc, à l'ombre d'arbres centenaires. Chambres simples et nettes, dont beaucoup ont conservé des éléments du passé de cette vénérable maison : une cheminée ici, des balcons à colonnades (avec vue sur la mer) pour certaines. La plupart sont climatisées. Sympathique piscine. Et calme garanti dans ce quartier résidentiel, à quelques minutes de la mer.

🏠 *Hôtel Le Provençal :* 195, rue de la Garonne. ☎ 04-98-11-80-00. • reception@hotel-provencal.com • hotel-provencal.com • ♿ En centre-ville. À côté du vieux port et à 100 m de la plage et de la gare. Ouv tte l'année. Doubles avec douche et w-c ou bains TV, 55-80 € selon saison. Parking payant. Un vieil hôtel du centre-ville entièrement rénové, aux couleurs du Midi. L'ambiance est restée familiale. Propose une vingtaine de chambres toutes simples mais agréables, climatisées et bénéficiant d'un double vitrage. Très bon accueil.

🏠 *Hôtel Cyrnos :* 840, bd du Maréchal-Alphonse-Juin. ☎ 04-94-95-17-13. • hotelcyrnos@wanadoo.fr • hotel-cyrnos.com • Entre le port de Santa-Lucia et le quartier de Boulouris, à 5 mn du centre-ville. Ouv tte l'année. Doubles avec douche et w-c 35-95 € selon saison. Sur présentation de ce guide, un petit déj offert par chambre et par nuit. Située dans un parc à proximité de la plage et du port de plaisance, cette maison de maître, transformée en un petit hôtel plein de charme, dispose de tout le confort possible. Décorées avec goût, lumineuses, les chambres ont toutes un cachet différent ; vue sur la mer ou le jardin, balcon ou terrasse... Petit déjeuner servi au calme dans la verdure. Accueil très agréable.

🏠 *Ambassador Hôtel :* 89, rue Boetman. ☎ 04-98-11-82-00. • contact@ambassador-saint-raphael.com • ambassador-saint-raphael.com • Doubles avec bains, TV satellite 50-79 € selon saison. Un petit déj par chambre et par nuit offert sur présentation de ce guide. Dans une ancienne maison de 1900 restaurée de manière heureuse. Tout le charme et l'élégance de l'ancien rafraîchi au goût du jour ! Les chambres – certaines sont franchement spacieuses – sont douillettes, joliment meublées de lits en fer forgé ou à baldaquin, de tissus chatoyants. Les plus chères se répartissent autour d'un petit patio très calme, les autres peuvent s'avérer un peu bruyantes.

L'ESTÉREL

Où manger ?

De bon marché à plus chic

|●| *La Table du Boucher :* port de Santa-Lucia. ☎ 04-94-95-96-11. *Sur les quais. Ouv tte l'année, tlj. Menus 19-39 € et carte.* Un resto de viande là où ne se serrent que des restos de poisson... Pari osé. Mais réussi, et depuis un paquet d'années. Jolie salle façon brasserie, d'un chic un peu *British*, confortable terrasse, chaleureux accueil à l'italienne et service efficace. Terrines autant maison que les desserts, viandes (une bonne trentaine à la carte : côte de bœuf, andouillette du Haut-Var...) d'une belle précision de cuisson. Superbe rapport qualité-prix pour la région au final. Au fait, si les locaux – qui en ont fait une de leurs cantines – vous conseillent le resto *L'Os à Moelle,* c'est bien ici, l'enseigne a changé récemment.

|●| *Le Bishop :* 84, rue Jean-Aicard. ☎ 04-94-95-04-63. *En centre-ville. Tlj sf mer et jeu midi hors saison. Menus 18-28 €.* L'adresse de tradition, un peu bistrot sur les bords, qui semble rassurer une clientèle plutôt installée. Pas de quoi s'inquiéter au demeurant : bonne cuisine, très, très traditionnelle, et rapport qualité-prix étonnant pour la région.

De plus chic à beaucoup plus chic

|●| *La Cave :* 23, rue Thiers. ☎ 04-94-95-79-62. *En centre-ville. Tlj sf dim soir-lun. Congés : 7-30 janv et 1ʳᵉ sem de juin. Menus 18 € le midi, puis 28-38 €.* Une (bonne) adresse, du genre de celles qu'ouvrent des jeunes gens qui ont envie de faire autrement après quelques années travaillées dans des gastros enfin guindés. Décor d'un design discret, musique entre jazz et électro, ambiance à la décontraction et cuisine qui innove juste ce qu'il faut. Belle carte des vins pour ne pas faire mentir l'enseigne.

|●| *L'Arbousier :* 6, av. de Valescure (angle de la rue Marius-Allongue). ☎ 04-94-95-25-00. ● *arbousier.restaurant@wanadoo.fr* ● *En centre-ville. Fermé lun et mar hors saison, lun et mar midi en saison. Congés : 20 déc-10 janv. Menu 28 € le midi en sem ; autres menus 38-58 € et carte.* Le meilleur resto de la ville pour les connaisseurs. Une cuisine du Sud, parfumée, équilibrée et originale, à savourer dans le jardin, à l'ombre des magnolias, plutôt qu'en salle.

À voir. À faire

🗡 *Le musée de Préhistoire et d'Archéologie sous-marine :* pl. de la Vieille-Église. ☎ 04-94-19-25-75. *Ouv tte l'année tlj sf dim et lun 9h-12h, 14h-18h ; en juil-août, visite en nocturne jeu jusqu'à 21h. Entrée libre.* Installé dans l'ancien presbytère de l'église Saint-Rafêu. Dans la cour, curieux menhir dont une des faces est gravée d'une figure humaine et d'un serpent. À l'intérieur, belles collections provenant des fouilles sous-marines réalisées sur le littoral raphaëlois. On n'échappera pas aux amphores ! Jarres sarrasines très rares et superbe reconstitution d'un chargement d'amphores sur un navire romain du Iᵉʳ siècle av. J.-C. Plus étonnantes : des pompes en bronze romaines qui servaient à vidanger les fonds de cales des bateaux. À l'étage : le paléolithique et néolithique régional et mégalithes du Var.

🗡 *L'église romane du XIIᵉ siècle :* entrée par le musée (pour accéder à l'église et à la tour). *Classée Monument historique.* Du XIIᵉ siècle, mais des fouilles ont permis de mettre au jour des éléments de fondation d'une église préromane, elle-même édifiée sur un temple païen. La tour de guet voisine, d'une hauteur de 30 m, date, elle, des XIIIᵉ et XIVᵉ siècles. Pour les amateurs de panorama, 129 marches pour gagner son sommet.

➤ *Le sentier du littoral :* du port de Santa-Lucia à la pointe de la Baumette, entre la mer et le massif de l'Estérel, 8,5 km (2h30 environ). Fléchage jaune, départ de l'extrémité sud du port. Arrivée au phare de la Baumette dans la baie d'Agay. Possibilité de retour par les transports en commun (ligne n° 8) ou par le TER. Il est également possible de fractionner (voir plus loin « Le Dramont »).

Plongée sous-marine

Saint-Raphaël s'est tourné très tôt vers les joies de la plongée sous-marine et l'année 1935 vit la création du tout premier club français, le *Club des scaphandres et de la vie sous l'eau*, animé par le commandant Le Prieur, un grand pionnier de l'aventure sous-marine... La ville, stratégique dans l'Antiquité, demeure également un creuset de notre archéologie sous-marine, dont le petit musée séduira les routards passionnés... Au large de ce coin de littoral qui a gardé, en partie, son caractère sauvage, voici les quelques spots notoires où, parfois, mistral et vent d'est peuvent compromettre la plongée.

Clubs de plongée

■ *CIP Fréjus :* sur l'aire de carénage de Port-Fréjus Est. ☎ 04-94-52-34-99. 📱 06-23-07-06-28. ● • cip-frejus.com ● ♿ Ouv tte l'année, le w-e slt en hiver. Résa conseillée. Baptême env 43 € ; plongée 31-44 € selon équipement ; forfaits dégressifs 6-12 plongées. Vous embarquerez sur l'un des navires de cet important centre de plongée (*FFESSM* et *PADI*) pour rejoindre les plus beaux spots des alentours. Une sérieuse palanquée de moniteurs, dirigée par Stéphane Bordanave, guide vos explorations et assure baptêmes, enseignement jusqu'au niveau IV et brevets *PADI*. Initiation enfants à partir de 8 ans, plongée *Nitrox* (air enrichi en oxygène) et *Trimix* (mélange air-hélium) pour les confirmés, stages d'initiation à la biologie marine et à la photo numérique.

sous-marine. Nombreux équipements disponibles.
■ *Europlongée :* dans le joli port de Boulouris. ☎ 04-94-19-03-26. 📱 06-09-18-53-74. ● europlongee.fr ● Ouv de fév à mi-nov. Résa souhaitable. Baptême env 45 € ; plongée 25-38 € selon équipement ; forfaits dégressifs. À proximité d'une petite plage de sable fin, un petit club sympa (*FFESSM, ANMP* et *PADI*) où Stéphane Barré et une palanquée de moniteurs encadrent baptêmes, formations jusqu'au niveau IV et brevets *PADI*, mais aussi de belles explorations dont vous garderez le plus vif souvenir. Matériel fourni et bateaux rapides. Initiation enfants à partir de 8 ans, plongée *Nitrox* (air enrichi en oxygène) pour les cracks, stages d'initiation à la biologie marine, et *snorkelling*.

Nos meilleurs spots

⚓ *Le Lion de Mer :* idéal pour les baptêmes et plongeurs de tous niveaux. Un îlot rocheux planté devant le port de Saint-Raphaël. Glissant voluptueusement le long d'un tombant chaotique largement peuplé, vous aborderez serein « Notre-Dame des Fonds-Marins » – statue de bronze du XIXe siècle scellée par 12 m de fond – avant de céder aux charmes de la sirène plantureuse, autre statue du spot (- 18 m). Un peu plus bas (22-40 m de fond), embrassez d'un regard les surplombs recouverts de corail rouge avec votre lampe torche ! Une plongée sympa.
⚓ *L'île d'Or :* au sud-ouest du cap Dramont. Pour tous niveaux. Un îlot rocheux baigné d'eaux limpides (3-30 m de fond) et surmonté d'une jolie tour byzantine qui aurait inspiré Hergé pour les aventures de Tintin dans *L'Île noire*... Agréable enchaînement de plateaux, éboulis, tombants, avec nombreuses failles, arches et canyons. Ici, pas de gorille monstrueux, mais un gentil cocktail de mérous, daurades, murènes, langoustes qui batifolent tranquillement... De bien belles rencontres, mille sabords ! Attention, site exposé.

↘ *Le village sous-marin de Silver :* à partir du niveau I. Devant le cap Dramont. Une plongée ludique dans un village de lilliputiens construit dans les années 1960 par une équipe d'artistes-plongeurs farfelus animée par Néjad Silver (20 m de fond maxi). Sous une voûte, vous distinguerez l'église et son clocher qui domine quelques maisons...

↘ *Les péniches d'Anthéor :* pour plongeurs de niveau II. À proximité du cap Roux. Vestiges éclatés de deux péniches torpillées en 1944, entre 24 et 36 m de fond. Vous reconnaîtrez aisément la poupe avec hélice et safran, et surprendrez congres, murènes et rascasses sous les tôles (coupantes !). Également quelques mérous. Surtout, ne chatouillez pas la cargaison d'obus (frissons !) encore à bord...

↘ *La Balise de la Chrétienne :* pour les plongeurs de niveau I. Un écueil très sauvage au large d'Anthéor. Murènes, congres et rascasses trouvent refuge parmi les blocs de cet immense plateau rocheux. Le site est célèbre dans l'histoire de l'archéologie sous-marine française, car une dizaine d'épaves antiques y ont été successivement découvertes. Nombreux débris de poteries (ne rien prendre, c'est interdit !). Courant fréquent. Au sud-ouest, le spot du *Dramont* (jusqu'à 45 m de fond) est aussi réputé pour ses naufrages antiques, dont les ultimes vestiges se perdent dans de magnifiques champs de gorgones, où évoluent mostelles et mérous gracieux. Niveau II.

Fêtes et manifestations

– *Viva mimosa :* en fév. Corso, carnaval de nuit, excursions, balades pédestres, expositions-vente...

– *Compétition internationale de jazz New Orleans :* pdt 3 j. début juil. Grande parade et concours de concerts. Ambiance *New Orleans* assurée !

– *Soirées musicales des Templiers :* à l'église du même nom, pdt une petite sem fin juil. Venue des plus grands interprètes classiques, solistes ou ensembles du monde entier. Concerts payants.

– *Fêtes traditionnelles de la Saint-Pierre :* 1 w-e début août. C'est la fête des pêcheurs. Procession à travers la ville et en mer, grand-messe, embrasement du pin, bataille de fleurs nautique et tournoi de joutes.

– *Festival de quatuors à cordes :* 1 sem fin oct. Saint-Raphaël participe au *Festival en pays de Fayence*. Chaque soir, un concert dans une église différente : un très bel événement qui permet de découvrir l'arrière-pays (voir chapitre suivant) sous son meilleur jour, loin des foules estivales.

– *Les fêtes de la Lumière :* en déc. Les principaux monuments du patrimoine de la ville sont sous le feu des projecteurs. Nombreuses troupes de théâtre dans les rues pendant la dernière quinzaine du mois. La plus grande fête de Saint-Raphaël et le seul festival de rue en saison hivernale.

LA CORNICHE DE L'ESTÉREL

La route qui longe le littoral offre des points de vue splendides, des criques en contrebas où l'on peut se baigner et des sentiers qui vous mèneront sur les sommets au milieu d'une végétation sauvage. Les roches rouges de l'Estérel (blocs de porphyre déchiquetés) sont spectaculaires.

LE DRAMONT *(83700)*

Une stèle commémorative s'élève au-dessus de la grève où débarqua la 36e division du Texas de l'armée américaine, le 15 août 1944. De violents combats eurent lieu, mais le lendemain, la ville fut libérée. Efficace !

L'ESTÉREL

Où dormir ?

Plus chic

🛏 *Chambres d'hôtes Villa Mélodie :* N 98. ☎ 04-94-82-06-65. • info@villa-melodie.com • villa-melodie.com • Ouv tte l'année. Doubles avec douche et w-c 70-78 € en saison, petit déj inclus. Réduc de 5 % sur le prix de la chambre hors juil-août sur présentation de ce guide. Dans une petite maison des années 1920, qui abritait autrefois un hôtel. Un petit jardin ombragé, des chambres simples et tranquilles, certaines avec terrasse. La plage est à deux pas. La propriétaire, une charmante Italienne, propose également des massages shiatsu.

Randonnée

➤ *Le cap Dramont :* belle balade en boucle balisée (marquage bleu) à faire en 1h à partir du petit port du Poussaï. Spots très connus des plongeurs (voir plus haut « Plongée sous-marine »), le cap Dramont et l'île d'Or restent un des plus beaux sites de l'Estérel. Pour ceux qui ne seraient pas fans de plongée mais fans de Tintin, on rappelle que la tour de style moyenâgeux que vous apercevez sur l'île d'Or aurait inspiré Hergé pour le décor de *L'Île noire*. À la Belle Époque, le bon docteur Luthaud (rien à voir avec le faussaire des aventures du héros à la houppette et aux idées fixes) y recevait tout le gratin de la région. Le sentier zigzague ensuite à flanc de colline au-dessus de jolies criques, dans une végétation typiquement méditerranéenne (salsepareille – l'herbe à Schtroumpf ! – bruyères, myrtes, pins d'Alep et chênes verts). Les roches de porphyre rouge contrastent violemment avec le bleu de la mer. Superbe ! Jolie vue évidemment depuis le belvédère de la Batterie. La balade peut aussi se faire au départ d'Agay.

L'ESTÉREL

AGAY (83530)

Station balnéaire très bien située au bord d'une rade profonde et dominée par le *Rastel d'Agay* (288 m) et ses roches rouges. C'est un bon point de départ pour les excursions dans l'Estérel. À moins que vous ne vouliez profiter des plus belles plages de sable fin de la côte...

Adresse utile

ℹ️ *Syndicat d'initiative :* pl. Charles-Giannetti. ☎ 04-94-82-01-85. • agay.fr • En saison, tlj 9h-12h30, 14h30-18h30 ; hors saison, lun-ven 9h-12h, 14h-17h30.

Où dormir ? Où manger ?

Camping

⛺ *Les Rives de l'Agay :* av. du Gratadis. ☎ 04-94-82-02-74. • reception@lesrivesdelagay.fr • lesrivesdelagay.fr • À la gare routière de Saint-Raphaël, ligne n° 8 (Saint-Raphaël – Cannes) ; arrêt « Relay d'Agay », puis 15 mn à pied. Ouv mars-nov. Résa conseillée. Emplacement pour 3 pers 34 € en hte saison. Loc de mobile homes 375-820 €/sem. Au bord de la petite rivière de l'Agay et à 400 m de la mer. Une petite centaine d'emplacements bien ombragés et agréables. Atmosphère assez familiale. Un bon rapport qualité-prix pour une adresse bien située.

De prix moyens à plus chic

🛏 *Le Relais d'Agay :* bd de la Plage. ☎ 04-94-82-78-20. ● info@relaisdagay. com ● relaisdagay.com ● Congés : 15 oct-31 mars. Doubles avec douche et w-c ou bains, TV satellite 49-98 € selon saison. Parking privé gratuit. Un genre d'institution locale. Même si de l'ancien relais détruit lors de la Seconde Guerre mondiale (c'était la voie ferrée juste à côté qui était visée !), il ne reste plus rien. Chambres très classiques dans l'ancien bâtiment, plus provençales, plus spacieuses, climatisées, en un mot, plus agréables dans l'annexe. Certaines disposent d'un balcon avec vue sur la mer. Gentille terrasse pour prendre le petit déjeuner. Excellent accueil.

|●| *Côté Jardin :* 1, rue du 11-Novembre-1943. ☎ 04-94-82-79-98. ● philip pe.cailleaud@wanadoo.fr ● Fermé lun et dim soir. Congés : déc-janv. Résa conseillée. Formule déj en sem 18 € (plat + entrée ou dessert) ; menus 29-36 € et carte. Apéritif maison offert sur présentation de ce guide. D'abord le cadre, une petite salle ravissante et chaleureuse à l'ambiance provençale. Et que dire du jardin (premier prix des jardins fleuris de Saint-Raphaël, s'il vous plaît !)... La cuisine ? On la savoure d'abord avec les yeux ! Elle est traditionnelle mais avec des idées d'aujourd'hui. L'accueil est charmant.

Randonnées

Plein de balades pédestres, à cheval ou à VTT, très sympas dans le coin. Demander à l'office de tourisme le *Plan-guide Estérel* édité par l'ONF (payant).

➤ *Le lac de l'Écureuil :* au départ du col de Belle-Barbe (parking ; accès par une route forestière depuis Agay). Compter 3 bonnes heures aller-retour. Très belle balade, plutôt tranquille (seuls les derniers 200 m font un peu travailler les mollets !). Le sentier suit la rivière du Grenouillet (pas beaucoup d'ombre) jusqu'au ravin du Mal-Infernet. Des gorges d'une sauvage beauté (mais si !), avec des pitons de roches porphyriques rouges. On y jetait les pestiférés au Moyen Âge ; c'est aujourd'hui une réserve biologique. On grimpe ensuite un peu pour découvrir le panorama sur le petit lac de l'Écureuil. On pourra déballer son pique-nique sur ses rives. Également un itinéraire VTT.

ANTHÉOR (83530)

Petite station joliment nichée dans une calanque. L'immanquable viaduc ferroviaire gâche toutefois un peu le paysage. C'est ici que commence véritablement la route de la Corniche d'Or, ouverte en 1903 par le Touring Club de France à l'initiative d'Abel Ballif. Entre Anthéor et Le Trayas, la côte, peu urbanisée, est tout simplement splendide, déchiquetée et creusée de nombreuses calanques. On peut (mais l'accès n'en est pas vraiment facile et la baignade non surveillée) descendre s'y baigner. Galets, pas trop de monde même en été et des marchands ambulants qui passent en... bateau ! Peu avant la pointe de l'Observatoire, vue étonnante à gauche sur le ravin couronné par les rochers rouges de *Saint-Barthélemy*, du *Saint-Pilon* et du *cap Roux* (classé « Site remarquable », d'ailleurs !). De la *pointe du cap Roux,* vue superbe sur Anthéor mais aussi sur le golfe de La Napoule.

Où dormir ? Où manger ?

Camping

⛺ *Camping Azur Rivage :* N 98. ☎ 04-94-44-83-12. ● info@camping-azur-riva | ge.com ● camping-azur-rivage.com ● Juste derrière les arches du pont de la

L'ESTÉREL

voie ferrée. À la gare routière de Saint-Raphaël, ligne n° 8 (Saint-Raphaël – Cannes) ; arrêt juste devant l'entrée. Ouv avr-sept. Emplacement pour 2 pers avec voiture et tente 26 € en hte saison.

Loc de mobile homes 230-650 €/sem. Un camping rafraîchi par l'ombre bienfaisante des platanes. Piscine. Plage à 30 m. Dommage simplement que la voie ferrée passe juste au-dessus...

De prix moyens à beaucoup plus chic

🛏 ❚●❚ **Les Flots Bleus :** av. Eugène-Brieux, Anthéor. ☎ 04-94-44-80-21. ● contact@hotel-cote-azur.com ● hotel-cote-azur.com ● ♿ En bordure de la N 98. Congés : de mi-oct à fin mars. Doubles avec lavabo ou douche et w-c ou bains, TV 52-60 € selon saison. Menus 18,50-33 €. Parking privé gratuit. Apéritif maison offert sur présentation de ce guide. Accueil sympathique et gentilles petites chambres (et quelques bungalows un peu à l'écart), qui regardent en majorité vers la mer. Bon rapport qualité-prix pour le coin. Poisson frais au resto.

🛏 **Auberge d'Anthéor :** bd Eugène-Brieux. ☎ 04-94-44-83-38. ● auberge-d-antheor.com ● Au cap Roux, en bordure de la N 98. Congés : début nov-fin fév. Doubles avec bains, TV satellite 85-135 € selon saison. Le site est assez exceptionnel : perchée sur les rochers rouges qui déchiquettent les vagues, l'auberge donne l'impression d'avancer sur la mer. Les chambres ont tout le confort nécessaire et même la clim' naturelle : il suffit d'ouvrir les fenêtres ! Elles sont élégantes, rustiques et dégagent une atmosphère de petit manoir. Cher bien sûr, mais on n'a pas tous les jours l'occasion d'être bercé par le bruit des vagues ou de se baigner dans une piscine remplie d'eau de mer ! L'hôtel a été réaménagé et le resto a été remplacé par trois appartements avec vue sur la mer, également en location...

LE TRAYAS (83113)

Agréable petite station familiale. Point de départ de plusieurs randonnées dans l'Estérel. Plages de sable au Trayas et, le long de la côte, de pittoresques (et on se répète, difficiles d'accès) calanques. La pointe Notre-Dame, au sud, bordée de végétation méditerranéenne, marque le passage avec les Alpes-Maritimes.

Randonnées pédestres

Renseignements à l'office de tourisme de Saint-Raphaël et au syndicat d'initiative d'Agay qui disposent de quatre itinéraires détaillés.

➢ **Le pic de l'Ours :** au départ du col Notre-Dame (accès automobile depuis Le Trayas ; parking). Compter 1h30 en boucle. Un des plus hauts sommets du massif (562 m). Vue géniale évidemment, des Maures au Mercantour, avec, à ses pieds, la baie de Cannes et les îles de Lérins. Retour via la Dent de l'Ours, plutôt sportif. On peut redescendre par la route, c'est plus tranquille mais plus long (20 mn supplémentaires).

➢ À la pointe de Maubois, arrêt des cars Cannes – Saint-Raphaël (uniquement en juillet-août, pas de bus le reste de l'année), sentier balisé qui fait le tour du **pic du Cap-Roux,** en 3h également. Superbe.

L'ARRIÈRE-PAYS VAROIS

Envie de changer d'air, ras-le-bol des plages surpeuplées et des embouteillages ? Envie de retrouver, hors saison, des villes et villages ayant gardé leur personnalité ? Bienvenue dans « l'arrière-pays » varois, un mot qui a fait long-temps peur aux édiles et aux spécialistes en communication. Aujourd'hui pourtant, il a un petit air nostalgique de retour au pays, celui qu'on n'aurait jamais dû quitter...

Le circuit que nous vous proposons, au départ de Fréjus ou Saint-Raphaël, devrait vous permettre de respirer un peu, avant de poursuivre votre route vers Cannes, Nice, Menton... La mer est au loin. Les hordes touristiques qui considèrent que la Provence n'existe pas en dehors de la plage ne vous sui-vront certainement pas sur ces routes étroites et tortueuses... sauf, peut-être, lors des (rares) jours de pluie. On y trouve de vrais Provençaux ou de tels amoureux de la Provence qu'ils sont devenus plus accros que les enfants du pays. Il faut reconnaître qu'il y a vraiment de quoi tomber amoureux de ce pays, ou plutôt de cet *arrière-pays*.

LE PAYS DE FAYENCE

Microrégion qui nous amène de forêts en coteaux, des portes de Fréjus-Saint-Raphaël à de charmants petits villages, haut perchés sur les premiers contre-forts des Alpes-de-Haute-Provence. Et le changement est radical !

BAGNOLS-EN-FORÊT (83600) 2 000 hab.

Tranquille petit village offrant de magnifiques possibilités de promenades et d'escalade dans un site superbe, couvert de forêts (d'où son nom, évidem-ment !). Dans le village, l'église Saint-Antonin, du XVIIIᵉ siècle, possède quel-ques beaux retables à colonnes. Jolie balade vers la chapelle Saint-Denis, à 1 km à l'ouest du village. On avance à travers les vignes pour accéder à cette chapelle romane construite sur un site romain, dont les fresques ont été récemment mises au jour.

Adresse utile

🏛 **Office de tourisme :** 575, Grande Rue. ☎ 04-94-40-64-68. ● ot-bagnols. com ● Ouv tte l'année, mar-sam (ainsi que lun juin-sept) 10h-12h30, 14h-17h30 (mer mat slt). Musée archéologi-que au 1ᵉʳ étage.

Où dormir ?

⛺ **Camping Les Clos :** Les Clos. ☎ 04-94-40-60-69. ● info@camping-lesclos. com ● camping-lesclos.com ● À la sor-tie du village, à 400 m sur la route de Fayence. Ouv mars-fin sept. Emplace-ment pour 2 pers avec voiture et tente 14,50 € en hte saison. Loc de maisons de vacances et de mobile homes 330-550 €/sem. Petit camping calme et ombragé, d'une cinquantaine d'empla-cements. Piscine, tennis, coin barbe-cue, vélos à louer.

MONTAUROUX ET LE LAC DE SAINT-CASSIEN (83440) 4 580 hab.

Le « balcon de l'Estérel » se proclame également « patrie de Christian Dior ». Le célèbre couturier n'est pas né ici (cherchez plutôt à Granville) mais possédait le château de la Colle-Noire en contrebas du village. La jolie chapelle Saint-Barthélemy datant du XVIIe siècle était sur ses terres et a pu être restaurée après son legs à la commune (se renseigner auprès de l'office de tourisme pour les jours d'ouverture). Centre ancien à visiter tranquillement en grimpant justement vers cette chapelle. Vieilles maisons et linteaux gravés au fil des rues, entièrement pavées à l'ancienne.

À quelques km au sud de Montauroux s'étend le lac de Saint-Cassien. Un grand lac de barrage de 430 ha (35 km de pourtour) aux pentes boisées. 150 espèces d'oiseaux viennent y nicher ! Agréables baignades dans ses eaux très pures et possibilité de pratiquer divers sports nautiques. Pas mal de monde en été, évidemment.

Adresse utile

🖫 **Office de tourisme :** pl. du Clos. ☎ 04-94-47-75-90. ● montauroux.tourisme@wanadoo.fr ● montauroux. com ● Ouv en saison lun-ven 8h30-12h (9h mer), 13h-17h30 (14h mer) ; sam 9h-12h30.

Où dormir ? Où manger ?

Camping

⚊ **Camping Les Floralies :** route de l'Ancienne-Gare. ☎ 04-94-76-44-03. ● cfloralies@wanadoo.fr ● camping-floralies.com ● Situé à égale distance du village et du lac de Saint-Cassien (2 km). Autoroute, sortie Les Adrets ; fléché depuis la D 562 quand on aborde le village. Ouv avr-sept. Résa quasi obligatoire en juil-août. Emplacement pour 2 pers avec voiture et tente 13,40 € en hte saison. Loc de bungalows 350 €/ sem. Au calme (si l'accueil se fait dans une vieille gare de campagne, il n'y a plus de train qui passe ici) et ombragé. Atmosphère assez familiale. Piscine. Commerces à proximité.

De bon marché à prix moyens

🏠 **Résidence de tourisme Le Champ d'Eysson :** chemin de Chambarrot, quartier Les Chaumettes. ☎ 04-94-85-70-00. ● contact@champdeysson.fr ● champdeysson.fr ● ♿ Au pied du village. À 1,5 km du lac de Saint-Cassien. Accueil fermé dim ap-m en hte saison, mer et dim le reste de l'année. Congés : fin déc-début janv. Studio (4 pers) ou 3-pièces (6 pers) 275-965 €/sem. Possibilité de tarif à la nuitée. Parking gratuit. Sur présentation de ce guide, réduc de 10 % sur la loc et un accès gratuit au tennis. Dans un ensemble de petites maisons (22 appartements au total), une résidence tranquille à des prix qui trouvent preneur. Piscine. Tennis payant.

➤ DANS LES ENVIRONS DE MONTAUROUX

🍴 **Les bambous du Mandarin :** à **Pont-de-la-Siagne** (83440 Montauroux). ☎ 04-93-66-12-94. Sur la D 562, direction Grasse, à la « frontière » des Alpes-Maritimes. Ouv Pâques-la Toussaint sam 8h-18h et le 1er dim du mois aux mêmes horaires. Visites guidées (1h30) à 10h30, 15h et 16h30, sur rendez-vous en sem. Entrée : 4,50 € ; réduc ; gratuit jusqu'à 7 ans. Sur les bords de la Siagne, un ancien moulin à farine qui a pris un sacré coup d'exotisme avec ce jardin de bambous (plus de 80 variétés). Ils ont eu, depuis quelques années, le temps de pousser. Bouddha de pierre, instruments de musique en bambou au hasard du sentier.

CALLIAN (83440) 2 460 hab.

Montée délicieuse par de charmantes ruelles jusqu'au château. Sur le parcours, vieilles portes, blasons sculptés, petits jardins secrets fleuris, etc. Chapelle des Pénitents au pied du château. Quant à l'église Notre-Dame, elle abrite les reliques de la patronne du village, sainte Maxime. Précieuses reliques, qui avaient été piquées au début du XVe siècle par l'évêque de Fréjus. Une de ces *bravades* comme seuls les hommes d'armes (on l'a vu pour Saint-Tropez) savaient les faire autrefois permit de ramener ces précieux restes.

Si vous passez par là mi-mai, vous aurez droit à une commémoration de la Sainte-Maxime (cortège, danse folklorique, repas...). Sinon, vers mi-juillet, festival de rue (théâtre, danse...), et fête du village le 7 août, avec l'ail-au-lit, évidemment !

Adresse utile

🅸 *Office de tourisme :* pl. Bourguignon. ☎ 04-94-47-75-77. En saison, tlj sf lun mat et dim 8h30-12h, 14h-18h.

Hors saison, ouv du lun ap-m au ven 8h30-12h, 13h30-17h (14h-17h30 misaison).

FAYENCE (83440) 4 300 hab.

Un des plus beaux villages de l'arrière-pays, évidemment très touristique. Dominant insolement toute la plaine, il s'est retrouvé naturellement l'un des plus importants centres de vol à voile d'Europe, et même le premier en heures de vol ! Il reste encore quelques artisans, mais ils sont malheureusement de moins en moins nombreux. Quatre salons d'antiquités par an. ☎ 04-94-76-11-11.

Voir la *Sarrasine,* porte fortifiée du XIVe siècle, l'*église paroissiale* du XVIIIe siècle (belle vue de sa terrasse) et le campanile en fer forgé de la *tour de l'Horloge.* Surtout, se perdre dans le treillis pittoresque des ruelles.

Courte et jolie balade à pied jusqu'au village jumeau de *Tourrettes.* Dans le coin aussi, *Notre-Dame-des-Cyprès,* une gentille chapelle romane au sud-est du village (retable du XVIe siècle), pour le moment en restauration.

Adresse utile

🅸 *Office de tourisme :* pl. Léon-Roux. ☎ 04-94-76-20-08. En saison, lunsam 9h-12h30, 14h-18h, slt le dim mat.

Hors saison, lun-ven 9h-12h, 14h-17h30.

Où dormir ? Où manger ?

De bon marché à prix moyens

🍽 *Côté Terrasse :* 3, rue Camille-Laroute (pl. de l'Église). ☎ 04-94-76-14-60. Congés : déc-janv. Carte env 15-25 €. La p'tite affaire familiale comme on les aime encore et toujours : madame est en cuisine pour des plats frais, simples et bons ; monsieur manie l'humour au service. La terrasse (il y en a évidemment une) descend doucement vers l'église, la salle a des murs de pierre, et des disques de jazz tournent en fond sonore.

Plus chic

🛏 |●| *Moulin de la Camandoule :* chemin Notre-Dame-des-Cyprès. ☎ 04-94-76-00-84. ● moulin.camandoule@wanadoo.fr ● camandoule.com ● *De Fayence, prendre la route de Seillans ; c'est à 5 mn en voiture (1 km env). Resto fermé mer, plus jeu midi hors saison. Résa conseillée. Doubles avec douche et w-c ou bains, TV 90-145 € selon saison. Menus 30-45 €. Sur présentation de ce guide, un petit déj par pers offert la 1re nuit.* On passe sous un aqueduc gallo-romain pour accéder à ce parc de 4 ha au bord de la rivière Camandre. Dans cet ancien moulin à huile, agréablement restauré et entièrement rénové récemment, les chambres sont toutes climatisées et très différentes les unes des autres. « La Tabatière » et « La Roustide » sont les seules à posséder une terrasse, mais les plus grandes sont « L'Estagnon » et « L'Infer », celle de « La Tour » étant un duplex, donc un peu plus chère. Dans le salon et le resto, superbes meules et presses restées en l'état. Terrasses ombragées. Piscine. Resto gastronomique ouvert aux non-résidents, qui peuvent alors profiter de la piscine. Une vraie *guesthouse* provençale (ses propriétaires sont anglais !).

Manifestation

– *Festival de quatuors à cordes en pays de Fayence :* en oct. ☎ 04-94-76-02-03. Une semaine de concerts et de « classe de maîtres » (*master class* en anglais !) dans les églises et auditoriums des huit communes du canton.

SEILLANS   (83440)   2 500 hab.

Un autre charmant village haut perché. Le peintre Max Ernst choisit d'y passer ses dernières années. Vestiges de remparts, porte du XIIIe siècle, ruelles étroites et places croquignolettes. Église avec deux beaux triptyques.

Adresse utile

🛈 *Office de tourisme :* maison Waldberg, pl. Thouron. ☎ 04-94-76-85-91. ● OT.seillans@wanadoo.fr ● seillans.fr ● *En hiver, mar-sam 10h-12h, 14h30-17h30 ; le reste de l'année, lun-sam 10h-12h30, 14h30-18h. Visite (payante) du village le jeu à 10h tte l'année et à 16h30 mar en été.*

Où dormir ? Où manger ?

De bon marché à plus chic

🛏 *Chambres d'hôtes le Mas d'Engaspaty :* route de Brovès, Les Pételins. ☎ 04-94-76-88-60. ● engaspaty@wanadoo.fr ● engaspaty.com ● *À 2 km du village sur la D 53 direction Fayence (c'est fléché sur la droite). Doubles avec bains 63-85 €. Table d'hôtes 23 € le soir sur résa (4 pers min). Apéritif maison offert et réduc de 10 % à partir de 2 nuits nov-fin mars sur présentation de ce guide.* Une maison récente, tranquille, presque à la campagne. Agréables chambres dans le goût du pays. Carreaux de Salernes dans les (grandes) salles de bains. Accueil d'une extrême gentillesse et bonne cuisine provençale à la table d'hôtes.

|●| *Tilleul-Citron :* Grand-Rue. ☎ 04-94-50-47-64. *Ouv 8h-19h en été, 11h-18h hors saison. Fermé mar en hte saison et lun hors saison. Congés : janv. Formule déj 11 €. Café offert sur pré-*

sentation de ce guide. Une seule table en terrasse. Pas beaucoup plus à l'intérieur. Une toute petite adresse donc, charmante et très féminine. Des tartes, des tourtes, des salades, des p'tits plats d'ici, des gâteaux maison... Tout simple, tout bon.

🏠 |●| **Hôtel des Deux Rocs** : 1, pl. Font-d'Amont. ☎ 04-94-76-87-32. ● hotel deuxrocs@wanadoo.fr ● hoteldeuxrocs. com ● En haut du village. Doubles avec douche et w-c ou bains, TV 65-135 €

selon taille et saison. Menus 28-35 €. Un hôtel (de charme, comme on dit) dans un... hôtel particulier du XVIIᵉ siècle. Une adresse un peu classe qui conserve pourtant l'ambiance d'une maison de famille (c'en est une) où les enfants font du tricycle dans le hall d'entrée. Chambres toutes différentes mais toutes, jusqu'aux plus petites (logiquement les moins chères), charmantes. On petit-déjeune aux beaux jours autour de la superbe fontaine de la place. Resto.

À voir

🎨 **La collection Ernst (donation Tanning)** : à l'étage de l'office de tourisme. En hiver, mar-sam 14h30-17h30, 15h-18h en été. Entrée : env 2 € ; réduc. Dans l'ancienne maison de M. Waldberg, historien d'art, collectionneur et ami du couple d'artistes, un bel ensemble de lithographies et de gravures de Max Ernst et de Dorothea Tanning, léguées à la commune par Dorothea.

🎨 **Notre-Dame-de-l'Ormeau** : à 1 km, sur la route de Fayence, belle chapelle romane proposant aux connaisseurs un superbe retable Renaissance (Adoration des mages et des bergers). En principe, visites commentées (payantes) le jeu à 11h15 tte l'année, également le mar à 17h30 en saison. Rens à l'office de tourisme.

Fêtes et manifestations

– **Fête des Fleurs** : à la Pentecôte, ts les 2 ans, les années paires.
– **Musiques en liberté** : une dizaine de j. en août.
– **Marché potier** : 15 août.

MONS (83440) 680 hab.

À 800 m d'altitude, le village le plus élevé du pays de Fayence. Panorama évidemment grandiose. De la vaste esplanade de la place Saint-Sébastien, certains jours – « rares il est vrai », prévient la petite brochure distribuée à la maison du tourisme ! –, le regard parvient à atteindre les sommets corses. Joli village, dans son jus, avec ses ruelles étroites et son église du XIIIᵉ siècle. Le vent doit parfois y souffler très fort, si l'on en croit les nombreuses pierres qui maintiennent les tuiles sur les toits. Rigolo petit musée-atelier « Mer et Montagne », empli de maquettes de bateaux en allumettes.

Adresse utile

ℹ️ **Maison du tourisme** : pl. Saint-Sébastien. ☎ et fax : 04-94-76-39-54.

Où manger ?

|●| **Chez Barbaroux** : 6, rue Maurice-Brunet. ☎ 04-94-76-35-20. Fermé lun

et dim soir hors saison, dim et ts les midis en hte saison. Congés : d'oct à mi-mars. Menu unique 23,50 €. CB refusées. Digestif maison offert sur présentation de ce guide. « Le patron est en cuisine », prévient une affichette. Et vous ne le verrez pas beaucoup en sortir ! Il y prépare des plats proven-çaux, authentiques et sincères, des recettes de toujours mais au goût d'aujourd'hui. Trois ou quatre tables dans une pittoresque ruelle pour l'été, quelques autres dans un intérieur joliment arrangé, façon bistrot cosy.

LE VERDON

Pour les amateurs de gorges profondes, depuis Mons, encore quelques kilomètres de petites routes (et de patience !) pour atteindre l'important massif calcaire des plateaux du Verdon, doté de nombreux lacs et de villages pittoresques, pour reprendre un qualificatif qu'on imaginerait usé ailleurs.

BARGÈME (83840) 120 hab.

Le plus haut village du Var (1 094 m), enserré dans son enceinte percée de deux portes du XVIᵉ siècle, est dominé par la belle ruine du château des Pontevès. Le village et le château ont été restaurés. Village magnifique, un bout du monde à découvrir. Des visites guidées sont organisées en saison : à 16h30, 17h30, 18h30.
Vue panoramique exceptionnelle sur le plateau de Canjuers (camp militaire... le plus grand d'Europe, avec 35 000 ha) et sur les Préalpes, avec des étendues de champs de lavande en contrebas. Possibilités de randonnée dans les proches pinèdes. Départ du GR 49.

Où dormir ? Où manger dans les environs ?

🏠 |●| *Ferme de séjour Rebuffel :* quartier Riphle, 83840 La Roque-Esclapon. ☎ 04-94-76-80-75. ●isabelle.rebuffel@worldonline.fr ● rebuffel.com ● En bordure du camp de Canjuers, bien fléché depuis La Roque-Esclapon. Ouv tte l'année. Ferme-auberge sur résa slt. Doubles avec douche et w-c 54 €. À la ferme-auberge, menu unique 19 € pour ceux qui dorment et 25 € pour les visiteurs (apéro, vin et café compris). Ce couple d'agriculteurs élève un millier de brebis et cultive des pommes de terre, façon de vous indiquer ce que vous pourrez goûter à leur table, en dehors de l'anchoïade ou des farcis aux légumes traditionnels. Leur ferme ocre jaune, avec ses volets bleus, est située à 1 000 m d'altitude et jouit d'un panorama exceptionnel sur la montagne de Lachens. Chambres simplement plaisantes.

LES GORGES DU VERDON

Sans prétendre concurrencer le Grand Canyon du Colorado, les gorges du Verdon apparaissent quand même comme les plus impressionnantes d'Europe. C'est un grand coup de hache entre le Var et les Alpes-de-Haute-Provence, sorte de frontière naturelle qui a laissé une profonde entaille de 21 km de long dans la terre. Il y a trente ans, le Verdon débitait jusqu'à 800 m³ d'eau à la seconde au moment des plus fortes crues. Aujourd'hui, deux barrages régulateurs ont ramené le débit à 30 m³ d'eau à la seconde et permettent aux randonneurs l'accès au fond du canyon. Falaises vertigineuses

LE VERDON

qui vous écrasent de leurs 300 à 600 m de hauteur, chaos rocheux, rives sauvages, etc. C'est le paradis des randonneurs. Paradoxalement, les gorges du Verdon sont une découverte récente puisqu'elles ne furent explorées qu'au début du XXᵉ siècle.

Depuis 1997, ce site exceptionnel est même devenu un *parc naturel régional,* afin de « concilier développement économique et protection de l'environnement ». Et le Verdon appartient à la réserve géologique de Haute-Provence. L'extraction de minéraux et de fossiles y est donc interdite. En revanche, la pêche y est ouverte à tous... dans les limites légales, bien sûr ! On trouve, dans le Verdon et ses affluents, truites, brochets, carpes et bien d'autres espèces encore. Quant aux ornithologues en herbe, comme les autres, ils peuvent lever les yeux au ciel pour repérer hirondelles et aigles, parmi quelques dizaines d'espèces recensées. Pour la flore, des panneaux sur les sentiers de découverte indiquent arbres, arbustes et plantes aromatiques (sauge, fenouil, marjolaine...).

Le Touring Club de France y a créé de nombreux sentiers, sur une grande partie du parcours.

Les routes, relativement récentes, qui longent les gorges, livrent d'époustouflants paysages.

Mais le Verdon, c'est aussi la découverte de villages perchés, de ruines gallo-romaines, d'églises. Escapade imprégnée d'histoire, de couleurs et de coutumes parfois plusieurs fois centenaires. Évidemment, la grande fréquentation touristique se ressent un peu dans la qualité des infrastructures, dommage.

N.B. : la rive nord des gorges et Moustiers-Sainte-Marie sont traités dans le *Guide du routard Provence.*

Adresses utiles

🏠 *Maison des gorges du Verdon :* château, 04120 La Palud-sur-Verdon. ☎ 04-92-77-32-02. ● lapaludsurverdon. com ● Au 1ᵉʳ étage. Ouv de mi-mars à mi-nov, tlj sf mar 10h-12h, 16h-18h (de mi-juin à mi-sept, 10h-13h, 16h-19h). Super accueil, jeune et dévoué. Et si vous êtes grimpeur ou randonneur, n'hésitez pas à poser des questions, l'équipe connaît bien le terrain. Espace muséographique sur la région (payant). ■ *Parc naturel régional du Verdon :* Domaine de Valx, 04360 Moustiers-Sainte-Marie. ☎ 04-92-74-68-00. ● parc duverdon.fr ● Maison du parc au rond-point à 3 km en entrant dans Moustiers-Sainte-Marie, quand on arrive des gorges. Nombreuses brochures, conseils et fiches avec cartes pour la rando dans le parc.

TRIGANCE (83840)

Pittoresque village provençal, gardien des gorges du Verdon côté est. Il est dominé par un château du XIᵉ siècle transformé depuis quelques années en hôtel-resto très chic et cher.

Où dormir ? Où manger à Trigance et dans les environs ?

De prix moyens à plus chic

🏠 ❙●❙ *Le Vieil Amandier :* montée de Saint-Roch, à Trigance. ☎ 04-94-76- 92-92. ● levieilamandier@free.fr ● http:// levieilamandier.free.fr ● ♿ Ouv de

LE VERDON

LE VERDON

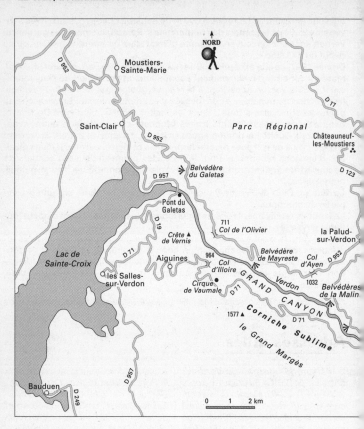

Pâques à mi-oct. Selon saison, doubles avec douche et w-c ou bains 55-72 € et ½ pens 60-75 €/pers. 10 % de réduc sur le prix de la chambre sur présentation de ce guide. Certes l'architecture n'est pas géniale, mais voilà néanmoins une excellente adresse. Tout d'abord, les chambres sont plutôt cossues et coquettes. Certaines (les nᵒˢ 1 à 6) ont une terrasse privée ou un jardinet. Jolie piscine. Et puis on y mange très bien (en demi-pension uniquement). Cuisine variée très marquée terroir, truffes en saison.

🏠 🍴 **Grand Hôtel Bain** : le village, 83840 Comps-sur-Artuby. ☎ 04-94-76-90-06. ● jmbain@wanadoo.fr ● grand-hotel-bain.fr ● À env 20 km au sud-est de Trigance par la D 90, puis à droite la D 955. Ouv tlj. Congés : de mi-nov à Noël. Doubles avec douche et w-c ou bains, TV 52-58 €. Menus 17-38 € et carte. Café offert sur présentation de ce guide. Au centre du village, une adresse immanquable avec sa façade pimpante et son enseigne peinte à l'ancienne. Une vraie institution, tenue depuis 1737 de père en fils par la famille Bain. À l'heure du déjeuner, on grimpe ici de très loin pour manger le pâté truffé, la daube provençale, les pieds-paquets ou le carré d'agneau rôti. Chambres agréables pour faire halte dans cette vénérable maison.

🍴 **Boulangerie-crêperie Le Moulin de Soleils** : route de Castellane, 83840 Trigance. ☎ 04-94-85-66-17. ● moulin. soleil@orange.fr ● À 6 km de Trigance. Tlj sf mar 9h30-19h (22h l'été). Congés : fin nov-fin mars. Compter 11 € à la carte

LES GORGES DU VERDON

à la crêperie. *Visite gratuite du moulin et apéro maison offert sur présentation de ce guide.* On visite le dernier moulin à farine traditionnel encore en activité en Provence, avant d'aller acheter son pain à la boulangerie traditionnelle ou de grignoter une crêpe confectionnée avec la bonne farine, dans le petit resto aménagé à côté. Tartines de pain bio toastées avec une salade verte également au programme. L'accueil est charmant et les propriétaires se sont investis avec beaucoup d'énergie dans ce projet de restauration du vieux moulin. Une initiative à encourager...

LA CORNICHE SUBLIME

C'est la route du sud (la D 71), peut-être bien la plus spectaculaire.

Où dormir ? Où boire un verre ?

Le Grand Canyon – Hôtel-restaurant Les Cavaliers : *RD 71, falaise des Cavaliers, 83630 Aiguines.* ☎ *04-94-76-91-31.* ● *hotel.gd.canyon. verdon@wanadoo.fr* ● *hotel-canyon-ver don.com* ● ✗ *À mi-chemin de Comps et* *d'Aiguines. Resto fermé mar midi et mer hors saison. Ouv fin avr-début oct (ouv slt les 2 premiers w-e en oct). Doubles avec bains 70-80 € selon saison. ½ pens exigée le w-e, en saison et les j. fériés : 60-65 €/pers. Apéritif maison offert sur présentation de ce guide.* Véritable nid d'aigle que cet établissement surplombant de 300 m la falaise des Cavaliers sur

le Verdon. Architecture moderne et décoration sans charme. On peut au moins s'y arrêter boire un verre sur une terrasse panoramique véritablement impressionnante. Et éventuellement faire halte dans une chambre, fonctionnelle, avec petite terrasse donnant sur les gorges. Pour la vue essentiellement, vous l'avez compris.

À faire

🏃🏃🏃 *La route de la Corniche Sublime : compter une demi-journée.* Si vous vous arrêtez, ce qui, ici, s'impose ! Ou si, en saison, vous subissez les ralentissements liés aux hasardeux croisements des bus et autres camping-cars... Notre itinéraire démarre logiquement de *Trigance,* où nous nous trouvions quelques lignes plus haut. Poursuivre sur la D 90, pour rejoindre au hameau de *Saint-Maymes* la D 71 qui suit au plus près la corniche des gorges. Des *balcons de la Mescla,* panorama saisissant sur les eaux du Verdon qui se mêlent (c'est la *mescla,* « mêlée » en provençal) à celles de l'Artuby. Le Verdon semble se recroqueviller autour d'une étroite crête rocheuse. 2 km plus loin, du *pont de l'Artuby,* audacieux ouvrage d'une seule portée, on domine l'Artuby de 180 m. Aux *tunnels du Fayet,* superbe vue plongeante (du deuxième tunnel) sur la courbe effectuée par le canyon (parking, ça va de soi). À la *falaise des Cavaliers,* à-pic impressionnant. Aux *falaises de Bauchet,* la route longe la partie la plus étroite des gorges. Belle vue en enfilade. Un peu plus loin, le *cirque de Vaumale,* au point le plus élevé de la route (1 200 m), offre un ample panorama. Au *col de l'Iloire,* on s'offre la dernière vision, superbe, du canyon. Après *Aiguines* (voir ci-dessous), la route redescend vers les eaux bleu turquoise du lac de Sainte-Croix.

➢ *Le sentier de l'Imbut :* de 4 à 6h. Départ de l'hôtel-restaurant Le Grand Canyon, *sur la D 71.* Belle mais difficile (sinon très difficile) rando au cœur de la partie la plus sauvage des gorges, réservée à ceux qui ont déjà quelques kilomètres dans les chaussures et qui n'ont pas le vertige (étroit sentier en corniche ici ou là, impressionnant). On n'insistera pas sur les conseils habituels pour une rando : surveiller la météo, prévoir de l'eau potable, une carte IGN... Prudence, prudence. Itinéraire en cul-de-sac, possibilité de retour par le sentier Vidal, très sportif (nos jambes se souviennent encore de la grimpette finale par un semblant d'escalier...). Pour d'autres balades plus tranquilles dans les gorges, voir le *Guide du routard Provence.*

AIGUINES (83630)

À plus de 800 m d'altitude, Aiguines protège une des entrées des gorges du Verdon et surplombe le lac de Sainte-Croix. Sa situation et la vue dont on jouit sont tout simplement extraordinaires. Accrochée à la montagne de Margès (1 580 m d'altitude), la cité existe depuis près de 1 000 ans. Des forêts de buis attirent ici, dès le XVIe siècle, les artisans tourneurs sur bois – profession malheureusement aujourd'hui disparue. Deux usines à vapeur ont même été créées au XIXe siècle. Ce village de 221 âmes propose aussi un château du XVIIe siècle (style Renaissance), avec un toit orné de tuiles vernissées et d'élégantes tours en poivrière (ne se visite pas), ainsi qu'une jolie église paroissiale construite en 1639. Profitez aussi de la table d'orientation qui se trouve à la chapelle en surplomb du village, à côté du Camping de l'Aigle.
Ni ville d'eaux ni ville de montagne, Aiguines possède toujours un charme indéniable, bien qu'aujourd'hui le village soit clairement tourné vers le tourisme. Il faut se

promener dans ses vieilles ruelles, où les maisons possèdent de belles terrasses et des perrons voûtés. Ici un beffroi, là une fontaine...

Adresse utile

🆔 **Office de tourisme :** *hôtel de ville, allée des Tilleuls.* ☎ 04-94-70-21-64. • *ai guines.com* • *Lun-ven 9h-12h, 14h-17h, mêmes horaires lun-sam l'été.* Accueil sympa et compétent. Dispose de cartes et de renseignements très détaillés. Expo permanente de superbes boules cloutées, qui firent la notoriété du village.

Où dormir ? Où manger ?

⛺ **Camping de l'Aigle :** *quartier Saint-Pierre.* ☎ *et fax : 04-94-84-23-75.* 🍴 *En surplomb du village, sur la route de Combs. Ouv début avr-fin sept. Emplacement pour 2 pers avec voiture et tente 12,40 € en hte saison.* Un camping en paliers, avec une belle vue sur le lac. Douches chaudes à volonté. Resto sur place. Accueil décontracté.

🏠 I●I **Auberge-relais Altitude 823 :** *dans le village.* ☎ *04-98-10-22-17.* • *al titude823@laposte.net* • *Congés : de début nov à mi-mars. Doubles avec douche et w-c, TV 56-61 € selon la saison. Menus 17,50-32 € et carte. Garage à vélos et motos.* Dans le virage, un établissement qui propose une dizaine de chambres bien tenues et progressivement rénovées. Demandez-en une avec vue sur le lac, bien sûr. Au resto, cuisine de région et de tradition.

LES SALLES-SUR-VERDON (83138)

Cadre qui serait totalement idyllique en surplomb du superbe lac de Sainte-Croix, avec sa couleur bleu-vert si intense... si l'on n'avait pas un peu l'impression d'arriver dans la banlieue d'une ville nouvelle. Il faut dire que ce village date de 1974 et n'est qu'une copie du précédent, englouti par les eaux du lac.

Adresse utile

🆔 **Office de tourisme :** *pl. Font-Freye.* ☎ *04-94-70-21-84.* • *sallessurverdon. com* •

Où dormir ?

De prix moyens à plus chic

🏠 **Auberge des Salles :** *18, rue Sainte-Catherine.* ☎ *04-94-70-20-04.* • *auber ge.des.salles@wanadoo.fr* 🍴 *Au bout du village, en surplomb du lac. Ouv avr-fin sept. Doubles avec douche et w-c ou bains, TV 58-75 € selon confort et saison.* Depuis cinq générations, les Anot sont hôteliers aux Salles. La famille est toujours là, et ils ont tous conservé le sens de la convivialité et de l'accueil. Le bâtiment est moderne mais manque un peu de charme. Les chambres, confortables, sont propres et bien tenues. Certaines disposent d'une terrasse avec vue sur le lac.

🏠 **Hôtel Sainte-Anne :** *1, pl. de l'Artisanat.* ☎ *04-94-70-20-02.* • *hotelsain teanne@mcom.fr* • *Garage à motos. Congés : nov-avr. Doubles avec douche et w-c ou bains, TV 45-60 € selon saison et orientation. Café offert sur présentation de ce guide.* Un bâtiment assez récent dans lequel on trouve des chambres conventionnelles mais bien tenues. Quelques-unes ont vue sur le lac et ne sont pas plus chères. Les plus onéreuses sont celles qui ont un salon et un balcon. Bon accueil.

Où dormir ? Où manger dans les environs ?

🛏️ ❚●❚ *L'Auberge du Lac :* rue Grande, 83630 Bauduen. ☎ 04-94-70-08-04. ● auberge.lac@wanadoo.fr ● auberge-du-lac.info ● Au cœur du village, sur les bords du lac de Sainte-Croix. Congés : 15 nov-15 mars. Doubles avec bains, TV 80 €. ½ pens (souhaitée pdt les vac scol) 74 €/pers. Menus 17,90 € en été et 26,70-39,90 €. Café offert sur présentation de ce guide. Une adresse un peu hors du temps. Du rustique, du chaleureux, en v'là ! La propriétaire dorlote ses locataires depuis près de 50 ans, les chambres sont douces, agréables à vivre, notamment celles qui donnent sur le lac. Le fils s'occupe du resto, entouré d'une équipe enjouée. Petite terrasse vigneronne en été, salle chaleureuse hors saison. Plats de terroir, gibier, produits et vins de pays.

À voir

🥾 *La maison du Lac :* dans l'office de tourisme. ☎ 04-94-70-21-84. ♿ Ouv aux mêmes horaires que l'office ; hors saison, consulter le répondeur. On comprend mieux toute l'histoire du village. Maquettes et exposition de photos de l'ancien village. C'est d'ailleurs sur le pont d'Aiguines, qui est maintenant sous l'eau, que fut tourné le début du film *Jeux interdits*.

SAINT-JULIEN-LE-MONTAGNIER (83560)

Charmant village perché aux confins du département. De là-haut, belle vue panoramique sur la région, notamment depuis les remparts du XIIIe siècle agrémentés d'un vieux moulin, ce qui en fait un coin à pique-nique sympa. Belvédère et table d'orientation un peu plus haut. Enfin, l'inévitable petite église romane, très sobre, ouverte uniquement le samedi et le dimanche après-midi, comme de bien entendu... Jolies ruelles anciennes à arpenter avant ou après le repas.

LE HAUT-VAR

Le Haut-Var abrite de nombreux villages qui méritent les détours que vous ferez pour grimper jusqu'à eux. Pour les amateurs d'artisanat authentique, il existe encore pas mal d'ateliers à visiter, le travail de la terre et du bois restant encore une des activités importantes de ce pays.

COTIGNAC   (83570)   2 040 hab.

Le village de rêve par excellence, dans lequel on a envie de s'installer pour y goûter les plaisirs de la vie. Son nom est tiré du coing, et c'est d'ailleurs ici qu'on en fit les premières gelées. Anecdote amusante : on peut voir la fameuse gelée de Cotignac sur la table des *Noces de Cana* de Véronèse. Le village est planté au fond d'une vallée barrée par une immense falaise de tuf, percée de grottes d'où tombe une cascade (détournée vers l'an 1000) et surmontée de deux tours restaurées datant du XIIe siècle. Longtemps isolée (la route ne fut construite qu'au XIXe siècle), Cotignac fut tout de même la première commune entièrement électrifiée de France, en 1897, grâce à une usine hydroélectrique. De fait, avec la cascade voisine, elle fabriquait facilement son électricité.

Il faut absolument s'arrêter dans ce pays de cocagne pour profiter du cours central bordé de platanes (marché provençal le mardi et marché paysan le vendredi matin, de mi-juin à mi-septembre, place Joseph-Sigaud), avant de grimper vers la délicieuse place de la Mairie. Et puis prenez simplement votre temps, lorgnez les ateliers d'artistes.

Adresse utile

🛈 *Office de tourisme :* pont illuminé de la Cassole. ☎ 04-94-04-61-87. • office tourisme.cotignac@wanadoo.fr • Juil-août, mar-sam 9h45-12h45, 15h-18h30 (18h sam), dim-lun 10h-12h30 ; le reste de l'année, mar-ven 9h-13h, 14h30-18h et sam 9h-12h.

Où dormir ? Où manger ?

Camping

⚕ *Camping municipal Les Pouverels :* route de Sillans. ☎ 04-94-04-71-91. • camping.pouverels@orange.fr • ⚘ À 1,5 km par la D 22. Ouv tte l'année. Emplacement pour 2 pers avec voiture et tente env 8 €. Apéritif maison offert (pour 2 pers max) sur présentation de ce guide. Une cinquantaine d'emplacements au calme, dans un endroit plein de verdure.

De prix moyens à plus chic

🛏 |●| *Chambres d'hôtes Les Oliviers :* quartier Le Plan, 1162, route de Carcès. ☎ 04-94-04-71-34. • contact@ lesoliviers-provence.com • lesoliviers-provence.com • À la sortie du village vers Brignoles, en surplomb de la route. Doubles avec douche et w-c ou bains 52-70 €. Table d'hôtes 23 €. Une récente mais jolie maison provençale proposant trois chambres pas trop chères et plutôt coquettes, avec terrasse. Belle piscine et accueil fort sympathique.

🛏 *Le Mas de Canta-Dié :* 2930, route de Carcès. ☎ 04-94-77-72-46. • mas-de-canta-die@wanadoo.fr • sejour-en-provence.com/canta01.htm • ⚘ (1 chambre). Congés : oct-mai. Doubles avec douche et w-c 75 € ; 1 suite 95 € (salon, frigo, bar, TV). Apéritif maison offert sur présentation de ce guide. Accueil et prestations fort sympathiques. Un lieu à l'image de ses propriétaires, qui ont décoré chaque chambre en fonction de leurs souvenirs (Mykonos, Corsica...) et de leurs passions. L'une d'elles étant la peinture, vous pourrez même bénéficier de l'atelier. Il y a une piscine, rassurez-vous...

🛏 |●| *Chambres d'hôtes du Domaine de Nestuby :* 4540, route de Montfort-sur-Argens. ☎ 04-94-04-60-02. • nestuby@wanadoo.fr • sejour-en-provence.com • De Cotignac, prendre la D 22 vers Brignoles pdt 4 km, puis le chemin de terre sur la droite. Congés : déc-fin fév. Doubles avec douche et w-c ou bains 75-80 € ; suite 80-85 € ; petit déj compris. Table d'hôtes le soir en sem, sur résa, 27 € boisson incluse. Réduc de 10 % sur le vin du domaine sur présentation de ce guide. Au milieu de leurs vignes, dans une superbe bastide, Nathalie et Jean-François Roubaud accueillent les amateurs de vin depuis longtemps. De l'art de faire du vin à celui de recevoir et de cuisiner, il n'y a qu'un pas, qu'ils ont allègrement franchi. Cinq chambres toutes décorées dans d'agréables tons pastel. Nathalie prépare de bons petits plats dans la plus pure tradition provençale (sauté de veau aux olives, tian de courgettes, tarte au fromage de chèvre), le tout accompagné du côtes-de-provence du domaine, bien sûr. Pour se rafraîchir, une piscine et un bassin à l'ancienne. Et même un petit centre de remise en forme (spa et sauna) !

🛏 |●| *La Radassière :* 1701, imp. Les

LE HAUT-VAR

Fabres, D 50, route d'Entrecasteaux. ☎ 04-94-04-63-33. ● radasse@club-internet.fr ● sejour-en-provence.com/radas01.htm ● ♿ *Ouv tte l'année. Doubles avec douche et w-c 75-80 €. Table d'hôtes le soir 30 €. Apéritif maison offert sur présentation de ce guide.* Maryse et Richard Artaud ont construit, au milieu des oliviers, près de leur maison, cette dépendance toute neuve abritant des chambres de rêve, toutes blanches mais égayées par les œuvres d'artistes contemporains habitant les environs (un grand merci, M. Armand Avril !). Grand lit, fauteuils confortables, des fleurs du jardin pour vous accueillir, et une petite terrasse pour voir le soleil se coucher sur un paysage apaisé. Délicieux petits déjeuners et très bons dîners. Piscine.

|●| *Le Temps de Pose :* 11, pl. de la Mairie. ☎ 04-94-77-72-07. Carte 10-15 € env. Il faut, c'est sûr, y prendre son temps. Surtout si l'étonnante patronne de ce petit bistrot entreprend de vous raconter l'un de ses cinq (au moins !) métiers précédents ou décide de vous faire découvrir l'œuvre d'un peintre polonais, son pays d'origine. Sinon, ses petits plats couleur locale se mangent avec autant de plaisir que ses pâtisseries d'Europe de l'Est sur une adorable terrasse.

|●| *Le Clos des Vignes :* route de Montfort-sur-Argens. ☎ 04-94-07-72-19. Juste en face du Domaine de Nestuby. Fermé lun-mar et dim soir hors saison, slt lun et mar midi en hte saison. Congés variables, se renseigner. Menus 20 € le midi, puis 28-35 €. Café offert sur présentation de ce guide. La maison est belle avec sa véranda chic donnant sur les vignes. La cuisine est bonne et vraiment bien faite, elle marie avec bonheur tradition et petites touches personnelles. Le foie gras est maison et la carte est renouvelée régulièrement en fonction des saisons et des produits. Enfin, l'accueil est chaleureux, signe que l'on s'attable dans une bonne maison.

À voir

🐾 *La Roche et ses grottes troglodytiques :* ouv de mi-avr à fin sept. Fermé dim mat et lun (ouv lun ap-m en juil-août). Entrée : 2 €. Haute de 80 m, elle s'étale sur 400 m de longueur. Les grottes ont longtemps été utilisées comme refuge. Certaines sont aménagées avec des escaliers, des fenêtres, et ont servi de poste de guet à des générations de militaires.

🐾🐾 *L'ancien quartier* mérite une flânerie pour découvrir de belles maisons aux façades des XVIe et XVIIe siècles. La *place de la Mairie*, où se dressent l'un des plus beaux campaniles du Var (datant de 1496) et la maison du prince de Condé (privée), est un bon point de départ. Sur la *place de la Liberté* se trouvait la synagogue, dont les bassins étaient desservis par trois sources. Les plus vieilles maisons du village sont dans la *rue Clastre*. Elles datent du Moyen Âge, comme le presbytère, la poste, l'hospice. Dans la *Grande-Rue*, il faut lever les yeux pour découvrir trois magnifiques cariatides du XVIIe siècle, élevées par des bourgeois pour marquer leur rang dans la société.

🐾🐾🐾 *La galerie-musée Gabriel-Henri Blanc :* 3, rue d'Arcole. Attention, coup de cœur ! Essayez de rencontrer Gabriel-Henri Blanc, la figure de Cotignac. On peut le trouver de temps en temps dans sa « galerie-musée ». En passant un petit moment dans son antre, vous en saurez plus sur Cotignac que le commun des mortels. Il est LA mémoire de la cité.

Originaire de la ville, comme toute sa famille depuis des siècles, il a consacré une large partie de sa vie à son œuvre. En effet, voilà plus de trente ans qu'il transcrit sur papier toute l'histoire de Cotignac et de sa région à travers une vingtaine d'ouvrages entièrement écrits à la main et à l'encre de Chine ! N'ayons pas peur des mots, on peut parler de chef-d'œuvre. Tout est fait main, textes, enluminures, les 3 600 dessins qu'il a réalisés au cours de sa vie... et tout est édité à compte d'auteur. Bien que la production soit moins abondante aujourd'hui, si vous avez des cadeaux à faire, pensez-y !

Et puis Gabriel-Henri Blanc est un personnage attachant, érudit, râleur aussi mais jovial, toujours prêt à vous livrer une anecdote. Un homme rare dont la rencontre se mérite !

🛉 *L'église Saint-Pierre :* sa nef, construite dans le plus pur style roman, date du XIIIe siècle, et vient d'être restaurée. À l'intérieur, beau maître-autel et bénitier du XVIe siècle. Orgue du XIXe siècle à la sonorité réputée bien au-delà de la cité, restauré récemment lui aussi.

🛉🛉 *Notre-Dame-de-Grâce :* à l'entrée du village, sur le mont Verdaille. Le sanctuaire et la chapelle – actuellement occupés par les pères de la communauté de Saint-Jean – valent vraiment une visite. On dit que Notre-Dame-de-Grâce, déjà réputée en raison d'une apparition au XVIe siècle, a peut-être assuré un héritier au trône de France. En effet, Louis XIII ne pouvant avoir d'enfant, un frère Fiacre de Paris eut une révélation. Pour être féconde, Anne d'Autriche devait effectuer trois neuvaines, dont une à Cotignac. Miracle, à la fin de la troisième neuvaine, Louis XIV naquit. En 1660, avant d'aller rejoindre Marie-Thérèse d'Autriche à Saint-Jean-de-Luz pour l'épouser, Louis XIV vint accompagné de sa mère en pèlerinage à Notre-Dame-de-Grâce pour remercier la Vierge de sa naissance. Voilà pour la petite histoire !

➤ DANS LES ENVIRONS DE COTIGNAC

🛉🛉 *Le monastère la Font-Saint-Joseph-du-Bessillon :* à 3 km de Cotignac, en direction de Barjols, on emprunte un chemin de terre sur 2 km pour découvrir le monastère de Saint-Joseph, site magnifique.
Ancien couvent des oratoriens, abandonné depuis la Révolution, il a été sauvé de la ruine et de l'oubli par les bénédictines de Médéa, de retour d'Algérie. Saint-Joseph-du-Bessillon était un haut lieu de la piété provençale. On y commémorait l'apparition de saint Joseph à un berger mourant de soif. Le saint y fit jaillir une source, le 7 juin 1660...
L'ancien couvent était à ciel ouvert, la chapelle à l'abandon. Pleines de courage, les sœurs entreprirent de restaurer ou plutôt de reconstruire le cloître et les cellules avec l'aide de l'architecte Fernand Pouillon. Une quinzaine d'années après le début de cette entreprise, 17 cellules sont déjà occupées et la moitié du cloître leur permet de vivre en toute quiétude et spiritualité. Quinze cellules restent encore à terminer, mais les bénédictines ne peuvent compter que sur les dons et aides de tous. On vous conseille d'assister à une messe ou aux vêpres célébrées en latin et chantées en grégorien. Spectacle presque incroyable, respect et silence s'imposent. Messe tous les jours à 11h et vêpres à 17h.

SILLANS-LA-CASCADE (83690) 480 hab.

Vieux village typique, installé là depuis le XIe siècle, encore entouré d'une partie de ses remparts. Pas trop restauré, il a conservé toute son âme médiévale. Château du XVIIIe siècle qui abrite un petit musée d'intérêt local (vieux outils, minéraux, etc.) et des expositions d'artistes régionaux. Et la cascade de Sillans, alors ? Elle se trouve à environ 1 km du village par la route de Cotignac, puis un sentier sur la gauche. La Bresque, qui prend sa source non loin, dégringole de plus de 40 m dans un délicieux petit lac bouillonnant de couleur verte, caractéristique des eaux du Verdon...

Adresse utile

🛈 *Office de tourisme :* ☎ 04-94-04-78-05. Ouv 9h-12h, 15h-19h en été (14h-18h hors saison). Fermé lun et mar, ainsi que janv-mars.

LE HAUT-VAR

Où dormir ? Où manger ?

✗ |●| Le Relais de la Bresque : 15, chemin de la Piscine. ☎ 04-94-04-64-89. ● info@lesrelaisdelabresque.com ● lerelaisdelabresque.com ● À 2 km du village, en direction d'Aups. Ouv avr-oct. Emplacement pour 2 pers avec voiture et tente env 15 €. Loc de mobile homes et de bungalows 180-740 €/sem. Pour les groupes slt (14 pers min, 28 max). Menus 20-30 €. Sympathique (tout comme l'accueil) camping en forêt, sous les pins et les chênes. Gîte d'étape également, classique avec dortoirs et salle commune. Plusieurs menus au resto, dont un spécial « Cro-Magnon » ! La piscine municipale (gratuite pour les campeurs en juillet-août) est à 50 m.

⌂ |●| Hôtel-restaurant Les Pins : Grand-Rue. ☎ 04-94-04-63-26. ● hotel-restaurantlespins@orange.fr ● Fermé lun-mer (slt lun en juil-août). Congés : de début janv à mi-fév. Résa 1 mois avt en été. Doubles avec douche et w-c ou bains, TV 49-59 €. Formule déj en sem 16 € et menus 29-38 € ; carte 35-40 €. Café offert sur présentation de ce guide. Chambres d'auberge de campagne, agréables et à prix justes. La cuisine de la maison est renommée bien au-delà des limites du canton. Généreuse cuisine familiale donc, servie sur des plats en inox dans une salle à manger évidemment rustique, avec une grande cheminée. Spécialité plébiscitée par ceux qui y ont leur rond de serviette : le pot-au-feu de la mer au pistou. L'été, service en terrasse.

➤ DANS LES ENVIRONS DE SILLANS-LA-CASCADE

🐾🐾 Fox-Amphoux : superbe et plus que paisible vieux village un peu perché à 515 m, c'est un ancien camp romain et le dernier relais des Templiers. Vieilles rues même pas goudronnées, église romane du XIIe siècle et micocoulier planté sous Napoléon.

Où manger ?

|●| Chez Jean : La Jansarde, quartier Bréguière, 83670 Fox-Amphoux. ☎ 04-94-80-70-76. Accès par la D 13 direction Montmeyan, puis la D 50 direction Aups. Fermé mer. Congés : avr. Menu du jour le midi 12 €. Café offert sur présentation de ce guide. L'immortel p'tit bar-tabac de campagne où touristes comme gens du cru font un sort à un sympathique menu du type ouvrier, le midi. Il y a même deux terrasses, dont une typiquement provençale (et sans l'avoir fait exprès) sur le côté.

SALERNES　　　(83690)　　　3 340 hab.

Petite ville provençale type, qui détient le titre de « capitale de la tomette ». De l'argile riche en oxydes de fer, de l'eau et du soleil, il n'en fallait pas plus (enfin, l'histoire est un peu plus compliquée que ça !) pour que s'invente ici ce carreau hexagonal aussi emblématique de la Provence que le pastis et les cigales. Une activité qui a débuté au XVIIe siècle et a connu son apogée au XIXe siècle. Après la Seconde Guerre mondiale, le linoléum a bien failli avoir la peau de la tomette. À Salernes, les fabricants se sont adaptés et proposent aujourd'hui des carreaux moins basiques, souvent recouverts d'une couche d'émail aux couleurs du pays. La faïence de Salernes est furieusement à la mode dans les adresses de charme de la région et, comme tout vrai artisanat, pas franchement donnée...

Adresse utile

🏢 *Office de tourisme :* pl. Gabriel-Péri. ☎ 04-94-70-69-02. • office-tourisme-salernes.fr • Lun-sam 9h-13h, 15h-19h en été ; mar-sam 9h30-12h30, 14h-18h le reste de l'année. Liste des fabricants de faïence sur demande.

Où dormir ? Où manger ?

🏠 |●| *Chambres d'hôtes La Bastide Rose :* quartier Haut-Gaudrant. ☎ 04-94-70-63-30. • labastiderose@wanadoo. fr • bastide-rose.com • Sur la D 31, direction Entrecasteaux (fléchage). Double avec douche et w-c 70 €. Table d'hôtes le soir 24 €. Apéritif maison offert sur présentation de ce guide. Au milieu des vignes, une jolie maison dont nous vous laissons deviner la couleur. Faïences de Salernes évidemment, ici ou là. Accueil très chaleureux des proprios, agriculteurs d'origine hollandaise qui cultivent, autour de la maison, vignes, vergers et oliveraies. Soirées barbecue et anchoïade.

|●| *Tout en passant chez Gilles :* 20, av. Victor-Hugo. ☎ 04-94-70-72-80. Menus 15-20 €. C'est comme si on allait manger chez un copain (Gilles, en l'occurrence) qui aurait meublé son appart avec ce qui lui tombait sous la main et laissait traîner ses papiers un peu partout. Un copain dont on connaîtrait le talent (en plus de celui d'imiter une trompette en traversant la salle à manger) pour une cuisine toute simple et le goût des produits frais (et souvent bio).

AUPS   (83630)   1 984 hab.

Gros bourg niché dans un environnement de collines boisées. La balade dans les ruelles médiévales se révèle un enchantement. Au nord du village, voir la tour de l'Horloge et son campanile, le cadran solaire, les vestiges des remparts et la porte des Aires. Pittoresque montée des Aires, justement, là où on battait le blé jadis... Achetez une carte postale du début du XXe siècle et comparez : rien n'a vraiment changé ! Également une tour sarrasine et un vieux lavoir du XVe siècle. Église collégiale où l'inscription de 1905 *Liberté-Égalité-Fraternité* rappelle que les églises sont la propriété de l'État.

Adresse et infos utiles

🏢 *Office de tourisme :* pl. Mistral. ☎ 04-94-84-00-69. En saison, lun-sam 9h-12h30, 15h30-19h ; dim et j. fériés 9h-12h.

– *Marché provençal :* les mer et sam mat. Marchés nocturnes de mi-juil à mi-août.

– *Foire agricole et artisanale :* le 1er dim d'août.

– *Marché aux truffes :* chaque jeu à partir de 9h30, fin nov-fin fév ou début mars, sur la pl. F.-Mistral. Pour les amateurs de « rabasses » (non, ce n'est pas un gros mot, c'est provençal et ça vaut bien « diamant noir »), celles-ci sont récoltées dans les plantations de chênes truffiers qui s'étendent sur les plateaux calcaires tout proches. Et si vous êtes vraiment un fou de la chose, réservez le 4e dimanche de janvier pour faire ici la *fête de la Truffe*.

Où dormir ? Où manger ?

Campings

⛺ *Camping Les Prés :* route de Tourtour, 181 Carraire n° 1. ☎ 04-94-70-00-93. • lespres.camping@wanadoo.fr • campinglespres.com • ♿ À 500 m du village. Ouv tte l'année. Emplacement pour 2 pers avec voiture et tente 14,50 € en hte saison. Loc de caravanes et de mobile homes 210-510 €/sem. Apéritif maison offert sur présentation de ce guide. Tranquille camping avec une centaine d'emplacements. Resto et épicerie. Piscine et tennis tout à côté.

☒ **International Camping** : 495, route de Fox-Amphoux. ☎ 04-94-70-06-80. ● info@internationalcamping-aups.com ● internationalcamping-aups.com ● À 500 m du village. Sous les oliviers et les chênes, emplacements pour 2 pers 19 €

en hte saison. Loc de mobile homes 300-460 €/sem. Bien équipé : snack, piscine, il y a même une discothèque !

☒ **Camping Saint-Lazare** : 1124, route de Moissac. ☎ 04-94-70-12-86. Fax : 04-94-70-01-55. À 2 km, en direction de Moissac-Bellevue. Ouv avr-fin sept. Emplacement pour 2 pers avec voiture et tente 16,10 € en hte saison. Loc de mobile homes pour 4-6 pers 450-650 €/sem en hte saison. CB refusées. Le plus petit (une cinquantaine d'emplacements) mais bien équipé : alimentation, resto, piscine...

De bon marché à plus chic

🛏 |●| **Le Saint-Marc** : rue J.-P.-Aloïsi. ☎ 04-94-70-06-08. ● hotel-restaurant-le-st-marc@wanadoo.fr ● lesaintmarc. com ● 🛇 (resto). Juste derrière l'église. Garage à vélos et motos. Fermé mar-mer (hors juil-août). Congés : 2 sem en fév, 1 sem en juin et 2 sem après le 11 nov. Doubles avec lavabo 38 € ; avec douche et w-c, TV 45 €. En été, ½ pens souhaitée, 55 €/pers. Menus 8-12 € le midi en sem, puis 16-26 €. Café offert sur présentation de ce guide. Un petit hôtel de huit chambres simplettes, égayées de tissus provençaux et à prix doux. Généreuse cuisine de région, pas mal tournée (cassolette de crustacés aux girolles, truffes en saison...) et pizzas au feu de bois le soir.

🛏 **Chambres d'hôtes la Bastide de l'Estré** : chemin de la Croix-des-Pins. ☎ 04-94-84-00-45. ● accueil@estre. com ● estre.com ● À 3 km par la D 957 direction Moustiers, c'est fléché sur la droite. Ouv d'avr à mi-nov. Doubles avec

douche et w-c ou bains 56-76 €. Gîte 6 pers 380-700 €/sem. Possibilité de table d'hôtes le soir 20 €. Vieille bergerie du XVIIIe siècle, dans une délicieuse campagne provençale, entre vignes et bois de pins. Très jolies chambres avec de vieilles poutres, des meubles anciens, bref, du caractère. Des ânes et des poules naines qui devraient ravir les enfants. Dortoir pour les randonneurs. Les proprios sont des agriculteurs concernés comme on les aime.

|●| **L'Aiguière** : 6, pl. du Maréchal-Joffre. ☎ 04-94-70-12-40. ● contact@ laiguiere.fr ● laiguiere.fr ● Sur une adorable place, entre le vieux lavoir et la tour sarrasine. Fermé lun et dim soir hors saison. Congés : mars. Menus 13 € le midi, puis 19-26 €. Apéritif maison offert sur présentation de ce guide. Ce resto affiche couleurs, parfums et épices de la Méditerranée aux menus (foie gras, gambas à la citronnelle...). Terrasse bien agréable.

Où manger dans les environs ?

|●| **Ferme-auberge de la Célestine** : chemin du Plan, Les Terres-Longues, 83630 Moissac-Bellevue. ☎ 04-94-60-16-52. À 4 km d'Aups par la D9, suivre à gauche le fléchage « vanneries paysannes ». Ouv (résa obligatoire) juin-août, le soir des jeu, ven, sam et dim ; sept-mai,

le soir des ven et sam, plus dim midi. Menus 20-30 €. Des petits plats familiaux dans la tradition provençale, à essayer sur une terrasse meublée de bric et de broc avant d'aller découvrir les talents de vannier et de faïencier des proprios.

À voir

🎨 **Le musée Simon-Segal** : av. Albert-Ier, dans l'ancienne chapelle du couvent des Ursulines. ☎ 04-94-70-01-95. Ouv slt en juil-août, tlj sf mar 10h-12h, 16h-19h.

Sinon, infos au service culturel de la mairie d'Aups : ☎ *04-94-70-00-07. Entrée libre.* Plus de 250 toiles offertes par M. Bassano, un mécène italien ayant fui le régime de Mussolini. Pour remercier la France de l'avoir accueilli, il fit don de la moitié de sa collection à la petite commune d'Aups, où il s'était retiré, offrant l'autre moitié à la ville de Pise. Vous y verrez de même un Van Dongen, s'il vous plaît, une soixantaine de toiles de Segal, peintre russe du début du XXᵉ siècle, et des aquarelles, peintures et gouaches des écoles de Bourges, Toulon et Paris. Expos temporaires de sculpture, photo... en juillet-août.

🖎 *Le musée de Faykod :* route de Tourtour. ☎ *04-94-70-03-94. À 3,5 km d'Aups sur la D 77. Juil-août, tlj 10h-12h, 15h-19h ; sept-juin, tlj sf mar 14h-18h (19h en juin). Entrée : 6 € ; réduc.* Un petit parc d'exposition assez inhabituel. Étonnante collection de sculptures en marbre blanc de Carrare signées Maria de Faykod, dont une immense statue de Chopin. Parmi les dernières réalisations de l'artiste, un *chemin de croix* à Lourdes inauguré par Sa Sainteté le pape !

Où acheter de bons produits ?

⊛ *Moulin Gervasoni :* route de Tourtour, montée des Moulins. ☎ *04-94-70-04-66. Juil-août, tlj 9h30-12h30, 14h30-19h ; avr-juin et sept, tlj sf lun 10h-12h, 14h30-19h. Visite gratuite.* Pour les amateurs d'huile d'olive, celle-ci, fabriquée sur place, est une vraie référence. Également anchoïade, tapenade... à la boutique du moulin, faut bien le faire tourner !

TOURTOUR (83690) 480 hab.

Ce « village dans le ciel », entièrement restauré, est devenu très touristique et assez cher. Pour y arriver, belle route panoramique, mais à travers de grandes collines dénudées depuis les terribles incendies de forêt de ces dernières décennies. Quelques maisons de style Renaissance aux façades ouvragées. Vieux château. Église du XIᵉ siècle, un peu à l'écart du village, d'où l'on bénéficie d'un panorama, par beau temps, portant jusqu'aux Maures, aux monts de la Sainte-Victoire, etc. C'est à Tourtour que Bernard Buffet s'est éteint, en 1999.

Où dormir ? Où manger ?

Prix moyens

🛏 *Gîtes Le Mas de l'Acacia :* chemin des Peïroues. ☎ *04-94-70-53-84.* ● *acacia83@aol.com* ● *verdon-tourtour.com* ● *À 300 m du centre, à l'entrée ouest de Tourtour. Ouv tte l'année. Doubles avec douche et w-c, TV 45-60 € ; petit déj 5 €. Gîtes pour 2-4 pers 400-450 €/sem selon saison et capacité, ou 65-70 €/nuit. Apéritif maison offert sur présentation de ce guide.* Une belle maison provençale avec plusieurs corps de bâtiments entourant une charmante piscine. Une seule chambre, des studios et des appartements tout confort, récemment rafraîchis. Terrasses avec salon de jardin. Barbecue dans le jardin.

|●| *La Farigoulette :* pl. des Ormeaux. ☎ *04-94-70-57-37. Ouv tlj. Formule 15,50 € et menus 24-29,50 €. Carte env 20 €. Apéritif maison ou café offert sur présentation de ce guide.* Un resto déjà appétissant vu de la place, avec sa terrasse accueillante. On entre chercher des journaux ou du tabac et on découvre l'autre terrasse, avec vue panoramique, celle-là. Ambiance locale garantie et bonne cuisine familiale.

LE HAUT-VAR

⑩l La Table : 1, traverse du Jas, les Ribas. ☎ 04-94-70-55-95. Tlj sf mar. Menus 25-35 €. Si, d'emblée, il paraît normal de tenter (résa obligatoire ou presque) de vous installer en terrasse, on vous conseille plutôt d'entrer par... la porte. Pas pour la petite salle, finalement un peu banale. Mais pour décou-vrir le jeune chef installé ici depuis une paire d'années, au boulot derrière ses fourneaux. Un vrai spectacle, qui annonce celui que vous allez vivre en goûtant sa cuisine ! Du dépoussiérage de terroir, de l'invention maîtrisée... Cette table est la meilleure de Tourtour et alentour.

Plus chic

🛏 ⑩l La Petite Auberge : quartier de la Gardure. ☎ 04-98-10-26-16. ● auberge tourtour@orange.fr ● petiteauberge. net ● À 1,5 km du village par la route (accès bien fléché), 500 m à pied, sous la petite église de la colline. Congés : de mi-oct à mi-mars. Doubles avec douche et w-c ou bains, TV 72-110 €. Menu 30 €. Apéritif maison offert sur présentation de ce guide. Calme total et vue extra sur la campagne. Les chambres nᵒˢ 8, 9 et 11 ont un balcon sur le massif des Maures (ce sont évidemment les plus chères). Piscine. Splendide salle à manger de style rustique et terrasse panoramique pour une fraîche cuisine de région.

🛏 ⑩l Le Mas des Collines : chemin des Collines, Camp-Fournier. ☎ 04-94-70-59-30. ● lemasdescollines@wanadoo. fr ● ♿ À 2 km de Tourtour, sur la route de Villecroze. Doubles avec douche et w-c ou bains, TV 80-90 € selon saison. ½ pens. souhaitée l'été, env 73 €/pers. Menus 22-25 €. Dos à Tourtour, face à la vallée, le nez dans le ciel de Provence, voilà une adresse tranquille pour un séjour reposant. Chambres coquettes, climatisées et fleuries ; accueil chaleureux, attentif. Piscine et solarium. Menus simples, goûteux et copieux.

VILLECROZE

(83690)   1 100 hab.

Moins restauré que Tourtour, Villecroze a conservé un côté plus vivant et plus populaire. Quelques ruelles très pittoresques, dont celle des *Arcades.* Passez sous la tour de l'Horloge, puis empruntez la *rue de France.* Jolie et photogénique succession d'arcades et de voûtes.

Adresse utile

🛈 Office de tourisme : rue Ambroise-Croizat. ☎ 04-94-67-50-00. ● otvillecroze.fr ●

Où dormir ? Où manger ?

🛏 ⑩l Auberge des Lavandes : pl. du Général-de-Gaulle. ☎ 04-94-70-76-00. ● ragnvald@wanadoo.fr ● Fermé dim soir et lun. Congés : nov-fév. Doubles avec lavabo ou douche et w-c 48-53 €. Formule 14 € ; menus 20-35 €. Apéritif maison offert sur présentation de ce guide. Tons lavande (évidemment). Beaucoup de touristes, ce qui est plutôt normal puisque le décor s'y prête. Terrasse sur la place à l'ombre des platanes.

🛏 ⑩l Hôtel-restaurant Au Bien-être : quartier des Cadenières. ☎ 04-94-70-67-57. ● aubienetre@libertysurf.fr ● au bienetre.com ● À 3,5 km au sud de Villecroze, accès fléché depuis la D 557 (route de Draguignan). Fermé à midi lun-mer. Congés : 10 janv-13 fév et 1ᵉʳ-15 nov. Doubles avec w-c, douche ou bains, TV 50-74 € selon saison. Menus 19-26 € le midi en sem, puis 38-68 €. Sur présentation de ce guide, 10 % de réduc sur le prix de la chambre, mars-mai, et apéro maison offert. Au bout d'une petite route qui ne mène nulle part ailleurs, une grande maison au milieu de la verdure, avec terrasse et piscine. Clientèle assez *middle class.* Chambres contemporai-nes, dans les tons pastel fleuris, toutes climatisées. Le resto possède une bonne réputation, justifiée.

À voir

🏃 *Le jardin de la Cascade :* à l'entrée du village. Visite 10h-12h, 14h30-19h. Grand parc agréable, aménagé au pied d'une falaise de tuf percée de grottes (d'où *Ville-croze,* la « ville creuse »). Au XVIe siècle, certaines d'entre elles furent aménagées en repaire imprenable par un seigneur local et habillées d'une façade Renaissance. De la falaise tombe une cascade dont l'eau vient arroser les pelouses et la roseraie.

Où acheter du bon vin ?

🍷 *Le Château Thuerry :* ☎ 04-94-70-63-02. En saison, lun-ven 9h-19h, w-e 10h-13h, 15h-19h ; hors saison, lun-ven 9h-17h30 ; sam 10h-13h, 15h-18h. Une bonne adresse pour acheter un vin rouge excellent et pas très cher. Visites guidées en saison (sur résa) et sur rendez-vous hors saison ; dégustations.

Bel accueil.

🍷 *Domaine de Valcolombe :* chemin des Espèces (à 1,4 km). ☎ 04-94-67-57-16. Ouv tte l'année, visites avec dégustation ven-dim en principe. Entre 1999 et 2001 : 24 médailles dont 3 en or à Paris au Concours général agri-cole. Pas mal, non ?

LA DRACÉNIE ET LE CENTRE-VAR

De cette région qui s'étend largement autour de Draguignan, entre massif des Maures et plateau de Canjuers, les foules estivales pressées de rejoindre le littoral ne connaîtront que l'A 8 ou les poids lourds de la N 55. Et tant mieux finalement pour la Dracénie, ce petit pays enveloppant Draguignan, qui dissi-mule les derniers villages purement authentiques de la région.

Le Centre-Var, pour reprendre un terme générique un peu dépassé, ne se révèle lui aussi vraiment qu'à ceux qui emprunteront les chemins de traverse vers des caves qui cachent quelques bienveillants côtes-de-provence et l'une des plus belles abbayes cisterciennes de Provence.

DRAGUIGNAN   (83300)   34 800 hab.

Quand on arrive à Draguignan pour la première fois, le charme n'opère pas immédiatement. La capitale de la Dracénie possède pourtant un cachet méri-dional que l'on retrouve sur le pittoresque marché provençal, bordé de plata-nes centenaires, en flânant dans sa vieille ville ou le long des terrasses des cafés. C'est aussi une ville active, universitaire, branchée sur les nouvelles technologies, qui se bat pour faire oublier son image de ville de garnison un peu triste des précédentes décennies. Des jardins sortent de terre, des cou-leurs apparaissent sur les façades rénovées des vieux quartiers. Soyons donc optimistes autant que patients.

UN PEU D'HISTOIRE

Devenue comtale au XIIIe siècle, l'ancienne cité bâtie sur une butte autour des res-tes d'une forteresse ligure, puis romaine, était descendue peu à peu de cette position haut perchée pour s'étendre, bien protégée par des remparts dont deux portes sont toujours visibles. Au XVᵉ siècle, c'était la quatrième ville de Provence, importance dont témoignent quelques portes de maisons bourgeoises, très ouvragées. Au XIXᵉ siècle, la ville moderne pointe son nez : on démolit une partie des remparts, on crée des places, on ouvre de grandes artères. Et l'on construit la nouvelle préfecture (durant la Révolution française, Toulon, puni par la Convention pour ses sympathies royalistes, avait perdu son statut de préfecture au profit de Draguignan). Au milieu des années 1970, c'est Draguignan qui perd cette fois son statut de préfecture pour devenir, en revanche, une des plus importantes villes de garnison de France. Aujourd'hui, la ville commence à s'apercevoir qu'elle a peut-être quelques atouts à valoriser pour séduire le touriste, à commencer par la quinzaine de très jolis villages de ses environs...

Adresses et infos utiles

🛈 *Office de tourisme intercommunal de la Dracénie :* 2, av. Carnot. ☎ 04-98-10-51-05. ● dracenie.com ● *Ouv tte l'année. En été, ouv lun-sam 9h15-12h15, 13h45-19h ; dim et j. fériés 9h15-12h45.* Demandez les brochures, très bien faites, qui sont à la disposition des visiteurs, dont celles des randonnées ou de la *Découverte du centre ancien.* Excellente documentation également sur les villages de la Dracénie.
🛈 *CDT du Var :* conseil général du Var, 1, bd Foch, BP 99, 83003 Draguignan Cedex. ☎ 04-94-50-55-50. Service documentation, ☎ et fax : 04-94-50-55-65.

🚏 *TED :* Le Polygone, 60, bd des Martyrs-de-la-Résistance. ☎ 04-94-50-94-05. Lun-ven 9h-12h30, 14h-17h30. Fermé sam ap-m et dim. Gentil diminutif pour les *Transports en Dracénie ;* 6 lignes régulières qui desservent toute la Dracénie et un service à la demande (*Petit Bus*) très intéressant pour le routard non motorisé qui voudrait découvrir les villages des environs.
– *Marché provençal :* ts les mat, mais surtout les mer et sam.

Où dormir ?

De prix moyens à plus chic

🏠 *Hôtel du Parc :* 21, bd de la Liberté. ☎ 04-98-10-14-50. ● hotelduparc83@wanadoo.fr ● hotel-duparc.fr ● *En plein centre. Fermé dim et j. fériés. Congés : Noël-Nouvel An. Doubles avec douche et w-c ou bains, TV satellite 57-68 € selon saison. Parking privé 4 €.* Sur présentation de ce guide, 10 % de réduc sur le prix de la chambre en basse saison et une place de parking offerte en hte saison. Chambres confortables et insonorisées, mais demander celles côté jardin de préférence. Un hôtel entièrement rénové, où l'on peut se détendre au calme.
🏠 *Hôtel Les Oliviers :* 815, chemin du Baguier, route de Flayosc. ☎ 04-94-68-25-74. ● hotel-les-oliviers@clubinternet. fr ● hotel-les-oliviers.com ● ♿ *À 3 km du centre-ville sur la D 557, direction Flayosc. Congés :* 10-20 janv. *Doubles avec douche et w-c ou bains, TV (Canal +) 51-60 € selon saison. Parking privé gratuit. Réduc de 10 % sur le prix de la chambre hors juil-août sur présentation de ce guide.* Une maison récente, copie pavillonnaire d'un mas provençal. De la verdure, un accueil souriant et des chambres très convenables pour le prix (les nᵒˢ 2, 6, 7 et 8 ont été rénovées), surtout si vous cherchez à dormir au calme. Piscine.
🏠 ⊙ *Hostellerie du Moulin de la Foux :* 941, chemin Saint-Jean-de-la-Foux. ☎ 04-98-10-14-14. ● moulin.de. la.foux@wanadoo.fr ● hotel-du-moulin-de-la-foux.com ● ♿ *À 2 km du centre-ville par la N 555 ; revenir vers la ville au 2ᵉ rond-point, c'est fléché sur la droite. Ouv tte l'année. Resto fermé sam midi et dim. Doubles avec douche et w-c ou bains, TV satellite 56-61 € selon saison.*

Le midi en sem, formules 10-15 € et menu 18 € ; autres menus 23-29 € et carte env 28 €. Apéritif maison offert sur présentation de ce guide. Les murs de cette grande maison cachent des chambres mignonnes comme tout, tranquilles et aux couleurs de la région. Le petit déjeuner se prend en terrasse, l'été, face à un bout de jardin où coule la rivière qui faisait tourner cet ancien moulin à huile. Cuisine familiale et traditionnelle à base de produits de saison. Excellent accueil d'un patron passionné par l'*American way of life*.

🏠 **Le Domino :** *28, av. Carnot.* ☎ *04-94-67-15-33. ● info@ledomino.fr ● ledomino.fr ● Congés : 1er-15 nov. Doubles avec douche et w-c ou bains, TV 55-60 € selon saison ; petit déj 7 €.* Deux chambres sous les toits, adorables, dans l'esprit de cette maison pas comme les autres. Voir ci-dessous « Où manger ? ».

Où manger ?

Prix moyens

🍽 **Le Domino :** *28, av. Carnot.* ☎ *04-94-67-15-33. Fermé dim et lun. Congés : 1er-15 nov. Le midi en sem, formule plat et dessert 17 € ; carte env 25 €.* Dans un ancien hôtel particulier, très particulier même : on se croirait invité dans l'appartement d'une styliste qui aurait beaucoup d'amis pas tristes, ou qui adorerait les films d'Almodovar. Accueil et service d'une grande gentillesse. Petits plats qui respirent l'air de la région et spécialités tex-mex : Saint-Jacques et gambas sauce aïoli, *fajitas* au poulet, etc. Une savoureuse cuisine à découvrir, selon le temps, sous la véranda ou en terrasse, sous les palmiers de l'adorable cour-jardin.

🍽 **Cappello :** *3, bd Gabriel-Péri.* ☎ *04-94-47-26-75. À côté de l'office de tourisme. Fermé dim et lun. Congés : fin août-début sept. Compter 30 € à la carte.* Petit resto italien à la clientèle d'habitués. Bonnes pâtes, pizzas, mais aussi caillé de chèvre à la grecque, morue fraîche au vinaigre balsamique, et desserts maison ! Simple et sympa comme l'accueil et le service. Petite salle d'un contemporain presque design, terrasse un peu sur le passage du cinéma voisin.

🍽 **Au Fruit Défendu :** *21 b, bd de la Liberté.* ☎ *04-94-68-95-66. Tlj sf sam midi et dim. Menus 16 € le midi, puis 18,50-27 €.* Le petit resto traditionnel où un jeune couple s'applique à faire simple et bon. Et il y a des jours où on n'en demande pas plus !

Où boire un verre ?

🍸 **Les Mille Colonnes :** *2, pl. aux Herbes.* ☎ *04-94-68-52-58. ● lesmillescolonnes@wanadoo.fr ● Fermé sam soir et dim, et le soir hors saison. Congés : vac scol d'hiver. Café offert sur présentation de ce guide.* Une maison du XIVe siècle, au cœur de la vieille ville. Le café date lui de 1760 et son décor a quasiment un siècle de plus (1837). Petites colonnes, glaces, chapiteaux, arrondis joliment travaillés : un lieu quasi mythique de la ville, d'ailleurs classé parmi les « Cafés historiques et patrimoniaux » d'Europe, au même titre que la *Brasiliera* de Lisbonne ou le *Florian* de Venise. Carte de brasserie. Très agréable terrasse, l'été.

🍸 **La Tricolore :** *4, rue de la République.* ☎ *04-94-47-89-82. Tlj sf dim.* Un bistrot de quartier avec des habitués dont on pourrait faire des personnages de roman. L'intérêt du lieu : la bière artisanale que le patron, un Suisse allemand jovial, brasse lui-même au sous-sol. Possibilité de visite de la microbrasserie (la seule de la côte, d'ailleurs...).

À voir

Au centre

✎ *La vieille ville* mérite une longue flânerie pour découvrir les portes sculptées, les linteaux, les vieilles maisons et l'ambiance très provençale de la cité avec ses odeurs, ses bruits et ses volets mi-clos pendant la sieste.

✎ *La tour de l'Horloge :* surmontée d'un campanile en fer forgé du XVIIe siècle, elle s'élève à la place de l'ancien donjon détruit par Louis XIV, au temps de la Fronde. L'office de tourisme organise des visites guidées permettant de découvrir le campanile. La tour domine la chapelle Saint-Sauveur, joliment restaurée, avec une couverture en lauzes, et le petit théâtre de verdure, aménagé sur les ruines de l'ancienne cité médiévale, qui accueille, en été, de nombreux spectacles.

✎✎ *Le musée des Arts et Traditions populaires de Moyenne Provence :* 15, rue Roumanille. ☎ 04-94-47-05-72. ♿ (rez-de-chaussée slt). Près de la pl. du Marché. Ouv tte l'année. Mar-sam 9h-12h, 14h-18h ; avr-sept, également ouv dim ap-m. Fermé 1er janv, 1er mai et 25 déc. Entrée : 3,50 € ; réduc ; gratuit pour les étudiants et les enfants. Ateliers-enfants sur résa. Un inventaire très complet de toutes les activités traditionnelles de la région à travers objets (trieur à olives), reconstitution d'ateliers (une bouchonnerie), collections (un bel ensemble de ruches). Section d'art religieux (avec de curieux santons de cire fabriqués par les carmélites) dans une ancienne chapelle. Et comme les Provençaux ont le sens de la fête : fifres et tambourins et une étonnante présentation de chevaux de bois, métal et tissu qui participaient aux corsos. Jolie muséographie, pas du tout poussiéreuse. Intéressantes expos temporaires (une par an en moyenne).

✎ *Le musée municipal d'Art et d'Histoire de Draguignan :* 9, rue de la République. ☎ 04-98-10-26-85. ♿ Tlj sf dim et j. fériés 9h-12h, 14h-18h. Entrée gratuite. Un petit musée valant le coup d'œil (il abrite d'ailleurs des collections du Louvre). Quelques œuvres intéressantes : des scènes paysannes flamandes, un beau (petit) marbre de Camille Claudel (*Rêve au coin du feu*), *Le Médecin de village*, de David Téniers, un portrait d'enfant signé Renoir, des petits maîtres français du XVIIe siècle, une belle armure du XVIe siècle, collections de faïences de Moustiers ou de Sèvres, petite section archéologique, etc. Organise des expos temporaires thématiques. Dans le même bâtiment, la bibliothèque *(horaires différents, se renseigner :* ☎ *04-94-68-92-87)*. À voir notamment : des manuscrits médiévaux enluminés, dont le *Roman de la Rose,* une bible de Nuremberg du XVe siècle...

Autour du centre

✎ *Le musée de l'Artillerie :* école d'artillerie, quartier Bonaparte. ☎ 04-98-10-83-86. ● musee-artillerie.chez-alice.fr ● Du centre, suivre le fléchage. Ouv dim-mer 9h-12h, 13h30-17h30. Congés : 15 déc-15 janv. Entrée gratuite (passeport ou carte d'identité obligatoire ; on pénètre dans une zone militaire). Non pas simple musée militaire, mais musée d'histoire, de techniques et de société... Vaste espace sur deux étages où est évoquée toute l'histoire de l'artillerie, de l'Antiquité à l'époque contemporaine, du boulet à l'obus, du canon de 75 mm au lance-roquettes. Canons, uniformes, insignes... présentés à l'étage, dans la reconstitution d'un camp militaire du Second Empire. Pour spécialistes mais pas seulement : le musée ne se limite pas au côté militaire mais s'intéresse plus largement à l'histoire, aux techniques et à la société, avec des dioramas réussis sur la Seconde Guerre mondiale, les armées coloniales du débarquement de Provence... Une ou deux expos temporaires chaque année dédiées à l'artillerie, les traditions et culture militaires à travers les âges.

🍢 *Le cimetière militaire américain :* bd John-Fitzgerald-Kennedy (!). Tlj 9h-17h. Fermé 1er janv et 25 déc. On imagine que les cimetières militaires sont une spécialité normande. Mais des hommes sont tombés en 1944, lors de l'opération Dragon. Ici sont enterrés 861 soldats et le mur de soutènement du monument de l'Ange de la Paix rappelle les noms des 293 Américains disparus et dont les sépultures sont inconnues.

🍢 *La pierre de la Fée :* sur la route d'Ampus (c'est très bien fléché). Un dolmen de 60 tonnes, datant de 2 500 ans av. J.-C., qui doit son nom à la légende de la fée Estérelle dont il est en partie le théâtre. Ce dolmen avait carrément été dynamité en 1974 par des habitants de Draguignan très fâchés d'avoir perdu leur préfecture !

🍢 *Le puits aérien :* à Trans-en-Provence. À une poignée de km au sud-est de Draguignan par la nationale. Comme une ruche géante. C'est l'œuvre d'un ingénieur belge qui a conçu, dans les années 1930, cette coupole de 12 m de haut et de 12,50 m de diamètre pour piéger l'humidité de l'air. Les travaux ont duré un an et demi. Le puits aérien (sic !) n'a jamais fonctionné... Cette curiosité locale se visite sous réserve d'en demander la clé à l'office de tourisme de Trans-en-Provence.

Fête

– *Corso fleuri* de la saint Hermentaire le dim de la Pentecôte.

LES VILLAGES DE LA DRACÉNIE

FIGANIÈRES (83830)

Au nord-est de Draguignan. Une jolie route (la D 562) mène jusqu'à ce village tranquillement provençal.

Où dormir ? Où manger ?

🛏 🍴 *Chambres d'hôtes Le Mas de l'Hermitage :* quartier Saint-Pons. ☎ 04-94-67-94-94. • mail@masdelhermitage.com • masdelhermitage.com • À la sortie du village, sur la route de Draguignan (c'est fléché sur la gauche). Ouvtte l'année. Doubles avec douche et w-c 55-75 € selon saison, petit déj compris. Gîte env 300 €/sem. Table d'hôtes 35 €, vin et café compris. Réduc de 10 % sur le prix de la chambre (oct-mai) sur présentation de ce guide. Maison d'un néoprovençal très années 1950 avec tourelles et tutti quanti, au milieu des oliviers et des arbres fruitiers. Atmosphère chaleureuse : on se retrouve autour de la table d'hôtes, avec Michael et Laurence. Lui concocte, elle papote. Piscine chauffée en saison. Un bémol : les w-c de certaines chambres ne réservent pas la plus grande intimité...

À voir

🌳🌳 *Le jardin des Senteurs :* pl. de Lirette. ☎ 04-94-50-93-60 (mairie). Mai-juin, tlj sf mar 14h30-17h30 ; juil-sept, tlj sf mar 9h30-12h, 16h30-19h. Entrée libre. Au-dessus des ruines du château des Vintimilles, surplombant les toits roses du village, cet étonnant jardin à thème est un modèle de ce qu'un amoureux des plantes peut réaliser sur un espace quelque peu compté et difficile à aménager. Disposé en terrasses, mêlant aux senteurs des roses de la tonnelle médiévale celles des plantes médicinales et aromatiques du jardin Renaissance, il privilégie le plaisir des yeux, de l'odorat et du toucher pour un public mêlant néophytes et professionnels.

CALLAS *(83830)*

À 5 km de Figanières, Callas étire joliment ses hautes maisons typiques à flanc de colline : un rez-de-chaussée pour l'écurie de l'âne (qui peut profiter du paysage !), deux étages pour les gens et un grenier « sèche-figues » pour les fruits. Spécialité locale : l'olivier, même si des 23 moulins en activité au XIXᵉ siècle, un seul subsiste (le moulin Bérenguier qui produit d'ailleurs une excellente huile d'olive). Étroites ruelles, calades, passages voûtés... donc stationnement un peu problématique ! La D 25 qui descend de Callas vers Le Muy traverse les superbes gorges de Pennafort où le rouge des roches joue les contrastes avec le vert des pins.
🛈 *Office de tourisme :* pl. du 18-Juin-1940. ☎ 04-94-39-06-77. ● *ot.callas@wanadoo.fr* ●

CLAVIERS *(83830)*

Un des secrets les mieux gardés de la Dracénie, posé sur un éperon rocheux depuis le XIVᵉ siècle. Le village provençal dans son jus, sans concession au tourisme. Ruelles où les habitants vous saluent comme si vous étiez une vieille connaissance.

BARGEMON *(83830)*

Très joli bourg agrippé à sa colline. Vestiges de l'enceinte médiévale. L'*église Saint-Étienne,* du XVᵉ siècle, offre un portail de style flamboyant et, à l'intérieur, sur l'autel, deux belles têtes de marbre sculptées par Pierre Puget. La petite *église Notre-Dame-de-Montaigu,* qui fut longtemps un lieu de pèlerinage important abrite, elle, une *Vierge miraculeuse* et un bel autel baroque tout doré. Cette église n'est malheureusement presque jamais ouverte. Au détour des chemins, ne manquez pas les sept fontaines. Quelques-unes sont classées Monument historique, dont celle de l'Artichaut.
– Petit *musée-galerie Honoré-Camos :* installé dans l'ancienne chapelle Saint-Étienne (XIVᵉ-XVIIᵉ siècle). ☎ 04-94-76-72-88. *En principe, lun 14h-17h, mer-dim 10h-12h30, 14h30-18h. Entrée gratuite.* Collection d'ex-voto, reconstitution d'un atelier de cordonnerie, historique de la famille de Villeneuve-Bargemon, œuvres d'Honoré Camos, peintre local.
– Enfin, pour les passionnés, jolie collection au *musée des fossiles et minéraux* au 8, rue de la Résistance (mer-dim 14h-17h ; ☎ 04-94-67-61-44 ; entrée : 2 €).

Adresse utile

🛈 *Syndicat d'initiative :* ☎ 04-94-47-81-73. ● *ot-bargemon.fr* ●

Où manger ?

|●| *Aux Mille Saveurs (chez Tonia) :* 12, rue François-Maurel. ☎ 04-94-39-20-01. ● *millesaveurs@wanadoo.fr* ● *Fermé mar-mer hors saison, mer et jeu midi en hte saison. Congés : 15 janv-15 fév et 2ᵈᵉ quinzaine de nov. Résa conseillée. Menus 20-25 €. CB refusées. Apéritif maison offert sur présentation de ce guide.* Ce tout petit salon de thé, avec ses deux tables en terrasse et sa déco très étudiée, est tenu avec beaucoup de cœur par une charmante Hollandaise. On peut se contenter d'y acheter un excellent sandwich (*ciabatta* ou panini), y manger une bonne salade composée, ou bien s'offrir un petit détour exotique avec des nems faits maison aux crevettes et à la coriandre. Plats thaïs, mais aussi des *chicken wings,* un délicieux brownie et quelques « merveilles hollandaises » pour finir. Une petite cuisine de très bonne qualité ; certains devraient en prendre de la graine dans le coin...

CHÂTEAUDOUBLE (83830)

Une poignée de vieilles maisons que surplombent les romantiques ruines d'un château, en face d'impressionnantes falaises qui font le bonheur des grimpeurs. Un genre de bout du monde qu'on gagne, en traversant un énorme rocher, par une route qui n'a été ouverte qu'au XIXᵉ siècle. Le site le plus étonnant de la Dracénie, à voir absolument, comme dirait l'autre. « Châteaudouble, double château, la rivière sera ton tombeau » : Nostradamus s'est encore gouré ! Châteaudouble ne s'est pas abîmé dans les gorges de la Nartuby, rivière qu'il domine avec superbe. Pour profiter du paysage, posez-vous à l'heure de l'apéro, place du Purgatoire (ça ne s'invente pas !), sur la terrasse du *Cercle Saint-Martin*.

Où manger dans les environs ?

|●| La Bastide des Moines : *56, route de Draguignan, 83131 Montferrat.* ☎ *04-94-50-21-30. À env 8 km au nord-est par la D 955. Fermé mar soir et mer hors saison. Menus en sem 26 et 29 € servis dim et j. fériés. Apéritif maison offert sur présentation de ce guide.* Un ancien relais de poste du XVIIᵉ siècle connu dans toute la région pour ses menus pantagruéliques. Autant dire que vous n'y serez jamais vraiment tout seul. Cadre inexistant, service diligent. On est là pour manger. Et beaucoup. Buffet d'entrées à volonté, buffet de desserts à volonté. Entre les deux, un choix de 5 plats qui tiennent au corps. Vin de pays à volonté aussi. Il y a des chambres au-dessus, au cas où...

AMPUS (83111)

Gentil village à 25 km au nord-ouest de Draguignan. L'église Saint-Michel, tout en haut du village, a été édifiée sur l'ancien castrum romain. La plus grande partie, de style roman, date du XIᵉ siècle. Un « chemin de l'eau » permet de découvrir lavoir, puits, fontaines, le canal de Fontigon, vieux de 500 ans et un *tournaou*, rarissime appareil utilisé autrefois pour aiguiser les outils. À quelques kilomètres, petite chapelle Notre-Dame-de-Spéluque, de la même époque, qui renferme un remarquable autel pentapode (à cinq pieds, quoi !) sculpté. La D 49 est vivement recommandée pour gagner Draguignan puis Flayosc : magnifiques points de vue.

FLAYOSC (83780)

À 7 km à l'ouest de Draguignan, par la D 557. Le village a conservé son aspect fortifié. Les maisons du Moyen Âge entourent la jolie place de la Rainesse avec son lavoir, sa fontaine et ses platanes qui forment comme un grand mur ondulant. Centre très vivant, typiquement provençal, même si pas loin de 70 nationalités sont représentées à Flayosc ! Nombreuses fontaines dans le village et portes des remparts du XIVᵉ siècle. De la terrasse de l'église, belle vue sur les environs. Voir également les chapelles Saint-Jean et Saint-Augustin, très bien restaurées.

Adresse utile

🛈 **Office de tourisme :** *pl. Pied-Barri.* ☎ *04-94-70-41-31.* ● *ville-flayosc.fr* ● *Ouv en saison lun-sam ainsi que dim mat.*

Où dormir ? Où manger ?

De prix moyens à plus chic

🏠 **|●| La Vieille Bastide :** *306, route du Peyron* ☎ *04-98-10-62-62.* ● *lavieillebas tide@tiscali.fr* ● *lavieillebastide.fr* ● ♿ *Face au vieux village. Resto fermé* dim soir et lun, plus mer midi hors saison. Congés : 3 dernières sem de janv et début oct. Doubles avec douche et w-c ou bains et TV 65-100 € selon saison ; petit déj 10 €. Menus 28,50 € le midi en sem, puis 32,50-48 €. Apéritif maison offert sur présentation de ce guide. Sept chambres aux couleurs du Midi. Les plus grandes sont face au village, une plus petite se niche tout en haut de la tour de la bastide. Piscine, solarium, pourquoi aller s'embêter à redescendre sur la côte ? On peut faire suffisamment de randonnées et de promenades à cheval dans les environs pour s'occuper sainement. Et arriver en forme pour déguster la cuisine savoureuse d'un chef qui aime les produits du marché qu'il cuit avec amour et précision. Idéal en été sur la terrasse ombra-

gée par les vieux chênes.

◗◖ *La Fleur de Thym :* 3, bd Jean-Moulin. ☎ 04-94-50-31-53. Fermé mar et mer (ouv mer soir en saison). Formule 2 plats le midi en sem 22 € et menu 28 €. La table d'un jeune chef qui monte à Flayosc. Belle et inventive cuisine de région dans une petite salle à la déco minimaliste. Pas de terrasse, mais la salle est climatisée.

◗◖ *L'Oustaou :* 5, pl. Joseph-Brémond. ☎ 04-94-70-42-69. Fermé mer hors saison et le midi lun-mer et ven. Menus 20 € le midi en sem, puis 26-40 €. La cuisine ne manque pas d'intérêt et le chef joue dans un registre largement traditionnel. Pieds-paquets, daube de canard aux figues, des magrets « à tout », du foie gras cuit au torchon et du gibier en saison.

LORGUES (83510)

Au sud de Flayosc, on atteint Lorgues par une route très étroite. Si la chaleur est au rendez-vous, laissez votre voiture sur le parking de l'office de tourisme et entrez vous rafraîchir dans la *collégiale Saint-Martin.* Architecture assez lourde, avec une imposante façade de style classique. On est surpris de découvrir un monument aussi massif dans un village aussi frêle. À l'intérieur, beau maître-autel en marbre polychrome. Vieux village offrant, dans son lacis de ruelles pittoresques, de jolies fontaines et de nombreuses maisons médiévales. Pas toutes rénovées, ces maisons possèdent encore un charme séculaire et une noblesse fanée qu'ont perdus en partie les maisons trop bien léchées de certains villages restaurés du Haut-Var. Joli spectacle composé de toits à génoise, de figurines sculptées dans la pierre, de portes en bois ouvragé...

Adresse utile

🛈 *Office de tourisme :* pl. Trussy. ☎ 04-94-73-92-37. ● ot-lorgues.com ● En été, en principe ouv lun-sam 9h15-12h, 15h30-18h30 ; dim 10h-12h.

Horaires restreints en hiver. Si toutes nos adresses sont complètes, nombreuses chambres d'hôtes listées ici.

Où dormir ? Où manger ?

De bon marché à plus chic

🏠 *Chambres d'hôtes Domaine Saint-Jean-Baptiste :* 1525, route des Arcs. ☎ 04-94-73-71-11. ● tevirg@aol.com ● saint-jean-baptiste.com ● Double avec douche et w-c 56 €. La dégustation est gentiment offerte à nos lecteurs, qui pourront, s'ils le souhaitent et sur présentation de ce guide, visiter vignes et cave. Tout près du village et

pas trop en bord de route, voici trois chambres d'hôtes (dont deux avec salle de bains commune) toutes simples, correctes et pas chères, chez une famille de vignerons. Également un studio face aux vignes. Accueil très sympathique, et puis c'est l'occasion de goûter à la production maison, un bon p'tit côtes-de-provence AOC...

🛏️ |●| *Hôtel-restaurant du Parc* : 25, bd Clemenceau. ☎ 04-94-73-70-01. Fax : 04-94-67-68-46. Dans le centre, à deux pas de la collégiale. Resto fermé dim sf si mi-déc. Doubles avec lavabo 35 €, avec douche et w-c ou bains 40-50 €. Menus 13,50-28,50 €. Modeste petit hôtel de dépannage qui n'attend qu'un signe du destin pour que, peut-être, un jour, la grenouille se transforme en bœuf... Mais ici, « les étoiles sont dans le ciel » et non en façade. On y préfère donc l'humour au confort. Malgré le grand jardin au calme, où l'on peut manger l'été, une adresse pour routards très peu regardants.

🛏️ *Chambres d'hôtes Villa de Lorgues* : 7, rue de la Bourgade. ☎ 04-93-38-13-80. ● contact@villadelorgues.com ● villadelorgues.com ● Doubles avec douche et w-c ou bains, TV, wi-fi 75-120 € selon taille et saison. La façade n'ayant franchement rien d'engageant, il faut pousser la porte de bois de cet ancien hôtel particulier pour en découvrir le vrai visage : le délicieux jardin qui se cache sur l'arrière, les pièces d'époque comme la cuisine et les cinq très jolies chambres qui toutes racontent une histoire différente (il y en a même une coquine...).

|●| *Le Bistrot « Chez Doumé »* : 12, bd Clemenceau. ☎ 04-94-67-68-97. ● dominique.van-eenoo@wanadoo.fr ● Ouv le midi slt nov-mars, midi et soir en saison. Fermé dim midi et lun. Congés : 15 nov-9 mars. Plat du jour env 11 € ; compter 25 € à la carte. Une maison toute petite mais tout ce qu'il y a de plus provençal. Salles en pierres apparentes et surtout une terrasse sous un platane séculaire, près d'une fontaine rafraîchissante. Accueil agréable. La cuisine est simple et les plats sont renouvelés régulièrement. Goûter notamment à l'assiette provençale.

Beaucoup plus chic

🛏️ *Chambres d'hôtes L'Enclos* : 13, rue de la Résistance. ☎ 04-98-10-13-31. ● info@enclos.net ● enclos.net ● Ouv tte l'année. Doubles avec douche et w-c ou bains 100-120 €. Sur présentation de ce guide, 10 % de réduc sur le prix de la chambre hors saison. En plein village, voici une maison bourgeoise du XVIIIe siècle qui porte bien son nom. Derrière sa grille en fer forgé, on découvre un sympathique jardin à la française. Et à l'intérieur, un mélange très réussi de mobilier ancien et d'œuvres vraiment très contemporaines. Ici, on a choisi l'originalité et la gaieté dans la décoration ! Vastes chambres et suites tout confort, très agréables. En revanche, la piscine hors sol n'est pas des plus charmante. Accueil très souriant. Table d'hôtes sur demande.

|●| *Le Chrissandier* : 18, cours de la République. ☎ 04-94-67-67-15. ● contact@lechrissandier.com ● Fermé mar-mer hors saison. Congés : janv. Menu le midi en sem 28 € ; autres menus 34-52 €. Digestif maison offert sur présentation de ce guide. Malgré la terrasse donnant sur la rue, ce n'est pas là qu'il faut diriger vos pas pour avaler simplement une salade fraîcheur. Mais c'est le lieu parfait pour vous faire offrir par belle-maman un super repas aux parfums du Sud à base de produits du marché et de poisson essentiellement. Beaucoup de classiques revisités à la carte de cet établissement repris et corrigés par Christophe et Sandra Chabredier (on vous donne leurs noms en passant, pour vous éviter de demander l'explication de l'enseigne du resto !).

À voir dans les environs

🌿 *La chapelle Notre-Dame-de-Ben-Va* : route d'Entrecasteaux. Visite slt le jeu en été ou sur demande auprès de l'office de tourisme. Intéressante chapelle rurale, dont le nom signifie « bon voyage » en provençal, entièrement recouverte de fresques du XVe siècle.

🌿 *La chapelle Saint-Ferréol* : à l'est de Lorgues. Connue dans la région pour ses ex-voto restaurés et classés par thèmes. Accessible ts les jeu en juil-août ; sinon, seulement aux groupes sur rendez-vous auprès de l'office de tourisme.

– Enfin, faites un détour, sur la route de Vidauban, pour découvrir l'attraction gastronomique qui, depuis quelques belles arrière-saisons déjà, fait courir jusqu'ici les gourmets du monde entier, attirés par le parfum des truffes dont le chef le plus célèbre de la région s'est fait un devoir d'en faire non seulement tout un plat mais même un menu-carte. Faites des économies et pensez à réserver **Chez Bruno** pour votre prochain passage (même pour un routard amoureux, c'est devenu vraiment un peu trop cher !). On ne vous donne pas l'adresse, vous ne risquez pas de manquer le « pharaon » de Lorgues, avec toutes les belles voitures garées sur le parking...

LES ARCS-SUR-ARGENS *(83460)*

En marge de la D 555, à 12 km au sud de Draguignan, un bourg viticole possédant sur une hauteur un quartier médiéval très pittoresque. Vestiges de l'enceinte et du *château* du XIIe siècle (qui abrite aujourd'hui un hôtel de charme). Impressionnant donjon d'où l'on guettait le retour des sarrasins. Les maisons de ce quartier sont superbement restaurées et abondamment fleuries. Venez flâner quelques instants entre chien et loup dans ses ruelles et ses escaliers voûtés. En bas, dans l'*église paroissiale (fermée 11h30-14h)*, beau polyptyque daté de 1501, exécuté par Bréa. Si vous arrivez par le TGV (seul arrêt entre Toulon et Saint-Raphaël), arrêtez-vous à la terrasse du buffet de la gare, ombragée par la plus vieille glycine de France (1865) !

Adresses utiles

⊞ Office de tourisme : *pl. du Général-de-Gaulle.* ☎ 04-94-73-37-30. *En saison, lun-sam 9h-12h15, 14h45-19h ; horaires restreints hors saison.*

■ Maison des vins des côtes-de-provence : *RN 7.* ☎ 04-94-99-50-10. ● caveaucp.fr ● Caveau de dégustation-vente.

À voir dans les environs

🕯🕯 **La chapelle Sainte-Roseline :** *à 5 km, entre Les Arcs et La Motte, tt près de la N 555. Hors saison, mar-dim 14h-17h ; été, mar-dim 15h-19h.* Cette chapelle abrite la châsse et le reliquaire de la sainte (miraculeusement, on peut le dire, conservés depuis sa mort, en 1329 !). C'est en réalité l'église abbatiale d'une abbaye disparue sous la Révolution. L'extérieur ne paie pas de mine, mais l'intérieur est très richement décoré. Jubé très rare en bois de 1658, retable baroque encadrant une *Descente de croix* de la fin du XVe siècle, stalles finement sculptées, mais aussi des œuvres d'art contemporaines : une mosaïque de Chagall, un bas-relief en bronze de Giacometti, des vitraux signés Bazaine et Ubac. En sortant, arrêtez-vous au château (☎ 04-94-99-50-36) pour découvrir les vins qui font vivre le domaine. Mais personne ne vous oblige à les acheter...

🕯 **Le château de Saint-Martin – AOC Côtes de Provence :** *route des Arcs, à l'entrée de Taradeau.* ☎ 04-94-99-76-76. 🍷 *Avr-sept, tlj 9h-13h, 15h-19h ; le reste de l'année, lun-sam 9h-12h, 14h-18h. Entrée libre.* Le domaine fut fondé par les moines de Lérins, qui y installèrent un prieuré viticole. Du XIe au XVIIIe siècle, les hommes de prière firent du vin ici, et pas seulement pour la messe ! Au début du XVIIIe siècle, la famille de l'actuelle propriétaire arrive et fait construire le château. Heureusement, elle continue à produire du vin et c'est tant mieux. Syrah, carignan, cabernet-sauvignon, grenache, cinsault... Pour compléter la dégustation, Adeline du Barry a créé un son et lumière dans son ancien chai, qui raconte toute l'histoire du domaine depuis sa création.

LE CENTRE-VAR

Vers le sud, l'autoroute A 8 a bouleversé considérablement le paysage. Le Cannet-des-Maures, Le Luc, etc. n'apparaissent pas vraiment comme des lieux de villégiature, mais voici néanmoins quelques curiosités à dénicher dans cette région choisie par les bâtisseurs du Moyen Âge pour y établir leur résidence... Si les édiles locaux voulaient bien se donner la peine de soigner un peu leur environnement, on pourrait de nouveau avoir envie de s'arrêter plus longtemps par chez eux, avant de retourner chercher le calme et la sérénité au Thoronet.

L'ABBAYE DU THORONET (83340)

🎥🎥 *Située sur la D 79, à 12 km de Lorgues et à 4 km du village du* **Thoronet.** ☎ 04-94-60-43-90. ⚒ *Avr-sept, lun-sam 10h-18h30 et dim 10h-12h, 14h-18h30 ; oct-mars, tlj 10h-13h (12h dim), 14h-17h. Fermé 1er janv, 1er mai, 1er et 11 nov et 25 déc. Visites guidées en saison (horaires et visites variables, se renseigner). Entrée : 6,50 € ; réduc ; gratuit jusqu'à 18 ans. Chaque dim et jour de fête religieuse, messe chantée à 12h dans l'abbatiale (être ponctuel).* **Festival de chant médiéval** *la 2de quinzaine de juil et* **festival Musique et esprit** *(musique instrumentale) la 1re quinzaine d'août (infos à l'office de tourisme pour le programme des concerts :* ☎ *04-94-60-10-94).*

Sans conteste l'une des plus fascinantes abbayes du Midi. À ne pas rater. Construite par les cisterciens en 1146, l'abbaye du Thoronet est d'une grande sobriété. Moins connue que Sénanque (voir le *Guide du routard Provence*) et pourtant plus belle, plus pure. Poignante, ajouterons-nous, tant dans ce vallon isolé elle nous apparaît austère et dépouillée. La nature ingrate, le relief hostile, la configuration inhospitalière du site contribuèrent également à la simplicité de l'architecture, contrainte de s'entendre avec le terrain. Le grand architecte Fernand Pouillon avait dit : « Dure, cassante, irrégulière, cette roche refusait toute complication, interdisait toute sculpture, elle avait vocation cistercienne ! »

Votre guide vous fera remémorer avec bonheur l'histoire des bâtiments, vous ouvrant les yeux sur les couleurs changeantes de la pierre (blanche en été, rouge à midi...). Compte tenu de la configuration du terrain, les proportions traditionnelles n'avaient pas été respectées : cloître en forme de trapèze, galeries à des niveaux différents, etc. Malgré tout, l'église présente des lignes pures, harmonieuses et presque parfaites. Voûtes en arc légèrement brisé, timide approche du gothique. L'acoustique est exceptionnelle et on imagine ce que devaient donner les chants grégoriens dans un tel cadre, que le festival de musique fait revivre chaque année pendant quelques jours. Le cloître à l'aspect massif est pourtant élégant avec ses grosses arcades divisées chacune par deux baies retombant sur une colonne. Possibilité de monter sur la terrasse du cloître. Faites une pause dans la salle capitulaire pour admirer les voûtes d'ogives et leurs nervures. Magnifique berceau brisé du dortoir des moines. Ici plus qu'ailleurs, prenez le temps de voir, de sentir, de vivre. Possibilité de grignoter sous les arbres, à la sortie, et snack sur place.

Où dormir ? Où manger dans les environs ?

🛏 🍴 **Hostellerie de l'Abbaye :** chemin du Château, 83340 Le Thoronet. ☎ 04-94-73-88-81. ● *info@hotelthoronet.fr* ● *hotelthoronet.fr* ● ⚒ *Resto fermé dim soir et lun nov-mars. Congés : de mi-déc à début fév. Doubles avec bains, TV satellite 56-73 €. Menus 21 € en sem, puis 29-39 € et* carte. Contrairement à ce que son nom suggère malicieusement, c'est une adresse proprette et sans robe de bure. Pratique si vous envisagez de dormir à proximité de l'abbaye, la vraie. Chambres climatisées. Piscine. Au resto, cuisine sans surprise.

CABASSE-SUR-ISSOLE *(83340)*

Tout petit village endormi. Quelques ruelles en surplomb de la vallée, une très jolie fontaine moussue et une église du XVIᵉ siècle. Pour la visiter et contempler les visages grotesques ornant les retombées d'ogives ainsi que le retable en bois doré, demandez la grosse clé au bar-tabac de la place.

Où dormir ? Où manger ?

🛏 |●| *Le Mas de Maupassets :* pont de l'Issole, route du Luc. ☎ 04-94-80-27-92. ● abecle@aol.com ● masdemaupassets.com ● ⚒ *Doubles avec bains 55-60 € selon saison. Repas 20 € le soir sur résa.* Anne et Jean-Paul Liaumond ont entièrement transformé cet ancien relais de poste pour créer cinq chambres idéales pour les promeneurs à pied, à cheval ou à vélo. Propriétaires très accueillants, ambiance chaleureuse et familiale assurée. Cuisine familiale provençale (principalement les mercredi et samedi, jours du marché de Brignoles).

LE LUC-EN-PROVENCE *(83340)*

De Cabasse-sur-Issolle, on rejoint Le Luc par une jolie route (D 33) qui louvoie entre pinèdes et collines couvertes de chênes blancs. Gros bourg agricole sans charme particulier mais qui intéressera les philatélistes. En effet, le *château des Vintimilles*, beau bâtiment du XVIIᵉ siècle, aujourd'hui entièrement rénové, abrite non seulement l'*office de tourisme* (☎ 04-94-60-74-51), mais aussi un musée intéressant et inhabituel. Pour des timbrés ? Pas seulement. Voyez plus loin...

Où dormir ? Où manger au Luc et dans les environs ?

🛏 |●| *Hôtel-restaurant La Grillade au feu de bois :* 83340 Flassans-sur-Issole. ☎ 04-94-69-71-20. ● contact@lagrillade.com ● lagrillade.com ● Sur la N 7, entre Le Luc et Flassans-sur-Issole. *Doubles avec douche et w-c ou bains, TV 85-95 €. Carte 35-40 €. Digestif maison offert sur présentation de ce guide.* Le nom et la proximité de la N 7 n'incitent pas à la rêverie, la bâtisse, si. Beau mas du XVIIIᵉ siècle, bien restauré. Piscine, clim', insonorisation, etc. Un lieu pour se mettre au vert, comme on aimerait beaucoup en trouver tout au long de la N 7. Au resto, grillades au feu de bois (bien sûr !) mais aussi une cuisine aux couleurs et aux parfums de la Provence et de l'Italie, à déguster en terrasse.

|●| *Le Gourmandin :* 8, rue Louis-Brunet. ☎ 04-94-60-85-92. ● gourmandin@wanadoo.fr ● legourmandin.com ● ⚒ *Fermé lun et le soir jeu et dim (ouv dim soir hors saison). Congés : fin fév-début mars et fin août-fin sept. Menus 25-45 € et carte.* Apéritif maison offert sur présentation de ce guide. Mignon petit établissement, au décor régional, connu dans la région pour son accueil autant que pour sa cuisine. Fleurs de courgettes farcies à la mousse de rascasse sur coulis d'étrilles, carré d'agneau en croûte de tapenade, gratin de fraises... Belle carte de vins régionaux.

À voir

🎣 *Le musée régional du Timbre et de la Philatélie :* dans le château des Vintimilles (au 2ᵉ étage), à 50 m de la pl. de la Mairie. ☎ 04-94-47-96-16. *Ouv mer et jeu 14h30-17h30 ; ven et w-e 10h-12h, 14h30-17h30. Fermé sept. Entrée : compter 2 €.* Tout sur l'histoire du timbre, mais aussi sur les techniques de fabrication. Atelier reconstitué d'Albert Decaris, l'un des derniers graveurs en taille douce de France. Expos temporaires trimestrielles. Bibliothèque et centre de documentation.

🦌 *Le Musée historique du Centre-Var : rue Victor-Hugo (derrière l'église) ; ouv tlj de mi-juin à mi-oct 15h-18h ; tte l'année sur rendez-vous (☎ 04-94-60-70-12). Entrée libre.* Matériel ethnologique, armes, documents d'archives, fossiles, archéologie.

Où acheter un bon côtes-de-provence ?

🍇*Domaine de Brigue : 2, pl. Pasteur.* ☎ *04-94-60-74-38.* À deux pas de la tour hexagonale. Une entreprise trentenaire qui reste encore familiale et bénéficie de 90 ha plantés dans la plaine du Luc.

🍇*Domaine de la Lauzade : 3423, route de Toulon.* ☎ *04-94-60-72-51.* Un domaine célèbre qui doit son nom aux pierres plates qui couvraient la bergerie d'antan. De très grands vins, dans les trois couleurs, que vous retrouverez à la carte des meilleures tables de la région. Nombreuses médailles d'or et d'argent récoltées à Mâcon comme à Paris.

🍇*Domaine de la Pardiguière : route des Mayons.* ☎ *04-94-60-72-52. Sur rendez-vous.* On peut faire confiance à Jean-Marie Guérin pour la qualité aussi bien des olives que des vins typés sortant de son beau domaine adossé au massif des Maures : 33 ha de plants nobles d'AOC côtes-de-provence contre 17 ha d'oliveraies, produisant notamment des olives de table (comme la lucque) et à huile (comme le pardiguier).

À faire

➢ Deux belles *balades à vélo,* sans trop de difficultés, depuis Le Luc-en-Provence. Voir la brochure *Promenades et randonnées cyclotouristes* éditée par le CDT. Traversée de paysages sereins, de villages typiques du Haut-Var pas trop restaurés, sans « résidences secondarisées »...
– Un *circuit sud* passant par Cabasse, Flassans, Besse, Carnoules, Pignans, Gonfaron, Les Mayons (par la D 75), Vidauban (par la D 48), Entraigues, Le Vieux-Cannet, etc.
– Un *circuit nord* par Cabasse, Le Thoronet, Carcès, Cotignac, Entrecasteaux, etc. Plus au nord, vers Villecroze et Tourtour, ça grimpe trop.

LE VIEUX-CANNET (83340)

Peu avant Le Cannet-des-Maures, pittoresque petit village accroché à sa butte, d'où l'on bénéficie d'un vaste panorama sur la région. Table d'orientation pour vous guider. Charmant campanile du XVIIIe siècle surmontant l'*église Saint-Michel* (plus âgée, elle, de six siècles). Ici, au Moyen Âge, les populations pouvaient dominer l'unique passage qui conduisait de l'Italie à la vallée du Rhône et à l'Espagne. Plus difficile à faire aujourd'hui, avec l'autoroute...

LES MAYONS (83340)

Village accroché aux premiers contreforts du massif des Maures, fondé au XVIe siècle par des charbonniers venus d'Italie. Tranquille et mignon. L'église abrite une belle crucifixion du XVIIe siècle.

Où dormir ? Où manger ?

🛏 |●| *Chambres d'hôtes et ferme-auberge La Fouquette :* ☎ *04-94-60-* | 00-69. ●*domaine.fouquette@wanadoo. fr* ● *domainedelafouquette.com* ●

À 2 km après le village des Mayons sur la D 75, direction Collobrières. Ferme-auberge ouv ven soir, sam soir et dim midi en hte saison, slt dim midi hors saison (tte l'année, tlj à partir de 15 pers sur résa). Congés : nov-fév. Doubles avec douche et w-c 58 €, petit déj compris. Repas complet 24 €. Apéritif maison offert sur présentation de ce guide. Pro- posent quatre chambres, dont deux familiales, à la déco toute simple mais pas désagréable. Superbe panorama sur la plaine des Maures. Vous apprécierez, après la balade dans la forêt, la table de ce couple de vignerons qui se font un devoir de vous faire goûter, outre leur vin, une cuisine de terroir à base de produits fermiers.

À voir dans les environs

🍴🚶‍♂️ **Le village des Tortues :** 83590 **Gonfaron.** ☎ 04-94-78-26-41. *Sur la D 75 entre Les Mayons et Gonfaron. Tlj 9h-19h. Entrée : 9 € (adulte) et 6 € (enfant) en saison ; 6 € et 4 € hors saison ; réduc.* Sans le travail de ce « village », la tortue de Hermann, plus ancien vertébré d'Europe (son espèce affiche plus de cinquante millions d'années d'existence), aurait peut-être disparu du massif des Maures, dernier endroit où elle subsiste avec la Corse, victime des incendies de forêt, du défrichement ou de la simple bêtise humaine. Les tortues sont soignées et élevées ici afin de repeupler le massif des Maures. Pour être sûr de voir ces gentilles bestioles, on vous conseille en été la visite le matin vers 10h-11h, quand les tortues mangent, ou vers 17h-18h ; le reste de l'année, aux heures les plus chaudes de la journée. Il y a aussi un parcours paléontologique, style Maurassic Parc, à l'époque des dinosaures, avec des tas de tortues disparues : son, images, etc. Un joli voyage dans le temps.

BESSE-SUR-ISSOLE (83890)

La patrie de Gaspard de... Besse n'a pas dû beaucoup changer depuis les exploits du Robin des garrigues. Besse a vu arriver la République (gigantesque et allégorique statue à l'entrée du village) mais conserve un caractère médiéval assez marqué. Anciennes portes des remparts, vieille fontaine (datée de 1542, c'est l'une des plus anciennes du Var) place de la Mairie, tour-beffroi, rues à arcades... À peine à l'écart du village, un rafraîchissant petit lac en forme de cœur.

Où dormir ? Où manger ?

🛏️ |●| **Chambres d'hôtes l'Abri du Poète :** 3, rue du Docteur-Roux. ☎ 04-94-86-12-06. 📱 06-11-29-29-66. ● abri dupoete@aol.com ● provenceweb.fr/83/abridupoete ● *Ouv tte l'année. Double avec douche et w-c 70 €. Table d'hôtes sur résa 23 €. Sur présentation de ce guide, 10 % de réduc sur le prix de la chambre hors juil-août.* Dans une ruelle tranquille du village, ancienne maison de vigneron ouverte sur un grand jardin. Chambres installées dans l'ancien grenier à grain : pierres et poutres, déco toute fraîche. Et le poète dans tout ça ? Il est du XIXᵉ siècle et a laissé son nom aux chambres : Hugo, Verlaine, Rimbaud et Lamartine. Égale-

ment une suite récemment aménagée dans l'ancien pigeonnier. Accueil naturellement souriant.

🛏️ |●| **Chambres d'hôtes Bastide de l'Avellanne :** ☎ 04-94-69-89-91. ● avel lanne@wanadoo.fr ● avellanne.com ● *Congés : nov-mars. Doubles avec douche et w-c 80-130 € selon saison ; une suite 110-140 €. Dîner 22 €. Apéritif maison offert sur présentation de ce guide.* Après 3 km de chemin de terre, on est bien content d'accéder à cette bastide isolée au milieu des cigales... Hyper-tranquille, donc. Le proprio belge propose une dizaine de chambres aux noms de peintres, dont sept situées dans la bastide. Elles sont vastes et plutôt rustiques avec leurs meubles anciens et leurs jolies poutres. Les autres se trouvent derrière et sont plus modernes. Pour se détendre, piscine (couverte si besoin), jacuzzi et tennis (gratuits pour les hôtes). Grande salle à manger rustico-chic et repas à base de produits frais.

LA « PROVENCE VERTE »

À ceux qui auraient pris goût à l'arrière-pays varois, on conseille forcément un séjour dans la « campagne varoise » (on parle aujourd'hui de Provence verte !). Un arrière-pays déjà différent du Centre-Var, riche de jolis villages dont les noms chanteront à vos oreilles, avec les cigales. La Provence varoise, quel que soit le nom qu'on lui donne, a toujours vécu doucement sa vie, loin des villes, en suivant la vallée verdoyante de l'Argens. Un pays à redécouvrir : à pied, à cheval, à vélo ou en voiture.

BRIGNOLES   (83170)   15 643 hab.

Brignoles a retrouvé sa sérénité depuis que la déviation de la nationale 7 a ouvert en été 2005. La « riante nourrice des comtes de Provence », comme l'appelait le bouillant Mistral, a conservé un centre ancien qui mérite qu'on s'y aventure...

Adresse utile

🛈 *Maison du tourisme de la Provence Verte :* carrefour de l'Europe. Infos : ☎ 04-94-72-04-21. ● provence verte.fr ● Afin d'organiser vos vacances, central de réservation pour les hôtels et les chambres d'hôtes : ☎ 04-94-59-01-31. Des guides conférenciers du « Pays d'art et d'histoire de la Provence verte » proposent également des visites guidées sur programme. Sont disponibles des guides sur les hébergements, sur les 21 circuits VTT balisés et les 41 circuits pédestres balisés. Demandez la brochure « Parcours de pierres » si vous voulez découvrir les constructions en pierres sèches de la région. Bon accueil.

Où dormir ? Où manger ?

Plus chic

🏠 I●I *Chambres d'hôtes La Cordeline :* 14, rue des Cordeliers. ☎ 04-94-59-18-66. ● lacordeline@ifrance.com ● lacordeline.com ● Doubles avec douche et w-c ou bains 70-85 € selon confort ; suite 105 €. Table d'hôtes le soir 29 €. Apéritif maison ou café offert sur présentation de ce guide. Dans une petite rue tranquille de la vieille ville, une maison du XVIᵉ siècle, presque inévitablement pleine de charme. Si on écrit, là tout de suite, qu'on a complètement craqué sur la chambre 1930 avec ses meubles d'époque et son papier fleuri, vous risquez, cher lecteur, d'oublier les autres et ce serait dommage : carrément grandes, toutes aussi charmantes, discrètement années 1950 pour une, dans l'esprit provençal pour toutes les autres. Ah oui, il y a aussi un douillet salon, une salle à manger très grand genre et un jardin. Et puis un adorable jardin, au cœur de la ville. Accueil évidemment impeccable.

Où dormir ? Où manger dans les environs ?

🛏 ▮●▮ **Auberge de la Loube :** *av. Saint-Sébastien, 83136 La Roquebrussanne.* ☎ *04-94-86-81-36. Au centre du village. Doubles avec douche et w-c ou bains, TV 70-80 €. Menus 26-53 €. Sur sa place, avec sa terrasse sous les platanes, on classerait vite cette adresse dans la catégorie « auberge de village ». C'est plutôt, depuis la récente installation d'un ancien de* chez Christophe Leroy, une belle table d'aujourd'hui : grande salle discrètement design, service pro mais décontracté, et ce jeune chef qui s'amuse comme un fou à épater les palais, dès la lecture de la carte. Quelques petites chambres, mignonnes (même si un peu chargées) et confortables, un peu chères peut-être...

À voir

🚶 **Le musée du Pays brignolais :** *pl. des Comtes-de-Provence.* ☎ *04-94-69-45-18. Avr-sept, mer-sam 9h-12h, 14h30-18h ; dim 9h-12h, 15h-18h. Le reste de l'année, mer-sam 10h-12h, 14h30-17h ; dim 10h-12h, 15h-17h. Fermé certains j. fériés. Entrée : 4 € ; réduc.* Installé dans le palais des comtes de Provence, une de leurs résidences d'été du XIII⁰ au XV⁰ siècle, il rassemble objets, meubles et témoignages de la vie quotidienne dans la région. Une salle est consacrée aux tableaux de Barthélemy Parrocel, peintre de batailles ayant donné naissance par ailleurs à l'une des plus nombreuses dynasties artistiques françaises.

🚶 **Le circuit de la vieille ville :** de son passé prestigieux, Brignoles n'a pas conservé que son ancien palais comtal, aujourd'hui transformé en musée. Pour retrouver les traces du passé, dans cette ville qui en a perdu quelque peu l'habitude, au fil du temps, il faut flâner au gré des rues et de sa fantaisie : hôtels particuliers, fontaines, rues entrecoupées d'escaliers et de passages voûtés, portes et poternes des XIII⁰ et XV⁰ siècles... Suivez le circuit de la vieille ville édité par l'office de tourisme ou faites la visite guidée en été : c'est la seule façon de découvrir l'envers du décor.

Manifestations

– **Festival de jazz :** *1ᵉʳ w-e d'août.*
– **Les Médiévales :** *mi-août.*
– **Fête de la Prune :** *mi-sept.*

➤ DANS LES ENVIRONS DE BRIGNOLES

🚶🚶 **L'abbaye de La Celle** (83170) **:** *à 3 km au sud-ouest de Brignoles, au cœur du village, un des plus anciens monastères de Provence. S'adresser à l'office de tourisme :* ☎ *04-94-59-19-05. Visites guidées slt. Entrée : 2,30 € ; gratuit pour les moins de 12 ans.* Au VIᵉ siècle, une communauté de femmes y était déjà implantée. L'ensemble des bâtiments devint bénédictin au XIIᵉ siècle. Quelques décennies plus tard, les dons et les protections pleuvant, sa prospérité fut assurée. Au fil des siècles, il acquerra même une jolie réputation... de libertinage. Car les nonnes étaient pour la plupart des filles de bonnes et grandes familles qui avaient nombre d'amoureux dans le village. Ces derniers n'hésitèrent pas, lorsque Mazarin envoya un de ses hommes mener l'enquête, à le chasser sans ménagement. Ce qui incita notre homme de robe à fermer le couvent en 1660.

Vendu à la Révolution comme bien national, le bâtiment sera, comme nombre de ses confrères, transformé en ferme. On peut encore visiter aujourd'hui la chapelle romane, la salle capitulaire, le cloître et le cellier seuls rescapés du monastère d'autrefois.

L'abbaye abrite aujourd'hui la *maison des Vins des coteaux-varois-en-provence* (☎ 04-94-69-33-18), bonne introduction à ce vignoble qui s'étend sur 28 communes, de Brignoles aux contreforts de la Sainte-Baume. Une jeune appellation, devenue AOC en 1993. Et tout un village à découvrir autour, avec le vieux lavoir, la fontaine, les vieilles rues, ainsi que sa réplique « miniature », à l'espace Jean-Giono.

LE VAL D'ARGENS

Suivez les « chemins de l'eau » avec le joli et passionnant guide de circuits édité par l'*Office intercommunal de tourisme de la Provence verte,* qui justifierait à lui seul que vous repassiez par Brignoles, si vous ne l'avez pas trouvé en route. Du château d'eau naturel qu'est le massif de la Sainte-Baume au bassin du Verdon qui touche ces collines, vous allez regarder d'un autre œil ce pays où « cascades, gorges, mais aussi lavoirs, fontaines, canaux, puits, glacières témoignent de l'omniprésence de l'élément aquatique au cœur des villages comme en pleine nature », comme dit joliment la préface.

LE VAL (83143)

Un endroit adorable comme on les aime, plein de vie, des fontaines partout, un théâtre en plein air, un beffroi pas froid. Bref, on y est bien. Amusante *foire à la Saucisse* le 1er week-end de septembre (réunion de confréries, grands banquets campagnards, cochonnaille à profusion...).

Un village au caractère provençal affirmé hors saison. Crèche animée, atelier du santonnier, petits musées insolites ou traditionnels, voire religieux, à découvrir d'un œil ému.

Où dormir ? Où manger ?

🏠 **Hostelou Valen :** route de Bras, chemin des Jeannets. ☎ 04-94-69-47-29. ● hotel-louvalen@wanadoo.fr ● hotel-lou-valen.com ● ⚒ À la sortie du village, sur la D 24 direction Bras, c'est fléché sur la gauche. Ouv tte l'année. Double avec douche et w-c ou bains, TV 68 €. Café offert et 10 % de réduc sur le prix de la chambre (oct-mai) sur présentation de ce guide. Très tranquille petit bâtiment moderne, autour d'une piscine. Chambres dans le style du pays, spacieuses, sobres mais charmantes. Accueil décontracté. Une très sympathique adresse, quoi.

|●| **La Crémaillère :** 23, rue Nationale. ☎ 04-94-86-40-00. ● lacremaillere83@wanadoo.fr ● Fermé lun, plus mer soir hors saison. Menus 23,50-31,50 € et carte. Café offert sur présentation de ce guide. Une mignonne petite salle et une terrasse pas bien grande non plus pour une très bonne cuisine au gré du marché et des saisons : foie gras, etc.

À voir

🎎🚶‍♀️ **Le musée du Santon :** 2, rue des Fours. ☎ 04-94-86-48-78. ⚒ Tlj 9h-12h, 14h-18h. Entrée : 2 € ; ½ tarif 6-12 ans ; gratuit jusqu'à 6 ans. Très belle collection : plus de 2 000 santons venus d'un peu partout : Provence bien sûr mais aussi Afrique, Amérique... en bois, en mie de pain, en bronze ! Crèche animée (entre 4 et 5 séances par jour) et atelier de fabrique de santons traditionnels. Traditions de Noël célébrées pendant tout le mois de décembre : pastorale en provençal, messe de minuit, expositions...

🐾 Plusieurs autres petits musées (des figurines et des jouets anciens, d'art sacré) au village. Renseignements à l'office de tourisme.

ENTRECASTEAUX *(83570)*

Bourg médiéval très agréable. Petit mais charmant. Déambulez dans ses ruelles pittoresques pour humer l'air du temps jusqu'à ce que l'une d'entre elles vous ramène à l'*église fortifiée* du XIVe siècle (une particularité : l'abside est plus basse et plus étroite que la nef).

Adresse utile

🚏 **Syndicat d'initiative :** 2, cours Gabriel-Péri. ☎ 04-98-05-22-05. *Ouv* tte l'année ; juin-août, mar-sam 9h30-12h, 14h30-17h.

Où dormir ? Où manger ?

🛏 **Chambres d'hôtes Les Vignes de Terrisse :** Terrisse, route de Cotignac. ☎ 04-94-04-43-66. 📱 06-61-80-03-71. ● lesvignesdeterrisse.fr ● *Sur la D 50, à mi-chemin entre Entrecasteaux et Cotignac. Doubles avec douche et w-c, TV, wi-fi 60-70 € selon saison.* Il faut, de temps à autre, remercier les lecteurs qui nous emmènent jusqu'à des adresses comme celle-ci ! Une ancienne bastide, un peu perdue au milieu des vignes, avec tout ce qu'il faut pour qu'on n'ait plus envie d'en repartir : l'accueil exceptionnel d'une hôte qui occupe sa retraite de prof à exploiter un petit domaine viticole, et de grandes chambres dont la déco a le bon goût de ne pas en rajouter dans le « couleur locale ».

🛏 **Chambres d'hôtes Bastide Notre-Dame :** Adrech de Sainte-Anne. ☎ 04-94-04-45-63. 📱 06-11-42-12-09. ● ma riethevalentin@aol.com ● http://bastide notredame.free.fr ● *À la sortie du village, sur la D 31 direction Cotignac, c'est fléché sur la droite. Ouv tte l'année. Doubles avec douche et w-c ou bains 80 €, petit déj compris ; supplément de 12 €* pour une seule nuit. Apéritif maison offert sur présentation de ce guide. Dans une agréable maison de famille qui domine la campagne. Jolie vue de partout. Les chambres sont plaisantes, à la mode du pays. Une curiosité : la tente saoudienne... souvenir de voyage, plantée dans le jardin. Piscine. Accueil distingué juste ce qu'il faut.

🍴 **La Fourchette :** 10, rue Le Courtil. ☎ 04-94-04-42-78. ● nicras@wanadoo. fr ● *Juste à côté de l'église. Fermé lunmar, plus dim soir hors saison. Congés : janv-15 fév. Menus 15 € le midi et 26,50 € ; carte env 30 €. Café offert sur présentation de ce guide.* À l'ombre du célèbre château, une maison pour les voyageurs gastronomes qui y déposeront fatigue et soucis pour savourer tout autant la vue, depuis la terrasse, que la cuisine de Pierre Nicolas. Accueil adorable de sa jeune femme américaine, qui a quitté San Francisco pour le Haut-Var sans perdre le sourire. Simplicité, qualité, juste prix. Saint-Jacques aux truffes, cannellonis au foie gras et magret fumé se glissent dans les menus.

À voir

🏰🏰 **Le château :** ☎ 04-94-04-43-95. 🔑 *Pâques-oct, visite guidée tlj sf sam à 16h ; une visite supplémentaire en août à 11h30. Fermé oct-Pâques, sf pour les groupes. Entrée : compter 7 € ; réduc.* Le plus grand château du Var. À l'origine, un château fort, transformé en château d'agrément au XVIe siècle. Détruit par un incendie, puis reconstruit et agrandi par le comte François de Grignan, gendre de la marquise de Sévigné, il s'ouvre à vous au fur et à mesure de l'avancement des travaux réalisés par l'actuel propriétaire !

Alain Gayral est tombé amoureux des lieux en 1985, mais il lui a fallu ronger son frein pendant des années avant de pouvoir acquérir ce chef-d'œuvre en péril, à qui il redonne forme et couleurs. Il a décidé de lui refaire une santé. Il fait donc tout, ou presque, lui-même, maniant truelle, rabot et pinceaux non sans une touche de fantaisie qui risque de faire verdir certains tenants d'un conservatisme rigide. Il a récemment refait un salon Louis XIV et une chambre à baldaquin Louis XV avec des tapisseries d'Aubusson sur des thèmes mythologiques. Voir aussi la statue du vice-amiral Antoine Bruny d'Entrecasteaux, dans les jardins de Le Nôtre...

Dans tout château, il y a forcément une histoire de crime. Ici, elle s'avère plutôt rocambolesque. Le neveu de Raymond Bruny (marquis d'Entrecasteaux), le propriétaire de 1713, voulait occire son épouse enceinte pour en épouser une autre (non, on n'est pas à Monaco !). La pauvre résista à une chute dans l'escalier due à des noyaux de cerises. Elle fut sauvée du potage empoisonné, mais elle succomba tout de même aux trois coups de rasoir qui lui furent infligés.

Pour vous remettre, allez admirer, de la terrasse, la vallée encaissée de la Bresque et, des fenêtres donnant côté village, les jardins dessinés par Le Nôtre. Rien ne vous empêche, ensuite, d'aller vous y promener, les jardins sont publics et ombragés. Ça vaut la peine !

CORRENS (83570)

« Il faut aller à Correns tout exprès, et s'en revenir par le même chemin. C'est un des bouts du monde », vous voilà prévenu ! Comme le dit votre carnet de randonnée distribué par l'office de tourisme, « la géologie, l'histoire de l'Argens, la flore et la faune en font un endroit magique où l'appel du rocher est très fort ». Comme nous, vous allez craquer pour cette oasis au débouché de gorges dominées par des falaises abruptes entre lesquelles coule l'Argens, « le fleuve », comme on dit ici.

Une qualité de vie tellement préservée que Correns est devenu désormais le premier village bio de France. En effet, la quasi-totalité des viticulteurs et agriculteurs se sont convertis. Et le résultat est plutôt réjouissant. Pour tout renseignement, s'adresser au *bureau du tourisme* mis en place par la mairie, place du Général-de-Gaulle (☎ 04-94-37-21-95).

Belles maisons Renaissance dans les rues en escaliers du vieux village, qui se transforment parfois en passages voûtés. Tour du XVIe siècle surmontée d'un campanile. Sur la butte qui domine l'Argens, vestiges du donjon de la forteresse médiévale, fort Gibron.

Continuer ensuite jusqu'à *Montfort-sur-Argens,* joli village (où les portables passent à peine, chouette !), baigné comme son nom l'indique par l'Argens. Ce village appartint à l'ordre des Templiers. Ils y construisirent le *château des Hospitaliers,* le seul qu'ils détinrent en Provence.

Où dormir ? Où manger à Montfort ?

🏠 |◉| *Chambres d'hôtes Le Chat Luthier :* 4, rue du Barri, 83570 Montfort-sur-Argens. ☎ 04-94-59-51-01. ● le.chat.luthier@wanadoo.fr ● http://perso.wanadoo.fr/le.chat.luthier/ ● Attention à ne pas vous engager en voiture dans la ruelle où se trouve le panneau, vous auriez à faire une marche arrière délicate. Tte l'année. Doubles avec salle de bains extérieure 40 €, avec douche et w-c ou bains 55 €, petit

déj inclus ; un appart pour 2-4 pers 65 €/nuit ou 250-350 €/sem. Repas 20 €. Sur présentation de ce guide, 5 € de réduc sur les chambres à 55 € hors juil-août. Les propriétaires, Fabrice et Pierre, vous accueillent vraiment comme des invités. Ils ont su conserver le cachet ancien de leur jolie maison. Routards dans l'âme, ils ont même aménagé une chambre (celle avec salle de bains extérieure) sous le signe du voyage. Les deux autres sont plus vastes, avec meubles anciens. On prend le repas en compagnie de nos hôtes dans une drôle de cave voûtée aménagée par le précédent proprio, avec un bassin kitschissime ! Une adresse chaleureuse et résolument originale.

À voir

🐾 **Le vallon Sourn :** *à la sortie de Correns.* Le « vallon sombre », en provençal. Cinq kilomètres de gorges sinueuses dominées par des rochers escarpés et des grottes qui ont servi de refuge pendant les guerres de Religion. Paradis des kayakistes, haut lieu de l'escalade. Un petit coin de verdure et de fraîcheur étonnant. Ce site est autant réputé pour ses falaises que pour ses qualités écologiques, car il est le refuge de nombreuses espèces animales et végétales. C'est ici que les truites fario trouvent, par exemple, les lieux de ponte les plus favorables. Un milieu fragile aussi, qu'il faut donc protéger.

BARJOLS (83670)

De nombreux artisans et artistes se sont installés ici. Profitez de votre séjour pour les rencontrer. Et puis, procurez-vous une brochure à l'office de tourisme car il y a la *collégiale* à visiter et le *circuit des Fontaines et Lavoirs* à suivre, qui vous raconte de manière émouvante l'histoire de ce village attachant, autour du seul véritable trésor qu'ait toujours eu Barjols : l'eau !
La ville, qui est arrosée par trois rivières, compte quelque 28 fontaines et douze lavoirs. Le triste spectacle des tanneries désaffectées, à la sortie, rappelle que la renommée du village, au XIXᵉ siècle, reposait, comme sa prospérité, sur une industrie du cuir rendue possible, justement, par la présence de l'eau...

Adresses utiles

🏠 **Office de tourisme :** *bd Grisolle.* ☎ 04-94-77-20-01. *Ouv tte l'année ; de mi-juin à mi-sept, mer-sam 9h-12h, 14h-18h30, dim 10h-13h ; hors saison, se renseigner.*
■ **Maison régionale de l'Eau :** *dans l'ancien hospice du village, à côté de* l'office de tourisme. ☎ 04-94-77-15-83. Expos thématiques sur les milieux aquatiques et la gestion de l'eau en Provence, aquarium présentant tous les poissons et autres bestioles des rivières du coin. Entrée gratuite.

Où dormir ? Où manger à Barjols et dans les environs ?

🏠 |●| **Hôtel du Pont-d'Or :** *rue Eugène-Payan, à Barjols.* ☎ 04-94-77-05-23. ●*hotel.pontdor@wanadoo.fr* ● *Tlj sf dim soir et lun (resto). Congés : 1ᵉʳ déc-14 janv. Doubles avec douche et w-c ou bains 54-58 €. Menus 22-37 €.* L'adresse rassurante, ancien relais de poste, tenue par la même famille depuis trois générations. Décoration d'un rustique qu'on aurait trouvé classe il y a deux-trois décennies, chambres simplement confortables, plus calmes bien sûr côté campagne. Bonne cuisine de tradition. Et accueil très gentil.
🏠 |●| **Le Rouge-Gorge :** *quartier Les Costes, 83670 Pontevès.* ☎ 04-94-77-03-97. ● *http://le.rouge.gorge.free.fr* ● *le.rouge.gorge@free.fr* ● *Sur la D 560, entre Barjols et Salernes, passer le pont et grimper vers Pontevès. Resto fermé lun. Congés : de janv à mi-mars. Doubles avec douche et w-c ou bains, TV 60 € en hte saison ; petit déj 9 €. Menus 20-30 €.* Apéritif maison offert sur pré-

sentation de ce guide. Dans un très joli petit village. Si le château est un peu mort, voici un *Logis de France* bien vivant, plein de rires et de parfums. Mignonnes chambres, dans l'esprit de la région, sans luxe superflu mais d'un vrai confort. Choisissez-en une donnant sur le superbe jardin. Les soirs d'été, tout le monde dîne autour de la piscine. Cuisine du pays, avec soupe au pistou, terrine de jarret, gâteau de foie, etc. Une nouvelle salle très « cossue » a ouvert ses portes. L'accueil est comme le climat, sain, tonique et chaleureux... Et il y a plein de balades à faire alentour.
 🏠 *Chambres d'hôtes Domaine de Saint-Ferréol :* 83670 Pontevès. ☎ 04-94-77-10-42. ● saint-ferreol@wanadoo. fr ● domaine-de-saint-ferreol.fr ● Sur la D 560, petite route juste en face du pan-neau « Pontevès ». Congés : nov-début mars. Doubles avec douche et w-c ou bains 60-70 €, petit déj compris. Suite 360-580 €/sem pour 4 pers. Dégustation de vin de propriété ou une bouteille offerte sur présentation de ce guide. En v'là de la pierre, en v'là... de la belle, de la vraie, de l'authentique ! Deux chambres et une suite dans une aile restaurée du corps de ferme du XVIIIe siècle (une inscription indique 1750), avec mobilier rustique et tissus provençaux. Grande ferme entourée de vignes (les propriétaires sont vignerons) et ouvrant sur deux belles collines qui semblent avoir été plantées là par hasard. Ambiance agréable. Coin cuisine à disposition. Un peu à l'écart de la ferme, le vieux pigeonnier cache une piscine superbe.

Fête

– *Fête de la Saint-Marcel :* un w-e autour de mi-janv. Si vous êtes dans la région (pourquoi pas, il y fait meilleur qu'à Paris !), participez à cette fête traditionnelle et spectaculaire, commémorant l'arrivée du saint à Barjols : d'abord, on danse dans l'église pendant la messe, et puis, tous les 3 ou 4 ans, on promène un bœuf en cortège dans les rues du village, on le fait rôtir en place publique, et tout le monde a droit à un morceau, sacré Marcel !

À voir dans les environs

🚶 *La source de l'Argens :* sur la D 560, à 18 km, au sud. Infos à la mairie de Seillons : ☎ 04-98-05-20-40. Un peu avant Seillons, emprunter le chemin avant le domaine de Saint-Estève. Vous découvrirez la source, ses marais et un vieux moulin à huile.

VARAGES (83670)

Sur la D 554, à 10 km au nord-ouest de Barjols. C'est l'un des berceaux provençaux de la faïence. Varages, au XVIIIe siècle, compta jusqu'à huit fabriques. De nos jours, la *Manufacture des Lauriers* perpétue trois siècles de tradition et exporte dans le monde entier. On peut encore visiter trois ateliers d'artisan dans le village.
– *Maison Gassendi :* pl. de la Libération. ☎ 04-94-77-60-39. Juil-août, tlj sf lun mat 10h-12h, 15h-19h ; hors saison, mer-dim 14h-18h. Entrée : 2,50 € ; gratuit jusqu'à 12 ans. Un très attachant petit musée de la Faïence qui retrace l'histoire de la production et les techniques de fabrication et de décoration.

Où dormir ?

🏠 *Chambres d'hôtes La Maison du Faïencier :* pl. de la Libération. ☎ 04-94-77-81-01. ● info@lamaisondufaien cier.com ● lamaisondufaiencier.com ● Loué en gîte tte l'année... cher ! Mieux vaut louer hors saison : doubles avec douche et w-c ou bains 65 €, petit déj inclus. Sur la place principale du village, une belle maison de maître (maître faïencier, bien sûr) du XVIIe siècle, tenue par un couple d'Anglais. Les proprios ont réalisé une rénovation complète et surprenante de cette belle maison en intégrant les matériaux d'origine (tomettes, bois, pierre) dans une esthétique assez design (murs blancs et salles de bains dépouillées). Très joli jardin avec une piscine élégante. Vaste cuisine. Accueil charmant.

Où dormir ? Où manger dans les environs ?

🏠 |●| *Chambres d'hôtes et gîte Le Domaine de Boistell :* lieu-dit La Bouteille, 83560 Rians-en-Provence. ☎ 04-94-72-84-92. ● domaineboistell@wanadoo.fr ● domainedeboistell.com ● *À 5 km au sud de Rians par la D 3 vers Saint-Maximin ; c'est à droite juste après l'hôtel* Bois Saint-Hubert. *Ouv Pâques-fin sept ou sur demande. Doubles avec douche et w-c ou bains 73-83 €, petit déj compris. Gîte pour 4 pers 580 €/sem. Repas 29 € tt compris. Apéritif maison et digestif offerts sur présentation de ce guide. Si vous cherchez du confort et de la tranquillité, c'est pour vous. Grande maison au milieu d'une forêt de chênes blancs, vaste pelouse et belle piscine avec cuisine d'été pour se faire des repas froids. Les quatre chambres sont spacieuses et confortables, tout comme les salles de bains. La maison garde bien la fraîcheur, mais l'accueil, lui, est très chaleureux.*

LA SAINTE-BAUME

C'est le plus important massif provençal, à cheval entre les Bouches-du-Rhône et le Var.

La Sainte-Baume est un lieu chargé d'histoire. Les druides déjà y célébraient leurs cultes. Les Romains y avaient élevé une stèle à l'Alma Mater. Au Ier siècle, Marie Madeleine y aurait passé les 30 dernières années de sa vie, recluse dans une grotte sombre et humide devenue, par la suite, un des principaux lieux de pèlerinage de France et une étape sur le chemin de Saint-Jacques-de-Compostelle. Cette grotte (*baoumo* en provençal, ne cherchez pas plus loin le nom du massif !) est aussi un lieu de passage « obligatoire » pour les compagnons du Tour de France, leur fondateur, maître Jacques, ayant été assassiné là (vers 950), selon la tradition.

Avec ses 12 km de crêtes rocheuses qui culminent à 1 147 m, ses 45 000 ha de forêt et ses multiples sources, le massif est un refuge idéal pour tous les amoureux de la nature. Au programme, de jolies balades de villages paisibles en sites archéologiques, d'anciennes glacières en mines de charbon...

SAINT-MAXIMIN-LA-SAINTE-BAUME *(83470)*

Gros bourg provençal typique, au centre ancien établi autour de sa célèbre basilique gothique.

Un peu d'histoire

Au Ier siècle, sainte Marie Madeleine et saint Maximin sont (paraît-il) chargés par l'apôtre Pierre de l'évangélisation de la Provence. Après leur décès, des moines les ensevelissent dans un lieu tenu secret, entre Aix-en-Provence et la Sainte-Baume, pour éviter que leurs dépouilles ne tombent aux mains des sarrasins.

En 769, le corps de Marie Madeleine réapparaît à Vézelay : un moine bourguignon affirme l'avoir découvert à Aix. Premier pèlerinage, autorisé par le pape, même si l'évêque d'Autun croit à une mystification. Le comte de Provence, pas convaincu non plus, fait faire en 1279 des recherches sur le site de Saint-Maximin. Une crypte est découverte, où reposent des sarcophages. Dans l'un d'eux, un corps dont la mâchoire (les âmes sensibles arrêteront là la lecture de cette page d'histoire religieuse...) mâchonne encore un rameau de fenouil frais. Plus miraculeux encore : sur le front subsiste un lambeau de chair à l'endroit même, où, au matin de sa résurrection, Jésus avait touché Marie Madeleine !

Pour les archéologues de l'époque, pas de doute, il s'agit de la « vraie » sainte. Le « troisième tombeau du monde » (après celui du Christ, à Jérusalem, et celui de saint Pierre, à Rome) devient logiquement un lieu de pèlerinage des plus fréquenté, et une basilique est édifiée au-dessus de la crypte.

Adresse utile

🆒 ***Office de tourisme :*** *couvent royal.* ☎ *04-94-59-84-59. Tlj 9h-12h30, 14h30-18h30 (14h-18h sept-Pâques).* Organise des visites guidées de la basilique et du couvent.

Où dormir ? Où manger ?

🏠 ***Chambres d'hôtes L'Orée du Bois :*** *380, chemin du Claret.* ☎ *04-94-59-83-75.* ● *claudette.loreedubois@ cegetel.net* ● *loree-du-bois.net* ● *À 3 km du bourg, entre le massif de la Sainte-Baume et celui de la Sainte-Victoire. Ouv tte l'année. Doubles avec douche et w-c 59 €, petit déj compris.* Vous aimez la campagne ? Choisissez la chambre verte. Vous regrettez un peu la mer, prenez la bleue. Et si vous voulez vraiment vous imprégner de la Provence, prenez la suite « Mimosa ». Une belle maison ensoleillée, au calme, avec jardin, piscine et terrasses couvertes.

🏠 ❙●❙ ***Hôtel Le Couvent Royal :*** *pl. Jean-Salusse, BP 19.* ☎ *04-94-86-55-* 66. ● *contact@hotelfp-saintmaximin. com* ● *hotelfp-saintmaximin.com* ● 🍴 *Ouv tte l'année. Resto fermé lun nov-mars. Doubles avec douche et w-c ou bains, TV satellite 80-145 €. Menus 26-35 € et carte.* Café et réduc de 10 % sur le prix de la chambre (suivant disponibilité) offerts sur présentation de ce guide. Au cœur du couvent, une trentaine de chambres aménagées dans les anciennes cellules des moines. De vieilles pierres, des poutres, beaucoup de charme, donc ! Les plus chères offrent une chouette vue sur le cloître. Cadre encore plus étonnant pour le resto, installé dans la salle capitulaire. Cuisine provençale de tradition. Accueil très pro.

À voir

🍴🍴 ***La basilique :*** *ouv tlj 9h-18h30 en été (18h hors saison). Pas de visite pdt l'office dominical, à 10h30.* Fondée en 1279 par Charles II, roi de Sicile et comte de Provence. C'est le plus important ensemble de style gothique provençal (titre, au passage, facile à s'arroger dans une région où le roman prédomine !). Les travaux entamés en 1296 se sont éternisés jusqu'en 1532. La basilique n'a d'ailleurs jamais été achevée, ce qui explique la façade un peu brute de décoffrage, sans portail ni rosace, et l'absence de clocher. À l'intérieur, c'est une tout autre histoire : ample nef (près de 80 m de long et de 30 m de haut) au mobilier étonnamment riche. Normal pour une basilique royale mais peut-être pas évident à assumer pour les dominicains (ordre mendiant) qui l'administraient ! Grandes orgues du XVIIIe siècle, superbes et d'une grande musicalité (concerts gratuits le premier dimanche du mois à 17h). Chaire de bois délicatement sculptée, comme les médaillons des stalles du chœur (XVIIe siècle). Une foule d'œuvres d'art, dont une belle *Descente de croix* (école provençale du XVe siècle) et l'incontournable *retable de la Passion* d'Antoine Ronzen (1520) : 22 panneaux sur lesquels l'artiste a représenté quelques-uns des hauts lieux de la région : Jésus devant Hérode et devant... le palais des Papes d'Avignon, Caïphe déchirant ses vêtements devant le Colisée de Rome...

LA « PROVENCE VERTE »

La crypte, monument funéraire du IVe siècle, abrite quatre sarcophages dont, évidemment, celui que la tradition attribue à Marie Madeleine, en marbre, usé par les mains de générations de pèlerins. Un reliquaire en bronze doré contient le crâne de la sainte et un tube de verre le fameux lambeau de peau ! Le sarcophage de saint Maximin, quant à lui, a conservé une belle frise où s'entrelacent dauphins et monstres mythologiques.

🦌 *Le couvent royal :* ouv en général tlj 9h-18h. Édifié en même temps que la cathédrale, mais les travaux ont duré encore plus longtemps (les derniers aménagements remontent au milieu du XVIIe siècle). Ce grand ensemble religieux destiné à abriter cent moines a connu une histoire mouvementée : abandonné plusieurs fois par les dominicains (qui le quitteront définitivement en 1957), transformé en forteresse, puis en prison par la Révolution. Bel ensemble de bâtiments toutefois. Joli cloître qui plante sa trentaine d'arcades autour d'un jardin.
Le couvent accueille désormais la mairie (dans l'ancien hospice), un hôtel-resto (lire ci-dessus), un bar à vin et, depuis peu, l'office de tourisme.

🦌 *Le quartier médiéval :* au sud de la basilique, quelques vieilles mais belles rues dont la *rue Colbert* avec ses maisons à arcades des XIIIe et XIVe siècles et ses portails sculptés. Elle débouche sur l'ancien quartier juif : étonnante tolérance dans une ville aussi marquée par la foi catholique (même si, dès le XIVe siècle, les juifs ont servi de boucs émissaires pendant les épidémies de peste...).

NANS-LES-PINS *(83860)*

Classique village provençal (avec sa place ombragée de platanes, les ruines d'un château médiéval...) surtout intéressant parce qu'il est le point de départ de plusieurs sentiers, notamment vers le massif de la Sainte-Baume. Le chemin des Roys, en particulier, voie traditionnelle du pèlerinage à la Sainte-Baume depuis le XIVe siècle (5h aller-retour), ou le chemin de la glace (boucle de 3h), par lequel, au XIXe siècle, la glace produite dans les glacières était acheminée vers Marseille ou Aix-en-Provence. Descriptifs vendus à l'office de tourisme.

Adresse utile

🛈 *Office de tourisme :* 2, cours du Général-de-Gaulle. ☎ 04-94-78-95-91. ● ot-nanslespins.provenceverte.fr ●

🦌 *Lun-sam 9h-12h, 14h-17h (15h-18h juil-août).*

Où manger ?

I●I *Chez Elles :* 13, cours du Général-de-Gaulle. ☎ 04-94-78-41-57. Au centre du village. Tlj sf lun. Carte env 15 €. Un bar à goûter... Attention concept ! Des glaces aux parfums (d)étonnants, des tartes qui épatent... Du grignotage créatif dans un jardin ombragé d'un splendide figuier ou dans une ancienne remise agricole qui fait aussi épicerie-librairie-magasin de déco. Repas thématiques et/ou musicaux de temps à autre.

PLAN-D'AUPS-SAINTE-BAUME *(83640)*

À 700 m d'altitude, petit village qui vaut surtout pour son environnement naturel. On est ici littéralement au pied des falaises de la Sainte-Baume, dans lesquelles est creusée la célèbre grotte qui a, selon la légende, abrité Marie Madeleine.

Adresse utile

🛈 *Office de tourisme :* pl. de la Mairie. ☎ 04-42-62-57-57. ● saintebaumetourisme@wanadoo.fr ● En saison, lun-

sam 9h-12h, 14h-17h30 et dim 9h-12h ; hors saison, tlj 9h-12h.

Où dormir ? Où manger ?

🏠 |●| *Hôtellerie de la Sainte-Baume :* ☎ 04-42-04-54-84. ● hotellerie-saintebaume@orange.fr ● hotellerie-saintebaume.com ● Sur la D 95, quelques km avt Plan-d'Aups. Au pied du massif, au départ du GR 9. Ouv tte l'année. Nuitée 10,50 €/pers. Doubles avec lavabo 14 €/pers ; petit déj 3 €. ½ pens 28,50 €/pers en chambre double. Repas 13 €. Également un gîte pour groupes (7 pers min) avec possibilité de faire la cuisine : 9 €/pers. C'est en fait la maison d'accueil des sœurs bénédictines, installée dans l'hôtellerie créée au XVIIIe siècle. Accueil pas vraiment chaleureux.

🏠 |●| *Lou Pèbre d'Aï :* quartier Sainte-

Madeleine, D 80. ☎ 04-42-04-50-42. ● lou.pebre.dai@orange.fr ● loupebredai.com ● ♿ Fermé mar soir et mer. Congés : 2-12 janv et vac scol de fév. Doubles avec douche et w-c ou bains 50-63 €. ½ pens, souhaitée juin-août, env 53 €/pers. Menus 16 € (le midi sf dim et j. fériés) et 26-46 €. Apéritif maison offert sur présentation de ce guide. Cet établissement s'avère un lieu de détente idéal, avec des chambres douillettes (plus sympas côté jardin, mais double vitrage côté route) et une vaste salle à manger à l'ancienne pour goûter une bonne cuisine d'aujourd'hui et de toujours. Piscine.

À voir. À faire

🔦 *L'église romane :* du XIe siècle. Dédiée à saint Jacques. C'est toujours une étape pour les pèlerins de Saint-Jacques-de-Compostelle venant d'Italie.

🔦 *La grotte de la Sainte-Baume :* au milieu de la falaise, à 950 m d'altitude. Marie Madeleine y aurait vécu trente ans dans la solitude et la prière. Lieu de pèlerinage depuis le Ve siècle des plus fréquenté (et des plus jet-set : pas moins de huit papes et dix-huit souverains y sont venus depuis le Moyen Âge). La grotte est ouverte à la visite tous les jours ; lors de votre passage, allez-y à votre tour en pèlerinage.

➢ Sinon, le sentier qui y grimpe offre une très belle balade (45 mn aller en suivant le balisage rouge et blanc du GR 9). Le GR, qui suit le tracé de l'ancien chemin des Roys, traverse l'une des plus surprenantes forêts de France : 120 ha considérés comme sacrés et dont les arbres (chênes blancs, hêtres, érables...) n'ont jamais connu la hache ni la tronçonneuse. Les plus courageux peuvent grimper jusqu'à la chapelle du Saint-Pilon, posée, au sommet de la falaise, à l'aplomb de la grotte. Vue évidemment somptueuse, des îles d'Hyères aux sommets des Écrins.

– Sur la droite de la route qui mène de l'*Hôtellerie de la Sainte-Baume* à Plan-d'Aups se dresse un petit bâtiment abandonné, aux fenêtres béantes, aux murs graffités... Il est pourtant l'œuvre d'un certain Le Corbusier ! Le célèbre architecte avait construit ce garage-atelier pour Édouard Trouin, initiateur d'un projet un peu fou : une basilique creusée comme un tunnel sous le massif. Le Corbusier devait en assurer la réalisation. Soutenu par Picasso, Léger, Matisse et bien d'autres grands noms de l'art moderne, le projet ne s'est pourtant jamais concrétisé...

MAZAUGUES (83136)

On gagne ce joli petit village accroché à une pente boisée par la très belle et très tranquille D 95 qui longe le massif. 7 km avant Mazaugues (en venant de Plan-

LA « PROVENCE VERTE »

d'Aups), une route forestière à droite conduit en 5 mn à pied à la *glacière de Pivaut*. Sinon, visitable sur demande auprès de la *Maison du tourisme* ou du *musée de la Glace* (voir plus loin). Ce n'est pas un cube de plastique isotherme abandonné par quelque pique-niqueur indélicat, mais une impressionnante tour de pierre : 20 m de diamètre, autant de hauteur et d'épais murs de 2,50 m de haut. Recouverte d'un toit de tuiles et de terre, elle aurait pu contenir jusqu'à 2 600 m^3 de glace (le fonctionnement des glacières de la Sainte-Baume est très bien expliqué au musée de la Glace) mais... elle n'a été utilisée que deux ou trois ans à la fin du XIXe siècle !

Adresse utile

🛈 **Maison du tourisme :** *à côté du musée de la Glace.* ☎ *04-94-86-89-47. Ouv le w-e 9h-12h, 14h-18h (17h en hiver).* Visite guidée du village et de la Baume Saint-Michel notamment, une intéressante construction en pierres sèches. Conseils sur les randonnées pédestres, par exemple la ligne des Crêtes en 6h (assez sportif !).

À voir

🎥🎥 **Le musée de la Glace :** ☎ *04-94-86-39-24.* 🦌 *Juin-sept, tlj sf lun 9h-12h, 14h-18h ; oct-mai, dim 9h-12h, 14h-17h. Entrée : 2,30 € ; gratuit jusqu'à 6 ans.* Un musée sur le thème de la glace ? Difficile entreprise ! Parce qu'évoquer un produit qui ne demande qu'à fondre et disparaître... C'est pourtant là tout l'intérêt de ce tout petit musée qui, en une pièce, évoque la plupart des moyens mis en œuvre par l'homme pour se procurer de la glace à rafraîchir. À commencer, bien sûr, par ces gigantesques

L'ÂGE DE GLACE

Le mécanisme des glacières était simple : on profitait des gelées d'hiver pour faire prendre, couche par couche, l'eau en glace. Conservée jusqu'aux chaudes journées de l'été dans de vastes réservoirs de pierre, la glace était ensuite découpée en pains, puis acheminée (de nuit) sur des chariots, vers Toulon ou Marseille, à destination des hôpitaux, des boucheries, des poissonneries ou encore des cafés (pour se glisser dans les verres de coco, boisson à la mode au XIXe siècle...).

glacières construites sur les hauteurs provençales (le seul secteur de Mazaugues en comptait 17, qui ont fonctionné de 1650 jusqu'au début du XXe siècle). Projection d'un film de 22 mn. Possibilité de visite guidée de la *glacière de Pivaut* (lire l'intro du village). Et pour les vrais fondus, une *foire à la Glace* est organisée le dernier dimanche de février (ben oui, on va pas la faire en été !). Expos, conférences et... dégustation de glace !

ALPES-MARITIMES

Le département est contrasté. Et, non, ce n'est pas un cliché. Le nom composé du département donne le ton : ici, il s'agit de montagnes et de mer, inextricablement liées ; vous pourrez vous baigner à Antibes, avec vue sur les remparts, certes, mais aussi sur les Alpes aux sommets enneigés. À la Madone d'Utelle, près des gorges de la Vésubie, vous pourrez voir par beau temps le Var se jeter dans la mer. Les Niçois le savent bien et ne sont pas peu fiers d'affirmer : « Nous, on se promène le matin le long de la mer et l'après-midi on fait du ski, à Isola ou à Auron »... Contrastes aussi entre le bord de mer saturé et l'arrière-pays. Vous quitterez les embouteillages du littoral pour, deux heures après, marcher dans la montagne avec pour seul intrus quelque chamois étonné. Au sein même d'une ville comme Menton, vous pourrez vous isoler et trouver le calme en montant, par des rues tortueuses et escarpées, à l'émouvant vieux cimetière. Dans ce département, il y en a pour tous les goûts : vie nocturne animée à Juan ou calme absolu dans quelque village perché.

Les paysages sont le plus souvent sublimes et les nombreux artistes qui se sont installés dans ce département ne s'y sont pas trompés : ici, on est au pays de la douceur de vivre, des parties de pétanque, des palmiers, des citrons dans les arbres ou des bougainvillées dégringolant des terrasses. On peut déjeuner dehors en décembre sur une plage de Cannes avec vue sur l'Estérel, ou prendre un grand bol d'air à Saint-Martin-Vésubie.

Les routards sont les bienvenus : de nombreux trains et bus relient les villes du bord de mer, permettant de laisser la voiture (si on en a une) au vestiaire. Ce serait vraiment dommage de ne pas prendre au moins une fois le sympathique train des Pignes qui vous mènera jusqu'à Puget-Théniers ou encore la ligne reliant Nice à Tende, traversant des paysages grandioses. Le département des Alpes-Maritimes, avec son climat, ses paysages, ses nombreux musées, ses vieux villages isolés et toutes ses autres richesses (culinaires, entre autres), ce pourrait être le département du bonheur : il faut juste savoir quand le saisir (hors juillet-août) et comment ; mais pour cela, il vous suffira de lire les lignes qui suivent...

ABC DES ALPES-MARITIMES

- *Superficie :* 4 299 km^2.
- *Population :* 1 064 000 hab.
- *Densité :* 247 hab./km^2.
- *Préfecture :* Nice.
- *Sous-préfecture :* Grasse.
- *Particularité :* l'agglomération niçoise couvre plus de la moitié de la population totale du département.

Adresses et infos utiles

🛈 *Comité régional de tourisme Riviera-Côte d'Azur :* 400, promenade des Anglais, BP 3126, 06203 Nice Cedex 03. ☎ 04-93-37-78-78. ● *guideriviera. com* ● Fermé au public mais envoi de documentation sur demande.

NORD

2715 Col de
la Bonette
D 64
St-Dalmas-le-Selvage

**Saint-Étienne-
de-Tinée**
D 63
Col de
Bouchiet
Auron
2155
Col de Pal
2208

D 2205

Isola

Isola 2000
D 97

Colmars

D 2202
Entraunes

les Tourres
D 74
Péone
Roure
D 30
**St-Sauveur-
sur-Tinée**
D 2565

ALPES-
DE-HAUTE-PROVENCE

St-Martin
d'Entraunes
Valberg Beuil
Guillaumes D 28 Roubion

Gorges
de Daluis
D 2202
D 28
Gorges du Cians
Ilonse
Marie
D 2205

D 955
D 908

Saint-André-
les-Alpes
N 202
N 202

Saint-Léger
Puget-
Théniers
Puget-
Rostang
Touët-
sur-Var
Villars-
sur-Var

Entrevaux
D 2211a
D 6202
Malaussène
D 27 Pt de la Mescla

N 85
N 202

Castellane

D 17
Toudon
Revest-les-Roches
Vescous
Bonson

Pierrefeu
Gilette
Bouyon

Bézaudun-
les-Alpes
D 1
le Broc
D 8

Thorenc
D 2
Coursegoules

D 21

Gréolières
D 2
Gattière

Andon
D 6085
D 3
Saint-Jeannet

D 5
Gorges
du Loup
Courmes
Tourrettes-
sur-Loup
Vence

Gourdon
Plateau
de Caussols
le Bar sur L.
St-Paul-
de-Vence

Souteroscope
de Baume Obscure
St-Vallier-de-T.
La Colle
sur-L.
D 2085
Cagnes-
sur-Mer

VAR

Grasse Opio
Villeneuve-
Loubet

Cabris
Valbonne
Biot

Sophia Antipolis
D 2562
Marineland

D 562
Mougins
Vallauris
Antibes

le Cannet
Golfe-
Juan
Juan-
les-Pi

Mandelieu

A 8 E 80
Cannes
**G. de la
Napoule**
le
Vengeu

la Napoule
Îles
de Léri

Théoule-
sur-Mer
Pte de
l'Aiguille
Île St-
Honorat
Tombant
de la Tradeli

Miramar
Île Ste-
Marguerite

Draguignan
N 555
D N7

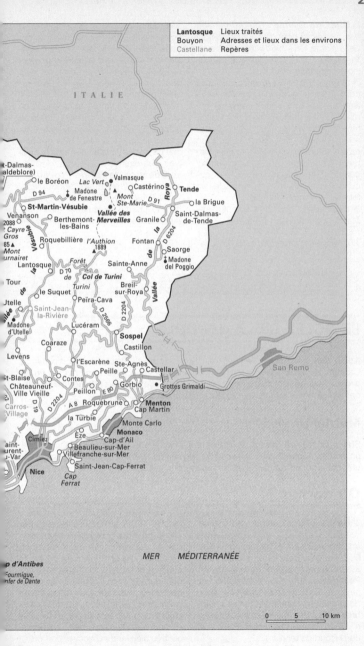

Lantosque	Lieux traités
Bouyon	Adresses et lieux dans les environs
Castellane	Repères

ITALIE

t-Dalmas-
aldeblore)
le Boréon   Lac Vert   Valmasque
Madone   Castérino   Tende
de Fenestre   Mont
St-Martin-Vésubie   Ste-Marie   la Brigue
Venanson   Berthemont-   Vallée des   Granile   Saint-Dalmas-
2088   les-Bains   Merveilles   de-Tende
Cayre
Gros   Roquebillière   Fontan
85 ▲   l'Authion
Mont   1889
urnairet   Lantosque   Forêt   Saorge
Tour   de   Col de Turini   Sainte-Anne   Madone
le Suquet   Turini   del Poggio
Utelle   Peïra-Cava   Breil-
Madone   Saint-Jean-   sur-Roya
d'Utelle   la-Rivière   Lucéram
Coaraze
Levens
t-Blaise   l'Escarène   Ste-Agnès   Sospel
Châteauneuf-   Contes   Peille   Castillon
Ville Vieille   Peillon   Gorbio   Castellar
Carros-   Roquebrune   Castellar
Village   la Turbie   Grottes Grimaldi   San Remo
aint-   Cimiez   Èze   Monte Carlo   Menton
urent-   Beaulieu-sur-Mer   Monaco   Cap Martin
-Var   Villefranche-sur-Mer   Cap-d'Ail
Nice   Saint-Jean-Cap-Ferrat
Cap
Ferrat

MER   MÉDITERRANÉE

p d'Antibes
Fourmigue,
nfer de Dante

0   5   10 km

■ **Gîtes de France :** *57, promenade des Anglais (à côté du comité régional de tourisme, CRT), 06011 Nice Cedex 1.* ☎ *04-92-15-21-30.* ● *gites-de-france-alpes-maritimes.com* ●

■ **Guides RandOxygène :** superbe collection de guides de randonnées (sept en tout) édités par le conseil général et diffusés gratuitement dans les différents offices et syndicats du département, sans oublier les relais du parc national du Mercantour. Ils sont également consultables en ligne (● *randoxygene.org* ●) et comprennent des circuits pédestres, VTT et même par les *via ferrata...* Incontournables !

■ **Club alpin français des Alpes-Maritimes :** ☎ 04-93-62-59-99.

■ **SNCF et TER :** *rens* ☎ 36-35 *(0,34 € TTC/mn).* ● *ter-sncf.com* ● Un TER dessert toutes les villes et les villages de la côte, reliant Saint-Raphaël à Vintimille. Aussi facile d'accès que le métro parisien (on l'appelle d'ailleurs le *Metrazur* !), on longe toute la Corniche, sans bouchon ni pollution ! Du 1er juillet au 30 septembre, la carte « Isabelle » à 12 € permet de circuler toute la journée à volonté sur la section Fréjus-Tende du réseau TER PACA. Cela concerne également le *train des Merveilles* qui permet de partir à l'assaut de l'arrière-pays (voir plus loin).

🚂 **Chemins de fer de Provence :** *4 bis, rue Alfred-Binet, 06000 Nice.* ☎ *04-97-03-80-80.* ● *trainprovence. com* ● Départ de la fameuse ligne Nice-Digne, autrement dit, le *train des Pignes* (voir plus loin).

LA BAIE DE CANNES ET L'ARRIÈRE-PAYS

LE GOLFE DE LA NAPOULE

Adieu rochers rouges de l'Estérel ! Sur la route du littoral avant d'arriver à Cannes, quelques petites stations disséminées tout au long du rivage, où les promoteurs ne semblent pas en mal d'imagination pour vendre leurs résidences « pleine vue sur la mer », avec pins, oliviers et soleil...

MIRAMAR (06590)

Station cossue au-dessus de la baie de La Figueirette. Dans un virage, à gauche, un sentier monte en 5 mn au *point de vue de l'Esquillon* d'où l'on a un panorama grandiose sur la grande bleue, les îles de Lérins et l'Estérel.

Où dormir ?

🏨 **Hôtel Le Patio :** *48, av. de Miramar.* ☎ *04-93-75-00-23.* ● *le-patio@wanadoo.fr* ● *lepatio.fr* ● *Congés : nov-janv. Doubles avec douche et w-c ou bains 39-100 € selon saison. Parking gratuit. Petit cadeau offert sur présentation de ce guide.* En bordure de route, mais peu de circulation la nuit. Certaines chambres avec vue sur la mer (on a aimé les nos 2 et 14, avec terrasse). Piscine et demi-court de tennis.

🏨 **La Tour de l'Esquillon :** ☎ *04-93-75-41-51.* ● *hotel@esquillon.com* ● *esquillon.com* ● *Grande chambre avec balcon 160 € ou un peu plus petite 120 €, petit déj compris.* Posé sur son rocher, cet hôtel jouit d'une situation exceptionnelle et d'une vue à couper le souffle. Les falaises déchiquetées plongent dans la mer et offrent un des paysages les plus sauvages et les mieux préservés de la côte. La déco des chambres qui se veut élégante n'est pas de première jeunesse, mais l'ensemble est très bien tenu et l'accueil particulièrement gentil et serviable. Confort 3 étoiles avec TV satellite, minibar... Petite plage privée au pied de l'hôtel.

– De la route, remarquer en contrebas la *cité marine de Port-la-Galère,* due à Jacques Couelle. Les façades qui font bloc avec les rochers semblent avoir été sculptées par la mer et s'intègrent parfaitement au paysage. On aimerait voir de plus près cet ensemble architectural, mais c'est privé.

– Consolez-vous en profitant du *panorama* qui s'étend maintenant sur le golfe de La Napoule, Cannes, les îles de Lérins et le cap d'Antibes.

THÉOULE-SUR-MER *(06590)*

Gentille station d'été au pied du massif de l'Esterel. La rue principale est bordée de petites villas familiales, précédées de petits potagers où court la glycine. Un côté paisible, non loin de l'animation de Cannes. Au bord de la mer, le château est une ancienne savonnerie du XVIIIᵉ siècle, restaurée et transformée.

En soirée, promenade romantique au pied des rochers, le long des plages, soit par la promenade Pradayrol, soit par celle de la Darse. Petits bancs pour roucouler dans les massifs joliment éclairés.

➢ *Bus :* de *Cannes* ou de *Saint-Raphaël,* ttes les heures.

Adresse utile

🅸 *Office de tourisme :* 1, bd de la Corniche-d'Or. ☎ 04-93-49-28-28. ● theou le-sur-mer.org ● Tte l'année, lun-sam 9h-19h ; dim et j. fériés 9h-14h.

Où manger ?

|●| *Marco Polo Plage :* av. de Lérins. ☎ 04-93-49-96-59. *Fermé lun hors saison. Congés : de mi-nov à mi-déc. Résa conseillée.* En réalité, plats pour toutes les bourses et toutes les faims. Situation exceptionnelle, juste au centre de la courbe de la plage. Fidèle au poste depuis plus de 50 ans. Une grande rotonde centrale, greffée de satellites qui s'étendent tout autour. Les pontons sur la plage et la jetée pour le ski nautique se couvrent de tables multicolores dès la tombée du jour. On mange sans trop se poser de questions, bercé par le ressac de la mer, face aux lumières dansantes de la baie de Nice.

À faire

➢ *La balade de la Pointe-de-l'Aiguille :* petite randonnée pédestre. Départ de la promenade Pradayrol au fond du parking au centre de Théoule, à côté des plages. Le chemin longe la mer sur le flanc est de l'Aiguille, et les falaises abruptes imposent de rester sur les chemins aménagés (n'hésitez pas à demander votre direction en cours de route si vous vous sentez perdu, vous serez rarement seul au monde). D'abord une ferme aquacole à gauche. Le long du chemin, une source avec de belles fougères (osmondes royales), des joncs et des prêles. Arrivé à la plage de l'Aiguille, emprunter les marches en béton qui partent derrière le bar. Très bel eucalyptus dans la montée (et bancs pique-nique). En haut de l'escalier, tourner à gauche (à droite, c'est un cul-de-sac). Puis quitter le chemin 200 m plus loin pour descendre les marches du belvédère au-dessus de l'Aiguille. Très beau point de vue sur les îles de Lérins et Cannes. Au premier plan, quatre petites criques (plages de galets), au milieu d'un paysage de roches rouges dues aux projections de lave d'un volcan (il y a 300 millions d'années !) : l'Aiguille est donc une fabrication maison en pyroméride, un verre volcanique rouge. Remarquer l'arche au fond de la plus grande des plages. Continuer la balade sur le chemin initial après l'escapade côté mer.

Progresser courageusement pour les 400 marches suivantes (!). Plus haut, beau point de vue en direction de Saint-Raphaël. À l'embranchement, prendre à droite (tout droit, on arrive à la route). Pour les gourmands, arbousiers (en octobre et novembre seulement !) tout au long de l'itinéraire – choisir les fruits rouges, les jaunes ne sont pas mûrs. Végétation de chênes verts ainsi que de bruyères arborescentes, de genêts et de petits figuiers. Petite zone déboisée de thym et de romarin en redescendant.

➤ **Sentier découverte sous-marin de la Pointe-de-l'Aiguille :** *accessible à ts et délimité par 4 bouées numérotées en juil-août. Il est bien sûr nécessaire de savoir utiliser palmes, masque et tuba. Infos :* ☎ *04-93-49-28-28. Il permet l'observation et la reconnaissance de la faune et de la flore des petits fonds de Méditerranée. Plaquette descriptive des fonds marins disponible à l'office de tourisme.*

MANDELIEU-LA NAPOULE (06210)

La partie la plus ancienne de cette commune tentaculaire correspond à l'ancien port de pêche de La Napoule. Cette agréable station estivale, au fond d'un golfe, est dotée d'un grand port de plaisance bien situé près de l'imposant château.

Comment y aller ?

🚃 *Gare SNCF :* à 50 m des plages. Rens : ☎ 36-35 (0,34 € T.T.C/mn). ● sncf.com ● Mandelieu est ainsi à 10 mn de Cannes, à 20 mn d'Antibes, à 45 mn de Nice et à 1h30 (voire 1h45) de Menton, avec ou sans changement.

Adresse et infos utiles

🛈 *Office de tourisme :* deux bureaux d'accueil. L'un av. de Cannes (sortie n° 40 de l'autoroute) : tte l'année, ☎ 04-92-97-99-27. L'autre av. Henry-Clews, à La Napoule : bureau saisonnier avr-oct, ☎ 04-93-49-95-31. ● ot-mandelieu.fr ● Propose une découverte de La Napoule, comprenant la visite guidée du village et du château, ainsi qu'une balade en bateau le long de la Corniche d'Or (20 € ; réductions).
– *Pour les services administratifs, la billetterie et les résas hôtelières, se rendre directement au central de résa :* 340, rue Jean-Monnet. ☎ 04-97-97-99-27.

Où dormir ? Où manger ?

Camping

⛺ *Camping Les Pruniers :* 118, rue de la Pinéa. ☎ 04-93-49-99-23. ●contact@ bungalow-camping.com ● bungalow-camping.com ● Dans le quartier de la Pinède, à 300 m de la mer. Ouv avr-oct. | Emplacement pour 2 pers avec voiture et tente 25 € en hte saison. Loc de bungalows 280-700 €/sem. Une trentaine d'emplacements pour ce petit camping calme et ombragé. Piscine chauffée.

Prix moyens

🏠 I●I *La Calanque :* 404, av. Henry-Clews. ☎ 04-93-49-95-11. Face au château et avec vue sur la mer. Fermé lun midi et soir et le soir mar-jeu et dim | en fév-mars ; ouv tlj midi et soir avr-oct. Congés : nov-janv. Selon saison, doubles avec lavabo (douche et w-c sur le palier) 33-45 € ; doubles avec douche et w-c ou bains 46-78 €. Formules déj en sem 11 ou 14 € ; menus 18-29 € ; carte env 35 €. Terrasse ombragée agréable. Un des paysages les mieux préservés de la côte, assez intemporel avec son port et son château. Une quinzaine de chambres propres et agréables, certaines avec terrasse privée et vue sur la mer. Les moins chères donnent sur l'arrière mais sont correctes. Au resto, cuisine traditionnelle à base de poissons et fruits de mer : poêlée de gambas et rougets, aumônière de sole et Saint-Jacques sauce champagne, etc. Excellent accueil.

I●I *Le Boucanier* : sur le port de plaisance. ☎ 04-93-49-80-51. ● contact@boucanier.fr ● En face du château de La Napoule. Congés : 25 nov-27 déc. Menu unique 31,50 € ; carte env 38 €. Pas donné, certes, mais belle terrasse sur le port et au bord de la plage. Très beau le soir, quand le château est illuminé. On vient au *Boucanier* pour goûter tranquillement une cuisine fraîche à base de produits de la mer. Cadre agréable et service efficace.

À voir

🚶 🧍 *Le château-musée de La Napoule* : av. Henry-Clews. ☎ 04-93-49-95-05. ● chateau-lanapoule.com ● Fév-fin oct et pdt vac de Noël, tlj 10h-18h (visites guidées à 11h30, 14h30, 15h30 et 16h30) ; nov-fin janv, slt l'ap-m 14h-17h (visites guidées à 14h30 et 15h30). Visite : 6 € (jardin slt : 3,50 €) ; réduc. Du puissant château fort du XIVᵉ siècle ne subsistent que deux tours. Le château a été restauré par le sculpteur américain Henry Clews. Cela donne un étonnant patchwork de styles, mais l'ensemble garde belle allure. Le site est superbe, surtout depuis le salon de thé ouvert en été sur les terrasses. Le château organise également des ateliers pédagogiques (sculpture, peinture, etc.) et une chasse au trésor gratuite pour les enfants.

🚶 *Le port de la Rague* : plus loin, en allant vers Théoule. Petit port naturel bien abrité.

Fête et manifestations

– *Fête du Mimosa* : env 10 j. à partir de mi-fév.
– *Les Nuits du château* : en juil-août. Spectacles de danse, de musique, de théâtre...

Idée randonnée

➢ *Le sentier botanique du San Peyre (4 km, 1h aller-retour sans les arrêts)* : de l'ombre et de la fraîcheur en sous-bois, voilà de quoi calmer les brûlures de la plage. Le chêne-liège, l'arbousier et le genévrier-cade se penchent sur le sentier, en plein cœur du massif de l'Estérel, face au panorama sur les îles de Lérins. Cette espèce de genévrier *(Juniperus oxycedrus)* est très estimée pour son bois parfumé. D'ailleurs, une fois poli sous forme de galet, il est souvent vendu dans les magasins régionaux. Vous le frottez et il dégage une odeur proche de l'encens. Saviez-vous que les Grecs et les Romains l'utilisaient pour embaumer leurs morts ? Son huile sert encore de nos jours pour les produits dermatologiques et les shampooings. Ici, on s'en sert pour éloigner les lapins des laitues...
Pour s'informer, lire *Les plus belles balades autour de Nice*, éd. du Pélican. Documentation à l'office de tourisme de Mandelieu-La Napoule. Carte IGN au 1/25 000 n° 3644 O.

➢ En direction de Théoule sur la N 98 à 6 km à l'ouest de Cannes, se diriger vers Le Bon-Puits (parking au cimetière). À quelques dizaines de mètres sur la droite, des panneaux de bois indiquent le *sentier botanique du San Peyre*. Une curiosité en automne : les fleurs blanches et les fruits rouge vif de l'arbousier s'épanouissent en même temps. Prenez ensuite le sentier qui monte sur la gauche et traverse un bois de chênes-lièges. Les ruines de la chapelle Saint-Pierre vous attendent au sommet du San Peyre (133 m), où un panorama magnifique s'étend sur le port de La Napoule et les îles Sainte-Marguerite et Saint-Honorat.

CANNES

(06400)   68 200 hab.

Pour le plan de Cannes, se reporter au cahier couleur.

Que dire de neuf sur cette ville de Cannes, multiforme, excentrique, dont on a tout de suite des images un peu surfaites : palaces, Rolls et casinos, célébrissime Croisette, luxueuses boutiques, festival du film… Un univers un peu inaccessible. La réalité, bien sûr, est différente : le nombre de Rolls, de Ferrari et de Jaguar est certes impressionnant, les cheveux argentés sont en forte proportion, mais Cannes n'en demeure pas moins un site exceptionnel, un port coquet avec de nombreux hôtels et restaurants à des prix… abordables.
Partez hors des sentiers battus pour découvrir les îles de Lérins, les avenues de la Californie cachées sous les pins, les chemins de la Croix-des-Gardes ou les placettes ombragées du Cannet. Et puis, surtout, évitez juillet et août. Quoi de plus agréable que de déjeuner sur la plage au mois de janvier, quand le soleil n'est pas encore très chaud et que la silhouette mystérieuse de l'Estérel se découpe sur la netteté du ciel d'un bleu diaphane et pur ? La Croisette est vide, l'air est vif et la vie est belle. (Soupir…)

UN PEU D'HISTOIRE

Pendant longtemps, ce ne fut qu'un petit bourg de pêcheurs. À la fin du IVe siècle cependant, saint Honorat fonde le monastère de Lérins. Invasions barbares, sarrasines, passages réguliers et dévastateurs de soldats, la vie est plutôt agitée pour les Cannois jusqu'au XVIIIe siècle.
À cette époque, la construction du port développe l'activité de la bourgade. En 1815, Napoléon, qui vient de débarquer à Golfe-Juan, campe dans les dunes hors de la

DU SOMMET OU DES MARAIS ?

Le nom de la ville viendrait des cannes ou roseaux qui poussaient jadis dans les marais voisins. Les Romains nommèrent le site Canoïs. Il est toutefois plus probable que le nom soit d'origine indo-européenne. Kan signifiant « sommet », le nom de Cannes découlerait de cette hauteur qui domine la ville, Le Suquet.

ville. Pour la petite histoire, il envoie le célèbre général Cambronne obtenir (sans un mot !) 6 000 rations, pour tromper l'opinion sur l'importance de ses troupes…
Mais c'est l'année 1834 qui va changer le destin de Cannes. En route pour l'Italie, lord Henri Brougham, qui appartenait à la fine fleur de l'aristocratie anglaise, est arrêté au bord du Var, fleuve qui traverse la ville de Nice. Une épidémie de choléra sévit dans la région et il est obligé de rebrousser chemin. À la nuit tombée, il descend à l'unique auberge de Cannes. Séduit par le site, le petit port bien abrité, les îles qui brillent au soleil, les pins parasols et les oliviers, lord Brougham décide de s'y installer et fait construire une somptueuse résidence, le *château Éléonore*, du nom de sa fille. Jusqu'à sa mort, en 1868, cet hôte illustre passera tous les hivers dans la ville, et son exemple sera suivi par l'aristocratie anglaise. Le Cannes d'aujour-

d'hui est né. En 1853, après l'ouverture du chemin de fer, on construit un début de Croisette et, en 1870, la ville compte déjà quelque 35 hôtels et 200 villas...

D'autres étrangers et de nombreux artistes y séjournent pendant l'hiver : Mistral, Mérimée, Maupassant... mais aussi Thiers, le vice-roi des Indes, les membres de l'aristocratie russe, les Rothschild et les Broglie qui prennent également leurs quartiers d'hiver à Cannes (à l'époque, on fuyait la Côte l'été car le soleil brûlant aurait hâlé les teints de lys alors à la mode...). Les maisons les plus étonnantes, les plus extravagantes, les plus luxueuses voient le jour, du manoir faux gothique aux villas style pagode ou avec minaret, grottes et colonnes de marbre, etc.

CANNES AUJOURD'HUI

Cannes a bien changé depuis un siècle... Les héritiers des belles villas n'ont souvent plus les moyens d'entretenir de telles demeures, ni de résister aux offres des promoteurs qui ont fait surgir un peu partout des appartements « dans un site unique, pour une retraite heureuse ». Il en reste néanmoins un grand nombre, enfouies sous les pins de la Californie où vécut quelque temps Picasso, tout en haut de la Croix des Gardes, ou à travers les rues de Super-Cannes : villas modernes dotées de tous les gadgets nécessaires, châteaux flanqués de tours surréalistes, maisons de délire...

Le XXIe siècle permettra-t-il d'effacer quelques-unes des erreurs architecturales engendrées autour du port par la mégalomanie de ceux qui, durant le dernier quart du XXe siècle, ont fait trop souvent couler le béton sur les rêves des autres hommes ?

Adresses et infos utiles

■ *Office de tourisme – Palais des Festivals et des Congrès* (plan couleur B2, **1**) : esplanade du Président-Georges-Pompidou. ☎ 04-92-99-84-22. ● palaisdesfestivals.com ● Tlj 9h-19h (20h en été). Beaucoup de documentation et personnel compétent.

■ *Office de tourisme – Cannes-La Bocca :* 1, av. Pierre-Sémard. ☎ 04-93-47-04-12. En été, ouv mar-sam 9h-12h30, 15h30-19h ; hors saison, mar-sam 9h-12h, 14h30-18h30.

■ *Office de tourisme – gare SNCF* (plan couleur B1, **2**) : rue Jean-Jaurès. ☎ 04-93-99-19-77. Lun-sam 9h-13h, 14h-18h (19h en été).

■ *Cannes Jeunesse* (plan couleur A2) : 69, rue Félix-Faure. ☎ 04-93-06-31-31. Toutes les informations concernant les sports nautiques, les stages sportifs et les centres aérés.

▨ *Cap Cyber* (plan couleur B1-2, **4**) : 12, rue du 24-Août. ☎ 04-93-38-85-63. 25 postes, équipés webcam et casques. Compter 3 €/h, forfaits dégressifs.

Transports

🚆 *Gare SNCF* (plan couleur B1) : rue Jean-Jaurès. Infos : ☎ 36-35 (0,34 € TTC/mn). ● sncf.com ● Trains très fréquents (le *Metrazur*) pour toutes les gares de la Côte, de Saint-Raphaël à Menton. Demandez la fiche des horaires.

🚌 *Gares routières :* il y en a deux. La première à côté de la gare SNCF (plan couleur B1). Rapides de la Côte d'Azur : ☎ 0820-48-11-11. Vers Grasse, Val-de-Mougins et Vallauris (pour cette dernière, rens au ☎ 04-89-

87-72-00). La seconde, pl. de l'Hôtel-de-Ville (plan couleur A2). Vers Grasse, Nice (en passant par Golfe-Juan) et Nice-aéroport.

■ *Société des transports urbains de Cannes Bus Azur* (plan couleur A2) : départ et infos pl. de l'Hôtel-de-Ville. ☎ 0825-825-599 (0,15 €/mn).

⛴ Plusieurs compagnies desservent les *îles de Lérins,* mais, désormais, tous les départs se font quai Laubeuf, de l'autre côté du port (plan couleur A-B3, **3**).

– Liaisons Cannes – Sainte-Marguerite : Compagnie Trans Côte d'Azur (☎ 04-92-98-71-30 ; tte l'année). Compagnie Horizon IV (☎ 04-92-98-71-36). Catamaran (Horizon IV) avec vision sous-marine.
– Liaisons Cannes – Saint-Honorat : Compagnie Planaria (☎ 04-92-98-71-38).

Où dormir ?

Contrairement aux idées reçues, il n'y a pas de raison de vous affoler à l'idée de trouver une chambre ici. Entre les petits hôtels du Suquet et les palaces qui, l'hiver surtout, cassent leurs prix, vous devriez trouver votre bonheur. Il n'en demeure pas moins qu'une semaine par mois environ, congrès et festivals font exploser les prix. L'inflation est telle qu'on n'ose pas vous les indiquer. De toute façon, les hôtels sont complets, réservés d'une année sur l'autre. Ces jours-là, consolez-vous et dites-vous qu'il y a dans ce guide plein d'adresses aux alentours, au vert comme près de la grande bleue (voir aussi à Mougins, Valbonne, Golfe-Juan, Mandelieu, etc.).

De prix moyens à plus chic

🛏 **Hôtel Alnéa** (plan couleur B2, 8) : 20, rue Jean-de-Riouffe. ☎ 04-93-68-77-77. ● contact@hotel-alnea.com ● hotel-alnea.com ● À slt 100 m de la Croisette et de la plage. Congés : période de Noël. Doubles 58-78 € selon saison. Cadeau de bienvenue offert pour tt séjour de plus de 2 nuits sur présentation de ce guide. En plein centre, 14 chambres tout confort avec clim', sèche-cheveux, TV satellite... Les jeunes patrons ont entièrement rénové leur hôtel, lui insufflant vie et gaieté. La déco, très bord de mer, est d'une grande fraîcheur. Une adresse toute simple qu'on aime beaucoup. Location de vélos.

🛏 **Hôtel Le Florian** (plan couleur B2, 16) : 8, rue Commandant-André. ☎ 04-93-39-24-82. ● contact@hotel-leflorian.com ● hotel-leflorian.com ● Quasiment sur la Croisette. Fermé 1er déc-10 janv. Doubles 60-76 € selon saison ; 5 % de réduc en basse et moyenne saisons, sf en période de congrès. Parking privé payant. Un hôtel familial depuis trois générations, propre et au confort moderne (TV, clim', double vitrage) et récemment rénové. Très bon accueil.

🛏 **Hôtel des Allées** (plan couleur A-B2, 13) : 6, rue Émile-Négrin. ☎ 04-93-39-53-90. ● info@hotel-des-allees.com ● hotel-des-allees.com ● Doubles 68,50-88,50 €. Tenu par de sympathiques Suisses, cet hôtel, situé au cœur du quartier piéton et à deux pas des plages ou du palais des Festivals, est une des bonnes adresses cannoises.

Atmosphère familiale qui a su fidéliser bon nombre de clients (inutile de dire que l'hôtel est archicomplet en période de congrès). Chambres bien tenues et de bon confort. Certaines sont dotées d'un balconnet donnant sur la rue et duquel on aperçoit le vieux port. L'ensemble est parfaitement rodé, réglé comme du papier à musique ou comme une horloge... suisse !

🛏 **Hôtel PLM** (plan couleur B2, 18) : 3, rue Hoche. ☎ 04-93-38-31-19. ● contact@hotel-plm.com ● hotel-plm.com ● Doubles 54-77 € selon confort et saison ; forfaits séjour à partir de 3 nuits. Si la direction est la même que celle de la Villa Tosca, l'esprit est totalement différent, le patron tenant à maintenir des prix serrés en centre-ville. On ne peut que l'en remercier. Confort 2 étoiles et chambres sans fioritures mais insonorisées et climatisées, rénovées au fur et à mesure. Jolie déco dans les parties communes. Un excellent rapport qualité-prix.

🛏 **Shilla Hôtel** (plan couleur B1, 9) : 32, bd d'Alsace. ☎ 04-93-38-41-28. ● shilla.cannes@yahoo.fr ● hotelshillacannes.com ● Ouv tte l'année. Doubles 55-90 € selon confort et saison ; petit déj 6-8 €, selon votre appétit. Réduc de 10 à 20 % selon durée accordée sur présentation de ce guide. Petit hôtel bien rétro, tenu par un vrai routard. Situé à deux pas du centre-ville, dans un environnement à priori très moyen (mais relativement calme), face à la 4-voies et à la voie de chemin de fer mais néanmoins très facile d'accès par le tunnel ou par le boulevard de la République. On est tout surpris de trouver là cette jolie maison et son petit jardin fleuri. Confort tout simple, mais déco dans l'air du temps, à dominante asiatique. Une adresse insolite.

â–² |●| **Le Chalet de l'Isère** *(plan couleur A1, 10)* : 42, av. de Grasse. ☎ 04-93-38-50-80. ● chalet.isere@wanadoo.fr ● hotelchaletisere.fr ● *À 10 mn de la gare. Resto ouv le soir slt, sf dim. Fermé nov. Doubles 58-72 € selon confort et saison. Menus 20-26 €. Réduc de 10 % accordée sur le prix de la chambre pour la 2e nuit sur présentation de ce guide.* L'ancienne demeure de Guy de Maupassant est devenue un petit hôtel bien sympathique. Chambres très correctes, de taille moyenne mais charmantes, et accueil chaleureux des jeunes hôteliers. Un repaire d'habitués qui se retrouvent pour déjeuner ou dîner dehors, dans le jardin. Cuisine simple et bonne. Le calme, le sourire, le bien-être, à quelques minutes de la plage. Bus à proximité.

â–² **Hôtel Albert Ier** *(plan couleur A1-2, 14)* : 68, av. de Grasse. ☎ 04-93-39-24-04. ● hotel.albert1er@wanadoo.fr ● hotelalbert1ercannes.com ● *Pas loin du centre et à 10 mn à pied des plages et du casino. Congés : de fin nov à mi-déc. Doubles 60-75 € selon confort et saison. Parking gratuit. Un petit déj/ chambre offert sur présentation de ce guide.* Onze chambres à la déco très classique mais offrant un bon confort, avec TV, sèche-cheveux, minibar. Certaines ont même une petite terrasse. En prime, on entend les grenouilles alors qu'on est quasiment au centre de Cannes. Terrasse fleurie. Accueil sympathique. Le parking gratuit est une bonne nouvelle quand on connaît le prix du stationnement en ville.

De plus chic à beaucoup plus chic

â–² **Villa Tosca** *(plan couleur B2, 12)* : 11, rue Hoche. ☎ 04-93-38-34-40. ● contact@villa-tosca.com ● villa-tosca.com ● *Congés : 2 sem en déc. Doubles 85-109 € (également des chambres pour 3 et 4 pers). Forfait pour courts et longs séjours. Réduc de 10 % sur présentation de ce guide.* Superbe, élégant, raffiné... Décidément, on ne tarit pas d'éloges pour ce 3-étoiles qui a ouvert ses portes en plein centre après de longs mois de travaux. Hôtel de charme, à l'esprit *lounge* très contemporain, offrant 22 chambres à l'atmosphère feutrée et chaleureuse. Pour le petit déjeuner, copieux et gourmand, on s'installe à la grande table d'hôtes ; après quoi on peut tranquillement investir un canapé, au milieu des coussins, pour bouquiner ou lire le journal. Quand on décide de casser sa tirelire, autant que ça en vaille le coup !

â–² **Hôtel des Orangers** *(plan couleur A2, 11)* : 1, rue des Orangers. ☎ 04-93-39-99-92. ● contact@charmhotel.com ● hotel-des-orangers-cannes.com ● *Doubles 86-158 € selon confort et saison. Parking. Réduc de 10 % 1er oct-10 juil sur présentation de ce guide.* Situé dans un quartier résidentiel, à proximité des plages et à 5-10 mn du port et de la Croisette, c'est l'un des rares hôtels du centre-ville (avec les palaces, bien sûr !) à posséder une piscine (couverte et chauffée en hiver). Prix raisonnables pour Cannes. Une cinquantaine de chambres confortables (mais assez petites, préférez donc celles avec terrasse ou balcon), entièrement rénovées aux couleurs du soleil et de la mer, avec de belles salles de bains carrelées. Mérite bien ses 3 étoiles : clim', TV satellite, sèche-cheveux, coffre-fort...

â–² **Hôtel Molière** *(plan couleur C2, 15)* : 5, rue Molière. ☎ 04-93-38-16-16. ● reception@hotel-moliere.com ● hotel-moliere.com ● *Pas loin du centre et de la Croisette (100 m). Fermé 20 nov-27 déc. Doubles 83-130 € selon confort et saison, petit déj inclus.* Dans deux bâtiments contigus, l'un du XIXe siècle à façade bourgeoise, l'autre récent, et chacun meublé dans son genre propre. De fort belles chambres climatisées, au calme, et un long jardin pour mieux apprécier le petit déjeuner. Accueil serein.

â–² **Le Splendid** *(plan couleur B2, 17)* : 4-6, rue Félix-Faure. ☎ 04-97-06-22-22. ● accueil@splendid-hotel-cannes.fr ● splendid-hotel-cannes.fr ● ⚒ *Dou-*

bles 100-230 € selon confort, vue et sai-son. Une corbeille de fruits frais et le petit déj offerts sur présentation de ce guide, et même une demi-bouteille de champagne si vous êtes là pour une occasion (très) spéciale... Un vrai petit hôtel de charme face au palais des Festivals et au port, ayant échappé au massacre architectural du Cannes des années fric et folles. Ce n'est pas un palace de la Croisette, mais ça y ressemble (majestueuse façade très début XXᵉ siècle) et, en plus, c'est une affaire de famille tenue de main de maîtresse femme par Chantal Cagnat. Très belles chambres, rénovées, avec des meubles anciens et de jolies salles de bains. Les plus chères disposent d'un balcon ou d'une terrasse avec vue. Une adresse de charme idéale pour les tourtereaux en voyage romantique ayant envie de se prélasser en peignoir pour une grasse matinée mutine.

🏠 **Le 3.14** *(plan couleur C2, 19)* : 5, rue François-Einesy. ☎ 04-92-99-72-00. ● info@hotel3-14.com ● 3-14hotel. com ● *Double « classique »* 150-240 € *selon saison ; compter* 195-1 500 € *pour*

une « supérieure » ou une « suite Deluxe » (!) ; petit déj 25 € (re- !). Cet hôtel 4 étoiles est indiscutablement le plus déjanté de Cannes. Déco complètement délirante, depuis le hall jusqu'aux chambres, en passant par le *lounge bar,* le resto ou la *« boutik »*. Sur le thème du voyage et des cinq continents, la décoratrice a créé plusieurs univers. Avec un goût affirmé pour le kitsch, le clinquant et la verroterie, on évolue dans un décor qui, pour sûr, ne laisse pas indifférent. Le sens du détail est poussé à son paroxysme (y compris le respect des règles du Feng Shui !). Si l'aventure vous fait peur, contentez-vous des chambres « Océanie » ou « Asie », à la déco un peu plus consensuelle. Si, au contraire, vous êtes prêt à plus d'extravagance, n'hésitez pas et embarquez (guidé par un nain de jardin !) pour le Paris du Moulin Rouge ou le pays des Mille et Une Nuits... Vous ne serez pas déçu du voyage ! Les espaces dédiés à la détente invitent plutôt à la relaxation, à commencer par la sublimissime piscine posée sur toit. Pour une nuit de folie, mais ça, vous l'aviez compris !

Où manger ?

Sur le pouce

🍴 **Philcat** *(plan couleur A-B2)* : promenade de la Pantièro, sur le vieux port. ☎ 04-93-38-43-42. *Face à la mairie. Ouv aux beaux jours (avr-oct env).* Kiosque-glacier qui se décarcasse et se distingue de ses confrères du port ou de la Croisette en ne proposant que des casse-croûte frais et faits maison : pan-bagnat, salades, tartes, etc.

🍴 **Café Lenôtre** *(plan couleur B2, 23)* : 63, rue d'Antibes. ☎ 04-97-06-67-65. ✗ *Tlj sf dim 9h-19h. Congés :* 1ʳᵉ *quinzaine de fév. Petits déj env* 10,50-13 € *; brunch des chefs* 16 € *;*

menu 40 €. Boutique au rez-de-chaussée, restaurant à l'étage. Murs crème, luminaires coniques (non, pas comiques !), banquettes rouges et rideaux blancs, etc. Un lieu *show* pour grignoter chic mais bien. Restauration légère très parfumée, avec des plats du jour qui, avec les vins, font bien vite monter l'addition. Également des tartines, tartes salées et des salades, servies à toute heure, à prix plus raisonnables. Et, bien sûr, tous les grands classiques *Lenôtre* pour les amateurs de pâtisserie.

De bon marché à prix moyens

Un conseil : n'hésitez pas à aller z'yeuter du côté des restos de plage des grands hôtels cannois, comme le *Z'Plage* du mythique *Martinez* ou le *Cbeach* en face du célébrissime *Grand Hôtel,* etc. La plupart offrent une formule intéressante le midi qui, sans être vraiment bon marché, permet de s'offrir quelques instants de luxe à bon compte (compter entre 25 et 30 € pour un plat et une boisson). Surtout, vous constaterez vite que la gargote graillonneuse du coin n'est pas forcément moins chère...

CANNES

|●| *La Taverne Lucullus* (plan couleur A2, **20**) : 4, pl. Marché-Forville. ☎ 04-93-39-32-74. *Fermé ts les soirs et lun. Plat du jour 9,50 €.* Un troquet populaire avec des personnages hauts en couleur des deux côtés du comptoir, où l'on vous offre des tas de tapas pour vous faire patienter, et quelles tapas ! Acras, beignets de courgettes, toasts, etc. De quoi se caler en vidant un verre ou deux, le temps de trouver un coin de table pour manger le plat du jour (aïoli le vendredi). Un lieu où bat le cœur du vieux Cannes et où il fait bon traîner pour prendre le pouls de la ville, tôt le matin.

|●| *Aux Bons Enfants* (plan couleur A2, **21**) : 80, rue Meynadier. *Pas de téléphone. Fermé dim, plus lun oct-fin avr. Congés : 26 nov-2 janv. Menu unique 22 €.* Notre adresse préférée dans le vieux Cannes. Les habitués passent réserver leur table à l'heure où, dans la fraîche petite salle du rez-de-chaussée, s'épluchent les légumes achetés à deux pas, au marché Forville. Depuis 1935, la cuisine est restée familiale et régionale : terrine d'artichaut au fromage et à la pancetta, beignets de sardines, aïoli (le vendredi), poivron en anchoïade. Accueil et service « bon enfant », comme il se doit...

|●| *Le Bistrot Margaux* (plan couleur B2, **26**) : 14, rue Hélène-Vagliano. ☎ 04-93-38-68-68. *Tlj sf dim. Congés : 15 déc-15 janv. Formules et menus 11,80-19,20 €. Kir offert sur présentation de ce guide.* Une bonne petite adresse plébiscitée par les employés du coin (et nos lecteurs !) qui y trouvent une cuisine provençale simple mais soignée. Petite terrasse dans la rue.

|●| *Le Lion d'Or* (plan couleur B1, **22**) : 45, bd de la République. ☎ 04-93-38-56-57. *Pour aller plus vite, on peut emprunter le tunnel sous la gare. Tlj sf mer, plus dim soir et mar soir en basse saison. Menus 14-22 €.* Maison de tradition proposant une solide et bonne cuisine de ménage, où tout, jusqu'aux pâtisseries, est fait maison.

De prix moyens à plus chic

|●| *Le Bistrot de la Galerie* (plan couleur A2, **25**) : 4, rue Saint-Antoine. ☎ 04-93-39-99-38. *Ouv slt le soir. Fermé lun en basse saison. Congés : déc-fin fév. Menus 25-30 €. Apéritif maison offert sur présentation de ce guide.* Comme l'indique son nom, dans ce bistrot – qui n'en est pas un – sont accrochées des toiles. Ce qui ne veut pas dire pour autant, car on est à Cannes, que le patron vous fait son cinéma. Tout de même, c'est avant tout un restaurant où l'on mange plutôt bien, à un prix raisonnable. Pas question d'amuser seulement la galerie !

|●| *La Brouette de Grand-Mère* (plan couleur C2, **27**) : 9 bis, rue d'Oran. ☎ 04-93-39-12-10. ♿ *Ouv tlj, le soir slt. Congés : 3 sem en juin et 2de quinzaine de nov. Menu unique 35 €, avec ½ bouteille de vin/pers ; pas de carte. Café offert sur présentation de ce guide.* Agréable petit resto fréquenté par les Cannois aisés, dans un décor 1900 rouge madère – gravures, affiches –, hétéroclite mais sympathique. Une seule formule indémodable autour de ces plats eux-mêmes hors du temps : poulette à la bière brune, pot-au-feu aux cinq viandes et os à la moelle, cailles rôties à la niçoise... Bon accueil.

|●| *Côté Jardin* (plan couleur A1, **28**) : 12, av. Saint-Louis. ☎ 04-93-38-60-28. ● cotejardin@wanadoo.fr ● *Agréable adresse située à l'écart du Cannes touristique, derrière la voie ferrée. Fermé dim et lun (pdt les congrès, ouv lun soir). Formule 23 €, menus 29-37 € et carte. Apéritif maison offert sur présentation de ce guide.* Service pro et chaleureux, cadre fleuri et aéré, dans les tons pastel, à moins que vous ne préfériez dîner sous la tonnelle. Côté cuisine, c'est toujours inventif sans excès, subtil et mesuré, savoureux – en un mot, réussi.

|●| *Barbarella* (plan couleur A2, **24**) : 16, rue Saint-Dizier, Le Suquet. ☎ 04-92-99-17-33. *Ouv ts les soirs sf lun. Menus 29-40 €. Punch offert en fin de repas sur présentation de ce guide.* Une *Barbarella* qu'on avait connue plus foldingue (on y mangeait carrément dans des gamelles de chien) mais que, finalement, on préfère dans ses nouveaux

CANNES

atours : jolies salles sur plusieurs niveaux, noyées dans les tentures, mobilier design.... Et à la différence de pas mal de restos hype de notre connaissance, il n'y a pas que le décor qui soit réussi. Excellente cuisine dans le genre fusion, desserts épatants. Ambiance plutôt gay et très techno ; accueil et service adorables.

Où boire un verre ? Où sortir ?

4U *(plan couleur B2, 41)* : 6, rue des Frères-Pradignac. ☎ 04-93-39-71-21. ● *bar4u.com* ● Ouv 18h-2h30. Pour l'apéro (servi avec des petits trucs sympas à grignoter) et plus si affinités. Un bar aux faux airs de boîte, un *before* quoi. Grand comptoir central circulaire, musiques électroniques pour secouer un peu la tête (et les jambes). La clientèle a 20 ou 40 ans, les Cannois y sont aussi – sinon plus – nombreux que les touristes, et le service n'oublie pas de sourire. Peut-être bien le plus sympathique endroit de ce quartier de nuit.

Living *(plan couleur B2, 42)* : 17, rue du Docteur-Monod. 📱 06-26-17-25-82. Le quartier, repère des noctambules, ne manque logiquement pas de bars. On aime bien celui-là, plus feutré, plus *lounge* que le précédent. On peut aussi y grignoter un bout.

♪ Le Zanzibar *(plan couleur B2, 40)* : 85, rue Félix-Faure. ☎ 04-93-39-30-75. ● *lezanzibar.com* ● Tlj 18h-4h ; à partir de 14h pdt le festival. Créé en 1885, *Le Zanzibar* est sûrement l'un des plus vieux bars de Cannes. Sur les voûtes de la toute petite salle s'étalent des fresques des années 1960 : légionnaires, marins... dans des poses très *Querelle*. Dans les petits box, les habitués se prennent aussi pour des héros de Genet sur fond de *house music*. Si *Le Zanzibar* est gay, c'est sans trop d'ostentation.

♈ Voir aussi plus haut, dans « Où manger ? », *La Taverne Lucullus* *(plan couleur A2, 20)*, snack-bar sympa près du marché Forville.

À voir. À faire

« Cannes fait son cinéma », et c'est un peu normal ! De nombreux murs peints recouvrent certaines façades de la ville et rendent naturellement hommage aux stars du 7ᵉ Art. Douze fresques, immenses pour certaines, disséminées aux quatre coins de la ville (circuit disponible à l'office de tourisme).

Le centre-ville

♞ Les allées de la Liberté *(plan couleur A-B2)* : ombragées de vieux platanes. Il fait bon s'y promener le matin quand s'y tient le marché aux fleurs (tous les jours sauf lundi !), non loin du kiosque à musique. Le samedi, marché à la brocante. À l'extrémité des allées, l'hôtel de ville et la gare routière.

♞ Le vieux port *(plan couleur A-B2)* : face aux allées, il abrite une flottille de pêche et de nombreux voiliers de plaisance. En toile de fond, Le Suquet et le charmant *quai Saint-Pierre* aux belles façades pastel. On aime flâner sur le quai, et les amateurs de voile seront fascinés par les superbes voiliers (cuivres et acajous vernis) qui y sont amarrés. Sur la *jetée Albert-Édouard,* on peut admirer les yachts les plus luxueux ; un spectacle en soi le soir, lorsqu'ils sont éclairés, et qu'on devine les salons avec TV, bien sûr, tableaux de maître, canapés en cuir, gerbes de fleurs, bar, etc. Sur l'*esplanade Pompidou,* à côté, superbe manège à l'ancienne et plus de 120 empreintes de vedettes au sol. La plage publique, à cet endroit, est très agréable hors saison. En retournant vers les allées de la Liberté, le *square Mérimée* rappelle la mémoire de l'écrivain mort ici en 1870.

♞ Le palais des Festivals *(plan couleur B2)* : véritable vaisseau de béton et de verre qu'on essaie de dissimuler quelque peu derrière un écran de verdure moins fugitif que l'écran noir des célèbres nuits blanches du festival. Le bâtiment, impressionnant vu de l'intérieur, est doté de tout l'équipement perfectionné pour recevoir les congressistes et, bien sûr, les projections du festival.

🍴 *La rue d'Antibes* (plan couleur B-C2) : c'est la grande rue commerçante de Cannes, ville qui détient le record pour le nombre de commerces par rapport à la population.

🍴 *La rue Meynadier* (plan couleur A-B2) : elle relie la ville moderne au Suquet. C'était autrefois la rue principale. De nos jours, elle est très animée grâce à ses nombreux commerces d'alimentation et de vêtements ; la rue compte plusieurs « Mercure d'Or » ou prix d'excellence.

🍴 *Le marché Forville* (plan couleur A2) : tout à côté, où vont se ravitailler les meilleurs restaurants de Cannes, c'est dire. Forville, car situé *for la ville*, autrefois hors de la ville ancienne, qui s'étalait sur la butte du Suquet... Il est célèbre pour ses poissons qui frétillent encore sur les étals, mais aussi pour ses fruits et légumes, véritable festival de couleurs et de senteurs. Suivez les vieux Cannois pour dénicher les bons producteurs, avant d'aller boire un verre tout à côté, comme à *La Taverne Lucullus* (voir plus haut « Où manger ? »), par exemple.

La vieille ville

➤ Montez par la pittoresque *rue Saint-Antoine*, axe principal et historique du vieux Cannes, restée dans son jus avec ses restaurants typiques qui égaient et animent les lieux. Il faut prendre le temps de remarquer les maisons basses aux volets verts ou bleu pâle, les vieilles plaques, les entrées en ogive... Vous arrivez à la *place de la Castre*, bordée par un vieux mur d'enceinte. Vue d'un côté sur la Californie et l'Observatoire, de l'autre sur l'Estérel.

🍴 *L'église Notre-Dame-d'Espérance* (plan couleur A2, 51) : construite en 1627, alors que Cannes ne comptait que mille habitants, elle est de style gothique provençal. Ce fut longtemps un lieu de pèlerinage. À l'intérieur, retables de l'époque classique et statue de sainte Anne, en bois polychrome, de la fin du XVe siècle. À l'extérieur, juste au-dessus du portail, statue de la Vierge surmontée d'une tête de mort et de deux tibias. Drôle de symbole d'espérance...

🍴 *La tour du Suquet :* ancienne tour de guet, assise sur une voûte, terminée en 1385. En passant sous le vieux clocher, on arrive à une agréable terrasse, très reposante, avec vue sur le port, les allées de la Liberté... Vous découvrez aussi la petite *chapelle Sainte-Anne*, surélevée d'un chemin de ronde, la *tour carrée du mont Chevalier* et les restes du château des abbés de Lérins. Ils étaient bien, là-haut !

🍴 👫 *Le musée de la Castre* (plan couleur A2, 50) : installé dans l'ancien château des abbés de Lérins. *Tour carrée (116 marches) du XIIe siècle, d'où l'on découvre un admirable panorama.* ☎ 04-93-38-55-26. *Oct-mars, tlj sf lun 10h-13h, 14h-17h ; avr-juin et sept, tlj sf lun jusqu'à 18h ; juil-août, tlj 10h-19h. Nocturne mer jusqu'à 21h juin-sept. Entrée : 3,20 € ; gratuit pour les scolaires et étudiants. Ateliers-enfants tte l'année, se renseigner.*
Collections d'antiquités égyptiennes, phéniciennes, grecques, romaines, et d'ethnographie (troisième fonds de France) provenant des cinq continents. On y retrace aussi l'histoire de Cannes au travers de toiles d'artistes locaux, principalement du XIXe siècle avec l'incontournable Ernest Buttura, orientaliste.
– En outre, le musée présente dans l'ancienne chapelle un espace « Musiques du Monde » : environ 200 instruments d'Asie, d'Afrique, d'Océanie, anciens et contemporains, pour beaucoup rapportés par le voyageur Ginou de La Coche, routard oublié du XIXe siècle. Intéressant.

CANNES

➤ *Retour dans la ville « moderne » :* le vieux Cannes du Suquet n'est constitué que de sept ou huit rues, alors n'hésitez pas à les parcourir toutes : *rue de la Suisse,* réservée jadis aux réformés, *rue Coste-au-Corail,* où l'on entreposait les coraux pêchés dans la rade, *rue de la Boucherie* et ses escaliers, *rues du Château-Vert, de la Bergerie, du Moulin,* etc., sans compter les passages, voûtes et placettes...

La Croisette *(plan couleur B-C2-3)*

CANNES

C'est la façade luxueuse de Cannes avec ses palaces et ses boutiques réservées aux milliardaires et à ceux qui font semblant d'en être, mais c'est aussi une agréable promenade de bord de mer, avec vue sur l'Estérel. Plantée de palmiers et ornée de parterres et jardins fleuris, c'est la promenade inévitable de tous les vacanciers. L'hiver, l'endroit est plutôt fréquenté par un troisième âge fortuné. Très liftées mais pas toujours distinguées, ces vieilles dames bronzées, dorées de la tête aux pieds et ne quittant jamais leur caniche bichonné viennent chercher un peu de douceur de vivre. L'été, la population est plus jeune et les rares plages publiques sont très fréquentées. Beaucoup d'étrangers, de toutes nationalités, comme en témoigne la centaine de quotidiens en trente langues différentes vendus à Cannes. Notre palace préféré, de l'extérieur, est bien sûr le *Carlton* pour son architecture Belle Époque. Mais pour dormir, on préfère le *Majestic* (patron, c'est de l'humour !).

Au niveau du *port Canto,* jardins impeccablement entretenus, avec manège et jeux pour bambins bleu marine. Belle vue sur le vieux Cannes ; allez-y la nuit, quand la tour du Suquet est illuminée et que la route de l'Estérel se dessine clairement sous les réverbères.

Si vous continuez jusqu'à l'extrémité de la promenade, la pointe de la Croisette – où s'élevait autrefois une petite croix, d'où le nom de « Croisette » –, vous arriverez au casino du *Palm Beach,* tellement célèbre... Rappelez-vous *Mélodie en sous-sol,* d'Henri Verneuil, avec Gabin et Delon... c'est là. Depuis, il est surtout connu pour les histoires politico-financières sulfureuses qui l'entourent.

Un peu plus haut, loin des clichés cannois, la *place de l'Étang,* rendez-vous des vieux boulistes. Ça tire, ça pointe, ça trinque au pastaga... un cliché de la Provence en somme. Tout autour du boulodrome, quelques institutions comme *Fred l'Écailler* où les Cannois se réfugient depuis plusieurs générations à l'écart de l'agitation touristique, le temps d'un plateau de fruits de mer.

Fêtes et manifestations

Voilà une petite liste des animations et des spectacles que cette ville étonnante vous propose à longueur d'année :
– *Nuits musicales du Suquet :* en juil.
– *Festival international d'art pyrotechnique :* en juil-août.
– *Festival de la Pantiero :* en août. Le rendez-vous de la musique électro.
– *Festival international de danse :* en nov (biennale).
– *Rencontres cinématographiques de Cannes :* en déc.
– Quant au *festival de Cannes,* le seul, l'unique aux yeux de la foule, il fait toujours autant son cinéma 15 jours durant.

Plongée sous-marine

Hormis son « festival » de yachts en tout genre, la baie de Cannes offre une bonne trentaine de « plongées stars » où la curiosité des débutants et même des confirmés est sans cesse en éveil. Et puis, quelle que soit la météo, on trouve toujours un site à l'abri...

Club de plongée

■ *Plongée Club de Cannes :* quai Saint-Pierre, sur le vieux port de Cannes (lieu du rendez-vous), et 10, rue de la Rampe (adresse postale). ☎ 04-93-38-67-57. 📱 06-11-81-76-17. ● plongee-sylpa.com ● Avr-oct, tlj sf dim ap-m ; nov-déc le w-e slt. Résa conseillée. Baptême env 45 € ; plongée 31-47 € selon équipement ; forfaits dégressifs 6-10 plongées. L'un des plus anciens centres (*FFESSM* et *PADI*) de la ville.

Ambiance vraiment sympa sur le *Sylpa*, agréable et spacieux navire de plongée, où Patrick et Sylvie Hubert encadrent baptêmes, formations jusqu'au niveau III et brevets *PADI* ; sans compter de bien belles explorations sur les spots du coin. Compresseur à bord (pas de bouteille à porter, ouf !) et équipements complets fournis. Initiation enfants à partir de 10 ans.

Nos meilleurs spots

〜 *Le tombant de la Tradelière :* à l'est de l'île Sainte-Marguerite. Pour plongeurs de tous niveaux. Daurades, castagnoles, sars, saupes et poulpes seront vos joyeux compagnons de plongée sur ce « caillou » (6-40 m de fond) particulièrement riche. Vers 20 m, vous embrasserez (smack !) une petite grotte aux parois recouvertes de corail rouge, avec votre lampe torche. Plongée géniale !

〜 *L'Enfer de Dante :* à proximité de la Fourmigue. Pour plongeurs confirmés (niveau II). Ces grands pitons (20-40 m de fond) remontant dans le bleu offrent un spectacle véritablement dantesque ! Profusion de gorgones et de failles survolées par des nuées de castagnoles et quelques dentis « maousses » et très curieux. Un must dans le coin.

〜 *Le Vengeur :* au nord-est de l'île Sainte-Marguerite. Pour tous niveaux. Fabuleuses richesses sur ce tombant (6-40 m de fond) coloré, que les congres, mostelles, sars et chapons se partagent avec avidité (un vrai panier de crabes !). Attention au courant !

〜 *La Fourmigue :* un haut lieu de la plongée au beau milieu du golfe Juan. Pour plongeurs de tous niveaux. Plusieurs plongées différentes sont envisageables autour de ce caillou. De 5 à 50 m de fond, enchaînement somptueux de failles, tombants, canyons et promontoires couverts de gorgones que survolent castagnoles, sars, girelles et labres dans un grand ballet sympathique. La balade des routards aventuriers s'achève même sous une arche perdue ! À quelques encablures, une ville de lilliputiens construite dans les années 1960 par une équipe d'artistes-plongeurs farfelus animée par Néjad Silver (- 15 m maxi). Vous distinguerez le stade, la poste, et quelques congres aux fenêtres des maisons ! Enfin, « à deux brassées de palmes », la *grotte de Miro* (- 18 m) abrite la statue magistrale du commandant Le Prieur, grand pionnier de la plongée sous-marine...

➤ *DANS LES ENVIRONS DE CANNES*

🎏 *La chapelle Bellini :* parc Fiorentina, 67 bis, av. de Vallauris. ☎ 04-93-38-61-80. Ouv lun-ven 14h-17h ; et sur rendez-vous. Entrée gratuite. Construite en 1880 dans un style florentin-baroque par le comte Vitali, elle fut achetée par le peintre local Emmanuel Bellini, qui y installa son atelier. Le parc est rempli de cèdres du Liban, de cyprès centenaires, de palmiers, d'oliviers et d'orangers. L'intérieur de la chapelle impressionne par son atmosphère calme et sereine. Un vrai havre de paix, propice à la création artistique.

🎏 *La Croix des Gardes :* bloc rocheux situé au nord-ouest de Cannes. Cette colline boisée de pins est une des plus belles promenades des environs. Prendre l'avenue du Docteur-Picaud et, à droite, le boulevard Leader, puis, à pied, le sentier sous les pins maritimes. Vues superbes sur Cannes et l'Estérel. Au sommet de la colline (163 m), grande croix de fer scellée sur un rocher. Rentrer par l'avenue J.-de-Noailles ou se promener encore dans les nombreuses avenues de la colline, au milieu de luxueuses villas.

🍴 *Le Cannet :* *pour s'y rendre, bus n° 4 ou 5 de la pl. de l'Hôtel-de-Ville. Sinon, en voiture, prendre le bd Carnot et continuer toujours tt droit.* Agréable lieu de villégiature, loin du bruit et des embouteillages de Cannes, situé à 2,5 km au nord de la ville. Le Cannet constitue en fait une banlieue chic de Cannes, réputée pour son doux climat. Le site est en effet très protégé du vent.

Le peintre Pierre Bonnard y passa les dernières années de sa vie. Il a d'ailleurs rendu la ville célèbre dans le monde entier au travers de ses tableaux. Laissez-vous dériver dans les vieilles rues dont certaines maisons datent du XVIIIe siècle, découvrez au hasard une placette ombragée avec parfois des échappées sur la mer. De la place Bellevue, panorama sur la baie de Cannes.

LES ÎLES DE LÉRINS

Notre promenade préférée à partir de Cannes. L'île Sainte-Marguerite et l'île Saint-Honorat, à respectivement 15 mn et 30 mn de Cannes, sont des paradis de soleil, de verdure, de calme et de fraîcheur où les Cannois adorent se retrouver autour d'un plateau de fruits de mer, sur une terrasse panoramique... On se sent tout à coup très loin de la Côte et de la foule.

Comment y aller ?

⚓ *Gare maritime des îles de Lérins :* *vieux port.* Voir la liste des compagnies qui desservent les îles dans les pages concernant Cannes (« Transports » dans nos « Adresses utiles »). En gros, 1er départ à 9h pour Sainte-Marguerite et 8h pour Saint-Honorat, puis ttes les heures (ttes les 30 mn en juil-août pour Sainte-Marguerite). Dernier retour de Sainte-Marguerite vers 18h (19h en juil-août), Saint-Honorat vers 17h (18h de mai à fin sept). Compter 11 € ; réduc ; gratuit jusqu'à 5 ans. On peut également prendre le bateau à La Napoule : *Cie Maritime Napouloise* (☎ 04-93-49-15-88) ; d'avr à fin sept. Ou à Nice : *Trans Côte d'Azur* (☎ 04-92-00-42-30) ; compter env 28 € pour l'aller-retour et 1h de trajet ; de juin à fin sept.

L'ÎLE SAINTE-MARGUERITE

C'est la plus grande des deux îles ; elle abrite 170 ha de forêt. Possibilité de se baigner à l'aplomb des rochers et sur quelques petites plages de sable et de galets. Des bateaux viennent mouiller au nord et au sud de l'île. Les randonneurs effectueront le tour de l'île en 2h environ, ou iront au hasard des allées qui desservent la forêt. Attention, en dehors de juillet et août, vous ne trouverez personne pour vous orienter, de quoi vous perdre sur les petits chemins de l'île.

Un peu d'histoire

En 1685, le fort de Sainte-Marguerite devint prison d'État. Entre autre prisonnier célèbre, le maréchal Bazaine, qui capitula sans résistance durant la guerre de 1870. Il n'endura que peu de temps les rigueurs de la prison, car il réussit à s'évader quelques mois plus tard. Mais s'il fallait n'en retenir qu'un, ce serait bien entendu, le mystérieux Masque de fer !

À voir. À faire

🎣 🚶 🚶 **Le fort Royal** : édifié par Richelieu, il fut renforcé par Vauban en 1712. Belle porte monumentale. De part et d'autre de l'allée centrale, dite « allée des Officiers », s'élèvent des bâtiments qui étaient des casernements. À l'angle nord-est, les prisons, surmontées par la tour du sémaphore. Dans l'une des cellules fut emprisonné le Masque de fer. Un lieu qui vous refroidit, même au cœur de l'été, où il ne fallait pas attendre des mois pour perdre la raison, les gardiens eux-mêmes n'ayant pas le droit de par-

> ### JAMAIS DÉMASQUÉ !
>
> « *Prisonnier dont nul ne sait le nom, dont nul n'a vu le front, un mystère vivant, ombre, énigme, problème* » (Victor Hugo). Le légendaire Masque de fer fut interné onze ans sur l'île Sainte-Marguerite. Voltaire affirmait que c'était un frère aîné de Louis XIV, fils illégitime de la reine ; d'autres pensent qu'il s'agissait du comte Mattioli, diplomate italien qui aurait escroqué Louis XIV, ou encore d'Eustache Dauger, ancien serviteur de Fouquet compromis dans l'affaire des Poisons... On n'en saura sans doute jamais plus. Ce qui fait tout le charme de cette affaire sulfureuse...

ler aux prisonniers (d'où l'expression « motus et bouche cousue »). On peut également visiter les salles où furent internés des pasteurs protestants après la révocation de l'édit de Nantes. À l'angle nord-ouest, importantes ruines romaines. Voir encore le bâtiment mis à la disposition de Bazaine au cours de sa détention. Terrasse d'où la vue est superbe. Le maréchal n'était pas trop à plaindre malgré tout. Un prix d'entrée tout à fait raisonnable vous sera demandé pour la visite des prisons et du reste du bâtiment consacré au musée de la Mer.

– **Musée de la Mer** : ☎ 04-93-38-55-26. ● cannes.fr ● *Juin-sept, tlj 10h-17h45 ; oct-mai, tlj sf lun 10h-13h15, 14h15-17h45 (16h45 oct-mars). Tarif : 3 € ; gratuit pour les enfants*. Un musée qui abrite les produits provenant des fouilles réalisées sur l'île ou des épaves de bateaux découvertes au large. Belles salles voûtées romaines restées intactes.

➤ **Le sentier botanique** : aménagé et bien fléché, il permet d'identifier les différentes espèces signalées au pied de chaque arbre. Vous apprendrez vite à distinguer le pin parasol du pin maritime ou du pin d'Alep, si léger. Les chênes verts, chênes kermès, les eucalyptus et les arbousiers n'auront bientôt plus de secrets pour vous. Vous découvrirez également les plantes les plus variées : clématites, immortelles, garances, garous, dites « herbes de belle-mère » car... toxiques, centaurées, etc.

L'ÎLE SAINT-HONORAT

Depuis une ordonnance datant de 1566, c'est un domaine privé qui appartient au monastère. En 2003, l'abbaye de Lérins a perdu en procès son monopole sur l'île et sur les navettes la desservant. Mais les moines ne l'entendent pas de cette oreille : le ponton reste fermé aux autres compagnies maritimes, qui se sont alors lancées dans un autre procès. En principe, l'île (tout comme l'abbaye) ne peut donc être visitée que par la navette mise en place, toute l'année, par l'abbaye. Du débarcadère, on parvient à l'abbaye en longeant champs de lavande et vignes. Dans les différents bâtiments, seuls le monastère fortifié, le musée évoquant le passé de l'île avant l'arrivée du saint homme et l'église sont ouverts à la visite.

– *Horaires des navettes :* ☎ 04-92-98-71-38 *(société Planaria). Départ quai Laubeuf.*

Un peu d'histoire

Du monastère, un des plus connus de la chrétienté, sortirent (comme d'une grande école de nos jours) les saints les plus célèbres : saint Patrick, l'évangélisateur de l'Irlande, saint Hilaire, saint Césaire, évêque d'Arles, saint Salvien et saint Vincent de Lérins. En 660, saint Aygulf introduisit la règle de saint Benoît. Le patrimoine temporel de l'abbaye était immense et s'étendait bien au-delà de la Provence. Mais avec les incursions répétées des sarrasins, les attaques des Génois, puis des Espagnols, le rayonnement de l'abbaye ne pouvait que décroître. En 1788, le monastère fut sécularisé par le pape.

En 1791, la comédienne Saint-Val, interprète de Voltaire et partenaire de Talma, acquit l'île et s'y établit. Selon les potins de l'époque, Fragonard, son vieil amant, serait venu la voir et aurait décoré de fresques galantes son boudoir qui n'était autre que l'ancienne salle du chapitre !

En 1859, l'évêque de Fréjus racheta l'île et, dix ans plus tard, l'abbé de Sénanque rétablissait la vie cistercienne à Saint-Honorat. De nos jours, une bonne trentaine de moines y cultivent la lavande et la vigne, y produisent un vin de pays des plus prisés et distillent une liqueur, la *lérina* (du nom grec de l'île), mélange d'une quarantaine de plantes aromatiques, ainsi qu'une *limoncella,* aux citrons de Menton.

MOUGINS

(06250)   18 412 hab.

Relais de poste important des Romains sur la *via Aurelia,* Mougins était au Moyen Âge une ville plus importante que Cannes. Elle est aujourd'hui son « jardin luxueux » où l'on vient se reposer loin de la foule du littoral. Il fait bon retrouver ici l'atmosphère d'un village provençal, bâti en colimaçon autour de son clocher de l'époque féodale. La colline sur laquelle est perché le village était autrefois couverte d'oliviers et de champs de roses ; aujourd'hui, c'est le fief de somptueuses résidences secondaires, avec toit provençal, jardin paysager et piscine, qui ont quelque peu modifié le paysage.

Un endroit quasi idyllique qui séduisit de nombreux artistes, et non des moindres. Francis Picabia tomba sous le charme dès 1924. Il fit construire une très belle maison et attira les plus grands noms de l'époque. Bien sûr, il y eut Picasso, qui décida de finir ses jours ici. Et puis Cocteau, Paul Éluard, Man Ray, Fernand Léger, Robert Desnos, Isadora Duncan... Aujourd'hui encore, on ne compte plus les artistes qui ont une résidence à Mougins.

Comment y aller ?

➢ *En bus :* plusieurs bus desservent Mougins. Depuis Cannes, ou Grasse (☎ 0820-48-11-11), depuis Cannes, Valbonne, Sophia-Antipolis (☎ 04-92-38-96-38). Pour plus d'infos, contacter l'office de tourisme.

Adresse utile

🏛 *Office de tourisme :* 15, av. Jean-Charles-Mallet. ☎ 04-93-75-87-67. ● mougins-coteazur.org ● À l'entrée du village, sur le parking du Moulin-de-la-Croix. Juil-août, tlj 9h-20h30 ; sept-juin, lun-sam 9h-17h30.

Où dormir ?

🏛 *Les Liserons de Mougins :* 608, av. Saint-Martin. ☎ 04-93-75-50-31. ● ho tel.liserons@wanadoo.fr ● hotel-lise rons-mougins.com ● En dehors de la vieille ville, direction Mouans-Sartoux ; accès par la voie rapide de Cannes. Fermé 7-18 janv. Doubles 57-71 € selon confort et saison. Parking gratuit. Apéritif maison offert sur présentation de ce guide. Une vingtaine de chambres confortables, de style provençal, rénovées peu à peu par les nouveaux proprios, certaines avec la clim'. Quelques-unes sont particulièrement réussies. Grande piscine et grand parking gratuit, deux avantages très appréciables ici. Évitez les chambres côté route, très bruyantes, même si la nouvelle climatisation permet de fermer la fenêtre, mais encore faut-il aimer dormir avec la clim' !

Où manger ?

Mougins est à la fois une petite ville réputée chère et une étape de bonne chère réputée, vivant dans le souvenir des grandes heures de Roger Vergé au *Moulin de Mougins*. Ce qui est sûr, c'est que l'émulation, ça a du bon et que les mauvaises tables se font rares à Mougins, ou alors très discrètes (on ne les a pas trouvées !). Et contrairement aux idées reçues, nul besoin de casser sa tirelire.

De bon marché à prix moyens

|●| *Le Rendez-vous de Mougins* : pl. du Commandant-Lamy. ☎ 04-93-75-87-47. Ouv tte l'année, tlj. Formule 15,20 € le midi en sem ; menus 19,80-25 €. Avec sa terrasse au cœur de Mougins, on ne peut espérer meilleur rapport qualité-prix. Cuisine provençale simplement exquise (ou exquisement simple...) : sardines marinées ou raviolis de ricotta, filet de bœuf aux petits oignons ou daurade royale, gratin de fruits à la frangipane... Accueil enjoué.

|●| *Resto des Arts* : rue du Maréchal-Foch. ☎ 04-93-75-60-03. ♿ Fermé lun et mar midi. Congés : de déc à mi-janv. Menus 15 € (le midi en sem)-22 € ; carte env 28 €. Dans un village qui a la réputation d'accueillir des stars et des milliardaires, on vous servira ici sans chichis une cuisine traditionnelle, goûteuse et simple... Denise a le sens des beaux produits, qu'elle va acheter elle-même le matin pour préparer des daubes provençales, un *stouffi* d'agneau accompagné de polenta ou des petits farcis. Et c'est Grégory qui vous servira. Ancien coiffeur de stars, il a posé ses valises à Mougins et a gardé une volubilité et une décontraction vraiment sympathiques.

|●| *Un Coin à part* : 24, rue Honoré-Henry. ☎ 04-93-75-33-70. ● uncoina part@voila.fr ● En saison, ouv ts les soirs, plus les sam et dim midi ; hors saison, ouv ts les soirs sf mer et jeu. Menus 19-26 €. Une table assez branchée qui, pour l'heure, a les faveurs d'une clientèle jeune, curieuse et qui n'hésite pas à se déplacer depuis Cannes. Peut-être trop originale et conceptuelle pour perdurer, ce *Coin à part* reste une bonne adresse. On y déguste des saveurs parfois inédites, cuisinées de manière inattendue (comme le carpaccio de kangourou !). Qu'on se rassure, la carte, renouvelée régulièrement, propose quelques spécialités beaucoup plus sages. Accueil très agréable.

À voir

🎞🎞 *Le vieux village* : situé à 260 m au-dessus du niveau de la mer, il jouit d'un panorama grandiose (vous remarquerez, dès qu'il y a un panorama quelque part, il est grandiose !) sur Cannes, les îles de Lérins, Mandelieu, Grasse et les Préalpes. Mougins est enroulé en spirale comme un coquillage géant et montre une rigueur géométrique due aux fortifications du système de défense médiéval dont il reste quelques vestiges et une seule des portes : la *porte Sarrazine*. La place centrale (place du Commandant-Lamy), agrémentée d'une belle fontaine de la fin du XXᵉ siècle, est presque trop pittoresque. On se croirait dans un village de poupée.
La *rue des Orfèvres* est une des plus jolies avec ses portes colorées et surélevées. À voir aussi, la *rue de la Glissade*, que les Mouginois appelaient, en raison de sa forte pente : « Roumpe cuou » (on traduit ?).

LA BAIE DE CANNES ET L'ARRIÈRE-PAYS

🔌 *Le musée de la Photographie :* près de la porte Sarrazine. ☎ 04-93-75-85-67. Tlj 10h (11h w-e)-18h (20 juil-sept). Fermé nov. Entrée gratuite. Il renferme une collection d'objets anciens de matériel photo. Expositions temporaires au 1er étage. Au 2e étage, des photos de Picasso signées Doisneau, Lartigue et André Villers, entre autres.

🔌 *Le musée d'Histoire locale :* 70, av. du Maréchal-Foch. ☎ 04-92-28-05-47. 15 juin-15 sept, tlj 11h-18h ; hors saison, slt w-e et j. fériés. Entrée gratuite. Toute l'histoire locale.

🔌 *L'espace culturel :* pl. du Cdt-Lamy. ☎ 04-92-92-50-42. Lun-ven 9h-17h ; w-e et j. fériés 11h-18h. Fermé nov. Entrée gratuite. Situé dans l'ancienne chapelle Saint-Bernardin des Pénitents blancs, datant du début du XVIIe siècle. Expositions temporaires de peintres et sculpteurs. Abrite également le musée Maurice-Gottlob (1885-1970), ancien garde-champêtre de Mougins.
Le *Lavoir* (qui date de 1894) accueille à deux pas de là de nombreuses expos temporaires *(mars-oct, tlj 11h-19h ; entrée gratuite)*. En décembre et janvier, une crèche provençale de 45 m² recouvre le lavoir.

🔌 *Notre-Dame-de-Vie :* à 2,5 km au sud-est de Mougins (par l'av. Notre-Dame-de-Vie, puis le chemin de la Chapelle). Un ermitage typiquement provençal dans un très beau site. Picasso avait été séduit par l'endroit puisqu'il habita de 1961 à sa mort (en 1973) une propriété contiguë qui était surnommée L'Antre du Minotaure. Belle vue sur Mougins et les paysages environnants. Une belle allée de cyprès conduit à l'ermitage. La chapelle, qui est l'église de l'ancien prieuré de l'abbaye de Lérins, est précédée d'un porche à trois arcades. Derrière elle, l'ermitage avec son clocheton qui constitue la partie la plus ancienne de l'ensemble (XIIIe siècle).
La chapelle est dénommée Notre-Dame-de-Vie, car elle était un « sanctuaire à répit ». On y amenait des enfants mort-nés qui ressuscitaient quelques instants, ce qui permettait de les baptiser. En 1730, l'évêque de Grasse fit interdire cette pratique.

🔌🚶 *Le musée de l'Automobile :* accès par l'A 8 (entre Antibes et Cannes, aire des Bréguières) ou depuis Mougins par le chemin de Font-de-Currault (n° 772). ☎ 04-93-69-27-80. ● musauto.fr.st ● 1er juin-30 sept, tlj 10h-18h ; 1er oct-31 mai, tlj 10h-13h, 14h-18h ; fermé le ven avt chaque brocante. Entrée : 7 € ; réduc ; gratuit jusqu'à 12 ans. Fondé en 1984 par Adrien Maeght dans un bâtiment ultramoderne. Une fabuleuse machine à remonter le temps dans l'histoire mondiale de l'automobile, de la Formule 1 aux tout premiers véhicules à moteur, en passant par les voitures utilisées pendant la guerre. Une exposition thématique est organisée chaque été. Une salle est entièrement consacrée au mythe Ferrari. Intéressante collection privée d'une centaine de véhicules. Brocantes automobiles organisées quatre fois par an sur le site.

➤ DANS LES ENVIRONS DE MOUGINS

🔌 *Le parc forestier de la Valmasque :* géré par le Conseil général, sur 561 ha, il offre aux randonneurs 20 km de sentiers sous les pins. Idéal pour pique-niquer. Plusieurs sentiers pédestres, un sentier botanique, tous fléchés, des pistes équestres, un parcours de santé, mais aussi l'*étang de Fontmerle* (voir ci-dessous « Randonnée pédestre »), qui abrite la plus importante colonie de lotus en Europe. Plante aquatique originaire d'Asie, le lotus présente de début juillet à mi-septembre, à la manière des nénuphars, des fleurs roses de 25 cm sur une feuille de 1 m de diamètre. Sans oublier une belle population d'oiseaux, dont deux espèces en voie de disparition : les blongios et les rousserolles.
Cet étang naturel est dominé par une colline où se dresse Le Manoir de l'Étang, aujourd'hui hôtel. Cette noble bâtisse a une belle histoire. Après la Seconde Guerre mondiale, Maurice Gridaine, architecte de cinéma à qui l'on doit le premier palais

des Festivals de Cannes, s'entiche du manoir en ruine et de sa campagne typiquement provençale. En 1949, Jean Cocteau et Jean Marais viennent sur les lieux : on ressort le projet, cher à Marcel Pagnol, de créer une cité du cinéma. Mais avec la crise du cinéma en France, la création en Italie de Cinecittà et la modernisation en parallèle des studios de la Victorine à Nice, le projet tomba à l'eau. En dédommagement, on lui laissa cette propriété, dont il était tombé amoureux.

Randonnée pédestre

➢ *Découverte du canal de la Siagne, de l'étang de Fontmerle et de la chapelle Notre-Dame-de-Vie :* très jolie balade de 1h30 sur terrain plat. Idéal pour un footing (courage !). En voiture, mieux vaut démarrer la balade depuis l'étang (parking plus aisé).

Petite pensée émue pour *Le Château de ma mère,* le classique de Pagnol : on s'y croirait presque ! Le canal serpente au pied des plus belles propriétés de Mougins. Petits ponts l'enjambant de-ci de-là. Passer d'abord sous un porche garni de bougainvillées, puis sous l'avenue de La Valmaque, avant de suivre le viaduc sur une large poutrelle de béton. Une grosse truite vous accompagne parfois sur quelques mètres. Traverser la petite route qui mène à la chapelle Notre-Dame-de-Vie, puis suivre le canal.

Après une pâture sur la droite, quitter le canal pour une ruelle avant de le retrouver 50 m plus loin. Le canal change d'orientation dans la forêt et lorsque le chemin arrive à une route goudronnée, faire demi-tour sur 300 m. À hauteur de la jolie vue, remonter le chemin (à droite) qui longe une petite maison en pierre. On arrive à l'**étang de Fontmerle,** avec en arrière-plan les montagnes.

Deux points de vue pour observer l'étang et ses spécimens (voir plus haut), dont un sur une petite estrade en bois.

Repartir de l'étang de Fontmerle en revenant au chemin du canal. Ne pas s'y engager mais partir à droite sur une petite route sinueuse et très étroite. Très belle chapelle du XVIIᵉ siècle à gauche, Notre-Dame-de-Vie, avec une superbe allée de cyprès. La maison qui la jouxte était celle de Picasso. Continuer à descendre la route sur 20 m et, tout de suite à gauche, prendre le chemin bétonné qui ramène au canal. Le suivre alors (à droite) pour revenir à la voiture.

GRASSE (06130) 50 000 hab.

À 17 km de Cannes, la capitale mondiale de la parfumerie s'étage langoureusement sur les premiers contreforts des Alpes provençales. La vieille ville pittoresque date du VIIᵉ siècle. Au Moyen Âge et à la Renaissance, on y trouvait quantité de moulins et de tanneries car l'eau y était omniprésente. À cette époque, il était de bon ton d'embaumer et de parfumer les cuirs, notamment les gants, grande spécialité de la ville. Au début du XVIIIᵉ siècle, les grandes familles de gantiers abandonnèrent le cuir pour la parfumerie à proprement parler. A priori, la ville doit son nom à sa terre « grasse » qui favorise depuis longtemps la culture des fleurs. Ces fleurs, qui collent à son image au-delà même de la réalité quotidienne, font apparemment toujours autant rêver les visiteurs attirés par un climat exceptionnel, très efficace contre l'asthme, et fin prêts pour les balades superbes dans l'arrière-pays. Suivez le flot des automobilistes, garez votre voiture dans un parking souterrain (sinon, vous n'avez pas fini de tourner en vain autour du centre-ville) et partez... le nez au vent !

Le pays grassois a été labellisé « Pays d'art et d'histoire ». Sont concernés la ville de Grasse bien sûr, mais aussi les villages aux alentours, comme Auribeau, Cabris... Ce classement devrait permettre de réveiller Grasse de sa longue léthargie. Déjà, des travaux d'aménagement importants ont tenté de redonner vie au centre (rénovation des placettes, ravalement des façades, accueil d'artistes dans d'anciennes boutiques, etc.).

Adresses et infos utiles

🔲 *Office de tourisme :* au palais des congrès, 22, cours Honoré-Cresp. ☎ 04-93-36-66-66. ● grasse.fr ● De juil à mi-sept, tlj 9h-19h, fermé 13h-14h et 18h-19h dim et j. fériés ; de mi-sept au 30 juin, fermé à l'heure du déj et dim. Demandez le plan historique de la ville, très clair.

🔲 *Service Animation du Patrimoine :* espace Projets, rue de l'Oratoire. ☎ 04-97-05-53-40. ● vpah.culture.fr ● Maisept, inclus dans le cadre du label « Ville d'art et histoire », visites (payantes) commentées par des guides conférenciers, agréés par le ministère de la Culture. Idéal pour décrypter histoire, architecture et façades et voir la ville autrement. Par le biais des visites thématiques, découverte de la Grasse baroque, industrielle, médiévale, épiscopale... Sans oublier la classique visite-découverte. Calendrier des visites et animations disponible sur demande. Certaines de ces visites s'adressent tout particulièrement aux enfants.

🚆 *SNCF :* en contrebas de la vieille ville. Rens : ☎ 36-35 (0,34 € TTC/mn). ● sncf.com ● La ligne Grasse-Cannes, fermée pendant 60 ans, permet de relier Cannes en 23 mn. 17 allers-retours/j.

🔲 *Vinci Park :* les parkings de la ville sont gérés par la société *Vinci*. Ce qui implique le prêt de caddie, de parapluie, et... de vélo ! (cela dit, Grasse ne se prête guère à la bicyclette). En prime, 2h de parking gratuit le samedi.

– *Marché aux fleurs :* ts les mat sf lun, 7h-11h, sur la pl. aux Aires. Également marché alimentaire.

– *Marché aux volailles vivantes :* le dernier jeu du mois à l'espace Terroirs, 45, chemin des Castors, dans le quartier Saint-Antoine.

Où dormir ?

Camping

⚊ *Camping La Paoute :* 160, route de Cannes. ☎ 04-93-09-11-42. ● camp paoute@hotmail.com ● campingpaoute. com ● À 5 km au sud de Grasse, direction Mouans-Sartoux. Ouv juin-sept. Emplacement pour 2 pers avec voiture et tente 20,40 € en hte saison. Loc de bungalows et de mobile homes 950-1 500 €/sem en hte saison. Bon confort pour ce camping 2 étoiles. Près de 80 emplacements ombragés et verdoyants. Piscine.

De prix moyens à beaucoup plus chic

⚊ *Hôtel Panorama :* 2, pl. du Cours-Honoré-Cresp. ☎ 04-93-36-80-80. ● ho telpanorama@wanadoo.fr ● hotelpanorama-grasse.com ● Doubles 60-80 € avec douche et w-c ou bains. Parking payant à 50 m. Sur présentation de ce guide, 10 % de réduc sur le prix de la chambre hors août. Hôtel à l'architecture plutôt banale, mais ayant l'avantage d'être central et récent. Chambres modernes, avec balcon et vue sur la ville et la campagne environnante. Les chambres donnant sur le jardin sont toutes avec douche et w-c ; celles au sud disposent d'une baignoire. Accueil très agréable et excellent petit déj (jus pressé, fruits frais... pour 8 €).

⚊ *Mandarina Hôtel :* 39, av. Yves-Emmanuel-Baudoin (route Napoléon). ☎ 04-93-36-10-29. ● resa@mandarina hotel.com ● mandarinahotel.com ● De la gare routière, prendre le bd du Jeu-de-Ballon, puis à droite direction Digne et Saint-Vallier ; c'est à 15 mn de marche sur l'av. Baudoin. Doubles avec douche et w-c 75 €. Une maison avec une vue imprenable sur Grasse, le golfe de La Napoule et, au loin, les îles de

Lérins. Chambres spacieuses et très propres. Salons, bibliothèque, jardin, magnifique terrasse, etc. Fait également resto.

🏠 *Charm'hôtel Le Patti :* pl. du Patti. ☎ 04-93-36-01-00. ● eric.ramos@hotel patti.com ● hotelpatti.com ● *Doubles avec bains 69-89 € ; beau petit déj-buffet 8 €. Fait aussi resto semi-gastronomique (menus 19 et 32 €). Parking 7 €. Réduc de 10 % sur le prix de la chambre tte l'année sur présentation de ce guide.* Jolie adresse à la façade ocre et lavande, qui s'intègre bien aux maisons plus anciennes du centre-ville. Certaines chambres ont fait l'objet d'un gros effort dans la déco pour rompre avec l'idée que l'on se fait habituellement des hôtels de chaîne : lit en fer forgé, jolis tissus... L'ensemble est à la fois simple, personnalisé et on ne peut mieux

équipé : minibar, chaîne hi-fi, TV satel-lite, DVD, sèche-cheveux, coffre-fort. Les autres chambres ont une déco un peu plus classique, nettement plus provençale, mais sont dotées du même confort.

🏠 ❚●❚ *Odalys – Hôtel et résidence hôtelière des Parfums :* bd Eugène-Charabot. ☎ 04-92-42-35-35. ● hotel. parfums@odalys-vacances.com ● hotel desparfums.com ● ♿. Congés : nov-janv. *Doubles avec bains 96-128 € selon confort et saison. Au resto, formule déj 10 € et menu gourmet 27 € ; carte env 18 €.* Une résidence qui domine la ville avec ses 61 chambres (TV satellite) et sa salle de restaurant prévue pour accueillir des cars entiers. Idéal pour qui voudrait séjourner à Grasse, profiter de la vue et de la terrasse. Piscine.

Où dormir dans les environs ?

🏠 *La Bastide des Jaïsous :* 67, av. des Jaïsous, 06530 Peymeinade. ☎ 04-93-66-28-74. ● pierre.marcoux@wanadoo. fr ● hotegenty.com ● ♿. *À 7 km à l'ouest de Grasse, direction Draguignan. Doubles 50-85 € selon confort et saison. Également un gîte de 4-5 pers à 75 € pour 2 pers, 10 € par enfant ; loc à la sem 525-900 € selon saison. Table d'hôtes le soir 20 €. Réduc de 10 € la*

3e nuit sur présentation de ce guide. Une maison d'hôtes pas comme les autres, quasiment la seule à avoir adapté (par expérience personnelle) tout un gîte pour une personne à mobilité réduite. Un jardin paysager amoureusement planté, une grande terrasse avec piscine, de jolies chambres très confortables. Et surtout, beaucoup de convivialité et de disponibilité.

Où manger ?

❚●❚ *Le Café des Musées :* 1, rue Jean-Ossola. ☎ 04-92-60-99-00. *Avr-sept, ts les midis ; oct-mars, fermé dim. Carte 12-18 €.* Dans le centre historique, un café décoré dans un style on ne peut plus contemporain, qui surprend agréablement, près du musée provençal du Costume et du Bijou. Une table très méditerranéenne, chaleureuse et parfumée, à base des meilleurs produits du terroir : saumon aux ravioles de Royans, souris d'agneau confit à l'ail, feuilleté de fruits de mer à la bisque de homard, tiramisu fruits rouges, etc.

❚●❚ *Le Gazan :* 3, rue Gazan. ☎ 04-93-36-22-88. *Tlj sf dim. Congés : 15 déc-31 janv. Menu 19,50 € le midi en sem ; menu 29 € ; carte env 35 €.* Notre œil a été attiré par les parasols qui protègent la terrasse. Force est de constater que la salle n'est pas mal non plus. On s'y sent bien, dans une ambiance amicale. Les plats, à l'image du lieu, permettent de découvrir des saveurs simples et agréables : goûtez le foie gras en terrine maison, la tête de veau ou encore le menu-parfum, avec caille farcie.

À voir

🍴 *La vieille ville :* à partir de la *place aux Aires,* aménagée au XVe siècle, où il est agréable de prendre un verre à la fraîche, un lacis de ruelles révélant de jolies demeures anciennes et de nobles hôtels particuliers, pas toujours bien conservés, hélas. Voir notamment l'*hôtel Isnard,* du XVIIIe siècle, sur la place aux Aires, et la superbe maison médiévale, rue de l'Oratoire. Plan détaillé des curiosités à ne pas manquer à l'office de tourisme.

🎭🎭 *La cathédrale :* *ouv en principe 8h30-11h30, 15h-17h30 (mieux vaut se renseigner). Fermé pdt les offices religieux : sam 18h, dim 8h30 et 10h.* Elle date du XIIIe siècle et fut restaurée aux XVIIe et XVIIIe siècles. Construite en calcaire blanc, son style roman provençal est extrêmement dépouillé. À l'intérieur, quelques peintures intéressantes : Rubens (le *Couronnement d'épines* et le *Crucifiement de Notre-Seigneur*), Fragonard (*Le Lavement des pieds,* un de ses plus beaux tableaux religieux) et un triptyque de Louis Bréa.

🎭🎭 *La villa-musée Fragonard :* 23, bd Fragonard. ☎ 04-97-05-58-00. ● php.mu seesdegrasse.com ● *À l'entrée de la ville en venant de Cannes, près du parking du cours H.-Cresp. Juin-sept, tlj 10h-18h30 ; oct-mai, tlj sf mar 10h-12h30, 14h-17h30. Fermé en nov, ainsi que les j. fériés. Entrée : expos permanentes 3 €, temporaires 4 €. Possibilité de billet couplé avec le musée d'Art et d'Histoire de Provence : expos permanentes 4 €, temporaires 5 €. Ateliers pour enfants pdt les vac scol.* Fragonard, originaire de Grasse, vécut dans cette villa cossue pendant la Révolution française, les événements politiques et une santé chancelante l'incitant à quitter Paris. Nombreuses toiles, esquisses, dessins et gravures du maître et de sa famille dans un superbe cadre. À voir notamment, la cage d'escalier. Classée Monument historique, elle présente un décor en trompe l'œil attribué à Jean-Honoré Fragonard ainsi qu'à son fils, Alexandre Evariste.

🎭 *Le musée international de la Parfumerie :* 8, pl. du Cours. ☎ 04-97-05-58-00. ● php.museesdegrasse.com ● *Dans le centre-ville, face au parking du cours H.-Cresp. Momentanément fermé pour travaux d'extension.* Le musée rouvrira ses portes le 15 juin 2008 avec une superficie d'exposition doublée (de 1 500 m² à 3 000 m²), afin de devenir une véritable structure dédiée à la civilisation du parfum, où l'histoire côtoie modernité et technicité et où le rêve se lie au savoir-faire et au luxe. En attendant sa réouverture, vous pourrez découvrir une partie de ses collections au musée d'Art et d'Histoire.

🎭 Possibilité de visiter les plus importantes *parfumeries* de Grasse et de découvrir les techniques qui firent le renom de la ville, notamment les maisons *Fragonard, Molinard* et *Galimard.*
– Bon plan : l'office de tourisme distribue gratuitement des prospectus d'information sur ces trois parfumeurs, sur lesquels figure un bon de réduction de 10 % valable dans leurs magasins d'usine.
On a un petit faible pour la première *(20, bd Fragonard. ☎ 04-93-36-44-65. ● frago nard.com ●),* ne serait-ce que parce qu'elle se situe en plein centre et que la visite se poursuit par celle du musée provençal du Costume et du Bijou (voir juste après). Fondée en 1926, son nom est un hommage au grand peintre local.
À noter que, quelle que soit la parfumerie que vous visiterez, le Saint des Saints ne vous sera pas révélé. D'une part, parce qu'il y a des secrets de fabrication à préserver ; d'autre part, parce que les vapeurs d'essence omniprésentes dans une usine sont extrêmement incommodantes pour un nez non averti. L'entrée est généralement gratuite, mais il y a évidemment une boutique à la sortie. Ce n'est pas un hasard, car ces entreprises vivent essentiellement du tourisme. Pour ceux qui voudraient visiter les industries des grands couturiers, c'est loupé : on ne les visite pas. Ces trois parfumeries présentent des expositions.
L'usine Galimard, fondée en 1849, est un très beau lieu lui aussi (très 1900) mais se situe légèrement à l'écart de la ville.
C'est au XVIe siècle que la ville découvre sa vocation olfactive. La *Rosa centifolia,* qui fleurit uniquement à Grasse, a une odeur inimitable. Mais, aujourd'hui, le secteur des arômes a supplanté celui des parfums : ne parle-t-on pas d'une cuisine parfumée ?

– **Les ateliers de création :** depuis quelque temps, *Galimard* et *Molinard* proposent des ateliers d'initiation à ceux qui veulent aller plus avant dans le monde du parfum. Le but n'est pas de devenir un « nez » (il faut une dizaine d'années), mais on aiguisera vos sens et vous pourrez même créer votre parfum. Vous repartirez avec, et si cette création vous plaît, la formule étant conservée, vous pourrez faire fabriquer à loisir votre fragrance à vous. Sympa ! Compter un peu moins de 40 € par personne.

¶ Le musée provençal du Costume et du Bijou : *hôtel de Clapiers-Cabris, 2, rue Jean-Ossola.* ☎ *04-93-36-44-65. Fév-oct, tlj 10h-18h ; nov-janv, 10h-12h, 14h-18h. Entrée gratuite.* Un temps tribunal révolutionnaire, cette demeure de la marquise de Cabris, sœur de Mirabeau, abrite désormais une charmante collection particulière de costumes et bijoux provençaux des XVIIIᵉ et XIXᵉ siècles, joliment mise en valeur. Boutique de souvenirs.

¶ Le musée d'Art et d'Histoire de Provence : *2, rue Mirabeau.* ☎ *04-97-05-58-00.* ● *php.museesdegrasse.com* ● *Juin-sept, tlj 10h-18h30 ; oct-mai, tlj sf mar 10h-12h30, 14h-17h30. Fermé les j. fériés et en nov. Entrée : expos permanentes 3 €, temporaires 4 €. Possibilité de billet couplé avec la villa-musée Fragonard : expos permanentes 4 €, temporaires 5 €. Ateliers pour enfants pdt les vac scol.* Situé dans un élégant hôtel particulier du XVIIIᵉ siècle construit pour une des plus anciennes et puissantes familles de la noblesse provençale, la famille de Grasse, le musée évoque la vie quotidienne en Provence orientale depuis la préhistoire jusqu'à nos jours. Beaux-arts, archéologie, ethnologie, arts décoratifs... Également un très beau jardin à la française.

¶ Le musée de la Marine : *23, bd Fragonard.* ☎ *04-93-40-11-11. Lun-ven 10h-12h30, 14h-18h. Fermé en nov et j. fériés. Entrée : 3 € ; réduc ; gratuit jusqu'à 12 ans.* Un musée consacré à la vie et à la carrière de l'amiral de Grasse, qui participa à la guerre d'Indépendance des États-Unis. Une trentaine de maquettes de navire sont exposées dans les salles voûtées.

¶ Le Domaine de Manon : *36, chemin du Servan, 06130 Plascassier.* ☎ *04-93-60-12-76.* ● *domaine-manon.com* ● *Visite guidée de 1h (payante et sur rendez-vous). Récolte des roses l'ap-m de mai à mi-juin, du jasmin le mat début août-fin oct. Dégustation-vente de confitures et d'eau de rose.* La famille Biancalana produit depuis trois générations des fleurs pour la grande parfumerie grassoise. Elle vous ouvre les portes de son jardin, et vous pourrez même participer à la cueillette !

Fêtes et manifestations

– **Expo Rose :** *en mai, pdt 4 j.* À cette occasion, 50 000 roses, en provenance de France et d'Italie, à découvrir dans les jardins de la villa-musée Fragonard.
– **Fête du Jasmin :** *le 1ᵉʳ w-e d'août.* Grande fête avec un corso qui donne à Grasse un parfum de ville heureuse.

CABRIS   (06530)   1 510 hab.

Vieux village surplombant la région avec une vue à couper le souffle, qui plonge sur un tapis de verdure piqueté, çà et là, des taches ocre et bleues que sont les villas et leurs piscines. Beaucoup d'écrivains s'y sont installés, comme Camus, Gide et Saint-Ex. Très touristique, bien entendu. Monter aux ruines du château pour le panorama, de Nice aux contreforts de Toulon, avec un magnifique point de vue sur le lac de Saint-Cassien. Plusieurs lieux portent le nom de Saint-Exupéry, la mère de l'aviateur y ayant longtemps séjourné. Le village est aussi réputé pour ses très grandes brocantes et ses fêtes artisanales.

À 6 km de Grasse, sur la route de Saint-Cézaire, par la D 11.

Adresse utile

🛈 *Office de tourisme :* 4, rue Porte-Haute. ☎ 04-93-60-55-63. *Tte l'année, lun-sam 9h-12h30, 14h-17h30.*

Où dormir ? Où manger ?

🛏 I●I *L'Auberge du Vieux Château :* pl. du Panorama. ☎ 04-93-60-50-12. ● aubergeduvieuxchateau@wanadoo.fr ● aubergeduvieuxchateau.com ● *Resto fermé lun et mar (sf mar soir en juil-août). Congés : 10 janv-13 fév. Doubles avec douche et w-c 70-116 €. ½ pens 37 €/pers. Formule déj 16 € tlj sf dim ; menus 24-37 € ; carte env 40 €. Apéritif maison offert sur présentation de ce* guide. Un resto charmant, construit dans les ruines du vieux château, qui possède aussi quatre chambres confortables, décorées avec goût. Grande salle de restaurant et vaste terrasse, où l'on déguste de bonnes spécialités, comme le filet d'agneau des Alpes cuit en croûte d'herbes fraîches. La carte change très régulièrement, selon les saisons et le marché.

SAINT-VALLIER-DE-THIEY (06460) 2 280 hab.

À 12 km au nord-ouest de Grasse, une halte sympathique, au départ de nombreuses randonnées, notamment celle du *pas de la Faye* (point de vue superbe). Vieille église de style roman provençal.

Adresse utile

🛈 *Office de tourisme :* pl. du Tour. ☎ 04-93-42-78-00. ● saintvallier.ifrance. com/saintvallier ● *Tte l'année, lun-sam* 9h-12h, 15h-17h (18h en été) ; dim 10h-12h été. Bien documenté. Se procurer leur dépliant sur les promenades à faire.

Où dormir ?

⛺ *Camping du parc des Arboins :* 755, RD 6085. ☎ 04-93-42-63-89. ● parc-des-arboins.com ● *À 1,5 km vers Grasse. Ouv tte l'année. Compter 16,50 € en hte saison pour 2 pers avec* tente et voiture. Loc de caravanes et de mobile homes 172-502 €/sem. Beau 3-étoiles ombragé. Calme et propre mais peu équipé. Piscine chauffée.

À voir

🐾 ⚲ *Le Souterroscope de Baume-Obscure :* ☎ 04-93-42-61-63. ● baumeob scure.com ● *De Saint-Vallier, suivre la direction Saint-Cézaire, prendre à droite la route du cimetière, puis continuer sur la route non goudronnée (attention aux amortisseurs !) sur 2 km. En été, tlj 10h-18h ; le reste de l'année, tlj sf lun 10h-17h (18h le w-e en mai, juin et sept). Fermé de mi-déc à mi-fév. Entrée : adulte 7,65 € ; enfant 3,80 €. Durée de la visite : 1h. La température constante est de 15 °C. Un spectacle son et lumière guide la visite.*

Randonnées pédestres

Deux balades faciles et sympas, à but culturel.

➤ *La balade du col Ferrier jusqu'à l'oppidum :* belle balade facile. Durée : 2h aller-retour. Très bon balisage jaune d'abord, orange ensuite. Sortir de Saint-Vallier-de-Thiey par la route Napoléon et tourner tout de suite à droite vers Caussols. S'arrêter au col du Ferrier et s'y garer.

Prendre le chemin qui grimpe perpendiculairement à la route et tourner tout de suite avant la montée très raide. Le chemin, à flanc de montagne au milieu des lavandes, des pins et d'énormes touffes de genêt, est cimenté dans le tournant et sur le tronçon pentu. Belle vue sur le plateau de Saint-Vallier. Quitter le chemin principal et contourner la barrière cadenassée qui se trouve à gauche. Grimper un moment face à la montagne. À droite, borie (hutte de berger en pierre sèche, ronde et conique) dans une propriété privée. Passer une deuxième barrière métallique et laisser les poteaux électriques à main droite, pour les retrouver sur la gauche après avoir traversé un petit radier. Passer ensuite devant une bergerie *new look* (volets alu !) sur ce beau chemin large et gazonné qui suit le flanc de la montagne. Énormes genévriers (baies noires) sur les abords et bel érable de Montpellier à gauche (feuille à trois lobes), ainsi que de larges murs sur le même côté. On arrive ensuite à une petite clairière en gazon entre deux érables, idéale pour une sieste ou un casse-croûte (garder ses emballages !). Plus loin, après une très jolie bergerie restaurée, une autre clairière. Le chemin pénètre ensuite dans la propriété de Malle, délimitée par une barrière. À éviter car c'est privé !

Suivre plutôt la grosse flèche en pierre réalisée à même le sol, qui vous fait quitter le chemin et partir sur un petit sentier. Traverser une ancienne pâture et faire l'ascension de la colline en passant dans un bosquet, sur un sentier de cailloux très bien balisé. Et c'est l'arrivée aux deux rochers en nid d'aigle surmontés par l'oppidum dû à une tribu celto-ligure autour de l'an 300 av. J.-C. Belle muraille imposante qui domine d'un côté les chaînes montagneuses (côté Saint-Vallier) et de l'autre une très belle plaine surplombée par le château de Malle, avec en toile de fond la mer, Nice et le cap Ferrat. La descente se fait par le même chemin.

➤ *La pierre druidique :* balade sympa. Durée : 1h aller-retour. En sortant de Saint-Vallier, prendre la route en direction de Saint-Cézaire, à gauche. Au bout de 1 km, quitter la route principale juste avant le garage pour tourner à gauche vers le *collet d'Assou* et continuer jusqu'à croiser l'avenue Séverine. Une croix en fer forgé noire marque le carrefour où se garer.

Prendre alors le chemin le plus à droite (balisage jaune). Très joli paysage de pâtures clôturées de murets en pierre sèche avec des chênes-lièges. À la patte d'oie, prendre à gauche. Sur la droite, maison en bois. À l'embranchement suivant, prendre le chemin de droite, bordé d'érables champêtres et de chênes verts. Remarquer l'arbre à perruque, qui se reconnaît à ses feuilles rouges en automne et à son duvet de coton blanc en hiver. Passer au milieu de deux grands champs (dans celui de gauche, un cairn). Laisser le chemin de droite qui passe entre deux piliers vers une propriété privée et continuer sur 30 m. Le sentier qui part alors sur la gauche conduit (à 50 m) à la pierre druidique, un énorme monolithe de calcaire qui s'est lentement érodé au fil des siècles et a pris l'apparence d'un « T » gigantesque (renforcé au ciment pour éviter tout risque). Le retour s'effectue par le même chemin.

VALBONNE   (06560)   11 200 hab.

On aime beaucoup ce village au plan en damier inspiré des plans de ville romains et qui fut reconstruit par les moines de Lérins. La « ville à la campagne » accueille aujourd'hui bon nombre de résidents étrangers, travaillant sur le site de Sophia-Antipolis.

Adresse et info utiles

🛈 *Office de tourisme :* 1, pl. de l'Hôtel-de-Ville. ☎ 04-93-12-34-50. ● *tourisme-valbonne.com* ● *Un peu loin du centre, sur la route de Cannes. De mi-juin à mi-sept, lun-sam 9h-12h30, 13h30-17h30 ; hors saison,* lun-ven aux mêmes horaires et sam mat. Accueillant et très bien documenté. Tous les renseignements sur le riche programme culturel de la ville (théâtre, concerts, expos...).
– *Brocante :* le 1er dim du mois.

Où dormir ?

🛏 *La Bastide de Valbonne :* 1288, route de Cannes. ☎ 04-93-12-33-40. ● *bastide-de-valbonne@wanadoo.fr* ● *bastide-valbonne.com* ● *Ouv tte l'année. Restauration possible juin-fin sept (salades le midi et 2 menus au choix le soir). Doubles 95-145 € selon confort, vue et saison ; petit déj 12 €. Un petit déj par pers et par nuit offert sur présenta-* tion de ce guide. En bord de route, genre motel de luxe et de charme. Belles chambres à la déco raffinée, bien au goût du jour. Les plus belles donnent sur le patio fleuri ou la piscine. Quant aux suites, elles possèdent même un jardin privé. Pas vraiment abordable, on s'en doute ! Accueil charmant et très pro.

Où manger ?

Prix moyens

|●| *La Fontaine aux Vins :* 3, rue Grande. ☎ 04-93-12-93-20. ● contact@ lafontaineauxvins.com ● ♿. Fermé lun, plus dim hors saison. Congés : 1re sem de janv. Carte env 30 €. Café offert sur présentation de ce guide. Dans le vieux Valbonne, un lieu de vie qui continue d'offrir aux habitués tartines originales et petits plats, accompagnés de vins sélectionnés à prix sympathiques. Son originalité : les tapas provençales. Si vous voulez goûter à la bière blanche de Nice, à de bons coteaux-du-bellet, ou acheter des confitures originales, ne vous privez pas, surtout ! La boutique jouxte le restaurant. Petite terrasse dans la rue piétonne.

|●| *L'Auberge Fleurie :* 1016, route de Cannes. ☎ 04-93-12-02-80. ● fleurie.au berge@wanadoo.fr ● Fermé lun-mar. Congés : déc-début janv. Menus 27-35 €. Grandes glaces à l'intérieur et glycine au-dehors. Accueil souriant... Adresse plus conventionnelle que la précédente pour une cuisine discrètement ensoleillée, faite avec de beaux produits et des saveurs qui restent simples. Une clientèle composée de nombreux fidèles, ce qui est toujours bon signe.

|●| *Place des Arcades,* plusieurs terrasses accueillantes offrent une cuisine des plus correctes à prix honnêtes. Très touristique, bien entendu.

À voir

🎭🎭 *La place des Arcades :* entourée de maisons à arcades surbaissées, sous lesquelles passe la rue.

🎭🎭 *L'église romane :* en bas du village, au bord de la rivière, précédée d'une terrasse. C'est l'église de l'ancienne abbaye.

– *Musée « Le Vieux Valbonne » :* dans l'abbaye. ☎ 04-93-12-96-54. Tlj sf lun. Juin-sept, 15h-19h ; oct-mai, 14h-18h. Fermé 20 déc-20 janv. Entrée : 2 € ; gratuit jusqu'à 12 ans. Cartes postales, outils racontant la vie d'autrefois de la ville et du canton, notamment de la culture du raisin. Il est possible de visiter l'église et l'abbaye (un des rares exemples d'architecture chalaisienne) sur rendez-vous.

🕯 *La vieille fontaine et l'abreuvoir,* devant l'ancienne mairie.

🕯 *L'ancien hôtel de ville,* du XIXᵉ siècle, et le *moulin des Artisans.*

Fêtes et manifestations

– *Fête de la Saint-Blaise, du Raisin et des Produits du terroir :* à *Valbonne, le dernier w-e de janv.* L'occasion de manger du raisin servan, raisin tardif dont la particularité est de se conserver à l'état frais : on plonge les sarments dans des bocaux, les grappes pendant à l'extérieur, le tout à 5 °C. Une façon astucieuse qu'avaient trouvée les anciens pour déguster du raisin frais à Noël, où il entrait dans les 13 desserts. Production réduite, le terroir étant constitué des seules communes de Valbonne, Plascassier, Opio et Biot.
– *Les Nuits de l'Abbaye :* en juil. Théâtre, concerts... Infos auprès du musée « Le Vieux Valbonne ».
– *Les Arts du Feu :* en sept. Verriers, forgerons et céramistes-potiers se rencontrent et nous font partager leur savoir-faire à travers des démonstrations, expositions, marchés, animations et initiations.
– *Marché de Noël :* dans les rues du village.

➤ *DANS LES ENVIRONS DE VALBONNE*

OPIO *(06650)*

Petit village spécialisé dans la culture des fleurs à parfum. Vieux moulin à huile. C'est sur la route d'Opio à Valbonne que Coluche trouva la mort ; une croix constamment fleurie rappelle cette disparition à la hauteur de la pépinière *Nova Jardin,* la région Provence-Alpes-Côte d'Azur ayant refusé d'accueillir la statue du généreux organisateur des *Restos du cœur.* On a honte pour ces politiciens. C'est à Opio également que le photographe Lartigue a fini ses jours.

Où manger ?

|●| *Le Mas des Géraniums :* 7, route de Nice. ☎ 04-93-77-23-23. ● info@le-mas-des-geraniums.com ● *Fermé mar-mertte la journée de mi-sept à mi-juin, ainsi que jeu midi de mi-juin à mi-sept. Congés : de mi-nov à mi-déc. Menus 25 € le midi en sem, puis 35-40 €.* Une bastide aux volets bleus que l'on découvre parmi des oliviers, une terrasse-jardin où l'on se tient bien (à table)... Une belle adresse recommandée par les gens du pays qui ont trouvé leur bonheur avec ce couple venu de Bourgogne leur proposer une cuisine n'ayant rien de vraiment local... Idéal pour s'offrir un repas de grande qualité, à des prix évidemment à la hauteur des prestations offertes.

SOPHIA ANTIPOLIS

Les qualificatifs sont nombreux pour décrire ce complexe implanté dans la zone boisée au sud-est de Valbonne : « cité internationale de la sagesse, des sciences et des techniques », « surgénérateur de créativité scientifique », « réplique de Silicon Valley », etc.
L'homme à l'origine d'une telle réalisation, *Pierre Laffitte,* persuadé de l'avenir de la télématique, fut frappé en voyant IBM s'installer à La Gaude, au-dessus de Cagnes. Les Américains étaient séduits par la proximité d'un aéroport international et par la région, particulièrement attrayante. Plus tard, Texas Instruments crée un centre de recherches à Villeneuve-Loubet... Le modèle américain des zones (Silicon Valley)

où les petites sociétés de haute technologie poussent comme des champignons fait son chemin... Sous l'impulsion de Pierre Laffitte, de la DATAR et de la chambre de commerce de Nice, on achète en 1972 quelque 2 400 ha de bois afin d'y implanter des entreprises. Les laboratoires des grandes écoles s'y installent, le centre mondial de réservations d'Air France est fixé ici, Télésystèmes y crée la plus grande banque de données d'Europe.

Actuellement, environ 20 000 personnes travaillent à Sophia-Antipolis dans les domaines les plus performants : des télécommunications à la biotechnologie.

Fort de son succès, le site ne cesse de s'étendre. Le centre de réservation *Amadeus* de cinq grandes compagnies aériennes a vu le jour, ainsi qu'un centre de communication avancée, unique au monde.

GOLFE-JUAN (06220) 25 900 hab. avec Vallauris

Retour sur la Côte dite « d'Azur ». On aurait pu commencer par Vallauris, puisque c'est sur le chemin et la même commune, mais on s'est dit que vous auriez peut-être envie d'aller d'abord jouer les don Juan à Golfe-Juan. Une petite ville où, trop souvent, on ne fait que passer, par la N 7 ou la route du bord de mer. Et pourtant, Golfe-Juan, avec ses belles petites plages, ses deux ports et la vue sur les îles de Lérins d'un côté et le cap d'Antibes de l'autre, mérite au moins un arrêt.

UNE STATION RENOMMÉE

Nombreuses sont les personnalités qui séjournèrent à Golfe-Juan. La plus célèbre fut bien sûr Napoléon Ier qui débarqua ici le 1er mars 1815, quand la rade était encore un mouillage naturel, avec quelques cabanes de pêcheurs et des hangars à poterie (eh oui, déjà !). Une stèle rappelle cet événement sur la route du bord de mer. Plus loin, sur la N 7, à l'angle avec le CD 135 qui va à Vallauris, une colonne surmontée d'un buste (classée Monument historique après avoir subi pas mal d'ennuis aux lendemains de Waterloo et sous la Commune !) rappelle également cet événement ; elle est le point de départ de la fameuse « route Napoléon » (la première route touristique à caractère historique !). En six jours, Napoléon et ses troupes réussirent à aller de Golfe-Juan à Digne. Ils évitèrent ainsi les troupes de Marseille et la ville d'Antibes, royalistes à l'époque, et renversèrent la monarchie constitutionnelle de Louis XVIII.

Chaque année, vous pouvez à votre tour revivre ces heures glorieuses, le temps d'un week-end de mars, aux côtés des Vallauriens (plutôt bons, ici) et Golfe-Juanais costumés en l'occurrence pour accueillir l'Empereur. 150 figurants, des expos, des animations, des reconstitutions de batailles...

Une évocation qui n'a certes rien à voir avec les souvenirs de Chateaubriand ou Victor Hugo qui vinrent ici en pèlerinage. Témoignage de Victor Hugo en 1839 : « Je me suis arrêté et j'ai contemplé cette mer qui vient mourir doucement au fond de la baie sur un lit de sable au pied des oliviers et des mûriers et qui a apporté là Napoléon. »

Plus tard encore, c'est Juliette Adam, femme de lettres renommée à l'époque, qui y fit construire une villa, *Bruyères,* et lança ainsi la station. De nombreux écrivains et hommes politiques séjournèrent chez elle : George Sand (en 1868), Gambetta, Thiers, l'éditeur Hetzel, Pierre Loti...

Adresse et infos utiles

🛈 **Office de tourisme :** *parking du Vieux-Port.* ☎ 04-93-63-73-12. ● *vallau* | *ris.net* ● *Juil-août, tlj 9h-19h ; juin et sept, lun-sam 9h-12h15, 13h45-18h ;*

dim 10h-12h, 14h-18h ; oct-mai, lun-vèn 9h-12h15, 13h45-18h.

■ *Autocars :* pour *Vallauris, Cannes* et *Nice,* ttes les 20 mn. Plusieurs arrêts tout au long de la N 7.

🚆 *Gare SNCF :* à *Golfe-Juan. Rens :* ☎ 36-35 *(0,34 € TTC/mn).* ● *ter-sncf. com* ● Arrêt des TER reliant *Saint-Raphaël* à *Vintimille* et donc reliant Golfe-Juan à toute la Côte.

Où dormir ?

🏠 *Hôtel California :* 222, av. de la Liberté. ☎ 04-93-63-78-63. ● *california golfe@free.fr* ● *http://californiagolfe.free. fr* ● *À 800 m de la gare, sur la N 7, près du bord de mer. Fermé fin oct-début déc. Doubles 25,50-51 € selon confort et saison.* Maison bien rétro en retrait de la nationale, avec un petit jardin. On peut l'imaginer lorsqu'elle était seule ici, il y a bien longtemps. Transformée en hôtel, elle ravira les familles au budget serré. Le confort et la déco sont réduits à leur plus simple expression, mais les grandes chambres familiales sont équipées d'une kitchenette.

Où faire de la plongée sous-marine ?

■ *Golfe Plongée Club :* quai Napoléon, sur le port. ☎ 04-93-64-22-67. 📱 06-16-11-01-08. ● *golfe-plongee. com* ● *Mars, nov et déc, w-e et pdt vac scol ; avr-oct, tlj. Résa conseillée. Baptême env 45 € ; plongée env 47 € ; forfaits dégressifs 6-12 plongées. Hors saison, possibilité de partir pour la journée ; juin-sept : mar soir, plongée crépuscule avec barbecue.* Équipé d'un compresseur à bord (pas de bouteilles à porter !), le *Souvenez-vous,* gros chalutier de plongée du club (*FFESSM*), vous emmènera vers des aventures sous-marines inoubliables ! Les deux responsables – Claude Quas et Bernard Natoli –, entourés de moniteurs, assurent baptêmes, formations jusqu'au niveau IV, stages d'initiation à la biologie marine et explorations des meilleurs spots du coin (voir « Nos meilleurs spots » à Cannes). Initiation enfants à partir de 14 ans. Équipements complets fournis. Excellente ambiance à bord.

VALLAURIS   (06220)   25 900 hab. avec Golfe-Juan

Vallauris, dont l'histoire est très terre à terre, est située à 2 km au nord-ouest de sa sœur siamoise, Golfe-Juan la méditerranéenne, leur histoire commune tenant à une particularité géographique : le vallon de l'Issourdadou, qui les a préservées d'une urbanisation en continuité.

Vallauris, comme Rome, est entourée par sept collines. Célèbre grâce à Picasso qui y vécut quelque temps et donna un nouveau souffle à la poterie, activité traditionnelle de la ville, en faisant d'un artisanat à vocation culinaire un véritable art décoratif, elle accueille aujourd'hui tous ceux et celles qui viennent en pèlerinage sur la tombe de Jean Marais.

À Vallauris se tient désormais une *Biennale internationale de céramique contemporaine,* et une cinquantaine de maîtres potiers y travaillent encore selon les techniques traditionnelles. Concours national à l'origine, il devient international en 1968. La prochaine édition se déroulera du 28 juin au 17 novembre 2008, avec la Suisse en invité d'honneur. Quant aux artistes les plus célèbres, ceux qui sont représentés au musée de la Céramique à Sèvres, comme ceux qui ont depuis longtemps pignon sur rue ici, vous apprendrez vite à connaître leurs noms (et leurs prix !) : Roger Collet, Gilbert Portanier,

Jean Derval, Sassi-Milici, Gilbert Valentin, Serafino Ferraro, Avoldemar Volk-off ou encore Yvan Koenig dont la fille Muriel, gardienne du secret familial de la Mosaïque Gerbino créée en 1930, fait revivre le savoir-faire ancestral des terres mêlées.

UN PEU D'HISTOIRE

Dès l'occupation romaine, on travaillait l'argile à Vallauris. En 1501, alors que la population avait été décimée par la peste, on fit venir, pour repeupler le village, 70 familles génoises parmi lesquelles se trouvaient des artisans potiers. Ces familles reconstruisirent Vallauris et la dotèrent de rues en damier dont on voit encore aujourd'hui le témoignage.

PICASSO ET VALLAURIS

En 1946, Picasso, qui résidait à Golfe-Juan avec sa famille, fit la connaissance de Georges et Suzanne Ramié, propriétaires de la fabrique *Madoura* ; sur leur invitation, il vint les voir, s'intéressa vivement au travail des potiers et promit de revenir. Il revint effectivement et se passionna aussitôt pour la céramique. Certains jours, il réalisait jusqu'à 25 pièces. L'artiste s'installa alors à Vallauris dans une maison très simple, *La Galloise.* Cocteau, visitant la demeure, ironisa sur le « faste pauvre » de l'endroit, ce à quoi Picasso répondit : « Il faut pouvoir se payer le luxe pour le mépriser. » À partir de 1949, Picasso délaissa quelque peu la céramique pour la peinture, et en 1951 la municipalité proposa à l'artiste de décorer la chapelle désaffectée du prieuré de Vallauris. Picasso accepta et réalisa en 1952 une immense fresque, *Guerre et Paix,* en un temps record. On alla même jusqu'à prétendre qu'un peintre en bâtiment n'aurait couvert pareille surface en si peu de temps...
Après tant de travail consacré à Vallauris, Picasso fut nommé citoyen d'honneur. En 1955, il quitta Vallauris pour Cannes, puis Mougins, mais il resta très attaché à Vallauris.

FÊTES TRADITIONNELLES

Pour ceux qui n'ont pas les mêmes soucis de renommée et aiment assister à des manifestations locales typiques, en été, mi-juillet, la *fête Picasso* célèbre celui qui fut le plus important de ses hôtes, un moment privilégié pour rejoindre l'esprit festif de l'artiste, avec musique, illuminations et arts nocturnes dans les rues. Et le deuxième dimanche d'août, il y a toujours la *fête de la poterie,* avec des jeux traditionnels, tel le *roumpa-pignata* qui consiste, les yeux bandés, à briser avec un bâton ces fameuses *pignates* (poteries utilitaires non décorées qui servaient à la cuisson des aliments) suspendues dans lesquelles il y a des cadeaux ou... de l'eau et de la farine ! Plus sérieusement, si l'on peut dire, artistes et artisans s'installent dans toute la ville et travaillent devant les visiteurs du jour qui repartent avec les *tarayettes,* ces morceaux de terre du pays façonnés devant leurs yeux.

Adresse utile

🄳 **Office de tourisme :** *sq. du 8-Mai-1945, parking sud.* ☎ *04-93-63-82-58.* ● *vallauris.net* ● *Juil-août, tlj 9h-19h ; le reste de l'année, lun-sam 9h-12h15, 13h45-18h (également dim 10h-12h, 14h-18h en juin et sept).* Pensez à vous y arrêter avant d'entrer dans Vallauris, surtout l'été ! Bonne documentation disponible.

Où dormir ? Où manger ?

Prix moyens

🛏 **Hôtel Val d'Aurea :** 11 bis, bd Docteur-Jacques-Ugo. ☎ 04-93-64-64-29. Ouv d'avr à mi-sept. Doubles avec bains 51 €. Propose une petite trentaine de chambres simples et jolies, en plein centre-ville mais très tranquilles. Le patron assure la bonne tenue de l'hôtel. La patronne semble tout droit sortie d'un film de Pagnol. Bref, c'est comme si elle vous connaissait depuis toujours. Ambiance, ambiance. Pour le petit déj, il suffit de traverser la rue et d'aller *Au Temps Jadis*.

🍴 **Lou Pichinet :** 16, pl. Jules-Lisnard.

☎ 04-93-64-63-70. Fermé lun soir en basse saison. Congés : entre Noël et le Nouvel An. Carte 23 € env. Notre adresse préférée à Vallauris. Un petit bistrot, ouvert très tôt, où l'on vient pour les plats inscrits à l'ardoise : daube, raviolis bolognaise, tripes à la niçoise, petits farcis... Une cuisine du pays, très simple, qui change en fonction du marché. Mais quel plaisir de traîner sur cette terrasse sympa et conviviale, face à la chapelle de la Miséricorde, loin des grands flux touristiques !

À voir

🏛 **La place Paul-Isnard (place du marché) :** elle est ornée de la statue de *L'Homme au mouton*, bronze de Picasso, une des rares statues du maître exposées ainsi en place publique. Belle église baroque. Rénovée en 2006, tout comme la place de la Libération, elles créent un ensemble d'une belle harmonie.

🏛 **La chapelle de la Miséricorde :** pl. Jules-Lisnard. C'est l'ancienne chapelle des Pénitents noirs, dont la date de construction (1664) figure au fronton. Elle doit à son magnifique autel baroque le privilège d'être inscrite dans l'itinéraire de la *route du Baroque*. La chapelle accueille des expositions tout au long de l'année.

🏛🏛🏛 **Le château :** il s'agit de l'ancien prieuré de Lérins, reconstruit au XVIe siècle. C'est un château carré flanqué de tours d'angle qui abrite deux musées :

– **Le musée national Picasso :** ☎ 04-93-64-71-83. ● musee-picasso-vallauris.fr ● ♿ (rez-de-chaussée). Juil-août, tlj 10h-19h ; hors saison, tlj sf mar 10h-12h, 14h-17h. Fermé certains j. fériés. Entrée : 3,50 € ; réduc ; gratuit jusqu'à 16 ans. Vous y admirerez *Guerre et Paix*. La composition orne l'annexe de la chapelle romane. Membre du Parti communiste, Picasso ne pouvait évidemment pas orner cette chapelle de décor religieux comme Chagall et Matisse. La Guerre est représentée par un corbillard ; les chevaux tirant le char piétinent un livre, symbole de la civilisation. Le guerrier porte un bouclier où figure une colombe de la paix et une lance en forme de balance, symbolisant la Justice. Sur le bouclier, on aperçoit, comme une image subliminale, le visage de Françoise Gillot, sa compagne. Pour Picasso, la femme a toujours été un symbole de paix. Sur la paroi opposée, l'humanité libérée laisse éclater sa joie : des enfants s'amusent, des femmes dansent... La composition du fond représente la fraternité des races.

– **Le musée Magnelli, musée de la Céramique :** il renferme, d'une part, des expositions de céramiques dans des salles voûtées ; d'autre part, des toiles d'*Alberto Magnelli*, l'un des pionniers de l'abstraction, au 2e étage. Et tous les deux ans, il accueille, de juillet à novembre, la *Biennale internationale de céramique contemporaine*.

🏛🏛🏛 **L'espace Jean-Marais :** 3, av. des Martyrs-de-la-Résistance. ☎ 04-93-63-46-11. ♿ Sept-juin, mar-sam 10h-12h30, 14h-17h. Juil-août tlj 10h-13h, 15h-19h. Entrée libre.

Un espace de 300 m² entièrement consacré à l'idole de l'après-guerre et divisé en trois sections. La première est sans doute la plus fascinante, celle où l'on découvre les œuvres majeures de l'artiste, peintre et surtout sculpteur. Si l'œuvre picturale reste indéniablement marquée par l'influence de son maître et Pygmalion, dont lui-même affirmait qu'il n'était que l'ombre, l'œuvre sculptée de Jean Marais est déjà plus personnelle et en tout cas remarquable. Son sphinx et sa bête, mi-lion mi-soleil, en sont deux exemples parfaits. La plupart des œuvres proviennent de l'ancienne galerie tenue par son amie Nini Pasquali, la femme du potier qui initia Jean Marais à cet art dans lequel il devait trouver une ultime consécration.

On enchaîne sur une salle consacrée à Jean Marais à Vallauris. Force est d'avouer qu'il y laisse un souvenir impérissable, et les habitants, qui ont tous une anecdote à raconter, vous en parleront mieux que nous... Enfin, on ne pouvait finir cette expo sans au moins évoquer l'œuvre cinématographique, de *La Belle et la Bête* en passant par le *Capitaine Fracasse, Orphée* ou encore *Fantomas*. L'égérie de Cocteau savait aussi être un acteur populaire. Et qui continue à faire rêver si l'on en juge par le nombre de visiteurs.

🍴 **Le musée de la Poterie :** rue Sicard. ☎ 04-93-64-66-51. En saison, tlj sf dim 10h-12h, 14h-18h ; hors saison, 14h-18h. Entrée : 2 €. Il présente une reconstitution historique aussi fidèle que possible d'un atelier de potier tel qu'il existait au début du XXe siècle. Intéressant. Différentes expositions d'artistes et présentation, notamment, de céramiques exclusivement fabriquées à Vallauris.

🍴 **Les rues de Vallauris :** elles alignent d'innombrables boutiques de céramiques ; quelques belles pièces (rares), et de moins belles... Difficile d'éviter les deux galeries proposant des œuvres des deux artistes célèbres du pays. La *galerie Madoura*, qui vend des éditions des œuvres de Picasso et d'autres œuvres d'artistes contemporains, est tenue par *Alain Ramié,* le fils des amis de Picasso.

🍴 **La maison de la Pétanque :** 1193, chemin de Saint-Bernard. ☎ 04-93-64-11-36. Lun-ven 9h-12h, 14h-18h30, plus sam en été. Fermé nov. Entrée : 3 € ; gratuit pour les scolaires et les étudiants. Une balade inattendue dans le monde du jeu, qui plaira aux mordus, reconversion maligne d'un fabricant de boules contraint de cesser un jour son activité. Histoire, fabrication, etc. Magasin de vente, boules sur mesure, gravure de boules à votre nom (eh ouais !)...

Achats

Quelques adresses que nous aimons tout particulièrement, où vous devriez trouver votre bonheur.

◈ **Nérolium :** *accès par l'av. Georges-Clemenceau ou celle des Deux-Vallons.* ☎ *04-93-64-27-54. Fermé sam ap-m, dim et lun mat.* C'est la coopérative agricole de la ville. Son nom vient de *néroli* (essence de fleur d'oranger). Grand choix d'huiles d'olive, miels, confitures d'oranges amères (ou bigarades).

◈ **Galerie Sassi-Milici :** *65 bis, av. Georges-Clemenceau.* ☎ *04-93-64-65-71.* Très beau lieu, avec les œuvres céramiques de Boncompain (et de beaucoup d'autres, parmi lesquels Dany Jung, Charlotte Poulsen) et vente permanente des œuvres de Roger Capron. Beaucoup de couleurs, une certaine ambiance.

◈ **Roger Collet :** *montée Sainte-Anne.* ☎ *04-93-64-65-84. Niché à côté de l'église. Fermé dim et parfois dans la sem (mieux vaut téléphoner avt).* Un lieu assez magique, avec un céramiste étonnant d'humilité et de talent, excellent dans le traitement des émaux et sans illusion aucune sur la qualité générale des œuvres présentées en ville.

JUAN-LES-PINS (06160) 72 000 hab. avec Antibes

Quand les milliardaires s'intéressent à une pinède et à une saison d'été... Tout a commencé en 1881 par une affaire de spéculation immobilière (déjà !). Un banquier, sentant l'engouement qui commençait à naître pour ce qui n'était

pas encore « la Côte d'Azur », créa la Société foncière de Cannes et du Littoral. La station était née. Le duc d'Albany, fils de la reine Victoria, s'intéressa très vite à cet endroit paradisiaque, à tel point que Juan-les-Pins faillit s'appeler Albany-les-Pins ! La Société foncière acheta de grands terrains dans ce qui était une splendide forêt de pins. Mais la spéculation ne donna pas les résultats espérés : au début du XXᵉ siècle, ce fut la faillite. Il restait alors huit petits hôtels et deux villas. Que la vie devait être belle ! La guerre de 1914-1918 n'accéléra pas le renouveau, même si le casino, construit en 1908 par un certain Godéon, avait créé un pôle d'attraction dans cette pinède.

C'est alors qu'en 1924, Édouard Baudouin, l'associé de Cornuché, le patron du casino de Deauville, séduit au cinéma par une scène tournée à Miami, se rendit compte que l'Atlantique était bien froid par rapport à cette Côte d'Azur qui commençait à être en vogue. Le casino était en vente. Il l'acheta, y adjoignit un restaurant et fit venir les Dolly Sisters. Carrément ! L'idée a séduit, vu le succès. Et ce fut la rencontre entre Baudouin et Franck Jay Gould, le magnat du chemin de fer américain, tombé amoureux de l'endroit pendant son voyage de noces avec sa troisième femme. Il voulait acheter Juan-les-Pins. Il s'associa avec Baudouin, fit construire *Le Provençal,* immense hôtel de grand luxe, en moins d'un an (en 1927) et lança la saison d'été (à l'époque, on n'y séjournait que l'hiver). Ce fut le début des années de gloire pour Juan, succès teinté de scandale. Pour la première fois, des jeunes femmes enlevèrent leur jupette et se baignèrent en maillot de bain collant. Une révolution ! Tout ce que le monde de l'époque connaissait de célébrités se donna rendez-vous à Juan : les Fitzgerald, Rudolf Valentino, Mistinguett, les frères Warner, Hemingway, la Belle Otero, sans compter les rois, les reines, les maharajahs... Un seul point commun : ils avaient tous beaucoup d'argent pour s'amuser. Le jazz fit son apparition en Europe à Juan. Ce fut une bombe. Armstrong, Count Basie, Eroll Garner et les autres se donnèrent rendez-vous ici.

Et tout recommença après la guerre. Les fils des Américains qui avaient lancé Juan la relancèrent. Les marins de la VIᵉ flotte qui croisait en Méditerranée vinrent s'y distraire. Les fêtes reprirent comme s'il ne s'était rien passé. Les années 1950 accélérèrent le succès de Juan. Sidney Bechet s'y maria. Piaf, Gréco, Eddie Constantine fréquentèrent l'endroit. On y dansait jusqu'au petit matin. C'était le bon temps...

JUAN, D'ABORD UN FESTIVAL

Il se tient toujours au cours de la seconde quinzaine de juillet *(rens et résa auprès de l'office de tourisme d'Antibes-Juan-les-Pins ; ● antibesjuanlespins.com ●).* Sidney Bechet était tombé amoureux de Juan dont l'ambiance, à l'époque, lui rappelait La Nouvelle-Orléans, et revenait chaque été animer « Le Carrefour de la Joie ». À sa mort, en 1959, l'engouement pour le jazz était devenu irrésistible, comme dit la plaquette de l'office. Dès 1960, le premier festival de jazz en Europe se déroulait dans la pinède Gould. Tous les grands du jazz s'y sont succédé depuis 35 ans : Ella Fitzgerald, Al Jarreau, Fats Domino, Lionel Hampton... Sous les arbres plus que centenaires de la pinède, avec la Méditerranée, les îles de Lérins et l'Estérel pour toile de fond, grands moments d'émotion garantis.

Adresses utiles

🛈 **Office de tourisme :** 51, bd Guillaumont. ☎ 04-97-23-11-10. ● antibesjuan lespins.com ● Juil-août, tlj 9h-19h ; sept-juin, lun-sam 9h-12h, 14h-18h et dim 10h-12h.

🚇 **Gare SNCF :** pl. de la Gare (av. de l'Estérel). Rens : ☎ 36-35 (0,34 € TTC/ mn). ● sncf.com ●

Où dormir ?

Les boutiques sont ouvertes très tard, cafés et boîtes battent le rappel des noctambules et les rues du centre sont animées bruyamment jusqu'à une heure avancée. Mais il y a quand même des endroits où il est possible de se reposer. De plus, ils sont agréables...

De prix moyens à plus chic

🛏 *La Marjolaine :* 15, av. du Docteur-Fabre. ☎ 04-93-61-06-60. ● hotel_mar jolaine@hotmail.com ● Congés : 1ᵉʳ nov-15 déc. Doubles 50-76 € selon confort et saison. Parking clos payant. Au fond d'un jardin avec des lauriers-roses, dans une rue calme, une grande maison à la déco un peu rétro mais aux chambres climatisées, agréables et bien tenues. Ici, pas de numéros, mais des noms : nos préférées sont « L'Escarpolette », « La Loggia » et « Le Manoir », mais vous pouvez également dormir à « L'Églantine » ou à « La Frégate ».

De plus chic à beaucoup plus chic

🛏 *Hôtel Le Pré Catelan :* 27, av. des Palmiers. ☎ 04-93-61-05-11. ● info@ precatelan.com ● precatelan.fr ● Près du palais des congrès, du casino et à env 200 m de la mer. Doubles 88-160 € selon confort et saison. Parking privé payant. Sur présentation de ce guide, 10 % de réduc sur le prix de la chambre 1ᵉʳ nov-24 mars. Dans une avenante bâtisse provençale au milieu d'un grand jardin, grandes et jolies chambres, au mobilier élégant, avec un balcon bénéficiant du calme de ce quartier de la pinède. Snack pour grignoter au bord de la petite mais charmante piscine.

🛏 *Hôtel Sainte-Valérie :* rue de l'Oratoire. ☎ 04-93-61-07-15. ● saintevale rie@juanlespins.net ● juanlespins.net ● Fermé de mi-oct à fin avr. Doubles 185-240 € selon confort et saison ; petit déj 23 €. Sur présentation de ce guide, 10 % de réduc sur le prix de la chambre 7 mai-15 sept. Un hôtel discret et chic (hélas devenu très cher) qui vous ravira. Posé dans un quartier très calme de Juan-les-Pins et pourtant à deux pas de la pinède Gould et de la mer. Chambres de style méditerranéen. Joli petit jardin arboré où il fait bon prendre le frais. Une adresse pour ceux qui veulent faire un séjour en amoureux. Superbe piscine. Petit déj servi (jusqu'à 12h !) sous le magnolia ou au bord de la piscine.

Où manger ?

🍴 *Le Capitole :* 26, av. Amiral-Courbet. ☎ 04-93-61-22-44. Pas loin du centre. En saison, tlj sf lun midi et mar midi ; le reste de l'année, tlj sf lun soir et mar. Congés : nov. Menus 10,80-12 € (sf w-e) et 19,50 €. Carte env 32 €. Bon rapport qualité-prix pour ses menus et ses fameux soufflés bien connus des habitués.

🍴 *Restaurant Le Perroquet :* av. Georges-Gallice. ☎ 04-93-61-02-20. ♿ Tlj, sf le midi en juil-août. Fermé 5 nov-26 déc. Menus 28-34 € ; carte env 40 €. Apéritif maison offert sur présentation de ce guide. Belle salle aux tons roses et bleu pastel, provençale et reposante, et terrasse agréable donnant sur le jardin de la pinède. Menus où le poisson est à l'honneur, comme toujours au *Perroquet*, vous l'avez compris, pas la peine de le répéter.

Où boire un verre ?

🍸 *Le Pam Pam :* 137, bd Wilson. ☎ 04-93-61-11-05. Ouv très, très tard dans la nuit. Congés : 10 janv-15 fév. Orchestres, danseurs et acrobates brésiliens qui attirent tous les... Brésiliens de la Côte. Excellents cocktails exotiques. Mais difficile, en saison, d'y trouver une place à l'apéro, ou pire encore, après 21h. C'est bondé ! Ne manquez pas les acras de morue, ils sont chers mais excellents. Le patron est très fier de son record, car il paraît que c'est ici qu'on en mange le plus en France, DOM-TOM compris. On n'a pas vérifié !

♟ *Le Bar Fitzgerald de l'hôtel Belles Rives* : bd Édouard-Baudoin (à la sortie de Juan, à l'entrée du cap). ☎ 04-93-61-02-79. Le *Belles Rives* est un des hôtels mythiques du cap d'Antibes, l'un des plus chers aussi. Peu de chances donc que vous puissiez un jour vous y offrir une chambre (c'est pourtant tout le mal que l'on vous souhaite !). En revanche, si vous êtes sensible aux atmosphères jazzy, feutrées, élégantes et rétro, le bar de l'hôtel et sa splendide terrasse vous tendent les bras. Fréquenté par l'intelligentsia de la Belle Époque et notamment par Scott Fitzgerald, il est aujourd'hui classé « Café historique ». À l'heure de l'apéro et du coucher de soleil, c'est absolument dépaysant et magique. Même si le verre de vin à 8 € est finalement assez ordinaire et si les bâtonnets de carotte qui l'accompagnent sont tout rabougris... Et même si le pianiste (piano-bar tous les soirs en saison) s'obstine à jouer du Herbert Léonard !

À voir

🦐 *Les jardins méditerranéens du Parc Exflora* : av. de Cannes. Juin-août, tlj 9h30-21h30 ; sept-mai, tlj 9h30-19h (17h oct-fév). Visite libre et gratuite. Pour se mettre au vert, un jardin public de 5 ha, bienvenu aux heures chaudes. Au cours de votre promenade, vous rencontrerez différentes expressions du jardin méditerranéen. Une belle balade dans le temps et l'espace, idéale pour retrouver la mémoire, depuis la Rome antique jusqu'à l'exubérante Riviera du XIXᵉ siècle.

LE CAP D'ANTIBES (06160)

Splendide presqu'île qui sépare Antibes de Juan-les-Pins, où, protégés par les pins, se dressent de superbes villas et de luxueux palaces dont le plus que fameux *Hôtel du Cap*. C'est un peu ici qu'est née toute la légende du cap et de Juan-les-Pins. André Sella, perspicace hôtelier italien, racheta, en 1914, la villa « Soleil » abandonnée depuis près de cinquante ans. Il la restaura, en fit un hôtel destiné à une clientèle riche et bourgeoise. Et ce fut le premier à rester ouvert durant tout un été. Il ne devait jamais plus fermer. Hier : Marlène Dietrich, Douglas Fairbanks et Mary Pickford, Gloria Swanson ; aujourd'hui : Madonna, Claudia Cardinale, Alain Delon, Robert De Niro, Arnold Schwarzenegger... Ils y ont (presque) tous dormi (et pas ensemble !).

Le cap commence (côté Antibes) au petit *port de la Salis.* La plage de la Salis (gratuite) est l'une des plus agréables de la Côte. Quand vous vous baignez, vous avez vue d'un côté sur la riche végétation du cap, les mimosas et les pins, de l'autre sur la masse grise des remparts d'Antibes et de son château, avec en arrière-plan la baie des Anges et les Alpes...

À la fin du XIXᵉ siècle, l'isolement et la beauté du site attirèrent de nombreux artistes : Anatole France, Jules Verne, qui y écrivit *Vingt Mille Lieues sous les mers,* Maupassant, etc. Plus tard, des personnages célèbres s'y fixèrent. Tous ont été séduits par ce coin privilégié où les grandes propriétés sont au milieu de la verdure, difficiles d'accès et donc tranquilles. Le château de la Croë a connu les douces amours du duc de Windsor et de Wallis Simpson. Il fut racheté en 1952 par l'armateur grec Niarchos et il a été détruit par un incendie en 1980. À côté, la villa « Eilenroc » fut construite en 1867 pour le gouverneur des Indes néerlandaises, par Charles Garnier (celui de l'Opéra !). Elle fut rachetée par la cantatrice Hélène Beaumont en 1927, qui y fit construire une salle de bains antique pour un prix plus élevé que le prix d'une belle villa à l'époque. La villa est entourée d'un magnifique parc de 11 ha. Léopold II, l'ex-roi d'Égypte Farouk, Onassis, Greta Garbo, Henri d'Orléans... ont séjourné ici. Aujourd'hui, la splendeur (et surtout le système de sécurité) des villas cachées au regard des curieux laisse à penser que des personnages importants et fortunés y résident toujours, ne serait-ce que quelques mois par an.

On peut aussi voir au cap des maisons de retraite ou des établissements de vacances pour les enfants, ainsi que de vastes serres. Le premier producteur mondial d'œillets est antibois, mais c'est la rose qui a fait la célébrité du lieu : une rose sur trois offerte dans le monde a été créée ici.

Le plus étonnant au cap reste sans doute ces petits cabanons avec jardinet qui subsistent à côté des propriétés de milliardaires. De la plage de la Garoupe, empruntez l'agréable *sentier du Tir-Poil* qui longe la mer. Une agréable balade à faire à tous les âges, par tous les temps ou presque (le passage est fermé en cas de pluie ou de vent). Vous longerez d'immenses propriétés, bien cachées, comme toujours, derrière les pins.

Où dormir ? Où manger ?

Très bon marché

🏠 |●| *Relais International de la Jeunesse* : 272, bd de la Garoupe. ☎ 04-93-61-34-40. ● contact@clajsud.fr ● claj sud.fr ● *Ouv avr-fin sept. Compter 17 € la nuit, petit déj inclus (mais draps en sus). ½ pens 26 €.* Situation superbe au milieu des pins du cap d'Antibes. Nous avons remarqué une bien jolie chambre pour 8 personnes, avec balcon et vue directe sur la mer. Le bon plan pour une bande de copains, voire une petite famille.

De prix moyens à plus chic

🏠 *La Jabotte* : 13, av. Max-Maurey. ☎ 04-93-61-45-89. ● info@jabotte. com ● jabotte.com ● *Dans une rue perpendiculaire au bd James-Wyllie, qui borde le cap d'Antibes (plage de la Salis). Congés : 7-30 nov et 1 sem avt Noël. Doubles 53-93 € selon confort et saison. Réduc de 10 % sur le prix de la chambre à partir de 3 nuits déc-mars sur présentation de ce guide.* Hôtel à un excellent rapport qualité-prix qui joue plutôt la carte maison d'hôtes de charme. Les chambres, toutes plus ravissantes les unes que les autres, sont décorées sur un thème différent. Elles s'articulent autour d'un patio, où tout le monde se retrouve à l'heure de l'apéro... Sans oublier un bon petit déjeuner copieux (8 €). Accueil aimable, plein de délicates attentions, et atmosphère reposante. Évitez d'arriver un jour férié ou un dimanche entre 13h et 18h30, ce sont leurs seuls moments de repos.

🏠 |●| *Le Village de Fabulite* : 150, traverse des Nielles. ☎ 04-93-61-47-45. ● info@fabulite.com ● fabulite.com ● *Ouv de Pâques à la Toussaint. Doubles 65-80 € selon confort et saison, petit déj inclus. Menus 12-20 €. Réduc de 10 % sur le prix de la chambre sur présentation de ce guide.* Loin de la cohue, à 150 m des plages, un hôtel familial qui abrite un centre de plongée sous-marine (voir plus loin « Plongée sous-marine », à Antibes). Un mini-village, qui plaira même aux non-plongeurs : les bungalows encadrent un restaurant en verrière abrité de canisses. Tout autour, jardin fleuri avec orangers, oliviers... De jolies chambres toutes simples, avec douche et w-c, sans TV mais avec une petite terrasse. Vélos, kayaks à louer.

De plus chic à beaucoup plus chic

🏠 *Villa Panko* : 17, chemin du Parc-Saramartel. ☎ 04-93-67-92-49. ● cap dantibes.panko@wanadoo.fr ● villapan ko.com ● *À 10 mn à pied des plages de sable. Fermé pdt les vac de Noël et en août. Résa obligatoire ; 3 nuits min et même 5 nuits en saison. Doubles 80-110 €, superbe petit déj gourmand compris. Pot d'accueil offert sur présentation de ce guide. Une vraie villa de rêve, avec deux chambres d'hôtes confortables (dont une avec kitchenette), joliment décorées, et des petits déj ensoleillés, servis dans le jardin fleuri. Le bonheur ! Terrasses pour les pique-niques. Accueil très sympathique. Clarisse Bourgade est vraiment adorable et fera tout pour que vous passiez le meilleur séjour possible. À noter : établissement strictement non-fumeurs, même dans le jardin.

Où boire un verre ?

🍸 **Les Pêcheurs :** 10, bd Mal-Juin. ☎ 04-92-93-13-30. ● commercial@lespecheurs-lecap.com ● Ce resto-bar de plage intéressera les plus jeunes et surtout les célibataires. En effet, chaque jeudi soir de septembre à juin, plusieurs fois par semaine en juillet-août, on s'y presse pour le Seven to One. On commence par boire un verre en sortant du boulot (ou de la plage), on y danse, on y mange et éventuellement on y trouve l'âme sœur. Un concept qui cartonne à défaut de faire ses preuves... Ambiance un peu plus calme les autres soirs.

À voir

🏛🏛 **Le plateau de la Garoupe** est occupé par une chapelle, un phare et une table d'orientation. Vue splendide de Saint-Tropez jusqu'aux Alpes italiennes (enfin, il faut vraiment que le ciel soit TRÈS dégagé !). La chapelle Notre-Dame-de-Bon-Port abrite deux nefs, des XIIIe et XVIe siècles, fermées par deux belles grilles en fer forgé.
À l'intérieur de la chapelle, nombreux ex-voto aux formes les plus diverses : tableaux, maquettes de bateaux, photos de famille, dessins ou simplement petits mots écrits sur des bouts de papier. Ne manquez pas la sirène offerte par l'équipage d'un bateau. Tout cela pour remercier Notre-Dame-de-Bon-Port, patronne des marins, dont la statue veille sur le lieu.
S'il vous reste des jambes (car on ne doute pas que vous serez venu ici à pied par le chemin du calvaire qui part du bout de la plage de la Salis), montez les 116 marches du phare construit en 1837. Vue exceptionnelle, même jusqu'à la Corse, quand le temps le permet. Petite devinette : sur quoi flotte l'optique du phare qui pèse environ une tonne ?... Sur 25 litres de mercure ! Malheureusement, le phare ne se visite pas.

🏛 **Le jardin Thuret :** 41, bd du Cap, 90, chemin Raymond. Lun-ven, sf j. fériés, 8h-18h en été, 8h30-17h30 en hiver. Visite gratuite pour les individuels. Jardin botanique de 3,5 ha créé au XIXe siècle par le botaniste Gustave-Adolphe Thuret. En 1868, George Sand était frappée par « cet Éden qui semble nager au sein de l'immensité ». Aujourd'hui, cet arboretum est géré par l'Institut national de la recherche agronomique. Jardin romantique et jardin d'essai, il permet d'introduire et d'expérimenter des arbres et arbustes exotiques de climat méditerranéen. Environ 1 600 espèces botaniques différentes, dont des très rares comme le Melaleuca linariifolia ou le Jubaea chilensis. À vous de les trouver !

🏛 **Le Musée napoléonien :** bd J.-F.-Kennedy. ☎ 04-93-61-45-32. Tlj sf dim, lun et j. fériés 10h-18h (16h30 de mi-sept à mi-juin). Entrée : 3 € ; réduc ; gratuit jusqu'à 18 ans. Billet combiné avec les musées d'Antibes 7,50 € (valable 7 j.). À la pointe du cap, la tour Grillon (ou tour Sella) surplombe les vestiges d'une ancienne batterie, face aux îles de Lérins. Trois salles présentent des objets personnels de Napoléon, des gravures et peintures de l'époque, des uniformes de l'armée, etc. Du sommet de la tour, vue sur l'extrémité boisée du cap (accès interdit, propriétés privées obligent), la pointe de la Croisette et les îles de Lérins.

ANTIBES

(06600)   72 000 hab. avec Juan-les-Pins

D'abord, un site superbe, entre deux anses, avec des remparts plantés sur la mer, un port de plaisance de rêve, une vieille ville aux rues tortueuses et aux hautes maisons où court le lierre, un côté provençal presque authentique ; d'ailleurs, Antibes vit aussi l'hiver (contrairement à Juan) et ne se contente pas d'exploiter ses ressources touristiques. Par sa population, c'est la deuxième ville du département après Nice. On ne se lasse pas de longer les quais du port Vauban, de se promener sur les remparts ou dans le vieil Antibes... Place Nationale, à la terrasse d'un café, sous les platanes, on a du mal à réaliser que la mer est si proche. Mais les marins du port, attablés à côté de vous, vous le rappelleront.

UN PEU D'HISTOIRE

Vers le IVe siècle av. J.-C., les Grecs s'installèrent à un endroit situé en face de Nice, qu'ils appelèrent *Antipolis* (« la ville d'en face »). Devenue *Antiboul* dès le haut Moyen Âge, le pape décida d'y installer l'évêché. Et le rayonnement de la cité alla grandissant en même temps que l'influence du monastère de Lérins. Au milieu du VIIIe siècle, les invasions répétées (Wisigoths, sarrasins...) détruisirent pratiquement toute la ville. Et après les envahisseurs, ce fut la peste qui décima la population. L'évêque partit à Grasse en 1236, et Antibes redevint une bourgade bien anonyme pendant plus de deux siècles.

Au XIVe siècle, située à la frontière franco-savoyarde, Antibes occupait une place stratégique dont l'importance n'échappait pas aux rois de France. Henri IV la dota de fortifications poursuivies sous Vauban (1707). Quand Napoléon débarqua en 1815 à Golfe-Juan, la place forte d'Antibes refusa de le recevoir et on emprisonna les quarante envoyés de Napoléon. Le colonel d'Ornano n'alla pas cependant jusqu'à attaquer l'usurpateur, ce qui aurait peut-être changé bien des choses. Louis XVIII décerna plus tard un brevet de fidélité à la bonne ville d'Antibes.

En 1894, les fortifications furent rasées en grande partie pour permettre l'expansion de la ville. Quel massacre ! Elles avaient permis jusque-là de résister à l'afflux d'étrangers, qui s'étaient donc installés à Cannes ou à Nice. Ce n'est qu'après 1920 que la ville commença à accueillir des touristes (avec modération !). Les artistes ne dédaignèrent pas l'endroit : Max Ernst, Picasso, Prévert, Sidney Bechet *(« Dans les rues d'Antibes »)*, Nicolas de Staël...

Adresses et infos utiles

🏠 *Office de tourisme :* 11, pl. du Général-de-Gaulle. ☎ 04-97-23-11-11. ● antibesjuanlespins.com ● En juil-août, tlj 9h-19h ; hors saison, lun-ven 9h-12h30, 13h30-18h, sam 9h-12h, 14h-18h et dim 10h-12h. Bonne documentation (hébergements, restos, loisirs, activités sportives, nautiques et culturelles, etc.).
🚉 *Gare SNCF :* av. Robert-Soleau. ☎ 36-35 (0,34 € TTC/mn). ● sncf.com ● Derrière le port Vauban, à la sortie d'Antibes direction Nice. Nombreux trains pour Cannes, Nice et... les plages de la Côte !
🚌 *Gare routière :* de la pl. du Général-de-Gaulle, descendre la rue de la République ; c'est tt de suite à droite, dans ce beau bâtiment aux formes harmonieuses ! Pour aller à Nice, Cannes, Cagnes, prendre le bus n° 200 av. Briand pour Cannes et bd Chancel pour Nice.
– *Bus pour l'aéroport de Nice :* le bus (n° 200) qui va à Nice passe par l'aéroport. Ttes les 40 mn.
■ *Location de vélos et motos :* nombreux loueurs. Liste disponible à l'office de tourisme.
– *Marché couvert :* cours Masséna, tlj 6h-13h en été, fermé lun hors saison. Un

des plus sympas de la Côte, sous son architecture à la Baltard. Tous les produits qui sentent bon la Provence sont là et les parlers savoureux et animés des marchandes ne font qu'ajouter à la couleur locale, ici tout à fait authentique.

– *Marché à la brocante :* pl. Audiberti, jeu et sam 7h-18h.

Où dormir ?

De prix moyens à plus chic

🛏 *L'Étoile :* 2, av. Gambetta. ☎ 04-93-34-26-30. • hetoile@club-internet.fr • ho teletoile.com • À 5 mn de la gare. Résa conseillée. Doubles 54-62 € selon saison. 10 % de réduc sur le prix de la chambre à partir de 2 nuits consécutives oct-juin sur présentation de ce guide. Parkings (payant et gratuit). Moderne, confortable, *L'Étoile* est plus un hôtel de passage qu'un endroit où séjourner pour les vacances. Mais c'est le seul hôtel de sa catégorie à être en plein centre d'Antibes. Chambres spacieuses, rénovées et insonorisées, avec TV satellite et accès wi-fi. Accueil aimable.

🛏 *Modern Hôtel :* 1, rue Fourmilière. ☎ 04-92-90-59-05. • modern-hotel@ wanadoo.fr • Dans la zone piétonne, à l'angle de l'av. de la République. Ouv tte l'année. Doubles 64-85 € selon saison. Un établissement 2 étoiles récemment rénové, proposant une quinzaine de chambres tout confort (w-c, salle de bains, TV satellite, clim', etc.). Idéalement situé et d'un bon rapport qualité-prix.

De plus chic à beaucoup plus chic

🛏 |●| *L'Auberge Provençale :* 61, pl. Nationale. ☎ 04-93-34-13-24. • con tact@aubergeprovencale.com • auber geprovencale.com • Ouv tte l'année. Doubles 120-200 € selon confort et saison ; les plus grandes peuvent accueillir 3-4 pers (140-260 €). Kir offert pour tt repas sur présentation de ce guide. Bien située sur cette jolie place ombragée de platanes, c'est plus une grande maison conviviale qu'un hôtel : sept chambres seulement, bien meublées, style provençal, lits à baldaquin, confortables et impeccablement propres. L'ensemble a beaucoup de cachet malgré quelques (grosses) fautes de goût. Le resto, spécialisé dans les fruits de mer, n'est pas donné, mais il s'impose comme une des valeurs sûres de la ville. Petit jardin avec tables sous la tonnelle.

🛏 *Chambres d'hôtes La Bastide du Bosquet :* chez Christian et Sylvie Aussel, 14, chemin des Sables. ☎ 04-93-67-32-29. • lebosquet@infonie.fr • le bosquet06.com • Au fond d'une allée privée, à mi-chemin des plages d'Antibes et de Juan-les-Pins. Fermé 15 nov-17 déc. Compter 85-115 € selon saison, petit déj compris. Apéritif maison offert sur présentation de ce guide. Dans une bastide du XVIIe siècle, qua-tre chambres spacieuses avec salle de bains, absolument charmantes avec leur style provençal ancien. Toutes sont agréables, situées côté sud (vue sur le jardin) et très bien tenues. Bon accueil et site au calme. Pour l'anecdote, Maupassant y a séjourné un hiver et c'est ici qu'il a commencé à écrire *Pierre et Jean.*

🛏 *Mas Djoliba :* 29, av. de Provence. ☎ 04-93-34-02-48. • contact@hotel-djoliba.com • hotel-djoliba.com • Fermé début nov-début fév. Doubles 90-135 € selon saison. ½ pens souhaitée mai-sept, 78-104 €/pers. Parking gratuit. Apéritif maison offert sur présentation de ce guide. Dans un joli mas provençal entouré de verdure, des chambres confortables (récemment climatisées) et agréables, à la déco typique. Parfois un peu chères quand même. Celles à l'étage sont plus spacieuses, ensoleillées et climatisées, avec vue sur la mer. Celles donnant sur le jardin, un peu plus fraîches, sont naturellement ventilées. Repas servis sous la tonnelle (jusqu'à 20h ! ce qu'entre nous on trouve un poil trop tôt en vacances...). Belle piscine reposante, un peu comme l'endroit. Du coup, pourquoi aller s'entasser sur la plage ?

Où manger ?

Attention, la plupart des restos ferment le midi en haute saison. Certes, le but est d'assurer des horaires plus larges le soir ; il n'empêche que cela limite fortement le choix au déjeuner.

De bon marché à prix moyens

|●| Le Brûlot-Pasta : 2, rue Frédéric-Isnard. ☎ 04-93-34-19-19. ● christian@brulot.com ● Ouv ts les soirs. Compter 7-10 € pour un plat (copieux !) ; menus 16-25 €. Sorte d'annexe du Brûlot (voir ci-dessous). Dans une des caves voûtées de la vieille ville. Resto très prisé des jeunes Antibois, qui s'y retrouvent en bande pour profiter des super formules pasta. On choisit sa pâte, on choisit sa sauce... rien de gastronomique, mais concept plutôt sympa à prix cassés.

|●| La Taverne du Safranier : 1, pl. du Safranier. ☎ 04-93-34-80-50. Fermé sf mar midi et lun en basse saison ; slt mer midi en juil-août. Congés : 7 janv-12 fév. Menu 14,50 € le midi en sem parfait ; autres menus 17-30 €. Le Safranier, au cœur de la commune libre du même nom, est devenu une véritable institution. Hyper-populaire et pas cher du tout (sauf bien sûr quand on tape dans les poissons frais, vendus au poids...). Terrasse sous une (vraie) tonnelle. Service et accueil plutôt agréables. On a l'impression d'être dans un petit village de Provence. Soupe de poisson et bouillabaisse (sur commande), et bien sûr du poisson grillé : daurade, loup...

|●| Le Brûlot : 3, rue Frédéric-Isnard. ☎ 04-93-34-17-76. ● christian@brulot.com ● Ouv ts les soirs (sf dim en basse saison), plus le midi jeu-sam en basse saison. Congés : 3 sem en août et de Noël à mi-janv. Formule déj 13 € en sem ; menus 17-39,50 €. Apéritif ou digestif maison offert sur présentation de ce guide. Institution antiboise, tenue par un personnage haut en couleur qui s'active à son four à pain, d'où sortent pissaladières et socca... Sinon, tous les classiques de la cuisine provençale : poissons et viandes grillés, porchetta, petits farcis. Évitez la cave voûtée un peu étouffante, surtout que l'ambiance est à l'étage, pas de doute là-dessus ! Une adresse de bons vivants... Souvent complet.

|●| L'Oiseau Qui Chante : 3, bd du Général-Vautrin. ☎ 04-93-74-88-75. Tlj sf dim midi et lun. Congés : fêtes de fin d'année. Formule déj 11 € en sem, menus 16-20 €. Un resto qui ne paie pas de mine, déjà parce qu'il n'est pas facile d'accès, coincé entre un pont, un bout de rocade et beaucoup de circulation. Mais quand on y est allé une fois, on y retourne. Pizzas excellentes. Pâtes qui nous ont laissé un beau souvenir. Miam, les raviolis ! Et puis, si on vous sert du poisson congelé, eh bien, on vous le dit : c'est marqué sur la carte !

|●| Le Café-Jardin : 23, rue des Bains. ☎ 04-93-34-42-66. ● cafejardin@wanadoo.fr ● Ouv tlj sf dim et lun, midi et soir en été, mais slt le midi le reste de l'année. Formule déj 11,90 €. Apéritif maison offert sur présentation de ce guide. Une petite adresse qui cartonne fort, avec ses formules autour d'un plat et d'une boisson, dessert et café offerts. Spécialités du pays servies dans une saine et bonne ambiance, au jardin si le temps s'y prête, et il s'y prête volontiers. Apéritif aux lampions, en saison, avec pétanque.

|●| Le Bastion Caffé : 1, av. du Général-Maizière (dans la vieille ville), au bout des remparts. ☎ 04-93-34-59-86. ● bastioncaffe@orange.fr ● Tlj sf dim et lun (hors juil-août). Congés : janv. Formule 15 € ; menu 20 € ; carte env 30 €. Digestif maison offert sur présentation de ce guide. Quand le boucher, l'antiquaire sur le pas de sa porte et le bistrotier voisin sont d'accord pour vanter la même adresse, on peut leur faire confiance. Cuisine originale et soignée, mélange d'Italie et de Provence, qui s'inscrit au tableau suivant l'humeur du marché. Pizza le soir. Accueil chaleureux. Terrasse fleurie avec un puits et un vieux figuier. Si ça ne vous donne pas envie d'y passer, c'est à désespérer.

|●| La Marmite : 20, rue James-Close. ☎ 04-93-34-56-79. Tlj sf lun ; fermé le *midi en très hte saison. Congés : de nov à mi-déc. Menus à partir de 20 €.* Ce petit resto, situé dans l'une des rues les plus commerçantes du vieil Antibes, a fait du poisson sa spécialité. Cuisine toute simple, mais le rapport qualité-prix est indéniable, surtout quand le poisson du jour est une belle daurade servie entière. Cadre agréable et accueil charmant.

Plus chic

|●| *Le Comptoir de la Tourraque :* 1, rue de la Tourraque. ☎ 04-93-95-24-86. *Tlj sf lun hors juil-août, slt le soir. Menu 34 € ; carte env 50 €.* Quel joli endroit que voilà ! On est irrésistiblement attiré par les compositions florales, les innombrables bougies, les tables joliment dressées, etc. Tout concourt à créer une atmosphère zen et romantique, à commencer par le mariage entre les vieux murs d'une antique demeure et la déco, très actuelle. La cuisine et le chef sont à l'image du décor, tout en finesse et modestie. Thomas Colinet a d'ailleurs de quoi surprendre avec son jeune âge, tant il semble avoir déjà tout compris. La carte change chaque semaine et combine saveurs simples et produits nobles. Et l'on trouve, même au menu, des produits comme la truffe blanche d'Italie (avec des pommes de terre en salade) ou le homard (en raviole, par exemple)... À ce prix-là, ça tient du miracle. Une carte des vins bien pensée complète l'ensemble, certains servis au verre. Un coup de cœur.

Où boire un verre ? Où sortir ?

▼ *L'Absinthe Bar :* 25 bis, cours Masséna (en réalité, l'entrée se fait rue Sade). ☎ 04-93-34-93-00. ● *balade@free.fr* ● *Tlj 9h-22h (voire plus tard en été). Une dégustation offerte sur présentation de ce guide.* Une adresse qu'on oserait qualifier d'incontournable tant elle nous a paru exceptionnelle. Un couple, passionné d'absinthe, a ouvert un bar au sous-sol de sa boutique de produits provençaux *(Balade en Provence)*. Difficile de résister à cet antre de la fée verte où l'on s'évertuera, avec amour et passion, à vous faire oublier tous vos préjugés sur cette boisson tant décriée. Débarrassée de ses molécules toxiques et nocives, elle est aujourd'hui tolérée à la vente, mais sa consommation reste très confidentielle en France. Pourtant, de la liqueur herbacée aux reflets changeants à l'eau-de-vie subtile et parfumée, elle offre une variété incroyable de saveurs. Une quarantaine sont proposées ici à la dégustation : il y en a forcément une pour vous ! Si, vraiment, vous restez réfractaire, venez au moins boire un verre de vin (ou d'eau !) afin de profiter de ce mini-musée. Venez admirer la collection d'affiches, de cuillères, de fontaines à eau, le superbe zinc, sans oublier le piano mécanique datant de Napoléon III. Une vidéo vous révélera tous les secrets de l'absinthe. Mais le mieux est encore de discuter avec les patrons. Ils sont intarissables sur le sujet et d'une générosité rare.

▼ |●| *Le Latino :* 24, bd d'Aiguillon, port Vauban. ☎ 04-93-34-44-22. *Oct-mai, fermé sam midi, dim et lun midi ; ouv ts les soirs sf dim en été. Carte env 22 €. Sur présentation de ce guide, apéritif maison offert pour tt repas.* Un endroit jeune et branché tenu par un globe-trotter, ça vous tente ? Amateurs de tapas, cocktails et autres fortifiants, vous serez ravis. Chouette terrasse. Service tardif et sympa. Cuisine très régulière et bon rapport qualité-prix.

♪ *Le Pearl :* au casino La Siesta, route du Bord-de-Mer. ☎ 04-93-33-31-31. ● *marketing.lasiesta@moliflor.com* ● *En direction de Nice. Discothèque ouv en saison slt.* Le *Pearl* accueille plusieurs milliers de personnes tous les soirs d'été, qui vont se faire suer un bon coup sous les étoiles. Dans un décor exotique, autour d'un bassin d'agrément. Chère, très chère *Siesta*. On y trouve également un casino, un resto, etc. Très connu sur la côte.

À voir

– Un billet combiné vous donne droit pdt 7 j. consécutifs à l'entrée des musées d'Archéologie, Peynet, napoléonien, de la Tour et le fort Carré. Tarif : 7,50 €.

🦶 De la porte Marine, tournez à gauche pour gagner la **promenade du front de mer**, dénommée actuellement avenue Amiral-de-Grasse. Vous vous trouvez alors sur les seuls remparts qui, face à la mer, ont résisté depuis Vauban aux révolutions, aux guerres et à l'extension de la ville. Au début de cette avenue, une maison à terrasse de laquelle Nicolas de Staël se serait suicidé, en se jetant du deuxième étage. La vue de ces remparts, d'un côté sur le cap d'Antibes, de l'autre sur le littoral jusqu'à Nice et le Mercantour, est magnifique. Au milieu de l'avenue, tournez à droite pour gagner la vieille ville et d'abord le *château Grimaldi*. Cette grande demeure, ancien *castrum* romain, maison épiscopale, puis résidence des Grimaldi, abrite aujourd'hui le musée Picasso.

🚶🚶🚶 👫 **Le musée Picasso :** château Grimaldi. ☎ 04-92-90-54-20. Derrière la mairie. De mi-juin à mi-sept, tlj sf lun 10h-18h (20h les mer et ven en juil-août) ; hors saison, tlj sf lun 10h-12h, 14h-18h. Fermé certains j. fériés. Des tas d'ateliers sont proposés en été pour familiariser les enfants à l'œuvre de Picasso et à l'art en général. Rens et inscription préalable : ☎ 04-92-90-54-28. **ATTENTION !** Pour le moment, le musée est fermé pour rénovation, réouverture prévue courant 2008.

En 1946, Picasso passait l'été à Golfe-Juan avec sa compagne Françoise Gillot, quand il rencontra Dor de la Souchère, qui s'occupait de la collection archéologique du musée d'Antibes. Alors qu'il osait à peine lui demander une toile pour le musée, Picasso lui apprit, entre deux phrases, qu'il cherchait à peindre de grandes surfaces. Aussitôt, l'avisé conservateur sauta sur l'occasion et proposa à l'artiste ce que l'État français n'avait jamais tenté de lui offrir : de grandes surfaces dans son musée.

Quand Picasso visita le musée, qui sera son futur atelier, il découvrit par les fenêtres la vieille ville et ses toits de tuiles, le port, la baie et au loin les montagnes. Il n'hésita pas un instant et, durant l'automne 1946, travailla jour et nuit comme un « fou furieux ».

Toutes ses œuvres offertes au musée reflètent son humeur du moment et sont empreintes de joie et d'allégresse. Elles composent un véritable hymne à la vie, plein de fantaisie. Une atmosphère qu'on retrouve dans les superbes photos exposées : instantanés noir et blanc signés Michel Sima, Brassaï, Capa, Villers, portraits d'où ressort l'énergie brute de Picasso, vues de l'atelier et extérieurs ensoleillés.

Trois thèmes dominent dans ce que l'artiste a peint durant son séjour antibois : les sujets mythologiques avec les nymphes, les faunes et les centaures (les *Triptyques au Centaure, Ulysse et les Sirènes, Faunes musiciens*). Picasso a peint, ensuite, des sujets de la vie quotidienne d'inspiration naturaliste autour des pêcheurs, des poissons... Le *Gobeur d'oursins* en est le meilleur exemple. Et si vous regardez bien le cou du personnage, vous apercevrez un visage, celui d'un général antibois sur le portrait duquel Picasso a peint. Peut-être manquait-il de toiles et les magasins étaient-ils fermés. Troisième source d'inspiration : les nus directement hérités du cubisme. Remarquez les trois *Nus* dits « au lit blanc », « au lit bleu » et « sur fond vert ». Peintures sur bois de novembre 1946. La donation initiale a été enrichie par 77 céramiques réalisées à Vallauris et par d'autres legs comme ce *Buste d'homme au chapeau* (l'une de ses dernières œuvres dédiées à la vieillesse). Cet ensemble est dominé par la fameuse *Joie de vivre*, glorification pastorale de tout ce que la ville a représenté pour le peintre. L'impression monumentale est accentuée par ces personnages aux têtes réduites.

Le musée possède également une collection d'art contemporain assez impressionnante constituée au fil des ans : Léger, Hartung, Anna-Eva Bergman, Max Ernst, Miró, Calder, Magnelli. Une salle au rez-de-chaussée consacrée à Nicolas de Staël témoigne de son séjour à Antibes de septembre 1954 à mars 1955. Le peintre s'est isolé six mois dans son atelier, il a peint 350 toiles. Et il mit fin à ses jours... Le *Concert* est sa dernière œuvre (restée inachevée), composition géante dans laquelle le spectateur est happé pour prendre la place des musiciens manquants. Le *Fort carré* appartient à ses œuvres de la dernière période dans les tons gris, cette toile est un paysage « état d'âme » d'un réalisme saisissant.

Sur la terrasse, face à la mer, se découpent les sculptures de Germaine Richier, la *Déesse de la mer* de Miró, l'*Hommage à Picasso* d'Arman, et enfin *Jupiter et Encelade* de Patrick et Anne Poirier, fait de dix tonnes de marbre blanc et de vestiges romains. Surprenant !

🍴 *Le musée Peynet et du Dessin humoristique :* pl. Nationale. ☎ 04-92-90-54-30. ⏰ *Mar-dim 10h-12h, 14h-18h (sans interruption en été, nocturnes jusqu'à 20h mer et ven en juil-août). Fermé les j. fériés. Entrée : 3 € ; réduc ; gratuit jusqu'à 18 ans.* Eh oui ! Les célèbres amoureux, créés en 1942 à Valence, se sont installés à Antibes. Ici sont exposés quelques dizaines de gouaches et dessins mêlant humour et poésie, tel cet *Élixir du révérend père Gaucher,* et ces petits mondes un peu fantastiques où les amoureux, parfois coquins, parfois solennels et émus en tenue de mariés, nous font rêver. Et quelques exemplaires des fameuses poupées Peynet qui ont fait les délices des jeunes filles. Expositions temporaires.

🍴 *Les Bains Douches :* bd de l'Aiguillon. *Tlj sf lun. Entrée gratuite.* Un lieu d'art et d'exposition aménagé dans les anciens « bains douches municipaux ». Espaces d'exposition et ateliers reconstitués dans les casemates rénovées des remparts.

🍴 *La cathédrale :* tout à côté du château (la cathédrale et le château sont les deux tours « sarrasines » d'Antibes), l'église de l'Immaculée-Conception présente, sur des structures étonnamment anciennes, une floraison de styles divers. Il est vrai que l'édifice, situé derrière les remparts, eut à subir des bombardements venant de la mer (Antibes, ville frontière, du temps où le comté de Nice n'appartenait pas à la France, était très convoitée) et un incendie sous Louis XV.

Belle façade classique, aux vantaux en bois sculpté de 1710. Seul le chevet est roman. À l'intérieur, dans une chapelle à droite, *retable du Rosaire* peint en 1515 par Louis Bréa. Les quinze petits tableaux qui entourent le panneau représentent les quinze mystères du Rosaire entourant la Vierge Marie.

🍴 *Les vieilles rues :* de part et d'autre du marché, flânez dans les vieilles rues d'Antibes où résonnent encore les notes de Sidney Bechet. *Rues de l'Horloge, du Révély, des Arceaux, du Bari...* voies obscures, fraîchement silencieuses, bordées de petites maisons croquignolettes mais souvent retapées ; ici une fontaine, là une traverse ombragée ou une placette. *Rue du Bateau* se tenait le club du Bateau où s'illustrèrent Gréco et Annabel (Buffet). Ayez une pensée émue pour Prévert qui s'était installé ici.

🍴 *La commune libre du Safranier :* Paris a Montmartre, Antibes a le Safranier. Commune avec un maire, un comité des fêtes et un garde-champêtre. Depuis 1966, tout ce petit monde veille sur les quelque 2 000 âmes de la commune. Le maire marie des amoureux et des fêtes sont organisées régulièrement sur la place du Safranier, trouée où il y aurait eu un petit port dans les siècles passés, comme dit la légende. Le nom du Safranier est encore une énigme aujourd'hui : petit oiseau sur un écusson, couleur de la terre à cet endroit ou souvenir de l'époque où l'on fabriquait les safrans des bateaux ? Choisissez la version qui vous plaît !

Promenade agréable dans ces ruelles fleuries (ne manquez pas les *rues du Haut-* et *du Bas-Castelet*). Sur la petite place qui porte maintenant son nom se trouve le banc où Nikos Kazantzákis venait se reposer vers la fin de sa vie. L'auteur de *Zorba* aimait dire qu'à Antibes il était encore en Grèce.

🍴 *Le musée d'Archéologie :* bastion Saint-André. ☎ 04-93-34-00-39. ⏰ *Tlj sf lun et j. fériés 10h-12h, 14h-18h. Entrée : 3 € ; réduc ; gratuit jusqu'à 18 ans.* Dans cet imposant vestige des fortifications de Vauban est retracée toute l'histoire d'Antipolis, autour de sept thèmes. « Musée même de l'homme d'Antibes, né de la terre et des eaux d'Antibes. » Ne manquez pas le galet de Terpon. Belle collection de vases grecs, étrusques et romains, des amphores découvertes lors de fouilles sous-marines en 1970 et dont les plus anciennes datent du VIe siècle av. J.-C. Également de nombreux objets de la vie quotidienne, bijoux, instruments de toilette...

🍴 *Le fort Carré* : 15 juin-15 sept, mar-dim 10h-18h (dernière visite à 17h30) ; le reste de l'année, 10h-16h30 (dernière visite à 16h). Visite guidée obligatoire : 3 € ; réduc ; gratuit jusqu'à 18 ans.

Un fort si bien conçu et si bien armé qu'il ne fut jamais conquis. Dominé par le fort, le *port Vauban* est totalement intégré dans l'*anse Saint-Roch* et change agréablement des immenses marinas construites sur le littoral, monstrueuses baignoires artificielles. Ici, le site est superbe, avec cette forteresse en arrière-plan et les vieux remparts. Dans le nouvel avant-port, des aménagements récents ont permis de recevoir les plus grands et les plus beaux bâtiments de 50 à 150 m. Le port possède aussi le plus grand bassin de plaisance d'Europe, pour les unités supérieures à 165 m de longueur. Près de la capitainerie se trouve le fameux *quai des Mille-et-Une-Nuits* (également appelé *quai des Milliardaires* !).

On peut y voir de somptueux yachts, pour la plupart anglais ou arabes. Ceux qui ont des goûts plus modestes iront flâner sur les autres quais et surtout sur le Vieux-Port, abrité derrière d'anciennes fortifications (les tournages de films y sont fréquents).

À faire

– *Marineland* : à l'angle de la N 7 et de la route de Biot. ☎ 0892-30-06-06. ● marineland.fr ● ♿ Accès possible en train, descendre à la gare de Biot. Tlj 10h-18h ou 19h, voire minuit en juil-août. Congés : 7 janv-8 fév. Tarif : adulte 34,50 € ; enfant (3-12 ans) : 25,50 €. Un poil moins cher hors saison : 28 et 19 €. Assez cher, surtout qu'il faut encore débourser pour accéder aux autres attractions (forfaits combinés à utiliser dans la journée !). Parking payant (5 €). Journée complète sur place, avec possibilité de restauration. Il y a d'ailleurs de quoi s'occuper entre les shows marins avec orques (vitre de 64 m de long pour une vision sous-marine, unique au monde !), dauphins, otaries ou phoques, et ces requins de toutes espèces (quoiqu'on pourrait en trouver d'autres, derrière certaines caisses de la Côte !) qu'on voit évoluer bien à l'abri dans un tunnel transparent de 30 m de long. Sans oublier la visite du musée ou des aquariums, les rencontres avec les animaux domestiques, les insectes de la végétation tropicale, etc. Possibilité de nager avec les dauphins, immergé dans leur bassin (compter 65-69 €), ou avec les otaries (25-29 €).

– *La Petite Ferme du Far West* : ouv tlj ou slt mer et w-e selon période (consulter le Marineland *par téléphone*), à partir de 10h. Tarif : adulte 13 € ; enfant 10 € (10 et 8 € hors saison ; billets combinés 37 et 28 €). Petit univers Far West avec balades à poney et autres animations.

– *Aquasplash* : à côté de Marineland. ☎ 04-93-33-49-49. Tlj en juil-août et les w-e de juin et sept. Tarif : adulte 21 € ; enfant 17 €. Piscine à vagues, 13 toboggans, rivière et solarium...

– *Adventure Golf* : ouv tlj ou slt mer et w-e selon période (consulter Marineland *par téléphone*), à partir de 12h. Tarif : 10 € ; enfants : 8 € (9 et 7 € hors saison ; billets combinés adulte 10 € ; enfant 37 et 28 €). Beau minigolf dans un site exotique, digne des plus beaux voyages de Jules Verne.

Plongée sous-marine

Temps forts de la plongée sur la Côte d'Azur, les alentours d'Antibes comptent une cinquantaine de jolis sites, que nos routards plongeurs – néophytes ou aguerris –

contempleront fiévreusement. Ici, peu d'épaves, mais pas mal de richesses vivantes qui honorent chaque année, depuis plus de trente ans, le réputé *Festival mondial de l'image sous-marine* d'Antibes-Juan-les-Pins.

Club de plongée

■ *Fabulite :* à l'hôtel Le Village de Fabulite *(voir « Où dormir ? » au cap d'Antibes), 150, traverse des Nielles.* ☎ *04-93-61-47-45.* ● *fabulite.com* ● *Dans une ruelle à la hauteur du petit port de l'Olivette. Ouv avr-la Toussaint. Baptême env 50 € ; plongée env 55 € ; forfaits dégressifs 5-10 plongées.* Club (*FFESSM* et *PADI*) animé par Jean-Marie et Nikita ainsi qu'une poignée de moniteurs sympas, qui assurent baptêmes, enseignement jusqu'au niveau III et brevets *PADI*. À bord de leurs navires, ils guident aussi les explorations des meilleurs sites alentour, en petit comité. Équipements complets fournis. Stages enfants dès 8 ans, et plongée au *Nitrox* (air enrichi en oxygène) pour les confirmés. Hébergement à prix réduit à l'hôtel en pension complète possible.

Nos meilleurs spots

⚲ *Cap Gros :* plongée fastoche pour tous niveaux. Dans les nombreuses failles, vous débusquerez les locataires – murènes et congres – de ce plateau rocheux (- 10 m) couvert de posidonies ; avant de dévaler le long d'un tombant (- 25 m) tapissé d'éponges, d'anémones et de quelques gorgones... Attention au passage des bateaux.

⚲ *La Love :* à proximité du cap d'Antibes. Encore une plongée tranquille pour plongeurs débutants. On survole un plateau de posidonies, puis des canyons disposés en étoile (25 m de fond maxi) avec, au milieu, un cirque. Ici, pas de poissons-clowns, mais parfois des baudroies et raies-torpilles. Beaux tombants hérissés de gorgones, et pas mal de failles abritant congres et rascasses. Idéal pour une plongée de nuit.

⚲ *Le Boule :* à quelques encablures du cap d'Antibes. Pour plongeurs de tous niveaux. Encore un joli canyon (10-35 m de fond) ; puis un tombant abrupt, troué comme du gruyère et hérissé de corail rouge à faire pâlir les bijoutiers italiens ! Pas mal de gorgones, survolées de sars et parfois de daurades. Attention au passage des bateaux ! Courant fréquent.

⚲ *Le Raventurier :* en pleine mer. Seuls les plongeurs aguerris (niveau III) descendront sur ce grand plateau rocheux isolé (35-45 m de fond), où la vie sous-marine est luxuriante et l'eau vraiment limpide. Mérous et murènes se partagent les failles, alors que sérioles, barracudas (vous avez bien lu !), dentis et sars virevoltent au-dessus des belles gorgones rouges... Une plongée magnifique.

BIOT (06410) 9 299 hab.

À quelques kilomètres de la mer seulement s'élève sur un piton le pittoresque village de Biot (prononcer « Biotte »). Célèbre pour son artisanat traditionnel de poterie puis de verre soufflé et son musée Fernand-Léger, le vieux village, avec ses ruelles en pente et sa place à arcades, a beaucoup de charme. Il fait même officiellement partie des « Plus beaux détours en France ».

UN PEU D'HISTOIRE

Depuis longtemps, Biot est réputé pour ses poteries, puisque les Romains déjà y exploitaient les argiles fines afin de fabriquer des jarres pour le transport du vin, de l'huile, etc. À la fin du XIXᵉ siècle, les citernes en métal allaient cependant prendre la relève des jarres, qui contenaient pourtant jusqu'à 300 litres. Il fallut attendre les années 1950, l'essor des résidences secondaires et la mode des jarres décoratives destinées au jardin pour que Biot retrouve un nouvel essor. À présent, on y va surtout pour visiter sa verrerie.

Adresse et info utiles

🛈 **Office de tourisme :** 46, rue Saint-Sébastien. ☎ 04-93-65-78-00. • biot. fr • Ouv en sem 9h-12h, 14h-18h (10h-19h en juil-août) ; w-e 14h-18h (14h30-19h en été). Outre les infos classiques, vous y trouverez un itinéraire fléché en ville, riche en histoire et anecdotes, mais aussi des circuits à thème, sur les traces des verriers, des métiers d'art, ou

encore un circuit géologique.

🚍 **Autobus :** lignes Antibes (gare SNCF)-Biot. Attention, la gare de Biot se trouve à 3 km du village même. Plusieurs allers-retours/j. via le bus n° 10. De mi-juin à mi-sept, navette gratuite entre les parkings, gratuits eux aussi, et le centre de Biot (avec arrêt au musée Fernand Léger).

Où dormir ?

🛏 **Auberge de la Vallée Verte :** 3400, route de Valbonne. ☎ 04-93-65-10-93. • auberge-de-la-vallee-verte.com • À 3,5 km du village de Biot. Tte l'année. Doubles 60 € (80 € pour 4 pers). ½ pens 60 €/pers. Pas de restauration 31 oct-1er fév. Dommage, la route passe un peu

trop près de ce joli mas largement à l'écart de la ville, presque perdu dans les collines livrées au chant des cigales. Piscine agréable, agrémentée de jolies chaises longues. Au resto, cuisine traditionnelle à découvrir autour du poêlon de moules et du filet de rouget.

Où manger ? Où boire un verre ?

🍴 🍷 **Café Brun :** 44 ter, imp. Saint-Sébastien. ☎ 04-93-65-04-83. ♿ Tlj sf sam midi. Congés : 3 sem en janv. Menu 15 € le midi ; carte 22 €. Digestif maison offert sur présentation de ce guide. Un établissement qui vient faire de la concurrence aux tables où le pastaga coule à flots puisque, ici, la bière est à l'honneur. Dans une ambiance très pub hollandais, avec de vieux instruments de musique accrochés au plafond, on peut même grignoter si on ne craint pas la cuisine... indonésienne. Sinon, viande et salades. Ambiance jeune et décontractée.

🍴 **La Galerie des Arcades :** 16, pl. des Arcades. ☎ 04-93-65-01-04. Fermé dim soir hors juil-août et lun. Congés : 10 janv-1er fév et de mi-nov à mi-déc. Menus 28 € le midi, 32 € le soir et le w-e.

Une cuisine familiale qui joue les ambassadrices de la Provence : caillettes, fleurs de courgettes, soupe au pistou, sardines panées, agneau aux aromates... Il s'agit d'une institution dans le pays, et ce depuis plusieurs générations. Le côté ultratouristique pourra agacer certains, tout comme le service et l'accueil, véritable quintessence de la faconde méridionale. Les autres adoreront. La terrasse avec ses tables dressées sous les arcades a tout pour séduire le badaud. Mais la régularité de la maison lui assure également la fidélité des familles locales. Si la simplicité et la convivialité restent les maîtres mots, on doit avouer une légère tendance à se prendre au sérieux. Mieux vaut le prendre avec humour ! En somme, une affaire familiale parfaitement huilée.

À voir

🍗 **Le vieux village :** allez-y tôt le matin, ou le soir après le départ des touristes. Visite fléchée. L'ensemble du village garde une certaine homogénéité, malgré quelques restaurations. D'importants vestiges de l'enceinte du XVIe siècle subsistent, *porte des Tines* et *porte des Migraniers*. La place des Arcades des XIVe-XVe siècles est particulièrement pittoresque. Jetez un œil sur *La Galerie des Arcades*, devenue l'une des attractions touristiques du village (voir ci-dessus « Où manger ? Où boire un verre ? »).

🏃 **L'église Sainte-Madeleine :** elle abritait, paraît-il, des fresques que l'évêque de Grasse ordonna d'effacer en 1700 pour cause d'indécence... On est d'abord surpris car il faut descendre pour y pénétrer. L'église abrite deux superbes retables, l'un attribué à Louis Bréa, la *Vierge au rosaire*, l'autre, le *Christ aux plaies*, à Canavesio.

🏃 **Le musée d'Histoire et de Céramique biotoises :** 9, rue Saint-Sébastien. ☎ 04-93-65-54-54. Juil-sept, mer-dim 11h-19h ; oct-juin, mer-dim 14h-18h. Fermé lun et mar. Visite commentée sur demande. Entrée : 2 € (1 € dim) ; gratuit pour les enfants. Le musée est installé dans ce qui reste de la chapelle des Pénitents-Blancs et de son hôpital, datant du XVIIe siècle. L'histoire de Biot y est évoquée à travers de nombreux documents. Les vieilles familles du village ont offert l'essentiel des pièces exposées (superbes costumes anciens) ; une jolie cuisine biotoise du XIXe siècle a été reconstituée. Belle collection de fontaines en terre cuite vernissée et de jarres. Depuis avril 2005, galerie d'expositions (temporaires) d'art contemporain.

🏃🏃 **Le Bonsaï Arboretum :** 299, chemin du Val-de-Pôme. ☎ 04-93-65-63-99. ● http://museedubonsai.free.fr ● Tlj sf mar 10h-12h, 14h-18h. Entrée : 4 € ; réduc. Visite guidée sur demande. Plus de 2 000 bonsaïs à la vente dans une pépinière de 2 000 m². Collection de quelque 150 bonsaïs dans le musée, certains âgés de plus de cent ans. Ici, on se transmet l'amour du bonsaï de père en fils... Si vous aussi, vous êtes passionné, sachez qu'il y a des stages. Petit avertissement amical : c'est beau mais ça nécessite beaucoup d'entretien !

🏃🏃 🏃 **La verrerie de Biot :** au pied du village, chemin des Combes, au bord de la D 4. ☎ 04-93-65-03-00. ● verreriebiot.com ● ♿ Lun-sam 9h30-18h30 (20h en été) ; dim et j. fériés 10h30-13h30, 14h30-18h30 (19h30 en été). Visite libre gratuite et visite guidée à 6 € ; réduc sur présentation de ce guide. Dans les deux cas, on pourra assister au travail des souffleurs et maîtres verriers. C'est une véritable entreprise, employant environ 40 personnes. Comme on s'en doute, le but est de faire d'abord tourner la boutique. Mais pas seulement. On peut aussi compléter la visite de la verrerie par celle du petit écomusée du verre (3 € ; réduc sur présentation de ce guide) sur l'histoire et les techniques de fabrication, ou par la galerie internationale où s'exposent quantité d'artistes contemporains de renommée internationale... Sans oublier la galerie Novaro, maître verrier qui inventa une technique particulière de soufflage pendant ses heures de « bousillage » (c'est-à-dire son temps libre, en jargon de verrier !). Très célèbre dans les années 1960-1970, il a fortement contribué au renouveau du verre en tant qu'art. On n'a pas tout aimé, mais force est d'avouer qu'on admire la prouesse technique. Fascinant ! Possibilité de faire un stage d'initiation.
– À noter : les huit verreries de la ville se visitent, et, si l'on veut fuir l'afflux de touristes, on peut aussi aller voir celle du *Vieux Moulin,* 9, chemin du Plan, à l'angle de la route de la mer. ☎ 04-93-65-01-14.

🏃🏃🏃 **Le musée Fernand-Léger :** chemin du Val-de-Pome. ☎ 04-92-91-50-30. ● musee-fernandleger.fr ● ♿ À 3 km du bord de mer, à droite avt le village. Réouverture prévue début 2008. Se renseigner pour les horaires et tarifs.
Un musée superbe, calme, beau et bien aménagé. Avec sa belle architecture aux lignes sobres, l'édifice fut conditionné par deux œuvres de Léger : une mosaïque-céramique (visible sur la façade), de près de 500 m², et le vitrail, de 50 m², qui éclaire le hall de l'étage. Une mosaïque récente, de 280 m², capte la lumière du soleil couchant, se reflétant ainsi dans le bassin de la cour intérieure.

Selon Malraux, Léger est « le seul homme de génie qui ait été capable d'introduire les images dans la véritable peinture ». Né en 1881, le peintre est découvert trente ans plus tard par Kahnweiler, homme de l'art et mécène talentueux qui lança également Braque et Picasso. Blessé pendant la Première Guerre mondiale, Léger sera longtemps influencé par l'univers de la guerre et des machines, autant que par Cézanne et les impressionnistes. Pendant les années 1930, il peint surtout des figures avant d'entamer une série de grands sujets. Son séjour aux États-Unis durant la Seconde Guerre mondiale lui permet de découvrir de nouvelles formes et couleurs.

Fêtes et manifestations

– **Fête de la Saint-Julien :** *la 3e sem d'août, pdt 4 j.*
– **Fête des Vendanges :** *mi-sept.* Dégustation des produits du terroir et folklore.

VILLENEUVE-LOUBET   (06270)   13 100 hab.

Le village provençal occupe, sur la rive gauche du Loup, une colline dominée par un château médiéval où résida, entre autres célébrités, François Ier. *Villeneuve-Plage,* l'agglomération du bord de mer, s'étire, quant à elle, le long de l'ancienne N 7 et propose une succession ininterrompue de campings, motels et restaurants de tous ordres. À signaler tout de même, Villeneuve-Loubet est labellisée « *Kid Station* » et réserve à ce titre un accueil privilégié aux enfants et aux familles.

Adresses utiles

🛈 **Office de tourisme :** *16, av. de la Mer.* ☎ 04-92-02-66-16. ● *ot-villeneuvelou bet.org* ● *Lun-ven 9h-12h, 14h-18h et sam 9h30-12h30 ; en juil-août, lun-sam 9h-19h et dim 10h-13h.* Infos, entre autres, sur les différentes animations spécifiques aux enfants.
🛈 **Annexe de l'office de tourisme :** *rue de l'Hôtel-de-Ville (au village). Lun-sam 9h-12h, 15h-19h et dim 10h-12h30.* À l'étage, petit musée historique (entrée libre). Un dépliant propose un petit circuit dans les ruelles du vieux village. Sinon, l'office organise de septembre à juin une visite commentée, incluant le musée Escoffier (dégustation comprise) ou l'extérieur de la forteresse médiévale.

Où manger ?

🍽 **Le Chat-Plume :** *5, rue des Mesures (au village).* ☎ 04-93-73-40-91. ● *in fo@chatplume.com* ● *Tlj sf sam midi, dim midi et lun.* Fermé 1 sem début sept. Formules 20-22 € et menus 24-26 €. Pariant que vous seriez affamé de bonnes choses en sortant du musée Escoffier, on se devait de vous trouver la meilleure table au plus près... La cuisine, certes, n'a pas grand-chose à voir avec celle que prônait le « roi des Cuisiniers », excepté une réelle volonté de bien faire. Aménagé dans l'ancienne boucherie du village, ce resto au drôle de nom et à la drôle de déco fait le bonheur des locaux et des vacanciers, de plus en plus fidèles. Cuisine du marché, oscillant entre terroir et exotisme.

À voir. À faire

¶¶ *Le musée de l'Art culinaire (fondation Auguste-Escoffier) :* ☎ 04-93-20-80-51. ● fondationescoffier.org ● *Ouv 14h-19h en juil-août, ainsi que 10h-12h les mer et ven ; le reste de l'année, ouv slt 14h-18h. Fermé sam et j. fériés ainsi qu'en nov. Entrée : 5 € ; réduc ; gratuit jusqu'à 11 ans.*
Le musée a été aménagé dans la maison natale du célèbre Auguste Escoffier, « cuisinier des rois et roi des cuisiniers », qui, en son temps, révolutionna la cuisine, inventeur entre autres de la pêche Melba.
On attaque par la reconstitution de la cuisine familiale, bien plus modeste que celle du *Ritz* où il officiera par la suite. Cela dit, avec sa cheminée à crémaillère, son évier en pierre, son potager et ses cuivres rutilants, elle n'a rien à lui envier côté charme. Une grande partie du musée consiste à rendre hommage au plus célèbre des cuisiniers, dont aujourd'hui encore bon nombre de restaurateurs revendiquent la filiation en s'autoproclamant « disciples » d'Escoffier. De quoi faire se retourner le brave homme dans sa tombe !
Les autres salles de l'expo permanente, mais aussi les expos temporaires régulièrement organisées, s'intéressent à l'histoire de la gastronomie, l'art et l'évolution des cuissons, l'arrivée des nouveaux produits au cours des siècles... Pour finir, amusez-vous à lire les vieux menus de la fin du XIXe siècle. Un des plus surprenants est celui du restaurant *Voisin* pour le réveillon de Noël de l'année 1870, où vous découvrirez l'art d'accommoder les animaux du zoo de Vincennes, dernières denrées disponibles pendant le siège de Paris (il faut dire que l'on avait déjà mangé tous les chiens et les rats !). Un musée succulent, vraiment, que nos routards les plus gastronomes ne doivent manquer en aucun cas.

¶ *Marina Baie-des-Anges :* sur le bord de mer évidemment, d'ailleurs ça se voit de loin (à la sortie d'Antibes, en fin de journée, avec les montagnes derrière, on s'extasierait presque !). Étonnant ensemble architectural au bord d'une grande marina. Ce complexe balnéaire luxueux (un propriétaire s'est fait cambrioler pour 1,5 milliard de centimes de tableaux, dont un superbe Renoir) est constitué de plusieurs immeubles sinusoïdaux, dont les terrasses-jardins descendent en cascade vers la mer. Ces constructions donnent au site de la baie des Anges un aspect insolite et souvent décrié. Bref, un caprice d'architecte qui ravit surtout les mouettes ! Pour ceux que ça intéresse, l'office de tourisme organise, de mai à septembre, une visite guidée de la marina, classée récemment parmi les éléments remarquables du « Patrimoine du XXe siècle ». Comme quoi...

¶ ¶ *Le Labyrinthe de l'Aventure :* 2559, rte de Grasse. ☎ 04-92-02-06-06. ● lelabyrinthedelaventure.com ● ¶ *À la sortie de la ville, en direction de Grasse ; bus n° 500 depuis la gare de Cagnes-sur-Mer. Ouv début avr-11 nov. Entrée : 9,50 € ; 4-12 ans : 7,50 €.* Dédale éphémère dont le circuit et le thème changent chaque année. Pas moins de 4 km d'allées (et d'impasses !) pour partager en famille de grandes aventures. Déjouez pièges, résolvez énigmes, et porte s'ouvrira ! Différents niveaux de difficulté en fonction de l'âge (à partir de 4 ans).

CAGNES-SUR-MER   (06800)   44 200 hab.

Il faut distinguer le village médiéval du *Haut-de-Cagnes,* partie la plus pittoresque, du centre-ville de *Cagnes-sur-Mer,* ville moderne, commerçante, assez banale, et du *Cros-de-Cagnes,* l'agglomération du bord de mer, autour de l'ancien village de pêcheurs, longée par la N 98.
Plusieurs kilomètres séparent le Cros-de-Cagnes du Haut-de-Cagnes et du centre-ville. L'arrivée de la navette gratuite, qui relie la gare routière, dans le

centre-ville, au Haut-de-Cagnes, a déjà permis de transformer la vie dans la partie haute de la cité ; ça tombe bien, c'est celle que nous préférons.

Cagnes-sur-Mer est également la cité de Renoir, où il vécut les douze derniè-res années de sa vie : à ne pas manquer, les jardins du Domaine des Collettes et le musée Renoir, riche de 11 toiles originales.

Cagnes-sur-Mer a vécu des années difficiles en attendant la mise en place du nouveau plan de requalification du bord de mer, qui permet enfin aux habi-tants, comme aux touristes, de se réapproprier le littoral, d'autant qu'une véri-table « croisette » de 3 km vient d'être aménagée. La nouvelle promenade de l'Hippodrome, ouverte aux vélos et aux rollers, est en effet accueillie ici comme une excellente initiative.

Adresses et infos utiles

ℹ *Office de tourisme :* 6, bd du Maré-chal-Juin, Cagnes-sur-Mer (centre). ☎ 04-93-20-61-64. • *cagnes-tourisme. com* • Lun-ven 9h-12h, 14h-18h ; sam 9h-12h. Guides touristiques, héberge-ment et restauration, plan et circuits à disposition. Dépliant Renoir et château-musée Grimaldi gratuit. Visites guidées du musée Renoir, du château-musée Grimaldi, du bourg médiéval, du village du Cros-de-Cagnes, mais aussi de la vallée du Loup, d'exploitations hortico-les, etc. Participation de 3 €, auxquels il faut éventuellement rajouter un droit d'entrée. En juillet-août, visites guidées gratuites à la lanterne du village médié-val chaque vendredi à 22h ; rendez-vous à l'office de tourisme du Haut-de-Cagnes.

ℹ *Antenne du Cros-de-Cagnes :* 99, promenade de la Plage. ☎ 04-93-07-67-08. Ouv tlj en été 10h-19h. Et au *Haut-de-Cagnes,* pl. du Docteur-Maurel. ☎ 04-92-02-85-05. Ouv tlj en été 10h-13h, 15h-19h.

✉ *Postes :* Cagnes Renoir, av. de l'Hôtel-des-Postes (dans le centre) ; Cagnes le Cros, av. des Oliviers, au Cros-de-Cagnes ; Cagnes principal, av. de la Serre, à Cros-de-Cagnes.

🚆 *Gare SNCF :* av. de la Gare (of course !). ☎ 36-35 (0,34 € TTC/mn). • sncf.com • Très pratique pour rejoin-dre Nice, Cannes ou Monaco en quel-ques minutes !

➤ *Navette* pour le Haut-de-Cagnes (le village médiéval) tte l'année, tlj. Départ de la gare routière de Cagnes.

➤ *Réseau « Ligne d'Azur » :* toutes les Alpes-Maritimes en bus pour 1,30 € !

– *Marché aux halles :* ts les mat sf lun, 7h-13h.

– *Petit marché aux poissons :* port-abri du Cros, tlj 7h-13h, 15h30-19h. Vente directe aux particuliers,

Où dormir ?

Campings

⚐ *La Rivière :* 168, chemin des Salles. ☎ 04-93-20-62-27. À 4,5 km de la mer, accès par le haut de Cagnes. On peut y accéder en bus. Ouv 1er mars-31 oct. Compter 13,30-16,30 € selon saison. Loc de mobile homes 240-430 €/sem. Un camping calme et ombragé, doté de 90 emplacements. Comme son nom l'indique, en bord de rivière. Pis-cine.

⚐ *Camping Le Colombier :* 35, che-min Sainte-Colombe. ☎ 04-93-73-12-77. • campinglecolombier06@wana doo.fr • campinglecolombier.com • À quelques minutes à pied du vieux Cagnes, à 1,5 km de la gare et 2 km de la plage. Du centre de Cagnes, prendre la direction de Vence. Ouv avr-fin sept. Forfait pour 2 pers avec tente et voiture 15,40-22,20 € selon saison. Loc de caravanes et de mobile homes 170-500 €/sem. Un camping familial de petite taille (une trentaine d'emplace-ments), bien ombragé et confortable (cabines de douche chauffées hors sai-son, piscine, etc.), au calme et au vert. Peut-être bien le meilleur plan sur la Côte pour planter sa tente à prix cor-rect. L'ambiance est très conviviale et l'accueil excellent.

Prix moyens

🛏 **Le Mas d'Azur** : 42, av. de Nice, Lautin. ☎ 04-93-20-19-19. À 3 mn à pied de la plage (parking gratuit pour la voiture !). Doubles 44-58 €. Une fois entré dans la cour de cette vieille maison provençale (datant de 1751, tout de même), on est accueilli par un couple d'une extrême gentillesse. Bien que situées au bord de la N 7, les chambres y sont tranquilles et le jardin accueillant.

🛏 **Turf Hôtel** : 13, rue des Capucines, le Cros-de-Cagnes. ☎ 04-93-20-64-00. Ouv tte l'année. Doubles 49-59 € selon saison. Un petit déj/chambre offert la 1re nuit sur présentation de ce guide. Parking devant l'hôtel qui, de l'extérieur, a des airs de motel américain. Gros atout, l'hôtel est situé à 100 m de la plage, même si la construction d'un immeuble entre l'hôtel et la route a quelque peu transformé l'environnement. Chambres claires, propres et bien tenues. Certaines ont la TV. Préférer celles au rez-de-chaussée, plus fraîches en été.

🛏 **Le Val Duchesse** : 11, rue de Paris, le Cros-de-Cagnes. ☎ 04-92-13-40-00. ● val.duchesse@wanadoo.fr ● leval duchesse.com ● À 50 m de la plage. Congés : 25 nov-15 déc. Studios 53-75 € selon saison. Également loc d'apparts à la sem. Parking privé. Très au calme, au milieu d'un agréable jardin planté de palmiers, avec piscine, ping-pong et jeux pour les enfants. Une adresse sympa pour un séjour sur la Côte d'Azur. Accueil chaleureux, décoration très personnalisée et prix intéressants, ce qui ne gâche rien au plaisir d'y séjourner.

Beaucoup plus chic

🛏 **Chambres d'hôtes Les Terrasses du Soleil** : chez Catherine et Patrick Bouvet, pl. Notre-Dame-de-la-Protection, le Haut-de-Cagnes. ☎ 04-93-73-26-56. ● catherine.bouvet@terras sesdusoleil.com ● terrassesdusoleil. com ● Congés : nov. Navette pour le centre-ville juste en face. Compter 95-120 € pour 2 pers selon confort et saison, petit déj compris. Parking sur résa. Apéro maison offert sur présentation de ce guide. Des chambres et des suites de charme (certaines avec clim') dans l'ancienne villa de Georges et Betty Ulmer, couple qui fit les beaux soirs du music-hall dans les années 1960. Beaucoup plus paisible aujourd'hui, rassurez-vous. Vous allez être séduit à votre tour par les loggias, les terrasses, les balcons suspendus d'où l'on aperçoit tout à la fois la Méditerranée et les sommets des Alpes du Sud. Accueil plein de gentillesse, petit déj servi en terrasse.

🛏 **Le Grimaldi** : 6, pl. du Château. ☎ 04-93-20-60-24. ● reservation@hotel grimaldi.com ● hotelgrimaldi.com ● Compter 115-125 € pour 2 pers selon saison, petit déj compris ; 165 € pour la suite. Voilà encore des chambres qui ne seront pas vraiment à la portée de toutes les bourses. C'est la région qui veut ça et il faut se faire une raison. Au cœur du vieux Cagnes, elles peuvent aussi se targuer d'une déco contemporaine de charme et d'un confort haut de gamme. Cette demeure historique a été entièrement rénovée et la confrontation des styles et des époques a été parfaitement pensée. La suite est dotée d'une cheminée et d'un salon d'où l'on profite d'une petite vue sur la mer. Au rez-de-chaussée, le resto jouit d'une excellente réputation. Vous prendrez votre petit déjeuner au pied du château, sur la terrasse que l'on espère ensoleillée. Concerts chaque soir du mercredi au samedi, au jazz club voisin, le Black Cat (et aussi le vendredi en été, en plein air, sur la place du château).

Où manger ?

Prix moyens

🍴 **Le Renoir** : 23, pl. Sainte-Luce. ☎ 04-93-22-59-58. En ville basse. Fermé dim, lun et jeu soir. Congés : de mi-déc à fin janv. Menus de 20 € (le midi) à 30 €. Café offert sur présentation de ce guide. Une jolie salle très colorée et cossue. Un endroit chaleureux, comme la cuisine qu'on y mange, on ne peut plus traditionnelle. La patronne vous conseillera avec gentillesse. Terrasse aux beaux jours.

|●| **Les Baux :** 2, pl. du Château. ☎ 04-93-73-14-00. ● erwan.ronsin@orange.fr ● Dans le Haut-de-Cagnes. Juin-sept, midi et soir sf dim soir ; oct-mai, slt le midi (sf jours de pluie !). Carte slt, compter 22 €. D'abord, on ne voit qu'une jolie petite terrasse, à l'ombre du château ; puis on découvre la salle, très cosy. Marie-Thé vient d'un pays où l'on aime mettre de la crème dans tous les plats. Arrêtez-vous chez elle pour souffler (surtout si vous venez du centre-ville, par la montée de la Bourgade) autour d'un risotto de gambas ou d'un faux-filet au poivre.

|●| **Fleur de Sel :** 85, montée de la Bourgade. ☎ 04-93-20-33-33. ● contact@restaurant-fleurdesel.com ● Tlj sf mer et jeu midi. Congés : 2 sem début janv, 1 sem en juin et pdt les vac scol de la Toussaint. Menus 24 € (le midi en sem)-32 €. Reprise en main réussie pour ce joli petit restaurant qui sent bon la Provence, dans l'assiette comme dans ses vieux murs. Après avoir travaillé des années chez les autres, Philippe Loose et sa femme ont décidé de « donner du plaisir aux autres en travaillant pour soi ». Qu'ils en soient remerciés. À eux deux, ils revisitent joliment le terroir, avec une certaine prédilection pour les légumes oubliés et les saveurs d'autrefois, dans un esprit résolument contemporain. Dès le 1er menu, du beau, du bon, de l'authentique, servi sans esbroufe, simplement, gentiment. Grand choix de vins au verre. Un coup de cœur.

À voir

La vieille ville

Dédale de ruelles pentues, d'escaliers, de passages voûtés, où chaque maison fleurie retient l'attention. Entièrement rendue aux piétons grâce à un parking de quatorze niveaux en sous-sol, très sophistiqué (on laisse sa voiture, elle va se garer toute seule, comme une grande !). Ne manquez pas le *logis de la Goulette* du XIVe siècle, la *maison commune* du XVIIe siècle, avec ses deux pierres tombales romaines apposées sur la façade, et les nombreuses maisons datées du XVe au XVIIe siècle.

🕯 **L'église Saint-Pierre :** tlj 10h-18h. Elle abrite deux nefs, l'une de style gothique archaïque, caractéristique avec ses voûtes à grosses nervures carrées, l'autre du XVIIe siècle. Curieusement, on peut entrer dans l'église par la tribune.

🕯🕯 **Le château-musée :** ☎ 04-92-02-47-30. Tlj sf mar et certains j. fériés, 10h-12h, 14h-17h (18h en été). Visites guidées le sam à 10h30 (participation : 3 €). Fermé 1 sem mi-déc. Entrée du musée : 3 € ; réduc ; gratuit jusqu'à 18 ans ; gratuit pour ts le 1er dim du mois. Billet groupé avec le musée Renoir : 4,50 €.

Il domine la vieille ville de sa masse imposante, couronnée d'une tour crénelée. Autant la façade paraît austère, autant la cour intérieure, avec ses étages de galeries superposées que relie un escalier à balustres, donne une impression de légèreté. Il a appartenu aux Grimaldi de 1310, date de sa construction, jusqu'à la Révolution. On notera sa forme particulière, puisqu'il présente une architecture triangulaire. Pour revenir aux Grimaldi, sachez qu'un des marquis Grimaldi avait installé un atelier de faux-monnayeurs dans l'une des caves de l'ancienne citadelle. C'était compter sans le comte d'Artagnan, gouverneur de Grasse (et cousin du célébrissime mousquetaire du même nom), qui, en 1710, lui mit le grappin dessus.

De nos jours, cette forteresse à laquelle on accède par un bel escalier à double rampe abrite deux *musées*.

– *Au rez-de-chaussée,* dans les salles voûtées, ***musée de l'Olivier,*** l'arbre symbole de la Provence et de la Méditerranée.

– *Au 1er étage,* réservé autrefois aux réceptions, salle des fêtes ornée d'un plafond peint en trompe l'œil, faussement attribué à Carlone, d'où l'appellation « salle Carlone », mais c'est en fait l'œuvre de Giulio Benso Pietra, au XVIIe siècle. La *donation Suzy-Solidor* présente quarante portraits de la chanteuse, réalisés par les peintres les plus célèbres du XXe siècle. Le plus célèbre est, bien entendu, celui peint par Lempika, mais on a également relevé ceux de Laurencin, Kisling, Foujita, Cocteau...

– Enfin, *au 2e étage,* ***musée d'Art moderne méditerranéen :*** toiles de grands peintres qui ont aimé la Côte d'Azur (notamment Chagall, Dufy, Brayer, Carzou, etc.). Cette partie du fonds permanent n'est pas visible en saison car elle cède sa place aux expos temporaires. Pour finir, on peut accéder à la terrasse panoramique tout en haut de la tour.

🏃 **La chapelle Notre-Dame-de-la-Protection :** *ouv pour la visite guidée du Haut-de-Cagnes organisée par l'office de tourisme le mar à 17h.* De son porche, très belle vue sur la mer. On comprend que cette adorable chapelle ait inspiré Renoir. À l'intérieur, fresques de 1530. Dans la chapelle gauche, retable du XVIIe siècle. Remarquer les tailles de l'âne et du bœuf (plus petites que celle du petit Jésus) et, en sortant, une inscription très Clochemerle.

🏃🏃🏃 **Le musée et le domaine Renoir :** *Les Collettes.* ☎ 04-93-20-61-07. *Par l'autocar régulier Nice-Cannes, demander l'arrêt du « Beal-Les Collettes ». En voiture, c'est fléché depuis la N 7. Tlj sf mar et j. fériés 10h-12h, 14h-18h (17h hors saison) ; arriver au moins 1h avt la fermeture. Fermé 1 sem début déc. Visite guidée passionnante mer et w-e à 14h30 et dim à 10h30 (2 visites supplémentaires en été mer et sam à 16h30). Entrée au musée : 3 €. Billet groupé avec le château-musée : 4,50 €. Visite guidée : 6 €, entrée au musée comprise. Accès gratuit pour les jardins.* Le peintre, atteint de rhumatismes, vint, sur les conseils de son médecin, s'installer dans le Midi. Après avoir successivement « essayé » Magagnosc, Le Cannet, Villefranche, Cap-d'Ail, Vence, La Turbie, Biot, Antibes et Nice, c'est à Cagnes qu'il décida de se fixer. Il y vécut de 1903 à 1919. C'est là qu'il commença la sculpture. La lumière le comblait (les modèles devaient avoir « la peau qui accroche bien la lumière »).

« Ce qui le réjouissait particulièrement à Cagnes, c'est qu'on n'y avait pas le nez sur la montagne. » Il adorait la montagne, mais de loin...

« Il m'a dit souvent qu'il ne connaissait rien de plus beau au monde que la vallée de la petite rivière, la Cagne, lorsque, à travers les roseaux qui donnent à ces lieux leur nom, on devine le Baou de Saint-Jeannet. » (Jean Renoir, *Pierre-Auguste Renoir, mon père,* Folio, Gallimard).

Il résida d'abord, à partir de 1903, à la maison de la poste (l'actuelle mairie), avant d'acheter en 1907 *Les Collettes* et ses oliviers du XVIe siècle, et d'y faire construire une maison, qui a visiblement subi les vicissitudes du temps, où il passa les douze dernières années de sa vie. Dans la maison, acquise par la ville de Cagnes en 1960, tout a été reconstitué comme du temps de Renoir. Au rez-de-chaussée, le salon, la salle à manger et les chambres des amis : Durand-Ruel, entre autres, le premier marchand de tableaux qui ait cru en Renoir. Tout cela aurait évidemment besoin d'une nouvelle muséographie, mais la présentation a quelque chose de touchant. C'est aux *Collettes* que Renoir peignit *Les Grandes Baigneuses,* qu'il considérait comme l'aboutissement de sa vie. Lorsque les enfants du peintre voulurent donner ce tableau au Louvre, les responsables du musée le refusèrent, trouvant les couleurs criardes ! Ce n'est qu'après qu'ils revinrent sur leur décision et l'acceptèrent...

À l'étage, l'émouvant atelier reconstitué, les chambres de Renoir, de Mme Renoir (de la terrasse, vue sur le cap d'Antibes, le vieux village de Cagnes et la mer), des enfants Renoir (Claude, Jean et Pierre). De plus, le musée abrite onze toiles originales du maître impressionniste. Également deux sculptures modelées entièrement par Renoir et onze réalisées avec l'aide du sculpteur Richard Guino.

Promenez-vous dans le vaste jardin planté d'oliviers, dont le feuillage argenté atténue les durs rayons du soleil, d'orangers, de citronniers et de rosiers (les roses étaient les fleurs préférées du peintre), vous ne le regretterez pas. Ce jardin fut aménagé pour permettre à l'artiste, infirme dès 1912, de circuler facilement dans son fauteuil roulant, d'ailleurs exposé dans son atelier. Arrêtez-vous sous le grand tilleul, et essayez de voir la ferme des Collettes, avec ses yeux...

Cros-de-Cagnes

L'office de tourisme organise tous les mardis de 9h à 11h, ainsi que le jeudi pendant les vacances scolaires, une visite guidée du village des pêcheurs (rendez-vous à l'office de tourisme du Cros-de-Cagne). Au programme : visite du port, rencontre avec les pêcheurs, découverte des traditions (fête de la Saint-Pierre et de la Mer, en juillet) et des spécialités locales, dont la fameuse *poutine,* pêchée à des dates variables, durant 45 jours, comprises entre début février et fin mars ; un filet (la senne) racle le fond herbeux pour capturer ces petits alevins de sardines qui font un malheur, ici, entre Cagnes-sur-Mer et Menton.

🕯 *L'église des pêcheurs :* dans les tons ocre jaune, elle fut construite par les pêcheurs eux-mêmes et entièrement réhabilitée en 2006. Elle est vraiment croquignolette et l'on comprend qu'elle ait servi de décor de cinéma. Cagnes est une des rares villes des Alpes-Maritimes où il existe encore une activité de pêche (loups, poutine, etc., reviennent avec les marins-pêcheurs tous les matins, quand le temps et l'époque s'y prêtent).

➤ ♿ Les plages du Cros-de-Cagnes offrent également de nombreuses possibilités d'activités nautiques, ainsi qu'un accès privilégié pour les personnes à mobilité réduite (Handi-Plage face à l'Hippodrome, avec fauteuils de mise à l'eau, aide à la mise en mer, parkings, toilettes et douches adaptés...). Bravo !

Fêtes et manifestations

– *Meeting hippique d'hiver :* de mi-déc à mi-mars. Hippodrome de la Côte d'Azur.
– *Fête de l'Olivier :* mi-mars dans les jardins du domaine Renoir. Marché artisanal, présentation culinaire et déjeuner par de grands chefs étoilés, bar à huile, visites guidées...
– *Dimanches malins :* les 1er dim d'avr, mai et juin. Matinées piétonnes du bord de mer, avec animations gratuites pour les enfants.
– *Expofleurs, Exposition internationale de la fleur :* mi-avr, au Haut-de-Cagnes. Depuis plus de 40 ans, des exposants du monde entier viennent célébrer les fleurs à Cagnes-sur-Mer.
– *Fête de la Saint-Pierre et de la Mer :* début juil. Animations traditionnelles, balades en mer et spectacle sur le bord de mer.
– *Meeting hippique d'été :* début juil-fin août, à l'hippodrome de la Côte d'Azur. Courses en nocturne, animations et feux d'artifice.
– *Voix du Domaine Renoir :* mi-juil. Concerts lyriques dans les jardins du domaine Renoir.
– *Fête médiévale :* 2 j. début août, dans le village médiéval du Haut-de-Cagnes. Lanceurs de drapeaux, déambulations, spectacles, marché et festin médiéval. Tournois au parc des Canebiers.
– *Les Nocturnes piétonnes du bord de mer :* 13 juil et 14 août. Une manifestation très populaire à Cagnes-sur-Mer, qui réserve son bord de mer aux piétons, le temps d'une soirée, avec podiums musicaux et feux d'artifices. C'est le moment de profiter des terrasses des cafés et restaurants. Et de rêver à ce qui pourrait arriver un jour si la circulation était enfin coupée !

– *Championnat du Monde de boules carrées (!)* : l'avant-dernier w-e d'août. Dans la montée de la Bourgade, la rue qui grimpe au château.
– *Salon du palais gourmand* : début nov. Produits du terroir et bons crus.
– *Fête de la Châtaigne* : mi-nov. Marché artisanal, défilé d'animaux, animations et déjeuner campagnard dans le centre-ville.

➤ *DANS LES ENVIRONS DE CAGNES-SUR-MER*

SAINT-LAURENT-DU-VAR (06700)

Quelques kilomètres à pied, depuis le port de Cagnes, dans un environnement qui ne pourrait qu'être amélioré (à force de le répéter, ça va peut-être finir par faire avancer le dossier), et vous voilà sur le port de Saint-Laurent-du-Var. Pour les amateurs de bateaux comme pour ceux qui chercheraient une plage de sable fin, c'est une promesse de paradis. Une promesse seulement...

Adresse utile

🏛 *Office de tourisme* : 1819, route du Bord-de-Mer. ☎ 04-93-31-31-21. ● saintlaurentduvar.fr ● Juil-août, tlj 10h-19h30 ; mai-juin et sept, tlj 10h-13h, 15h-19h (sf sam ap-m et dim de mi-mai à fin juin). Le reste de l'année, lun-ven 10h-12h30, 14h-17h30. La municipalité semble vouloir faire pas mal d'efforts pour accueillir les touristes, reprenant la devise provençale : « Digo li qui vengon » (« Dis-leur qu'ils viennent »). Adresses et dépliants à votre disposition.

Où manger ?

|●| *L'Aigue Marine* : 167, promenade des Flots-Bleus. ☎ 04-93-07-84-55. Entre le port Saint-Laurent et le Cap 3000 (centre commercial). Tlj sf sam midi de mi-mai à mi-sept et dim soir hors saison. Menu « astuce » 22,50 € et menu-carte 28,50 €. La meilleure adresse sur le front de mer, prise d'assaut le week-end. Un vrai beau resto pour amateurs de poisson : tartare de saumon, gambas grillées et risotto, pavé de thon grillé aux pignons, etc. Un bon rapport qualité-prix.
|●| *Dame Nature* : 167, promenade des Flots-Bleus. ☎ 04-92-27-15-45. ● damenature06@hotmail.fr ● ♿ Tlj sf dim en juil-août ; sinon, ouv ts les midis ainsi que les soirs des lun, jeu, ven et sam. Congés : de mi-déc à mi-janv. Plat du jour 14 € le midi en sem en basse saison ; menu 28,50 €. Apéro maison offert sur présentation de ce guide. Une bonne petite adresse, sur le front de mer, au look salon de thé réconfortant. Pas mal de plats végétariens. Des épices et des légumes comme on les aime : poissons sauvages à la rôtissoire, tartes aux légumes sympas, gigot de lotte sauce créole... Les tartes sucrées sont bonnes, le vin est naturellement bio.

LA COLLE-SUR-LOUP (06480)

Depuis Cagnes, une route sans état d'âme mène jusqu'à ce village né de la décision de François Ier de renforcer la défense de Saint-Paul-de-Vence. De nombreuses maisons furent alors détruites, et les familles chassées s'établirent dans des hameaux plus bas et sur les coteaux voisins, les *colles,* d'où le nom du village ; le bourg, bien pourvu en eau, ne connut pas l'exode rural des autres villages. Longtemps considéré comme le jardin de Saint-Paul, il était entièrement couvert de vignes, d'oliviers, de champs de blé, d'arbres fruitiers... Plus tard vint la vague des plantes parfumées et l'on produisait au début du XXe siècle quelque 500 tonnes de roses par an. Mais ce ne fut pas la dernière reconversion du pays car l'activité du village se tourna vers les cultures fruitières et maraîchères. Enfin, le prix du mètre carré augmentant, certains maraîchers vendirent leur terrain pour permettre la construction de résidences secondaires, trop nombreuses hélas.

Aujourd'hui réhabilité, restauré et proclamé « Cité des Antiquaires et des Créateurs d'art », le vieux village de La Colle-sur-Loup a su garder toute son authenticité et offre, au hasard de ses ruelles, quelques bijoux de la Renaissance ou de simples (mais non moins charmantes) bâtisses provençales. À ne pas manquer, l'*église Saint-Jacques* (véritable joyau baroque de la commune), l'abbaye médiévale (transformée en hôtel-restaurant de luxe), son ancienne prison, etc.

➤ On peut faire une jolie *promenade le long du Loup* (voir « Les gorges du Loup »). En direction du Bar-sur-Loup, prendre le chemin de la Canière jusqu'à la rivière (joli coin pour la baignade).

Après La Colle, la route vous conduit à Saint-Paul, puis à Vence.

Adresse utile

🛈 **Office de tourisme :** 28, av. Maréchal-Foch. ☎ 04-93-32-68-36. ● ot-la collesurloup.com ● *En été, lun-ven 9h-19h, w-e et j. fériés 9h-12h, 15h-19h ; hors saison, lun-sam 9h-12h, 14h-* | *18h.* Toutes les infos sur La Colle, mais aussi visite commentée du village sur rendez-vous (2 €) ; sinon, vous pouvez passer récupérer le petit livret de visite.

Où dormir ?

Camping

⛺ **Camping Les Pinèdes :** *route du Pont-de-Pierre.* ☎ 04-93-32-98-94. ● camplespinedes06@aol.com ● lespi nedes.com ● *À 1,5 km à l'ouest, sur la route de Grasse. Ouv de mi-mars à fin sept. Résa conseillée en saison. Compter 24,50 € en hte saison pour 2 pers* | *avec voiture et tente. Loc de mobile homes et de chalets 260-660 €/sem.* Site agréable et reposant, aménagé en terrasses. Catégorie 3 étoiles : alimentation, coffres-forts, casiers frigorifiques, piscine, salle de TV, jeux pour les enfants.

De plus chic à beaucoup plus chic

🛏 **Chambres d'hôtes La Bastide Saint-Donat :** *route du Pont-de-Pierre, parc Saint-Donat.* ☎ 04-93-32-93-41. ● infos@bastide-saint-donat.com ● bas tide-saint-donat.com ● *À 2 km de La Colle-sur-Loup. Compter 65-95 € pour 2 pers, petit déj compris ; 15 €/pers supplémentaire. Sur présentation de ce guide, 5 € de réduc par chambre et par nuit.* Dans le creux d'un vallon verdoyant où coule le Loup, cette bergerie du XIXe siècle a été transformée en une belle maison de charme abritant cinq chambres, toutes décorées avec goût. Certaines donnent sur le vallon, les autres sur le jardin. Les propriétaires, M. et Mme Rosso, sont des personnes | souriantes et affables, d'une grande gentillesse. Ils reçoivent avec naturel et connaissent le pays par cœur.

🛏 **Hôtel Marc-Hély :** *535, route de Cagnes.* ☎ 04-93-22-64-10. ● contact@ hotel-marc-hely.com ● hotel-marc-hely. com ● *À 800 m du village. Doubles 70-110 € selon confort et saison. Parking privé gratuit. Réduc de 10 % sur le prix de la chambre sur présentation de ce guide.* Hôtel confortable, au décor provençal, avec piscine et jardin. Idéal pour faire une cure de silence toute l'année et se réveiller le matin face à Saint-Paul.

🛏 **Un Ange Passe :** *chez Martine et Bernard Deloupy, 419, av. Jean-*

Léonardi. ☎ *04-93-32-60-39.* ● *contact@unangepasse.fr* ● *unangepasse.fr* ● *Ouv tte l'année. Du centre-ville, suivre la direction de Pont-de-Loup/Grasse ; au niveau du stade et de la piscine, prendre à droite vers la pharmacie et suivre la direction « Cimetière » et « chambres d'hôtes » ; c'est à env 1 km, au bout de la ruelle. Compter 90-125 € pour 2 pers selon confort et saison, petit déj compris ; 165-185 € pour 4 pers.* Une des adresses les plus agréables de la Côte. Ce petit paradis semble bien loin des foules et de toute pollution. Ici, on est dérangé uniquement par le chant des cigales ou des grenouilles ! On ne se trouve pourtant qu'à quelques minutes de Saint-Paul-de-Vence, à un quart d'heure à peine de la mer ou de l'aéro-port. Inouï ! La villa, en pleine verdure, abrite cinq magnifiques chambres (de véritables suites pour certaines). Déco à thème qui raconte à chaque fois une histoire. Quoi de plus normal quand on sait que Bernard est écrivain, auteur, entre autre, d'un super roman policier (voir nos « Livres de route » dans « Côte d'Azur utile » en début de guide)… Quant à Martine, elle est attachée de presse et connaît toutes les bonnes adresses de la Côte. Deux hôtes attachants, assurément ! Ambiance chaleureuse et conviviale. Sur demande, massages, cours de cuisine aux fleurs, etc. Pour parfaire le tableau, une piscine d'eau de source… Difficile, vraiment, de trouver meilleur havre de paix.

Où manger ?

|●| *La Vie est Belle ! :* 1, rue Georges-Clemenceau. ☎ *04-93-32-19-40.* ● *restoviebelle@orange.fr* ● *Ouv mar-sam slt le soir, ainsi que dim soir de mi-juin à mi-sept et dim midi de mi-sept à mi-juin. Résa quasi impérative. Menu-carte 30-39 €. Très beau menu-enfant 15 €.* L'une des tables les plus réjouissantes de La Colle et même des environs. Les carreaux blancs aux murs, tout comme la belle chambre froide, rappellent, de façon rétro et charmante, que le resto est établi dans une ancienne boucherie. Avec sa cuisine de marché et de sai-son, sa carte courte mais éclectique, Michel Esposito réinterprète les recettes traditionnelles et les plats de grand-mère, avec une certaine prédilection pour le foie gras et les associations sucrées-salées : supions en salade et tartelette aux tomates séchées, cuisse de lapin confite, millefeuille de thon mi-cuit au chorizo, queues de gambas à la vanille bourbon et poire au gingembre… Desserts maison. Belle terrasse au cœur du quartier piéton. Accueil charmant et prix plutôt sages, y compris en ce qui concerne les vins.

SAINT-PAUL-DE-VENCE   (06570)   2 890 hab.

On a du mal à imaginer que Saint-Paul, dans les années 1930, n'était qu'un tout petit village perdu et haut perché comme tant d'autres qui gardent l'ancienne frontière du Var. Un aubergiste inconnu accueillait quelques peintres venus dans les bagages des grands de ce monde. Attirés par la lumière tantôt douce, tantôt violente qui baigne ce petit village, les artistes s'y sont installés.
Entre-temps, hôtels et restaurants ont poussé comme des champignons et les circuits touristiques en car se sont multipliés pour le meilleur et pour le pire… Les touristes ont débarqué en nombre. Et puis, après avoir vécu pendant un quart de siècle sur sa réputation, sans chercher à remettre en cause la manne estivale, le village semble avoir décidé, en ce début de XXIe siècle, de reprendre en main son destin.
On peut ainsi profiter de ce merveilleux village, de ses ruelles, de ses vieilles pierres, le tout admirablement restauré, préservé. Autre avantage, Saint-Paul vit toute l'année. Certes, les commerces ne s'adressent qu'aux touristes et il

y a longtemps que boulangeries et boucheries ont quitté les lieux. Il n'en demeure pas moins que Saint-Paul reste un village vivant dans lequel il fait vraiment bon flâner hors saison.

Si vous persistez à venir en plein mois d'août, mieux vaut toujours arriver tôt à Saint-Paul, ne serait-ce que parce que l'accès au village est (heureusement !) interdit aux véhicules des non-résidents et que beaucoup cherchent à éviter (mais à quel prix !) le parking payant. Avant de vous compliquer la vie, sachez que la mairie a développé les parkings publics à prix cassés (1 € l'heure et 5 € la journée).

LA COLOMBE D'OR, UNE AUBERGE « INSPIRÉE »

Comment une modeste auberge villageoise peut-elle devenir un hôtel de légende ? « L'esprit souffle où il veut, et quand il veut », dit la Bible. C'est l'histoire de *La Colombe d'Or.* Dans les années 1925, *À Robinson,* une banale auberge à l'entrée de Saint-Paul, attira des peintres et des artistes de la Côte d'Azur à la recherche de calme et d'inspiration. Très vite, le fils de l'aubergiste, *Paul Roux,* découvrit le talent de ces artistes méconnus jusqu'alors, qui avaient pour nom *Signac, Soutine, Picasso, Miró, Max Ernst.* Jacques Chardonne disait de Paul Roux qu'il était « un paysan artiste de la plus fine variété française ». Il reconvertit le petit établissement en hôtel, baptisé *La Colombe d'Or,* et lança l'endroit en invitant journalistes et personnalités. Il hébergeait alors gracieusement ses amis peintres ; ceux-ci lui offrirent souvent une toile pour le remercier et vinrent nombreux : *Derain, Utrillo, Vlaminck, Matisse,* ce dernier séduit par l'endroit qui lui rappelait San Gimignano en Italie. Des écrivains y passèrent aussi. Le premier qui en franchit le seuil fut D. H. Lawrence, en exil, que la tuberculose emporta à Vence, à 45 ans. D'autres artistes plus riches fréquentèrent aussi l'hôtel : *Giono, Gide, Paul Morand, Kipling, Maurice Chevalier, Mistinguett.* Sans oublier *Raymond Queneau,* qui y écrivit *Zazie dans le métro* et *La Saint-Glinglin.*

Plus tard, dans les années 1940, les vedettes de cinéma séjournèrent à leur tour dans cette auberge « inspirée » : *Carné, Prévert, Kosma, Allégret, Clouzot. La Colombe d'Or* assura même le repas de mariage d'*Yves Montand* et de *Simone Signoret* ! Paul Roux rénova l'hôtel, utilisant des pierres d'un château de la région d'Aix-en-Provence, « Rognes », pour la façade et demandant à *Léger* de composer une céramique murale pour la terrasse. Après sa mort, en 1953, ses descendants ont gardé l'endroit tel quel, et on peut toujours y admirer de superbes toiles. On ne vous parle pas de leur prix, ni même de celui des chambres ou des menus. De toute façon, c'est toujours plein. Prestige oblige !

Adresse et infos utiles

🗐 *Office de tourisme :* 2, rue Grande. ☎ 04-93-32-86-95. ● saint-pauldevence.com ● Tlj 10h-18h (19h juin-sept). Accueil bien sympathique. Nombreuses visites guidées : 6 thèmes différents, un pour chaque jour de la semaine ou presque ! Histoire de découvrir le village sous un nouveau jour : sur les pas de Chagall, le patrimoine religieux, terroir et légendes, etc. Il y en a même une sur le thème

de la pétanque ! Tarif : 5 € ; gratuit jusqu'à 12 ans.
– *Marché paysan :* sur la pl. du Jeu-de-Boule, ts les mer 9h30-13h.
– *Petit marché d'Yvette :* mar, jeu et le w-e tte la journée, au lavoir à l'entrée du village. Vente de fruits et légumes frais, fleurs...
– *Marché aux fleurs de Gilbert Zulliani :* ts les sam au lavoir.

Où dormir ?

Pour dormir à des prix sages, mieux vaut se replier à Vence ou dans des villages plus éloignés comme La Colle-sur-Loup, Tourrettes (autre très joli village), sinon Cagnes-sur-Mer, où les prix sont déjà plus abordables.

De prix moyens à plus chic

🛏 *Hostellerie Les Remparts :* 72, rue Grande. ☎ 04-93-32-09-88. • hostellerie-lesremparts@orange.fr • Dans le centre du village. Fermé dim soir et lun (et peut-être le soir en hiver). Doubles 39-80 € selon confort et vue (sur la rue ou sur la vallée). Carte 28-41 €. L'adresse la moins chère de Saint-Paul : un petit hôtel entièrement restauré de neuf chambres (clim', douche et w-c). Restaurant traditionnel avec une vue imprenable (mais qui voudrait la voler, dites-nous !). Assurément l'une des meilleures tables de la ville.

🛏 *Le Mas des Gardettes :* 139, chemin de la Vieille-Bergerie. ☎ 04-93-32-33-90. • info@masdegardettes.com • masdesgardettes.com • À 600 m de l'entrée du village. Studios et apparts 240-545 €/sem selon taille et saison. Sur présentation de ce guide, 10 % de réduc sur le prix de la chambre en nov, janv, fév et mars. Une résidence idéale pour ceux qui préfèrent payer plus cher mais avoir confort, calme et environnement privilégié. Anna Jong a du goût, à commencer par celui de l'ordre et de la propreté, et ses studios et appartements loués à la semaine sont une véritable trouvaille. Terrasse, jardin, tonnelle... Notre chouchou.

Beaucoup plus chic

🛏 *Chambres d'hôtes Orion :* 2436, chemin du Malvan. ☎ 04-93-24-87-51. • info@orionbb.com • orionbb.com • Ouv avr-fin déc. Cabane 140-180 € pour 2 pers, petit déj compris. Voilà bien une adresse hors du commun. À quelques minutes du centre de Saint-Paul et de son effervescence touristique, on a déniché un havre de paix qui dépaysera à coup sûr le citadin stressé. À côté d'un mas provençal des plus classique, 4 cabanes perchées dans les arbres offrent un confort dernier cri pour passer une nuit plus près des étoiles. Les enfants pourront même partager l'aventure, car une petite cabane a été aménagée exprès pour eux (en totale sécurité, bien sûr) ! Si vous souffrez de vertige ou si vous êtes du genre terre à terre, vous pourrez vous réfugier dans la petite maisonnette avec 2 chambres et une cuisine, qui se loue à la semaine (1 000 à 1 400 €). Pour parfaire le tableau, une splendide piscine biologique est à votre disposition. Après avoir dormi avec les oiseaux, vous pourrez ainsi nager au milieu des libellules ! Tel un lac, l'eau de la piscine est filtrée par les nénuphars et les galets... Quitte à casser sa tirelire, autant que cela en vaille le coup, non ? On vous promet que vous ne le regretterez pas. Le seul risque, c'est qu'une fois installé dans un transat ou le hamac, vous oubliiez d'aller visiter Saint-Paul-de-Vence !

🛏 *Auberge Le Hameau :* 528, route de La Colle. ☎ 04-93-32-80-24. • lehameau@wanadoo.fr • le-hameau.com • Fermé de mi-nov à mi-fév sf pour les fêtes de fin d'année. Doubles 98-170 € selon confort et saison ; 3 apparts à louer. Dans un très joli paysage verdoyant, avec jardin en terrasses et piscine mais aussi sauna, jacuzzi et hammam. Superbe vue sur le village de Saint-Paul. Chambres avec ou sans vue, avec ou sans terrasse mais toutes confortables (climatisées) et bien meublées. TV satellite. Plusieurs styles et atmosphères : rustique, exotique ou de charme... à vous de choisir. Idéal pour les amoureux en goguette.

🛏 *La Grande Bastide :* 1350, route de La Colle. ☎ 04-93-32-50-30. • stpaullgb@wanadoo.fr • la-grande-bastide.com • Fermé 23 nov-23 déc et 15 janv-15 fév. Doubles 130-210 €, suite 210-305 € selon saison ; petit déj 17 €. Réduc de 10 % sur le prix de la chambre accordée en basse saison sur présentation de ce guide. Une bastide du XVIIIe siècle entièrement restaurée et transformée en petit hôtel de charme, avec de belles chambres tout confort (TV satellite, minibar...), aux meubles peints et aux couleurs pastel, et un accueil à la hauteur. Beaux petits déjeuners. Piscine, jardin avec vue sur Saint-Paul et la mer au loin. Pas de resto.

Où manger ? Où boire un verre ?

I●I *Café de la Place :* pl. du Général-de-Gaulle. ☎ 04-93-32-80-03. ● cafede laplace06@orange.fr ● Tlj 7h-20h (7h-minuit en juil-août). Congés : début nov-Noël. Plat du jour env 10 €. Entre les platanes de la place aux boulistes et les cyprès de *La Colombe d'Or,* il y a toujours ce superbe café populaire où l'on se retrouve entre bons vivants pour la daube aux raviolis. Terrasse tout en longueur et déco rétro à souhait. Une institution, fréquentée par les Japonais comme par les gens du cru.

I●I ♟ *Hostellerie de la Fontaine :* 10, montée de la Castre. ☎ 04-93-32-80-29. ● lafontaine1@orange.fr ● Ouv tlj 9h-minuit (plus tôt hors saison). Sur l'une des plus jolies terrasses de Saint-Paul-de-Vence, un délicieux bar à vin qui propose une bonne vingtaine de vins au verre. Et pas n'importe lesquels ! La carte compte en effet plusieurs grands crus et vins de qualité, d'ici ou d'ailleurs. Un excellent point de chute à l'apéro ! Le reste du temps, bons thés, orange pressée et petite restauration soignée (genre tartes et plat du jour). Excellent accueil.

I●I Voir aussi plus haut l'*Hostellerie Les Remparts* dans « Où dormir ? ».

À voir

🔏 *La rue Grande :* c'est la rue principale du village. Tout de suite à droite, l'office de tourisme. La rue est bordée de belles maisons autrefois blasonnées des XVIe et XVIIe siècles, reconverties en boutiques d'artisanat, ateliers et autres magasins de souvenirs. Les vieilles et nobles maisons rappellent que Saint-Paul fut cité royale et petite ville prospère. Vous admirerez la *place de la Grande-Fontaine,* avec son élégante urne en pierre au milieu d'un bassin circulaire et son lavoir voûté. Remarquez également l'élégant pavage contemporain, une réussite ! Vous arrivez ensuite à la *porte du Sud* ou *porte de Nice.* À côté, le cimetière, l'émouvante chapelle Saint-Michel et des cyprès.

🔏🔏 *Le tour des remparts :* bon, on vous en parle maintenant parce que vous n'avez sûrement pas su résister à l'envie de grimper la rue principale. Mais pour aimer Saint-Paul, un peu, beaucoup, etc., ce n'est pas vraiment par là qu'il faut commencer. Effectuez le tour des remparts, qui n'ont pas changé depuis François Ier et ont conservé leur chemin de ronde. Le tracé en « as de pique » des bastions est caractéristique du XVIe siècle. La vue sur la campagne, qui rappelle la Toscane, y est superbe. Bordant l'enceinte, superbes vieilles maisons rénovées, aux fenêtres à meneaux, où court le lierre. Si vous suivez nos conseils et évitez les heures chaudes, vous découvrirez un village bien vivant, animé par des habitants qui ne demanderont qu'à nouer le contact si vous ne jouez pas les envahisseurs.

🔏 *Le musée d'Histoire locale :* pl. de l'Église. ☎ 04-93-32-41-13. Tlj sf mar et dim 10h-12h, 14h-17h. Fermé nov. Entrée : 3 € ; réduc. Dans le style Grévin (un style qu'on retrouve un peu trop souvent !). Idéal pour se rafraîchir les pieds et les idées en plein été. François Ier et d'autres personnages en costumes d'époque vous feront revivre les grandes heures de l'histoire de Saint-Paul. À découvrir également, la salle des photographes.

🔏 *L'église collégiale :* Saint-Paul fut longtemps la rivale de Vence ; aussi, pour essayer de l'égaler quelque peu, la ville demanda que son église soit promue collégiale, sorte de sous-cathédrale ; la requête fut acceptée, mais la Révolution abolit ce privilège. L'église date du XIIIe siècle mais fut agrandie et restaurée au XVIIIe siècle (clocher de 1740). Au fond à droite, dans la vitrine, Vierge du XVe siècle, *Sainte Catherine d'Alexandrie,* tableau attribué à l'artiste espagnol Claudio Coello. À droite, chapelle latérale ornée d'une riche décoration en stuc. Le devant de l'autel représenterait le martyre de saint Paul. Au-dessus, tableau d'un peintre italien du XVIIᵉ siècle : *Saint Charles Borromée offrant ses œuvres à la Vierge en présence de saint Jean l'Évangéliste.*

👣👣 **La Fondation Maeght :** ☎ 04-93-32-81-63. ● *fondation-maeght.com* ● Juil-sept, tlj 10h-19h ; oct-juin, 10h-12h30, 14h30-18h. Entrée : 11 € *(plus cher pdt les expos temporaires) ; réduc ; gratuit jusqu'à 10 ans. Droit photo 2,50 €. Petite café-téria à l'entrée ; également une librairie et une bibliothèque.*

Vous serez rarement seul à faire la visite car, chaque année, plus de 200 000 per-sonnes, dont 50 % d'étrangers, viennent visiter la Fondation, ce qui en fait le deuxième musée d'Art moderne de France par la fréquentation.

Aimé Maeght, séduit par l'atelier de Miró à Palma de Majorque, fit réaliser le projet qu'il avait en tête, avec pour principe le respect du paysage. Il ne s'agissait pas pour autant de « faire du pseudo-provençal », heureusement. On retrouve d'ailleurs l'omniprésent Miró au travers de l'étonnant labyrinthe de statues, fontaines et sculptures aux formes étranges, disséminées dans le jardin. La Fondation a réussi une réelle osmose entre l'environnement, l'architecture et la sculpture (il s'agit de Josep Lluis Sert, le même architecte que pour la Fondation de Barcelone). Les matériaux utilisés sont simples : béton brut et brique rose romaine. L'escarpement du sol (la Fondation est sur une colline) a été conservé grâce à des murettes. On est tout de suite frappé par les impluviums, éléments blancs en béton qui rappellent des cornettes de religieuse : ce sont en fait des collecteurs d'eau de pluie qui ali-mentent les bassins.

Beaucoup d'artistes ont participé à la conception de ce lieu unique : *Chagall* (en voisin) avec des mosaïques, *Miró* avec des sculptures monumentales, *Braque* (pour le vitrail de la jolie chapelle et le bassin), *Tal-Coat, Pol Bury* avec ses fontaines. On pense à la formule de Braque, « l'art et son bruit de source ».

La Fondation fut inaugurée en 1964. Elle possède une importante collection de peintures et sculptures des plus grands noms du XXᵉ siècle, allant de *Bonnard, Giacometti, Léger* à *Tal-Coat, Pol Bury, Riopelle, Tapiés*, etc. Les éclairages ont été savamment conçus pour mieux mettre en valeur les œuvres. Chaque année ont lieu de grandes expositions telles que l'Hommage à Dubuffet, à Fernand Léger, à Nico-las de Staël, ou l'exposition consacrée aux peintres illustrateurs du XXᵉ siècle.

La Fondation ne se contente pas d'abriter un musée. Elle est aussi un lieu vivant de confrontation où les artistes sont les bienvenus. Ils y disposent d'une bibliothèque. Enfin, la Fondation vit sans aide de l'État, grâce aux entrées et à la librairie, entre autres, ce qui lui laisse une totale liberté. À ce sujet, on vous signale que la librairie offre un choix incroyable d'affiches et de lithos, toutes époques, tous styles confon-dus et... à tous les prix !

🖌 **Les ateliers d'artistes :** les créateurs saint-paulois existent, vous pouvez les rencontrer, chez eux. Il y en a une dizaine au village, indiqués par l'office de tou-risme, dont certains ne manquent pas de pittoresque.

VENCE (06140) 17 300 hab.

Vence rime avec Provence... C'est en effet de Provence qu'il s'agit ici ; le lit-toral se fait loin tout à coup et la vieille ville, avec ses maisons patinées par le temps et ses marchés où se donnent rendez-vous toutes les vraies herbes de Provence, évoque plus le « pays » que la Côte. Plus haute en altitude que Saint-Paul, plus peuplée, plus populaire, mais plus abordable en termes de loge-ment et de restauration, Vence est le point de départ de superbes excursions dans l'arrière-pays.

UN PEU D'HISTOIRE

C'est après la guerre de 1914-1918 que Vence voit sa population véritablement augmenter. La vieille ville, dans ce paysage paradisiaque, avait de quoi séduire.

Gide, Paul Valéry, Soutine et Dufy y séjournèrent. Ce dernier s'installa en 1919 sur la route du Var, face à la vieille ville. Peu à peu, on construisit des hôtels et des maisons de repos (« Une convalescence, avec la connivence du printemps, ici, quelle joie », dira Gide).

Après la pause de la Seconde Guerre mondiale, Vence se développe plus lentement que les villes du littoral, et c'est tant mieux. En 1955, la ville ne compte que 6 000 habitants. On voit encore des lavandières au lavoir, les moulins à huile fonctionnent et d'autres artistes viennent à Vence pour y retrouver ce côté authentique : Matisse, Chagall qui s'y établit en 1949 (c'est à Vence qu'il réalise le plafond de l'opéra de Paris), Carzou, Dubuffet.

Mais dès les années 1960, les villas avec piscine et jardin paysager surgissent un peu partout ; les champs et les oliveraies disparaissent... La ville double en dix ans. On crée une rocade et des parkings ; la vieille ville demeure heureusement presque intacte, mais l'urbanisme continue ses ravages un peu partout à l'extérieur, et de grands immeubles qui « effacent les contours » sont construits. Chagall, du coup, émigre à Saint-Paul.

Aujourd'hui, pour préserver l'avenir, certains se battent pour sauver ici une place, là une maison classée. Le plus dur sera de revoir, comme dans de nombreuses villes du Sud, le plan de circulation.

Comment y aller ?

➤ **De Cagnes-sur-Mer :** bus réguliers pour Vence et Saint-Paul 7h25-20h40 ; horaires légèrement différents le w-e.

➤ **De Nice :** bus ttes les heures env, n°s 400 et 94. Dernier départ à 20h20. Dernier retour à 19h15.

Adresse et infos utiles

🛈 **Office de tourisme :** 8, pl. du Grand-Jardin. ☎ 04-93-58-06-38. ● vence.fr ● En été, lun-sam 9h-19h et dim 10h-18h ; hors saison, lun-sam 9h-17h.
– **Marché aux fleurs et aux produc-** teurs : tlj, pl. du Grand-Jardin.
– **Marché :** mar et ven mat, pl. Clemenceau.
– **Brocanteurs et bouquinistes :** mer au Grand-Jardin.

Où dormir ?

Camping

⚊ **Camping Domaine de la Bergerie :** 1330, chemin de la Sine. ☎ 04-93-58-09-36. ● info@camping-domainedelabergerie.com ● camping-domainedelabergerie.com ● ♿ À 3 km au sud-ouest de Vence, direction Tourrettes-Grasse ; au rond-point à gauche, suivre les flèches. Bus depuis Vence. Ouv 25 mars-15 oct.

Compter env 15-21 € l'emplacement pour 2 pers avec tente et voiture, selon saison. Loc de chalets 240-450 €/sem. Très calme et agréable camping 3 étoiles. Niché au pied des baous et du col de Vence, dans un site boisé et reposant. Jeux pour les enfants. Tennis et piscines.

De bon marché à prix moyens

🏠 **Maison Lacordaire :** Dominicaines du Rosaire, 466, av. Henri-Matisse. ☎ 04-93-58-03-26. ● dominicaines@wanadoo.fr ● maison-lacordaire.com ●

Séjour 3 j. min, 10 j. max ! ½ pens 35 €/pers et pens complète 45 €/pers. Vous dormez chez les dominicaines, dans les chambres zen mais entièrement refaites (avec douche et w-c), des deux villas qui entourent la chapelle du Rosaire (celle d'Henri Matisse !). Vous profitez du calme, de la vue imprenable sur les *baous*, des superbes jardins en terrasses. On prend ses repas dans une grande salle à manger commune. Évidemment, ce n'est pas l'adresse à conseiller aux familles nombreuses se déplaçant avec le chat, le chien, belle-maman et le poisson rouge, mais pour un couple venu découvrir le pays vençois loin de la foule, c'est surprenant !

🛏 *La Closerie des Genêts :* 4, impasse Marcelin-Maurel. ☎ 04-93-58-33-25. Fax : 04-93-58-97-01. Ouv tte l'année.

Doubles 50-65 € *selon saison, avec douche et w-c. Parking payant. Sur présentation de ce guide, réduc de 10 % sur le prix de la chambre à partir de 2 nuits oct-mars.* Au fond d'une impasse tranquille, avec ses arbustes et ses fleurs, ce petit hôtel vit au cœur de Vence, tout en étant à l'écart de son agitation estivale. Chambres spacieuses et calmes, rénovées (pour certaines) dans un style des plus coloré. On regrette cependant un certain laisser-aller concernant la propreté. Vue sur le jardin et les environs, et même vue sur mer depuis les chambres nos 4, 5, 9, 10 et 12. Reposant.

De plus chic à beaucoup plus chic

🛏 *Auberge des Seigneurs :* 1, rue du Docteur-Binet. ☎ 04-93-58-04-24. Fax : 04-93-24-08-01. À l'entrée du vieux Vence. Resto fermé lun, mar midi et dim midi en hte saison, lun et dim midi et soir hors saison. Congés : de début nov à mi-mars. Doubles 90-95 € *selon confort. Formule déj et menus 36 et 42 € ; carte env 50 €. Digestif maison offert sur présentation de ce guide.* Cette très belle bâtisse du XVᵉ siècle propose des chambres portant des noms de peintres célèbres. La « Modigliani » et la « Soutine » nous ont bien plu pour la vue qu'elles offrent sur la montagne et pour leur allure de suites plus que de chambres d'hôtel. De plus, leur prix est raisonnable. Menus raffinés et originaux à prix (g)astronomiques et aux parfums méditerranéens. Accueil chaleureux.

🛏 *Hôtel Miramar :* 167, av. Bougearel, quartier Plateau-Saint-Michel. ☎ 04-93-58-01-32. • contact@hotel-miramar-vence.com • hotel-miramar-vence. com • À deux pas du centre-ville, au calme. Doubles 58-98 € *selon confort, vue et saison.* Cette belle bâtisse bour-geoise de trois étages et aux murs roses est tenue avec soin par un couple accueillant et courtois. Charmantes chambres rénovées, dotées de tout le confort. Notre préférée : la « Bouton d'Or » avec ses trois fenêtres, son balcon et la vue sur les collines. Dans le jardin : piscine, palmiers et terrasse surplombant la vallée.

🛏 *Chambres d'hôtes La Colline de Vence :* chez Kristin et Frédéric Bronchard, 808, chemin des Salles. ☎ 04-93-24-03-66. • contact@colline-vence. com • colline-vence.com • *Chambres de charme (4 épis) 74-135 € selon confort et saison, petit déj compris.* Le plus dur, c'est d'y arriver. Dire que ça grimpe sec en fera sourire plus d'un(e) ! Un authentique mas à qui un jeune couple a rendu vie et couleurs. Kristin, qui ne peut cacher longtemps qu'elle vient d'un pays nettement plus au nord, a l'art de vous mettre à l'aise. Les chambres sont claires, spacieuses, gaies. La piscine vous fait de l'œil, il y a le jardin, le verger en contrebas. On en oublie la vue sur la mer. Tiens ! oui, elle est bien là.

Où manger ?

De prix moyens à plus chic

🍽 *Le Troquet :* 13, pl. du Grand-Jardin. ☎ 04-93-58-64-31. • contact@ letroquet.fr • Fermé dim, plus lun hors saison. Suggestions du jour 8-15 €. Un petit resto où l'on vient découvrir les plats du jour, simples et bons, et la fameuse *bruschetta*, qu'on déguste au soleil, sur la place, en terrasse. Aux fourneaux, le chef s'inspire de la cuisine des plus grands, chez lesquels il a travaillé. Service décontracté.

|●| *Le P'tit Provençal :* 4, pl. Clemenceau. ☎ 04-93-58-50-64. ● *le-ptit.pro vençal@laposte.net* ● *Au centre de la vieille ville. Fermé lun et mar sf mar soir en hte saison. Congés : déc-janv. Formule déj 18 € en sem ; menus le soir 24-30 € ; carte env 35 €.* Ce resto à l'ambiance gentiment décontractée permet de déguster une cuisine pleine d'inventivité, dans un registre très provençal, certes, mais avec de belles échappées vers d'autres horizons côté saveurs. De plus, la terrasse, très agréable, à la fraîche, s'ouvre au cœur de la cité historique.

|●| *Le Vieux Couvent :* 37, av. Alphonse-Toreille. ☎ 04-93-58-78-58. *Fermé mer et jeu (sf jeu soir en hte saison). Congés : de mi-janv à mi-mars. Résa conseillée. Menus 27-37 €. Apéro maison offert sur présentation de ce guide.* Installé dans un ancien séminaire du XVIIᵉ siècle, le chef met à l'honneur son terroir au travers de produits pleins de fraîcheur et d'alliances subtilement maîtrisées. Des saveurs franches, qui s'envolent parfois loin des murs du couvent. Cadre élégant, ambiance intime comme il se doit.

|●| *La Litote :* 5, rue de l'Évêché. ☎ 04-93-24-27-82. *Fermé dim soir et lun hors saison ; le midi lun, mer, jeu et sam en hte saison. Congés : 15 janv-8 fév, de mi-nov à mi-déc et les 24, 25 et 26 déc. Le midi, plat du jour 17,50 € ; menus 28-38 €. Apéro maison offert sur présentation de ce guide.* Dans le vieux Vence, sur une petite place paisible avec une terrasse des plus agréable à la nuit tombée. Le jeune chef qui tient ce tout petit resto est resté fidèle à la devise de la maison : l'art de dire peu pour faire entendre beaucoup. C'est la définition même d'une litote... La cuisine de la maison est ainsi : elle paraît modeste mais en fait, elle est raffinée et servie avec une réelle volonté de bien faire. Excellent accueil et très bon rapport qualité-prix.

|●| *Le Pigeonnier :* 3, pl. du Peyra. ☎ 04-93-58-03-00. *Fermé dim soir et lun hors juil-août. Congés : nov. Menu 15 € le midi en sem ; carte env 30 €. Apéro maison offert sur présentation de ce guide.* En plein centre, sur la plus belle place de la ville. Ce restaurant très touristique (on ne peut le nier !) est installé dans une vieille maison du XVIᵉ siècle sur trois étages, mais dispose aussi d'une terrasse qui occupe une partie de la place, ce qui en fait tout l'intérêt. Bonne cuisine traditionnelle, avec notamment la souris d'agneau à la crème d'ail.

De plus chic à beaucoup plus chic

|●| *La Farigoule :* 15, av. Henri-Isnard. ☎ 04-93-58-01-27. ● *lafarigoule@hot mail.fr* ● 🕭 *Fermé mar, mer midi, plus sam midi et dim soir en été. Congés : vac scol de fév, de la Toussaint et de Noël. Résa impérative. Menus 22 € (le midi)-55 €.* Une grande table. On y vient autant pour l'atmosphère que pour la goûteuse cuisine de Provence, réinventée par un chef qui change sa carte au fil des saisons. Patrick Bruot ne travaille que les produits du marché qui lui plaisent, jouant avec les textures et les saveurs pour créer, selon l'humeur, des plats aussi beaux à deviner, sur la carte, qu'à voir, puis déguster ensuite, ce qui est rare. La véranda s'est agrandie, les couleurs se sont égayées, le petit salon s'est fait plus intime. Les tables du jardin on été sont accueillantes, même un peu trop, vous diront ceux qui ragent de n'avoir pu y trouver de place.

|●| *Auberge des Seigneurs :* 1, rue du Docteur-Binet. ☎ 04-93-58-04-24. Voir texte plus haut dans la rubrique « Où dormir ? ».

À voir

De la *place du Grand-Jardin,* centre de la ville moderne, abritant un parking certes payant mais incontournable, gagner la *place du Frêne,* qui doit son nom au frêne planté en souvenir de la visite de François Iᵉʳ à l'occasion de la « trêve de Nice »

conclue entre le roi de France et Charles Quint en 1538. C'est, paraît-il, une curiosité botanique : un tel arbre pousse rarement en altitude, même à 325 m. La place
est bordée par les murailles imposantes du *château seigneurial,* flanqué d'une tour
carrée. Du belvédère, qui prolonge la place du Frêne, jolie vue sur les *baous* (montagnes rocheuses escarpées à sommet plat) et le vallon de la Lubiane.

🎭🎭 *La vieille ville :* elle a gardé tout son caractère derrière son enceinte médiévale. Vous y entrez par l'adorable petite *place du Peyra,* avec pas moins de trois
fontaines, dont une en forme d'urne, datant de 1822. C'était le forum de la ville
romaine. Ici se trouvait la grande pierre plate (*peyra* : pierre) où le condamné, après
un jugement en plein air, s'agenouillait et se faisait trancher la tête.
Prendre la rue du marché et tourner à gauche, vers la place Clemenceau.
– *La place Clemenceau* a belle allure avec son hôtel de ville. Il fut construit en 1911
à la place de l'ancien évêché.
– *La cathédrale :* si la façade date de la fin du XIXe siècle, la nef et les bas-côtés
remontent au XIe siècle. Depuis, la cathédrale a été maintes fois agrandie et
remaniée.
L'intérieur, aux dimensions modestes pour une cathédrale, renferme des retables
en bois doré, à colonnes torses. Dans une chapelle de droite : tombe de saint Lambert ; sarcophage romain du Ve siècle, dit « tombeau de saint Véran ». Dans le baptistère : mosaïque de Marc Chagall, *Moïse sauvé des eaux.*
Mais la partie la plus étonnante est la *tribune.* Les stalles en chêne et poirier, restaurées au XIXe siècle, sont de Jacotin Bellot (un Grassois), qui y travailla cinq
années durant, au XVe siècle. Elles se trouvaient dans le chœur. Admirez les misé-
ricordes « traitées avec une fantaisie satirique et grivoise ». À voir uniquement en
été (fermé hors saison).
– À côté de la place Clemenceau, la petite *place Surian* est pittoresque avec son
minuscule marché du matin où fleurent bon les produits de la Provence. Par une
venelle, on arrive à la *porte de Signadour.* Tournez à gauche, vous atteindrez la
porte de l'Orient et continuerez par le boulevard Paul-André qui offre des vues
superbes sur les *baous.* Par la rue du Portail-Lévis, sur laquelle s'alignent de belles
façades anciennes, vous retrouverez la place du Peyra.

🎭 *La chapelle des Pénitents-Blancs :* pl. Frédéric-Mistral. Tte l'année, tlj sf lun.
Entrée gratuite. Tellement jolie par ses dimensions et surtout son clocheton à l'italienne et son dôme de tuiles polychromes vernissées. Elle abrite des expositions
de peinture. André Siegfried disait à propos de cette chapelle : « On ne sait si elle
évoque la Provence, l'Italie ou l'Orient. »

🎭🎭🎭 *La chapelle Matisse (ou chapelle du Rosaire) :* sur la route de Saint-Jeannet. ☎ 04-93-58-03-26. À l'est de la ville, traverser le pont, suivre la D 2210 en
direction de Saint-Jeannet ; 200 m plus loin, emprunter l'av. Henri-Matisse ; c'est
sur la droite, après une ancienne maison de repos. Visite tlj sf ven (hors vac scol) et
dim 14h-17h30 ; mar et jeu, également 10h-11h30. Fermé de mi-nov à mi-déc.
Entrée : 2,80 €. Une seule messe dim à 10h.
De 1943 à 1948, Matisse, fatigué, vint se reposer à Vence. Il y retrouva celle qu'il
avait connue en 1942 à Nice quand il avait demandé une « infirmière de nuit, jeune
et jolie », et qui était devenue également son modèle. Monique Bourgeois était
venue à Vence... pour entrer au couvent sous le nom de sœur Jacques-Marie.
À cette époque donc, Matisse habita la villa *Le Rêve,* à 100 m de la communauté.
Un bel hasard ! Et pourtant, « il ne m'a jamais touchée », disait-elle. Matisse adorait
son franc-parler : « Les couleurs me plaisent mais les formes sont affreuses. » Le
projet d'une chapelle était depuis longtemps dans l'air, sœur Jacques-Marie en
ayant fait elle-même un croquis préalable. Il fallut un joli concours de circonstances
et l'aval d'une supérieure générale audacieuse pour que Matisse pût décorer en
toute liberté l'oratoire qui devait être reconstruit.
La chapelle du Rosaire domine le vallon de la Lubiane, face à Vence. Si, de la route,
l'édifice semble quelconque, du jardin, la belle façade blanche se découpe admirablement sur fond de montagne.

Matisse ne s'est pas contenté de réaliser toute la décoration intérieure de cette chapelle, de la porte du confessionnal aux chasubles du prêtre. Il a aussi entièrement créé cet espace religieux. Pas étonnant, dès lors, qu'il s'en dégage une unité parfaite.

À l'intérieur, tout y est blanc sauf les vitraux, hauts et serrés, où tranchent le bleu pur, le jaune citron et le vert vif. Cela donne une impression de gaieté qui a fait dire à Aragon : « C'est si gai qu'on pourrait en faire une salle de bal. »

Sur les murs de céramique blanche, Matisse a tracé en noir de grands dessins représentant le chemin de croix, saint Dominique, la Vierge et l'Enfant. Le peintre considérait que cette chapelle était le chef-d'œuvre de sa vie. Deux salles du musée Matisse à Nice sont consacrées aux esquisses préalables à la réalisation de sa décoration.

🏛 *Le château de Villeneuve – Fondation Émile-Hugues* : 2, pl. du Frêne. ☎ 04-93-58-15-78. Ouv tte l'année, tlj sf lun 10h-12h30, 14h-18h. Entrée : 5 € ; réduc ; gratuit jusqu'à 12 ans. L'ancien château des Villeneuve, autrefois seigneurs de Vence, est devenu un lieu d'art qui vaut le détour. Rénové en 1992 avec beaucoup de goût, le musée propose aux visiteurs des expositions thématiques concernant des artistes modernes et contemporains.

Fêtes et manifestations

– *Bal de la Saint-Valentin* : le 14 fév, donc. Avec élection de la reine de Vence.
– *Fêtes de Pâques* : célébrées dans la grande tradition depuis plus d'un siècle. Couronnement de la reine, messe du Siège en plein air, danse de la souche, hommage aux Provençaux, rencontres et danses folkloriques, etc. Des festivités pittoresques, clôturées par la bataille de fleurs et le corso fleuri.
– *Vence fête ses cultures* : en mai. Manifestation qui rend hommage aux communautés étrangères présentes à Vence. L'Algérie, l'Allemagne, l'Équateur, l'Espagne, Madagascar, le Maroc, le Mexique, le Nicaragua, la Pologne, la Roumanie, la Tunisie et la Provence se donnent rendez-vous pour faire partager leur gastronomie, leur folklore, leur artisanat, leur art de vivre...
– *Fête de l'Ail et de l'Aïoli* : début juil, pl. Clemenceau et Mars.
– *Festival des Nuits du Sud* : de mi-juil à mi-août. Festival des musiques du monde qui se déroule en plein air. Lieu de rencontres et de créations des différentes cultures musicales venues d'Europe, d'Afrique et d'Amérique latine.
– *Fête de la Sainte-Élisabeth* : début août. La grande fête patronale de Vence, perpétuée depuis le XIXe siècle. Danses folkloriques, messe en la chapelle Sainte-Élisabeth et cérémonie place du Grand-Jardin.
– *Fête de la Sainte-Colombe* : en sept. Fête populaire et religieuse au cours de laquelle les Vençois viennent danser, chanter et pique-niquer.
– *Le Moyen Pays fête ses traditions* : 1er w-e d'oct. Un festival de traditions pour célébrer la fin de l'été. L'occasion de faire revivre les coutumes, les métiers d'hier et d'aujourd'hui (conteurs, dentellières), les musiques et danses du moyen et haut pays.
– *Rencontres cinématographiques* : en oct. Rencontres thématiques, débats, etc., le tout animé par des réalisateurs, acteurs et cinéphiles.

Randonnées pédestres

➤ *Le baou des Blancs* : durée 2h30 aller-retour.
De l'office de tourisme, prendre l'avenue Isnard jusqu'au bout de l'avenue des Poilus. Arrivé au petit carrefour, prendre à droite et traverser le pont. Une fois le pont franchi, tourner à gauche. Parcourir environ 100 m et prendre le chemin Saint-Martin, situé sur la droite. Après environ 200 m de montée, on arrive sur le chemin du Riou ; continuer tout droit jusqu'à la route menant au col de Vence. Cette route

s'élève avec quelques lacets en permettant de nombreuses échappées sur Vence et le pays Vençois. On remarque, à gauche, les ruines de l'abbaye des Templiers, située à l'intérieur du domaine Saint-Martin. Ces ruines dateraient de la fin du XIIᵉ siècle. Rappelons que l'ordre des Templiers fut aboli par le Pape en 1312 sur l'intervention du roi de France, Philippe le Bel. La route s'enfonce alors dans le vallon de la Lubiane et pénètre dans une zone de carrières. Un petit sentier, très pentu, démarre à droite avant la carrière, près d'une plaque rappelant le souvenir des victimes des mines nazies. Laisser ce sentier difficile et poursuivre la route jusqu'après la carrière et la dernière habitation, d'où part un autre chemin d'accès plus facile.

Ce sentier part sur la droite, face à la vieille carrière située sur la gauche de la route, passe en arrière de la bergerie et rejoint le « chemin de l'EDF ».

En haut du Baou, panorama exceptionnel. À l'est, de l'autre côté de la vallée du Var, le village d'Aspremont, entre le mont Cima (880 m) et le mont Chauve (854 m). En face, dominant le Var, les collines où l'on produit les fameux vins de Bellet. À l'arrière, le mont Agel (1 150 m) qui domine Monte-Carlo et la Tête de Chien (556 m) au sud de la Turbie, puis en arrière les derniers contreforts des Alpes. Le cap Ferrat se détache sur la Méditerranée, et plus près le mont Boron (178 m) indique l'entrée du port de Nice. Au sud, on embrasse toute la côte allant de Cagnes-sur-Mer jusqu'au cap d'Antibes et au fond, les îles de Lérins.

Plus près de nous, le village de Saint-Paul, perché sur son éperon, les massifs boisés qui entourent La Colle-sur-Loup et plus loin les bois de Valbonne. Le Super-Cannes d'un côté, le massif de l'Esterel de l'autre, aux sommets variés, parmi lesquels le pic de l'Ours (reconnaissable à son relais TV), encadrent la baie de Cannes et le golfe de La Napoule. À l'Ouest, de l'autre côté de la vallée du Malvan, le sommet du Malvan (1 023 m), le puy de Tourrettes (1 267 m) et le pic de Courmettes (1 248 m).

De l'autre côté de la vallée du Loup, le Haut Montet (1 335 m), qui surplombe la plaine de rochers de Caussols et en fond de tableau la montagne de Thiey (1 552 m) et la montagne de l'Audibergue (1 642 m). Au nord, la chaîne du Cheiron culmine à 1 777 m. Enfin, de part et d'autre de la vallée de la Cagne, le baou des Noirs (680 m) et le baou de Saint-Jeannet (800 m) se confondent avec le baou de la Gaude, de même altitude. Le retour à Vence s'effectue par le même itinéraire.

➤ *Saint-Paul, par l'ancien chemin de Saint-Paul : durée 3h aller-retour.* Quitter Vence par l'avenue du Colonel-Meyère, puis la route de Saint-Paul et le chemin de la Pouiraque. On arrive à la chapelle Sainte-Élisabeth. Tourner alors à droite pour emprunter l'ancien chemin de Saint-Paul. Ce dernier traverse l'avenue Émile-Hugues, puis descend rapidement pour arriver à une station d'épuration située au fond du vallon du Malvan. Contourner cette station par la gauche et traverser le Malvan sur une passerelle récente. Le sentier devient très agréable, dominant le vallon du Malvan qui s'élargit entre la route Vence-Saint-Paul et la route Cagnes-Vence. Continuer toujours à droite. On remarque un oratoire encore en bon état représentant Jésus au tombeau. En poursuivant ce sentier qui remonte progressivement, on aboutit sur la route Vence-Saint-Paul, à 100 m du village et de l'arrêt des cars.

LES GORGES DU LOUP

Un des deux superbes circuits à réaliser au départ de Vence, l'autre menant vers les clues (voir plus loin « Les clues de Haute-Provence »), parcours obligés du parfait touriste sur la Côte d'Azur. On n'est pas loin du rivage et on a là des paysages de montagne ou presque. Donc beaucoup de monde en saison. Le Loup prend sa source à Andon et se jette dans la Méditerranée à Cagnes-sur-Mer. Il alimente en eau les villes de Cannes, Grasse et Villeneuve-Loubet.

➤ De Vence, prendre la D 2210 vers Tourrettes-sur-Loup. La route est bordée de luxueuses villas cachées derrière de longues haies parfaitement taillées.

TOURRETTES-SUR-LOUP (06140)

🎭🎭 Le village de Tourrettes-sur-Loup est l'un des plus beaux de la région. Pas étonnant, dès lors, qu'il accueille autant d'artistes. Francis Poulenc ou encore Jacques Prévert y séjournèrent. C'est même là que ce dernier écrivit le scénario des *Enfants du paradis* dans sa bastide en 1942-43. Plus récemment, Claude Lelouch, Marthe Keller et Guy Bedos ont également choisi Tourrettes-sur-Loup comme lieu de villégiature.
Les étymologistes hésitent encore sur l'origine du nom de Tourrettes, entre *tor,* qui signifie « palier dans la montagne » selon la tradition celto-ligure, et *turres altas,* qui signifie « hautes tours » chez les Romains.

> ### DRÔLE DE NOM POUR UNE RIVIÈRE !
>
> *La rivière tient son nom du fait que les loups descendaient régulièrement du village de Torrents en traversant la vallée et les gorges. Elle a tout naturellement donné son nom au village de Tourrettes. Celui-ci s'est pourtant longtemps appelé Tourrettes-lès-Vence car il dépendait du comté de Vence. Il fut débaptisé en 1864, à l'occasion de l'inauguration de la ligne ferroviaire Nice-Draguignan. Une manière de célébrer la dernière battue aux loups qui eut lieu la même année sur cette commune. Depuis, de La Colle à Tourrettes en passant par Cagnes-sur-Mer, on continue à voir le Loup partout !*

Cette « Cité des arts et des violettes », de par sa position stratégique, a connu toutes les invasions : Francs, Huns, Wisigoths et Lombards, d'où son front de maisons érigé en rempart au-dessus d'un à-pic. Situé sur un éperon rocheux, entouré de ravins, le village aligne fièrement ses maisons patinées par le soleil, dont on a dit qu'« elles semblaient se raidir pour ne point choir dans le vide ». Et c'est vrai ! Il est dominé par une montagne appelée le *puy de Tourrettes,* qu'un bon marcheur atteint en 2h. Du haut de ses 1 267 m, vue évidemment splendide. La Cité, rebâtie au XVe siècle, a gardé son cachet médiéval, avec les trois tours de sa vieille enceinte et ses ruelles pavées enroulées autour de son imposant château.

Adresse utile

🛈 *Office de tourisme :* 2, pl. de la Libération. ☎ 04-93-24-18-93. • tour rettessurloup.com • En saison, ouv lun-sam 10h-18h30, plus dim et j. fériés 10h-18h en juil-août. Hors saison, lun-ven (sf j. fériés) 9h30-17h30 et sam 9h30-12h30.

Où dormir ? Où manger ?

Camping

⛺ *La Camassade :* 523, route de Pie-Lombard. ☎ 04-93-59-31-54. • cour rier@camassade.com • camassade. com • ♿ À 500 m par la D 2210, puis à gauche sur env 1,5 km. Ouv tte l'année. Résa conseillée. Emplacement pour 2 pers avec tente et voiture 16,30-21,75 € selon saison. Loc de mobile homes 255-505 €/sem. Un 3-étoiles ombragé, au cadre très reposant. Emplacements spacieux. Piscine.

De plus chic à beaucoup plus chic

🏠 *Chambres d'hôtes Le Mas des Cigales :* 1673, route des Quenières. ☎ 04-93-59-25-73. • lemasdescigales@ free.fr • lemasdescigales.com • Ouv tte *l'année. Doubles 77-105 € selon confort et saison, petit déj compris. Apéritif maison offert sur présentation de ce guide.* Les propriétaires vous proposent cinq chambres provençales (dont deux peuvent communiquer) avec des meubles peints et un panneau mural en trompe l'œil. Rien ne manque au confort de ces chambres climatisées et agrémentées de jolies salles de bains. *Le Mas* met aussi à la disposition de ses hôtes une piscine, une agréable terrasse couverte où est servi le petit déjeuner-buffet, un jacuzzi extérieur, un grand jardin avec un court de tennis (raquettes à disposition), une aire de pique-nique et un terrain de pétanque... Que demander de plus ? D'autant que le rapport qualité-prix est excellent, compte tenu des prestations.

🏠 🍴 *Chambres et table d'hôtes La Demeure de Jeanne :* 907, route de Vence. ☎ 04-93-59-37-24. ● yolande6@libertysurf.fr ● demeuredejeanne.com ● *Fermé nov-début mars. Doubles 100-160 €, les plus chères étant des suites, petit déj inclus. Table gastronomique 45-60 €. Apéritif et digestif maison offerts sur présentation de ce guide.* Une adresse complètement à part. Une grande maison, idéalement située, construite au départ pour une famille qui devait avoir une certaine idée du chic

(marbre et dorure), et qui vit désormais pour des hôtes qui pourront goûter l'une des meilleures cuisines de toute la région. Table superbement dressée, mets exquis, vins choisis et commentés par Albert. Piscine, jardin, terrasses avec vue panoramique sur la mer, comme disent les marchands de rêve. Petit déjeuner qui laisse repu et ravi.

🍴 *Les Bacchanales :* 21, Grande-Rue. ☎ 04-93-24-19-19. *Fermé mar et mer. Congés : nov-fin déc et 1 sem en juin. Menus 28 € le midi, 38 € le soir ; sinon, 42-48 €.* Au cœur du village médiéval, dans l'une des ruelles sinueuses, un resto à la déco résolument contemporaine. N'hésitez pas à venir de loin pour goûter à la cuisine de Christophe Dufau, très jeune chef, talentueux et prometteur. La pêche du jour en provenance de petits bateaux lui permet d'obtenir des poissons de Méditerranée plutôt rares, comme la vive, la galinette ou encore le poisson-ruban. Plein d'imagination et de créativité, il soigne également les présentations, joue avec les consistances, les couleurs et les arômes de l'huile, de l'olive, du basilic pourpre et des fleurs ou feuilles de capucine... Le tout dans un grand respect des cuissons et des produits, cuisinés avec légèreté. Un excellent rapport qualité-prix. Un sans-faute !

À voir

🏹 *L'église :* sur la Grand-Place ombragée d'ormeaux. L'église primitive remonte au XIIᵉ siècle, avec la partie centrale et le clocher. Elle fut ensuite agrandie en 1551, 1645 et 1648. Elle abrite quelques retables des XVᵉ, XVIIᵉ et XVIIIᵉ siècles. Derrière le maître-autel, un autel païen romain du IIIᵉ siècle dédié à Mercure.

🏹 *La chapelle Saint-Jean :* au bord du chemin dominant le village (superbe point de vue !). Décorée par Ralph Soupault en 1959, elle représente fidèlement les Tourretans de l'époque et les scènes de la vie paysanne comme la cueillette de la violette.

🏹 *La cité médiévale :* superbe ensemble médiéval très bien conservé. Village secret, on y pénètre par trois portes surmontées de tours. On peut suivre la Grand-Rue, où de nombreux ateliers d'artisanat sont ouverts toute l'année (sculpture sur bois ou bronze, tissage, peinture, poterie, joaillerie...). La cité garde l'authenticité d'un bourg provençal vivant et animé, avec ses placettes à platanes et fontaines qui assurent de la fraîcheur même en pleine canicule.

Fête

– *Fête des Violettes :* le 1ᵉʳ ou 2ᵉ w-e de mars (selon la floraison). Elle clôture la saison des violettes (visite de champs sur réservation de novembre à mars). Le samedi, marché provençal et visites guidées des champs de violettes et de la cité médiévale, suivis d'un « Brissaudo » (repas provençal). Le dimanche, des chars et la Cité sont décorés de violettes et de mimosa. Cultivée à Tourrettes-sur-Loup, la violette « Victoria » se consomme cristallisée ou en sirop. Sa feuille est vendue aux parfumeries grassoises et transformée en « concrète » pour fixer les parfums.

DE TOURRETTES À GOURDON

🍴 Après Tourrettes, la route domine la vallée du Loup. On arrive à *Pont-du-Loup,* qui marque réellement l'entrée du défilé.

🍴🍴 Possibilité de visiter la délicieuse *Confiserie des Gorges du Loup – confiserie Florian,* à Pont-du-Loup (06140). ☎ 04-93-59-32-91. ● confiserieflorian.com ● *Ouv tlj 9h-12h, 14h-18h30 ; 9h-18h30 en été.* Cette fabrique de confitures, de fruits confits et de sirops a remarquablement su s'adapter à son époque, tout en gardant son caractère artisanal. Visite guidée, expéditive et au pas de charge, par une hôtesse qui récite son texte de façon mécanique pour vous emmener tout droit à la boutique. Pas franchement passionnant, mais on garde le souvenir d'une bonne odeur de sucre tiède et de violette. Et comme c'est gratuit, on se dit que c'est toujours mieux que rien, car il ne faut pas non plus oublier qu'ils sont avant tout fabricants (la même famille dirige la confiserie depuis 1949). Excellents produits au demeurant. On se permet de vous conseiller la gelée de jasmin et de violette. En sortant côté viaduc, on découvre le jardin d'agrumes et de plantes à confiserie que le jardinier a réussi à créer sur les restanques. Une bonne façon de répondre aux questions des petits et des grands : « Comment pousse le jasmin, quand récolte-t-on la violette, et la verveine, et le cédrat ?... » Le jardin d'agrumes permet de découvrir également quelque 80 variétés de plantes adaptées au climat méditerranéen. On revient en jetant un dernier coup d'œil aux ateliers. Beaux meubles anciens des XVIIe et XVIIIe siècles dans cette petite entreprise qui a reçu la Coupe d'or du bon goût français. À l'étage a été aménagé un petit *musée de la Fleur sucrée.*

🍷 Petite *Brasserie de la Source* en sortant, pour se désaltérer, après toutes ces sucreries.

– Du viaduc ferroviaire qui existait jusqu'en 1944, il ne reste que trois voûtes : il a été miné à la Libération.

🍴 Au *Saut-du-Loup,* prendre la D 6 qui longe les *gorges du Loup,* entaille creusée par le torrent dans le terrain calcaire. Les excavations arrondies sont appelées ici « marmites ».

🍴 Du *pont de Bramafan,* plus loin, on peut aller à *Courmes,* petit village possédant une bonne auberge pour routards sportifs et affamés. Il est traversé par le GR 51. Les marcheurs peuvent grimper en 2h au sommet du *puy de Tourrettes,* loin des touristes des gorges.

Où dormir ? Où manger ?

🏠 |○| *L'Auberge de Courmes :* 3, rue des Platanes, 06620 Courmes. ☎ 04-93-77-64-70. ● aubergecourmes@aol. com ● auberge-de-courmes.fr ● 🍴 À l'entrée du village. Tlj sf lun. Congés : janv. Doubles 44 €. Menus 20 € en sem, 23 € dim. Apéritif maison offert sur présentation de ce guide. Une auberge communale dont on parle en bien dans le pays. Au resto, une bonne cuisine traditionnelle avec des plats de terroir... d'un terroir d'ailleurs : magret aux poires, confit maison, millas aux pruneaux...

🏠 |○| *Chambres d'hôtes La Cascade :* 635, chemin de la Cascade, 06620 Courmes. ☎ 04-93-09-65-85. ● info@gitedelacascade.com ● gitedelacas cade.com ● *Ouv tte l'année. Suivre le fléchage depuis le village de Courmes. Compter 55 € pour 2, 70 € pour 3 et 85 € pour 4, petit déj compris. Repas 17 €, tt compris.* Six chambres, dont trois familiales, aménagées dans une ancienne bergerie, au cœur des gorges du Loup. Cette belle adresse, en pleine garrigue, permet d'alterner tourisme et farniente, en toute liberté, selon la météo et l'humeur du matin. Idéalement située, au cœur des gorges du Loup, il est facile de rayonner dans la région. Gourdon, Tourrettes, Grasse ou encore Saint-Paul-de-Vence ne sont qu'à quelques minutes. Côté détente, difficile de faire mieux : 5 ha de terrain, une piscine chauffée, un terrain de pétanque, un étang… Le soir, ambiance festive et conviviale autour de la table d'hôtes. Cuisine privilégiant produits du terroir et légumes du potager. Une adresse conciliant charme et simplicité, à prix tout doux. À signaler : un euro par nuit et par personne est reversé à une association caritative protégeant les droits de l'enfance. Sympa !

➤ Pour continuer la promenade dans les gorges, du pont de Bramafan on prend la D 3, direction Gourdon. Plus la route monte, plus les échappées sur la vallée sont belles. Peu à peu, la végétation se raréfie. On n'est plus loin du *plan de Caussols*. Les amateurs de panoramas s'arrêteront à l'emplacement aménagé. On est à 700 m d'altitude et l'on voit bien l'entaille réalisée par le torrent.

GOURDON (06620)

Bâti sur un socle rocheux à 760 m d'altitude, Gourdon, classé parmi les « Plus beaux villages de France », domine la vallée du Loup, ce qui explique son panorama incomparable. Ce petit village aux allures féodales a souvent servi de place forte. Y aller hors saison si l'on craint les boutiques de souvenirs (difficile de faire pire en la matière !) et la foule du mois d'août… À voir aux heures creuses, pour l'atmosphère qui s'en dégage et son château.

Adresse utile

🏛 **Bureau du tourisme :** pl. Victoria. ☎ 04-93-09-68-25. ● *gourdon-france. com* ● *Tte l'année, tlj : juil-août, 10h-19h30 ; avr-juin et sept-oct, 10h30-18h ; nov-mars, 11h-17h.*

Où manger ?

|●| **Au vieux four :** rue Basse. ☎ 04-93-09-68-60. *Tlj sf jeu ; ouv slt le midi hors saison. Résa conseillée. Formule déj en sem 16,50 € ; menu 32 €. CB refusées. Café offert sur présentation de ce guide.* Une adresse tout à fait exquise pour faire une pause le midi dans ce joli village perché. Pierre apparente et feu de cheminée pour une déco plutôt dans l'air du temps. Stéphane Lucas, un jeune chef inspiré, concocte une cuisine de saison, précise et savoureuse, élaborée à base de produits frais et oscillant entre Provence, Espagne et Italie. La carte, très courte, change chaque semaine. Une excellente adresse. Si la salle n'est pas bien grande, la terrasse est minuscule ; il est donc prudent, voire impératif, de réserver.

À voir. À faire

🎋🚶 **Le château :** ☎ 04-93-09-68-02. ● *chateau-gourdon.com* ● *Visites guidées slt. Musée des Arts décoratifs et de la Modernité : en juil-août, tlj à 12h, 15h, 17h et 18h, et sur rendez-vous sept-juin. Musée historique : juin-sept, tlj 11h-13h, 14h-*

19h ; oct-mai, tlj sf mar 14h-18h. On peut aussi ne visiter que les jardins à 15h et 17h en juil-août, et sur rendez-vous avr-sept. Entrées : 10 € (Arts déco), 4 € (Musée historique) et 4 € (jardins) ; réduc. Attention, le musée des Arts déco n'est accessible qu'à partir de 14 ans, pour des raisons de sécurité. Château datant du XIIᵉ siècle, remanié au XVIIᵉ siècle.

– **Le musée des Arts déco** vaut le détour à lui seul. Il présente des ensembles mobiliers Art nouveau (1880-1925) et Art déco (1925-1939), parmi lesquels des signatures aussi prestigieuses que celles de Ruhlmann, Dunand, Chareau, Mallet-Stevens, Jourdain ou Gray. Il s'agit de l'une des plus belles et des plus complètes collections au monde.

– **Musée historique** intéressant pour sa collection d'armes et armures anciennes, diverses pièces de mobilier des XVIᵉ et XVIIᵉ siècles, notamment un secrétaire ayant appartenu à Marie-Antoinette, et, surtout, dans la chapelle, une sculpture extrêmement rare attribuée au Greco, représentant saint Sébastien.

Des jardins en terrasses dessinés par Le Nôtre, vous découvrirez une vue superbe sur la côte. Ces terrasses, à l'italienne, sont transformées en jardin botanique consacré à la flore alpine.

➤ Ne manquez pas le pittoresque **sentier du Paradis** qui descend à Pont-du-Loup en 45 mn. Pour monter, par contre, c'est assez raide, et il faut compter plutôt 1h30 à 2h. Très belle balade mais vraiment sportive, qui offre de superbes panoramas jusqu'à Nice. Autrefois, le facteur était obligé de faire ce parcours tous les jours...

LE PLATEAU DE CAUSSOLS

De Gourdon, la D 12 grimpe sur le plateau de Caussols, offrant un paysage aride ; véritable causse calcaire, percé de grottes, crevassé, buriné, qui évoque les causses des Cévennes. Les spéléologues ici s'en donnent à cœur joie. On est à mille lieues du monde sophistiqué de la Côte.

➤ Une petite route là-haut permet d'aller encore plus loin vers la **« plaine de rochers »**. Époustouflant décor de pierre où poussent quelques genêts et chardons. Le site lunaire rappelle le désert de Syrie. Des rochers, véritables sculptures, ajoutent à l'étrangeté de l'endroit. Les cinéastes voulant économiser des tournages en Castille n'hésitent pas à venir ici. De plus, l'air y est sec, le ciel très limpide, on ne voit de la brume que soixante jours par an. Un observatoire y a d'ailleurs été installé. Des restes de bergeries se mêlent aux pierres.

➤ Un sentier de grande randonnée, le GR 4 (balisage rouge et blanc), traverse le plateau de Caussols du nord au sud et permet d'atteindre le col du Clapier (1 257 m) ou le sommet de la Colle du Maçon (1 417 m). Un point de départ possible : depuis Caussols-Village, prendre la petite route à droite après le restaurant et continuer jusqu'à l'embranchement en T. Se garer sur le bas-côté et compter 2h de marche aller-retour avec une petite grimpette (facile) pour atteindre les crêtes à 1 260 m d'altitude. Le chemin part face à la route (GR 4, balise 124).

Où manger dans le coin ?

|●| **La Bastide Saint-Louis :** 3391, route départementale 12, 06460 Caussols. ☎ 04-93-09-29-70. Ouv ts les midis sf lun et mar ; en juil-août, ouv également le soir (sf sam soir). Congés : de mi-déc à début janv. Menus 22-26 €. Une auberge perdue au milieu de nulle part et qui mérite vraiment le détour. Si les portions sont roboratives, les recettes s'avèrent plutôt fines. Après avoir fait un sort aux charcuteries, aux terrines et à la motte de beurre, il vous faudra faire honneur aux raviolis maison, à la daube de bœuf ou à l'agneau (de Sisteron dans la mesure du possible)... Le gros menu est un modèle du genre : on

a droit à tout ! Salle gentiment rustique, avec une petite cheminée qui réchauffe l'atmosphère en hiver, et terrasse pour les beaux jours. Un vrai coup de cœur !

LE BAR-SUR-LOUP (06620)

*De la D 3 qui mène au Pré-du-Lac, prendre à gauche la D 2210 vers Le Bar-sur-Loup. Le bourg conserve de vieilles ruelles bordées de hautes maisons anciennes, serrées les unes contre les autres. Il est dominé par le **château des comtes de Grasse,** dont le plus illustre descendant fut l'amiral de Grasse qui participa à la guerre d'Indépendance américaine. Il naquit au Bar-sur-Loup en 1722. Sur la place, **fontaine** avec mascaron. Une étape idéale sur la route de Grasse et dans le haut pays grassois.*

Adresse utile

🛈 **Office de tourisme :** pl. Francis-Paulet. ☎ 04-93-42-72-21. • lebarsurloup.fr • Avr-juin et sept-oct, tlj sf dim et lun 10h-13h, 15h-18h ; juil-août, tlj sf lun 10h-13h, 15h-19h ; nov-mars, mar-ven 14h-17h et sam 9h-12h.

Où dormir ?

Camping

⛺ **Camping des Gorges du Loup :** 965, chemin des Vergers. ☎ 04-93-42-45-06. • info@lesgorgesduloup.com • lesgorgesduloup.com • Prendre au nord-est la D 221 sur 1 km, puis encore 1 km par le chemin des Vergers à droite. Ouv avr-fin sept. Résa indispensable en juil-août. Emplacement pour 2 pers avec voiture et tente 14-22 € selon saison. Loc de chalets et de bungalows 250-535 €/sem. Camping vraiment super. Vue sur la vallée et les montagnes depuis les emplacements en terrasses. Très calme. Plats à emporter ou à consommer sur place, en terrasse, au bord de la piscine.

Où manger ?

|●| **L'École des Filles :** 380, av. Amiral-de-Grasse. ☎ 04-93-09-40-20. 🍴 Tlj sf dim soir et lun. En sem, formule déj 13 € et menu 19 € ; menus 28-33 €. Un lieu qui plaira à tous ceux qui ont la nostalgie des pupitres et des tableaux noirs. Dans l'ancienne salle de classe, le soleil est entré avec une cuisine de bon aloi qui ne veut donner de leçons à personne mais qui réussit ses examens de passage, chaque année, auprès d'une clientèle conquise... Si la salle de cours vous impressionne, il y a toujours la cour de récréation pour accueillir petits et grands.

|●| **La Jarrerie :** au pied du village. ☎ 04-93-42-92-92. 🍴 Fermé mar et mer midi. Congés : 2-31 janv. Résa conseillée. Menus 27-49 €. Apéritif maison offert sur présentation de ce guide. Très belle salle rustique et chic pour une cuisine bourgeoise très agréable. Si vous rêvez d'huîtres tièdes, d'une salade de cailles au raisin et vinaigre de framboise, ou d'un tournedos sauce foie gras et petits légumes, arrêtez-vous deux heures ici, vous serez doublement servi.

À voir. À faire

🕯 **L'église Saint-Jacques-le-Majeur :** fermée pour travaux, pour une durée indéterminée. On pénètre (en principe donc) sur le côté droit par une splendide porte gothique sculptée par l'auteur des stalles de la cathédrale de Vence et représentant saint Jacques le Majeur. L'église comprend une nef du XIIIe siècle et un chœur refait au XVIIe siècle. Derrière le maître-autel, *retable de saint Jacques le Majeur,* en quatorze panneaux, attribué à Louis Bréa (toujours le même !).

Mais la peinture la plus curieuse est la *Danse macabre,* sous la tribune, qui date du XVe siècle. Le tableau rappellerait une légende. De la place de l'Église, vue en enfilade sur les gorges du Loup.

➢ Pour continuer le *circuit des gorges du Loup,* revenir sur la D 2085 puis, après Pons et Le Collet, prendre à gauche la D 7 qui retrouve la vallée du Loup. Après un superbe point de vue et un passage en corniche, on descend au fond de la vallée et on traverse le Loup. On arrive alors à La Colle-sur-Loup. La route vous ramène ensuite à Saint-Paul puis à Vence, le temps de vous reposer avant d'affronter le second circuit.

> ## BAL SACRILÈGE ET DANSE MACABRE
>
> *Bien que cela soit interdit, le comte du Bar osa donner un bal pendant le carême. Le sol s'effondra et les invités périrent, punis de leur sacrilège. Une autre version parle d'invités retrouvés morts dans leur sommeil au petit matin. Quoi qu'il en soit, affolé, le comte invoqua saint Arnoux et promit, s'il était épargné, de lui édifier une chapelle. Le seigneur tint parole ; on peut voir encore l'ermitage de Saint-Arnoux (voir après Pont-du-Loup). L'artiste montre des personnages qui dansent au son d'un tambourin et d'un flutiau. Et on remarque la Mort avec son arc qui a déjà atteint plusieurs personnages...*

LES CLUES DE HAUTE-PROVENCE

DE VENCE À COURSEGOULES

On quitte Vence au nord par la D 2. Très vite la route s'élève dans la montagne, le panorama devient grandiose. Puis un paysage surprenant, austère, qui rappelle les Causses, apparaît. Plus on monte, plus la vue s'élargit : avant le col de Vence, vous découvrez la côte, de l'Estérel au cap Ferrat ; le contraste entre la montagne, désertique, et le littoral tout proche est saisissant.

➢ *Pour les marcheurs,* un sentier permet d'atteindre Saint-Jeannet en 4h. Un autre, plus loin, avant la maison jaune, ramène à Vence en 2h par Les Salles, et un troisième rejoint Coursegoules par la combe Moutonne en 2h30.

➢ Sur le col, *promenades à cheval* très agréables dans un tel paysage. *Résa :* ☎ 04-93-58-09-83.

➢ La route, au milieu d'un paysage désertique de toute beauté, domine ensuite la Cagne. Pour Coursegoules, prendre à droite.

COURSEGOULES (06140)

De la D 2, le vieux village de Coursegoules, juché sur une arête au flanc de la chaîne du Cheiron, est superbe, complètement hors du temps.

Au XVIIe siècle, Coursegoules, ville royale, comptait 1 000 habitants. En 1900, il y avait encore un notaire, un médecin et un juge de paix. Depuis, la terre ingrate, les voies de communication difficiles ont provoqué l'exode...

Actuellement, de vieilles maisons retapées sont reconverties en résidences secondaires. L'endroit a de quoi séduire. Ici, on est loin de la foule de la Côte, et le vieux village, doté d'une belle architecture collective, garde beaucoup de caractère : passages voûtés, vestiges défensifs, montées en escalier, moulin à grain. L'église, souvent fermée, abrite un retable attribué à Bréa. Il est dédié à saint Jean-Baptiste. Promenez-vous aussi sur le sentier qui contourne le vallon de la Cagne. Vous parviendrez alors au milieu des cyprès à la belle *chapelle Saint-Michel*, restaurée, où se rassemblait une communauté de moines rattachée à l'abbaye de Lérins. Si vous êtes courageux, vous pourrez continuer plus loin pour atteindre un col au-dessus de Boyon et un sommet de 1 400 m. Vue magnifique assurée par beau temps.

Où dormir ? Où manger ?

🛏 *Gîtes communaux :* dans le bâtiment de la mairie, derrière l'église. ☎ 04-93-59-11-60. ● mairie@coursegoules.fr ● Compter 120-338 €/sem selon taille et saison. Plusieurs appartements très bien équipés.

🛏 |●| *Auberge de l'Escaou :* ☎ 04-93-59-11-28. ● auberge-escaou@orange.fr ● auberge-escaou.com ● ✗ Tt au bout du village, en suivant la direction de l'église. Doubles 65 € . Menu 22 € ; carte 27-40 € . Au cœur du village, un joli hôtel nouvellement repris. Une vraie carte postale ! Une douzaine de chambres très propres, avec vue sur la vallée ou sur la montagne. Cuisine provençale à déguster sur une petite terrasse ombragée.

➢ De Coursegoules à Thorenc, reprendre la D 2. Le paysage redevient bientôt verdoyant, et on aboutit à la haute vallée du Loup.

GRÉOLIÈRES (06620)

Le village, perché sur un contrefort du Cheiron, est dominé par les ruines de l'ancien village (Les Hautes-Gréolières).
Promenez-vous dans les ruelles du vieux village. Sur la façade latérale de l'*église,* remaniée au XIIe siècle et agrandie au XVIe siècle, on distingue la porte murée par laquelle pénétrait le seigneur. À l'intérieur, *retable de saint Étienne,* peint en 1480 par un religieux de l'école de Bréa, et croix processionnelle plaquée or et argent. Face à l'église se dressent les ruines du château.

Où dormir ? Où manger ?

🛏 *Gîte de France, atelier Juliette Derel :* pl. Pierre-Merle. ☎ 04-93-59-98-32. Dans le village. Pour les randonneurs de passage, nuit env 25 €/pers ; sinon, appart 420 €/sem. Réduc de 5 % sur présentation de ce guide. Juliette Derel tient un petit atelier de création et peut loger, en fonction des places disponibles, jusqu'à 6 personnes au-dessus de sa boutique.

|●| *La Barricade :* 14, pl. de la Fontaine. ☎ 04-93-59-98-68. ✗ Tlj sf lun et mar (hors juil-août). Congés : 1 sem en mars. Formule déj 13,50 € ; carte env 20 € . Apéritif maison offert sur présentation de ce guide. Cadre agréable et cuisine familiale : terrines, chèvre chaud en chausson, raviolis aux cèpes, daube à la polenta, gibier en saison, bonnes grillades au feu de bois à prix honnêtes. Terrasse.

THORENC (06750)

Prononcer « Toran ». Agréable station de ski de fond, à 1 250 m d'altitude, dans un paysage alpestre. Elle a été créée au début du XXe siècle par des Anglais et des Russes, d'où une architecture particulière. On l'appelle encore aujourd'hui la « Suisse provençale ». Si vous voulez fuir les bruits de la ville, ici vous serez comblé. On s'y rend en empruntant une route splendide, engloutie par la roche à certains endroits. Pitons, grottes ou simples blocs de pierre percés de trous énormes donnent un côté sauvage.

Où dormir ? Où manger à Thorenc et dans les environs ?

De prix moyens à plus chic

🛏 🍴 *Auberge Les Merisiers* : 24, av. du Belvédère, à Thorenc. ☎ 04-93-60-00-23. ● info@aubergelesmerisiers. com ● aubergelesmerisiers.com ● Fermé lun soir et mar hors vac scol. Congés : mars. Doubles 45 €. Formule 20 € ; menus 25-32 €. Des chambres rénovées (choisissez celles qui sont plein sud, avec balcon) et un restaurant où il fait bon se réfugier près de la tonnelle ou de la cheminée suivant la saison. Spécialité : foie gras de canard, à déguster au coin du feu ; une cuisine réussie. Personnel vite débordé en cas de coup de feu.

🛏 🍴 *Auberge de la Ferme* : 1450, route de Castellane, à Thorenc. ☎ 04-93-60-00-95. Grandes chambres et belles suites 52-70 € pour 2 pers. Repas slt en ½ pens 18 €. Une très jolie auberge, en retrait de la route, où vous serez accueilli chaleureusement par une dame très gentille et très sympathique. Cuisine familiale et traditionnelle, utili-

sant des produits en provenance directe de la ferme des enfants, tout à côté. Calme total. Le lieu idéal pour se ressourcer entre forêt et campagne.

🍴 *Restaurant Le Christiania – chez Huguette* : 218, pl. de l'Audibergue, 06750 Andon. ☎ 04-93-60-45-41. En bas des pistes de ski de l'Audibergue. Une adresse que l'on peut aussi atteindre depuis Saint-Vallier. Ouv slt le midi, tlj sf lun (sf en saison d'été et d'hiver). Congés : 1er-26 déc. Résa très conseillée les w-e et j. fériés. Plat du jour 12 € ; menu 23 €. Huguette, la patronne du *Christiania*, attire depuis plus de 35 ans, dans son chalet de montagne, bon nombre de fidèles. Et les simples clients de passage semblent tout autant ravis. Menu fort copieux, avec pas moins de cinq entrées à volonté, tripes à la niçoise, gigot d'agneau de pays et civet de sanglier ou de lièvre en saison, plateau de fromages et dessert maison. Terrasse.

DE THORENC À BOUYON

Revenir sur la D 2 et, au carrefour des Quatre-Chemins, prendre la route du *col de Bleine* (1 440 m). La descente s'effectue au milieu des sapins. Continuer vers *Le Mas* et *Pont-d'Aiglun*. La *clue d'Aiglun* est particulièrement spectaculaire par ses dimensions : quelques mètres de largeur seulement, mais de 200 à 400 m de hauteur. Arrêtez-vous plus loin au *pont du Riolan* pour voir le torrent dévaler entre les énormes rochers. La route traverse ensuite *Roquestéron* (voir plus loin « La vallée de l'Estéron », dans « Les Alpes d'Azur »). À la sortie du village, prendre à droite la D 1, vers Bouyon. La route s'engage dans la *clue de la Bouisse.* Après Conségudes, on peut voir à gauche la *clue de la Péguière.* La route en corniche au-dessus de l'Estéron est très belle et offre des vues splendides.

BÉZAUDUN-LES-ALPES (06510)

Bourgade encore plus isolée et plus émouvante que Coursegoules : remarquer l'unité des toits et la couleur ocre des maisons. Dans le village, une rue centrale recouverte de cailloux, quelques passages voûtés, tout en haut, une tour rectangulaire avec fenêtres géminées. Petite église toute simple qu'il faut traverser pour parvenir au cimetière qui la jouxte.

➤ *Randonnée :* gagner *Saint-Jeannet* par les bois de chênes et de noisetiers. Pour les amoureux de la solitude. Le sentier traverse la montagne du Chiers.

LA ROUTE DES CRÊTES

Ainsi nommée parce qu'elle relie des villages perchés au-dessus des vallées de l'Estéron et du Var. Une façon détournée d'entrer dans le « haut pays niçois », rebaptisé par ses édiles, à la suite de savantes discussions, « Alpes d'Azur » (faudra vous y habituer : voir pages suivantes), ou de revenir sur Vence en prenant son temps.

BOUYON (06510)

Ce village frontière, véritable belvédère au carrefour du Var et de l'Estéron, offre de superbes points de vue et de nombreuses possibilités d'excursions (accessible en bus tous les jours depuis Nice). Il fut à moitié détruit en 1884 par un tremblement de terre. Bouyon a moins souffert de l'exode rural que son chef-lieu, Coursegoules. Face à la mairie, un passage mène (à gauche) à une jolie terrasse : *panorama* vertigineux sur les forêts voisines.

Où dormir ? Où manger ?

🛏 |●| **Hôtel-restaurant La Catounière :** 12, pl. de la Mairie. ☎ 04-93-59-07-15. ● catouniere@hotmail.fr ● http://lacatouniere.free.fr ● *Doubles 45 € ; ajouter 62-75 € pour deux en ½ pens, obligatoire en juil-août. Menus 12-19,50 €.* Chambres toutes différentes, agréables et thématiques (africaine, chinoise, japonaise, marine...), certaines avec vue sur la montagne ou avec w-c privés mais sur le palier. Petite salle de restaurant familial où l'on sert de bonnes spécialités régionales. Ravissante terrasse au cœur du village. Une adresse tout à la fois simple, charmante et authentique.

Fête

– **Procession des Limaces :** *le 1er w-e de juin.* Une tradition qui remonte au XVIe siècle. Elle consiste à illuminer les rues du village de centaines de coquilles d'escargots.

LE BROC (06510)

En provençal, *broco* signifie « bord, talus ». Encore un superbe village perché, sentinelle avancée jusqu'en 1860, lorsque le bourg jouait le rôle de poste-frontière. Au XVIIe siècle, d'ailleurs, Le Broc comptait autant d'habitants que Vence : il y avait un hôpital, une douane, et les évêques venaient s'y reposer.
Aujourd'hui, il reste la jolie place à arcades avec une fontaine de 1812, qui fait penser à un film de Pagnol : les platanes, le café, les bancs où s'assoient les vieux du village, tout y est. Dans une rue voisine, deux maisons se rejoignent à l'étage, formant un pont. L'église abrite une peinture de *Canavesio* et un chemin de croix moderne.
Voir aussi la *chapelle Sainte-Marguerite* et son petit cimetière, situés au milieu d'une forêt de chênes.
La route qui mène à Carros offre des points de vue splendides sur la vallée du Var, dont les rives sont bordées de nombreuses serres, et sur les villages perchés.

Où manger ?

|●| **Restaurant L'Estragon :** 101, route de Nice. ☎ 04-93-29-08-91. Sur le bord de la route, à gauche en allant vers Carros. *Ouv ts les midis sf ven, ainsi que le*

soir sam et dim en saison. Congés : 1er déc-1er fév. Menus 12,50-25 € ; carte env 30 €. Tout le monde ici, depuis un quart de siècle, va casser la croûte « chez Gilbert ». Terrasse agréable avec vue sur le Var et les montagnes. Quel-

ques bonnes spécialités : feuilleté de brandade de morue, sauté de bœuf à la provençale, poulet à la crème et à l'estragon, etc. Sans oublier les crêpes Suzette (pour la nostalgie et pour changer de la madeleine de Proust !)...

GATTIÈRES *(06510)*

Un village comme on les aime, avec ses placettes, ses rues en escalier, son lavoir, ses fontaines ou ses maisons à arcades, assoupi dans une douce quiétude. Beaucoup de rues aux noms italiens. Une visite de l'église, rénovée récemment, s'impose ; s'adresser au presbytère.

Où manger ?

|●| L'Hostellerie Provençale : *juste avt l'entrée de la vieille ville, près du parking.* ☎ 04-93-08-60-40. *Fermé mar, ainsi que mer, jeu soir et lun soir hors saison. Congés : vac de fév et de mi-sept à mi-oct. Menus 20-33 €.* Apéritif maison offert sur présentation de ce guide. On mange dehors, dans un petit clos de cyprès. On commence gentiment par le jambon de Parme, puis la terrine mai-

son, et enfin l'avalanche de hors-d'œuvre. Après quoi, à peine le temps de souffler, les raviolis de la grand-mère arrivent au galop et en grande quantité. Ils précèdent de peu un lapin chasseur ou l'une des meilleures daubes niçoises qu'on ait mangées, accompagnée de champignons et pommes de terre. Pour terminer, fromage ET dessert, bien sûr.

À voir

⚲ Le jardin des Fleurs de Poterie : *250, chemin des Espeiroures.* ☎ 04-93-08-67-77. ● http://homepage.mac.com/jardindèpoterie/PhotoAlbum2.html ● *Visite guidée slt (2h env) avr-oct les 1er et 3e dim du mois à 10h et 16h, sur rendez-vous. Tarif : 6 € ; gratuit jusqu'à 12 ans.* Plus qu'un jardin, un rêve végétal, une douce fantaisie d'artiste... La poterie sert de prétexte, de fil conducteur à ce jardin improvisé qui a su trouver au fil des ans toute sa cohérence. Merveilleux !

SAINT-JEANNET   *(06640)*   3 650 hab.

De la route qui nous ramène à Vence, vue sur l'imposant *baou* (montagne rocheuse escarpée à sommet plat, cela dit pour ceux qui n'ont pas tout suivi, depuis Vence) *de Saint-Jeannet.* Une petite route à droite conduit au village. On est étonné d'être ici à la fois si près de la Côte et dans un bourg au caractère rural très marqué. Ce gros village est tassé au pied de son célèbre rocher qui a inspiré de nombreux peintres : Dunoyer de Segonzac, Carzou, Chagall et Poussin, ainsi que le cher Alfred Hitchcock qui y situa quelques scènes de son célèbre film *La Main au collet.* On peut monter au *baou* par un sentier, le GR 51 (ascension en 1h). Au sommet, table d'orientation.
Saint-Jeannet fut longtemps célèbre pour son vin : la vigne était la culture de base et poussait sur les terrasses caillouteuses très bien exposées. On compta jusqu'à 4 000 parcelles cultivées. Allez le goûter, si vous ne dormez

pas chez son frère, au vignoble de Saint-Jeannet (le seul vignoble de la ville, vous ne pouvez pas vous tromper), chez Georges Rasse. ☎ 04-93-24-96-01. Les artistes, quant à eux, n'ont pas dédaigné ce village. Ribemont-Dessaignes, un des fondateurs du mouvement dada et du surréalisme, y possédait une maison. Kosma (la musique des *Feuilles mortes*) et Tzara y ont séjourné, et bien d'autres. Il est vrai qu'ici, on se sent plutôt à l'écart de la foule.

Adresse utile

🛈 **Syndicat d'initiative :** *rue Charles-François-Euzières.* ☎ *04-93-24-73-83.* ● *saintjeannet.com* ● *Lun-sam 9h30-* | *12h, 14h30-17h30 (17h hors saison) et dim mat de juil à mi-sept.*

Où dormir ? Où manger ?

Gîte d'étape

🛏 **Gîte d'étape La Ferrage :** *dans le village.* ☎ *04-93-24-87-11.* ● *jeromerasse@wanadoo.fr* ● *http://monsite.wanadoo.fr/gite-la-ferrage* ● *C'est fléché. Ouv tte l'année. À partir de 13 € la nuit en gîte. Apporter son sac de couchage (sinon loc de draps). Réduc de 10 %, hors vac scol, sur présentation de ce* | *guide.* Très bien tenu par Jérôme Rasse, jeune homme fort aimable. Cadre rustique authentique avec belle cheminée. Cuisine équipée, salle de bains collective. Un gîte comme on les aime... En plus, le frère de Jérôme, Georges Rasse, vend un excellent vin local !

De prix moyens à plus chic

🛏 **La Maison Bleue :** *1580 D 18 (en contrebas du village).* ☎ *04-93-24-90-67.* ● *accueil@maison-bleue.org* ● *maison-bleue.org* ● *Compter 45 € pour 2 pers, petit déj compris. Table d'hôtes sur demande avec repas végétarien 20 €. Boisson offerte sur présentation de ce guide.* Le charme à l'état brut. La maison de campagne dont tout le monde rêve. Belle bâtisse provençale meublée à l'ancienne au milieu d'une oliveraie. Deux petites chambres en rez-de-jardin, fraîches et ombragées. Confort tout simple, mais on dort dans des draps brodés, entourés de meubles rétro. Accueil charmant.

🛏 |●| **L'Auberge des Baous – The Frog House :** *35, rue du Saumalier.* ☎ *04-93-58-98-05.* ● *aubergedesbaous.com* ● *Resto ouv aux non-résidents sur demande. Doubles 64-74 € selon vue et confort, petit déj inclus. Forfaits « séjour ». Table d'hôtes sur demande 24-34 € ; vin proposé à prix coûtant.* Deux jeunes routards, après avoir | baroudé aux quatre coins du monde, ont repris l'auberge du village natal de Benoît et en ont fait un lieu de convivialité et de partage. Que vous soyez ici de passage ou pour un plus long séjour, vous serez reçu en ami. Le soir, tout le monde se retrouve à la table d'hôtes. Corinne met un point d'honneur à n'utiliser que des produits frais de saison, achetés chez les petits producteurs des alentours, bio dans la mesure du possible. Vins de Saint-Jeannet, cela va de soi ! Leur engagement est également écologique mais c'est toujours une histoire de passion. Benoît est accompagnateur de montagne et vous guidera si vous le souhaitez en randonnée, tandis que Corinne se fera un plaisir de vous emmener avec elle au marché ou chez ses fournisseurs. Ils iront même vous chercher à la gare ou à l'aéroport si vous en avez besoin (à condition bien sûr de prévenir et de ne pas arriver en pleine nuit !).

À voir

🎗 Derrière l'église de Saint-Jeannet, par la ruelle sur le Four, *panorama* jusqu'à la mer. Dommage quand même qu'on ait tant bâti : un nombre incroyable de mas provençaux construits sur des modèles voisins, avec piscine, etc. Quelques serres aussi.

🎗 *L'église fortifiée,* au clocher-tour carré, est toute simple. Sur la place de l'Église, plaque rappelant la mémoire de *Joseph-Rosalinde Rancher* (1785-1843), précurseur du Félibrige (association littéraire pour la sauvegarde de la langue occitane).

🎗 Remarquez les noms attachants des rues (comme la rue du Passé) et promenez-vous au milieu de ces ruelles, égayées par une fontaine ou un superbe *lavoir.* Sur une maison, à l'angle de la rue de la Mairie et de la rue du Château, vous lirez cette inscription émouvante : « À notre regretté maire Clary-Louis qui nous a si généreusement dotés de l'éclairage électrique. La population de Saint-Jeannet reconnaissante – 1902. »

À faire

➢ Jolie *promenade dans les gorges,* le long de la rivière. Prendre la direction « col de Vence », puis le chemin du Riou, à 1 km sur la droite. Le suivre pendant 5 km et prendre un sentier. Après 30 mn de marche, vue splendide et baignade possible !

LES ALPES D'AZUR

Villages au fond de la vallée... oui, mais laquelle choisir ? Quatre vallées composent le « haut pays », renommé Alpes d'Azur (et pourquoi pas ?), de ce département des Alpes-Maritimes aux allures de petite région. Trois d'entre elles partent de Nice, la quatrième – également accessible depuis Menton – terminera en beauté notre balade entre Méditerranée et haute montagne.
Pour compliquer la chose, le *parc national du Mercantour* regroupe sept hautes vallées (qui s'étendent au département voisin) : Ubaye, Verdon, Var-Cians, la Roya, la Tinée, la Vésubie, la Bévéra, sans oublier côté italien le Val Gesso. Vous retrouverez certaines de ces vallées protégées au fil des pages.
Pour tte info complémentaire concernant la faune, la flore, le développement local, les visites, les accompagnateurs en montagne... vous pouvez contacter le siège administratif : 23, rue d'Italie, BP 1316, 06006 Nice Cedex 1. ☎ *04-93-16-78-88.* ● *parc-mercantour.eu* ● *ou l'un des offices de tourisme servant de relais dans chacune des vallées.*

LA VALLÉE DE L'ESTÉRON

Elle est restée longtemps méconnue, ses habitants en gardant farouchement l'entrée, pour préserver leur tranquillité. Pour s'y rendre, suivre la N 202 à la hauteur de l'aéroport Nice-Côte-d'Azur, jusqu'au pont Charles-Albert (25 à 30 mn) ; en le franchissant, vous êtes à 10 mn à peine des premiers villages de l'Estéron. Respirez à fond, vous allez vite changer d'air et de paysage, sitôt passé le pont (120 m), en grimpant en direction du mont Vial (1 550 m). Belle balade en perspective en suivant l'Estéron aux vertes couleurs, et en vous arrêtant pour reprendre des forces dans l'un des neuf villages de la vallée, dont certains se font un peu désirer, perchés sur leur piton rocheux.

GILETTE (06830)

Pittoresque village de 1 250 habitants, accroché à la roche, et non moins pittoresque musée, contemplant le confluent Var-Estéron.

Adresse utile

🏢 *Syndicat d'initiative :* pl. du Docteur-Morani. ☎ 04-92-08-98-08. ● esteron.fr ● En saison, tlj 10h-12h30, 14h-18h30 ; hors saison, tlj sf lun 9h-12h30, 14h-16h. Pas mal de documentation disponible sur Gilette et les villages de la vallée : visites, randos, hébergements (très peu nombreux), etc.

Où dormir ? Où manger ?

🏠 *Chambres d'hôtes Au Relais Fleuri :* au cœur du village. ☎ 04-93-08-56-45. ● contact@relaisfleuri.com ● relaisfleuri.com ● Ouv tte l'année. Doubles 59 €, petit déj compris. Café offert sur présentation de ce guide et tarif dégressif dès la 2e nuit. Dans une belle maison de caractère, cinq chambres spacieuses à la déco un poil chargée et vieillotte, mais où il fait bon se poser. Chambres à l'étage, avec salle de bains et w-c sur le palier, certes, mais surtout avec une vue reposante sur les ruines du château, le pré en dessous et le mont Vial au loin. Petit déjeuner de rêve servi dans le jardin ou dans la salle à manger, selon l'humeur du temps.

🍴 *Restaurant Les Chasseurs :* sur la place du village, en face de la mairie. ☎ 04-93-08-57-21. Ouv le midi slt, tlj sf mer. Plat du jour env 10 € ; menu le w-e 25 € ; carte 16-38 €. Mimi Boccaron fait dans le terroir, et ce n'est pas vraiment une découverte pour les habitués qui se régalent de petits farcis légers et parfumés, en entrée, avant d'attaquer le baron d'agneau. En hiver, la daube de sanglier est de rigueur, accompagnée de *capoun* (les choux farcis).

Où dormir ? Où manger dans les environs ?

🏠 🍴 *Li Ortès :* 4, chemin de la Taverne, 06830 Revest-les-Roches. ☎ 04-92-08-90-84. ● li.ortes@wanadoo.fr ● http://perso.wanadoo.fr/li.ortes/ ● Doubles 65-72 €, petit déj compris. Repas sur résa 16 €. Trois chambres avec salle de bains privée (mais un peu plus loin sur le palier pour l'une d'elles), à la déco soignée et impeccablement tenues. Deux chambres possèdent une grande terrasse panoramique où il fait bon se prélasser dans un transat. Vraiment agréable après avoir crapahuté dans les collines et les montagnes de l'Estéron. Une belle piscine complète le tableau. Sur demande, table d'hôtes privilégiant les produits du terroir et les légumes du jardin, à partager avec les proprios, éminemment sympathiques et accueillants. Une adresse d'ailleurs plébiscitée par nos lecteurs.

À voir

🚶 👫 *L'atelier-musée Lou-Ferouil :* à 3 km du pont Charles-Albert, avt le village, vous ne pouvez pas manquer, sur votre gauche, ce petit bâtiment ocre. ☎ 04-92-08-96-04. ♿ Tlj sf lun et certains j. fériés (ou alors sur rendez-vous), 9h-19h. Visite guidée : 4 € ; réduc.

L'homme qui vous reçoit, avec son tablier de forgeron, sa voix chantante et son bon sourire chaleureux, c'est Pierre-Guy Martelly. Passionné depuis toujours par les métiers d'antan, il a reconstitué l'atelier du forgeron du XIXe siècle, du menuisier, du mécanicien, du caviste... et des travaux sont en cours pour proposer une plus vaste galerie de métiers.

Durant sa visite guidée, riche de passion et d'histoire vécue, il raconte la vie de ces pièces de métal, de bois... Celle notamment d'une vieille et belle serrure en bois du XVIIe siècle trouvée à Roquestéron, dont il reste seulement cinq exemplaires dans la région. Mais il fabrique et reconstitue également des pièces pour mieux faire revivre l'histoire locale.

Il allumera sa forge et réalisera devant vous ses sculptures sur fer (roses, violon, olivier) qui font craquer des cars entiers de nostalgiques. Cet homme, qui arrive à captiver tous les publics, toutes les générations, est plein d'idées : il prévoit de réaliser devant chez lui une rue entière où l'on verra des voitures d'époque garées, dans un environnement reconstitué, avec une pompe à essence du siècle dernier.

🔨 **Le vieux village :** du château construit par le roi Alphonse Ier, comte de Provence, ne subsistent que le chemin de ronde, une arche donnant sur l'Estéron et, au sommet, une plate-forme conduisant au donjon. La forteresse dominant de 300 m la rivière avait pour objectif initial d'assurer la surveillance des prieurés Saint-Pancrace et Sainte-Marie ainsi que celle des Gilettois, évidemment. Elle fut plus tard le site de la victoire des Français sur les Austro-Sardes, bataille commandée par le général Dugommier le 18 octobre 1793 (tableau représentant de cette bataille exposé à Versailles, au musée des Batailles, si ça vous intéresse).

Flânerie dans l'allée Joseph-Ferran avec son pigeonnier classé et le théâtre de verdure, puis visite de l'église Saint-Pierre et de l'Assomption du XVIe siècle. Intérieur de style baroque comme il se doit, avec un tableau assez remarquable peint par Louis Van Loo. Clocher pyramidal en tuiles vernissées de Salernes.

➤ À 5 km du village, balade à pied jusqu'aux gorges de la Cerise. Autres chemins de randonnée possibles, donnant un bon aperçu de la variété de plantes méditerranéennes que l'on peut trouver par ici.

Fêtes et manifestations

– **Saint-Pancrace :** *mi-mai.* Sortie de la statue du saint, protecteur du village et des oliviers. Danses folkloriques et *brissaouada* offerte au moulin à huile : du pain frotté d'ail et trempé dans de l'huile d'olive, véritable casse-croûte à l'ancienne mode.

– **Fête de l'Assomption :** *le 15 août.* Avec festins 2 à 4 jours durant et animations diverses.

BONSON (06830)

Ce village perché sur son éperon rocheux, avec son architecture typique, a certes moins de cachet que Gilette, mais il est aussi beaucoup moins touristique, plus calme et sans doute plus authentique. Tout au bout, derrière l'église, on découvre avec émerveillement un incroyable panorama sur les crêtes et la vallée.

TOUDON (06830)

À 12 km de Gilette, petit village perché typique de cette vallée de l'Estéron. À voir, sur Toudon même ou au petit hameau de Vescous, une église construite à l'origine par les moines de l'abbaye de Lérins, un ancien moulin à farine, plusieurs jolies fontaines, etc. Pas mal de randonnées à faire au départ de Toudon.

➤ Si vous n'avez pas le vertige, on vous conseille la petite route qui relie Toudon à Vescous (la D 117). Long lacet, en pleine montagne, abrupt et très étroit (à se demander si on n'a pas la quatrième roue dans le vide !). Cette petite route où l'on ne croise personne (en fait, c'est préférable !) a gardé son caractère sauvage. La faune, la flore et le panorama valent à coup sûr le détour.

Adresse utile

🏢 *Mairie :* ☎ 04-93-08-55-25. ● *http:// monsite.wanadoo.fr/TOUDON/* ● *Ouv lun, mar, jeu et ven 14h30-17h30.* Pour tout renseignement sur la visite du vil-

lage. En dehors de ces horaires d'ouverture, s'adresser à l'office de tourisme de Gilette.

Où manger ?

🍴 *La Capeline :* route de Roquesté-ron, à Vescous, 06830 Toudon. ☎ 04-93-08-58-06. *Avr-nov, tlj sf mer ; déc-mars, slt w-e et j. fériés. Menus 20 € (en sem) -26 €. Apéro maison offert sur présentation de ce guide.* L'ancienne gare de tramway - relais de poste - école communale est devenue un restaurant bien sympathique. Laurent Laugier,

jeune chef originaire de Gilette, affiche à la carte les spécialités de la vallée de l'Estéron et revendique son attachement au terroir, se fournissant chez les producteurs voisins. Selon la saison, il vous servira les pelotons, l'agneau de lait du pays, les aubergines panées, la *merda dé can,* les *capoun,* la tourte de blettes, etc.

PIERREFEU (06910)

Pierrefeu comprend en fait deux agglomérations : une regroupée autour de la mairie et de l'école, sur le CD 17, et le vieux village, si pittoresque, à 5 km de là. Un des plus beaux villages perchés des Alpes-Maritimes.

Son église, nichée entre deux rochers, abrite une exposition unique en son genre de peintures contemporaines sur le thème de la Genèse.

À voir. À faire

🍴 *Le Musée hors du temps :* ☎ 04-93-08-58-18 (mairie, ouv slt le mat) pour la visite et les horaires. Faites-vous expliquer les toiles de Carzou, Brayer, Moretti, mêlées ici à des planches de Cosey et des dessins de Folon, entre autres. Un moment de pur plaisir, à ne pas manquer.

➤ Plusieurs sentiers, partant du vieux village et du CD 17, vous inviteront à gambader joyeusement. Auberge au village et charcuterie artisanale pour qui aurait envie d'improviser un pique-nique.

➤ Possibilité de continuer ensuite jusqu'à *Roquestéron, Cuébris* et *Sigale,* autres villages typiques de l'Estéron, voire Puget-Théniers, où vous attend le fameux *train des Pignes,* moyen idéal pour partir à la découverte de la vallée du Var voisine ou pour aller visiter Nice sans craindre les embouteillages...

LA VALLÉE DU VAR PAR LE TRAIN DES PIGNES

Un must ! Il faut à tout prix le prendre au moins une fois pour découvrir à pas lents la vallée du Var. Ce tortillard folklorique, qui relie Nice à Digne à une allure de sénateur, traverse des paysages fabuleux, longe des gorges impressionnantes, franchit rivières, torrents, montagnes, et s'arrête dans des villages très reculés, très tranquilles, où il fait bon vivre. Les travaux commencèrent en 1892, mais la ligne ne fut inaugurée qu'en 1912. Il fallut en effet des dizaines d'ouvrages d'art et de tunnels pour venir à bout d'une nature si rebelle. Le tunnel de La Colle-Saint-Michel ne fait pas moins de 3,5 km !

> **MAIS QU'EST-CE QUE C'EST QUE CE « PIGNES » ?**
>
> *Plusieurs versions pour expliquer le nom de « Pignes ». Certains disent que le train était tellement lent que les voyageurs avaient le temps de descendre ramasser des pommes de pin, des pignes. D'autres racontent que les voyageurs devaient rallumer le feu de la machine à bout de souffle avec ces pignes... Il semble, en fait, qu'on versait dans la chaudière quelques pommes de pin avant de partir.*

Les amateurs de randonnées se procureront le guide *75 Randonnées pédestres avec le train des Pignes* de Raoul Revelli, en vente dans toutes les bonnes librairies de Nice et dans certaines gares.

Le parcours du train des Pignes

➤ De Nice à Puget-Théniers, le train suit la nationale et surplombe les rives du Var. Un coup de chapeau aux Chemins de fer de Provence pour avoir sauvé cette ligne magique.
– *Résa et rens :* ☎ 04-97-03-80-80. ● trainprovence.com ● Départ : gare des Chemins de fer de Provence (Nice-Nord), 4 bis, rue Alfred-Binet. Quatre départs/j. Nice-Digne-les-Bains. Plusieurs arrêts sympathiques (Annot, Entrevaux et Saint-André-les-Alpes), autant que facultatifs, avant d'entrer réellement dans la vallée du Var. Compter 3h15 l'aller Nice – Digne-les-Bains. Adulte : 35,30 € l'aller-retour ; réduc. Certains w-e mai-oct, le trajet entre Puget-Théniers et Annot se fait via un antique train à vapeur.

MALAUSSÈNE *(06710)*

À 45 km de Nice, arrêt facultatif pour accéder à Malaussène (2,5 km, soit 30 mn à pied), un de ces villages typiques perchés sur une arête rocheuse. Alimenté en eau par un viaduc du XVIIe siècle, il vous offre une jolie balade le long du canal.

VILLARS-SUR-VAR *(06710)*

À 1h de train de Nice et encore beaucoup moins en voiture s'il n'y a pas d'embouteillages, on se sent déjà bien loin de la Côte. Ici, on pense plutôt à la vigne, que l'on cultive depuis le Moyen Âge. C'est le seul vin du haut pays qui ait droit à l'appellation côtes-de-provence. Les amoureux de la nature et les amateurs de marche viennent ici l'été faire une cure de bon air et de repos.

À voir

🏃 Les vieilles rues du village sont inaccessibles aux voitures, il fait bon s'y promener au frais avant d'aller visiter l'*église Saint-Jean-Baptiste.* Bien restaurée, avec des fresques en trompe l'œil, elle possède à gauche du chœur un beau *retable de l'Annonciation*, de l'école niçoise (XVIe siècle).

🏃 Une agréable allée bordée de colonnes mène à une plate-forme d'où l'on découvre une *vue* superbe sur la vallée du Var.

TOUËT-SUR-VAR (06710)

Étonnant village. À l'arrêt de la gare de Touët, compter 10 mn pour monter, par un chemin pittoresque, jusqu'au vieux village plaqué contre la paroi verticale de la montagne où les rues enchevêtrées grimpent à l'assaut du rocher. On a d'ailleurs surnommé l'endroit le « village tibétain ». Dans le sol de l'allée centrale court un torrent sur lequel a été bâtie l'église du XIIe siècle : on peut voir le flot rapide par une petite trappe aménagée dans le sol de l'allée centrale. Beau point de vue derrière la place. Les hautes maisons anciennes ont presque toutes un grenier ouvert (le *soleillaire*) bien exposé au midi, destiné, entre autres, au séchage des figues. Le quartier moderne s'étend au-dessous dans la vallée.

Où manger ?

|●| **Chez Paul :** *4260, av. du Général-de-Gaulle (route de Digne).* ☎ 04-93-05-71-03. ● *didier-meyer@restaurant-chezpaul.com* ● *Sur le bord de la route, à droite en venant de Nice. Fermé le soir lun-mer. Menus 22-26,50 €. L'Auberge des Chasseurs a déménagé et les « Meyer Père & Fils » avec elle.* Le cadre est nettement moins authentique qu'avant, mais on continue, comme depuis maintenant un bon quart de siècle, à y avaler en toute convivialité de solides plats de terroir. Salle genre « bistrot rustique » et terrasse directement sur la route, très passante...

Randonnées pédestres

➤ *Le mont Rourebel (1 210 m) :* compter 3h. Un sentier traverse le Var et monte à droite puis à gauche pour atteindre le col de Rourebel puis le sommet.

➤ *Thiéry :* village isolé dans un cirque sauvage que l'on atteint en 2h par un bien joli petit chemin.

PUGET-THÉNIERS (06260)

Agréable bourg qui fleure bon la Provence, au confluent du Var et de la Roudoule. Ici, on se sent à la fois dans le Midi et à la montagne. Ce vieux village, sur la rive droite de la Roudoule, était au XIIIe siècle le *quartier des Templiers.* Les maisons sont très anciennes, avec granges-auvents, insignes de maîtrise sur les linteaux. Rue Gisclette, ancien ghetto juif, subsistent les anneaux qui portaient les chaînes barrant chaque soir l'accès de la rue.

De la place A.-Conil, au pied de la vieille ville, on traverse la Roudoule pour aller à l'église Notre-Dame-de-l'Assomption (remarquez quelques boutiques vieillottes comme celle nommée *Au Pied Mignon*), construite au XIIIe siècle par les Templiers et remaniée au XVIIe siècle. Le clocher carré du XVIIe siècle est surmonté d'un joli campanile.

Au bord de la nationale, sur une place plantée d'ormes, statue de Maillol, *L'Action enchaînée,* symbolisant la vie de Blanqui, qui est né à Puget-Théniers et qui passa 36 ans en prison.

À partir de Puget-Théniers, on peut remonter les gorges de la Roudoule, au nord, par la D 16. On peut aussi, de cette route, au bout de 2,5 km, monter au village de *Puget-Rostang,* tout en hauteur, et à celui d'*Auvare,* complètement perdu au pied des contreforts du dôme de Barrot. De ces deux villages pittoresques partent de nombreux sentiers pédestres.

Adresse utile

🖼 *Maison de pays :* ☎ 04-93-05-05-05. ● provence-val-dazur.com ● Printemps et automne, lun-ven 9h-12h, 14h-18h, w-e 9h-18h ; en été, tlj 9h-19h ; en hiver, 9h-12h, 14h-17h. Gère le parcours et la billetterie de la *via ferrata* des *Demoiselles du Castagnet* (durée 3h, à partir de 12 ans – taille minimum 1,45 m).

Où dormir ? Où manger dans le coin ?

🛏 |●| *Auberge du Coustet :* 06260 Saint-Léger. ☎ 04-93-05-11-90. ● le.coustet@wanadoo.fr ● À 14 km de Puget-Théniers, par une jolie route en lacet (la D 316). Ouv tte l'année. Hors saison, fermé du mer soir au dim mat. Doubles 35 € ; nuitée au gîte 14,50 €/pers. Menu du jour 18 €. CB refusées. Dans un village sans réel cachet mais idéalement situé au cœur du pays de la Roudoule, une sympathique auberge avec sept chambres aménagées dans un bâtiment moderne mitoyen. Celles-ci offrent un confort très satisfaisant pour le prix. Juste à côté, un gîte d'étape (24 lits en dortoir) et un resto où l'on sert une cuisine familiale plutôt correcte. Belle terrasse ombragée, avec vue sur la vallée. Bon accueil. C'est ici que vous trouverez tous les renseignements concernant les antennes locales de l'écomusée, ainsi que des topoguides pour partir en randonnée.

|●| *Les Acacias :* quartier du Planet, à l'entrée de Puget, sur la droite, à 1 km du village. ☎ 04-93-05-05-25. Tlj sf dim soir et mer. Menus 13,20 € le midi en sem, puis 20-30 €. *Apéro maison offert sur présentation de ce guide.* Située au bord de la départementale reliant Nice à Dignes, voilà une étape plutôt agréable sur la route des vacances. Terrasse ombragée. Cuisine régionale correcte et plutôt classique (*secca* d'Entrevaux, brouillade aux truffes, pieds-paquets, agneau de Sisteron) mais réservant quelques bonnes surprises comme une délicieuse glace à la lavande.

À voir dans les environs

🚶 *L'écomusée du pays de la Roudoule :* pl. des Tilleuls, 06260 **Puget-Rostang**. ☎ 04-93-05-07-38. ● ecomusee-roudoule.fr ● Mai-sept, tlj sf lun 10h-12h, 14h-18h (15h-19h en juil-août) ; oct-avr, lun-ven aux mêmes horaires. Fermé de mi-déc à mi-janv. Entrée : 4,50 € ; réduc.
Une autre façon de découvrir la vie dans les villages de la Roudoule et la rudesse de la vie en montagne. Sur le thème « Terre des migrations », l'écomusée présente les richesses du milieu naturel, les activités et métiers des hommes, notamment autour de la transhumance, et veut proposer une réflexion, une interrogation, ne perdant jamais de vue que « ce qui importe dans l'objet n'est pas ce qu'il est mais ce qu'il raconte ». Reconstitution de scènes de la vie quotidienne, expos temporaires, diaporama... Petite boutique.
Plusieurs sentiers de découverte complètent la visite : le sentier Sainte-Catherine et le sentier des Senteurs à Puget-Rostang ou Saint-Léger (topoguide disponible à l'*Auberge du Coustet* (voir « Où dormir ? Où manger ? »). Sans oublier différents sites aux alentours : la ferme de Bertrik, le musée du Cuivre à la Croix-sur-Roudoule et une antenne consacrée à la forêt et à l'agriculture à Saint-Léger, ainsi que la reconstitution d'une école *(L'Escolo)*.

➢ Le *train des Pignes* continue son lent cheminement vers Digne via Entrevaux et Annot, au travers d'un parcours qui est parfois à couper le souffle. Le train se glisse dans les gorges, colle à la paroi, tutoie les torrents – laissant intact le plaisir de la découverte des Alpes-de-Haute-Provence.

ENTREVAUX

Sur la rive gauche du Var (mais administrativement dans les Alpes-de-Haute-Provence), l'un des ensembles fortifiés (par Vauban en 1695) les plus impressionnants de la région. Trois portes, au travers de l'enceinte triangulaire, permettent d'accéder aux ruelles du XVIIᵉ siècle (voir le *Guide du routard Provence*).

LES GORGES DE DALUIS ET DU CIANS

Étonnant et spectaculaire parcours qui nous fait découvrir deux impressionnantes gorges reliées par la route de Valberg. Les amateurs de spectacles grandioses seront comblés. Peut-être la plus belle excursion à faire dans les Alpes-Maritimes.
Le circuit des gorges de Daluis part de la N 202, à mi-chemin environ entre Annot et Entrevaux. À partir de Daluis, la route, sinueuse, remonte en corniche la rive droite du Var. En certains points étroits, la voie est doublée par des tunnels creusés dans le rocher où passent les voitures qui descendent, tandis que celles qui montent à Guillaumes continuent à suivre la corniche, offrant de saisissantes vues plongeantes. Paysage d'autant plus spectaculaire que les gorges sont taillées dans les schistes rouges, roches aux formes étranges, tachées de vert, au milieu desquelles courent des cascades.

LES ALPES D'AZUR

GUILLAUMES (06470)

Dominé par les ruines d'un château fort, un village plein de charme qui bénéficie d'une situation géographique privilégiant le passage entre les deux mondes, « celui d'en haut » et « celui d'en bas ».

Adresse utile

🛈 **Office de tourisme :** *pl. Napoléon-III.* ☎ 04-93-05-57-76. ● *pays-de-guil laumes.com* ● *Tte l'année.* Accueil assez exceptionnel pour une commune de 690 habitants. Panneaux explicatifs dans chaque rue du bourg sur l'histoire de la commune.

Où dormir ? Où manger dans le coin ?

Camping

⊼ **Camping du Pont de la Mariée :** lieu-dit Tire-Bœuf. ☎ 04-93-05-53-50. ● *camping.pontdelamariee@club-inter net.fr* ● *Par la N 202, puis la D 2202. Ouv avr-fin sept (résa en été). Compter 12 € pour 2 pers en hte saison.* Au bord des gorges de Daluis, au pied des falaises de schiste rouge, un vrai camping de routards ! Confort basique, mais c'est aussi ce qui fait son charme. Site extraordinaire, on ne peut plus sauvage, à l'image de l'accès qui y mène ! Quelques animations en saison, sans oublier un resto avec des pizzas maison extra (8 à 12 €). Pas mal d'activités sur place ou dans les environs proches : kayak, rafting, mais aussi saut à l'élastique, VTT, etc.

De bon marché à prix moyens

🛏 |●| *Gite d'étape Itinérance : chez Gérard et Christine Kieffer, Villeplane, 06470 Guillaumes.* ☎ 04-93-05-56-01. ● itinerance@wanadoo.fr ● itinerance. net ● Ouv fin avr-fin sept. ½ pens 34 €/ pers en gîte (18 places), 41 €/pers en chambre. Hébergement à la ferme comme on en rêve. Repas copieux et bien arrosés. Expérience inoubliable. Balades, randos accompagnées et séjours dans les montagnes de l'arrière-pays. Quarante ânes de bât pour vous tenir compagnie et la possibilité de dormir dans une yourte mongole. « Pour un tourisme alternatif » !

🛏 🛏 *Chambres d'hôtes La Vigière : chez Brigitte Guilbaud, 06470 Sauze.* ☎ 04-93-05-58-87. ● lavigiere@wanadoo.fr ● lavigiere.com ● Fermé ven soir sept-juin. Congés : janv. Nuitée en gîte 16 € ; doubles 40 €. ½ pens possible 38 €/pers. Emplacement pour 2 pers avec voiture et tente env 12 €. Apéro maison offert sur présentation de ce guide. Une ancienne ferme rénovée vraiment charmante, à 1 300 m d'altitude, non loin du départ de superbes randonnées. Chambres mignonnes, propres et rustiques tout à la fois. Après une journée de marche, vous n'en apprécierez que plus les saveurs et l'ambiance du repas du soir, préparé par la maîtresse de maison, personnage attachant qui aime son pays plus que tout. Elle vous offre, sur une terrasse extraordinaire aux beaux jours, après le traditionnel vin d'orange, le réconfort de lasagnes gargantuesques ou d'un râble

de lapin parfumé, de fromages du pays et de gâteaux aux parfums d'enfance éternelle, en toute simplicité...

🛏 |●| *Hôtel-restaurant La Vallière : 06470 Saint-Martin-d'Entraunes.* ☎ 04-93-05-59-59. ● info@hotel-lavallière. com ● hotel-lavalliere.com ● Doubles 44-55 €. Menu 19 €. Repris par un jeune chef (que l'on retrouve en cuisine), cet hôtel, on ne peut plus traditionnel, offre 10 chambres simples, coquettes et rénovées. Entre campagne et montagne, difficile de trouver plus calme, bien que l'hôtel se situe au bord de la route. Une bonne adresse pour une étape comme pour un séjour.

🛏 |●| *Auberge La Grande Roche : route des Grandes-Alpes.* ☎ 04-93-05-51-83. ● roche.grande@wanadoo.fr ● aubergerochegrande.com ● Doubles 23-30 € selon confort. En saison (été et hiver), ½ pens slt, 34-41 €/pers. Garage clos gratuit pour motos et vélos. Au cœur d'un site remarquable, été comme hiver. Dans un village de montagne, calme et authentique, tranquillement traversé par le Var, un petit hôtel plus rustique que coquet mais qui dégage un certain charme. Le confort y est certes des plus rudimentaire, mais on est reçu avec gentillesse et une grande simplicité. Un paradis pour randonneurs, au cœur du Mercantour. Les motards et les cyclistes sont les bienvenus. Au resto, cuisine toute simple mais roborative et de qualité (pain bio et produits fermiers).

VALBERG (06470)

De Guillaumes, prendre la D 28 bordée de sapins qui monte à Valberg, à 1 670 m d'altitude ; une station estivale et de sports d'hiver, au milieu des prairies, à 1h de Nice. En hiver, aménagements spéciaux pour les petits qui débutent à ski avec le « Club des Piou-Piou ».
En été, Valberg propose de nombreuses activités.

Adresses utiles

🛈 *Office de tourisme :* ☎ 04-93-23-24-25. ● valberg.com ● Tlj 9h-12h, 14h-18h. Central de résa : ☎ 04-93-23-24-32. Liste de meublés, etc.

■ *Bureau des guides OEROC :* av. de Valberg. ☎ 04-93-02-32-15.
■ *Bureau de l'École du ski français :* au pied des pistes. ☎ 04-93-02-51-20.

Où dormir ? Où manger ?

De prix moyens à plus chic

🛏 |●| *La Clé des Champs :* 20, av. de Valberg. ☎ 04-93-02-51-45. ● hotella cledeschamps@wanadoo.fr ● http://la clef-valberg.monsite.wanadoo.fr ● *Congés :* 15 avr-5 juil et 20 sept-20 déc. *Doubles* 58-68 €. *Menus* 16,50-21 €. Kir offert sur présentation de ce guide. Dans cet hôtel-restaurant ressemblant à un gros chalet moderne, réservez une des belles chambres avec balcon au soleil levant. Ici, c'est le patron qui officie, depuis quatre décennies. Cuisine et ambiance familiales, donc. Petit déjeuner pas terrible par contre.

|●| *Côté Jardin :* ☎ 04-93-02-64-70. 🍽 *Derrière la place centrale.* ● aupays decocagne@hotmail.com ● Ouv tte l'année, tlj sf mer en oct-nov et avr-juin. *Menus* 15,50 € (déj)-28,80 €. Café offert sur présentation de ce guide. Généralement, station de ski ne rime pas forcément avec gastronomie. Voilà l'exception qui confirme la règle. Certes, on y trouve tartiflettes, raclettes et fondues, mais ce serait dommage de se contenter de ces quelques plats plus savoyards que provençaux. D'autant que les deux menus permettent de goûter quelques bons petits plats, joliment présentés, à savourer côté jardin, dans un décor fleuri, pendant que le chef se déchaîne côté cour, dans sa cuisine. Service amical.

Plus chic

🛏 *Hôtel Le Chastellan :* rue Saint-Jean. ☎ 04-93-02-57-41. ● contact@le-chastellan.com ● le-chastellan.com ● *Doubles* 70-90 €, petit déj inclus. Réduc de 10 % sur le prix des chambres accordée (hors promo) sur présentation de ce guide. Derrière une belle façade en pierre de taille, une hôtellerie où l'on peut venir en famille ! La plupart des chambres, dont quelques-unes avec balcon, ont une vue agréable. Propreté irréprochable et accueil délicieux. Coin TV et salle de jeux pour vos petites têtes blondes. Jardin et terrasse.

Où dormir ? Où manger dans les environs ?

🛏 |●| *Hôtel-restaurant Le Col de Crous :* 06470 Péone. ☎ 04-93-02-58-37. À 8 km au nord de Valberg. Au centre d'un charmant village. Tlj sf dim soir et lun en basse saison. Congés : 20 oct-20 déc. Résa conseillée. *Doubles* 45-60 €. ½ pens 45 €/pers, demandée oct-fin avr. *Menus* 14 € (en sem)-20 €. Café offert sur présentation de ce guide, ainsi qu'une visite guidée du vieux village. Une adresse tranquille, agréable et bon marché. On est en retrait de Valberg et de ses pistes, au creux de monts verts et fleuris ou enneigés, et c'est bien. Cheminée et four à feu de bois en hiver, jardin sous la vigne en été. Cuisine consistante et familiale, style ravio-lis à l'ancienne, pieds-paquets, civet de porcelet, épaule d'agneau de pays au foin... Quelques irrégularités toutefois.

À voir. À faire

On a un petit faible pour Valberg. Comme à Auron ou à Isola 2000, on peut (en principe) y skier jusqu'en avril, mais, ici, il y a de l'ambiance toute l'année.

🏃 Allez voir la jolie *chapelle Notre-Dame-des-Neiges,* sainte patronne protectrice des skieurs. D'apparence toute simple, l'intérieur est décoré de peintures modernes naïves.

➤ *Excursion à la croix de Valberg :* on part du Garibeuil et on monte par un bon sentier ; en haut, panorama superbe sur les montagnes (45 mn aller-retour).

➤ **Sentier raquettes** au départ du centre de la station (3 km aller-retour).

– **Luge :** une piste, accessible même l'été, a été aménagée. Pour y accéder, prendre le télésiège du Garibeuil (gratuit pour les enfants de moins de 6 ans accompagnés).

– **Quad sur neige, motoneige, randos balisées à raquettes, etc. :** se renseigner à l'office de tourisme.

BEUIL (06470)

La route descend ensuite sur Beuil (1 480 m). C'est une station estivale et de sports d'hiver très reposante.

Adresse utile

🏢 **Office de tourisme :** quartier du Pissai-Re. ☎ 04-93-02-32-58. ● beuil.com ●

Où dormir ? Où manger ?

🛏 🍽 **Hôtel L'Escapade :** ☎ 04-93-02-31-27. ● hotel-escapade@wanadoo.fr ● http://monsite.wanadoo.fr/hotelescapade ● Ouv tlj. Congés : 1er oct-26 déc. Doubles 52-78 € selon confort. Menus 22-27 €. Bâtiment typique des années 1960, tentant désespérément de se faire passer pour un gros chalet de montagne. Quoi qu'il en soit, vue superbe depuis le balcon de certaines chambres. Côté resto, le premier menu est déjà pas mal : terrine ou tête persillée, puis un plat (genre daube à l'ancienne ou cannellonis aux sanguins), etc. Avec le second, vous redescendez la montagne en roulant !

À voir. À faire

🚶 **Dans le village,** adorable placette, bordée d'une église et d'une jolie chapelle, aux couleurs de l'Italie. L'église du XVIIIe siècle a gardé un clocher roman du XVe siècle. Sur la façade, jolie statue dans une niche, à gauche. L'intérieur est richement décoré : superbe tableau récemment rénové (L'Adoration des mages, école de Véronèse), colonnes torses noires, angelots sculptés, etc.

🚶🚶 **Découverte et dégustation aux granges du Scrouis :** route de la Couillole. ☎ 04-93-02-31-66. En face à gauche de l'office de tourisme, prendre la route qui grimpe un peu, puis c'est indiqué sur la gauche. Maryse et Alain élèvent des chèvres au sein d'une ferme traditionnelle. Derrière une baie vitrée, vous pourrez assister à la naissance d'un fromage. Et puis on y goûte et on peut en acheter. Un bon plan promenade, nature et dégustation, que les citadins et particulièrement les enfants apprécieront.

➤ **Excursion au mont Mounier** (2 800 m) : vue extraordinaire sur les Alpes. Compter 6h aller-retour, donc prévoir un pique-nique, et surtout, écouter les prévisions météorologiques avant de partir.

ROUBION (06420)

Accessible depuis Beuil et Valberg par le col de la Couillole. Ce village médiéval, perché dans son écrin de verdure, se la joue station « 4 saisons ». Ski et rando sont donc au programme. Côté patrimoine, ne manquez pas la chapelle Saint-Sébastien, en contrebas du village, qui renferme d'admirables peintures murales du XVIe siècle, légendées en vieux provençal.

Adresse utile

🏢 *Bureau du tourisme :* au village. ☎ 04-93-02-10-30. ● *roubion.com* ● *Tlj 10h-12h30, 13h30-18h. Autre bureau à la station des Buisses.* Vous y trouverez toutes les infos concernant les nom-

breuses activités (via ferrata, VTT, escalade, canyoning, raquettes, ski de fond...). Pas mal de gîtes d'étape dans les alentours.

Où manger ? Où dormir ?

🛏 |●| *Gîte d'étape et de séjour La Fripounière :* col de la Couillole. ☎ 04-93-02-02-60. ● *postmaster@lafripounie re.com* ● *lafripouniere.com* ● *Ouv tte l'année, sur résa.* Compter 38 €/pers en ½ pens (34 € si vous apportez vos draps). Le midi, plats 6,50-18 € env. Ce très beau chalet de montagne, tout de pierre et de bois, offre le gîte et le couvert aux touristes et randonneurs de passage. Une quinzaine de chambres pour 2-3 personnes, au confort simple (certaines avec w-c et douche sur le palier) et à la déco sobre, tout à fait dans l'esprit montagnard. Selon la saison, on se calera au coin du feu ou l'on profitera du splendide panorama depuis la terrasse ensoleillée. À table,

charcuteries et fromages en provenance des producteurs locaux, pain du fournil, salades et légumes du jardin, tartes et confitures maison. Accueil sympa.
🛏 |●| *Le Chalet des Buisses :* quartier des Buisses. ☎ 04-93-02-84-10. ● *post master@chalet-des-buisses.com* ● *Ouv tte l'année (sur résa hors saison).* Compter 15 €/pers la nuit ; 80 € pour la sem (hors vac scol). ½ pens 31 €/pers. Repas 12 €. Gîte d'étape et de séjour au pied des pistes et du téléphérique. Construction neuve mais belle, en pleine montagne. Sympa et pas cher du tout ! Six chambres pour 2 à 4 personnes. Cuisine familiale. Location de skis, raquettes et VTT sur place.

ILONSE (06420)

Encore un joli village médiéval fortifié, perché tout en haut de son éperon rocheux. On y accède par une étroite route de 9 km, tout en lacet. À chaque virage, une nouvelle échappée avec de la montagne à perte de vue. Heureusement, on y croise plus de rapaces que de voitures ! D'Ilonse, on peut rallier la vallée du Cians par Pierlas.

SAINT-ÉTIENNE-DE-TINÉE (06660) 1 500 hab.

Carrefour entre Nice et Barcelonnette, entre la Provence et le Piémont, ce gros village situé dans un amphithéâtre de montagne, à 1 140 m d'altitude, est pourtant resté longtemps isolé du reste du monde. La vie y était particulièrement rude. Petit coin de Savoie, rattaché à la France par référendum en 1860, il reste, jusqu'au début du XXe siècle, un centre actif de production des draps de la haute Tinée. En 1900, l'élargissement des routes, l'avènement de l'automobile et la naissance de la station d'Auron lui permirent de se développer. En 1929, un incendie ravagea malheureusement la moitié du bourg. C'est aujourd'hui un agréable lieu de séjour l'été et un centre d'excursions.

Adresse utile

🏢 **Office de tourisme :** 1, rue des Communes-de-France. ☎ 04-93-02-41-96. • saint-etienne@stationsdumer cantour.com • En été, tlj 9h-12h, 14h30-18h30 ; le reste de l'année, horaires variables.

Où dormir ? Où manger ?

Gîtes ruraux

🛏 Nombreux **gîtes ruraux** pouvant accueillir 3 à 7 pers. ☎ 04-92-15-21-30 (central des gîtes ruraux à Nice). • info@gites-de-france-alpes-maritimes.com • gites-de-france-alpes-maritimes.com •

Prix moyens

🛏 |●| **Ma Vielle École :** Roya. ☎ 04-93-03-43-05. • contact@mavieilleecole.com • Compter 20 €/pers, 25 € avec le petit déj. ½ pens 38 €. On a craqué pour ce gîte d'étape situé en pleine montagne, dans un petit hameau isolé. Dortoirs de 2 à 8 lits, aménagés dans l'ancienne école. Ambiance extrêmement conviviale, comme il se doit. Le resto est ouvert à tous midi et soir, sauf que le soir, c'est souvent complet car les randonneurs qui trouvent refuge ici suffisent à remplir la petite salle. Et la terrasse, si accueillante le midi avec sa vue fabuleuse, l'est beaucoup moins le soir. Il faut dire qu'il fait bien frisquet à la tombée du jour ! Casse-croûte et cuisine de terroir, mitonnée du jour.

🛏 |●| **Hôtel-restaurant Le Régalivou :** 8, bd d'Auron. ☎ et fax : 04-93-02-49-00. Fermé de nov à mi-déc. Doubles 40-68 € selon saison. Menu 13 € ; carte env 25 €. Apéro maison offert sur présentation de ce guide. Petit 1-étoile tout simple et plutôt sympathique, dans une grosse maison évoquant les pensions d'antan. Petite terrasse ombragée, au cœur du village. Chambres rénovées et confortables, sans charme particulier mais claires. Souffre parfois d'un certain laisser-aller dans l'entretien et l'organisation. Renseignements sur place sur toutes les activités de montagne.

À voir

🗡 **L'église Saint-Étienne :** fortement endommagée par les guerres de Religion, elle fut restaurée au XVIIIe siècle. Joli clocher roman lombard, tour à quatre étages (c'est le monument le plus ancien du village). À l'intérieur, maître-autel de 1669 en bois doré d'influence espagnole.

Important ! Pour la visite des chapelles, s'adresser à l'office de tourisme.

🗡 **La chapelle des Trinitaires :** elle abrite des fresques datées de 1685, qui représentent Notre-Dame-du-Bon-Remède ou la Madone des combats navals. Sur la voûte est illustrée la bataille de Lépante (de nombreux Niçois y participèrent). Les Trinitaires étaient chargés de racheter les chrétiens captifs aux Barbaresques.

🗡 **La chapelle Saint-Sébastien :** à l'entrée du village (pour protéger celui-ci de la peste !). Fresques remarquables de la fin du XVe siècle, de Baleisoni et Canavesio.

🗡 **La chapelle des Pénitents-Noirs,** ou **chapelle Saint-Michel :** elle a été aménagée en musée d'Art religieux. Retable du XVIe siècle.

🗡 **Le musée des Traditions, de l'École et du Lait :** mis en place par l'association des Stéphanois, qui y organise des veillées et fêtes à l'ancienne.

SAINT-DALMAS-LE-SELVAGE (06660) 90 hab.

Au cœur du parc du Mercantour, voici notre village préféré dans le coin. Il faut dire que Saint-Dalmas-le-Selvage, plutôt isolé mais facile d'accès, a su conserver un caractère simple et pittoresque. À 1 347 m d'altitude, c'est en outre la commune la plus haute du département. Encore quelques toits en bardeaux de mélèze. L'église à l'entrée du village et la chapelle Sainte-Marguerite, toutes deux classées, sont ouvertes à la visite. Il suffit de demander la clé à l'office de tourisme.

Adresse utile

ⓘ Office de tourisme : ☎ 04-93-02-46-40. ● stationsdumercantour.com ● En hte saison (juil-août et vac d'hiver) ouv tlj sf mar et mer. Se renseigner pour les autres périodes.

Où manger ?

|●| **L'Auberge de l'Étoile :** au cœur du village. ☎ 04-93-02-44-97. ● auberge-deletoile@wanado.fr ● Tlj sf lun et mar midi en hte saison ; ouv slt ven soir, sam et dim midi en basse saison. Congés : 1ᵉʳ oct-20 déc. Résa conseillée. Menus 19 € (déj)-25 €. CB refusées. Digestif maison offert sur présentation de ce guide. Une auberge bien mignonne avec une jolie terrasse et une salle rustique. Cuisine sincère et authentique, qui ne triche pas avec les produits et les saisons. Et les nouveaux patrons n'ont rien changé à l'affaire. On vient toujours de loin pour goûter la fricassée de champignons ramassés dans les bois ou la trouvaille du jour. « L'assiette du randonneur », pour manger sur le pouce, nous a plu : omelette, salade mixte, sanguins (champignons du cru), jambon cru et terrine. Et le soir, on dîne aux chandelles, près du poêle, bien loin de l'agitation des stations ou de la Côte.

|●| **Restaurant Le Pratois :** hameau du Pra, sur la route du col de la Bonette. ☎ 04-93-02-44-65. Dans le dernier hameau habité. Tlj de fin juin à mi-sept. Menu 23 € ; carte env 30 €. Avant d'aborder les lacets de la plus haute route d'Europe, une halte régénératrice dans une vieille maison d'alpage devenue une auberge on ne peut plus rustique et agréable, où vous serez surpris par une carte aux saveurs d'antan : soupe aux orties sauvages, camembert grillé aux lardons, jambonneau cuit au foin, pommes de terre cuites à la cendre. Étonnante purée du pauvre, dont on vous laisse la surprise. Tout est fait maison, au four à bois, à base de produits du cru. Gîte d'étape juste à côté.

À voir. À faire

🥾🥾🥾 Au-dessus de la commune se trouve le plus haut « hameau ancien » de France, **Bousieyas** (1 950 m), et le plus haut col d'Europe, **Restefond-la-Bonette** (2 802 m) avec du même coup, la plus haute route goudronnée d'Europe, inaugurée en 1961. Elle avait déjà été classée « Route impériale » un siècle plus tôt par Napoléon III, quand elle n'était qu'un simple sentier tout juste praticable à dos de mulet. Là-haut vous attend un panorama époustouflant sur les Alpes. Vertigineux même, avec sa vue circulaire à 360° ! On se croirait vraiment sur le toit du monde. On y accède par cette belle route en lacet, au milieu des moutons et des marmottes (pour les voir, venez plutôt en fin d'après-midi). La cime de la Bonette possède une table d'orientation à 2 862 m. Liaison alpine entre la vallée de la Tinée et la vallée de l'Ubaye, cette route est évidemment fermée une bonne partie de l'hiver, aux voitures tout au moins.

On compte quelques fortins et blockhaus sur les versants de la Bonette, de tout temps passage stratégique entre la France et l'Italie. Le plus saisissant se situe au niveau de Restefond, village fantôme au milieu de nulle part, vestige de la dernière guerre et témoin de la présence italienne dans la vallée.

> **PLUS HAUTE ROUTE D'EUROPE ?**
>
> *C'est tout au moins ce que continuent à dire les brochures touristiques du Mercantour, bien qu'il s'avère que des cols en Espagne soient encore plus hauts, accessibles eux aussi en voiture. La route menant aux stations de ski de Sierra Nevada constitue le record actuel, avec plus de 3 000 m d'altitude.*

➤ *Circuit des Lacs et refuges de Vens (2 380 m) :* compter 5h aller-retour. Au cœur du parc, découvrez une faune et une flore exceptionnelles. Depuis la route du col de la Bonette, au niveau du parking de Pra, suivre le sentier régulier du plateau de Morgon. Traverser le ruisseau (passerelle), puis les prairies qui montent vers l'extrémité nord du plateau. Redescendre par deux lacets sur le vallon de Tortisse avant une longue traversée ascendante vers les maisons forestières de Tortisse (2 252 m). À la balise 34, prendre à droite le sentier sinueux qui s'élève dans l'ubac de la crête de la Côte parmi petits mélèzes, rhododendrons et myrtilles, jusqu'à un collet panoramique (2 422 m). Rejoindre à flanc le sentier qui monte du vallon de Vens, puis le verrou du grand lac de Vens d'où l'on découvre subitement les eaux, vertes ou bleues selon la lumière, ainsi que le refuge bâti sur la rive orientale. On accède à ce dernier facilement par un sentier à flanc de montagne.

➤ Un site d'escalade, le *rocher de Junic,* est accessible en été. (20 mn à pied depuis le parking). Sinon, plus de 80 voies de difficulté variable. En hiver, circuits damés pour le *ski de fond,* les *balades à raquettes* ou le *ski de randonnée.* L'hiver, vous pouvez également pratiquer l'escalade sur cascade de glace. Toutes les infos à l'office de tourisme.

AURON   (06660)   1 530 hab. avec Saint-Étienne-de-Tinée

Très bien situé sur un plateau ensoleillé, à 1 600 m d'altitude, au centre d'un cirque de montagne, cet ancien hameau, qui était autrefois le grenier à blé du village de Saint-Étienne-de-Tinée, est devenu, depuis les championnats de France de ski de 1938, une station de sports d'hiver très réputée. En 1982, les Championnats du monde y ont élu domicile. Mais la station garde un côté familial (peu de monde dans les rues à 20h), moins tapageur qu'à Isola 2000. Elle est la seule du département à posséder un téléphérique. Grand domaine skiable de 135 km de pistes (dont 54 ha d'enneigement artificiel).

Comment y aller ?

➤ *De Nice :* depuis la gare routière, la gare SNCF ou l'aéroport, bus tlj. Résa indispensable. *Santa Azur :* ☎ 04-93-85-92-60.

Adresses utiles

🛈 *Office de tourisme :* grange Cossa. ☎ 04-93-23-02-66. • auron.com • Tte l'année.

■ *École du ski français :* ☎ 04-93-23-02-53.

■ *Services des remontées mécaniques :* ☎ 04-93-23-00-02.

Où dormir ? Où manger ?

🏠 |●| **Las Donnas** : Grand-Place. ☎ 04-93-23-00-03. ● information@las donnas.com ● lasdonnas.com ● Congés : 1er avr-25 juil et 25 août-19 déc. Doubles 55-110 € selon confort et saison. ½ pens 55-75 €/pers, obligatoire pdt les vac scol. Menus 18-24 €. Apéro maison offert sur présentation de ce guide. Hôtel agréable et calme, donnant sur la place centrale. Une quarantaine de chambres, la moitié possédant un balcon face aux pistes. Le resto ne fonctionne qu'en hiver : fondue bourguignonne, tartiflette et raclette. Belle terrasse et solarium.

|●| **Restaurant La Grange d'Aur** : pl. Centrale. ☎ 04-93-23-30-98. En juil-août, tlj midi et soir ; en saison d'hiver (15 déc-15 avr env), ouv slt le soir sf le w-e et pdt les vac scol. Fermé le reste de l'année. Menu le midi 20 € ; carte env 25 €. Apéro maison ou café offert sur présentation de ce guide. Une jolie petite grange qui rappelle aux touristes qu'Auron était le grenier à céréales de Saint-Étienne-de-Tinée. Aujourd'hui, on s'y régale de plats bien montagnards : gnocchis, reblochon au lard, fondues et raclettes variées. Décor de bon goût, service et accueil agréables.

À voir. À faire

🔨 **La chapelle Saint-Érige** : visites guidées slt en été ; rens auprès de l'office de tourisme. Saint Érige protégeait les enfants mort-nés et déliait la langue des muets. Ce bâtiment de style roman alpestre, avec son clocher lombard, date du XIIIe siècle et abrite, depuis 1451, un ensemble de fresques religieuses exceptionnel. Elles retracent la vie de saint Érige, évêque de Gap au VIe siècle. Émouvante sainte Marie Madeleine dans la chapelle centrale et, dans l'abside de gauche, un saint Denis. Belle charpente apparente. À l'intérieur, aménagement sonore (commentaires en plusieurs langues) et lumineux gratuit.

– **Le téléphérique de Las Donnas** : ouv été comme hiver. On parvient à une altitude de 2 256 m, panorama très vaste sur la haute Tinée et les Alpes.

🐟 **Les pistes** : 135 km de pistes balisées sur deux vallées (plus qu'à Isola). La station jouit d'un bon ensoleillement, avec cet inconvénient de ne pas offrir toujours une neige d'excellente qualité. Auron convient plus aux skieurs chevronnés.

– **En été,** entre toutes les activités sportives proposées, vous n'aurez que l'embarras du choix : escalade, randonnée, poney, golf 9 trous, stage de tennis, via ferrata, acrobranches (à Saint-Étienne-de-Tinée, 7 km)...

ISOLA 2000   (06420)   540 hab.

Station de sports d'hiver créée en 1972, à 1h30 de Nice, Isola 2000 jouit d'un climat méditerranéen alliant neige et soleil. Très fréquentée, même si elle a un côté complexe commercial assez marqué : longue galerie marchande autour de laquelle tout s'organise (hôtels, restos, boutiques, etc.). En hiver, vous succomberez aux plaisirs de la poudreuse et, en été, possibilité de pratiquer de nombreux sports : tennis, natation, équitation, escalade, etc.

LES ALPES D'AZUR

Comment y aller ?

➢ **De Nice :** *résa obligatoire.* ☎ 04-93-85-92-60. Départs de la gare routière tlj, en hiver, à 9h15 et 16h30 (17h20 ven) ; un départ supplémentaire sam à 13h15. À chaque liaison, le bus passe par la gare SNCF puis l'aéroport, avant de monter à Isola 2000 (aller simple : 8 €).
– Également un skibus (forfait bus + remontées) l'hiver sur résa (départ de Cannes et Nice).
➢ Une **piste cyclable,** d'une dizaine de kilomètres en site propre, relie Isola à Saint-Étienne-de-Tinée.

Adresses utiles

🛈 **Office de tourisme :** *au cœur de la station.* ☎ 04-93-23-15-15. ● isola2000. com ● Tlj 9h-12h, 14h-19h ; hors saison, lun-ven 9h-12h, 14h-18h. Chalet d'accueil ouv l'été à Isola-Village (17 km de la station).
■ **Aquavallée :** ☎ 04-93-02-16-49. Le w-e et pdt les vac scol, tlj 10h-20h ; en période scol, ouv 11h-20h. À partir de 4 €/adulte ; réduc et forfaits attractifs ; CB refusées. Centre de remise en forme et espace aquatique intercommunal, idéal pour se détendre après l'effort ! Piscine couverte (avec bassin sportif et espace ludique), sauna, hammam, jacuzzi, mais aussi squash, fitness, etc.
■ **École du ski français :** ☎ 04-93-23-28-00. 110 moniteurs permanents.

Où dormir ?

Grosse différence entre les tarifs basse saison et les tarifs haute saison (vacances de Noël, février, vacances de Pâques). Renseignez-vous auprès de l'office de tourisme, les adresses pour routards n'étant pas toujours évidentes par ici.

🛏 **Hôtel L'Isola :** *pl. J.-Gaïssa.* ☎ 04-93-02-17-03. Doubles 35-60 € selon confort et saison ; familiales. Au centre du petit bourg ancien d'Isola et à deux pas du complexe aquatique et centre de remise en forme *Aquavallée* (voir plus haut), ce petit hôtel ravira, à coup sûr, skieurs et randonneurs. Chambres toutes simples mais gaies, propres et bien tenues. Les moins chères ont douche et w-c sur le palier, tandis que les plus chères sont un peu plus spacieuses et avec bains.

Les pistes

Isola est la plus haute station des Alpes du Sud et l'une des plus enneigées de France (à 50 km à vol d'oiseau de la mer !). Elle bénéficie d'un climat avantageux, avec une neige abondante et d'une bonne qualité poudreuse, et beaucoup de soleil. On compte quelque 120 km de pistes. Outre les randonnées raquettes guidées, luges et motoneiges, de nombreuses autres activités animent la station, de jour comme de nuit.

Randonnées pédestres

Isola 2000 est au centre du *parc national du Mercantour,* c'est donc le point de départ idéal de nombreuses excursions. Autrefois, les environs d'Isola étaient territoire italien et chasse privée du roi Victor-Emmanuel II, ce qui explique les nombreux et bons sentiers existants. De plus, une trentaine de lacs ceinturent la station, offrant d'agréables buts de promenades. Se procurer la carte *IGN Haute Tinée 2 Isola 2000.* Une suggestion :

➤ *La traversée du pas du Loup – cime de la Lombarde*

Du hameau, suivre la petite route menant à l'*Hôtel Diva*, dans l'adret de la station, jusqu'à la balise 91 où l'on bifurque à droite. Franchir bientôt le vallon de Terre Rouge pour retrouver à la balise 92 le chemin militaire issu du col Mercière. Le sentier rejoint le verrou glaciaire et permet ensuite la découverte de petits lacs (2 417 m et 2 425 m) et du grand lac de Terre Rouge (2 452 m).

De la balise 93, bifurquer à gauche pour atteindre d'abord un lac, puis la crête frontalière et le pas du Loup (2 665 m). Un sentier continue versant italien en direction du nord-ouest ; le suivre au mieux jusqu'au pas de Péania (2 730 m). Remonter jusqu'à la cime de la Lombarde (2 800 m). Descendre l'arête sud-ouest en passant d'abord par l'antécime (croix) avant de trouver une petite sente qui court sur le versant italien jusqu'au col de la Lombarde (2 350 m). Rejoindre facilement le fond de la station par un cheminement très progressif et décontractant en amont de la route de la Lombarde (balises 99, 98 et 91).

Superbe randonnée d'environ 6h aller-retour avec 1 000 m de dénivelée (2h de marche suffisent pour le premier lac). On vous conseille de pique-niquer au bord du lac. N'hésitez pas à demander le guide des randonnées au départ de la station, en vente à 3 € à l'office de tourisme.

LA VALLÉE DE LA TINÉE : D'AURON AU PONT DE LA MESCLA

C'est la D 2205 qui longe les gorges de la Tinée, depuis Auron jusqu'à sa confluence avec le Var.

SAINT-SAUVEUR-SUR-TINÉE (06420)

C'est le centre commercial de la vallée, sur la route des stations de sports d'hiver. Nombreuses possibilités d'excursions. Jolie *église* médiévale, avec clocher carré de 1333. À l'intérieur, *retable de Notre-Dame,* de Guillaume Planeta (1483). Dans le village, on est frappé par le côté sévère des maisons hautes ; remarquez les linteaux gravés.

Adresse utile

ⓘ *Syndicat d'initiative :* à la mairie. ☎ 04-93-02-00-22. • *mairie-st-sauveur-sur-tinee@wanadoo.fr* • Demandez-leur les adresses des gîtes d'étape.

Où dormir ?

⚊ *Camping municipal :* au bord de la rivière. ☎ 04-93-02-03-20. • *mairie-st-sauveur-sur-tinee@wanadoo.fr* • Ouv 15 juin-15 sept. Selon saison, compter 10,50-12,50 € l'emplacement pour 2 pers avec voiture et tente. Au bord de la rivière, dans une belle vallée ombragée. Petit camping traditionnel et tout simple, accueillant uniquement tentes et caravanes. Correct.

⌂ *Gîte d'étape* de 16 places à côté du camping. Ouv mai-fin sept ; rens auprès du syndicat d'initiative. Nuitée 7 €. Coin-cuisine à disposition.

ROURE *(06420)*

Un des plus étonnants villages perchés de la vallée de la Tinée. De Saint-Sauveur-de-Tinée, prendre la route de Beuil ; à 2 km sur la droite, emprunter une route sinueuse qui monte jusqu'à Roure. On est si loin de l'agitation du monde qu'on se sent comme allégé ! Perché sur un promontoire dominant Saint-Sauveur et la vallée de la Violène, Roure est l'exemple même du vieux village « nid d'aigle » montagnard avec ses toits de bardeaux (planchettes de bois) ou de lauzes. Belles maisons et granges des XVIIe et XVIIIe siècles, à auvents. Dans l'église, *retable de l'Assomption* attribué à François Bréa. Par souci de protéger la nature et les arbres, les habitants du village ont pris une initiative intéressante, en réalisant un *arboretum* où chaque arbre porte le nom de celui qui l'a planté. L'arboretum se trouve sur la route du refuge de Longon et de la forêt de Fracha (chapelle Saint-Sébastien). De Roure, compter 50 mn de marche. En voiture, suivre la route bitumée qui devient un chemin de terre, et aller jusqu'au bout de la piste.

MARIE *(06420)*

Ce village, situé sur un plateau au-dessus de la vallée, au milieu des oliviers, a beaucoup de charme. On est frappé par son caractère montagnard, les volets cloutés et les toits de lauzes de certaines maisons.

Marie, qui comptait 238 habitants il y a un siècle, voit sa population réduite aujourd'hui à 50 personnes ! Et pourtant, c'est si beau !

Remarquez le lavoir entouré de piliers à ogive, le moulin à huile restauré, le four à pain, et flânez dans les ruelles étroites et en escalier.

Randonnée pédestre

➤ *Le mont Tournairet (2 085 m) :* vous pouvez atteindre le sommet en prenant un sentier qui remonte le vallon d'Oglione avant de rejoindre le GR 5.

LA TOUR *(06710)*

Sur la droite, à env 3 km, une petite route sinueuse monte au hameau de La Tour. Ce village, qui possède une jolie place pavée avec maisons sur galeries à arcades et fontaine, conserve un caractère plus provençal que montagnard.

L'*église,* à clocher carré lombard avec bossage à pointes de diamant, abrite deux beaux bénitiers, ainsi que des retables de style Renaissance *(s'adresser à la mairie :* ☎ 04-93-02-05-27). Il faut également visiter la *chapelle des Pénitents-Blancs* (téléphoner à la mairie) qui possède des peintures murales de 1491, dues à Bevesi et Nadale. Les Vices et les Vertus sont représentés : les Vices enchaînés par le cou se dirigent vers la bouche de l'Enfer...

Sur la *mairie,* du XIXe siècle, peintures en trompe l'œil à l'italienne.

Randonnée pédestre

➤ Les courageux grimperont par un joli sentier à la *chapelle Saint-Jean* et pourront même continuer jusqu'au *col de Gratteloup* (1 411 m).

En quittant le hameau, on peut reprendre à gauche la D 2205, direction Nice, pour retrouver, 8,5 km après le pont de la Mescla, à gauche encore, la D 2565 qui longe une autre vallée, celle de la Vésubie.

LA VALLÉE DE LA VÉSUBIE

Une des plus belles vallées du haut pays niçois, que l'on peut atteindre soit par la N 202 (Nice-Digne), rapide (on quitte la N 202 à Plan-du-Var), soit par la D 19 et l'arrière-pays niçois. On arrive alors par Levens (voir le circuit « Autour de Nice : les villages perchés », après Nice).

Rappelez-vous la scène de la cascade dans *La Nuit américaine* de Truffaut : elle a été tournée dans la vallée de la Vésubie.

La D 2565 s'enfonce dans la vallée aux gorges profondes et sinueuses qui s'élargit par endroits.

➤ À *Saint-Jean-la-Rivière*, prendre à gauche la route en lacet qui monte à Utelle. La vue devient vite féerique et l'on est étonné de voir partout les petits murets qui soutenaient des terrasses cultivées, les *restanques*.

UTELLE (06450)

À 800 m d'altitude, Utelle fut autrefois une bourgade importante qui commandait toute la vallée, à l'époque où les transports ne se faisaient que par mulets. Le village, à l'écart des voies de communication, a gardé tout son cachet avec ses fortifications, ses maisons médiévales, ses rues en escalier et même ses cadrans solaires.

Où dormir ? Où manger ?

De bon marché à prix moyens

🏠 |●| *L'hostellerie du Sanctuaire :* Notre-Dame-des-Miracles. ☎ 04-93-03-19-44. ● madone.utelle@free.fr ● http://madone.utelle.free.fr ● Ouv tlj. Fermé 24 déc-1er fév. Compter 20 €/ pers. ½ pens 28 € (ajouter 4 € de cotisation annuelle). Menus 8-18 €. Sur présentation de ce guide, réduc de 10 % sur le prix de la chambre hors juil-août. Pour les amateurs de grands espaces et de panoramas extraordinaires, voilà une adresse hors du commun. Ce refuge associatif et catholique, situé juste à côté du sanctuaire de la Madone d'Utelle, à 1 180 m d'altitude, offre une vue à 360° sur toute la côte, les Alpes et le Mercantour... C'est le point de départ de nombreuses randonnées. Les huit chambres, rénovées, offrent un confort rudimentaire mais suffisant. La cuisine est avant tout copieuse et propre à satisfaire les nombreux randonneurs et pèlerins qui s'arrêtent ici. Mais vu les prix, dérisoires, on ne saurait se plaindre ! Surtout que l'accueil est d'une rare gentillesse... simple et généreux. Un de nos meilleurs souvenirs.

|●| *L'Aubergerie Del Campo :* route d'Utelle. ☎ 04-93-03-13-12. La route monte fermement vers Utelle et, 2 km plus haut, on est intrigué par quelques voitures stationnées sous un arbre au bord de la route ; l'Aubergerie Del Campo se trouve un peu en contrebas. Ouv tlj (le soir, de préférence sur résa). Formule déj 16 € en sem ; menus 21-45 €. CB refusées. Ancienne bergerie datant de 1785, restaurée et accrochée au flanc de la montagne. Décor rustique avec une belle cheminée et des planches d'olivier. Le chef prépare une délicieuse cuisine de terroir avec des produits de grande qualité. Une spécialité : le *crespeü...* Belle terrasse aux beaux jours, dominant les gorges de la Vésubie. Ambiance conviviale, même si à force de cultiver l'originalité, cela finit par manquer de modestie et de naturel. Dommage !

|●| *Restaurant Le Bellevue :* route de La Madone. ☎ 04-93-03-17-19. Ouv le midi slt, tlj sf mer hors saison. Congés : 7 janv-2 fév. Menus 13 € (sf j. fériés), puis 21-30 € et carte. Resto assez réputé pour sa cuisine régionale. Réserver une table avec vue dans la salle à manger rustique. Piscine pour barboter après le déjeuner.

LES ALPES D'AZUR

À voir

🕯 *L'église Saint-Véran :* elle est précédée d'un porche gothique, et les vantaux sculptés de la porte retracent la légende de saint Véran. Curieusement, les chapiteaux romans et préromans voisinent avec des voûtes décorées en stuc, de style baroque. Au fond du chœur, retable du XVIIᵉ siècle en bois sculpté : les scènes de la Passion.

🕯 *La chapelle des Pénitents-Blancs :* près de l'église, elle abrite une *Descente de croix* en bois sculpté et doré du XVIIᵉ siècle.

À voir. À faire dans les environs d'Utelle

➢ *La Madone d'Utelle :* balade de 6 km réservée aux conducteurs sportifs. Il s'agit d'avoir un bon moteur (pour monter), de bons freins (pour redescendre) et de ne pas lâcher le volant ! La récompense ? Un panorama inoubliable sur la vallée du Var, le littoral et le cap d'Antibes d'un côté, les Alpes enneigées (par temps clair, de préférence le matin), la Vésubie et la Tinée de l'autre. Cet endroit venteux, sauvage et fabuleusement calme, est aussi un sanctuaire qui attire depuis l'an 850 de nombreux visiteurs et pèlerins. On y trouve le gîte et le couvert (voir un peu plus haut). Ne pas hésiter à quitter le sentier et à s'avancer au-delà de la chapelle. Le panorama est de plus en plus beau, de plus en plus large.

🕯 *Notre-Dame-des-Miracles :* reconstruit et restauré de nombreuses fois au cours des siècles, le sanctuaire conserve son mystère, distillé par une étrange atmosphère. À l'origine de sa construction, le naufrage d'un navire d'Espagnols, sauvés par leurs prières. La Vierge leur apparut, indiquant la montagne baignée par la lumière ! Ils la gravirent pour y ériger un monument rappelant le miracle. Plus tard, une chapelle fut édifiée et d'autres miracles se produisirent, des dizaines de malades ayant été guéris après avoir adressé des prières à la Vierge... Quelques témoignages, amusants pour les uns, émouvants pour les autres, ornent désormais les murs de la mignonne chapelle : béquilles, brassière d'enfant encadrée, etc.

Manifestations

– *Les pèlerinages :* lundi de Pâques, jeudi de l'Ascension, lundi de Pentecôte, 15 août et 8 sept (nativité de la Vierge).
– *Les étoiles mystérieuses :* le 14 août. Une autre curiosité du site. De tout temps, pèlerins ou simples promeneurs ramenèrent de la montagne de minuscules morceaux de roche à 5 branches ! « Envoyées du ciel par Notre-Dame en signe d'amour », ces étonnantes poussières sont en fait de simples (mais rares) étoiles de mer ! Il y a plus de 140 millions d'années, l'eau recouvrait toute la région : des crinoïdes, animaux marins proches des oursins, se développèrent ici. En se décomposant, ils libérèrent ces pièces calcaires en forme d'étoile que l'on ramasse sur le plateau de la Madone-d'Utelle... Une *marche aux étoiles* a lieu chaque année.

LANTOSQUE *(06450)*

Le bourg, frappé à plusieurs reprises par le destin (tremblements de terre en 1494, 1564, 1566 et 1644), a gardé un certain cachet : vieilles demeures de maître, ruelles en escalier, etc. Il surplombe la Vésubie. L'épicerie située face à la poste vend parfois de délicieux petits saucissons aux noix et de l'eau de la vallée des Merveilles.

Où dormir ? Où manger dans le coin ?

Campings

⋋ *Camping des Merveilles :* lieu-dit Le Suquet. ☎ 04-93-03-15-73. ♿ À 5 km au sud du village, au carrefour entre la D 2565 et la D 373. À 200 m de la Vésubie. Ouv 1er juil-15 sept. Résa conseillée. Forfait pour 2 pers 16,50 € en hte saison. 44 emplacements. Bien aménagé. Vue sur la montagne. Préférez les emplacements nos 6 à 25, les plus ombragés.

⋋ *Ferme-auberge La Gabelle :* au lieu-dit Loda, à 13 km de Lantosque. Voir le texte dans la rubrique ci-dessous.

De prix moyens à plus chic

●|●| *Ferme-auberge La Gabelle :* lieu-dit Loda. ☎ 04-93-03-04-18. À 13 km de Lantosque par la D 2565, un peu avt le col Saint-Roch. Ouv tte l'année, slt les w-e et j. fériés. Résa min 2 j. avt. Camping possible mai-fin oct : 12 € l'emplacement pour 2 pers avec voiture et tente. Casse-croûte 12 € ; menus 20-28 €. Apéro maison offert sur présentation de ce guide. À 1 000 m d'altitude, une bonne maison montagnarde qui profite du calme et de la fraîcheur du haut pays. Tous les produits servis dans l'assiette sont garantis « bio » : légumes du jardin, fromages et volailles de la ferme. L'accueil chaleureux de Danièle et Pascal Jaloux incite à prolonger son séjour dans le coin. Les repas se prennent dans une salle de caractère (poutres anciennes, murs de pierre et cheminée), à l'image de la cuisine.

📥 ●|●| *L'Auberge du Bon Puits :* Le Suquet-de-Lantosque. ☎ 04-93-03-17-65. ● lebonpuits@wanadoo.fr ● logis06.com ● ♿ À 5 km de Lantosque. Ouv de mi-avr à fin nov. Fermé mar sf 10 juil-août. Doubles 63-68 €. Menus 22-35 €. Bar-tabac sans charme particulier et en bord de route, mais rustique et typique. À l'étage, quelques chambres rénovées. Bon restaurant proposant une cuisine familiale soignée et très copieuse : raviolis sauce daube, filet de canard au vinaigre de framboise. Petite terrasse ombragée aux beaux jours. De l'autre côté de la route (attention !), une grande aire de jeux pour les enfants : ping-pong, toboggan, etc.

📥 ●|●| *Hostellerie de l'Ancienne Gendarmerie :* quartier Le Rivet. ☎ 04-93-03-00-65. ● faivre.mireille@wanadoo.fr ● hotel-lantosque.com ● Sur la D 2565, route principale de la vallée. Resto fermé dim soir et lun, sf pour les pensionnaires (ouv slt le w-e en mars et oct). Congés : 1er nov-1er mars. Doubles 70-115 € selon confort et saison (tarif basse saison appliqué à partir de 2 nuits). ½ pens 65-95 €/pers, demandée en juil-août. Au resto, formules 19,90 € le midi en sem et 29,90 € ; carte env 30 €. Digestif maison offert sur présentation de ce guide. Belle maison à la façade fleurie et agréablement décorée, meublée comme une maison particulière. Demandez les chambres donnant sur le jardin qui domine la rivière, avec vue sur le vieux village et la montagne. Certaines chambres ont un jacuzzi privé et la n° 7 est très spacieuse. Très belle piscine. Accueil adorable et calme assuré. Vraiment une excellente adresse.

ROQUEBILLIÈRE (06450)

La commune comprend le vieux village, le nouveau village et Berthemont-les-Bains. Le vieux village, sur la rive gauche de la Vésubie, aligne ses hautes maisons serrées les unes contre les autres. Un glissement de terrain en 1926, qui fit 19 morts, obligea à bâtir sur la rive droite de la rivière. Un lieu à ne pas manquer : l'*église des Templiers* (voir texte plus loin).

Adresse utile

🄸 *Office de tourisme :* 26, av. Corniglion-Molinier. ☎ 04-93-03-51-60. ● roque billiere.com ●

Où dormir ?

Camping

⋏ *Camping Les Templiers :* ☎ 04-93-03-40-28. ● camping.templiers@wanadoo.fr ● ⚒ À 500 m du vieux village, prendre la D 69 et le chemin à gauche au bord de la Vésubie. Congés : de mi-nov à mi-déc. Résa conseillée en juil-août. Compter 14 € en hte saison pour 2 pers avec voiture et tente. Loc de caravanes 24-49 €/nuit. Site très agréable, très calme. Tennis à proximité. On peut louer des vélos un peu plus haut, avant l'entrée dans le nouveau village.

À voir

⚑ ⚒ *L'église des Templiers* (appelée aussi *Saint-Michel-de-Gast*) : pour la visiter, il faut s'adresser à Mme Madeleine Périchon (on l'appelle Mado), qui habite près de l'église, dans une grande maison en partie couverte par des plantes grimpantes, afin de prendre rendez-vous. ☎ 04-93-03-45-62. Compter entre 1h et 2h.

Située au bord de la Vésubie et juste avant le pont qui mène au vieux village, cette église (classée Monument historique) est particulièrement remarquable. Selon nous, un des monuments religieux les plus intéressants des Alpes-Maritimes. À Roquebillière, c'est une tradition, il y a toujours un des habitants pour guider les visiteurs. Et Mado Périchon est une autodidacte passionnée qui connaît mieux les secrets de l'église que ceux de sa propre demeure. Son mari, M. Nesic, est maçon et il aide sa femme à maintenir en état ce chef-d'œuvre inconnu.

Plusieurs fois détruite, l'église prit sa forme définitive en 1533, après l'intervention des Templiers et des chevaliers de Malte. Les styles roman (le clocher) et gothique (la nef) se côtoient. L'intérieur est très riche : collections d'objets, de chasubles et de vêtements religieux, nombreux tableaux (notamment *L'Apocalypse*, plein de symboles mystiques), des sculptures. Mado raconte en détail l'histoire de l'église et celle de ce menuisier évangéliste, en quête de la coupe du Graal, qui amassa de nombreuses pièces encore visibles aujourd'hui. Remarquer aussi les sculptures représentant une corde nouée en forme de huit, symbole de Dieu et de l'infini. L'église abrite une crypte fermée depuis 1566. Voir aussi le retable de saint Antoine datant du XVIᵉ siècle et la sculpture à échelle humaine du Christ (macabre apparition !), cachée sous un autel, que Mado découvre au visiteur seulement si celui-ci semble apprécier la visite...

Excursions à partir de Roquebillière

➢ *Le vallon de la Gordolasque :* de la route de Saint-Martin, prendre à droite la route sinueuse qui remonte le vallon de la Gordolasque. On arrive d'abord à *Belvédère*, pittoresque village qui n'a pas volé son nom : la vue sur les vallées de la Gordolasque et de la Vésubie est splendide. Pour les randonneurs, un sentier monte aux *granges du Colonel* et à la *cime de Rans* (2 160 m). De là, possibilité de rejoindre la vallée de la Roya par le vallon de Cayros.

La petite route continue ensuite au milieu des cascades et des rochers spectaculaires. On arrive à la *cascade du Ray,* puis à la *cascade de l'Estrech*. Là, nombreux sentiers superbes, menant à la *Madone de Fenestre,* à la *vallée des Merveilles* ou au *lac Long.* Les randonneurs seront contents.

🦌 *Berthemont-les-Bains :* à 7 km de Roquebillière. ☎ 04-93-03-47-00. Avr-fin oct, lun-sam 6h30-14h (soins à partir de 11 € et programme de remise en forme à partir de 40 €). Petite station thermale très fraîche dans un vallon ombragé de châtaigniers, connue déjà du temps des Romains. C'est la seule station thermale des Alpes-Maritimes (pour soigner les rhumatismes et les voies respiratoires). Allez voir la *grotte Saint-Julien* et sa piscine romaine où vingt personnes pouvaient se baigner. Il faut compter 2h environ pour aller de Berthemont à Saint-Martin-Vésubie par un joli sentier à travers les châtaigneraies. Redescendre à Roquebillière par l'ancienne route accédant à la ferme pédagogique.

➢ *La vallée des Merveilles* (voir, plus loin, la partie qui lui est consacrée) : accessible en 2 j. On laisse sa voiture avant un col, puis on marche. Nuit au refuge. Voir la carte affichée devant le camping *Les Templiers*.

SAINT-MARTIN-VÉSUBIE   (06450)   1 300 hab.

Joli village de montagne, station verte de vacances située au confluent de la vallée du Boréon et du vallon de la Madone-de-Fenestre qui s'y rejoignent pour former la Vésubie. C'est un centre d'alpinisme et le point de départ de nombreuses randonnées, ainsi qu'une porte privilégiée du parc national du Mercantour. Le décor alpestre et la douceur méditerranéenne ont valu à la région le qualificatif de « Suisse niçoise ». L'air y est pur et tonique... à tel point que la ville a vu naître les frères Hugo, géants de 2,30 m qui pesaient chacun 200 kg !

Comment y aller ?

➢ *De Nice :* cars TRAM. ☎ 04-92-00-37-37. Départs de la gare routière, promenade du Paillon. En été, 3 départs/j. ; en hiver, 2 départs/j., 1 seul les dim et j. fériés à 8h30. Durée du trajet : 1h45 ; tarif : 1,30 €.
➢ *Retour de Saint-Martin :* rens à Saint-Martin, ☎ 04-93-03-21-28. Même fréquence qu'à l'aller. Dim et j. fériés, départ à 17h.

Adresses utiles

🛈 *Office de tourisme :* pl. Félix-Faure. ☎ 04-93-03-21-28. ● saintmartinvesubie.fr ● Lun-sam 9h-12h, 14h-18h et dim 9h-12h ; en été, tlj 9h-13h, 14h30-19h.
■ *Bureau des guides de la haute Vésubie :* rue Gagnoli. ☎ 04-93-03-26-60. Organisation de nombreuses sorties collectives ou privées en montagne : randonnées, alpinisme, escalade, ski de fond, pêche à la truite, safaris photo, etc.

■ *Bureau des guides du Mercantour : Escapade,* rue Gagnoli. ☎ 04-93-03-31-32. Randonnées, escalades, canyoning...
■ *Randonnées à cheval :* avec *Denis Longfellow,* 🕿 06-22-29-58-86 ou *Parapente – Imagin'air,* 🕿 06-60-72-60-43.
■ *Guide de pêche : Daniel Blanc,* ☎ 04-93-03-28-90.

Où dormir ? Où manger ?

Prix moyens

🏠 |●| *La Bonne Auberge :* 98, allée de Verdun. ☎ 04-93-03-20-49. ● labonneau | berge06.fr ● À gauche en sortant de Saint-Martin vers La Colmiane.

Congés : de mi-nov à mi-fév. Doubles 49-60 € selon confort et saison. Menus 20-28 € ; carte env 32 €. Apéro maison offert sur présentation de ce guide. Hôtel rustique, confortable et bien tenu, dans une belle maison en pierre qui a vu défiler de nombreuses vedettes. Tant qu'à faire, préférez les chambres qui donnent sur le jardin, plus agréables et surtout plus calmes. TV satellite. Cuisine traditionnelle et goûteuse servie sur une terrasse ombragée et bordée de haies.

🛏️ **Hôtel Le Relais Saint-Louis :** *allée de Verdun.* ☎ 04-93-03-27-17. • *relais. stlouis@wanadoo.fr* • ♿ *Ouv tte l'année. Doubles 50-60 € selon saison ; également 1 chambre pour 4 pers (avec cuisine) 90-95 €. ½ pens possible avec La Bonne Auberge.* L'accueil, on ne peut plus aimable et souriant, d'un père et de son fils, l'ensemble simple et sans charme mais frais et pimpant, la petite

cour fleurie, les balcons des chambres, le cadre paisible et la taille humaine de l'hôtel en font une bonne adresse que l'on apprécie. Nuits calmes garanties avec vue sur la courette et sur le jardin.

🍴 **Restaurant La Treille :** *68, rue Cagnoli.* ☎ 04-93-03-30-85. *Juil-août, tlj sf lun ; le reste de l'année, fermé mer soir et jeu (ainsi que lun soir et mar soir de nov à fin avr). Congés : de la fin des vac scol de Noël au début des vac de fév et de la fin des vac de fév au début des vac de Pâques. Menus 23 € (le midi) et 27 € ; carte env 30 €. Digestif maison offert sur présentation de ce guide.* Dans une jolie ruelle en pente, un restaurant aux couleurs fraîches avec une terrasse ombragée à l'arrière, animée par le glouglou d'une fontaine intérieure à laquelle les serveuses remplissent les carafes d'eau fraîche. Un endroit agréable avec une cuisine du pays à prix sages.

Où dormir ? Où manger dans les environs ?

Au Boréon *(8 km ; altitude : 1 500 m)*

Un groupe de maisons près d'un lac, à la lisière de la forêt. Un point de départ idéal pour randonner dans la partie centrale du parc du Mercantour. Deux hôtels se partagent la clientèle. Le lieu est très touristique, évidemment, avec un accueil qui s'en ressent parfois : en juillet et en août, c'est un peu la folie dans la région. À d'autres périodes, les propriétaires vous consacreront davantage de temps et vous conseilleront volontiers sur les itinéraires de randonnées.

🛏️🍴 **Hôtel-restaurant Le Boréon :** *quartier La Cascade, au Boréon, 06450 Saint-Martin-Vésubie.* ☎ 04-93-03-20-35. • *hotel.leboreon@wanadoo.fr* • *ho telboreon.com* • *Juste à gauche dans un virage à l'entrée du Boréon. Resto fermé jeu hors saison. Congés : de mi-nov au 31 déc. Doubles 57 €. ½ pens (demandée en juil-août) 59 €/pers. Menus 20-32 €. Apéro maison offert sur présentation de ce guide.* Gros chalet de montagne dominant la magnifique

vallée couverte de forêts de mélèzes et de sapins. Bon accueil de M. et Mme Thomas. Cadre intérieur chaleureux, spacieux et agréable. Chambres avec douche et w-c, dans la maison principale ou au rez-de-chaussée ouvrant sur la terrasse. Hors saison, les repas pris près du feu de cheminée, à côté de la table familiale, donnent davantage l'impression d'être dans une maison d'hôtes que dans un hôtel.

À la Madone de Fenestre *(12 km)*

🛏️🍴 **Refuge du CAF :** *quartier Berlessa, 06450 Belvédère* ☎ 04-93-02-83-19. • *miraillet.patrick@wanadoo. fr* • *1er oct-31 mai, résa au* ☎ 04-93-03-91-02. *1er nov-1er mai, le refuge est*

accessible slt à skis ou raquettes. Env 13,50 €/pers. Compter 32,50 €/pers en ½ pens. Gîte et couvert. Alpinisme à proximité.

À *Valdeblore-Saint-Dalmas* (11 km)

Emprunter la route D 2565 qui passe à la station de La Colmiane.

🛏 |●| *Gîte, chambres et table d'hôtes Les Marmottes :* quartier de la Madone. ☎ 04-93-02-89-04. ● gite.marmotte@wanadoo.fr ● lesmarmottes.com ● *Ouv tte l'année. Nuitée en dortoir 15-16 €/pers. Doubles ou triples 44-57 € selon saison. Repas unique 17,50 € (1/4 de vin inclus). Apéritif ou digestif maison offert sur présentation de ce guide.* Nicole et Bernard Baldassare ont arrangé leur grande maison montagnarde dans un style rustique afin d'héberger les randonneurs et les amoureux de montagne. Les dortoirs ont 4 lits. Les chambres avec 2 ou 3 lits sont modestes et bien tenues, avec douche et w-c. Repas en commun dans une grande salle. Ambiance familiale et conviviale. Encadrement possible pour des balades et randonnées dans la région.

À voir

🕯 *La rue Droite :* étroite et en pente, elle traverse le village avec une gargouille centrale, comme à Briançon, qui permet l'écoulement des eaux de pluie et de la neige fondue. Elle est bordée de maisons de type alpin à hauts balcons. Au n° 25, la maison à arcades des comtes de Gubernatis.

🕯 *La chapelle des Pénitents-Blancs* (ou *Sainte-Croix*) *:* le clocher est surmonté d'un dôme de métal blanc qui lui donne un air oriental. À l'intérieur, les murs latéraux sont ornés de huit grands tableaux du XVIIIe siècle illustrant la Passion et la mort de Jésus. En fait, chaque personnage est le portrait d'un notable de l'époque. Beau maître-autel en bois sculpté doré avec *Descente de croix*. Sur la façade, trois bas-reliefs de Parini de 1848 : une *Pietà* au centre, *Sainte Hélène découvrant la Vraie Croix* à gauche et à droite l'*Empereur Constantin le Grand*.

🕯 *L'église :* la première chapelle fut édifiée par les bénédictins sur un sanctuaire païen dédié à Jupiter. En 1136, les templiers succédèrent aux bénédictins et, à la suppression de l'Ordre, le sanctuaire fut rattaché à Saint-Martin. Elle abrite la célèbre *statue de Notre-Dame de Fenestre,* Vierge assise en cèdre polychrome du XIIe siècle. Le 15 août, la Vierge est transportée en procession à la chapelle de la Madone-de-Fenestre, où elle reste jusqu'en septembre. L'église fut plusieurs fois détruite, brûlée ou ravagée, mais la Madone est toujours restée intacte. Sur la gauche, deux panneaux de retables attribués à Louis Bréa. Devant l'église, terrasse avec vue sur la vallée du Boréon.

Randonnées pédestres à partir de Saint-Martin

➤ *Le chemin de Berthemont :* de l'allée de Verdun, prendre le chemin qui monte vers l'école, continuer tout droit et, à la bifurcation, tourner à droite. On traverse le torrent de la Madone. Ensuite, promenade à flanc de coteau sur 8 km au milieu des châtaigneraies et des prairies.

➤ *Venanson :* pour atteindre ce village qui domine la vallée de Saint-Martin et distant de 4 km, prendre la route qui part à gauche après le pont au bout des allées de Verdun. Sur la place de Venanson, vue sur Saint-Martin et son cadre de montagnes.

➤ *Le sentier de la Palu :* sur le chemin de Berthemont, au bout de 1 km, part à gauche un sentier qui traverse le vallon du Toron, une forêt de pins, puis le vallon de

Peyra-de-Villars, avant d'aboutir à la baisse de la Palu (2 093 m), puis à la cime du Palu (2 132 m). Vous serez récompensé de vos efforts : la vue est magnifique.

➤ DANS LES ENVIRONS DE SAINT-MARTIN-VÉSUBIE

ATTENTION ! Au Boréon et à la Madone de Fenestre, on est en HAUTE MONTA-GNE. Donc, si vous prévoyez une randonnée, n'oubliez pas le nécessaire : chaussures de marche, sac à dos, pèlerine, trousse de premiers secours, etc. N'oubliez pas non plus que certains sommets, même faciles, sont souvent vertigineux (par exemple Gélas, Ponset).

🎣 **Le Boréon :** petite station de montagne (1 500 m) à 8 km de Saint-Martin. Chalets, refuge, petit lac de retenue, belle cascade. Ici, les amoureux de la nature seront contents, tout est tellement vert...
Le Boréon est le point de départ de nombreuses *excursions à pied* dans la forêt, puis vers les sommets du parc du Mercantour. Faune abondante : seuls les malchanceux n'y observeront pas de chamois. En automne, préparez-vous à une ventrée de myrtilles. Deux routes partent du Boréon, permettant d'atteindre les vacheries du Boréon à l'est et celles de Salèse à l'ouest (env 2,5 km chacune). De là, de nombreux itinéraires s'offrent à vous.

🐾🐾🐾 🚶🚶 **Alpha – Le Temps du loup :** Le Boréon, 06450 Saint-Martin-Vésubie. ☎ 04-93-02-33-69. ● alpha-loup.com ● Fermé 12 nov-15 déc. Ouv tlj pdt les vac scol de déc et fév, ainsi que de Pâques à mi-nov. Entrée : 10 € ; 4-12 ans : 8 € ; gratuit jusqu'à 4 ans. Compter au moins 2-3h de visite.
Ce parc entièrement dédié au loup a ouvert ses portes en 2005. Par le biais d'une scénographie grandiose, il aborde la difficile cohabitation entre le loup et le berger. Cohabitation difficile, certes, mais indispensable... La vision est finalement très optimiste et il se dégage du parc une réelle poésie. On commence la visite par trois vidéos-spectacles en 3D avec des effets spéciaux très réussis. Auguste, éleveur en alpage, sa petite-fille Marie qui a pris la relève et Bastien, garde forestier (le père de l'une et le fils de l'autre !), passionnés de loup, narrent les contes et légendes et colportent les rumeurs qui circulent depuis la nuit des temps sur cet animal féroce. Chacun évidemment tente de nous convaincre et de nous faire partager, qui de sa haine, qui de son amour pour la bête.
On enchaîne sur l'observation des loups et la visite du parc à proprement parler, avec pour le moment trois meutes, mais déjà quelques naissances... L'avenir du parc est assuré ! La plus grande meute possède un territoire de 2 ha. Autant dire qu'on n'aperçoit les loups, laissés en totale liberté, que de façon épisodique, voire furtive. Soyons clairs, ce n'est pas un zoo, où l'on voit, au travers d'une grille, des loups crocs et griffes dehors. Ce n'est pas ici que vous vous ferez des frayeurs. D'un autre côté, quelle magie de les voir évoluer dans leur habitat naturel, sans trop se soucier des visiteurs... à condition pour eux de rester calmes et silencieux.
Pour conclure, on dira que ce parc s'adresse non pas au grand public mais plutôt à des personnes douées de patience, soucieuses d'écologie et capables de saisir la philosophie et l'esprit des lieux. Le projet prévoit à terme une ferme et une exposition sur la faune et la flore, développant ainsi son rôle éminemment pédagogique.

➤ **Le refuge de Cougourde et le lac de Trécolpas :** des vacheries du Boréon, belle montée en forêt parmi les mélèzes et les pins, dans un paysage marqué par l'érosion glaciaire ; au refuge, prendre le petit pont et suivre un sentier sans difficulté jusqu'au lac. Vous y trouverez le GR 52. Les courageux le suivront jusqu'à la Madone de Fenestre (retour en taxi), les autres le prendront pour redescendre aux vacheries par le torrent de Peïrastrèche (compter 4h pour la boucle).

➤ **Le lac Nègre :** *des vacheries de Salèse, monter jusqu'au col de Salèse.* Arrêtez-vous un instant : au printemps et en automne, il serait bien exceptionnel que vous n'entendiez pas un concert de roucoulements : ce sont ceux du tétras-lyre, petit coq de bruyère qui s'envolera peut-être sous vos pas dans un grand fracas de brindilles et d'ailes battues. Franchir le col, descendre la piste et tourner à droite après quelques centaines de mètres. Belle montée dans une végétation de plus en plus clairsemée, jusqu'au site de haute montagne qu'occupe le lac, noir par temps nuageux (d'où son nom) et bleu intense par beau temps. Du lac, notez le sentier qui part vers la crête où s'élève un fortin jadis utilisé par Victor-Emmanuel II d'Italie pour tirer chamois et bouquetins. Environ 5h.

➤ **Les Adus :** *des vacheries de Salèse, aller jusqu'au col et prendre à gauche le sentier qui s'élève sur la crête, entre deux vallons.* Là aussi, vous serez accompagné par les roucoulements des tétras-lyres. Dans un paysage qui ravira les amateurs de botanique, vous arriverez à la baisse des Adus. Les petits marcheurs redescendront directement vers le lac du même nom, dont le site les ravira. Les autres suivront les cairns qui balisent l'itinéraire dans l'impressionnant éboulis de la face est du Caire-Archas jusqu'au col de la Valette-des-Adus, d'où une trouée leur permettra de découvrir une vue plongeante sur la vallée de la Vésubie. Du lac, on a bien aimé la descente très raide par le sentier des chasseurs (non fléché) qui, au niveau du refuge, part bille en tête vers la vallée. Environ 5h. Les très bons marcheurs pourront combiner cette rando avec la précédente.

➤ Vous pouvez aussi monter aux *lacs Bessons* (*jumeaux* en provençal) à partir des vacheries du Boréon (plus de 1 000 m de dénivelée, compter 5 à 6h) ou à la *cime du Mercantour* à partir du hameau du Boréon. Monter par un sentier au lac de Cerise (2h). Pendant 5 mn, grimper vers le col de Cerise ; à droite, une terrasse permet d'atteindre le lac du Mercantour. Compter 4h.

🚶 **La Madone de Fenestre :** on quitte Saint-Martin par la D 94 qui remonte le vallon de la Madone-de-Fenestre par des côtes assez rudes, en terrain nu, puis traverse une belle forêt de sapins et de mélèzes. Au bout de 13 km, on parvient à la Madone de Fenestre, dans un cirque sauvage, presque austère, endroit favori des alpinistes. Derrière le *mont Gélas* (3 143 m), couvert de névés, l'Italie.
La chapelle est un lieu de pèlerinage. Pendant l'été, elle abrite la statue de Notre-Dame de Fenestre (voir plus haut).

LE COL DE TURINI

Depuis la vallée de la Vésubie, la D 70 et ses épingles à cheveux conduisent à ce col qui, situé au carrefour de plusieurs routes, offre de nombreuses possibilités d'excursions.

Où dormir ? Où manger dans le coin ?

🏠 |●| **Chalet Albaréa :** *route de l'Authion, 06440 Peïra-Cava.* ☎ 04-93-91-72-72. ● albarea@wanadoo.fr ● alba rea.com ● 🍴 *Resto ouv tlj sf lun et dim midi en hte saison ; slt sam, dim midi et j. fériés hors saison. Congés : Toussaint. Doubles avec douche et w-c 110 €, petit déj compris. Compter 85-95 €/pers en ½ pens. Repas 22 €.* Café offert sur présentation de ce guide. Simple et convi-vial, voilà un bon plan pour un séjour sportif en famille ou avec des copains. Ce modeste et sympathique centre de remise en forme, situé à 1 500 m d'altitude, propose un hébergement tout à fait correct qui donne accès à diverses activités (gratuites ou payantes) : sauna, douches relaxantes… Possibilité de massages mais aussi de rando, vélo, poney, raquettes, etc.

🛏 |●| Sinon, sur place, au col de Turini, trois *hôtels-restos* (dont deux *Logis de France*), genre gros chalets de montagne, qui dépannent bien les randonneurs.

Où acheter du fromage ?

🏵 *La vacherie de Mantégas :* sur la route de l'Authion, à 1 km env du col de Turini. *Ouv de fin mai à mi-oct.* Le maître des lieux, Jeannot Barigo, élabore et vend des tommes de vache et du brousse (fromage salé au goût très fort, à ne pas confondre avec LA brousse, douce et fraîche).

L'AUTHION

La D 68 monte à la *baisse de Tueis* où se trouve le monument à la mémoire des Français morts en 1793 et en 1945. Très belle vue. Au fur et à mesure que la route s'élève dans la montagne, les panoramas deviennent de plus en plus spectaculaires.

Prendre ensuite à gauche la piste qui monte à la *pointe des Trois-Communes* (2 082 m), point culminant de l'Authion, surmontée d'un fort en ruine. Vue superbe sur le Mercantour.

Pour changer, revenir par le *camp de Cabanes-Vieilles,* la route est encore très belle.

➤ Du col de Turini à Peïra-Cava, la route (D 2566) descend en traversant la forêt de Turini.

PEÏRA-CAVA *(06440)*

Station de sports d'hiver et d'été ; montez à la cime (à gauche en arrivant) de Peïra-Cava, d'où l'on découvre une vue splendide sur la vallée de la Bévéra et le Mercantour, d'une part, les montagnes et la vallée de la Vésubie d'autre part. Par très beau temps, on aperçoit la Corse. Il est vrai que Peïra-Cava occupe une situation assez extraordinaire, sur une arête étroite, entre les vallées de la Vésubie et de la Bévéra.

➤ Après Peïra-Cava, possibilité de refaire le circuit des villages perchés de l'arrière-pays niçois en rejoignant Lucéram par une route en lacet, riche en vues splendides... de notre point de vue. Ou retour par le col de Braus et Sospel pour continuer sur la vallée de la Roya. Pas triste non plus.

DU COL DE TURINI À SOSPEL

La descente commence par de nombreuses épingles à cheveux, en traversant une très belle forêt étonnante par sa fraîcheur, à une trentaine de kilomètres du littoral. C'était d'ailleurs l'une des plus belles épreuves chronométrées du rallye de Monte-Carlo depuis longtemps. La montée du Turini de nuit était un peu, à l'époque, le juge de paix des pilotes dans cette prestigieuse course.

La route retrouve la *vallée de la Bévéra,* très encaissée ; la rivière a des allures de torrent, de belles cascades sur la droite descendent de la montagne. C'est ensuite la traversée du joli village de *Moulinet,* avec ses maisons roses, sa place ombragée de platanes.

Arrêtez-vous à la chapelle « percée » *Notre-Dame-de-la-Menour* ; on y accède par un petit sentier à droite qui passe sur un pont au-dessus de la route. Un escalier monumental conduit à la façade Renaissance de la chapelle, d'où la vue sur les gorges est superbe. Il est étonnant de voir, même ici, des restes de terrasses cultivées jadis, soutenues par de petits murs (les *restanques*).

On longe les *gorges du Piaon,* très sauvages, avant d'arriver à Sospel sur une route bordée d'oliviers.

Cette route recoupe en grande partie la *route du Baroque nisso-ligure,* dont Sospel constitue une sorte d'apothéose.

SOSPEL (06380) 3 400 hab.

Agréable petite ville de l'arrière-pays, située aux portes du parc national du Mercantour et au cœur de la vallée de la Bévéra, entourée de collines et de montagnes semi-arides, semi-cultivées. Quelques belles maisons aux façades peintes en trompe l'œil se dressent sur la rive droite de la rivière. Celle-ci traverse la ville, s'agite un peu plus en automne et au printemps lors de la fonte des neiges, aux alentours de Turini, à 2 000 m d'altitude, là où elle prend sa source. Outre le charme de la vieille ville et de son cours ombragé, Sospel ravira les amateurs de randonnées pédestres et équestres, VTT, parapente et escalade.

LES ALPES D'AZUR

Comment y aller ?

En bus

➢ *De Menton* (gare routière et de Monti) *:* 5 départs/j. Durée du trajet : 50 mn.
➢ *Pour Menton :* tlj, 5 départs de la mairie et 2 départs de la gare SNCF.

En train

➢ *De Nice* (gare centrale ; ligne Nice-Tende-Cuneo) *:* 6 trains/j. (8 en été).

Adresses utiles

▯ *Office de tourisme :* 19, av. Jean-Médecin. ☎ 04-93-04-15-80. • sospel-tourisme.com • 15 juin-15 sept, tlj 9h30-12h30, 14h30-18h ; le reste de l'année, jusqu'à 17h30 et fermé dim ap-m et lun mat. Bien documenté. Organise des visites commentées sur réservation. Relais et point d'infor-mations pour le parc national du Mercantour.

■ *Sospel VTT (FFC) :* s'adresser à l'office de tourisme. Location et circuits accompagnés sur les 130 km de pistes balisées, plutôt dans le registre sportif (vous n'êtes pas dans la région la plus plate de France !).

Où dormir ?

Campings

⅄ *Camping Le Mas Fleuri :* quartier La Vasta. ☎ 04-93-04-03-48 (hors saison) ou 04-93-04-14-94 (en saison). • camping-le-mas-fleuri@wanadoo.fr • camping-mas-fleuri.com • ⅃ À 2 km par la D 2566, route du col de Turini ; prendre ensuite à gauche. Compter 19 € l'emplacement pour 2 pers avec voiture et tente en hte saison. Loc de mobile homes, chalets, bungalows et gîtes 270-490 €/sem selon saison et capacité ; loc au w-e (hors juil-août) env 120-140 €. Terrain herbeux, belle vue, douches chaudes, piscine, resto sur place. ⅄ *Camping Saint-Sébastien :* quartier Pianas, 06380 Moulinet. ☎ 04-93-04-80-37 ou 81-47. À 12 km au nord de Sospel, sur la route, spectaculaire, du col de Turini. Ouv mai-oct. Compter 11 € pour 2 pers en hte saison. Juste à la sortie du village de Moulinet (difficilement accessible aux camping-cars), un camping à la ferme, dans un cadre superbe au pied du Mercantour. Sanitaires bien propres. Cascade et cours d'eau en contrebas. Du routard pur jus !

De plus chic à beaucoup plus chic

🏠 *Chambres d'hôtes Le Saint-Pierre* : 14, rue Saint-Pierre. ☎ 04-93-04-00-66. ● alex@kamshin.com ● sospello.com ● *Chambres 68-130 € selon confort et saison, petit déj compris.* Vieil immeuble aux murs épais, aux pièces hautes de plafond, fermées par des volets à jalousies. On aime bien la chambre triple (parfois louée pour deux), car elle est plus lumineuse et mieux aménagée que les autres, qui restent simples mais impeccables. Toutes possèdent un mini-frigo. Pas donné pour une chambre d'hôtes, mais c'est la seule solution pour dormir dans le centre de Sospel, à deux pas des restos. Humble terrasse intérieure pour le petit déjeuner.

Où manger ?

🍴 *Restaurant Sout'a Laupia :* 13, rue Saint-Pierre. ☎ 04-93-04-24-23. ♨ À env 150 m du pont Vieux, dans une vieille ruelle. Fermé dim soir et lun (sf j. fériés). Repas à la carte slt : 25-30 €. Apéro maison offert sur présentation de ce guide. Le propriétaire, un homme souriant et affable, a recueilli auprès de sa grand-mère quelques recettes dont elle avait le secret. À côté de plats plus « quotidiens » (salades, pâtes, lapin, entrecôte…), la carte propose une excellente cuisine provençale, à l'ancienne, à prix raisonnables. Terrasse dans la ruelle pour dîner en été sous la *laupia* (la tonnelle !).

À voir

La rive gauche

🍴 Après avoir traversé l'adorable *pont Vieux* du XIIIe siècle, seul pont à péage des Alpes-Maritimes où l'on acquittait les droits de passage sur la « route du Sel », vous découvrez la *place Saint-Nicolas* à la belle ordonnance, avec ses maisons à arcades et l'ancien palais communal ; ici se réunissait le Conseil ordinaire et extraordinaire de Sospel. Sur la place, fontaine du XVe siècle.

🍴 Prenez ensuite la *rue de la République,* bordée de vieilles maisons, toutes semblables, avec de vastes caves communiquant entre elles. Dans ce quartier, les auberges et remises étaient nombreuses : ici résidaient les commerçants, avant de franchir le pont à péage. Ledit pont, très endommagé en 1944, a été reconstruit après la guerre.

🍴 *La rue Longue :* bordée de vieilles demeures, elle mène à la chapelle des Pénitents-Blancs, encore appelée église Sainte-Croix.

La rive droite

🍴🍴 *La place de la Cathédrale :* bel ensemble architectural avec ses maisons sur arcades et ses façades de palais. La place est dominée par l'imposante *cathédrale Saint-Michel,* bâtie au XVIIe siècle mais qui conserve un ancien clocher de style roman à bandes lombardes. À l'intérieur, dans une chapelle à gauche du chœur, un des chefs-d'œuvre de François Bréa : le *retable de la Vierge immaculée,* peint sur bois au XVe siècle, qui provient de la chapelle des Pénitents-Noirs. Le parvis est un décor de rêve, quasi théâtral. Les concerts donnés devant et à l'intérieur de la cathédrale constituent d'ailleurs un des moments forts du festival des baroquiales qui se déroule quelques jours en juillet, dans toute la vallée.

À droite de l'église, le *palais Ricci* où logea le pape Pie VII en 1809, sur ordre de Napoléon.

🚶 Perdez-vous dans les vieilles rues tortueuses, étroites, encore lourdes de passé : **rue Saint-Pierre,** avec ses arcades et sa petite fontaine, *maison du Viguier, placette des Pastoris,* etc. Retournez sur l'agréable cours qui longe la rivière et admirez les maisons aux façades peintes en trompe l'œil avec volets verts, balustres et linge aux fenêtres.

🚶 ⛷ *Le musée des Fortifications alpines :* N 2204. ☎ 04-93-04-00-70. En direction du col de Braus, derrière le cimetière. Juil-août, tlj sf lun 14h-18h ; avr-juin et sept-fin oct, w-e et j. fériés slt, 14h-18h. Entrée : 5 € ; réduc. Ancien édifice de « la ligne Maginot » de Sospel. L'**ouvrage Saint-Roch** est une véritable petite ville à 50 m sous terre, où l'on peut vivre en autarcie pendant plus de trois mois. On y découvre une usine électrique, des cuisines, des salles de ventilation et des blocs d'artillerie, sur plus de 2 000 m de galeries. Un ensemble qui représente 5 000 m^3 de béton et 385 tonnes d'acier. Musée de 300 m^2 d'exposition.

🚶 *Les fortifications alpines de la Ligne Maginot*
– *Le fort du Barbonnet :* col Saint-Jean.
– *Le fort de l'Agaisen :* mont Agaisen.
– *Le fort Saint-Roch :* à la sortie du village en direction du col de Braus et du col Saint-Jean.
Pour tt rens sur les conditions de visite de ces forts : ☎ 04-93-04-15-80. Site historique et panoramique retraçant la bataille des Alpes de juin 1940, du massif de l'Authion à la Méditerranée.

Randonnées pédestres

Pour des idées de randos et de balades, se renseigner à l'office de tourisme. Voici une petite sélection de nos préférées.

➢ *La Colletta et le fort Saint-Roch :* petit circuit de 1h15 avec panorama sur le village. Remonter l'avenue Jean-Médecin jusqu'à la place de la Cabraia, puis la rue Auda, traverser le pont de la voie ferrée, longer le mur ouest du cimetière, traverser la route et prendre un petit sentier qui remonte en lacet pour atteindre le plateau de la Colletta, planté d'oliviers. Le sentier débouche sur une route goudronnée que l'on prend à gauche et que l'on descend jusqu'à un terre-plein. À gauche de la route, un petit sentier descend dans les pins ; on rejoint un sentier qui contourne une tourelle du fort et débouche sur le terre-plein de l'entrée du fort. On parvient enfin au cimetière de Sospel par une petite route goudronnée. Profiter de ce tour pour visiter le fort...

➢ *Le mont Agaisen :* à 1,2 km sur la route qui remonte la rive gauche de la Bévéra, prendre à droite et monter sur la chapelle Saint-Joseph et les serres de Bérins. Au premier embranchement après Bérins, revenir vers le sud pour arriver au mont Agaisen (745 m). 600 m après avoir quitté le sommet, prendre à gauche directement vers Sospel. Compter 2 à 3h de marche.

➢ *Le Mangiabo :* suivre le GR 52 que l'on prend au niveau des écoles de Sospel. On remonte jusqu'à la baisse de La Linière, puis on arrive au Mangiabo (1 820 m). Il faut alors continuer 200 m au nord du Mangiabo pour tourner à droite et revenir sur ses pas en le contournant. À la cime du Ters, tourner à gauche et prendre le sentier jusqu'au col de Brouis. Retour par la D 2204. Environ 6h de marche.

➤ *Les clues de la Bévéra :* partir par la D 2204 et le golf. Emprunter le sentier botanique en longeant la rive gauche de la Bévéra pour arriver à *Olivetta* (Italie) après 2h de marche. Continuer par la route jusqu'à San Michele. Retour par la route normale.

LA VALLÉE DE LA ROYA

À l'extrême orient des Alpes du Sud, c'est l'une des plus belles régions de l'arrière-pays, qui s'étend jusqu'à la frontière italienne. C'était le territoire de chasse du roi Victor-Emmanuel II, qui aimait venir y taquiner le chamois. Dans son sillage, la noblesse italienne y passait ses étés, certains marquis ayant, paraît-il, vécu plus de cent ans grâce à l'air pur de la vallée !

Aujourd'hui, l'air y est toujours aussi vivifiant, mais randonneurs et protecteurs de la nature ont remplacé les chasseurs. Les passionnés d'histoire se procureront l'excellent livre de Melina Lapellier, *Saint-Dalmas-de-Tende et Tende* (éd. Cef, Nice), chronique contemporaine, et les amoureux de la marche la carte *Didier & Richard, IGN n° 9,* qui précise tous les itinéraires du parc du Mercantour.

BREIL-SUR-ROYA *(06540)*

Petite ville à égale distance de la mer et de la haute montagne, Breil-sur-Roya s'allonge entre la rive gauche de la Roya et le pied d'un piton couronné par une tour. Breil, c'est le pays des oliviers, qui produisent une huile réputée que l'on servait à la cour de Russie et que l'on exportait jusqu'en Scandinavie !

Adresses et infos utiles

🛈 *Office de tourisme :* au rez-de-chaussée de la mairie, pl. Biancheri. ☎ 04-93-04-99-76. ● breil-sur-roya.fr ● En été, tlj 9h-12h, 15h-18h30. Hors saison, 9h-12h, 13h30-17h.

■ *Association pour le développement touristique de la vallée de la Roya :* bd Rouvier. ☎ 04-93-04-92-05. ● royabevera.com ● Organise notamment deux raids pour les sportifs, mi-février et mi-septembre. À noter en parallèle du raid hivernal, les « 4h VTT du Mercantour », un circuit à réaliser en binômes.

🚈 *Gare SNCF :* ☎ 36-35 (0,34 € TTC/mn). ● ter-sncf.com ● Breil est une des étapes du train des Merveilles (ligne Nice-Sospel-Breil), mais c'est également le terminus de la ligne Nice-Breil via Vintimille, c'est-à-dire le TER qui dessert la côte.

Où dormir ?

Camping

⛺ *Camping municipal Azur et Merveilles :* 650, promenade Georges-Clemenceau. ☎ 04-93-62-47-04 et 99-80 (hors saison). ● azuretmerveilles@wanadoo.fr ● camping-azur-mer veilles.com ● Ouv de mi-mai à mi-sept ; tte l'année pour les loc. Un 2-étoiles en bord de rivière, avec piscine. Forfait 2 pers avec tente et voiture 16,40 € en hte saison ; le super plan, c'est les bungalows à louer (tte l'année) pour 6 pers : 3 chambres, cuisine, douche et w-c : 60 €/nuit en sem, 100 €/w-e et 300-400 €/sem. Un 2-étoiles en bord de rivière, avec piscine payante.

À voir

⚲ Le vieux village : places à arcades, façades colorées ou en trompe l'œil, passages couverts, tout ici fleure bon l'Italie. Vous découvrirez également des vestiges des remparts, comme la *porte de Gênes.*

⚲ L'église Sancta-Maria-in-Albis : *tlj 10h-12h, 14h30-19h (18h en hiver).* Imposante par ses dimensions. Joli clocher à trois étages. Restaurée, elle abrite le plus beau buffet d'orgue de la région, en bois sculpté et doré, et un retable de saint Pierre datant de 1500.

⚲ L'écomusée du Haut-Pays : *après la gare, sur la route de Tende. Pour tt rens sur les conditions de visite :* ☎ *04-93-04-42-75. Ouv juil-sept, tlj 10h-12h, 15h-18h. Entrée : 2 €.* Dans des wagons désaffectés, un endroit original et instructif abordant la région sous différents thèmes : traditions agricoles, artisanat, histoire, voies de communication, faune et flore...

Randonnées pédestres

➤ Les baignoires chaudes : sur la route de Tende, après les gorges de Saorge, prendre à droite au sens interdit, puis remonter le vallon de la Bendola. On trouve alors des baignoires creusées dans la roche, à l'eau étonnamment douce. L'endroit est aussi appelé *bain du Sémite,* en raison de l'inscription qu'un soldat juif y a laissée.

➤ Notre-Dame-du-Mont : traverser le lac de Breil sur le pont Charabot, passer sous la voie ferrée, tourner à gauche et remonter vers la voie ferrée. Une piste part sur la droite dans la campagne où pousse le néflier. Remonter le long de la Lavina avant de la traverser (sur un ponton) pour gravir trois courts lacets et déboucher près d'une bastide : Notre-Dame-du-Mont (des Oliviers, bien sûr, en référence à ceux de l'Évangile) trône au milieu de l'oliveraie. Sa construction date du XIe siècle, mais elle fut remaniée au XIIIe siècle. Redescendre vers Breil par une petite route, puis, par un chemin pavé en escalier, rejoindre l'avenue de l'Authion et sa fontaine. Compter 1h de promenade.

➤ Sainte-Anne : après 2 km sur la D 2204, direction col de Brouis, prendre à droite la route qui mène à La Tour, La Maglia et la chapelle Sainte-Anne. Compter 4h de marche.

➤ De Breil, la route suit la vallée qui, après le hameau de la Giandola, se resserre de plus en plus, formant des gorges spectaculaires. On découvre ensuite une vue splendide sur le village de **Saorge,** accroché à la montagne.

➤ Toujours depuis Breil-sur-Roya, circuit possible jusqu'à la tour de la Cruella (compter 1h15). Vue panoramique sur le village et les méandres de la Roya.

Fête

– A Stacada : ts les 4 ans (prochaine édition en juil 2009). Une fête des plus originale. Elle commémore la révolte des habitants contre le droit de cuissage ! À cette occasion, une centaine d'acteurs en costumes d'époque reconstituent cette fameuse révolte. Le tout s'achève par des danses folkloriques de réconciliation et un grand bal...

LES ALPES D'AZUR

SAORGE (06540)

Un des plus beaux villages perchés de France. Depuis le fond de la vallée de la Roya, il apparaît comme un nid d'aigle vertigineux avec ses hautes maisons (XVe, XVIe et XVIIe siècle) aux toits de lauzes violettes, aux façades ocre ou bleutées, orientées vers le soleil. Dotées de balcon surplombant le vide, ces maisons s'étagent en gradins, accrochées on ne sait comment à des parois abruptes et séparées seulement par des ruelles étroites et en escalier, souvent de simples traverses obscures et impressionnantes. Pour y accéder, on emprunte une route de montagne étroite et sinueuse, le long de falaises escarpées. Isolés dans leur bout du monde, tels des oiseaux entre terre et ciel, les Saorgiens ne sont pas pour autant des reclus mais au contraire des habitants avenants, ouverts et serviables. Affiches rigolotes, dessins pacifistes et autres inscriptions alternatives sur les portes des maisons prouvent qu'il y a beaucoup de jeunes et des écologistes qui défendent l'identité du village. Saorge ? Un endroit à découvrir à pied (parking obligatoire à l'entrée) où il fait bon rester quelque temps.

Un peu d'histoire

Village d'origine étrusque. Par sa position géographique, Saorge joua longtemps un rôle stratégique entre le comté de Nice et le Piémont italien. Village fortifié verrouillant la haute vallée de la Roya, il constituait une barrière infranchissable, qui ne céda à Masséna et à ses troupes républicaines qu'en 1794. Aujourd'hui, Saorge est classé à juste titre « Village monumental ».

Où dormir ? Où manger ?

Camping et gîte d'étape

⚲ **Camping municipal :** 06540 Fontan. ☎ 04-93-04-52-02 ou 50-01 (mairie). ● mairiedefontan@wanadoo.fr ● Par la N 204, à 2,5 km de Saorge, dans la vallée. Ouv de mi-juin à fin sept. Forfait 2 pers 12 € en hte saison. CB refusées. Une quarantaine d'emplacements sous les arbres, au bord de la rivière.

🏠 |●| **Gîte d'étape de Bergiron :** ☎ 04-93-04-55-49. ● bergiron@free.fr ● http://bergiron.free.fr ● À 20 mn de marche derrière le couvent. Compter env 11 €/pers en dortoir. ½ pens 28 €. Franck et Virginie ont aménagé eux-mêmes la maison. Ambiance bucolique à souhait.

Prix moyens

|●| **Le Bellevue :** 5, rue Louis-Périssol. ☎ 04-93-04-51-37. Fermé lun soir, mar, mer soir et jeu soir en basse saison. Congés : 10 janv-10 fév et de mi-nov à mi-déc. Menus 17,50-28 €. On trouve dans une ruelle étroite ce restaurant-salon de thé, qui mérite bien son nom avec la verrière offrant une vue panoramique sur les gorges de la Roya. Quelques spécialités savoureuses : tourte saorgienne, raviolis maison, caille rôtie au thym, poulet aux écrevisses...

Où dormir ? Où manger dans les environs ?

🏠 |●| **Chambres et table d'hôtes Le Berghon :** chez Guylaine et Jean-Michel Diesnis, hameau de Berghe-Inférieur, Fontan, 06540 Breil-sur-Roya. ☎ 04-93-04-54-65. ● guimidies@wanadoo.fr ● leberghon.com ● À 8,5 km au nord de Saorge. À 1 km après Fontan, à gauche sur la route de Tende, une route très étroite et sinueuse grimpe jusqu'à Berghe-Inférieur (env 4 km), village perché en « nid d'aigle ». Fermé nov-avr. Résa conseillée, surtout pour les repas. Chambres doubles 44 €, petit déj inclus. Table d'hôtes 16 €. Apéro maison offert sur présentation de ce guide. Restaurée avec soin, cette vieille maison, en pierre du pays et au toit de lauzes, s'agrippe au versant abrupt de la montagne. Elle abrite trois chambres, coquettement arrangées, équipées de w-c et jouissant d'une vue sublime sur la vallée. Randonneurs, protecteurs de la nature, comédiens, Guylaine et Jean-Michel habitent ici été comme hiver. Ils connaissent la région par cœur et vivent en quasi-autarcie. Une adresse pour oublier l'agitation de la Côte d'Azur et découvrir la beauté sauvage de l'arrière-pays.

À voir

🏃 *L'église Saint-Sauveur :* du XVe siècle, remaniée au XVIIIe siècle, elle abrite une belle *Vierge à l'Enfant* de 1708 et des fonts baptismaux du XVe siècle.

🏃 *L'église de la Madone-del-Poggio* est privée. Remarquez son clocher de type roman lombard à sept étages et ses absidioles asymétriques.

🏃 *L'ancien couvent Notre-Dame-des-Miracles :* en haut du village. ☎ 04-93-04-55-55. Ouv tte l'année, tlj sf mar 10h-12h, 14h-17h (18h avr-fin oct). Entrée : 5 € ; réduc ; gratuit jusqu'à 18 ans. Beau couvent du XVIIe siècle. Dans le cloître, fresques rustiques et neuf cadrans solaires.

Randonnées pédestres

➤ *La chapelle Sainte-Anne :* à 2 km à l'est.

➤ *La chapelle Sainte-Croix :* à 2 km aussi, mais plus au nord.

➤ *Les ruines de la forteresse A Malamorte :* sur l'autre versant, à 5 km. Très dur.

SAINT-DALMAS-DE-TENDE (06430)

C'est une agréable station estivale qui connut une grande activité dans les années 1930, lorsqu'elle était gare frontière de la ligne de chemin de fer Nice-Cuneo. À gauche à l'entrée du village (en venant de Sospel), ne manquez pas la monumentale *gare SNCF* avec ses balustres : elle est vraiment gigantesque et tout en pierre ! Construite dans les années 1930 (sous le régime de Mussolini), du temps où Saint-Dalmas, alors italienne, était la première ville-étape après le passage de la frontière française, cette gare au style triomphal (disproportionnée par rapport à la taille du village) est aujourd'hui désaffectée. Saint-Dalmas-de-Tende est aussi le carrefour pour la route d'accès à la vallée des Merveilles.

Où dormir ? Où manger ?

Prix moyens

🏠 |●| *Gîte et chambres d'hôtes Le Bégo :* Le Petit-Bois. ☎ 04-93-04-65-32. ● *alain.simon342@orange.fr* ● *sher pamerveilles.com* ● *Ouv le soir sur résa. Pas de table d'hôtes dim soir en basse saison. Compter 46 € pour 2 pers, petit déj compris. Table d'hôtes (sur résa) 16 €. Encore une adresse rêvée pour les randonneurs. Alain* Simon, qui vous reçoit dans cette maison datant de l'époque mussolinienne, est accompagnateur en montagne. Il pourra vous servir de guide dans le parc du Mercantour et dans la vallée des Merveilles l'été, ou encore vous fera découvrir le site nordique de Castérino en chiens de traîneau. Mais notre homme est aussi acteur et conteur, ce qui promet de sympathiques soirées en perspective ! Confort très simple, mais adresse on ne peut plus conviviale. Les chambres peuvent accueillir 3 à 5 personnes. Idéal pour les familles et les bandes de potes. Cuisine et barbecue à disposition.

🛏 |●| *Hôtel-restaurant Le Prieuré :* rue Jean-Médecin. ☎ 04-93-04-75-70. ● contact@leprieure.org ● leprieure. org ● ♿ *Congés : 23 déc-2 janv. Doubles avec douche et w-c ou bains 43-56 € selon confort et saison. Formule déj en sem 11 € ; menus 18,50-24 €. Parking privé gratuit.* Apéro maison offert sur présentation de ce guide. Un ancien prieuré transformé en hôtel, géré par un CAT (Centre d'aide par le travail). Les murs épais, les arbres du parc, l'espace disponible et le murmure du torrent tout proche (la Roya) en font un endroit paisible et charmant. Cham-

bres décorées avec goût et équipées tout confort. Celles avec vue sur le jardin et la rivière sont un peu plus chères. Au resto, cuisine soignée et variée. Viandes extra et spécialités comme la tourte de la vallée ou le risotto aux pleurotes et speck.

🛏 |●| *Hôtel Terminus :* av. des Martyrs-de-la-Résistance. ☎ 04-93-04-96-96. ● hoterminus@club-internet.fr ● hoterminus.fr ● *Sur la route de la vallée des Merveilles, près de la gare. Resto ouv tlj sf mar et dim. Congés : 1er nov-31 déc. Doubles 52-63 € selon confort et saison. Menus 17-23,50 €.* Chambres toutes mignonnes et simples, avec lavabo, douche ou bains et w-c. Certaines peuvent accueillir 3 ou 4 personnes. Agréable pergola devant la maison et salle à manger avec cheminée. Avis aux lève-tard, le petit déjeuner n'est servi que jusqu'à 9h30.

LA BRIGUE (06430)

La cité ne fut rattachée à la France qu'en 1947, suite à un référendum. Bien située, à 800 m d'altitude dans le vallon de la Levenza, elle garde un caractère médiéval très marqué et est dominée par les ruines du château et de la tour des Lascaris. Le vieux village, avec ses maisons de schiste vert de la haute Roya, est agréable à découvrir : linteaux armoriés de portes du XVe siècle à nos jours, maisons sur arcades, peintures en trompe l'œil.

Adresse utile

🛈 *Bureau municipal de tourisme :* 26, av. du Général-de-Gaulle. ☎ 04-93-79-09-34. ● labrigue.fr ● *Avr-oct, lun et mer-sam 10h-12h, 14h-17h30 (18h sam) et dim mat ; nov-mars, lun et mer-ven 10h-12h, 14h-16h30, sam 9h-12h, 14h-17h* et dim mat. Fermé mar tte l'année (parfois lun et mer ap-m en saison, en cas d'ouverture de la chapelle Notre-Dame-des-Fontaines). Accueille la *Maison du Patrimoine brigasque :* entrée 3 € ; réductions.

Où dormir ? Où manger ?

Prix moyens

🛏 |●| *Hôtel-restaurant Fleur des Alpes :* 1, pl. Saint-Martin. ☎ 04-93-04-61-05. *Tlj sf mer en basse saison. Fermé nov-avr côté hôtel et de mi-nov à déc (sf manifestation dans le village) côté resto. Doubles 42-50 € selon confort. Menus 15-28 €.* Petite auberge villageoise simple et bien tenue. Au restaurant, on mange dans une salle donnant sur la rivière.

🛏 |●| *Auberge Saint-Martin :* pl. Saint-Martin. ☎ 04-93-04-62-17. ● auberge. st-martin@wanadoo.fr ● auberge-st-martin.fr ● *Sur la place de l'église, en plein cœur du village. Fermé lun soir et mar sf en juil-août. Congés : 11 nov-fin fév. Doubles 37-43 € selon confort et saison. ½ pens demandée en juil-août : 34-39 €/pers. Copieux menus 16-24 €.* Les chambres sont rustiques, très propres, calmes, avec vue sur les montagnes, certaines avec un petit balcon.

Repas dans la salle voûtée ou sur la terrasse ombragée. Spécialités : entre autres, tourte brigasque, tripes maison, omelettes aux cèpes et truite aux amandes.

🏠 *Chambres d'hôtes Le Pra-Reound* : chez M. et Mme Molinaro, chemin Saint-Jean. ☎ 04-93-04-65-67. ♿ Du centre de La Brigue, direction le Centre d'aide spécialisé, puis suivre un chemin (sur 300 m) indiqué par un panneau. Congés : 15 nov-1er mars. Doubles 38 €. Paysage très reposant : des champs, des plantations, la vallée et les montagnes. Les Molinaro sont de très aimables maraîchers qui connaissent la région par cœur. Situées dans une annexe à 50 m de la maison principale, les chambres sont bien équipées et calmes. Sur place, cuisine équipée et barbecue à disposition, jeux de boules, ping-pong, jardin d'enfants.

De prix moyens à plus chic

🏠 |●| *Hôtel-restaurant Le Mirval* : 3, rue Vincent-Ferrier. ☎ 04-93-04-63-71. ● lemirval@club-internet.fr ● lemirval. com ● Resto fermé ven midi hors saison. Congés : 1er nov-1er avr. Doubles 45-70 €. ½ pens 55-60 €/pers, demandée en juil-août. Menus 18-25 €. Café ou digestif maison offert sur présentation de ce guide. Grande maison bourgeoise de la fin du XIXe siècle dans un jardin au bord du torrent. Accueil très souriant. Chambres rénovées et calmes, avec douche et w-c. Vue sur le torrent ou sur la forêt à l'arrière. Excursions au départ de l'hôtel. Resto fréquenté par les gens des environs qui apprécient les plats mijotés du chef : tourte brigasque, lasagnes au pistou, canard à la framboise, etc. À déguster sous la véranda.

|●| *La Cassolette* : dans la rue au bord de la rivière, entre la place Saint-Martin et la place de Nice. ☎ 04-93-04-63-82. Fermé dim soir et lun ; oct-Pâques, service slt le midi. Fermé mars. Menus 15-28 €, carte env 35 € (entrées assez chères). Tout petit et tout mignon, ce restaurant rempli de coqs (mais si, mais si !). Le patron ne cuisine que des produits frais. On se demande s'il ne va pas pêcher directement les truites dans la rivière juste de l'autre côté de la route. Cuisine et service familiaux : raviolis, tourte, lapin... Laissez-vous tenter par la spécialité de la maison en période estivale : les *sugelli* aux cèpes ou à la truffe d'Alba. Un petit délice ! Un conseil, ne venez pas trop tard le soir.

À voir à La Brigue et dans les environs

🕯 *La collégiale Saint-Martin* : ouv en été, tlj 9h-12h30, 13h30-18h. Elle possède un clocher lombard avec tour d'observation. Sur la façade nord, on remarque des meurtrières : l'église faisait aussi fonction de forteresse. À l'intérieur, bel ensemble de peintures primitives : *Crucifixion* de l'école de Bréa, *retable de sainte Marthe*, de la Renaissance italienne, *retable de saint Elme*, martyr de l'an 303 (le bourreau lui enlève les intestins, carrément !). Visite possible le soir grâce à une minuterie.

🕯 *La place du Rattachement* : sous-entendu « du rattachement à la France en 1947 ». Place étonnante avec ses maisons au rez-de-chaussée avec galerie à arcades.

🕯🕯 *Le sanctuaire Notre-Dame-des-Fontaines* : accès par la D 43, puis à droite la D 143. On passe devant le pont du Coq, à double dos-d'âne, puis plus loin sur la droite devant un ancien four à chaux en brique. Hélas, suite à un vol, le sanctuaire est désormais sous étroite surveillance. Ouv slt sur demande préalable auprès du bureau municipal de tourisme. Avr-oct, visite libre lun, mer et ven 14h-17h, sam et dim 14h-17h30 ; visite commentée jeu, ven et sam 10h-12h ; nov-mars, visite libre lun, mer, ven, sam et dim 14h-15h ; visite commentée jeu, ven et sam 10h-12h. Fermé les mar et jeu ap-m tte l'année (réservé au culte). Tarif adulte : 1,50 € ; visite commentée : 3,50 € ; réduc.

La chapelle, bâtie dans une gorge sauvage au-dessus de sept sources intermittentes, est particulièrement émouvante par les fresques très riches et très bien conservées qu'elle abrite. Celles du chœur, les plus anciennes, dues à Jean Balaison, représentent la Vierge et les évangélistes. Les autres peintures sont de Jean Canavesio et datent de 1492. Elles retracent les événements importants de l'Évangile, traités avec une vigueur et un surréalisme parfois saisissants (comme ces morts qui ressuscitent au milieu des pâturages), dans une somptueuse palette de couleurs. Remarquer à gauche le *Judas pendu*, d'un réalisme effrayant : du ventre du traître, ouvert, débordent le foie et les intestins... Son visage est hallucinant.

Randonnées pédestres

➤ *La chapelle Notre-Dame-des-Fontaines :* on y accède depuis le village par un sentier d'interprétation (plaques explicatives faune, flore et histoire). Sentier balisé, facile ; compter 1h15. Possibilité de retour par la route pour faire un circuit.

➤ *La cime de Marta :* depuis La Brigue, suivre en voiture la direction de la vallée des Prés, puis bifurquer sur la droite pour se rendre à la baisse de Géréon. Laisser la voiture et continuer à pied par le sentier en direction de la cime de Maria. Très beau panorama sur le massif du Mercantour, la Ligurie italienne et la Méditerranée.

➤ *Le mont Bertrand :* se rendre en voiture jusqu'à la baisse d'Ugail depuis Morignole. De là, prendre à pied la direction de la baisse de la Crouscia et se diriger vers le sommet du mont Bertrand d'où l'on peut admirer, si la brume n'est pas au rendez-vous, un paysage magnifique s'étendant des Alpes à la Corse.

➤ *Le pas du Tanarel :* prendre la direction de la chapelle Notre-Dame-des-Fontaines. Juste avant celle-ci, tourner à gauche vers la vallée de Bens. Laisser la voiture et continuer à pied en direction du pas du Tanarel.

GRANILE

À Saint-Dalmas-de-Tende, prendre la direction Castérino, lac des Mesches. À 1,5 km, tourner dans le chemin de gauche. On roule encore 5 km (ça grimpe bien !) et la route s'arrête brutalement. Granile est un cul-de-sac.

Le plus mignon petit village qui soit, abandonné au soleil dans un cirque de montagnes. Presque un village fantôme : dix habitants seulement pour une trentaine de maisons ! Et quelles maisons : bâties exclusivement en bois et en pierre, recouvertes de ces curieuses ardoises mal taillées que l'on appelle des lauzes. Tout autour, des jardins miraculeusement suspendus, des escaliers de pierre, des sentiers de montagne. Ici, aucun commerce. Doigt de Dieu planté là : le clocher d'une minuscule église. Prodige de construction, la *place Sainte-Anne*, terrasse artificielle dont la chape de plomb lutte contre la dénivellation.

LA VALLÉE DES MERVEILLES

C'est un ensemble de lacs de haute montagne et de vallons, à l'ouest de Saint-Dalmas, un paysage grandiose, sauvage et mystérieux, célèbre pour ses gravures préhistoriques exceptionnelles qui font actuellement l'objet d'une étude pour l'inscription au Patrimoine mondial de l'Unesco. Un univers déchiqueté de roches, de blocs éclatés, aux teintes roses et grises, de lacs miroitants. Il faut prévoir au moins une journée pour une visite du massif. Deux journées avec une nuit passée au refuge sont bien sûr préférables. L'équipement de montagne est vivement conseillé, surtout si vous y passez plus d'une journée.

On y accède à pied toute l'année, sauf en cas de neige, mais aussi en 4x4 (de juin à octobre) avec un accompagnateur agréé.

La présence d'un guide à vos côtés est de toute manière obligatoire pour l'accès – hors sentier – à la zone des gravures rupestres ; il vous permettra d'approcher plus facilement la faune protégée du parc national du Mercantour : marmottes, bouquetins, chamois, gypaètes... Un parcours découverte est accessible sans guide le long des sentiers balisés des vallées de Fontanalba et des Merveilles.

– Prévoir un bon équipement : chaussures de marche, lainages et imperméable. Cartes IGN 3741 Ouest et 3841 Ouest.

Adresses utiles

■ Il existe un *bureau des guides,* qui propose différents circuits. *Infos au* ☎ 04-93-04-67-88 *ou à la maison de la Montagne :* 11, av. du 16-September-1947, 06437 Tende. ☎ 04-93-04-77-73. Également *Merveilles, gravu-* *res et découverte :* 📱 06-86-03-90-13. ■ *Pour plus de rens : Maison du parc national du Mercantour à Tende (bureau du tourisme),* 103, av. du 16-Septembre-1947, 06437 Tende. ☎ 04-93-04-73-71.

Où dormir ? Où manger ?

En plus des refuges, où il vaut mieux réserver par écrit, voici deux bonnes adresses à *Castérino (06430)* :

🛏 |●| *Hôtel Les Mélèzes :* ☎ 04-93-04-95-95. ● lesmelezescasterino@aliceadsl. fr ● lesmelezes.fr ● *Fermé mar et mer fin déc-fin fév. Congés : de mi-nov à fin déc. Doubles 48-50 € selon saison. ½ pens 44,50-45,50 €/pers selon saison. Menus 19-24 €.* Chambres un peu petites mais impeccablement propres. Choisissez-en une sur le devant, avec balcon et vue sur la montagne, surtout si vous aimez être bercé par le murmure de la rivière. Quelques spécialités : fondue savoyarde aux cèpes, truite au basilic, pâtes fraîches maison, soufflé chaud aux myrtilles. Propose des journées excursions en 4x4 avec guide.

🛏 |●| *Auberge Sainte Marie-Madeleine :* ☎ 04-93-04-65-93. ● casterino. com ● *Fermé en avr et fin oct-fin déc. Doubles 31 € avec lavabo et w-c sur le palier, 50 € avec douche et w-c. Menus env 16-20 €.* Au pied de la vallée des Merveilles, une belle auberge de montagne au doux nom et à l'atmosphère familiale, où l'on déguste sans façons des spécialités locales : fondues, raclettes... Confort très simple.

Randonnées pédestres

Voici quelques suggestions. D'abord, en voiture, de Saint-Dalmas-de-Tende, remonter par la D 91, jusqu'au *lac des Meshes,* dans un cirque sauvage, où se rejoignent deux torrents. Laisser la voiture.

➢ Prendre à gauche le sentier en lacet qui dépasse le *lac de la Minière* et suivre la direction « Val d'Enfer ». En 3h, on arrive au *refuge des Merveilles.*

➢ De là, de nombreuses excursions sont possibles : on peut monter au sommet du *mont Bégo* (2 873 m) en 2h, au *Grand-Capelet* (2 935 m) en 2 à 3h ou à la *cime du Diable* (2 686 m) en 2h.

À voir. À faire

Au nord du refuge s'ouvre la vallée des Merveilles, encaissée entre les abrupts du mont Bégo et du rocher des Merveilles.

On y a relevé, sur 12 km, des dizaines de milliers de *gravures préhistoriques* (mais également dans le vallon de Fontanalba). Elles ont été attribuées aux peuplades ligures du début de l'âge du bronze ou du début de l'âge du cuivre (de 3200 à 1700 av. J.-C.). La plupart représentent des animaux à cornes, bœuf ou taureau, des charrues et faucilles attestant une origine pastorale et agricole. On peut voir aussi des figures humaines parmi lesquelles on a tenté d'identifier le sorcier, le Christ ou le chef de tribu. On pense en fait qu'un culte très ancien était pratiqué autour du mont Bégo, où des initiations avaient lieu. On pense de plus en plus à un culte solaire et lunaire. Une sorte d'observatoire astronomique en somme.
Toutefois, le site est menacé. Par la bêtise et le vandalisme. En effet, certains touristes (peut-on encore leur donner ce nom ?) sont allés jusqu'à briser les dalles où se trouvent les gravures pour les emporter en souvenir. Et au burin, s'il vous plaît ! Devant la répétition de tels actes, les autorités communales et départementales ont décidé de protéger le patrimoine. C'est pourquoi certaines excursions ne peuvent pas se faire sans un accompagnateur officiel. L'original d'une des plus belles de ces gravures a été transféré à Tende, dans un musée. On l'a remplacé sur le site par un moulage en plâtre.

➢ À l'extrémité de la vallée, on franchit la *baisse de la Valmasque* pour descendre vers le *lac du Basto* (GR 52), puis le *lac Noir* et le *lac Vert* jusqu'au *refuge de Valmasque,* dans un paysage alpin idyllique. Descendre ensuite vers la barrière dite de Potamou. À gauche, une piste pour tout-terrain permet de rejoindre les forts du col de Tende ; sinon, tout droit, on rejoint le hameau de *Castérino.*
En voiture, de Saint-Dalmas, il est d'ailleurs possible d'aller jusqu'à Castérino. De là, il faut aller à pied au *refuge de Fontanalba,* puis au *lac Vert de Fontanalba.*

TENDE

(06430)   2 020 hab.

Comme à Saorge (mais en moins vertigineux quand même), on est frappé par l'aspect architectural du village bâti en amphithéâtre au-dessus de la Roya. Les hautes maisons aux toits de lauzes qui semblent se superposer, suspendues entre ciel et terre, ont grand caractère. Tende n'est française, tout comme La Brigue, que depuis 1947.
Au Moyen Âge, la cité jouait un rôle primordial puisqu'elle commandait l'accès au Piémont. En 1691, les Français, dans leur lutte contre la maison de Savoie, détruisirent la forteresse du château des Lascaris, dont il ne reste qu'un pan de mur qui domine le village et semble défier les lois de l'équilibre. Une des tours du château a été transformée en clocher au XIXe siècle (tour de l'horloge), et dans l'enceinte de l'ancienne forteresse se niche un curieux cimetière en étages, unique, qui surplombe la ville.

Adresse utile

🄸 *Bureau du tourisme – Maison du Mercantour :* 103, av. du 16-Septembre-1947. ☎ 04-93-04-73-71. ● *tende* merveilles.com ● *Hors saison, lun-dim mat ; en saison, tlj 9h-12h, 14h-18h.*

Où dormir ?

Camping et gîte d'étape

⚕ ≜ *Camping municipal :* ☎ 04-93-04-76-08 ou 73-71 (office de tourisme). Fax : 04-93-04-35-00. Ouv mai-fin sept. Emplacement pour 2 pers avec voiture et tente 6 €. Doubles (dans le bâtiment administratif) avec w-c sur le palier 35 €. CB refusées. Un camping très simple en bordure de rivière. Piscine à 500 m.

≜ |●| *Gîte d'étape Les Carlines :* chemin Sainte-Catherine. ☎ 04-93-04-62-74. À 50 m de l'église de Tende. Ouv de mi-avr à fin sept ; le reste du temps, slt w-e et vac scol. Compter env 20 €/pers, petit déj inclus. Vieille maison de village au toit de lauzes. Une trentaine de lits au total. Cuisine à disposition.

Où boire un verre ?

🍸 *Bar du Colombier :* 1, rue Jean-Médecin. ☎ 04-93-04-64-97. Fermé lun et mar. Une grille verte avec, derrière les murs, le boulodrome des habitués et quelques tables au calme. Un endroit où l'on peut boire un verre, jouer aux boules et même apporter son pique-nique.

À voir

– *Un conseil :* évitez de vous engager en voiture dans les ruelles, elles ne sont pas conçues pour cela.

🦌 Prenez le temps de flâner dans les vieilles *ruelles* très étroites. Remarquez les toits qui débordent largement pour protéger des importantes chutes de neige en hiver, les balcons à étages qui donnent au village un caractère alpin, les linteaux de porte en schiste vert portant les armoiries des comtes Lascaris et de la maison de Savoie.

🦌 *La collégiale :* elle offre une belle façade du XIXᵉ siècle et un splendide portail sculpté Renaissance. Sur les côtés, des colonnes sont posées sur des lions couchés, symboles de la force et de la puissance.

🦌 *La place de la Mairie et l'église Saint-Michel :* spacieuse et ombragée, un endroit agréable au centre de Tende. Un coup d'œil dans l'église Saint-Michel, dont le chœur est fermé par une grande baie vitrée communiquant avec un jardin à l'arrière. Original pour un édifice religieux.

🦌🦌🦌 🚶 *Le musée des Merveilles :* av. du 16-Septembre-1947. ☎ 04-93-04-32-50. ● museedesmerveilles.com ● 🚻 Tlj sf mar hors juil-août 10h-17h (18h30 de mai à mi-oct). Congés : 12-24 mars, 13-25 nov et certains j. fériés. Gratuit. Remarquer l'architecture et la scénographie d'avant-garde du bâtiment et les douze colonnes rectangulaires de la façade. Ce musée, très bien fait, abrite une importante collection de relevés et moulages de pièces archéologiques provenant des recherches effectuées depuis 1967 par le professeur Henry de Lumley dans la vallée des Merveilles, un des plus grands sites de gravures rupestres au monde.
Les premières salles sont consacrées à la géologie et à la formation des Alpes occidentales, et plus spécialement du mont Bégo. Ensuite, on s'intéresse à la faune et à l'évolution du paysage mais aussi à la vie quotidienne avec des armes, des bijoux, des poteries. On admire au passage les fameux moulages, tandis que des panneaux tentent de déchiffrer les signes étranges qui recouvrent les pierres de la vallée des Merveilles.

On finit par une section ethnologique, consacrée à la vie paysanne au XIXe siècle. Là encore, remarquable travail de mise en scène avec un personnage en 3D qui s'anime pour nous conter les légendes et les récits du pays, mais aussi les dures réalités de la vie. Fabuleux !

Randonnées pédestres

De nombreuses excursions à pied sont possibles à partir de Tende. Un exemple :

➤ *Le vallon du Refrei :* prendre la route vers le camping sur 4 km jusqu'aux granges de la Pia. De là partent plusieurs sentiers. Bonnes vacances et bonne route !

LA CÔTE DE NICE À MENTON

NICE ET SES ENVIRONS

Fini les petites routes en lacet sur lesquelles on se croit seul au monde, les villages perchés où l'on se réveille le regard perdu sur des monts fleuris ou enneigés. Retour sur Nice par une route qui prend vite de l'importance et de la circulation. Un bon conseil, laissez votre voiture dans un garage, une fois arrivé à votre hôtel. C'est cher (même très cher) mais plus prudent. Et vous aurez besoin de la retrouver en pleine forme pour la suite de votre périple, sur la Riviera française, entre Nice et Menton.
Déjà au XVIIIe siècle, les premiers touristes qui venaient en villégiature à Nice n'avaient pas d'autre but que de se refaire une santé, à tous points de vue. Princes et grands-ducs russes, lords à monocle et ladies à aigrettes, aristocrates de tous bords transformèrent des villages au charme préservé en lieux de vie pas toujours discrets : villas extravagantes, palaces de rêve, palais superbes. Sur la Riviera française, la vie prenait un air de fête, sous le soleil ou sous la lune...
Que reste-t-il aujourd'hui de la Riviera ? Avec le temps et le bon mot de Stephen Liegard, qui fera de cette bande de littoral comprise entre Nice et Menton « la Côte d'Azur », on a oublié un peu son nom. Mais sa magie demeure, entre deux blocs de béton que le temps aura en revanche du mal à effacer.

NICE (06000) 345 000 hab.

Pour les plans de Nice, se reporter au cahier couleur.

Nissa, la belle Méditerranéenne, « ne s'offre qu'à qui saura lui plaire », aime-t-on à dire par ici. C'est étrangement vrai. Il faut aller vers elle, car elle ne viendra pas vers vous.
Les Niçois sont des montagnards qui ont le nez tourné vers la mer, et il faut sans cesse se rappeler que des centaines de familles issues du Piémont, de Ligurie et de Lombardie sont venues peupler cet espace maritime au cours des siècles. Ainsi Nice a-t-elle une population assez en harmonie avec sa topographie : un pied dans le bleu, l'autre dans le vert des hauteurs. Ce qui peut expliquer le caractère, riant et méfiant à la fois, des habitants. Mais le mélange est encore plus complexe que cela : paillettes et authenticité, ombre et lumière, ordre et fouillis, avant-gardisme et rigidité, valeurs du passé et espoir de futur. Il faut indéniablement un peu de temps pour apprivoiser cette

cité éclectique. Évidemment, certaines images lui collent à la peau : la promenade des Anglais, les retraités à chien-chien, le carnaval et sa bataille de fleurs, les « affaires » politico-financières ! Alors, évacuons d'emblée les clichés, simplificateurs par nature (même si l'histoire rattrape parfois la fiction), pour dresser un portrait plus nuancé de la préfecture des Alpes-Maritimes. D'abord, Nice n'est plus franchement le paisible lieu de villégiature pour nantis de ce monde qu'elle était à la fin du XIXe siècle. Nobles Anglais, aristocrates russes et têtes couronnées... remisons gentiment cette panoplie au grenier de l'histoire !

Aujourd'hui ce grand centre urbain de la Côte d'Azur (35 % de la population des Alpes-Maritimes vit ici) est devenu la cinquième ville de France. Une ville un peu tentaculaire, où la voiture a trop bouffé l'espace et qui, paradoxalement, souffre de son site exceptionnel, coincée entre la mer et l'amphithéâtre des collines. La ville veut vivre dans le futur et elle a raison (mais comment penser autrement quand 50 % de la population a moins de 40 ans ?). Et le futur, Nice le rêve en Californie bis, même si elle évoque plus la Floride. Miami notamment (ville jumelée avec Nice d'ailleurs !), cette métropole qui fait joyeusement dans le mélange des genres : bars branchés et retraités (eh oui, il y en a !), immeubles Art déco et rollers filant sur la Promenade, *buildings* de verre et d'acier. Nice change, Nice a déjà changé. Elle brasse aujourd'hui les classes d'âge comme jamais. Si Nice est une grande ville moderne, caressant des ambitions européennes déclarées, c'est aussi une cité où l'on passe du centre à la plage en 5 mn, et qui, à la différence de quelques-unes de ses voisines balnéaires, vit toute l'année. Une cité à laquelle l'histoire a laissé de nombreux quartiers à la personnalité marquée : le vieux Nice tout d'abord, charmant, forcément charmant ; les élégants édifices Belle Époque du centre-ville ; les folies architecturales de Cimiez ou du mont Boron ; les musées d'exception (Matisse, Chagall, musée d'Art moderne...) ; des espaces d'expression pour l'art contemporain ; une baie aux contours parfaits, qui accueille la mer à bras ouverts, ourlée d'une promenade revitalisée ; et une campagne provençale sur des collines où une poignée d'irréductibles continue à faire vivre un vignoble...

UN PEU D'HISTOIRE

Les hommes s'installent à Nice il y a très, très longtemps. Il y a quelque 400 000 ans en effet, au lieu-dit *Terra Amata,* ils inventent le feu... Plus près de nous, vers le IVe siècle av. J.-C., les Grecs de Marseille y établissent un comptoir qu'ils nomment *Nikaia* (victoire) – *Nike,* vous connaissez ? Plus tard, les Romains fondent *Cemenelum* (Cimiez), sur une hauteur voisine, chef-lieu de la province des Alpes-Maritimes. C'est une importante agglomération avec son amphithéâtre, ses thermes et même son réseau de chauffage central à air chaud... comme quoi, on n'a rien inventé ! En l'an 300, on connaissait peu, en Occident, de capitales aussi civilisées. L'an 1388 est une date capitale dans l'histoire de Nice. La ville et l'arrière-pays refusent de reconnaître le comte de Provence, Louis d'Anjou, et se donnent à la Savoie. *Amédée VII,* comte de Savoie, qui a profité des troubles qui divisent le pays, fait une entrée triomphale dans la ville. De provençale, Nice devient donc savoyarde et tisse des liens plus étroits avec l'Italie. Une province, le *comté de Nice,* est créée. Excepté quelques interruptions, Nice appartiendra à la maison de Savoie (qui régnera sur la Sardaigne) jusqu'en 1860.

Pendant trois siècles, Nice est la principale place forte de la région.

Le développement de Nice

En 1748 débutent les travaux de creusement du port de Lympia qui sera à la base du développement commercial de Nice et, en 1750, on ouvre la place nommée aujourd'hui Garibaldi et l'on construit la première terrasse en bordure de mer. Bona-

parte y séjourne deux fois. En 1794, il envisage même de se marier à la fille de son hôte qui habite au n° 6 de l'actuelle rue Garibaldi... Le traité de Paris en 1815, après la chute de l'Empire, rend Nice au royaume de Sardaigne (maison de Savoie).
Sous la restauration sarde, la concurrence du port de Gênes, rattaché au royaume de Piémont-Sardaigne, est très rude.
En revanche, les étrangers, des Anglais surtout, viennent de plus en plus nombreux séjourner à Nice. Un Britannique, le révérend *Lewis Way*, fait construire « lou camin deï Angles », première ébauche de la promenade des Anglais. Mais plus que les Anglais qui viennent soigner leur tuberculose et y finissent en fait leurs jours (le climat n'étant peut-être pas l'idéal pour ce genre d'affection), ce sont surtout les Russes qui marquèrent Nice de leur présence. Des tsars, des artistes, des princes vrais ou faux, avant même l'arrivée des célèbres *blancs*...

Le rattachement à la France et la Belle Époque

Suite à la guerre d'Italie, le traité du 24 mars 1860 et le plébiscite des 15 et 16 avril consacrent la réunion du comté de Nice à la France. Grâce au développement du tourisme, la ville va connaître un essor spectaculaire. En 1890, environ 22 000 personnes sont venues passer l'hiver à Nice ; en 1910, on en dénombre 150 000.
Ces hôtes, qui restent quelques mois, attirent les placements de capitaux dans l'hôtellerie et l'immobilier. Ainsi la *Foncière Lyonnaise*, filiale du *Crédit Lyonnais*, est à l'origine du développement du quartier de Cimiez. La reine Victoria en sera l'hôte la plus célèbre, mais la famille impériale russe, la reine du Portugal et d'autres têtes couronnées ne dédaignent pas l'endroit. Le renom de Nice est exceptionnel et éclipse celui des villes de Cannes, Monaco, Menton qui se développeront surtout dans le courant du XXe siècle.
La croissance urbaine demande une importante main-d'œuvre ouvrière, et les Italiens, venus en grand nombre, ne sont pas de trop. Ils peuplent des quartiers entiers, tels que Riquier, la Madeleine, etc.
Peu à peu cependant, Nice perd son charme et ses coutumes provinciales, et devient moins fortunée. La promenade des Anglais prend son visage actuel dans les années 1930 : un front ininterrompu d'immeubles face à la mer. Un visage de ville contente d'elle, qui sut longtemps masquer ses états d'âme profonds.

Nice aujourd'hui

Nice, la cinquième ville de France mais la première dans le cœur des Français s'ils devaient, paraît-il, choisir celle où il fait bon vivre. Nice, la ville des artistes, des écrivains, des musiciens et des jeunes : 25 000 étudiants sur environ 345 000 habitants.
Nice, où l'on voit la vie en vert et bleu, c'est aussi, pour rester dans les chiffres, 7 500 m de plage, 300 ha d'espaces verts, 150 bassins et fontaines, 2 640 h d'ensoleillement par an pour 800 mm de précipitations en 80 jours...
Nice, où le soleil se glisse chaque jour sur les tables, entre le fenouil, l'ail et le romarin, pour relever une cuisine déjà riche en spécialités. Une cuisine qui est souvent proche de ses voisines provençale et italienne mais reste néanmoins bien spécifique à une ville qui s'enorgueillit de posséder même son vin !

LES ÉCOLES DE NICE

Pourquoi tant d'artistes à Nice ? Difficile de répondre (oui, la lumière, d'accord !) sans tomber à côté. Les grands maîtres s'en sont entichés, toutes les tendances de l'art contemporain s'y illustrèrent.
L'école de Nice, baptisée aussi *nouveau réalisme*, est reconnue dans le monde entier, sans doute plus à l'étranger qu'en France. Elle rassemblait un grand nombre d'artistes comme Arman, César, Yves Klein, Martial Raysse, Daniel Spoerri,

Mimmo Rotella, Jean Tinguely, Jacques Villeglé ; ils seront rejoints par la suite par Niki de Saint Phalle et l'« emballeur » Christo.

Né à la fin des années 1950, ce mouvement fut consacré par un manifeste signé par le critique Pierre Restany. Il fut officiellement dissous en 1970. Principal initiateur de ce mouvement, Yves Klein redéfinit la peinture comme une purification permanente : il expose le vide, le ciel (avec ses célèbres monochromes bleus) et des peintures réalisées en utilisant le feu (à l'aide d'un lance-flammes). Situés dans le sillage de Marcel Duchamp (le pape de l'art contemporain), les *nouveaux réalistes* travaillaient surtout à partir de la réalité brute : affiches, détritus... Restany parlait de « poésie d'une civilisation urbaine ». Certains ont même rapproché ce mouvement du pop art américain, lui aussi fondé sur les signes extérieurs de notre civilisation. Mais peut-être que la meilleure définition est celle de Martial Raysse : « La théorie de l'école de Nice, c'est que la vie est plus belle que tout ! »

À la fin des années 1960, un autre mouvement vit le jour également sous le soleil niçois et à Montpellier : *Support(s)-Surface(s).* La réflexion de ses artistes se porte, elle, sur les composants du tableau comme la toile, l'envers de la toile, la texture... Ils adoptèrent donc tous des techniques volontairement rudimentaires. Les principaux membres de ce mouvement, dissous au début des années 1970, furent Claude Viallat, Louis Cane, Christian Jaccard, Daniel Dezeuze et Jean-Marie Pincemin. Proches des précédents, citons également BMPT (Buren, Mosset, Parmentier et Toroni), pour qui l'œuvre est réduite à sa plus simple expression : le support, la couleur et la composition.

On ne peut évoquer l'art local sans nommer Ben, célèbre pour ses happenings et ses tableaux-graffitis. Il s'est d'ailleurs installé sur l'une des collines de Nice, à Saint-Pancrace, après avoir vécu en Turquie, en Égypte et en Grèce. Enfin, n'oublions pas Bernar (sans « d ») Venet, un des plus grands sculpteurs contemporains, plus célèbre aux États-Unis que dans son propre pays. Ne manquez pas son *Arc à 115,5°,* place Masséna.

LE CARNAVAL DE NICE

Au XIIIe siècle déjà, le carnaval de Nice était réputé, les comtes de Provence et de Savoie prenant part aux festivités niçoises. L'Église tenta de canaliser les débordements de la fête mais en vain. Tout au plus put-elle interdire à ses bons abbés de danser ou de se déguiser.

En 1539, les syndics de la ville de Nice nommèrent des « abbés des fous » chargés d'organiser et de réglementer les fêtes du carnaval. Les bals de carnaval, sur quatre places bien définies, correspondaient à quatre classes sociales : noblesse, marchands, artisans-ouvriers et pêcheurs. Pour aller d'un bal à l'autre, il fallait être déguisé convenablement.

Au XVIIIe siècle, en raison de l'étroitesse de la vieille ville et de l'accroissement de la population, la rue fut délaissée au profit des salons privés. Il fallut attendre le Second Empire pour assister à de splendides batailles de confettis et de toutes sortes de projectiles. Mais c'est le comité des fêtes, créé en 1873, qui redonna au carnaval ses lettres de noblesse. En fait, la ville de Nice était surtout soucieuse de retenir la clientèle étrangère hivernante, inquiète depuis les événements de la Commune... C'est ainsi que se déroula, en 1873, le premier défilé de chars, accompagné de mascarades et cavalcades.

Carnaval eut quand même l'élégance de s'abstenir pendant la Grande Guerre et la Seconde Guerre mondiale.

Sa Majesté Carnaval trône chaque année (la 2de quinzaine de février) sous un dais, sur la promenade des Anglais. Le dernier soir, on la brûle après tout un cérémonial.

– *Renseignements et réservations :* 5, promenade des Anglais. ☎ 0892-707-407 (0,34 € TTC/mn). ● nicecarnaval.com ●

Adresses et infos utiles

Informations touristiques

Plusieurs bureaux d'accueil de l'office de tourisme, mais un seul numéro de téléphone : ☎ 0892-707-407 (0,34 €/mn).

◧ **Office de tourisme et des congrès** (plan couleur I, C6, **1**) **:** 5, promenade des Anglais, BP 4079, 06302 Nice Cedex 4. ☎ 0892-707-407 (0,34 €/mn). ● nicetourisme.com ● Possibilité de réserver une chambre par Internet. En été, tlj 8h-20h (9h-19h dim) ; hors saison, tlj sf dim 9h-18h. L'office le plus pratique. Bon accueil et plein d'infos à glaner. Également d'autres antennes en ville :
– À la gare SNCF (plan couleur I, C4, **2**) : av. Thiers, 06400. En été, lun-sam 8h-20h et dim 9h-19h ; hors saison, lun-sam 8h-19h et dim 10h-17h. Plan de la ville, résa d'hôtels, documentation, etc.
– Nice-Ferber : près de l'aéroport, sur la promenade des Anglais. Ouv slt en été tlj 8h-20h (9h-19h dim) et pdt le carnaval, 9h-18h.
– Autre point d'accueil à l'aéroport même, dans le terminal 1. Tlj sf dim hors saison 8h-22h.
◧ **Comité régional du tourisme Riviera-Côte d'Azur** (hors plan couleur I par A6, **3**) **:** 400, promenade des Anglais, BP 3126, 06203 Nice Cedex 3. ☎ 04-93-37-78-78. ● guideriviera.com ● Tlj sf ven ap-m, sam et dim 8h30-12h30, 14h-17h. Fermé au public, infos par courrier ou téléphone slt. Importante documentation. Un autre bureau situé sur le port est ouvert en fonction des activités de croisières.
■ **Centre du Patrimoine** (plan couleur zoom, D6, **13**) **:** 75, quai des États-Unis, 06300. ☎ 04-92-00-41-90. ● nice.fr ● Publie plusieurs fiches et brochures (gratuites) détaillant le patrimoine architectural et culturel de Nice. On ne peut plus précieux pour partir à la découverte du vieux Nice baroque, Belle Époque ou Art déco... Il en existe une bonne vingtaine. Organise également des circuits commentés en ville.
■ **Gîtes de France** (plan couleur I, B6) **:** 57, promenade des Anglais, 06011 Nice Cedex 1. ☎ 04-92-15-21-30. ● gites-de-france.fr ●

Services

✉ **Poste principale** (plan couleur I, B-C5) **:** 23, av. Thiers, 06000. ☎ 04-93-82-65-00 ou 22. Ouv lun-ven 8h-19h et sam 8h-12h.
⌨ **Easynet Café** (plan couleur I, C6) : 26, rue de la Buffa, 06000. ☎ 04-93-54-84-63. Tlj 10h-23h. Sans doute l'un des moins chers de Nice !
■ **Météo départementale :** ☎ 0892-680-206 (0,34 €/mn).
■ **Météo montagne :** ☎ 0892-680-404 (0,34 €/mn).
■ **Météo plaisance :** ☎ 0892-680-877 (0,34 €/mn).

■ **Consulat de Belgique** (plan couleur I, C6) : dans les bureaux du Ruhl (7e étage), 5, rue Gabriel-Fauré, 06000. ☎ 04-93-87-79-56.
■ **Objets trouvés** (plan couleur zoom, D6, **12**) : 1, rue Raoul-Bosio, 06000. ☎ 04-97-13-44-10.
■ **Pharmacie de nuit** (plan couleur I, D5, **4**) : 7, rue Masséna, 06000. ☎ 04-93-87-78-94. Ouv lun-sam 24h/24 et dim à partir de 19h. Ou encore, **Pharmacie Riviera** (plan couleur I, C4, **5**) : 66, av. Jean-Médecin. ☎ 04-93-62-54-44. Ouv tlj 24h/24.

Transports

🚆 **Gare SNCF** (plan couleur I, C4) : av. Thiers, 06000. ☎ 36-35 (0,34 € TTC/mn). ● sncf.fr ● Consignes automatiques et manuelles (ouv jusqu'à 17h45, fermé dim et j. fériés). Douches 6h-19h en sous-sol. Bus pour gagner le centre-ville.
🚆 **Chemins de fer de Provence** (plan couleur III, B4) : 4 bis, rue Alfred-Binet. ☎ 04-97-03-80-80. ● trainprovence.

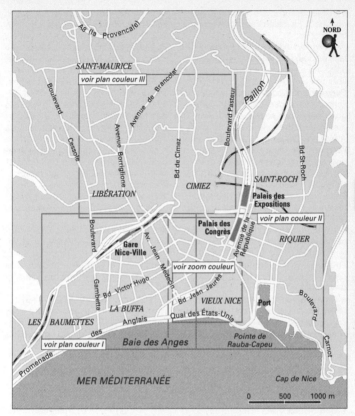

NICE – PLAN D'ENSEMBLE

com • Départ de la fameuse ligne Nice-Digne, autrement dit, le *train des Pignes*.
🚌 **Gare routière** *(plan couleur zoom, E5) : promenade du Paillon.* ☎ 0892-701-206 (0,34 €/mn). • inter cars.fr • euroline.fr • lignedazur.com • *Près de la place Saint-François du vieux Nice. Infos dans le hall 8h-18h30. On achète son billet dans le bus. Consigne à bagages lun-sam 8h-19h. De nombreux bus pour toutes les villes du littoral. Et certaines compagnies proposent des tarifs très avantageux.*

■ *Transports urbains de Nice (Ligne d'Azur) : info abonnements,* ☎ 0810-06-10-06. • lignedazur.com • *Agences principales :* **Masséna** *(plan couleur II, D5,* **3***), 3, pl. Masséna, ou* **Bel Canto** *(plan couleur I, C4,* **6***), 29, av. Malausséna. Ouv lun-ven 7h15-19h et sam*

8h-18h. *Vente de tous les types de titres de transport de Nice. Plusieurs formules intéressantes pour les gens de passage, outre le ticket à l'unité (1,30 €) : le* Pass 1 jour *(4 €) ou le* Multi + 17 tickets *(20 € ; non nominatif). Ceux-là sont vendus à bord des bus. Sinon, il existe également un pass valable 7 jours (15 €) et le forfait* Multi 10 tickets *(10 €). Disponibles seulement en agence et chez certains revendeurs en ville. Attention, pas de bus le 1er mai.*

■ *Taxis : résas,* ☎ 04-93-13-78-78. *Tarif de nuit 19h-7h. Principales stations : esplanade Masséna, promenade des Anglais, place Garibaldi, rue de l'Hôtel-des-Postes, gare SNCF, Acropolis, aéroport. Sachez que le chauffeur ne peut exiger de montant minimum. De même, il vaut mieux veiller* à ce que celui-ci mette son compteur en marche. Il y a malheureusement encore trop d'abus.

➤ *Aéroport Nice-Côte d'Azur* (hors plan couleur I par A6) : ☎ 04-93-21-30-30. • nice.aeroport.fr • Infos sur les vols : ☎ 0820-423-333 (0,12 €/mn). Deuxième aéroport français avec 9 millions de passagers par an, 54 compagnies aériennes et plus de 71 liaisons directes en provenance de 30 pays ! Attention, il y a deux terminaux dans l'aéroport de Nice. Bien se renseigner pour savoir où vous arrivez et d'où vous partez. Chacun possède un point info bien utile quand on arrive. Pour se rendre en ville ou pour revenir à l'aéroport : les bus n°s 98 (dessert la gare routière ; dernier départ à 23h43 ; 22h43 dim) et 99 (dessert la gare SNCF ; dernier départ à 20h53) passent par les deux terminaux. Un bus ttes les 20 à 30 mn en moyenne. Si vous ratez le dernier départ du bus n° 99, prenez le n° 98 en demandant au conducteur de s'arrêter à la gare SNCF. Bon à savoir : les bus reliant Nice à Cannes s'arrêtent à l'aéroport. En taxi, compter environ 25 à 30 €.

■ *Air France* : infos et résas, ☎ 36-54 (0,34 €/mn – tlj 24h/24). • airfrance. com •

■ *SNCM* (Société nationale maritime Corse-Méditerranée ; plan couleur II, F6, *1*) : quai du Commerce, BP 159, 06303 Nice Cedex 4. Serveur vocal : ☎ 32-60 (rens ; 0,15 €/mn). • sncm.fr • Résas pour les traversées Nice-Corse, entre autres.

■ *Euromer* : 5, quai de Sauvages, 34078 Montpellier Cedex 3. ☎ 04-67-65-67-30. • euromer.net • Spécialiste des traversées maritimes au départ d'Europe, Euromer propose plus de 150 lignes maritimes. Au départ de Nice, possibilité d'embarquer à destination de la Corse à des tarifs intéressants. Nombreux départs journaliers.

■ *Corsica Ferries* (plan couleur II, F6, *2*) : quai Amiral-Infernet. Serveur vocal : ☎ 0825-095-095 (0,15 €/mn). • corsica ferries.com •

■ *Nicea Location Rent* (plan couleur I, C4, *7*) : 12, rue de Belgique. ☎ 04-93-82-42-71. Ouv tlj. Derrière la gare, dans une rue parallèle. Location de deux-roues (scooters, motos, vélos) et de rollers.

■ *Roller Station* (plan couleur zoom, E6, *8*) : 49, quai des États-Unis, 06300. ☎ 04-93-62-99-05. Tlj 10h-19h. Emplacement idéal si vous voulez louer des rollers pour vous balader sur la promenade des Anglais. Vélos, trottinettes et skate-boards également.

Marchés

– *Marché aux fruits et légumes :* cours Saleya, tlj sf lun 7h-13h. Le plus célèbre de tous.

– *Marché aux fleurs :* cours Saleya, tlj sf dim ap-m et lun 6h-17h30. La première partie du cours est réservée aux fleurs.

– *Marché à la brocante :* cours Saleya, ts les lun sf veilles de fêtes 8h-17h.

– *Marché aux poissons :* pl. Saint-François, tlj sf lun 6h-13h. A tendance à tomber un peu en désuétude depuis quelques années. De moins en moins d'étals.

– *Marché de la Libération :* sur l'av. Malausséna (dans le prolongement de l'av. Jean-Médecin) et la pl. Charles-de-Gaulle. Tlj sf lun 7h-13h. Fruits et légumes, textile, etc. Le plus grand marché de Nice ! Peut-être moins typique que ceux de la vieille ville ; en tout cas, nettement moins touristique...

Comment se déplacer en ville ?

À pied

Nice est une ville que l'on aimerait parcourir à pied (reportez-vous quelques lignes plus bas à la rubrique « Circulation et stationnement » pour comprendre pourquoi !). Mais si la basket relève de l'évidence dans la vieille ville où les ruelles n'autorisent – heureusement – pas la circulation automobile, il n'en va pas de même partout. La ville est considérablement étendue, ses « curiosités » éclatées au hasard des quartiers, et on use vite ses semelles ne serait-ce qu'à parcourir la promenade

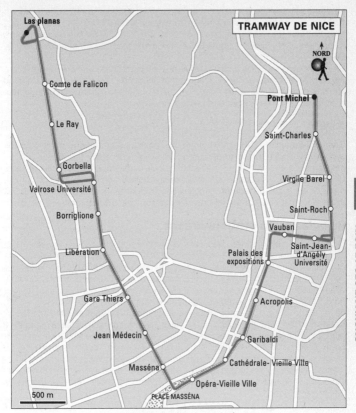

TRAMWAY DE NICE

des Anglais. En dehors du centre, le bus et, depuis novembre 2007, le tram, s'avèrent en fait la solution idéale pour les longues distances, puis la marche pour relier les centres d'intérêt dans un même secteur (le long du boulevard de Cimiez, du canal de Gairaut, dans le quartier du port, le centre-ville...).

En transports en commun

– **Transports urbains de Nice (Ligne d'Azur) :** *voir plus haut la rubrique « Transports » dans les « Adresses utiles ».*
Réseau dense et très étendu, avec des bus fréquents ; peu d'attente donc, sauf bouchon ! On peut gagner en bus tous les quartiers de Nice, jusqu'aux collines. Dans le centre, il existe un tronc commun et l'on peut à peu près emprunter n'importe quel bus. Un conseil quand même, procurez-vous un miniplan. Pour les musées et autres sites excentrés, nous vous indiquons, au cas par cas, les lignes de bus qui y conduisent.
Les bus niçois circulent tous les jours (les horaires des jours fériés sont ceux du dimanche) sauf le 1ᵉʳ mai. Pour vos virées nocturnes (enfin, il ne faudra pas rentrer

trop tard), 4 lignes de Noctambus, au départ de la station Jean-Claude Bermond *(plan couleur zoom, D5),* entre la gare routière et la place Masséna (pour Cimiez, Nice-Est, Ouest et Nord), circulent de 21h10 à 1h10 (20h10 les dimanche et jours fériés), le bus N4 circule jusqu'à 2h32. À noter que les bus fonctionnent au gaz. Bravo !

Grande nouvelle pour les Niçois : depuis novembre 2007, la première ligne de tramway a enfin été mise en service, après plus de quatre ans de travaux. Quelques stations desservent le centre-ville, mais ce tram tant attendu devrait grandement contribuer à le désengorger. ● tramway-nice.org ●

À vélo

Grand centre urbain, Nice ne se prête pas vraiment à la pratique du vélo (pistes cyclables encore trop peu nombreuses, circulation automobile très dense à certaines heures...). De surcroît, la ville est en grande partie construite sur des collines. Un incontournable toutefois : la sympathique balade familiale le long de la piste cyclable de la promenade des Anglais (idéale pour le roller également). Voir les adresses de loueurs dans la rubrique « Adresses utiles. Transports ».

Circulation et stationnement

Comme toutes les grandes villes, Nice est confrontée à une délicate gestion de la circulation automobile, aggravée par sa position géographique et son intense fréquentation touristique. Résultat, les grands axes traversent la ville et sont très souvent embouteillés : la promenade des Anglais et la D 7 d'ouest en est, l'avenue Jean-Médecin prolongée par les avenues Malausséna et Boroglione du sud au nord. Et pas seulement quand les Niçois sortent du boulot ! Pour le stationnement, en revanche, pas trop de problèmes. La ville possède un nombre suffisant de places de parking, évidemment presque toutes payantes (pour les places gratuites, il faudra chercher très loin du centre). Horodateurs (avec durée limitée) et de nombreux parkings souterrains dans le centre et la vieille ville. Tarifs très élevés. Bon à savoir : les 45 premières minutes sont gratuites dans certains parkings du centre-ville et il existe désormais des forfaits « temporaires » valables pour l'ensemble de votre séjour *(● semiacs.com ●).* Ultime précision : il s'avère très, très difficile de stationner à Cimiez.

Où dormir ?

Petite précision d'emblée, mais vous vous en apercevrez vite : Nice est une ville chère, où les hôtels 3 et 4 étoiles écrasent en nombre les meublés et les 1-étoile qui, entre nous, pratiquent pour certains des prix ahurissants. On en connaît qui n'hésitent pas à demander plus cher que le 2-étoiles voisin, pour une double soi-disant tout confort, pour des prestations et une hygiène le plus souvent limite. Bien comparer les prix. De plus, il n'existe pas de camping à Nice même (le prix du terrain compromettant, paraît-il, la rentabilité d'une telle structure...). Pas de salut donc pour les petits budgets en dehors de quelques p'tits 1-étoile familiaux, de quelques hébergements collectifs, telle l'auberge de jeunesse, et des adresses pour routards du quartier de la gare.

En outre, malgré une grosse capacité hôtelière (la 2e de France après Paris), les meilleures adresses sont vite remplies. Aux touristes (avec 4 millions de visiteurs chaque année, Nice s'affiche comme le 2e pôle touristique de France) s'ajoutent de nombreux congressistes (là encore, au 2e rang national après Paris). On ne peut vous donner qu'un conseil : réservez ! Et longtemps à l'avance en saison. Autre chose à savoir : les hôtels ont deux tarifs. Le prix haute saison qui court en général de mars à octobre, et celui basse saison pour le reste de l'année. Il existe un 3e tarif pour les quelques jours que dure le Grand Prix automobile de Monaco (en mai), mais on ne vous en parle même pas, les prix doublent quand ils ne triplent pas !

Autour de la gare et de l'avenue Jean-Médecin

Autour de la gare SNCF s'étend un typique quartier de... gare, avec son animation permanente, ses petits restos servant une cuisine du monde entier, ses sex-shops... et des adresses parmi les moins chères de la ville. Au sud-ouest, quelques rues baptisées du nom de compositeurs célèbres forment le quartier dit « des Musiciens » (logique !), plus résidentiel, plus tranquille donc, et assez caractéristique de l'urbanisme niçois fin XIXᵉ, début XXᵉ siècle. Quelques adresses à prix décents dans les petites rues perpendiculaires à l'avenue Jean-Médecin, grand axe de la ville.

De bon marché à prix moyens

🛏 *Auberge de jeunesse Les Camélias* (plan couleur I, D5, **62**) : 3, rue Spitalieri, 06000. ☎ 04-93-62-15-54. • ni ce-camelias@fuaj.org • fuaj.org • ♿ Tte l'année, tlj 24h/24. Compter env 21 €/ pers, petit déj inclus. Carte FUAJ obligatoire et vendue sur place. Voici une AJ récente située dans un ancien hôtel et en plein centre-ville, petite sœur de celle du vieux Alban, mais à proximité du vieux Nice et à 10 mn à pied de la gare. C'est dire si sa situation est idéale. Petits dortoirs de 3, 4, 6 et 8 lits, confortables et bien équipés (douche à l'intérieur). Réservation par Internet uniquement (au moins 36h à l'avance !) et paiement par carte bancaire ; sinon, il faut s'y rendre et consulter l'affichage, ou téléphoner le jour même. Cuisine à disposition, accès Internet, laverie. Une bonne adresse.

🛏 *Backpacker's Chez Patrick* (plan couleur I, C4, **20**) : 32, rue Pertinax, 06000. ☎ 04-93-80-30-72. 📱 06-13-25-29-31. • chezpatrick@voila.fr • chezpa trick.com • Doubles avec lavabo 40-45 € selon saison (50 € juin-août) ; dortoirs de 3-6 lits 17-22 €/pers. Réduc de 10 % pour les routards de passage 1ᵉʳ oct-31 mars sur présentation de ce guide. Au 1ᵉʳ étage d'un immeuble banal, une des adresses les moins chères de Nice, façon guest-house du bout du monde. Pas mal de routards étrangers. Le niveau de confort est assez sommaire mais satisfaisant vu le prix : clim', douches communes, possibilité de cuisiner, laverie à disposition, borne Internet et nombreux renseignements sur Nice et la Côte d'Azur. L'endroit est propre et bien tenu.

🛏 *Hôtel du Piémont* (plan couleur I, C4, **21**) : 19, rue d'Alsace-Lorraine (passage Martin), 06000. ☎ 04-93-88-25-15. • hoteldupiemont@ wanadoo.fr • Tte l'année. Pas de résa sf pour nos lecteurs. Doubles 23-42 € selon confort, vue et saison ; petit déj 3,10 €. Boisson offerte sur présentation de ce guide. Adresse toute simple, nichée dans un étroit passage. Une certaine tranquillité donc pour le quartier, mais pour le charme et la vue, s'adresser ailleurs... Chambres très modestes et pas bien gaies mais assez confortables pour le prix (certaines ont même la clim', la TV et une kitchenette). Salon TV, distributeur de boissons et ambiance cosmopolite.

🛏 *Hôtel Clair Meublé* (plan couleur I, C5, **22**) : 6, rue d'Italie, 06000. ☎ 04-93-87-87-61. • hotel_clair_meu ble@hotmail.com • http://hotel.clair.meu ble.online.fr • Résa bien à l'avance pour l'été. Doubles avec douche, w-c et kitchenette 43-48 € selon saison. Café offert sur présentation de ce guide. Un de ces petits hôtels meublés encore nombreux à Nice. À l'étage d'un immeuble bourgeois. Une vingtaine de chambres, modestes et mal insonorisées (et la rue est bruyante), mais toutes rénovées et équipées de douche, w-c et même d'une petite cuisine et d'un réfrigérateur. Certaines peuvent accueillir jusqu'à 5 personnes.

🛏 *Les Orangers* (plan couleur I, C5, **23**) : 10 bis, av. Durante, 06000. ☎ 04-93-87-51-41. • hotelorangers@gmail. com • hotelorangers.com • Tte l'année. Doubles, ttes équipées de TV et de kitchenette, avec douche 42-48 € (w-c sur le palier ou non). Nuit en dortoir 5 lits 16-19 €/pers. Réduc de 10 %, sf juin-août, sur présentation de ce guide. Dans une maison ancienne à la façade majestueuse, encore une adresse prisée par les routards du monde entier. Souvent complet, d'autant que l'hôtel travaille avec des agences en saison.

🏠 *Hôtel Notre-Dame (plan couleur I, C5, 26) :* 22, rue de Russie, 06000. ☎ 04-93-88-70-44. • info@nicenotredame.com • nicenotredame.com • Fermé 10-24 janv. Doubles 25-47 € selon confort. Petit hôtel entièrement rénové, à l'angle de deux rues plutôt calmes. Chambres pas immenses mais confortables et gentiment facturées ; w-c sur le palier pour les moins chères. Excellent accueil.

🏠 *La Belle Meunière (plan couleur I, C4-5, 27) :* 21, av. Durante, 06000. ☎ 04-93-88-66-15. • hotel.belle.meuniere@cegetel.net • bellemeuniere.com • Fermé déc et janv. Doubles avec douche et w-c 45-57 € selon saison ; petit déj 3,50 € ; également des triples et quadruples. Le bon plan : pour les moins de 26 ans ou les étudiants, nuitée en dortoir ou chambre pour 4 pers 15-22 €/pers selon confort et saison, draps et petit déj inclus. Parking payant. Sur présentation de ce guide, réduc de 10 % sur le prix des chambres à partir de 3 nuits hors w-e, vac scol et festivités. À 100 m de la gare et, pourtant, on est accueilli par les senteurs de pins, de cyprès et de figuiers de la petite cour-jardin de cette encore élégante villa d'un autre siècle. Ambiance de pension de famille à l'ancienne et *guest-house,* où les routards parlent toutes les langues du monde. Chambres dont le rapport qualité-prix est plus évident pour les dortoirs de 4 personnes que pour les chambres doubles. On est à Nice, ne l'oublions pas ! Quelques flottements parfois dans l'accueil et le ménage. Pique-nique possible dans le jardin.

🏠 *Résidence du Petit Louvre (plan couleur I, C4-5, 29) :* 10, rue Emma-Tiranty, 06000. ☎ 04-93-80-15-54. • petilouvr@wanadoo.fr • hotelgoodprice.com • Ouv tte l'année. Studios 60 € pour 2 pers, triples 68,50 €. Sur présentation de ce guide, réduc de 10 % accordée la 1re nuit. Les chambres ne sont pas bien grandes, c'est le moins que l'on puisse dire. Mais cette petite résidence hôtelière, avec sa modeste étoile, offre un excellent rapport qualité-prix car elle est très bien située et surtout entièrement rénovée. Les chambres offrent, malgré leur exiguïté, un confort appréciable : w-c, salle de bains, Internet, clim' et même une kitchenette pour préparer soi-même sa popote ou son petit déjeuner.

De prix moyens à plus chic

🏠 *Hôtel Normandie (plan couleur I, C4, 24) :* 18, rue Paganini, 06000. ☎ 04-93-88-48-83. • resa@hotel-normandie.com • hotel-normandie.com • ♿ Doubles 52-73 € selon saison ; prix intéressants pour 3 ou 4 pers, et formules avantageuses pour les séjours de plus de 6 nuits. Garage possible (payant). Un petit déj/chambre offert sur présentation de ce guide. Le 2-étoiles parfait dans son genre. Familial, propre, confortable (clim', double vitrage, TV satellite, wi-fi...). Du fonctionnel à prix justes, à deux pas de la gare. Apprécié des routards internationaux. Choisir de préférence les chambres en hauteur (ascenseur), sur cour (moins lumineuses) ou sur rue (moins calmes).

🏠 *Hôtel Star (plan couleur II, D5, 25) :* 14, rue Biscarra, 06000. ☎ 04-93-85-19-03. • info@hotel-star.com • hotel-star.com • Congés : nov. Doubles avec douche et w-c ou bains et TV câblée 55-75 € selon confort et saison. Réduc de 10 % en basse saison sur présentation de ce guide. Bordée de maisons basses et de terrasses de bistrot, la rue Biscarra a un visage sympathique, très au calme et pourtant située à deux pas de l'animation. Les chambres, à la déco classique, sont d'un vrai confort. « Le moins cher des 2-étoiles de Nice », se plaît à répéter la très accueillante patronne. Ce n'est pas tout à fait vrai, mais il offre en tout cas un des meilleurs rapports qualité-prix-emplacement de la ville.

🏠 *Hôtel Amaryllis (plan couleur I, C4, 28) :* 5, rue d'Alsace-Lorraine, 06000. ☎ 04-93-88-20-24. • reception@hotelamaryllis.com • hotelamaryllis.com • Doubles avec douche et w-c ou bains,

TV satellite 70-84 € selon saison ; petit déj inclus. Parking payant. Hall d'entrée pimpant. La déco des chambres est un peu moins riante, mais côté confort, rien à redire : clim', double vitrage, wi-fi... Quelques chambres également sur une courette tranquille. Accueil épatant.

🛏 **Touring Hôtel** (plan couleur I, C5, **63**) : 5, rue de Russie, 06000. ☎ 04-93-88-70-15. ● info@touring-hotel-nice. com ● touring-hotel-nice.com ● Doubles 54-64 € selon saison. Un petit déj par chambre offert sur présentation de ce guide. Un 2-étoiles au calme et d'un confort correspondant bien à sa catégorie : wi-fi, clim' pour les plus grandes, sèche-cheveux... Pas le grand luxe, mais on ne se moque pas du monde. Une déco passe-partout et un accueil avenant.

🛏 **Allegra Résidence** (plan couleur III, C3, **31**) : 15-17, rue André-Theuriet, 06100. ☎ 04-93-52-36-61. ● allegraresidence@wanadoo.fr ● Doubles 50-68 € ; la plupart des chambres peuvent accueillir 3-4 pers (8 €/pers supplémentaire). Sur présentation de ce guide, diverses attentions comme la bouteille de champagne au frais ou le transport de la gare à l'hôtel... Une poignée de chambres meublées (kitchenette, clim',

coffre, TV satellite, wi-fi...), situées au rez-de-chaussée et au 1er étage d'un petit immeuble. Bien surtout pour les séjours de plus de 3 jours (réduction de 10 à 20 % selon la durée du séjour). Le calme, la présence d'une petite cuisine, les prix serrés, la propreté et l'excellente qualité de l'équipement constituent les éléments positifs de cette adresse. Draps et serviettes fournis. Points négatifs : chambres pas bien grandes et peu de lumière naturelle. Accueil jeune.

🛏 **Villa Saint-Hubert** (plan couleur III, C3, **35**) : 26, rue Michel-Ange, 06100. ☎ 04-93-84-66-51. ● contact@villasainthubert.com ● villasainthubert. com ● Doubles 57-68 € selon confort et saison. Parking privé payant. Dans un joli quartier résidentiel, un poil excentré mais très au calme. Mignonne villa début de siècle (le XXe !). Chambres plaisantes, même si elles ne sont pas immenses, et équipement ad hoc : douche ou bains, w-c, TV satellite, clim', kitchenette. Certaines chambres possèdent un balcon, d'autres donnent sur un petit jardin. Le petit déjeuner se prend dehors aux beaux jours. Excellent accueil. Adresse familiale et élégante.

De plus chic à beaucoup plus chic

🛏 **Hôtel Excelsior** (plan couleur I, C4, **32**) : 19, av. Durante, 06000. ☎ 04-93-88-18-05. ● info@excelsiornice.com ● excelsiornice.com ● ♿ Ouv tte l'année. Doubles 90-130 € selon saison. Sur présentation de ce guide, un café offert ainsi que 10 % de réduc sur le prix de la chambre (1er nov-28 déc et 2 janv-15 fév). Agréable hôtel du début du XXe siècle, terriblement Belle Époque avec ses balcons en fer forgé, ses moulures en stuc... Mignon jardin de poche avec palmiers, arbustes, fleurs, bassin et jet d'eau glouglouttant. Un petit havre de paix à deux pas de la gare et pas bien loin des plages. Les chambres ont subi un sérieux lifting et c'est tant mieux. Confort 3 étoiles : clim', TV satellite, etc. Galerie-terrasse dominant légèrement la rue, bien agréable à l'heure de l'apéro. Accueil pro.

🛏 **Hôtel Kyriad Le Lausanne** (plan

couleur I, B5, **34**) : 36, rue Rossini, 06000. ☎ 04-93-88-85-94. ● info@nice-hotel-kyriad.com ● nice-hotel-kyriad. com ● Fermé 18 nov-28 déc. Doubles 70-120 € selon confort et saison. Petit déj 9 €. Parking public payant juste à côté. Sur présentation de ce guide, 50 % de réduc sur le prix du petit déj. Les hôtels Kyriad sont des hôtels de chaîne qui s'ingénient à ne pas ressembler à... des hôtels de chaîne. Voilà pour le concept. Ici, cela donne des chambres finalement très hôtel de chaîne à la déco contemporaine et fleurie, dotées de tout le confort : douche ou bains, w-c, TV satellite, wi-fi, clim'... Le tout dans un immeuble ancien qui a conservé pas mal de caractère.

🛏 **Little Palace** (plan couleur I, C5, **36**) : 9, av. Baquis, 06000. ☎ 04-97-03-00-00. ● littlepalace@orange.fr ● hotel-little-palace-nice.com ● Ouv tte l'année.

Doubles avec douche et w-c ou bains, TV satellite 68-80 € selon saison. Parking public payant à proximité. Petit immeuble anodin (pas vraiment le « little palace » de l'enseigne) dans une rue tranquille du quartier des Musiciens. Chambres pas immenses mais dotées de tout le confort moderne (selon la formule consacrée !) : climatisées, insonorisées et tutti quanti. Déco passe-partout de bon aloi. Accueil souriant.

🛏 **Hôtel Durante** *(plan couleur I, C5, 37)* : *16, av. Durante, 06000.* ☎ *04-93-88-84-40.* ● *info@hotel-durante.com* ● *hotel-durante.com* ● *Congés : janv. Doubles avec douche et w-c ou bains 70-150 € selon confort et saison. Parking gratuit. Un petit cadeau d'accueil offert sur présentation de ce guide.* Adorable maison pleine de charme, au fond d'une voie privée. Un petit hôtel aux tons chauds et aux chambres coquettes et paisibles, impeccables et fonctionnelles, cachées derrière des persiennes. Confort 3-étoiles avec clim', sèche-cheveux, TV satellite, wi-fi, kitchenette (en supplément)... et terrasse pour les plus chères. On a également apprécié la courette aménagée, plantée de palmiers, d'oliviers et d'orangers qui ombragent quelques tables et un jacuzzi. Une de nos meilleures adresses dans cette catégorie.

🛏 **Hôtel L'Oasis** *(plan couleur I, C5, 38)* : *23, rue Gounod, 06000.* ☎ *04-93-88-12-29.* ● *hoteloasis@wanadoo.fr* ● *hoteloasis-nice.com* ● *Ouv tte l'année. Doubles 69-105 € selon confort et saison, petit déj compris. Parking payant.* L'Oasis se compose de deux maisons niçoises, nichées au fond d'une allée, ce qui en fait une adresse très au calme. Chambres confortables, toutes avec sanitaires et clim'. Cette maison

accueillit en son temps Tchekhov et un certain Vladimir Ilitch Oulianov... plus connu sous le nom de Lénine ! Le seul problème : l'hôtel travaille essentiellement avec un tour-opérateur, il est donc souvent complet. En revanche, s'il y a des chambres libres, on vous accueillera sans problème mais au dernier moment seulement. Peut donc servir en dépannage.

🛏 **Hôtel Aria** *(plan couleur I, C5, 64)* : *15, av. Auber, 06000.* ☎ *04-93-88-30-69.* ● *reservation@aria-nice.com* ● *aria-nice.com* ● *Doubles 79-89 € selon saison ; petit déj 11 €. Réduc de 10 % sur le prix de la chambre sur présentation de ce guide.* Jolie façade de pierre rehaussée par d'impérieux balcons de fer forgé qui donnent sur le parc Mozart. Chambres agréables et lumineuses, plutôt spacieuses. Certaines peuvent même accueillir 3 personnes. Confort 3 étoiles : clim', minibar, sèche-cheveux, TV satellite, etc. Accueil souriant et bon rapport qualité-prix.

🛏 **Hôtel Gounod** *(plan couleur I, B-C5, 39)* : *3, rue Gounod, 06000.* ☎ *04-93-16-42-00.* ● *info@gounod-nice.com* ● *gounod-nice.com* ● *Congés : 23 nov-15 déc. Doubles avec bains 100-150 € selon saison ; suites pour 3-4 pers 150-250 €.* Grande maison de la Belle Époque, qui rappelle les vieux palaces de la côte. On est immédiatement plongé dans un style vieille France très plaisant. Chambres plutôt chic, bien équipées (clim', minibar, TV satellite...) ; certaines sont même dotées d'une terrasse. Styles très divers : certaines sont à l'ancienne, d'autres plus modernes, mais toutes sont bien agréables, et l'accueil est toujours souriant. Piscine et parking à disposition dans l'hôtel d'à côté : le *Splendid.*

Autour des rues Masséna et de France

De prix moyens à plus chic

🛏 **Nice Garden Hôtel** *(plan couleur I, C5, 33)* : *11, rue du Congrès, 06000.* ☎ *04-93-87-35-62.* ● *marion@nicegardenhotel.com* ● *nicegardenhotel.com* ● *Doubles avec clim' et TV 65-95 € selon confort et saison. Un petit déj offert par chambre et par nuit sur*

présentation de ce guide. Une dizaine de chambres plutôt spacieuses. Le confort et la déco sont assez simples, mais un charme indicible se dégage des lieux. Est-ce la gentillesse extrême de Marion, le lustre à pampilles, le petit tableau sur le mur ou le petit bout de fresque du plafond ? Difficile à dire, chaque chambre est différente et possède son petit cachet. Nul doute que le jardin sur lequel donnent la plupart d'entre elles y est pour beaucoup. Se réveiller dans la verdure et prendre son petit déj au milieu des fleurs, quel bonheur... Surtout au cœur de la ville et à deux pas de la plage ! Une adresse rare, qui donne l'impression de séjourner en chambre d'hôtes. Un coup de cœur.

🛏 **Hôtel Danemark** (plan couleur I, A6, 40) : 3, av. des Baumettes, 06000. ☎ 04-93-44-12-04. ● contact@hotel-danemark.com ● hotel-danemark.com ● Résa conseillée. Doubles avec douche (w-c sur le palier) env 40-51 €, avec douche et w-c ou bains et TV env 55-65 €, selon saison. Parking privé payant. Dans un quartier un peu excentré mais à deux pas de la Prom' et de la mer, une petite maison, genre pavillon des années 1950, qui se fait discrète, cernée par de bien hauts immeubles résidentiels. Quelques arbres devant, des patrons très sympathiques, des chambres toutes simples, rénovées et décorées avec un certain goût, et voilà une bonne petite adresse. Clientèle d'habitués.

🛏 **Hôtel Solara** (plan couleur I, C6, 41) : 7, rue de France, 06000. ☎ 04-93-88-09-96. ● hotel-solara@wanadoo.fr ● hotel-solara.net ● Doubles avec douche, w-c et TV satellite 55-90 €. Un petit déj/pers offert et 10 % de réduc accordée sur présentation de ce guide. Joliment situé, en pleine zone piétonne et à 100 m de la plage. Il faut grimper les étages (il y a un ascenseur !) pour trouver un accueil gentil comme tout et des chambres pas bien grandes mais mignonnes, rénovées et confortables. Les plus chères sont dotées de petits balcons où profiter du soleil, de l'animation de la rue et de la vue sur les toits de Nice.

🛏 **Hôtel Rex** (plan couleur I, D5, 45) : 3, rue Masséna. ☎ 04-93-87-87-38. ● hotelrex@wanadoo.fr ● hotel-rex.com ● Doubles 45-60 € ; triples 55-70 €. Dans un immeuble typiquement niçois auquel on accède par un jeu d'escaliers et de passerelles, voici une des bonnes surprises de Nice. Au cœur du quartier piéton, l'hôtel est totalement protégé de l'agitation de la rue par une grande arrière-cour. Dans les chambres, autre surprise, une déco de charme et des murs patinés aux couleurs de la Provence, lavande, ocre ou jaune selon les cas.

🛏 **Hôtel de la Buffa** (plan couleur I, B6, 42) : 56, rue de la Buffa, 06000. ☎ 04-93-88-77-35. ● nice@hotel-buffa.com ● hotel-buffa.com ● Doubles 58-73 € selon confort et saison. Parking et garage privé payant. Une nuitée gratuite à partir de 7 nuits consécutives sur présentation de ce guide. Un petit hôtel avec une quinzaine de petites chambres toutes simples mais très bien tenues et bien équipées (douche ou bains, w-c, TV satellite, clim', wi-fi...). Calme garanti côté cour. Accueil souriant et compétent.

🛏 **Hôtel Alizée** (plan couleur I, B6, 43) : 65, rue de la Buffa, 06000. ☎ 04-93-88-99-46. ● hotel-alizee@wanadoo.fr ● hotel-alizee-nice.cote.azur.fr ● Doubles avec douche et w-c 50-80 €. Réduc de 10 % oct-mars et apéritif, café ou digestif offert sur présentation de ce guide. Une dizaine de chambres très modestes mais rénovées peu à peu. L'ensemble n'est pas particulièrement rutilant, mais s'avère pratique compte tenu de sa position, à quelques encablures de la plage.

🛏 **Hôtel Armenonville** (plan couleur I, B5, 44) : 20, av. des Fleurs, 06000. ☎ 04-93-96-86-00. ● nice@hotel-armenonville.com ● hotel-armenonville.com ● Ouv tte l'année. Doubles avec douche ou bains et TV satellite 61-97 € selon confort et saison. Parking privé gratuit. Un digestif maison et un petit déj par pers et par nuit offerts sur présentation de ce guide. Une adresse pleine de charme (pour peu que l'on ferme les yeux sur les immeubles qui l'encerclent) à prix raisonnables pour la ville. Jolie villa début XIXe siècle (avec colonnades, vitraux...), flanquée d'un jardin fleuri. Treize chambres seulement, pouvant accueillir de 1 à 4 personnes, à la déco correspondant à l'esprit de la maison, dont la rénovation gomme petit à petit l'aspect un peu désuet. Les plus chères sont spacieuses, climatisées et donnent sur le petit jardin. Accueil très attentionné. Internet et wi-fi.

🛏 **Villa Rivoli** (plan couleur I, B6, 65) : 10, rue de Rivoli, 06000. ☎ 04-93-88-80-25. ● reservation@villa-rivoli.com ● vil larivoli.com • *Ouv tte l'année. Doubles 54-82 € selon saison, avec sanitaires complets, TV, wi-fi... ; quelques familiales. Parking privé payant.* À deux pas de

la plage et tout près du centre. Chambres refaites à neuf avec un petit balcon pour la plupart. Petit jardin à venir.

De plus chic à beaucoup plus chic

🛏 **Hôtel Windsor** *(plan couleur I, C5, 46)* : 11, rue Dalpozzo, 06000. ☎ 04-93-88-59-35. • contact@hotelwindsornice. com • hotelwindsornice.com • *À l'angle de la rue du Maréchal-Joffre, pas loin de la promenade des Anglais. Doubles 85-170 € selon confort et saison. Parking privé payant. Café offert sur présentation de ce guide.* Quand la chambre n'est plus seulement un lieu de repos et devient un musée ! Le *Windsor* est un hôtel, certes, mais il est plus que ça. Tous les amateurs d'art contemporain trouveront ici leur bonheur. Sur les 57 chambres de cet hôtel, plus d'une vingtaine sont les œuvres d'artistes contemporains à qui on a laissé libre cours. Dormir dans les chambres Ben, Le Gac, Parmiggiani, Olivier, Barry, etc. Chacune diffuse le message de l'artiste qui l'a conçue, avec des mots, des couleurs, des matières, une déco ou du mobilier. On n'a que l'embarras du choix. Même les oiseaux qui chantent au bord de la piscine sont l'œuvre, pour certains, de créateurs de musique contemporaine ! Les autres chambres, à la déco plus consensuelle mais tout aussi soignée, ne sont pas en reste et offrent charme et confort. Également sauna, hammam, salle de relaxation sous le toit, avec possibilité de massage bercé par une musique cool... De plus, les prix ne sont pas délirants pour ce genre de lieu, et l'accueil est plutôt simple et avenant. Que demander de mieux ? En tout cas, c'est un total coup de cœur.

🛏 **Hôtel de la Fontaine** *(plan couleur I, C6, 47)* : 49, rue de France, 06000. ☎ 04-93-88-30-38. • hotel.fontaine@ wanadoo.fr • hotel-fontaine.com • *Doubles avec douche et w-c, TV satellite et wi-fi 87-125 € selon saison. Réduc de 10 % sur le prix de la chambre en basse saison sur présentation de ce guide.* Les chambres sont confortables et bien tenues, bien qu'un peu petites pour un 3-étoiles. Essayez d'en obtenir une côté cour, celles sur rue pouvant

être légèrement bruyantes. Le patio permet de prendre un petit déjeuner copieux au son délicat du glouglou de la fontaine. La maison est en plein centre de Nice, à deux pas de la mer et de la rue piétonne (rue de France).

🛏 **Hôtel Vendôme** *(plan couleur zoom, D5, 48)* : 26, rue Pastorelli (à l'angle de la rue Alberti), 06000. ☎ 04-93-62-00-77. • contact@vendome-hotel-nice.com • vendome-hotel-nice. com • *Ouv tte l'année. Doubles 87-144 € selon saison ; petit déj 12 €. Parking payant. Sur présentation de ce guide, 10 % de réduc sur le prix de la chambre et le petit déj 21 mars-31 oct.* Impossible de manquer cette demeure cossue, ce bel hôtel particulier de la seconde moitié du XIXᵉ siècle, carré et massif, qui a conservé toute son élégance avec escalier de fer forgé et salon grand style orné de moulures. Si l'extérieur évoque le passé, l'intérieur est au confort du jour : 56 chambres lumineuses, agréables, bien équipées : salle de bains, clim', TV (câble et Canal+), minibar et wi-fi.

🛏 **Hôtel Massenet** *(plan couleur I, C6, 49)* : 11, rue Massenet, 06000. ☎ 04-93-87-11-31. • hotelmassenet@wanadoo.fr • hotelmassenet.com • ⚘ *Dans un bout de rue semi-piétonne, au fond d'une petite allée. Doubles avec bains 80-105 € selon saison ; petit déj 8 €.* Un lieu de résidence au calme, entièrement rénové, à deux pas de tout et surtout de la plage. Confort 3 étoiles. Chambres à la déco tristounette mais qui restent confortables, modernes et fonctionnelles. Certaines plus grandes que d'autres ou dotées d'une terrasse. Accueil très professionnel.

🛏 **Villa Victoria** *(plan couleur I, C5, 51)* : 33, bd Victor-Hugo, 06000. ☎ 04-93-88-39-60. • contact@villa-victoria.com • villa-victoria.com • *Doubles avec douche et w-c ou bains 90-160 € selon saison et vue ; petit déj 15 €. Parking payant. Un petit déj offert par pers et par nuit sur présentation de ce guide.* Un hôtel classique et charmant à la fois. Une quarantaine de chambres pas bien grandes mais très bien équipées et confortables. Confort 3 étoiles : clim', minibar, TV satellite, presse-pantalon... Ça, c'est pour le côté classique. Le côté charme, c'est le jardin-terrasse sur l'arrière, fort agréable et généreux, où règne une douce atmosphère au moment du petit déj (par ailleurs d'excellente tenue). Petit kiosque central et bougainvillées débordantes. Quelques transats. Accueil irréprochable.

🏠 **Hôtel Le Grimaldi** *(plan couleur I, C5, 52) : 15, rue Grimaldi, 06000.* ☎ *04-93-16-00-24.* • *info@le-grimaldi. com* • *le-grimaldi.com* • *Ouv tte l'année. Doubles 90-110 € selon standing et saison ; petit déj 15 €. Parking public à côté. Réduc de 10 % sur le prix de la chambre en basse saison sur présentation de ce guide.* Très bien situé et accueillant. Un 4-étoiles de charme à taille humaine, où les chambres, avec salle de bains, clim', TV satellite et minibar, sont décorées avec un grand sens du raffinement, dans un style classique, frais et élégant. C'est du sans-faute. Remarquez, heureusement, vu le prix ! Les chambres qui donnent sur la rue sont calmes. Plus on monte, plus elles sont lumineuses (sans pour autant qu'aucune ne soit sombre).

🏠 **Hôtel Masséna** *(plan couleur zoom D5, 50) : 58, rue Gioffredo, 06000.* ☎ *04-92-47-88-88.* • *info@hotel-massena-nice.com* • *hotel-massena-nice. com* • 🍴 *En hte saison, doubles 145-305 € ; excellent buffet au petit déj 18 €. Garage payant. Sur présentation de ce guide, un petit déj par pers et par nuit offert ainsi que 10 % de réduc sur le prix de la chambre oct-mars.* Un 4-étoiles à deux pas de la Promenade. Chic, moderne et excellent service ;

110 chambres d'un remarquable confort. Évidemment, déco cosy et lumineuse. Les chambres les moins chères permettent déjà de profiter de cette atmosphère au prix d'un petit 3-étoiles. *Room service* 24h/24. Un rapport qualité-prix intéressant.

🏠 **Hi Hôtel** *(plan couleur I, B6, 53) : 3, av. des Fleurs, 06000.* ☎ *04-97-07-26-26.* • *hi@hi-hotel.net* • *hi-hotel.net* • 🍴 *Doubles avec douche et w-c ou bains, TV satellite écran plat et DVD, Internet et wi-fi 139-215 €, petit déj bio compris.* Le plus particulier des hôtels niçois. Entièrement conçu par le designer Matali Crasset, ancienne collaboratrice de Philippe Starck. Neuf concepts très pensés pour une quarantaine de chambres à tester plus qu'à décrire. Même si l'on ne résiste pas à l'envie de vous évoquer, en vrac, les branches de châtaignier tressées qui isolent la salle de bains de la chambre « Up & Down », l'irrésistible envie de jouer les Robinson Crusoé à la vue de la chambre « Indoor », la sérénité de l'immaculée « White & White » troublée par la découverte de ce qu'on pensait être un lit à baldaquin et qui s'avère être une baignoire... Minimaliste et coloré, intrigant, très moderne et rigolo. Sans oublier une piscine en forme de pot de fleurs géant posée sur le toit, un bar surplombé par une nacelle qui semble en lévitation, une ambiance tranquille et un accueil qui ne se la joue pas du tout (alors, que parfois, dans ce genre d'endroit...). Un lieu hors normes, qui tient plus de l'expérimentation hôtelière que du couchage de luxe. Ici, on perd facilement ses repères et l'on se sent un peu fou. Pour vivre cette expérience, venez au moins y prendre un brunch ou boire un verre (voir plus loin). Les prix sont beaucoup plus abordables, aucune raison de se priver, donc.

Autour de la vieille ville

De bon marché à prix moyens

🏠 **Hôtel Au Picardy** *(plan couleur zoom, E5, 54) : 10, bd Jean-Jaurès, 06300.* ☎ *04-93-85-75-51.* • *aupicardy hotel@free.fr* • *Ouv tte l'année. Doubles 29-36 € selon confort et saison. Sur pré-*

sentation de ce guide, un petit déj offert par pers et par nuit. À l'orée du vieux Nice, un modeste 1-étoile, étonnant avec son balcon fleuri, sa cour intérieure et son ambiance pension de famille. Quelques chambres, avec ou sans douche ou w-c. Certaines donnent sur la rue (avec double vitrage), mais la plupart ont vue sur la cour intérieure, au calme. La moins chère (la n° 6), très exiguë, donne sur un mur aveugle mais permet de se loger à tout petit prix. Un vrai bon plan si l'on n'est pas trop difficile. Accueil un peu bourru mais pas désagréable.

🛏 **Hôtel Acanthe** (plan couleur zoom, D5, **67**) : 2, rue Chauvain, 06000. ☎ 04-93-62-22-44. ● hotel.acanthe.nice.wa nadoo.fr ● hotel-acanthe-nice.cote.azur. fr ● Doubles 55-62 € selon saison ; petit déj 3-7 €. Cet hôtel, situé en plein centre-ville, tout près du vieux Nice, offre un confort rare pour un 1-étoile. Chambres avec douche et w-c, TV, assez petites mais parfaitement tenues. Ascenseur et distributeur de boissons.

De plus chic à beaucoup plus chic

🛏 **Hôtel-meublé Cresp** (plan couleur zoom, D6, **55**) : 8, rue Saint-François-de-Paule, 06300. ☎ 04-93-85-91-76. ● hotelcresp@aol.com ● Doubles avec douche et w-c 55-85 € selon vue, confort et saison. Réduc de 10 % à partir de 3 nuits et en basse saison, sur présentation de ce guide. À l'étage, un de ces petits hôtels meublés typiquement niçois : des chambres (à kitchenette) un peu hors d'âge mais peu à peu rénovées ; des habitués fidèles à la maison depuis des décennies et dont l'accueillante proprio sait tout ou presque, et quelques routards étrangers qui lézardent sur la grande terrasse, avec la mer comme seul vis-à-vis. Un emplacement en or, à deux pas de la plage et du cours Saleya.

🛏 **Hôtel Villa La Tour** (plan couleur zoom, E5, **66**) : 4, rue de la Tour, 06300. ☎ 04-93-80-08-15. ● reservation@villa-la-tour.com ● villa-la-tour.com ● Ouv tte l'année. Doubles 48-139 € selon confort, vue et saison. Sur présentation de ce guide, réduc de 10 % sur le prix de la chambre. C'est bien simple, voici le seul hôtel de la vieille ville, accolé à la fière tour de l'horloge. Ce qui pourrait n'être qu'un petit hôtel est en train de devenir une vraie très belle adresse de charme. L'hôtesse des lieux, la charmante Barbara (passée par le Negresco), malgré la qualité de son accueil et son goût sûr, ne pourra certes pas pousser les murs des chambres (bien petiotes) ni agrandir les couloirs. Cependant, dans le genre, il faut avouer qu'elle est parvenue à tirer le maximum de son établissement : salon cosy, 16 chambres coquettes et arrangées avec intelligence, toutes avec sanitaires, air conditionné, sèche-cheveux, coffre... Minuscule terrasse qui domine les toits. Service vraiment pro.

Autour du port et du mont Boron

Bon marché

🛏 **Auberge de jeunesse du mont Boron** (plan couleur II, G5, **56**) : route forestière du Mont-Alban, 06300. ☎ 04-93-89-23-64. ● nice@fuaj.org ● fuaj. org ● De la gare, prendre par exemple le bus n° 17 jusqu'au centre, puis le bus n° 14 jusqu'à l'auberge, située à l'orée du parc du mont Boron. Permanence 6h30-12h, 17h-minuit. Congés : nov-mars. Nuitée 16 €, petit déj et draps compris. Carte FUAJ obligatoire et vendue sur place. Petite maison provençale adossée à la forêt du mont Boron. Vue fantastique sur Nice, le port et la baie des Anges. On comprend pourquoi les routards du monde entier s'y bousculent ! Dortoirs de 6 à 8 lits (non mixtes !). Cuisine à disposition. Accueil sympa et bonne ambiance. Superbe balade à faire jusqu'au fort (30 mn) avec vue sur la rade de Villefranche-sur-Mer et Saint-Jean-Cap-Ferrat. Attention, réservation par Internet uniquement. Sinon, il faut téléphoner le jour même ou se rendre sur place ; les disponibilités pour la nuit sont affichées à l'entrée.

Plus chic

🛏 **Hôtel Villa La Malouine** *(plan couleur II, G5, 57)* : 62, bd Carnot, 06300. ☎ 04-93-89-56-80. ● nicholas.baradel@wanadoo.fr ● villamalouine.com ● Ouvtte l'année. Doubles avec douche et w-c ou bains, TV câblée 65-85 € selon saison. Parking privé payant. Au fond d'une impasse où l'on échappe à l'intense circulation du boulevard. Villa fin XIXᵉ siècle, construite, paraît-il, pour une aristocrate russe (on ne saisit pas vraiment le rapport avec Saint-Malo...). Dix chambres seulement, décorées à l'ancienne pour la plupart, d'un certain charme pour certaines. Terrasse pour prendre son petit déjeuner. Jardin verdoyant et jacuzzi. Accueil discret.

🛏 **Hôtel Agata** *(plan couleur II, F5, 58)* : 46, bd Carnot, 06300. ☎ 04-93-55-97-13. ● info@agatahotel.com ● agatahotel.com ● À 100 m du port. Doubles avec bains, w-c et TV satellite env 68-105 € selon saison. Garage et parking privés payants. L'immeuble, un parallélépipède de béton posé au bord du boulevard, n'a aucun charme. Mais les chambres, vu le confort (c'est un 3-étoiles), présentent un excellent rapport qualité-prix pour la ville. Déco style contemporain fonctionnel, clim' et, pour les plus chères, balcon avec une jolie vue sur la mer... Accueil qui ne demande qu'à se décoincer.

À Cimiez et dans les collines

Bon marché

🛏 **Relais international de la jeunesse Clairvallon** *(hors plan couleur III par D1, 59)* : 26, av. Scuderi, 06100. ☎ 04-93-81-27-63. ● contact@clajsud.fr ● claj sud.fr ● Bus n° 15 de la gare ; arrêt « Scuderi », puis 10 petites minutes à pied. Ouv tte l'année. Compter 17 €/pers en chambre de 4-8 lits, petit déj et draps inclus. Menu 10 € servi midi et soir. ½ pens 26 €/pers. Café offert sur présentation de ce guide. Souvent de la place. Ensemble de bâtiments récents autour d'une ancienne maison bourgeoise. Emplacement privilégié au milieu d'un superbe parc avec piscine, dans un tranquille quartier résidentiel aux limites de Cimiez, non loin donc des arènes et des musées Matisse et Chagall. En été, on prend le repas dans le parc, sur la belle terrasse ombragée. Dépôt des bagages le matin, accueil (très sympa) à 17h.

De prix moyens à plus chic

🛏 **Hôtel Floride** *(plan couleur III, D3, 60)* : 52, bd de Cimiez, 06000. ☎ 04-93-53-11-02. ● info@hotel-floride.fr ● hotel-floride.fr ● Entre le centre-ville et les musées de Cimiez, à mi-hauteur de la colline et facile à rejoindre par le bus n° 15. Congés : 3 sem en janv et 2 sem fin juin-début juil. Doubles avec douche et w-c ou bains 53-70 € selon saison ; triples à bon prix. Parking gratuit. Grande bâtisse de style vaguement mauresque (arcs de fenêtre outrepassés) qui abrite un 2-étoiles fonctionnel, confortable et propre. Pas de charme particulier, mais des couleurs claires (dominante de vert et jaune) et un bon accueil. Si vous craignez le bruit du boulevard, demandez une chambre donnant sur la côte et en hauteur (ascenseur). Parfait pour ceux qui veulent être un peu à l'écart du centre.

Beaucoup plus chic

🛏 **Hôtel du Petit Palais** *(plan couleur II, E4, 61)* : 17, av. Émile-Bieckert, 06000. ☎ 04-93-62-19-11. ● reservation@petitpalaisnice.com ● petitpalaisni ce.fr • *Doubles avec bains 90-170 € selon confort et saison ; petit déj 13 €. Parking 10 €. Sur présentation de ce guide, réduc de 10 % sur le prix de la chambre en basse saison.* Superbe demeure de style, ayant appartenu à Sacha Guitry, située sur les pentes de la colline de Cimiez. Calme total (c'est un *Relais du Silence*), vue extra, accueil très pro. Avec ses 25 chambres modernes, coquettes, fraîches et fonctionnel-les à la fois, voici une adresse de luxe qui a su rester familiale tout en proposant un service de haute tenue. Vue sur jardin, balcon sur mer, petite terrasse, il y a le choix. On a adoré les chambres du 1er étage, où la vue se découvre de la vieille ville jusqu'à la mer. Atmosphère feutrée, cosy et lumineuse. Excellent petit déjeuner-buffet, accueil classe et fort gentil à la fois.

Où dormir en chambres d'hôtes à Nice ?

Quelques adresses pour ceux qui apprécient le côté champêtre, les vues dégagées, et qui ne craignent pas de faire quelques kilomètres. Attention, même s'il s'agit de chambres d'hôtes, les prix subissent ici la version Côte d'Azur.

🛏 *Chambres d'hôtes, chez Michèle Gollé* (hors plan couleur III, par B1) : 69, vieux chemin de Crémat, raccourci n° 3, 06200. ☎ 04-93-37-94-31. • mi chelle.golle@orange.fr • http://perso. orange.fr/michele.golle • *Dans les collines. Doubles 100 € avec petit déj ; une très grande 130 €. L'une d'elles est reliée à d'autres chambres et peut accueillir jusqu'à 6-7 pers (env 250 €). Apéritif maison offert sur présentation de ce guide.* Pas si facile à trouver, alors appelez pour vous faire expliquer le chemin. On adore cette maison ! Elle fait le lien entre une structure traditionnelle et une disposition très moderne des volumes, ouverte et généreuse. Tout autour de la maison, un vaste jardin à la pelouse impeccablement verte, élégamment arboré, seulement troué par le bleu d'une belle piscine. Les chambres, agencées sur plusieurs demi-niveaux, témoignent du style années 1980 dans le meilleur sens du terme : moquette, baignoire noire, lit sur estrade pour les plus marquées ; d'autres restent plus classiques, mais toutes sont arrangées avec le souci du bien-être. Et puis, pour ceux que trop de modernité effraie, toujours une référence au bois : poutres, portes, objets anciens, mobilier. Décidément, une maison à personnalité, tout comme la maîtresse des lieux.

🛏 *Chambres d'hôtes Le Castel Enchanté* (hors plan couleur I par A4) : 61, route de Saint-Pierre-de-Féric, 06000. ☎ 04-93-97-02-08. • contact@ castel-enchante.com • castel-enchan te.com • *Chambres 100-110 € selon saison, petit déj compris.* Sur les collines au nord-ouest de la ville, avec une vue dégagée, une jolie demeure à l'italienne avec ses avancées, ses balustrades de pierre, la classe quoi ! Pas mal de charme dans l'ensemble (armoires à l'ancienne) et des attentions particulières dans les chambres (fleurs fraîches). Beaucoup de couleurs de manière générale et grand sens de l'accueil de la part de votre maîtresse de maison. Petite piscine bienvenue.

🛏 *Chambres d'hôtes La Lézardière* (hors plan couleur II par G5) : 87, bd de l'Observatoire, 06300. ☎ 04-93-56-22-86. • rpaauw@free.fr • villa-nice.com • *À Mont-Boron. Quatre chambres 90-136 € pour 2 pers selon taille, confort et saison, petit déj compris. Fait aussi table d'hôtes (cuisine thaïe).* Maison des années 1980, édifiée dans le style méditerranéen, avec large terrasse abritée, avalanche de toits, belle pelouse, piscine et vue plongeante sur la ville et la grande corniche dominant le Paillon (et le bras de l'autoroute, mais pas d'inquiétude, elle est loin et l'on n'entend rien). Chambres sympathiques et fort bien équipées. Souriant accueil thaïlando-néerlandais. Si vous avez prévu de venir en famille, sachez quand même que les enfants ne sont acceptés qu'au-delà de 10 ans.

Où manger ?

Dans le vieux Nice

Sur le pouce

Dans le vieux Nice, de nombreuses spécialités délicieuses et vraiment pas chères, à l'heure du marché, cours Saleya. Faites donc une pause casse-croûte (la fameuse *merenda*) ! On doit souvent faire la queue pour avoir une part de *socca*, grande crêpe à base de farine de pois chiches, ou de pissaladière, tarte à l'oignon garnie de filets d'anchois et d'olives (elle tient son nom du *pissala*, condiment à base d'anchois et qui donna son nom à... la pizza !). Vous trouverez tout ça *Chez Thérésa*, qui a son stand au milieu du cours. Elle a son franc-parler et semble tout droit sortie d'une nouvelle de Mérimée, autant dire que c'est un personnage à Nice ! Le four est situé à deux rues de là et les plaques arrivent au fur et à mesure, toutes fumantes, toutes croustillantes. Et quand y'en a plus et ben, y'en a plus ! Malgré cela, on continue à préférer celle de *Chez Pipo* (voir « Où manger ? Autour du port »). Sinon, offrez-vous votre premier vrai pan-bagnat : un de ces célèbres sandwichs aux anchois, tomates, olives, etc., que vous trouverez encore meilleur si vous le dévorez face à la mer. Même si les Niçois vous disent que le pan-bagnat n'est vraiment bon qu'à la maison, avec le pain bien imbibé d'une excellente huile d'olive et des tomates du pays, ou mieux encore, du jardin !

Un conseil quand même, attendez la fin du marché : les fruits et légumes sont vendus bien moins cher passé le carillon de midi. À cause de la chaleur, bien sûr ! D'ailleurs, concernant le marché, il faut savoir que les vrais producteurs vendent leurs propres produits principalement sur la place Gautier. Les autres, tout le long du cours, sont essentiellement des revendeurs. Un autre truc, de manière générale, ceux du bout du cours sont un peu moins chers que ceux du début. Allez savoir pourquoi !

|●| *René Socca* (plan couleur zoom, E5, **129**) : 2, rue Miralheti, 06300. ☎ 04-93-92-05-73. À l'angle de la rue Pairolière. Tlj sf lun 9h-21h. Évidemment, c'est un peu l'usine à *socca* ! Mais le débit implique la fraîcheur. Un petit creux ? Et l'on s'envoie avec plaisir une belle part de *socca* brûlante, un morceau de pissaladière ou un pan-bagnat pour 2 à 3 €, assis comme tout le monde aux tables de bois de la terrasse. Ambiance typique pour un prix très abordable. En revanche, évitez fritures et autres beignets, ils sont réchauffés.

De bon marché à prix moyens

|●| *Acchiardo* (plan couleur zoom, E6, **70**) : 38, rue Droite, 06300. ☎ 04-93-85-51-16. Tlj sf w-e. Congés : août. Le midi, plat du jour env 13 € ; carte env 23 €. Café offert sur présentation de ce guide. Encore une adresse à recommander à celles et ceux qui veulent vivre dans le vrai cœur de Nice sans se montrer trop regardants sur les détails. Depuis 1927, les toiles sont cirées, les reparties vont bon train au comptoir où se retrouvent les anciens, tandis que les tripes et la daube partent chaud devant, sans oublier la *merda dé can*. Excellents raviolis à la bolognaise, au pistou, au gorgonzola... On aime bien ce petit coin. En plus, le patron est aimable, alors...

|●| *Bar de la Bourse* (plan couleur zoom, E5, **71**) : 15, pl. Saint-François, 06300. ☎ 04-93-62-38-39. À l'entrée de la rue Pairolière, dans le vieux Nice. Ouv slt le midi. Fermé dim et lun. Plat du jour 7 €, menu 11 €. Apéritif maison offert sur présentation de ce guide. Une adresse qui ne paie pas de mine et qui est d'abord un bar fréquenté par de joviaux locaux. D'ailleurs, le touriste est parfois regardé d'un œil... disons prudent, avant que le sourire ne s'installe.

On y goûte une bonne cuisine maison, copieuse, que la Niçoise de patronne mitonne simplement. Pour les pressés, on se farcit les petits farcis au comptoir ou un assortiment de beignets de légumes, et l'on se sent plutôt bien. Service sans façons, aimable. Une adresse d'habitués.

|●| *Pasta Basta (plan couleur zoom, E6, 72) : 18, rue de la Préfecture, 06300.* ☎ *04-93-80-03-57. Tte l'année, tlj (en continu de juin à début sept). Fermé Noël et Jour de l'an. Menus 13 et 19 € ; compter 12,50 € pour un plat à la carte. Café ou digestif maison offert sur présentation de ce guide.* Le spécialiste des pâtes fraîches en propose une dizaine de sortes. On choisit alors, parmi une vingtaine de sauces (facturées à part), celle qui s'adaptera le mieux à la *pasta* de référence. Une formule rapide, saine, fraîche et peu onéreuse. Tables en terrasse, salle genre bistrot, et service décontracté.

|●| *La Tapenade (plan couleur zoom, E6, 77) : 6, rue Sainte-Réparate (à l'angle de la rue de la Préfecture), 06300.* ☎ *04-93-80-65-63. Tlj. Pizzas 8,50-10,50 € et menus 17-23 €.* Une adresse bien accueillante avec sa terrasse dans la rue piétonne. Accueil et service décontractés. Spécialités niçoi-

ses plutôt correctes, mais n'attendez quand même aucun miracle dans un lieu aussi touristique.

|●| *Le Bistrot du Vieux Nice (plan couleur zoom, D5, 78) : 8, rue du Marché, 06300.* ☎ *04-93-13-45-01. ● contact@ bistrotduvieuxnice.com ● Tlj. Plusieurs formules (servies slt le midi) et menus 10-26 €. Apéritif maison offert sur présentation de ce guide.* Dans cette étroite rue très commerciale, une terrasse et une salle néorétro pour une cuisine fraîche et méditerranéenne. De très bonnes choses, d'autres plus approximatives. Prenez conseil auprès de votre serveur.

|●| *L'Escalinada (plan couleur zoom, E5, 80) : 22, rue Pairolière, 06300.* ☎ *04-93-62-11-71. ● restaurant-lescali nada@wanadoo.fr ●* ♿ *Tlj ; service jusqu'à 23h. Congés : de mi-nov à mi-déc. Un seul menu 23 € servi tlj midi et soir ; sinon, à la carte (kir et pissaladière de bienvenue compris). CB refusées.* Ici, on sert depuis plus de 50 ans les spécialités niçoises : stockfisch, porchetta, sardines à l'escabèche, petits farcis et beignets, poulpe à la niçoise et tutti quanti. On mange au pied des escaliers de la vieille ville, comme l'indique le nom de l'établissement.

Prix moyens

|●| *Lou Pistou (plan couleur zoom, D6, 82) : 4, rue Raoul-Bosio, 06300.* ☎ *04-93-62-21-82. ● loupistounice@orange. fr ● Tlj sf w-e. Plats du jour 12-17 € ; carte env 30 €.* Une vraie bonne table de quartier, recommandée par nombre d'habitués qui apprécient de pouvoir, contrairement à son illustre voisine (*La Merenda,* voir plus loin), téléphoner pour réserver, le midi, mais aussi le soir. Salle riquiqui, mais portions généreuses, malgré les entrées bien chères. Accueil un poil distant, qui se réchauffe bien vite quand arrivent les assiettes fumantes. On se régale avec une petite pissaladière autant qu'avec la daube aux blettes, on vient le mercredi ou le vendredi pour le poisson du jour, on ne se pose pas de questions existentielles, on est bien.

|●| *Dégustation d'huiles d'olive Oliviera (plan couleur zoom, E5, 83) : 2, rue*

Benoît-Bunico, 06300. ☎ *04-93-13-06-45. ● nb@oliviera.com ● Compter 15-30 € le repas.* Nadim semble être tombé dans un bidon d'huile AOC quand il était petit, tant il connaît et défend ses produits avec amour. Le personnage est sympathique et la dégustation des huiles devient un moment où les papilles sont mises en émoi. Et l'on choisit sur le petit bout de carte une assiette de fromages, des légumes en fleur, une purée d'aubergines ou un petit plat plus mijoté. Saveurs fines, fraîches et subtiles. C'est un poil plus cher qu'ailleurs, certes, mais tellement meilleur ! Vente d'huiles évidemment. Une halte indispensable pour les amateurs de l'arbre d'or.

|●| *Estocaficada (plan couleur zoom, D6, 84) : 2, rue de l'Hôtel-de-Ville (face à la mairie), 06300.* ☎ *04-93-80-21-64. ● esto.restaurant@wanadoo.fr*

Tlj sf dim et lun. Congés : nov. Menus 23-35 €. Apéritif maison offert sur présentation de ce guide. Ici, on cherche à perpétuer la tradition culinaire niçoise, sans concession ni ouverture. Ainsi, la soupe au pistou, les petits farcis, la *dauba nissarda embé li gnocchi* (daube nissarde avec des gnocchi) sont élaborés selon des recettes inchangées. Et ma foi, on s'en est léché les babines. Tradition oblige, le stockfish à la niçoise (l'*estocaficada* !) est également présent à la carte. L'orthodoxie s'arrête aux bords de l'assiette puisque la salle est claire et moderne (limite impersonnelle), avec un fond de jazz qui flotte dans l'air. Un mariage heureux de différents éléments, pour un moment dont on ne regrette rien.

|●| *La Table Alziari* (plan couleur zoom, E5, **85**) : 4, rue François-Zanin, 06300. ☎ 04-93-80-34-03. Tlj sf dim et lun. Congés : 8-21 janv, 3-9 juin, 7-20 oct et 4-17 déc. Carte 20-25 € env. Dans une ruelle en pente du vieux Nice. Une déco style Côte d'Azur, des peintures sur des murs jaunes, quelques tables dehors. Carte courte, écrite sur une ardoise. Tout est frais car les produits sont achetés chaque matin au marché du cours Saleya. Une cuisine familiale, qui met bien en valeur les saveurs régionales : petits farcis, morue à la niçoise...

|●| *La Merenda* (plan couleur zoom, D6, **87**) : 4, rue Raoul-Bosio, 06300. Pas de téléphone. Tlj sf sam, dim et j. fériés. Congés : 1er-15 août. Pas de menu ;

carte env 30 €. CB refusées. Merenda, c'est le « casse-croûte » en nissart, et ils sont nombreux à le savoir ici. À tel point que la minuscule salle (24 places en tout !) est constamment pleine à craquer. Il faut donc passer avant pour réserver... puisqu'il n'y a pas de téléphone ! Ou patienter, car il y a deux services. L'attente sur le trottoir fait d'ailleurs partie de la tradition. Cuisine authentique et pleine de saveurs, réalisée selon le marché du jour, sous la houlette de Dominique Le Stanc, un des grands messieurs de la gastronomie niçoise. Un jour ce sera les tripes niçoises, un autre le stockfish, et toujours les excellentes sardines farcies ou la soupe au pistou. Pas donné quand même.

|●| *Café de Turin* (plan couleur zoom, E5, **88**) : 5, pl. Garibaldi, 06300. ☎ 04-93-62-66-29. Service tlj 10h-23h. Formule 19,70 € ; carte env 25 €. Une institution niçoise, une maison plus que centenaire, spécialisée dans les fruits de mer. Le tout d'une fraîcheur irréprochable. Parfait pour déguster des huîtres ou un beau panaché de fruits de mer comprenant huîtres, amandes de mer, crevettes, bulots, violets... et oursins en saison. À l'intérieur, les salles ne désemplissent pas, la terrasse non plus d'ailleurs. Si c'est plein, il y a juste à côté l'annexe, *Le Petit Turin,* pour vous accueillir. Un bon conseil, venez aux heures creuses si vous voulez être chouchouté, car pendant le coup de feu, on peine à obtenir un demi-sourire.

De plus chic à beaucoup plus chic

|●| *Don Camillo Créations* (plan couleur zoom, E6, **89**) : 5, rue des Ponchettes, 06300. ☎ 04-93-85-67-95. ● donca millo.creations@cegetel.net ● Entre le cours Saleya et le front de mer. Fermé lun et dim hors saison ; lun midi, sam midi et dim en hte saison. Formules déj en sem 19-24 €, menu-carte 38 € et menu-dégustation 58 €. Digestif maison offert sur présentation de ce guide. Marc Laville, que l'on avait déjà repéré à l'autre bout de Nice quand il tenait *La Case,* a repris les rênes d'une institution niçoise, le *Don Camillo,* rebaptisé pour l'occasion *Don Camillo Créations.* Le

décor est sobrement contemporain, très élégant, voire un peu froid. Peu importe, la cuisine, méditerranéenne et créative, a de la gaieté et de la fraîcheur à revendre ! Le chef a comme complice Christophe Louche (tout droit sorti du *Negresco* et de chez Issautier) et, ensemble, ils composent un menu-carte qui change tous les deux mois. Crabe en tempura et son palet de fleur de courgettes, risotto croustillant au *tartuffo,* ris de veau servi en bocal et son soufflé de pommes de terre, nems au chocolat et glace menthe douce... voilà qui est réjouissant !

Autour du port

Sur le pouce

NICE ET SES ENVIRONS

|●| *Chez Pipo* (plan couleur II, F5, **90**) : 13, rue Bavastro, 06300. ☎ 04-93-55-88-82. Tlj sf lun (tlj sf sam en juil-août) 17h30-22h. Congés : de mi-nov à la 3e sem de déc. Compter 10-12 € pour une part de socca, une autre de pissaladière, accompagnée d'un pichet de rosé bien frais. Voici une adresse hors pair, sympa et authentique. Il y a des p'tites adresses comme ça, pas bégueules, simples comme l'amitié, qu'on a envie de partager, même si, à priori, elles n'ont rien de spécial. C'est le cas de *Chez Pipo*, derrière le port. Et on se demande pourquoi il y a tant d'animation autour de cette salle modeste, avec ses longues tables en bois sur lesquelles tout le monde se retrouve au coude à coude. Pour la *socca*, pardi ! La meilleure de la ville, à n'en pas douter. Ici, la lutte des classes est abolie. Bourgeois et ouvriers se retrouvent à la même table pour célébrer fraternellement ce plat du pauvre. Et c'est vrai qu'elle vaut le détour, comme la pissaladière et la tourte aux blettes sucrées. Vous ne mangerez que cela ici, car chez *Pipo*, on ne se disperse pas. Accueil gentil et direct.

Prix moyens

|●| *La Zucca Magica* (plan couleur II, F5, **91**) : 4 bis, quai Papacino, 06300. ☎ 04-93-56-25-27. ● rosszuc ca@free.fr ● ⚐ Ouv tte l'année, tlj sf dim et lun. Menus 17 € le midi, 29 € le soir ; repas gratuit pour les enfants de moins de 10 ans. CB refusées. Café offert sur présentation de ce guide. Bienvenue à la *Zucca* ! Que vous soyez seul, accompagné ou avec votre petite famille, la *Zucca* vous met d'emblée dans l'ambiance. Un endroit pour les grands enfants prêts à vivre un conte de fées et qui n'en reviendront pas de pouvoir dîner à la table d'un ogre végétarien, cousin de Pavarotti assurément, un certain Marco Folicardi (présent surtout le midi). Aujourd'hui, à chaque service, il refuse du monde. Pas de carte, on goûte ce qu'il veut, quand il le veut, en fonction du marché et des légumes qui mijotent dans les marmites. Dans la pénombre éclairée par de multiples bougies et des rangées de guirlandes lumineuses (venez le soir, la *Zucca* – la « Citrouille » – est encore plus magique !), vous devinez à peine ce qui vous arrive dans l'assiette : lasagnes odorantes, poivrons farcis *alla pasta*, cannellonis à la roquette, tourtes de citrouille et gorgonzola, le tout servi copieusement... Il y a aussi un bout de terrasse. Petits prix, surtout, pour une cuisine végétarienne pleine de saveurs, à base de pâtes, légumes, œufs, mais aussi légumes secs préparés avec amour (pois chiches, lentilles, haricots...). Fellini aurait aimé ; nous, on a adoré.

|●| *Sapore* (plan couleur II, F5, **73**) : 19, rue Bonaparte (place du Pin), 06300. ☎ 04-92-04-22-09. Fermé dim-lun. Congés : 2 sem autour de Noël et 3 sem en août. Menu 28 €. Une table à la mode mais qui ne se démode pas, jeune et design mais pas si folle. Antony Riou est un ancien de Dominique Le Stanc du temps du *Negresco*. Fervent de tapas, il a transposé cet art des petites bouchées à la mode italo-méditerranéenne. Ici, le calamar *a la plancha* côtoie le risotto de petits pois frais, les brochettes de poulet mariné au gingembre, le jarret de veau confit ou la tarte au citron de Menton. Avec ça, des vins sagement tarifés. Des goûts, des sourires et de la vivacité. On reviendra !

De plus chic à beaucoup plus chic

|●| *Jouni – Le Bistrot de La Réserve de Nice et L'Atelier du Goût* (plan couleur II, G6, **93**) : 60, bd Franck-Pilatte (à l'entrée du port Lympia), 06300. ☎ 04-97-08-29-98 (Bistrot) et 04-97-08-14-80 (Atelier). ● contact@jou

ni.fr • Accès en bus n° 32 ; arrêt « La Réserve ». Menus 30-45 € au Bistrot ; compter plutôt 100 € à L'Atelier. En quittant la rue Lascaris pour la mythique *Réserve de Nice*, le chef Jouni Tormanen s'est enfin offert un cadre à la hauteur de son talent. Il faut dire que ce chef-d'œuvre d'architecture Art déco, surplombant les flots, est un lieu époustouflant. Deux restos, deux cuisines, deux ambiances, un seul but : vous régaler ! Depuis sa Finlande natale, Jouni est passé par les plus grands. De Le Stanc, il a retenu la rigueur, et de Ferran Adria, la maîtrise parfaite des saveurs, des couleurs et des textures, sans oublier ses expériences chez Ducasse. Mais il ne copie personne et c'est bien de sa cuisine qu'il s'agit. Une cuisine de l'instant où la magie n'est jamais improvisée, accompagnée de vins riants et francs. En perpétuelle recherche du bon produit pour la réalisation de plats aux accents du Sud, il n'hésite pas à s'approvisionner dans les pays voisins, comme l'Espagne ou l'Italie. La plus belle adresse de Nice, assurément.

|●| L'Âne Rouge (plan couleur II, F5, **95**) : 7, quai des Deux-Emmanuel, 06300. ☎ 04-93-89-49-63. • anerouge@free.fr • ♿ Tlj sf mer et jeu midi. Fermé fév. Formule 26 € et menu 34 € le midi en sem ; menus « dégustation » 49-72 €. Une bien belle adresse pour les gourmets. Idéal pour qui rêve d'un menu tout poisson, face au port, en terrasse. Service digne d'une grande maison. Normal, Michel Devillers fait partie des grands messieurs de la cuisine niçoise, récompensé par un macaron Michelin. Il travaille le poisson à merveille : saveur, cuisson, température, présentation, tout est là. La carte est riche, et le choix cornélien à dire vrai. Au fait, pourquoi *L'Âne Rouge* ? Cherchez peut-être du côté de Pagnol et d'un certain personnage « têtu comme un âne rouge »...

Autour de la promenade du Paillon et de la promenade des Arts

De bon marché à prix moyens

|●| Au Moulin Enchanté (plan couleur II, E4, **96**) : 1, rue Barbéris, 06300. ☎ 04-93-55-33-14. Tlj sf dim et lun. Fermé fin juil-fin août. Menus 10-12 € le midi, 20 € le soir. Petite terrasse tranquille devant une salle pas bien grande, façon bistrot provençal. Cuisine de saison, maligne et goûteuse, à des prix qui font se demander si l'on est bien à Nice. Carte des vins à l'avenant. Patron qui vous raconte ses menus comme s'il était au théâtre. Pour le moulin, on ne sait pas (peut-être quelques trucs dans la déco de la salle...), mais, enchantés, on l'a été !

|●| Casa Nissa (plan couleur zoom, D5, **99**) : 55, rue Gioffredo, 06000. ☎ 04-93-80-30-19. Tlj sf lun soir, dim et j. fériés. Formules déj 10,50 € ; menus 20-34 € (animations comprises). Digestif maison offert sur présentation de ce guide. Résolument tourné vers l'Espagne et la Méditerranée en général, voici un lieu ensoleillé où l'on pioche une cuisine à la volée dans la carte à rallonge. Sympa, voilà le terme qui convient le mieux. On ne traversera pas la ville pour s'y attabler, mais si l'on est dans le secteur, la halte est accueillante : soupes, salades, pâtes, pizzas... Service avec le sourire. Chaque soir, animations avec karaoké, piano-bar, musiciens et chanteurs.

|●| La Part des Anges (plan couleur zoom, D5, **102**) : 17, rue Gubernatis, 06000. ☎ 04-93-62-69-80. • part.des.anges@wanadoo.fr • Ouv le midi lun-sam, ainsi que le soir ven et sam. Fermé dim et j. fériés. Congés : 10-20 août et 20 déc-4 janv. Carte 20-25 €. Un petit bistrot connu de tous les amoureux du vin. Juste une vingtaine de places pour s'offrir un petit pot-au-feu des familles ou une épaule d'agneau confite, l'important, comme toujours, étant que le plat soit bien accompagné. D'où le choix des vins servis au verre, car, ici, on vient « manger pour boire ». Le patron aime les vins « nature » et saura vous trouver celui qui conviendra à votre envie du moment. Autre intérêt : les vins servis à table sont au prix cave. La réservation est quasi obligatoire, vu le succès. On peut aussi se contenter d'y boire un verre. Très sympa à l'heure de l'apéro.

|●| Luna Rossa (plan couleur zoom, D5, **105**) : 3, rue Chauvain, 06000. ☎ 04-93-85-55-66. ● lelunarossa@wanadoo.fr ● Tlj sf dim, lun et sam midi. Formule déj en sem 13,50 € ; carte env 25 €. Apéritif maison offert sur présentation de ce guide. Petit resto italien doucement branché. Déco au goût du jour et cuisine à l'avenant, fine et généreuse à la fois. Pasta à manger directement dans la poêle ! Petite terrasse (dans une rue pas vraiment piétonne).

Ambiance à la décontraction.

|●| Au Petit Gari (plan couleur II, E5, **97**) : 2, pl. Garibaldi, 06000. ☎ 04-93-26-89-09. ● aupetitgari@club-internet.fr ● Tlj sf w-e et j. fériés. Congés : 1re quinzaine de janv et 2 sem en juin-juil. Résa conseillée. Formule déj 11 € ; carte min 30 €. Digestif maison offert sur présentation de ce guide. Bonne cuisine familiale à déguster dans la décontraction et sous les arcades de la place Garibaldi. Quelques plats de ménage, indémodables et irréprochables (terrine, os à moelle, escargots, andouillette, magret) et quelques plats plus actuels comme le thon mi-cuit... Une adresse discrète mais qui commence à faire parler d'elle et qui a su fidéliser sa clientèle.

Prix moyens

|●| Le Rive Droite (plan couleur II, E5, **106**) : 22, av. Saint-Jean-Baptiste, 06000. ☎ 04-93-62-16-72. ✓. Ouv tte l'année, tlj sf dim. Menus 19-35 €. Digestif maison offert sur présentation de ce guide. Une des institutions de la cuisine niçoise, l'endroit idéal donc si vous voulez manger typiquement niçois à Nice ! Un de nos coups de cœur. Immuables spécialités : beignets de fleurs de courgettes, socca d'Entrevaux au chèvre chaud, poivrons grillés au pissala, farcis, raviolis, tripes, tarte aux figues ou au chocolat en dessert. Décor sans importance mais typique, avec de grandes tables en bois d'olivier. Ambiance simple et chaleureuse.

|●| La Cantine de Lulu (plan couleur zoom, D5, **107**) : 26, rue Alberti, 06000. ☎ 04-93-62-15-33. ● lacantinedelulu@wanadoo.fr ● Tlj sf w-e et j. fériés. Congés : août et fêtes de fin d'année. Carte 27-32 €. Digestif maison offert sur présentation de ce guide. Un autre incontournable niçois. Ne pas se méprendre sur le « cantine » de l'enseigne : ce resto de poche ne dispose que d'une poignée de tables dressées face à une cuisine ouverte. Déco fraîche et pimpante. Produits sélectionnés avec exigence. Carte et menus se renouvellent régulièrement. On retrouve tous les grands classiques niçois (et méditerranéens) travaillés avec simplicité et bonne humeur, proposés sous forme de farandole gourmande. Grand aïoli le 1er vendredi du mois et stockfish le dernier.

|●| La Baie d'Amalfi (plan couleur II, D5, **108**) : 9, rue Gustave-Deloye, 06000. ☎ 04-93-80-01-21. ● info@baie-amalfi.com ● ✓ Tlj sf lun. Congés : 3 sem en juil et 1 sem en hiver. Menus 20,50 € (le midi en sem) et 30,50 € ; pizzas env 11 €. Apéritif maison offert sur présentation de ce guide. Un resto italien où les Niçois ont leurs habitudes. Les produits sont de qualité, les poissons d'une belle fraîcheur, et la cuisine joue sans fausse note sa partition transalpine.

De plus chic à beaucoup plus chic

|●| Restaurant Aphrodite (plan couleur II, D5, **109**) : 10, bd Dubouchage, 06000. ☎ 04-93-85-63-53. ● reception@restaurant-aphrodite.com ● Tlj sf dim et lun. Congés : 3 sem en janv. Menu 23 € le midi ; autres menus 35-68 € (celui du déj est une affaire). Digestif maison offert sur présentation de ce guide. Une des plus fines tables du pays niçois. Le chef, qu'on avait connu débutant à L'Auberge des Arts, a ouvert un lieu chic et chaleureux à la fois, avec une superbe terrasse fleurie où le glouglou de la fontaine sait vite vous faire oublier l'environnement boulevardier. Service appliqué mais pas coincé, clientèle qui se cherche encore, alors que la cuisine s'est déjà trouvée, toujours aussi parfu-mée et imaginative, et ce dès le premier menu. Oh ! la fleur de courgette farcie à la chair de tourteau ! Ah ! le poulpe de roche cuisiné comme un stockfish ! Pour sûr, vous allez craquer.

Autour des rues Masséna et de France

De bon marché à prix moyens

|●| *Cave Marta – Chez Charles* (plan couleur I, C5, **111**) : 3, rue François-Ier, 06000. ☎ 04-93-82-21-32. *Ouv slt le midi. Fermé dim et j. fériés. Congés : août.* Menu 14 €. À gauche, une cave à vin qu'on soupçonne d'avoir toujours été là. À droite, un bistrot de quartier où les habitués noient leur pastis au bar. Et où, le midi, on fait un sort à un petit menu type « ouvrier » : généreuse cuisine familiale, avec parfois l'accent du pays. Le patron supervise tout ça, sans jamais se départir ni de son tablier bleu ni de son sourire. Un endroit étonnamment populaire, à deux pas des plus chic rues de la ville.

|●| *La Maison de Marie* (plan couleur I, D5, **115**) : 5, rue Masséna, 06000. ☎ 04-93-82-15-93. ● lamaisondemarie@wanadoo.fr ● *Tlj. Fermé à Noël.* Menu niçois servi tlj midi et soir 19 € ; carte env 35 €. *Apéritif maison offert sur présentation de ce guide.* Au fond d'une cour où la terrasse a été joliment instal-lée, en partie sous un kiosque qui croule sous les bougainvillées. Déco élégante, au goût du jour. Cuisine fraîcheur, régu-lière et agréable, mettant le poisson à l'honneur. Si les prix de certains plats s'envolent à la carte, les pâtes ou quel-ques poissons restent raisonnables. Et puis le service, jeune, efficace et sou-riant, nous a bien plu.

|●| *Chez Davia* (plan couleur I, C5, **128**) : 11 bis, rue Grimaldi, 06000. ☎ 04-93-87-91-39. *Tlj sf lun et mar midi. Congés : 15 nov-10 déc.* Menus 16-23 € ; carte 20-30 €. *Apéritif maison offert sur présentation de ce guide.* Une adresse qui a le mérite d'être ouverte le dimanche soir quand tout est fermé. Petit resto de quartier, avec ses nappes à carreaux, proposant une bonne cui-sine de ménage, variée et d'un rapport qualité-prix intéressant. Carte des vins limitée ; on peut se contenter du pichet. Clientèle d'habitués et service avenant.

De plus chic à beaucoup plus chic

|●| *Restaurant Franchin* (plan couleur I, C6, **79**) : 10, rue Massenet, 06000. ☎ 04-93-87-15-74. *Tlj sf dim midi et lun (ouv lun soir juil-août). Congés : janv.* Menu 28,50 € ; carte env 38 €. On cra-que pour le cadre bistrot, quasiment inchangé depuis le début du XXe siècle. Mais la terrasse dans la rue piétonne est tout aussi accueillante, d'autant que l'on est bien à l'écart du flux touristique. Très intime donc ! Parfait pour déguster une cuisine dans la grande tradition française (le patron fait partie de la Confrérie de la chaîne des Rôtis-seurs !). Viandes grillées goûteuses, poissons issus de la pêche des petits bateaux et cuits à la perfection... Men-tion spéciale pour les cuisses de gre-nouille. Et l'accueil, comme on aime !

|●| *Les Viviers et le Bistrot des Viviers* (plan couleur I, C5, **116**) : 22, rue Alphonse-Karr, 06000. ☎ 04-93-16-00-48. ● viviers.bretons@wanadoo.fr ● *Tlj sf dim et sam midi pour le resto gastro. Fermé fin juil-fin août.* Au bistrot, for-mule déj 16,50 € ; au resto, menus 38-65 €. À la carte, compter 45 € au bis-trot et 55 € au resto. Deux salles, deux atmosphères : déco marine et convi-viale au bistrot, plutôt bourgeoise et aérée au resto qui le jouxte, mais les prix sont exactement les mêmes, comme la cuisine, invariablement irréprochable. La meilleure adresse de poisson de Nice ? C'est bien possible ! Aux pia-nos, David Vaqué, qui a creusé son

sillon durant quelques années chez Boyer à Reims et chez Guérard, et Jacques Rollancy qui a travaillé chez Janin, Robuchon, Taillevent, Laurent... Voilà qui explique bien des choses ! Des assiettes admirablement présentées et de délicates saveurs iodées qui ravissent les papilles, comme nous l'ont prouvé la lotte aussi bien que les homards de Bretagne ou le saint-pierre, spécialités de la maison. Et puis le soufflé aux framboises... mé-mo-rable ! On s'en délecte encore. Et pour notre plus grand plaisir, aucune concession n'est faite sur la quantité ! Les petits plus : de subtiles mises en bouche et des mignardises tout simplement exquises. Pas si cher pour une telle qualité et un service très pro, qui ne pousse jamais à la consommation.

l●l *Luc Salsedo* (*plan couleur I, C5, 114*) *:* 14, rue Maccarani, 06000. ☎ 04-93-82-24-12. *En basse saison, tlj sf mer, jeu midi et sam midi ; en hte saison, ts les soirs sf dim. Congés : janv et fin juin. Formule déj en sem sf j. fériés 26 € ; menus 42-60 €. Digestif maison offert sur présentation de ce guide.* Petite salle aux tons méditerranéens, un peu trop bourgeoise et impersonnelle à notre goût. Luc, le chef, promet quant à lui une bonne cuisine créative, avec des recettes imprégnées d'influences provençales. Le tout concocté avec des produits frais et de qualité. Les menus changent tous les 10 jours, alors on peut venir et revenir pour se régaler. Belle carte des vins, très chère malheureusement.

Autour de la gare et de l'avenue Jean-Médecin

De bon marché à prix moyens

l●l *Restaurant Voyageur Nissart* (*plan couleur I, C4, 117*) *:* 19, rue d'Alsace-Lorraine, 06000. ☎ 04-93-82-19-60. ● *in fo@voyageur-nissart.com* ● *Tlj sf lun. Congés : courant août. Formule à partir de 8 € et menus 13,90-20,90 €, qui encadrent le célèbre menu niçois à 16,99 €. Apéritif maison offert sur présentation de ce guide aux routards prenant au moins le menu niçois.* Une institution depuis trois générations. Une bonne occasion de découvrir une cuisine du pays simple et bien faite, servie copieusement par d'authentiques Niçois. Spécialités qui changent tous les jours en fonction du marché : *osso buco*, sanguins à l'huile, raviolis niçois, tarte aux courgettes... Terrasse ombragée.

l●l *Zen* (*plan couleur I, C4, 119*) *:* 27, rue d'Angleterre, 06000. ☎ 04-93-82-41-20. ♭ *Tlj. Le midi, plateaux 9-12 € ; menus 15-30 €.* Resto japonais célèbre pour ses grandes tables faisant cercle autour de plaques chauffantes sur lesquelles les cuisiniers grillent viandes ou crustacés, avant de les envoyer d'un coup de spatule dans votre assiette (pour les plus adroits...). Familles, bandes de potes, ça rigole et ça applaudit comme au spectacle. Ambiance, du coup, pas si zen que ça... À moins de se réfugier dans la salle attenante, beaucoup plus tranquille, pour quelques grands classiques de la cuisine japonaise, aimablement réalisés. Une nouveauté : le « jardin »... japonais.

l●l *Le Vin sur Vin* (*plan couleur I, D5, 120*) *:* 18 bis, rue Biscarra, 06000. ☎ 04-93-92-93-20. ● *vinsur20@hotmail.com* ● *Fermé dim. Plat du jour le midi 9,90 € ; carte env 20 €.* À l'écart de l'avenue Jean-Médecin qui compte peu de tables, en voici une qui fait la part belle aux vins de qualité mais pas seulement. Les petits plats de bistrot sur l'ardoise (ou écrits sur une bouteille) ne sont pas particulièrement locaux, mais le travail est bien fait et l'on prend plaisir à s'attabler tranquille en terrasse. Nombreux vins servis au verre.

l●l *La Gaité-Nallino* (*hors plan couleur III par D1, 122*) *:* 72, av. Cap-de-Croix, 06100. ☎ 04-93-81-91-86. ● *pan bagnanallino@orange.fr* ● ☶ *Bus n°s 15, 25 et 36 (Rimiez, Saint-Georges). Ouv slt le midi, tlj sf dim. Congés : août et la 2e sem des vac de fév. Plats et suggestions du jour 9,50-13 € ; carte env 18-22 €. Apéritif maison, café ou digestif offert sur présentation de ce guide.* Affaire familiale installée depuis 1872 ;

une institution locale, quoi ! Un bar-tabac où les habitués s'en jettent un petit et causent (avec l'accent !) football ou examens du fiston. Clientèle joyeusement hétéroclite, entre retraités de Cimiez sur leur trente et un, et professionnels du bâtiment. Et en enfilade, une salle d'auberge de village avec, dans un coin, un piano mécanique pour se souvenir de l'époque où l'on guinchait ici. Cuisine niçoise toute simple (petits farcis, pissaladière, raviolis maison, poulpe à la niçoise, daube, pâtisseries...) et service rodé.

À Cimiez et dans les collines

De prix moyens à plus chic

|●| *Chez Simon* (hors plan couleur I par A6, *123*) : 275, route de Saint-Antoine-de-Ginestière, 06200. ☎ 04-93-86-51-62. ● *restaurant-chez-simon@wanadoo.fr* ● *Accès par l'av. de La Bornala, puis, à gauche, la route de Saint-Antoine (fléchage « hôpital de l'Archet ») ; le resto se trouve au pied de l'église de Saint-Antoine-de-Ginestière. Depuis le centre, bus n°s 22 ou 60. Tlj sf dim soir (oct-Pâques) et lun soir. Résa (très) conseillée. Compter 35-38 €* à la carte. Une auberge de village dans un... village, désormais englobé dans l'agglomération niçoise. Tenue par la même famille depuis cinq générations. Et rien ne semble avoir changé depuis l'époque où – paraît-il – la reine Victoria y avait ses habitudes : terrasse sous les marronniers, vaste salle spéciale « noces et banquets », terrain de pétanque... Accueil naturellement chaleureux, cuisine goûteuse, bien sûr typiquement niçoise.

|●| *L'Auberge de Théo* (hors plan couleur III par D1, *124*) : 52, av. Cap-de-Croix, 06100. ☎ 04-93-81-26-19. ● *aubergedetheo@wanadoo.fr* ● ♿ *Bus n°s 15, 25 ou 36 ; arrêt « Courbet ». Tlj sf lun (te l'année et dim soir hors saison. Congés : 3 sem en juin-juil et de la veille de Noël au Jour de l'an. Menu le midi en* sem 16,50 € ; autre menu 30,50 €. Digestif maison offert sur présentation de ce guide. Décor d'étable de ferme avec anciens outils agricoles, grosse cheminée et charmant patio pour l'été. C'est Florence en pays niçois et toute l'Italie dans les assiettes : pâtes au brocoli et palourdes, *filleto al aceto balsamico*, escalope *valdostana*, *maccaronata* sicilienne... Une seule concession : le poisson cuit *a la plancha* ! Service efficace et sympathique.

|●| *Restaurant de l'Autobus* (hors plan couleur III par B1, *125*) : 142, av. de Gairaut, 06100. ☎ 04-93-84-49-88. *Depuis le centre, bus n°s 70 ou 76. Tlj sf mer ; ouv midi et soir en juil-août (sf dim soir et mer) et ts les midis, et les ven-sam soir en hiver. Congés : 1re sem de janv et 1re sem d'oct. Formule déj en sem 12 € ; menu 25 € dim. Bar-resto-boulangerie de campagne (ne manque que la pompe à essence !) posé depuis 1928 à côté d'un arrêt de bus (évidemment). Une de ces adresses des collines sur lesquelles le temps semble n'avoir pas de prise. Sympathique terrasse sous les frondaisons, salle à manger à l'ancienne dont les fenêtres s'ouvrent sur les vallons environnants, et bonne cuisine, d'une stricte orthodoxie niçoise.

Dans le quartier de l'Arénas

|●| *Restaurants de l'école hôtelière* (hors plan couleur I par A6, *126*) : 163, bd René-Cassin, BP 3145, 06203 Cedex 3. ☎ 04-93-72-77-79. *À côté de l'aéroport, dans le quartier moderne de l'Arénas. En bus, prendre le n° 23 jusqu'au lycée hôtelier. Ts les midis sf* w-e et vac scol ; résa obligatoire, et arriver impérativement avt 12h30. Formule 10 € et 3 menus 10-23 €. Trois restos d'application à découvrir en allant visiter le musée des Arts asiatiques ou pour toute autre bonne raison, le rapport qualité-prix étant imbattable.

Loin du centre

|●| *L'Olympic (plan couleur III, B1, **127**)* : 1, av. Ernest-Lairolle, 06100. ☎ 04-93-52-41-61. *Tlj sf dim midi. Menus 12,50-18,50 €. Digestif maison offert sur présentation de ce guide. Dans le quartier du parc Chambrun.* Un petit resto-snack de quartier en face de la rotonde du stade du Ray, d'où la présence sur les murs d'hommages marqués à l'équipe niçoise. Pour ceux qui passeraient par là, sportifs ou non, une ambiance vraiment conviviale, des carpaccios, pizzas et plats cuisinés au feu de bois (lasagnes le week-end).

Où bruncher ?

♣ *Cantine bio du Hi Hôtel (plan couleur I, B5-6, **53**)* : 3, av. des Fleurs, 06000. ☎ 04-97-07-26-26. ● hi@hi-hotel.net ● *Tlj. Formule déj 14 € et menu le soir 25 € ; brunch 25 €, boissons comprises.* Avant tout, lire notre commentaire sur l'hôtel du même nom (voir plus haut dans « Où dormir ? Autour des rues Masséna et de France »)… La recette choisie pour le dodo a été appliquée au miam-miam. Avec beaucoup moins de bonheur, malheureusement. On ne se nourrit pas de concept et d'air du temps ! Et force est d'admettre que l'on aurait préféré que ce soit bon plutôt que bio ! Autant l'avouer, ce qui est rigolo ici, c'est plus de vivre l'expérience du *Hi Hôtel* que de faire un vrai repas. On s'installe au fond de la salle-capsule sur un improbable canapé et on passe un moment… différent. Reste la solution du brunch dominical, de 11h à 17h, proposé à un prix tout à fait abordable (surtout qu'il donne droit à une séance de hammam !). Tout est bio, forcément, mais surtout c'est très correct, très frais et très varié. Donc si voulez être Hi-branché, venez bruncher !

Où boire un thé ?

♨ *Le Nocy-Bé (plan couleur zoom, E6, **140**)* : 4-6, rue Jules-Gilly, 06000. ☎ 04-93-85-52-25. ● nocy_be@yahoo.fr ● *Dans la vieille ville. Ouv 16h-0h30. Chaque sem, une soirée flamenco ou orientale. Remise de 10 % sur la note sur présentation de ce guide.* Un bar à thé, à thym (il y a plein d'infusions) et à narguilés, dans une atmosphère orientale et relaxante. Deux salles où l'on s'assied sur de gros coussins, où l'éclairage et la musique sont soft, et où l'on peut goûter à toutes sortes d'herbes séchées. En été, ils font aussi des salades de fruits frais. Pas d'alcool. Une adresse originale, qui a su trouver sa place au cœur de la vieille ville.

Où déguster une glace ?

♟ *L'Art Gourmand (plan couleur zoom, D5, **151**)* : 21, rue du Marché, 06300. ☎ 04-93-62-51-79. *Tlj 10h-19h (minuit en juil-août).* On parle de cette boutique plus loin, dans notre rubrique « Où acheter de bons produits ? », pour ses super petits gâteaux, mais on y déguste aussi d'excellentes glaces artisanales. Moins de choix et les parfums sont peut-être plus classiques que chez *Fenocchio*, mais les boules, généreusement servies, sont toutes plus délicieuses les unes que les autres. En plus, on peut goûter et on a droit à un sourire !

♟ *Fenocchio (plan couleur zoom, E5, **150**)* : 2, pl. Rossetti, 06300. ☎ 04-93-80-72-52. *Ouv de mars à mi-nov, tlj 9h-minuit.* Pour tous ceux qui n'imaginent pas une journée sans glace ou sorbet… Ici, dans cette institution niçoise, on a l'embarras du choix avec plus de 70 parfums, de tomate-basilic à pruneaux, en passant par marasquin, gingembre ou chewing-gum et fraise Tagada ! Évidemment, il y a un côté usine à fabriquer des boules (de glace) et le service s'en ressent. Chez *Fenocchio*, on ne goûte pas, non, on ne goûte pas. On paye, et tant pis si on n'aime

pas ! Au fait, si vous voulez un verre d'eau avec votre glace en terrasse, il faut aller vous servir vous-même à l'intérieur !

Où boire un verre ?

Dans la vieille ville

🍷 *La Civette du Cours* (plan couleur zoom, E6, **160**) : 1, cours Saleya, 06300. ☎ 04-93-80-80-59. Tlj 9h30-minuit (22h30 l'hiver). Parmi la multitude de terrasses qui longent le cours le plus touristique de la ville, celle-là est la plus prisée d'une clientèle discrètement branchée. C'est même, paraît-il, un des points de rendez-vous du Tout-Nice. Allez savoir pourquoi... Pour s'être posé sur d'autres terrasses, c'est notre préférée : serveurs sympas, bonne musique en fond sonore... malgré le prix élevé du demi.

🍷 *Cave de la Tour* (plan couleur zoom, E5, **168**) : 3, rue de la Tour, 06300. ☎ 04-93-80-03-31. ● cavedela tour@free.fr ● Tlj jusqu'à 20h sf dim (à partir de 12h) et lun. Joli bar à vin qui fait figure d'institution ici car il est tenu par la même famille depuis 1947. Il est surtout spécialisé dans les vins de Provence en général, et des Alpes-Maritimes en particulier (Bellet, Saint-Jeannet, île de Lérins, Saint-Paul-de-Vence...). Petite terrasse dans la rue piétonne, en plein Vieux Nice, sympa pour un apéro ou un déjeuner provençal... La plupart des vins sont proposés au verre, dont le fameux bellet ; on regrette quand même le service un peu

désinvolte et l'absence totale de conseils...

🍷 *Johnny's Wine Bar* (plan couleur zoom, E5, **161**) : 1, rue Rossetti, 06300. ☎ 04-93-80-65-97. ♿ *Ouv 17h30-0h30. Fermé lun-mer hors saison ; slt lun en hte saison. Un verre offert sur présentation de ce guide (à condition de consommer, bien sûr !)* Une adresse en couloir, prolongée d'une petite terrasse très animée (ce qui n'est apparemment pas toujours du goût des voisins...). Bière, vin ou sangria servis en pichets pas chers du tout. Ce qui en fait une adresse prisée de la jeunesse étudiante. Le patron empoigne de temps en temps sa guitare.

🍷 *Le Ghost* (plan couleur zoom, E6, **162**) : 3, rue Barillerie, 06300. ☎ 04-93-92-93-37. *En saison, tlj 21h30-2h30 ; fermé soir dim-lun en basse saison. Apéritif maison offert sur présentation de ce guide.* Un bar de nuit à la déco de club anglais : fauteuils profonds, bibliothèques... Clientèle plutôt jeune et éclectique (mais plutôt bien comme il faut, avec une légère sélection à l'entrée) qui s'éclate sur fond d'*electro funky*, de *trip hop* ou de *soul* (le jeudi). DJ, bien sûr ! Consos à prix encore raisonnables.

Autour de la promenade du Paillon et de la promenade des Arts

🍷 *Cave Wilson 1904* (plan couleur zoom, D5, **167**) : 16, rue Gubernatis, 06000. ☎ 04-93-85-33-10. ● giorgio@ cavewilson.com ● Tlj sf dim 18h-22h. Congés : 1re sem de janv, 2e et 3e sem d'août. Ce bistrot intime et feutré fera la joie des amateurs de bons vins. Au verre ou à la bouteille, et à accompagner ou non de délicieuses planches de charcuteries ou de fromages... Le patron, char-

mant et de bon conseil, n'hésite pas à déboucher ses bons crus. Prix très raisonnables pour un apéro qui sort de l'ordinaire. Également vente à emporter.

🍷 *Le Sud* (plan couleur zoom, D5, **163**) : 10, av. Félix-Faure, 06000. ☎ 04-93-80-69-72. Tlj sf dim 8h-21h (de 9h à un peu plus tard sam). Fermé entre Noël et le Jour de l'an. Belle déco : murs de pierre, ferronneries. Dans la journée, Q.G. des élèves du lycée Masséna voisin, clientèle un soupçon plus branchée en début de soirée. Expos régulières de jeunes artistes. Terrasse un peu bruyante. Carte snack : paninis, salades. Accueil et service très cool.

♟ *Smarties* (plan couleur II, E5, **164**) : 10, rue Défly, 06000. ☎ 04-93-62-30-

75. • nice-smarties@wanadoo.fr • *Tlj sf mar-mer 19h-2h30. Congés : août.* Dans le club de plus en plus étendu des bars *hype* de Nice, on a bien aimé celui-là. La salle se limite à un comptoir tout en longueur, la déco années 1970 évite l'écueil kitsch, et les choix musicaux (électro surtout) sont pertinents.

Autour des rues Masséna et de France

♟ *Keep in Touch* (plan couleur I, C6, **165**) : 5, rue Halévy, 06000. ☎ 04-93-87-07-04. • keepintouch06@wanadoo.fr ⅋. *En principe, tlj 18h-2h.* Un endroit où l'on se sent tout simplement bien : une chaleureuse déco Grand Sud, des sourires derrière le bar, une sympathique sélection de vins au verre, et des pitas et autres salades pour les petites faims. Et si la couleur n'était pas affichée dès le *rainbow flag* de l'entrée, pas sûr qu'on l'aurait classé comme bar gay... Soirées à thème de temps à autre.

♟ *Before* (plan couleur I, C5, **166**) : 18, rue du Congrès, 06000. ☎ 04-93-87-85-59. • info@before-nice.com • *Tlj sf dim et j. fériés 18h-0h30.* Une enfilade de salles et d'alcôves, qui précède un bar tout en longueur. Déco dans l'air du

temps (soit du design années 1970 revisité), qui en a fait le rendez-vous de la jeunesse dorée (très dorée !) et branchée de Nice ! Le détail qui fait tout : un joli petit plateau de toasts, canapés et autres légumes crus accompagne chaque boisson commandée.

♟ *Le Happy Bar du Hi Hôtel* (plan couleur I, B6, **53**) : 3, av. des Fleurs, 06000. ☎ 04-97-07-26-26. • hi@hi-hotel.net • hi-hotel.net • *Ouv jusqu'à minuit (1h30 w-e).* Pour l'ambiance et le décor, voir plus haut nos commentaires concernant le gîte et le couvert dans « Où dormir ? » et « Où bruncher ? ». Venir boire un verre dans une ambiance zen est une bonne approche de cet Hi-univers hors normes. En prime, le DJ résident fait de belles soirées en fin de semaine !

Autour du port

Voir nos adresses dans les rubriques suivantes.

Où écouter de la musique ? Où voir un spectacle ?

Dans la vieille ville

|○| ♟ ♪ *Le Bar des Oiseaux* (plan couleur zoom, D-E5, **180**) : 5, rue Saint-Vincent, 06300. ☎ 04-93-80-27-33. • bardesoiseaux@hotmail.fr • bardesoiseaux.com • *Ouv le midi lun-sam et le soir mar-sam. Plat du jour le midi env 12 €, sinon compter env 25 €.* Petit bar à l'ancienne qui tient son nom des oiseaux qui autrefois y volaient en liberté. On vient surtout pour les concerts organisés les vendredi et samedi soir, du genre éclectique mais acoustique (jazz, flamenco...). Organise

également un bar des sciences (2e mercredi du mois) et une soirée flamenco avec chanteurs et danseuses (2e samedi du mois). La porte à côté, le *théâtre des Oiseaux,* créé par Noëlle Perna, *show woman* talentueuse aux spectacles décapants. Si elle-même joue rarement ici, elle accueille en revanche des tas de spectacles vraiment chouettes (du jeudi au samedi soir et parfois le dimanche en matinée).

|○| ♟ ♪ *Wayne's* (plan couleur zoom, D6, **181**) : 15, rue de la Préfecture,

06300. ☎ 04-93-13-46-99. À l'entrée du vieux Nice. Tlj 12h-2h. Compter 10-30 € le repas. Vaste pub-resto (hamburgers, plats tex-mex...). Ici, c'est un peu la promenade des Anglais (des Américains, des Néo-Zélandais...) bis ! Des deux côtés du bar, personne n'aligne plus de deux mots de français. Non-anglophones, s'abstenir ! Pour les autres, ambiance garantie. La bière coule à flots (de la brune pour les blondes !). Tous les soirs, des groupes « à reprises » alignent des standards rock, blues... Plusieurs bars et pubs dans le même genre, juste à côté.

🍷 🎵 *Baroque Bar* (plan couleur zoom, E5, **184**) : 25, rue de la Croix, 06300. ☎ 04-93-80-08-74. • ebn.cg@ free.fr • ensemblebaroquedenice.org • Ouv slt 1 sam par mois, oct-fin juin, 20h30-23h. Programmation sur le site (rubrique « concerts – Baroque Bar »). Entrée : 10 €, 1 boisson comprise. Une adaptation baroque de l'atmosphère qu'on trouve dans un club de jazz. Une grande cave voûtée dans laquelle on vient écouter les solistes de musique des XVIIe et XVIIIe siècles. Quelques boissons anciennes également, comme l'*hypocrace* ou les *eaux de coriandre*.

Autour de la promenade du Paillon et de la promenade des Arts

🍷 🎵 *La Bodeguita del Havana* (plan couleur zoom, D5, **183**) : 14, rue Chauvain, 06000. ☎ 04-93-92-67-24. Tlj sf lun à partir de 19h. Happy hour jusqu'à 21h30. Bar-resto cubain installé dans un immeuble surprenant, à l'architecture métallique (évidemment...) signée Gustave Eiffel. Rien que le cadre mérite une visite. Pour le reste, *mojitos* (moyens) de rigueur, concerts latinos (à partir de 23h), cours de salsa (les mardi et mercredi à 19h30, 20h30 ou 21h30 selon niveau) et piste de danse. Spécialités sud-américaines au resto.

Où danser ?

Autour du port

🎵 🍷 *Guest's* (plan couleur II, F5-6, **190**) : 5, quai des Deux-Emmanuel, 06300. ☎ 04-93-56-83-83. Le long du port. Tlj de 18h (after work !) à 5h. Entrée gratuite. Compter 8-14 € pour un cocktail. Lounge bar à la déco feutrée et baroque. Ambiance plus intime à l'apéro, nettement plus *groovy* quand arrivent les DJs...

🎵 *La Bodeguita del Havana* (plan couleur zoom, D5, **183**) : voir plus haut « Où écouter de la musique ? Où voir un spectacle ? ».

Autour des rues Masséna et de France

🎵 *Le Klub* (plan couleur I, C6, **193**) : 6, rue Halévy, 06000. ☎ 04-93-16-87-26. Tlj sf lun et mar 0h-5h. Entrée gratuite mer et jeu, 10 € ven et dim, 13 € sam (conso incluse). Boîte gay (où les hétéros devraient pouvoir entrer s'ils ont soigné leur look...) avec une programmation électronique assez pointue. Bons DJs résidents et invités de marque. Dans un tout autre genre, grosse ambiance pour les soirées Top 50.

Où acheter de bons produits ?

Dans la vieille ville

🐚 *Alziari* (plan couleur zoom, D6, **200**) : 14, rue Saint-François-de-Paule, 06300. ☎ 04-93-85-76-92. Tlj sf dim et lun 8h30-12h30, 14h15-19h.

L'endroit où acheter une bien bonne huile d'olive, vendue dans des bidons d'aluminium superbes. L'huile est très bonne, même si elle ne bénéficie pas de l'AOC. On trouve aussi ici savons à l'huile d'olive, pâte d'olive, tapenade, picholine... Si la famille Alziari n'assure plus elle-même la fabrication, la méthode est restée traditionnelle. Pour ceux qui voudraient en savoir plus, le moulin à huile, au pied des collines, se visite du lundi au vendredi *(318, bd de la Madeleine, 06200 ; ☎ 04-93-44-45-12)*.

◈ *Le Four à Bois (plan couleur zoom, E6, 201)* : 35, rue Droite, 06300. ☎ 04-93-80-50-67. *Tlj sf lun et mar 7h-13h, 15h30-19h30*. Derrière sa vitrine de petite boulangerie de quartier, de très bons pains spéciaux (à l'olive, au thym) et quelques classiques provençaux comme les fougasses. Accueil souriant.

◈ *Confiserie Auer (plan couleur zoom, D6, 202)* : 7, rue Saint-François-de-Paule, 06300. ☎ 04-93-85-77-98. *En face de l'Opéra. Tlj sf dim et lun 9h-13h30, 14h30-18h*. Cette boutique n'a quasiment pas bougé depuis 1820 ! Elle possède un indéniable charme. Excellents fruits confits, fabriqués ici depuis toujours, ainsi que des confitures aux parfums étonnants. Les élégants emballages en font de bonnes idées-cadeaux... à moins qu'on choisisse de tout garder pour soi, c'est tellement bon !

◈ *Cave Caprioglio (plan couleur zoom, E6, 203)* : 16, rue de la Préfecture, 06300. ☎ 04-93-85-66-57. *Tlj sf dim ap-m et lun 8h-13h, 15h-19h30*. Un marchand de vin à l'ancienne avec des employés en tablier, des étagères qui croulent sous les bouteilles, des p'tits vins de pays à la tireuse. Si vous n'avez pas l'intention de grimper dans les collines, sachez qu'on trouve ici du vin de Bellet.

◈ *Barale (plan couleur zoom, E6, 204)* : 7, rue Sainte-Réparate, 06300. ☎ 04-93-85-63-08. *Tlj sf lun et jeu 7h30-13h, ainsi que sam ap-m 15h30-19h*. Une de ces inamovibles boutiques qui rassurent dans une vieille ville dont les ruelles sont ici ou là submergées par les vendeurs de souvenirs. C'est un jeune patron (ancien Meilleur Ouvrier de France) qui fabrique aujourd'hui les pâtes fraîches (gnocchis, tagliatelles, raviolis niçois...) de cette maison fondée en 1892. On y trouve également des panisses tout frais. Excellent accueil.

◈ *Le Palais d'Osier (plan couleur zoom, D5, 205)* : 3, rue de la Préfecture, 06300. ☎ 04-93-62-57-76. *Tlj sf dim et j. fériés 9h-19h*. La devanture déborde de paniers, on ne peut pas se tromper ! Tous les paniers d'osier dont vous rêviez, fabriqués ici (pour certains modèles) et vendus dans cette minuscule boutique, par la même famille depuis des lustres. Atmosphère rigolote et produits de qualité.

◈ *L'Art Gourmand (plan couleur zoom, D5, 151)* : 21, rue du Marché, 06300. ☎ 04-93-62-51-79. *Tlj 10h-19h (23h en juil-août)*. En pénétrant ici, on s'aperçoit rapidement que les plaques de cuivre au-dessus des vitrines n'ont pas grand-chose à voir avec les bons petits gâteaux qu'on y vend : Colt, Beretta, Winchester... des noms à se prendre un coup de fusil ! Non, on rigole ! C'est que la boutique gourmande est située dans une ancienne armurerie. Un bout de salon de thé en mezzanine au fond et, devant, de beaux paniers pleins de navettes au pignon, de roulés pomme-raisin et autres délices. Super glaces artisanales également (voir « Où déguster une glace ? »).

◈ *Bestagno, fabricant d'ombrelles (plan couleur zoom, D6, 206)* : 17, rue de la Préfecture (à l'angle de la rue Colonna-d'Istria), 06300. ☎ 04-93-80-33-13. *Ouv mar-sam 9h15-12h, 14h15-19h. Fermé lun... sf en cas de pluie (ça ne s'invente pas)* ! Minuscule et adorable boutique oubliée par le temps, véritable fabrique d'ombrelles, qui protègent les Niçoises du soleil (mais aussi de la pluie) depuis 1850 !

◈ *Aux Parfums de Grasse (maison Poilpot ; plan couleur zoom, E6, 207)* : 10, rue Saint-Gaëtan, 06300. ☎ 04-93-85-60-77. *Tlj sf dim ap-m et lun 10h-12h30, 14h30-18h*. Pour ceux dont la route n'irait pas jusqu'à Grasse, un tout petit magasin empli de la production d'un artisan-parfumeur : plus de 80 essences de parfums, des savons, de la lavande au litre...

Autour et dans les environs du port

⚜ **Confiserie Florian** (plan couleur II, F5, **208**) : 14, quai Papacino, 06300. ☎ 04-93-55-43-50. Tlj 9h-12h, 14h-18h30. Une confiserie de renom, surtout réputée pour ses fruits confits mais qui fait aussi des confitures, des chocolats, des bonbons et, plus surprenant, des fleurs confites (rose, jasmin, violette...). Délicieux « clémentines » et « fruits de Nice », petits bonbons locaux. Possibilité de visiter l'atelier. *Florian* ? Touristique certes, excellent assurément, très cher – trop –, c'est un fait !

⚜ **Tout pour la cave – Bouchon Ambrosio** (plan couleur II, E5, **209**) : 8-10, rue Catherine-Ségurane, 06300. ☎ 04-93-55-51-19. Tlj sf w-e 8h-12h, 14h-18h30. Tous les bouchons et le matériel de cuisine provençale dont on peut rêver : verseurs à huile d'olive, pots, paniers, ouvre-bouteilles, matériel pour cave à vins. Un bazar où c'est l'bazar, mais où l'on trouvera toujours par hasard un truc à mettre dans la cuisine, dans un placard.

Autour de la promenade des Arts

⚜ **La Part des Anges** (plan couleur zoom, D5, **102**) : excellente cave à vins.

Voir la rubrique « Où manger ? ». Grand choix de vins de Bellet.

À voir

Les musées municipaux sont ouverts de 10h à 18h. Fermés le lundi ou le mardi (voir selon les musées), ainsi que certains jours fériés (25 décembre, 1er janvier, dimanche de Pâques et 1er mai). Une carte, vendue 7 € et valable 7 jours, permet de les visiter (sauf le musée des Arts asiatiques et le musée Chagall). Tous sont gratuits le 1er dimanche de chaque mois, ainsi que le 3e dimanche pour les musées municipaux.

La vieille ville *(plan couleur zoom)*

Elle est délimitée par le château, le boulevard Jean-Jaurès et le cours Saleya. Si, au début, les premiers habitants s'installèrent sur la colline du château, dès la fin du XIIIe siècle la population descendit vers l'ouest. Au XVIe siècle, avec les travaux de fortification, plus personne n'habita la ville haute. En fait, tout le vieux Nice fut bâti aux XVIIe et XVIIIe siècles dans un style architectural finalement assez austère, peu décoratif extérieurement, simple, qui joue surtout sur la lumière et la couleur. Du jaune au rouge brique, agrémenté de ces fameux volets verts. L'absence de décor ostentatoire s'explique par le manque de recul dû à l'étroitesse des ruelles.

Il faut flâner dans le vieux Nice aux rues vivantes ou presque désertes, labyrinthe hors du temps de passages et ruelles qui fleurent bon l'Italie. N'hésitez pas à y passer de longues heures, à remarquer les nombreuses plaques sur les façades, à pénétrer dans les sombres églises et surtout à parcourir les rues marchandes où les boudins en guirlande côtoient les tee-shirts accrochés, où les poulets qui tournent à la broche regardent les sacs à main suspendus dans la boutique voisine. En fait, le vieux Nice présente des visages bien différents en fonction des moments de la journée. À l'heure du laitier, les ruelles se réveillent, la lumière s'immisce timidement et pénètre par douce effraction dans les venelles. C'est le moment de lever les yeux et de profiter des jeux d'ombres singuliers que distillent les lamelles des volets. Puis les boutiques ouvrent et occupent le terrain. Il est temps de partir à la recherche des passages encore plus étroits et de se laisser guider par son simple flair. Essayez de vous perdre, vous serez immanquablement attiré vers les plus grandes artères, flux sociaux qui drainent depuis toujours dans leur courant colporteurs et acheteurs d'hier, boutiquiers et clients d'aujourd'hui.

Sans vouloir imposer un circuit, on peut souhaiter partir à la découverte de ce vieux Nice avec quelques points de repère, histoire de ne pas louper les incontournables, comme on dit. Voici donc un itinéraire qui pénètre la vieille ville par l'ouest, en abordant, à tout seigneur tout honneur, le cours Saleya.

🏃 **La rue Saint-François-de-Paule** (plan couleur zoom, D6) : la rue la plus récente du vieux Nice, autrefois très fréquentée par la colonie étrangère (Russes et Anglais). Lieu de promenade qui reliait l'embouchure du Paillon au vieux Nice. Rappelez-vous que c'est à l'extrémité ouest de cette rue que s'élevaient les remparts. Juste derrière se trouvait le pré aux oies. On mettait des oies aux points d'entrée stratégiques de la ville, car leurs cris prévenaient de toute tentative d'intrusion la nuit (Colonna a fait pareil en 2003 dans le maquis corse, mais les oies ne l'ont pas prévenu de l'arrivée des faux randonneurs !).

Cette rue est une douce entrée en matière, puisqu'elle abrite quelques belles boutiques de renom. Au n° 24, Matisse et Tchekhov résidèrent à l'hôtel *Beau Rivage*. Une plaque le rappelle. Au n° 14, la boutique *Alziari*, depuis 1868, vend une bonne huile d'olive (voir la rubrique « Où acheter de bons produits ? »).

🏃 **L'église Saint-François-de-Paule** (plan couleur zoom, D6) : à deux pas, juste en face d'Alziari. Façade austère du XVIIIe siècle, transition entre le baroque et le néoclassique. Que l'austérité de l'extérieur ne vous empêche pas d'entrer, car l'intérieur se révèle assez harmonieux, avec un chœur en arrondi qui donne une acoustique d'une grande qualité. Dans la première chapelle sur la droite, la *Communion de saint Benoît*, attribuée à Van Loo, célèbre peintre niçois.

🏃 À côté de l'église, la boutique *Auer,* au n° 7, célèbre fabricant niçois de fruits confits tout gorgés de soleil, fidèle au poste depuis 1820 (voir la rubrique « Où acheter de bons produits ? »). La boutique très rétro, avec orgie de moulures et beaux lustres, ne vous fera pas résister à l'envie d'y pénétrer. Alors, faites-le, car ils sont très aimables. Possibilité de visiter les ateliers et de voir comment, selon les périodes, sont fabriqués fruits et chocolats. On y trouve même des fraises confites – ce qui est assez exceptionnel – absolument inoubliables.

🏃🏃 **L'opéra** (plan couleur zoom, D6) : juste en face de chez Auer. Façade typique de l'architecture Belle Époque, avec sa superbe marquise, ses lampadaires ouvragés en fer forgé. Il se trouve à l'emplacement de l'ancien théâtre municipal qui brûla en 1881. Celui-ci fut reconstruit quelques années plus tard sur le modèle du palais Garnier à Paris, dans un style pompier rassurant. Agencement intérieur à l'italienne. Ce fut d'ailleurs le dernier à être réalisé dans ce genre. L'opéra de Nice est une institution qui connaît encore de beaux jours, et surtout de grandes soirées, avec des artistes de prestige.

QUAND L'OMBRE AVAIT LA COTE !

Pourquoi a-t-on placé la façade de l'opéra dans une petite rue sur le côté opposé à la mer ? N'aurait-il pas été plus prestigieux de lui donner une façade maritime, au sud ? Eh bien, parce qu'à l'époque le soleil avait mauvaise presse et qu'il était de bon ton d'arborer une blanche peau. Les échines halées et cuivrées étant réservées aux travailleurs, aux ouvriers et agriculteurs, bref, à ceux qui courbaient l'échine. On ne pouvait donc faire pénétrer les belles bourgeoises dans l'opéra face au soleil, fût-il du soir...

🏃 Au n° 8 habitèrent le frère de *Robespierre* et de nombreux conventionnels.

🏃 Au n° 2, le *palais Hongran* du milieu du XVIIIe siècle, à la façade large et sobre, juste rythmée par des petits bouts de frontons qui dansent et de larges balcons.

NICE ET SES ENVIRONS

Bonaparte y installa ses quartiers en 1796. Il y séjourna... 15 jours. Si c'est ouvert, jetez un coup d'œil à la cage d'escalier repeinte dans un style Art nouveau.

🎭🎭🎭 *Le cours Saleya (plan couleur zoom, D-E6) :* « Tous les chemins mènent à Rome ; dans le vieux Nice, ils mènent au cours Saleya » (Louis Nucéra). Beaucoup de monde évidemment sur cette promenade datant de l'Ancien Régime, fréquentée depuis toujours et bordée au sud d'une double rangée de maisons basses à un étage, les « ponchettes ». Les terrasses des ponchettes étaient autrefois communicantes et aménagées en longue coursive. Il faut donc imaginer les belles de l'époque se baladant nonchalamment sous leur ombrelle, entre le cours et la mer qu'elles dominaient (lire également la partie « Le front de mer »). Certains disent que ce célèbre marché *(ouv tlj sf lun jusqu'à env 13h)* a perdu son âme au fil du temps. Nous, on ne trouve pas. Bien sûr, c'est plein de monde et de touristes (et alors, qui préfère qu'il n'y ait personne ?), mais il faut se laisser happer par les étals très colorés, protégés par des bâches aux larges rayures, et aussi par les boutiques et les terrasses des cafés qui animent le cours.

Au début, c'est le *marché aux fleurs (ouv jusqu'à 16h),* avec les célèbres œillets de Nice, et aussi de superbes mimosas, roses et violettes.

Plus loin, c'est le *marché aux fruits et légumes (jusqu'à 13h slt).* Fleurs de courgettes, choux-fleurs rouges, courgettes jaunes, aubergines violettes, poivrons multicolores, toutes sortes de salades incroyables (dont le mélange de certaines variétés forme le très à la mode mesclun). Sans oublier les étals de biscuits, de fruits confits et de pâtes d'amande auxquels aucun régime, si ce n'est celui de faveur, ne peut résister. Bon, attention, ce n'est pas parce qu'on est dans la région de production que les prix sont cléments ; c'est même souvent le coup de bambou. Un truc : les meilleures affaires se font sur la *place Pierre-Gautier,* puisque c'est là que se réunissent majoritairement les producteurs (qui vendent en direct leurs propres produits). Un deuxième truc : venez faire vos emplettes dans la dernière demi-heure du marché, quand ça commence à remballer. Les prix dégringolent au moment de ranger la balance. À 13h précises, y'a plus rien ! Les terrasses des restos occupent immédiatement le terrain laissé vacant.

Il faudra revenir une autre fois sur le cours, le lundi, jour où les plaisirs de bouche font place à la *brocante* (jusqu'à 17h) : vieux disques, livres, affiches, jouets de toutes sortes, argenterie 1930, etc. Pas moins cher qu'aux puces de Saint-Ouen à Paris, malheureusement, mais en chinant, on peut toujours faire des affaires sur tel ou tel objet. Négo obligatoire évidemment. Tiens, pas mal d'Italiens de la frontière viennent ici faire leurs courses.

À l'heure du déjeuner, et surtout du dîner, un conseil : vous avez tout intérêt à vous égayer dans les rues du vieux Nice et à oublier le cours, où décidément tout est trop cher pour ce qui devient plus une vaste mangeoire qu'une série de restaurants. On peut en revanche y prendre un verre avec grand plaisir en fin d'après-midi, notamment à *La Civette du Cours* (voir plus haut « Où boire un verre ? »), à l'angle du cours et de la rue de la Poissonnerie. Fréquenté par les Niçois et la jeunesse de tous bords.

🎭🎭 *La place Pierre-Gautier (plan couleur zoom, D-E6) :* au fond de cette place qui donne sur le cours, on trouve l'actuel *palais de la préfecture,* avec sa façade refaite au carême aux XVIIIe et XIXe siècles, qui alterne colonnes doriques et corinthiennes. Il s'agit de l'ancienne résidence des ducs de Savoie. Fermé à la visite ; vous ne pourrez donc pas admirer les toiles de Jules Chéret qui le décorent.

C'est de cette place que partirent les premiers carnavals de la ville, à partir de 1873. Le roi de pacotille faisait face au palais qui avait abrité la famille de Savoie : période de début de carême (Mardi gras) où il était autorisé de faire irrévérence. Et où mieux être irrévérencieux que devant le lieu du pouvoir suprême ? Ce carnaval existait déjà au Moyen Âge avant de tomber en désuétude. Il fut remis au goût du jour pour les hivernants (vacanciers d'hiver) qui, au bout d'un moment, commençaient à s'emm... nuyer, et pour reconquérir les vacanciers apeurés par les évènements de la Commune, survenue deux ans plus tôt. À tel point que les gazettes locales annonçaient les arrivées, les déplacements en ville, les invitations à prendre le thé, les soirées de chaque personnalité, et puis les bals qui étaient organisés pour animer cette société malheureuse.

🎭🎭 *La chapelle de la Miséricorde ou des Pénitents-Noirs* (plan couleur zoom, E6) : ouv slt dim pour la messe de 10h30 (sinon, visite mar ap-m 14h30-17h30). La plus belle de la ville, chef-d'œuvre du baroque, construite en 1736 d'après les plans du célèbre architecte piémontais Bernardo Vittone, et qui a été entièrement restaurée. On aime sa façade légèrement convexe avec ses élégants pilastres et chapiteaux à feuilles d'acanthe. Noter la petite fenêtre au-dessus du portail. On s'attend presque à voir monsieur le curé ouvrir ses volets au petit matin. Intérieur étonnant qui se caractérise par son volume et sa forme en ellipse (visite dans le cadre des circuits-conférences proposés par le Centre du Patrimoine – voir la rubrique « Adresses utiles »). La nef, mais aussi les chapelles, sont tout en rondeur. On est vraiment surpris par la virtuosité architecturale et le luxe de l'endroit, avec ses murs couverts de marbre coloré. L'association des stucs et des ors est parfaite. Les décors peints ont été rajoutés au XIXe siècle. *Putti* (petits anges), fresques et deux retables Renaissance à ne pas manquer. Dans la sacristie, *Retable de la Vierge de Miséricorde* de Jean Miralhet (1425) où s'exprime une immense douceur sur le visage de la Vierge et une autre *Vierge de Miséricorde* attribuée à Louis Bréa (fin du XVe siècle), le grand peintre primitif niçois. L'influence de la Renaissance italienne est très nette.

Presque en face de la chapelle, au n° 16 du cours, jolie façade de *mosaïque* dans les tons bleus, « Beurres, volailles, œufs, gibiers ». Sympa et tellement couleur locale. À deux pas, aux nos 10-12, une arche double fait le lien entre le cours et le quai des États-Unis.

🎭🎭 Empruntons un instant la petite *rue de la Poissonnerie,* sur la gauche, à l'angle avec le cours. Au n° 8, intéressant et insolite *bas-relief,* représentation d'Adam et Ève nus, le bas-ventre juste ceinturé de feuilles de vigne, et chacun armé d'un gourdin (ou de gourdes). Ça barde dans la maison ! Il date de 1584 et fut restauré récemment. Peut-être le couple attend-il que quelqu'un sorte la tête de la fenêtre pour l'assommer de concert ? Naïf, presque maladroit et original.

La rue de la Poissonnerie était le passage qui menait de la mer à la place Saint-François, grand marché aux poissons autrefois (il ne reste que quelques étals aujourd'hui).

🎭🎭 *La maison Caïs de Pierlas* (plan couleur zoom, E6) : sur la pl. Charles-Félix, qui ferme le cours Saleya à l'est. Elle est belle, elle est noble et pleine d'élégance, dans les tons ocre lumineux. Élevée au XVIIe siècle, elle appartenait au comte de Valdeblore, une famille influente dans la région, avant d'être rachetée par les Caïs de Pierlas. Fronton triangulaire décoré d'une tête de lion, long balcon à l'étage supérieur et généreuses fenêtres. Au 2e étage, les linteaux arrondis accueillent des bas-reliefs, allégories des arts : sculpture, architecture, musique et peinture (ami lecteur, remets cette liste dans le bon ordre en observant attentivement la façade). Et puisqu'on parle d'art et de peinture (habile transition), notons que cette superbe demeure fut habitée par Matisse entre 1921 et 1928. Vue plongeante sur le cours, panorama sur la mer et sur les collines. Il savait choisir ses lieux, l'Henri.

🎭 *La chapelle de la Sainte-Trinité et du Saint-Suaire* (plan couleur zoom, E6) : à l'angle du cours et de la rue Jules-Gilly. Ne se visite pas. Messe en latin le dim mat. Modeste chapelle du XVIIe siècle, de style baroque tardif – qui bascule doucement vers le classique –, où se retrouvent trois confréries de pénitents rouges (du Saint-Suaire, de la Sainte-Trinité et du Saint-Esprit).

➢ Empruntons la *rue Jules-Gilly,* du nom d'un célèbre administrateur et grand bienfaiteur de la ville, qui aida les déshérités en faisant ouvrir un asile de nuit (au n° 14), transformé aujourd'hui en accueil de nuit. Ce fut autrefois le sénat de la ville.

🐾🐾 *La rue Droite (plan couleur zoom, E5-6) :* en remontant la rue Gilly, on pénètre naturellement dans cette rue Droite, dont le tracé explique le nom. En fait, quand on y regarde de près, elle n'est pas si droite que ça. Dans toutes les villes médiévales, on appelait ainsi le chemin le plus court pour aller d'un rempart à l'autre. Elle abrite une vingtaine de galeries d'art présentant des artistes locaux. N'hésitez pas à pousser la porte, l'accueil est bon. Allez, on démarre.

🐾 *L'église du Gesù ou église Saint-Jacques (plan couleur zoom, E6) : sur la place du Gesù donnant dans la rue Droite.* Ancienne église des jésuites, inspirée du Gesù de Rome. C'est la première grande église de la ville basse. L'extérieur fut refait au début du XIXe siècle (pilastres, chapiteaux à feuilles d'acanthe, guirlandes...). L'intérieur, aménagé au milieu du XVIIe siècle (ni transept, ni chœur), accuse un style jésuite prononcé, à savoir une boîte à chaussures (forme rectangulaire) issue de la Contre-Réforme. Une nef unique, couverte de stucs dorés et de fresques représentant la vie de saint Jacques. Tout ici reflète l'éclat du baroque : chapiteaux sculptés, marbre polychrome des pilastres, avalanche de *putti* de toutes tailles, toutes formes, avec des dorures en veux-tu en voilà, des stucs peints partout, etc. Notez les travées rythmiques (alternance de petites et de grandes chapelles). Remarquez la chaire d'où dépasse un bras tenant un crucifix.

🐾 *La place du Gesù :* sur la droite quand on regarde l'église, une maison rehaussée d'arcatures lombardes. On en trouve quelques-unes de ce style dans le vieux Nice. À l'angle, *boulangerie Espuno (fermé lun, mar et fin juin) :* grande variété de pains (aux olives, au fenouil, au roquefort, à l'anis !), dont le pain spécial pour la bouillabaisse, très local. Délicieux.

🐾 Reprendre la *rue Droite,* puis à gauche descendre la *rue Rossetti.* On croise la *rue Benoît-Bunico,* qui fut le cœur du tristement célèbre ghetto de Nice. Se prolongeant jusqu'à la mer, la rue s'appelait *rue Giudaria* (traduisez « rue aux Juifs »). Une loi de 1430 ordonna qu'une rue sûre et close soit réservée aux juifs de la ville. Au coucher du soleil, chaque extrémité de la rue était fermée par des grilles. On n'avait pas prévu qu'il serait possible de s'en échapper grâce aux caves des immeubles. Au XVIIIe siècle, le roi de Sardaigne décréta que les juifs devaient porter l'étoile jaune. Déjà ! Cette disposition fut maintenue jusqu'à la Révolution. La *rue Rossetti* descend jusqu'à la place du même nom.

🐾🐾🐾 *La place Rossetti (plan couleur zoom, E5) :* certainement la plus charmante de la vieille ville, à l'harmonie presque parfaite, qui rompt soudainement avec l'imbrication des ruelles, venelles et passages du reste de la vieille ville. Elle est encadrée de demeures typiquement niçoises, proposant de fines variations de couleurs, une fontaine qui glougloute, la façade de la *cathédrale Sainte-Réparate* et de généreuses terrasses de cafés. Il faut dire que cette place fut planifiée par le chevalier Rossetti en personne, à la fin du XVIIIe siècle. Il fit racheter avec sa fortune personnelle les maisons qui l'occupaient, en vue de leur destruction. Elle ne fut finalement dessinée qu'en 1825.
À l'angle de la place et de la *rue du Vieux-Pont,* une plaque : « Ici Antonia, la marchande de journaux, et Jalliez, le normalien, héros de la *Douceur de la vie,* commencèrent leurs amours. » Il s'agit, vous l'avez reconnu, d'un extrait du tome 18 des *Hommes de bonne volonté* de Jules Romains, où celui-ci décrit admirablement le vieux Nice.

🐾🐾 *La cathédrale Sainte-Réparate (plan couleur zoom, E5) : sur la place Rossetti.* Elle date du XVIIe siècle, période à laquelle la ville basse prit le dessus sur la ville haute, doucement délaissée par les marchands et la population. Pour l'anecdote, la première mouture de la cathédrale, en pleins travaux, s'écroula sur la tête de l'évêque. Il monta au ciel direct ! L'édifice subit de nombreuses transformations au cours des XVIIIe et XIXe siècles.
Tiens, un mot sur sainte Réparate elle-même : c'est une martyre de 15 ans qu'on cherche à brûler (mais la pluie tombe), à qui on fait manger de la poix en fusion

(mais elle ne meurt toujours pas). On finit par la décapiter et son corps est placé sur une barque en Méditerranée. Les anges l'amènent jusqu'à Nice, dont elle devient la patronne. Et les anges, qui ne sont pas venus pour rien, laissent leur nom à la baie. La cathédrale offre une jolie façade baroque d'une certaine élégance : fronton triangulaire classique, pilastres, mascarons, et une paire de saints qui encadrent le portail. En haut, celui de droite est saint Pons, sénateur romain martyrisé sur la colline de Cimiez au IIIe siècle. Décapité sur les bords du Paillon, sa tête roula jusqu'à Marseille (Té, tu tires ou tu pointes ?). Notez encore ce dôme à lanterne si caractéristique, qui brille de ses tuiles vernissées à bandes émeraude, et flanqué d'un clocher ajouté au XVIIIe siècle. À l'intérieur, le plan s'inspire comme toujours de Saint-Pierre de Rome, avec sa triple nef et sa coupole sur tambour.

À noter surtout, le chœur et le remarquable maître-autel, terriblement baroques. Nef décorée de bandeaux couverts d'une frise d'angelots. Balustrade et chaire en marbre armoriées. Plusieurs chapelles richement ornementées de colonnes torses, simples ou doubles. Dans la 3e chapelle à gauche, sainte Réparate, patronne de la ville, et, en dessous, un tabernacle du XVIe siècle. Balustrade, autel et encadrement des tableaux sont en marqueterie de marbre. Dans la 4e chapelle, belle statue en bois polychrome du XVIIe siècle de Notre-Dame de l'Assomption. Nombreuses reliques, dont le squelette de saint Alexandre, qu'on invoque pour faire tomber la pluie. Dommage qu'un incendie ait détruit de nombreuses œuvres d'art (Alexandre devait dormir !).

➤ On remonte la *rue Rossetti* pour récupérer à nouveau la rue Droite, où au n° 21 (en fait, à l'angle de la rue Rossetti), on peut voir un *linteau* surmonté d'une maxime *Spes mea deus* (« l'espoir est mon Dieu »). T'as raison ! Juste en diagonale de ce carrefour, un beau mur en trompe l'œil, où il est difficile de différencier le vrai du faux.

🏛🏛🏛 **Le palais Lascaris** (plan couleur zoom, E5) : 15, rue Droite, 06300. ☎ 04-93-62-72-40. Tlj sf mar et certains j. fériés 10h-18h. Entrée gratuite pour les visites libres et visite-conférence du palais ven à 15h (3 €).

Ce palais constitue une sorte de point de départ de la route du baroque nisso-ligure qui serpente à travers les vallées et vous mènera jusqu'en Italie. Vous trouverez sur place le circuit et les infos pratiques. Plus de 80 monuments baroques sont référencés.

Ce noble palais fut édifié en 1643 pour les Lascaris-Vintimille (une des plus anciennes lignées niçoises) et resta dans la famille jusqu'à la Révolution. Le XVIIIe siècle y ajouta son empreinte avant que l'édifice ne soit vendu au début du XIXe siècle. Il fut divisé en appartements, puis finit par tomber en désuétude. La ville de Nice le racheta finalement en 1943 et le transforma en musée des Collections. Quelques belles toiles, mais ce sont surtout les superbes décors et le remarquable mobilier qu'on vient admirer.

Construite dans le style des grands palais génois, cette demeure fut influencée par les traditions locales. Riche *façade* baroque, presque trop riche pour ce vieux Nice finalement assez sobre, et qu'on a du mal à admirer à cause du manque de recul. Linteau du portail décoré d'un baroque riche. Lever les yeux pour observer les lourds balcons de pierre. Noter aussi les paires de masques aux fenêtres à fronton : les différents âges de l'homme y sont évoqués (visages d'enfants, d'adultes et de vieillards).

Le vestibule, richement décoré, accueille au plafond les armoiries de la famille Lascaris (deux aigles couronnés) mêlées à la croix de Malte, ordre auquel étaient liés les Lascaris. Sur la droite en entrant, une *pharmacie* du XVIIIe siècle. Les superbes boiseries du XIXe siècle abritent une belle collection de vases et de chevrettes (trépied de cheminée destiné à recevoir les récipients de cuisson) du XVIIIe siècle.

Grimper l'*escalier* monumental, orné en totalité de fresques hautes en couleur (XVIIe siècle) et de niches qui accueillent des bustes d'empereurs, des statues de Mars et de Vénus. Les décors des plafonds, dits « à ciel ouvert », reprennent des scènes mythologiques classiques. Au 1er *étage,* collection de pots de pharmacie et intéressantes faïences de Venise et de Marseille du XVIIᵉ siècle, plats de Moustiers, barbotines... On accède au *2ᵉ étage,* dit « étage noble » ; salons d'apparat dans le jus de l'époque, avec plafonds décorés. Le mobilier ne provient pas de la famille Lascaris, même s'il est en accord avec l'époque : boiseries du XVIIIᵉ siècle, tapisseries d'Aubusson, dont la plupart proviennent de la splendide série du *Banquet d'Antoine et Cléopâtre.* Le palais a la chance de posséder plusieurs panneaux de ce chef-d'œuvre de l'art baroque. Remarquable antichambre, séparée de la *chambre d'apparat* par une cloison de bois ajourée, soutenue par des atlantes et cariatides. Quelques petites pièces abritent des portraits de chevaliers de l'ordre de Malte et d'éminentes personnalités religieuses. Voir aussi la petite chapelle. À l'intersection de certaines pièces, noter les portes (style rocaille) à charnières asymétriques, qui permettaient de garder les portes ouvertes sans qu'elles claquent, et qui donc favorisaient les courants d'air. Le *3ᵉ étage* devrait présenter début 2009 une collection d'instruments de musique de l'époque baroque à nos jours.

➤ En sortant, à gauche de l'entrée, à l'angle de la *rue de la Loge,* ne manquez pas le boulet incrusté dans le mur. Il fut tiré en 1543 par les Turcs, alliés de François Iᵉʳ.

🍴 *La place Saint-François (plan couleur zoom, E5) :* adorable petite place avec ses arcades et ses murs jaunes où se tient chaque matin un marché aux poissons, qui semble malheureusement fondre à vue d'œil (concurrence des grandes surfaces, du surgelé ?). Belle façade restaurée (de style baroque, XVIIIᵉ siècle) de l'ancienne maison communale (mairie), surmontée d'une horloge. C'est aujourd'hui la bourse du travail.

🍴🍴 *La rue Pairolière : dans le prolongement de la rue Droite.* Une de nos préférées (autrefois rue des Chaudronniers, du nissart *pairou,* « chaudron »). Plein de chouettes commerces excellents et authentiques (fromager, pâtes fraîches, petits légumiers...). Sur la droite (angle de la rue du Four), un sympathique bazar à l'ancienne, débordant sur la rue. Il fait vraiment bon flâner dans ce bout de rue un peu à l'écart du circuit touristique habituel.

➤ Possibilité de prendre à droite la *rue Saint-Augustin,* en haut d'une brassée de marches, sur la gauche (angle avec la rue Zanin). Avant de lire ces lignes, vous aurez déjà remarqué cette treille fantastique qui a investi les balcons des 4 étages de la maison. Il paraît que pousse là un raisin de framboise (sic !) dont on dit que le vin qu'on peut en tirer rendrait fou. On n'en a pas bu ! En revanche, le raisin est, paraît-il, sublime. On n'en a pas mangé ! En tout cas, la treille est absolument superbe. Au rez-de-chaussée, la *Maison russe,* petit resto qui doit plaire aux nouveaux Russes de la côte, moins classes et romantiques que leurs aïeux du XIXᵉ siècle, d'après ce qu'on nous a dit ! En vous retournant, sur la droite, voir cette belle maison à trois niveaux, pleine de romantisme, avec ses balcons de fer forgé et ses vérandas de guingois. Quelques marches, un p'tit effort et on arrive à l'église Saint-Martin-Saint-Augustin.

🍴🍴 *L'église Saint-Martin-Saint-Augustin (plan couleur zoom, E5) :* pl. Saint-Augustin. Une des trois plus anciennes églises de la ville basse, rasée et reconstruite au XVIIᵉ siècle, puis remaniée à la fin du XIXᵉ siècle, à l'image de cette façade austère et banale d'un néobaroque (1895) peu inspiré. Elle était bordée sur la droite par un couvent de moines augustins (aujourd'hui une caserne). L'intérieur est caractéristique du baroque par le côté elliptique des volumes et le caractère composite du décor, qui fait appel à toutes les techniques de l'époque, du moment que ça brille. Une balustrade en accolade ferme le chœur. La nef est bordée de 3 chapelles qui varient en profondeur, afin de donner du rythme à l'ensemble. Toutes les fresques sont d'origine, ainsi que les marbres, les faux comme les vrais. Et puis une avalanche de *putti* (petits anges), dont certains ont le chef couvert d'une perruque Louis XIV. Dans le chœur, sur la droite, une pietà attribuée à Louis Bréa, le célèbre peintre niçois (1504). Une légende court ici : Luther y aurait dit la messe en 1514. Ce qui est sûr, c'est que Garibaldi y fut baptisé.

🍴 Sur le mur face à l'église, *bas-relief à Catherine Ségurane,* personnage (légen-daire ?) haut en couleur, devenu, au fil du temps et des déformations de la légende, l'incarnation du combat des Niçois contre les Turcs en 1543, alliés des troupes de François Ier. On la voit ici brandissant une oriflamme piquée à l'envahisseur et un battoir puisqu'elle était *bugadière* (« lavandière »).

➤ On redescend par où l'on est venu pour reprendre la rue Pairolière sur la droite, là où on l'avait laissée. Sur la gauche, la *rue de la Tour.* Sur la placette, le clocher baroque de Saint-François, du XVIIIe siècle, qui était rattaché au monastère du même nom. On aboutit enfin à l'avenue Jean-Jaurès, donnant sur la place Garibaldi.

🍴 *La place Garibaldi* (plan couleur zoom, E5) *:* c'est la limite nord de la vieille ville. Ornée autrefois par un arc de triomphe qui ouvrait la route de Turin, cette place monumentale a été conçue durant la seconde moitié du XVIIIe siècle sur ordre du duc de Savoie. Par cette place circulaire, il voulait marquer le point de départ de la route menant à Turin. Dédiée successivement au duc, à la République et aux deux Napoléon, elle ne devint Garibaldi qu'en 1870. Et elle a toujours belle allure avec ses grandes maisons ocre à arcades, surtout depuis les tout récents travaux de rénovation qui ont permis notamment l'aménagement d'une zone piétonne. À l'épo-que déjà, elle faisait le lien entre la vieille ville, le quartier du port et la partie moderne (ce qu'on appelle le centre aujourd'hui) et surtout cette fameuse route de Turin. Même si son charme est discutable, son histoire reste intéressante, surtout à cause du personnage à qui elle rend hommage. Hostile à l'annexion de Nice à la France, il prend la tête des séparatistes niçois. Il est aussi partisan de l'unification de l'Italie et mène en ce sens l'expédition des Mille. La statue monumentale du bonhomme (260 t !) a été déplacée fin 2007 en direction de la chapelle du Saint-Sépulcre pour permettre la création d'une voie de circulation.

🍴🍴 *La chapelle du Saint-Sépulcre ou des Pénitents-Bleus :* pl. Garibaldi, sous les arcades au sud de la place, au n° 7. Ouv tlj 15h-17h (voire 18h). Messe en italien dim à 10h, jeu et ven à 17h. Entrée sous les arcades. Elle fut édifiée au moment du percement de la place et possède la particularité d'être située en étage. Façade au large fronton triangulaire, assez lourde, agrémentée de doubles colonnes. Pour visiter l'église, ne pas hésiter à grimper l'escalier. On découvre un édifice baroque aux étranges proportions. L'église est très ramassée sur elle-même, avec des voû-tes en trompe l'œil. En fait, on a le sentiment que l'église elle-même est en trompe l'œil. Autre curiosité : le fond de l'église, partie qui donne sur la place, est bordé par un long balcon de fer forgé. Il fut installé là pour que le duc de Savoie puisse s'adres-ser à la foule lors de ses passages à Nice.

➤ Demi-tour ! On reprend la rue Pairolière dans l'autre sens pour regagner la place Saint-François. Un peu après la place, prendre à droite la rue du Collet.

🍴 *Les rues du Collet, de la Boucherie et du Marché :* certainement l'axe le plus commerçant du vieux Nice. On y trouve de tout, pas forcément du typique. Bouti-ques de fripes, *jeaneries* bas de gamme... manque plus qu'un fast-food dégueu pour couronner le tout ! C'est à l'heure du laitier ou à l'heure de la sieste, quand les boutiques sont fermées, qu'il fait bon se promener dans ces rues, quand les stores n'obstruent pas la vue. À l'angle de c-la rue du Marché, à gauche, la ruelle de la Halle-aux-Herbes, avec, à l'angle, un édifice très aigu.
Un peu plus loin, dans la rue de la Boucherie, face à la rue Francis-Gallo, la *porte Fausse,* ainsi nommée car les gens avaient pris l'habitude d'emprunter ce passage dans un hall d'immeuble pour pénétrer dans la vieille ville depuis le boulevard Jean-Jaurès, en guise de raccourci, sans que ce ne fût jamais une porte officielle de la vieille ville. Après la Seconde Guerre mondiale, on finit par percer une vraie porte (plutôt un passage d'ailleurs), afin de faciliter le flux humain.
On emprunte le petit bout de *rue du Marché,* pour rejoindre l'autre grande place du vieux Nice, la place du Palais.

🖐 *La place du Palais (plan couleur zoom, D6) :* la plus récente de la vieille ville, organisée au XVIIe siècle mais largement réaménagée à l'italienne en 1989, avec fontaine et terrasses qui font face à un lourd palais de justice de style néoclassique. Sur la place, le samedi matin, *marché aux livres anciens.* En tournant le dos à la préfecture, à l'angle à droite, le *palais Rusca,* notable pour sa haute *tour de l'horloge* du XVIIIe siècle. Quand on se met en dessous et qu'on lève la tête, elle a l'air d'une pagode chinoise ! Sur le flanc gauche, trois niveaux de galeries. Tout autour, des demeures très niçoises. Tiens, au n° 5, le *palais Spitalieri de Cessole.* Intéressant portail de pierre et brique, avec un travail de fer forgé qui se révèle d'un grand modernisme, sur la porte et au balcon (XVIIIe siècle). C'était la résidence d'hiver des comtes de Cessole (aristocratie locale). Possibilité de pénétrer sous le porche. Faux marbre dans les nuances de gris et, au sol, pierre de Tende (village des Alpes-Maritimes). On imagine bien les calèches pénétrant sous le porche et déposant les résidents au pied du grand escalier.

De l'autre côté de la place, au n° 15 de la *rue Alexandre-Mari,* le *palais Hérard,* résidence de moult grandes familles niçoises. Façade banale, mais n'hésitez pas à pousser la porte (normalement ouverte le matin) et à admirer l'un des plus beaux escaliers à double révolution hélicoïdale (on en connaît des mots difficiles, hein !). Remarquable envolée à double colonne, ensemble de voûtes. Ravira les esthètes. Au 1er étage, porte de bois avec grille d'aération et monogramme au centre. Au n° 17 de la rue Alexandre-Mari, à travers la porte vitrée, couloir avec plafond en trompe-l'œil (faux caissons) et sa muse musicienne dans la niche du fond.

🖐🖐 *La rue de la Préfecture (plan couleur zoom D-E5-6) :* tiens, pour se mettre en forme, au début de la rue, côté gauche, au-dessus d'une porte, deux pochetrons en médaillon. Au n° 17, à l'angle de la rue Colonna-d'Istria, jetez donc un œil à la jolie et minuscule boutique *Bestagno,* une fabrique d'ombrelles qui protègent du soleil (mais aussi de la pluie) les Niçoises depuis 1850 ! Fermé le lundi... sauf en cas de pluie (voir aussi la rubrique « Où acheter de bons produits ? »).

Au n° 23 logea et mourut, en 1840, Paganini, chez le comte de Cessole. Le musicien scandalisait ses voisins en imitant, avec son violon, les miaulements des chats. Le considérant comme possédé par le Diable, l'évêque de Sainte-Réparate lui refusa une sépulture chrétienne. On parla même de jeter sa dépouille dans le Paillon. Le comte de Cessole transporta le corps à Villefranche, puis aux îles de Lérins. Deux ans plus tard, il fut autorisé à le conduire au cimetière de Gênes. Ensuite, il y eut un nouveau transfert dans la propriété de Paganini, près de Parme, avant qu'il ne soit définitivement enterré au nouveau cimetière de Parme en 1896.

À l'angle de la rue de la Poissonnerie, au n° 22 exactement, derrière des grilles, un ensemble de *sculptures* diverses, sorte de mini-musée en plein air : bas-reliefs et armoiries de la ville de Nice du XIXe siècle, chapiteaux anciens, pierres sculptées... De là, jolie percée sur la colline.

🖐🖐 *La chapelle Sainte-Rita ou Saint-Giaume (plan couleur zoom, E6) :* l'entrée se situe rue de la Poissonnerie. Tlj 7h-12h, 14h30-18h30. Également connue sous le nom de l'église Notre-Dame-de-l'Annonciation. La façade est particulièrement quelconque, on vous l'accorde. Et pourtant, il s'agit de l'église la plus vénérée de la ville. Construite au XVIIe siècle sur les vestiges d'un édifice religieux du Moyen Âge dédié à saint Giaume (Saint-Jacques-le-Majeur), elle appartient un temps à l'ordre des carmes que la Révolution chassa. Mais les émigrés transalpins qui affluèrent à Nice au milieu du XIXe siècle apportèrent dans leurs bagages le culte de sainte Rita, dont la ferveur s'exprima ici particulièrement. Sainte Rita, sainte italienne (XVe siècle), patronne des causes désespérées, dont le prénom vient du latin *margarita* (« perle »), fut rapidement adoptée par les Niçois et fit l'objet d'une véritable vénération, au point qu'elle devint la « patronne de cœur » de la ville, détrônant l'officielle, sainte Réparate. Dorures, colonnes, chapiteaux, richesse des retables, tout le tralala baroque est au rendez-vous. Dans la première chapelle à gauche, vous découvrirez la sainte sous des brassées de fleurs, entourée de nombreux cierges allumés. Mais il vous faudra pénétrer dans la sacristie, sur le flanc gauche de la nef, qui donne accès à une chapelle bien modeste, où le culte de sainte Rita s'exerce vraiment. Bougies et fleurs (souvent des roses) sont là, sous la statue de la sainte, généralement représentée avec une plaie ouverte, purulente et nauséabonde. Comme ce n'est pas pratique à faire, on symbolise son martyre par un simple clou planté dans le front, censé évoquer la patience et l'énergie (sic !). À toute heure on voit ici quelques fidèles, ainsi qu'un modeste cahier d'école accroché à un pupitre, où jeunes et vieux, étudiants et chômeurs, malades ou bien portants écrivent quelques lignes à la sainte : requêtes, vœux, remerciements.

➤ On poursuit la rue de la Préfecture, qui devient *rue du Malonat* et qui grimpe doucement sous forme de larges escaliers vers la colline du château. Les ruelles deviennent désertes, le côté populaire du quartier s'exprime à nouveau, le silence reprend ses droits.

Tout en haut, empruntez sur la droite la *ruelle su Malonat,* qui se poursuit par la *rue de l'Ancien-Sénat* après une petite volée d'escaliers. Un échantillon de place vous attend. Oh ! Rien de spécial, mais une atmosphère différente. De hauts édifices bien niçois, un petit trompe-l'œil, des fleurs aux fenêtres et un vieux lavoir de pierre (le dernier encore visible dans le vieux Nice).

Le front de mer

🕯️ **Le monument aux morts** *(plan couleur II, E6) :* enchâssé dans la colline du château, imposant et solennel. Édifié en 1928, à la mémoire des (trop...) nombreux Niçois à avoir laissé leur vie lors du premier conflit mondial. Gigantesque urne funéraire contenant les plaques d'identité de ces morts au front, flanquée de hauts-reliefs Art déco d'Alfred Jeanniot, d'une grande puissance évocatrice. Allégorie de la guerre et de la paix. Curieusement, on retrouve le même type de personnages dans le célèbre *Guernica* de Picasso, réalisé en 1936.

🕯️🕯️ **Le quai Rauba-Capeu** *(plan couleur II, E6) :* au pied du château, sur une pointe *qui sépare le port de la promenade des Anglais. Rauba-Capeu* signifie « voleur de chapeau » en nissart... car ça souffle fort, certains jours ! Récemment réaménagé, le quai forme comme un vaste balcon (il y a même un long banc de béton) au-dessus de la mer. Et c'est de Rauba-Capeu que l'on a l'un des plus beaux points de vue sur la baie des Anges et la promenade des Anglais (peut-être encore plus beau la nuit, mais ça se discute...). On peut aussi y jouer au « cadran solaire humain ». Placez-vous dans le rond : votre ombre indique l'heure !

🕯️ **Les Ponchettes** *(plan couleur zoom, E6) :* atypique petit quartier entre la mer et la vieille ville. Après la construction de la promenade du Parc (cette rangée de maisons mitoyennes qui donnent sur le cours Saleya), le quartier s'est agrandi sur le même modèle, entre le XVIIIe et le milieu du XIXe siècle. Le front de mer présente ici un pittoresque alignement de maisons d'un étage, au toit formant terrasse, et dont les façades livrent une foule de détails architecturaux à qui prendra le temps de les détailler. Aragon et Elsa Triolet avaient trouvé refuge dans une de ces maisons pendant la Seconde Guerre mondiale. L'urbanisation du quartier (son nom vient du nissart *pounchettas,* qui désigne les petites pointes rocheuses hérissant la côte au pied du château) s'est achevée avec la construction de deux halles pour abriter notamment le marché aux poissons. Ce sont aujourd'hui deux galeries d'art municipales qui accueillent des expos temporaires *(ouv 10h-12h, 14h-18h ; fermé dim mat, lun et certains j. fériés ; entrée gratuite).* La première rétrospective consacrée à Matisse s'est d'ailleurs tenue ici en 1950. En continuant, vers la promenade des Anglais, on longe l'hôtel *Beaurivage.* Derrière sa façade, aujourd'hui bien insignifiante, ont séjourné Tchekhov, Matisse, Nietzsche, la jeune Thérèse Martin (future sainte Thérèse de l'Enfant-Jésus)...

🕯️🕯️🕯️ **La promenade des Anglais** *(plan couleur I, A-B-C6) :* c'est la célèbre façade de Nice, qui part du jardin Albert-Ier et s'étire vers l'ouest sur près de 8 km, dont deux à proximité immédiate du centre-ville.

À la fin du XVIIIe siècle, l'ancien faubourg de la Croix-de-Marbre (actuelle rue Masséna) était surtout habité par des hivernants anglais dont les riches demeures s'étendaient jusqu'à la Méditerranée. Le petit sentier qui longeait la mer fut donc bien vite surnommé par les Niçois *lou camin dei Ingles*. En 1822, le révérend Lewis Way s'installe à Nice, et c'est sous sa direction que le projet de construction d'une route de 2 m de large en bord de mer, de l'embouchure du Paillon à l'actuelle rue Meyerbeer, voit le jour. Une souscription est alors ouverte. Le 18 décembre 1823, la décision de mener à bien les travaux est adoptée sous la dénomination de *Beach Road*. Le chantier est confié en priorité à la population miséreuse. Mais devant les difficultés techniques et la non-qualification des ouvriers niçois, on finit par faire appel à des terrassiers professionnels. Le premier tronçon de la future promenade est terminé un an plus tard. La municipalité niçoise prend alors progressivement la suite de la communauté britannique.

Quelques grandes étapes : en 1844, élargissement du chemin à 4 m jusqu'à Saint-Philippe, sous l'appellation de rue du Littoral-des-Anglais. En 1856, c'est l'élargissement à 10 m jusqu'à Magnan. Pour la première fois apparaît le nom de promenade. Nouvel élargissement en 1862, où la promenade est éclairée aux becs de gaz. En 1903, on l'étend jusqu'à l'hippodrome (au niveau actuel des pistes de l'aéroport). Dans les années 1920, face à l'extension de la ville, s'impose la nécessité de poursuivre l'élargissement de la promenade. Jean Médecin, maire de l'époque, décide en 1928 de prendre ce projet à bras-le-corps. Le 29 janvier 1931, la promenade des Anglais est inaugurée en présence du duc de Connaught, frère de George V, roi d'Angleterre, en l'honneur de l'ancienne colonie britannique. Hormis les pergolas contemporaines installées dans les années 1990 et les mythiques chaises bleues aujourd'hui signées Jean-Michel Wilmotte, la Prom' (comme on dit ici), côté mer, a peu ou prou conservé son aspect des années 1930. Côté ville, c'est une autre histoire (lire ci-après la balade architecturale). Malgré la « deux fois deux-voies » noyée dans une permanente et intense circulation automobile, malgré les files de véhicules en stationnement, cette longue avenue de bord de mer conserve fière allure. Les jeunes sur leurs rollers font bon ménage avec les moins jeunes qui s'y promènent doucement. Les vélos disposent d'une piste cyclable balisée qui les emmène de Rauba-Capeu à Carras. Et, bonne nouvelle, un dimanche par mois, la circulation automobile sur la promenade est entièrement interdite entre le boulevard Gambetta et le jardin Albert-Ier pour permettre aux piétons de profiter au mieux de l'espace et du site. Bravo ! Côté mer toujours, la vaste allée qui domine les plages accueille désormais chaque été une grande exposition en plein air de sculptures monumentales (Niki de Saint Phalle a inauguré le cycle en 2002).

➤ **Balade architecturale :** la physionomie du front de mer niçois a considérablement changé au cours du XXe siècle. Les villas d'un réjouissant éclectisme architectural ont toutes ou presque disparu pour céder la place à de bien quelconques immeubles années 1950 ou 1960, sinon à d'invraisemblables constructions années 1970 (si vous passez devant l'hôpital Lenval, vous comprendrez de quoi nous voulons parler...). Le promeneur curieux ne débusquera souvent qu'une plaque apposée pour rappeler la présence ici de la maison d'une aristocrate russe ou d'un lord anglais...

Quelques vestiges subsistent toutefois de cet âge d'or, à commencer par le *palais de la Méditerranée* (au n° 17), casino inauguré en 1929, un des chefs-d'œuvre de l'Art déco en France. Fermé en 1978 au terme d'un conflit social assez dur (les œuvres d'art qu'il abritait ont été vendues pour payer les salaires des employés), puis carrément laissé à l'abandon. Sa façade a été sauvée de la démolition au dernier moment par un classement aux Monuments historiques. Longtemps en travaux et désormais rouvert, il est en passe de devenir un des hauts lieux du tourisme d'affaires (à Nice, on a toujours envie de mettre un « s ») : un casino à nouveau, des salles de spectacle, un restaurant gastronomique, un hôtel de luxe, une piscine de rêve...

Quelques numéros plus loin, un quarteron de grands hôtels a également résisté à la pression immobilière : le *Royal* au n° 23, le *Westminster* au n° 27, qui cache derrière sa façade classique un somptueux salon Belle Époque, l'imposante mais élégante façade du *West End* au n° 31 et, au n° 37, le célèbre et splendide hôtel *Negresco,* très représentatif de l'architecture Belle Époque.

Il a été construit en 1912 par Niermans pour le compte d'un Roumain, Henri Negrescou. Ce dernier avait eu du nez pour imaginer les possibilités immenses de développement touristique de la promenade. Il n'en profita même pas, car la réquisition de l'hôtel pendant la Première Guerre mondiale, pour en faire un centre de convalescence, le ruina entièrement. Romain Gary (alias Émile Ajar) y fut garçon d'étage en 1936. Classé aux Monuments historiques en 2003, il est géré depuis 1957 par Mme Augier, qui a réussi à rehausser le palace au niveau des grandes haltes internationales. Vous pouvez admirer le cadre somptueux de cet hôtel en allant boire un verre dans le hall ou au bar du rez-de-chaussée, pour un prix quasi raisonnable. Il faut voir le salon royal, avec son lustre en cristal de Baccarat, haut de 5 m et lourd d'une tonne. En dessous, un tapis d'Aubusson, le plus grand réalisé au monde, tout simplement. Véritable musée, on y trouve également des œuvres de César, Arman, Picasso...

À deux pas se trouvait un extravagant casino, hérissé de clochetons et autres minarets, posé à l'extrémité d'une jetée-promenade bâtie sur pilotis au-dessus des flots. Un des rendez-vous du Tout-Nice, dont des artistes comme Dufy et Matisse venaient recueillir l'esprit festif. Le casino a hélas été démonté par les troupes allemandes en 1943, et ses poutrelles métalliques furent utilisées pour fabriquer des défenses anti-chars... En continuant la balade vers l'ouest (autant vous prévenir, on fait vite des kilomètres !), vous découvrirez quelques belles villas fin XIXᵉ-début XXᵉ siècle, miraculeusement épargnées. Au n° 47, par exemple, la *villa Dikanski* (levez les yeux vers le balcon !). Au n° 61, derrière un jardin luxuriant, se dissimule la majestueuse *villa Furtado-Reine* (1787) où a séjourné Pauline Borghèse, sœur de Napoléon.

À hauteur du n° 63, un petit chemin conduit à travers le jardin jusqu'à la façade arrière de *Gloria Mansions,* exceptionnel immeuble Art déco (mais la façade côté rue de France – lire plus loin la partie « Le centre-ville » – est encore plus intéressante). Il a été conçu en 1934 par l'architecte Hovnanian. Inscrit à l'Inventaire des Monuments historiques. Surtout remarquable pour la virtuosité de son escalier monumental. Au n° 113, devant la façade fatiguée du *palais de l'Agriculture,* on aura une pensée pour Isadora Duncan, célèbre danseuse, morte sur la promenade, étranglée par son écharpe qui s'était coincée dans les rayons d'une roue de son cabriolet... Avec l'extravagante (mais très jolie) *villa Collin-Huovila* (au n° 139), on tient une des rares constructions niçoises *modern style.* Bel ensemble entre les nᵒˢ 165 et 167 : *La Couronne,* encore un immeuble de Dikanski, orné d'une jolie mosaïque Art déco (qu'on doit aux célèbres mosaïstes parisiens Gentil et Dourdet), flanqué de rigolotes petites maisons, la *villa Bijou* et la *villa Blanche.* On peut symboliquement terminer cette balade aux nᵒˢ 218 et 220 où subsiste un ensemble de villas anciennes, coincées entre une station-service et un hôtel de luxe à l'étincelante façade de verre et de métal. Comme un résumé de ce qu'est la promenade aujourd'hui.

Les plus courageux pousseront encore plus à l'ouest pour découvrir (si possible tôt le matin) le pittoresque petit *port de Carras* où les pêcheurs vendent à l'étal les prises de leur pêche de la nuit : daurades, loups, petits pageots.

🏊🏊 *Les plages :* 8 km de plages, pour l'essentiel publiques et gratuites. On se permettra de vous rappeler que les plages de Nice sont recouvertes de gros galets gris et blanc. Ce qui, pour y avoir déplié notre serviette, n'est pas si inconfortable que l'on pourrait le penser. Et évite, diront les pragmatiques, de repartir en ville avec du sable dans ses chaussures et ses orteils. Parce qu'à Nice, les plages sont en ville. Du cours Saleya, dans la vieille ville, il n'y a que le quai à traverser pour s'installer sur la *plage de Beaurivage* (face à l'hôtel du même nom), évidemment souvent noire de monde. Baignade surveillée, consignes, toilettes et douches chaudes, terrain de beach-volley (en sable !). Face au jardin Albert-Iᵉʳ, la *plage du Centenaire* est accessible aux handicapés. Deux terrains de beach-volley, un peu de sable autour des jeux pour enfants. On trouvera également toilettes, douches chaudes et consignes à la *plage du Forum* (à hauteur du boulevard Gambetta) et à la *plage Lenval* (face à l'hôpital du même nom). Quelques plages privées dont les portiques font partie du paysage niçois. *Castel Plage,* en contrebas du quai des États-Unis, face à l'hôtel *La Pérouse,* reste, paraît-il, la préférée des Niçois – même si la plus chic est (une fois encore, paraît-il) celle du *Blue Beach* à hauteur de l'hôtel *West-End.* Jolie déco début XXᵉ siècle pour la *plage du Neptune,* face au *Negresco.* On vous conseille, en tout cas, d'enfiler une élégante paire de nouilles en plastique, sinon, vous risquez d'avoir du mal à sortir de l'eau (et d'avoir l'air très bête). Parce que, pour le coup, les galets, ça fait mal aux pieds ! Ultime avertissement, surtout si vous avez des enfants : on perd très, très vite pied sur les plages de Nice.

La colline du Château *(plan couleur zoom, E6)*

🎭 Certes il y a une colline... mais il n'y a plus de château depuis belle lurette. On a conservé le nom, quitte à brouiller les cartes du touriste en mal de vieilles pierres et d'histoires médiévales. Aménagé aujourd'hui en promenade, ce vaste espace permet de prendre quelque hauteur et d'embrasser un panorama splendide sur le vieux Nice, la plage et les collines. Même si les vestiges historiques sont maigres, il faut tout de même se souvenir que la colline constitue le berceau de Nice. Les Celto-Ligures la fortifièrent. Les Grecs, quant à eux, donnèrent le nom de Nikaia à la ville et y établirent un comptoir au IVᵉ siècle avant notre ère (il n'en reste aucune trace aujourd'hui). Rome romanisa, normalisa, organisa.

L'apogée de la colline fut le Moyen Âge, période où la ville se concentrait entièrement ici. Au XIIᵉ siècle, tout le sommet de ce belvédère était occupé par des habitations et le château fort (la ville basse n'existait pas). La vie médiévale s'y développa et la cathédrale Sainte-Marie fut élevée (il n'en reste quasiment plus rien). Un long rempart ceintura toute la colline au niveau de l'actuelle ville basse au XVIᵉ siècle. Plus de 4 000 habitants y résidaient. Mais cette enceinte ne résista pas bien longtemps puisque Louis XIV donna l'ordre de la démanteler lors de l'occupation française de 1706. Après 41 jours de siège, il en ordonna la destruction totale. Tout fut rasé de près. Quelques maigres vestiges subsistent encore. La colline fut abandonnée alors que toute la vie – et la ville – se développait dans la ville basse, bien plus pratique, et surtout largement extensible. On s'intéressera de nouveau à la colline que bien plus tard, pour y installer les cimetières, à partir de 1783. La Restauration la transforma en jardin d'agrément, qu'on décora d'une fontaine au XIXᵉ siècle. C'est depuis lors une belle balade, romantique et dominicale. Le *parc du château* est ouvert tous les jours, toute la journée (horaires variables en fonction des saisons).

À noter, la *Castellada* : tous les soirs en juillet-août, une visite théâtralisée en nissart (et traduite) raconte l'histoire de la ville sur la colline. Seule possibilité d'admirer le panorama de la baie des Anges de nuit. Renseignements à l'office de tourisme.

Plusieurs accès possibles à la colline : le moyen plus simple (et le moins fatigant) est l'*ascenseur* (1 € l'aller-retour) situé sous la roche, à l'extrémité du quai des États-Unis. Accessible 9h-20h l'été (19h à la mi-saison et 10h-18h en hiver). Toilettes (payantes) à côté. Il fut conçu dans l'ancien puits qui alimentait la ville haute en eau et qu'on appelait puits du Diable. Après la balade, on redescend doucement à pied. Les sportifs quant à eux grimperont par le *sentier* qui part de la pittoresque rue Rossetti ou emprunteront, à partir de la rue Pairolière, près de la place Saint-François et de la rue du Four, la *montée Menica-Rondelly.* Les rêveurs monteront à partir de la rue Catherine-Ségurane. La pente est douce et la vue est superbe sur le vieux port et le mont Boron. Les bruits de la ville s'atténuent progressivement parmi les chênes verts.

🍴 Non loin de l'arrivée de l'ascenseur, la **tour Bellanda,** recréée au XIXᵉ siècle pour rappeler le passé militaire de la ville. Elle fut un temps habitée, et Berlioz y séjourna. C'était d'ailleurs une des curiosités de la ville. Sa partie supérieure sert aujourd'hui de *belvédère.*

En accédant à l'espèce de grand terre-plein central, on peut voir en cherchant bien quelques pierres du château et de la cathédrale Sainte-Marie, qui subirent les foudres des armées de Louis XIV. Aire de jeu, bout de pelouse pour pique-niquer ou faire la sieste. Au sommet de la colline, sur l'emplacement de l'ancien donjon (altitude : 92 m), vue géniale sur la baie des Anges, la vieille ville au premier plan avec ses toits de tuiles, les dômes de ses églises aux tuiles vernissées et ses fiers clochers. Au loin, le cap d'Antibes et même les pré-Alpes de Grasse. Au nord, les pré-Alpes de Nice et les sommets du Mercantour qui atteignent 3 000 m d'altitude. À l'est, le mont Alban et le mont Boron qui limitent la cité dans cette partie. Petite buvette juste à côté. Sur le flanc ouest de la colline, une cascade rafraîchissante, installée là au XIXe siècle.

Tiens, un truc marrant ! Possibilité d'assister tous les jours à midi au tir de canon de la terrasse inférieure du château. Vieille coutume écossaise introduite à Nice en 1862 par sir Thomas Coventry, un touriste britannique richissime qui détestait plus que tout déjeuner en retard. À partir de 1881, toutes les horloges de la ville se réglèrent sur ce canon de midi, coutume connue à l'époque des seuls habitants du Cap (en Afrique du Sud) et d'Édimbourg.

🏃🏃 **Le cimetière catholique** (plan couleur zoom, E5) : descendre d'abord vers la vieille ville, puis suivre l'allée François-Aragon. Le cimetière est ouvert jusqu'à 19h l'été (18h à la mi-saison et 17h en hiver). Essayer d'y aller un dim mat, quand sonnent les cloches de ttes les églises.

Nombreuses tombes en marbre blanc qui se détachent sous le ciel bleu. Un endroit d'une grande sérénité. Vue magnifique sur les montagnes environnantes. Inauguré en 1783, il fut implanté ici pour des raisons de salubrité publique. Avant cette date, les Niçois enterraient leurs morts autour des églises, jusqu'à saturation. La municipalité prit donc la décision d'installer le cimetière sur le site de l'ancienne citadelle. Il y en a eu d'autres depuis, à Cimiez, à Caucade...

En arrivant, immédiatement devant vous se dresse le monument dédié aux victimes de l'incendie du théâtre municipal qui se trouvait à l'emplacement de l'actuel opéra. Mais ce qui frappe surtout, c'est la débauche de monuments, de statues qui surplombent les tombes. On pense aux cimetières italiens, où la douleur s'exprime de mille et une façons souvent très ostentatoires. Le monument le plus important est celui dédié à la famille *François Grosso*. On le voit de très loin, même de la place Masséna. Le père, le chapeau à la main, y est sculpté avec sa femme et les têtes émouvantes de ses deux bambins.

En montant dans la partie la plus haute du cimetière, sur le plateau Gambetta, vous verrez le tombeau-monument, gardé par deux lions, de *Robert Hudson,* premier baron Hamshead, comte de Lancaster : une femme voilée se prend le front dans la main d'un geste désespéré. Parmi les autres célébrités : la famille *Jellinek Mercedes.* Une plaque rappelle qu'en 1902, Émile Jellinek donna le prénom de sa fille Mercedes aux produits de la Daimler Motorengesellschaft. Non loin, on reste perplexe devant le monument de la famille *Gastaud* où une main essaie de soulever un couvercle du cercueil. Au milieu de cette petite terrasse surélevée, avec vue sur la baie de Nice, monument à la gloire de *Gambetta,* offert par la Ville. La petite chapelle du cimetière avec sa coupole de tuiles vernissées polychromes est adorable. *Gaston Leroux,* l'auteur du célèbre *Rouletabille,* repose près de la porte d'entrée, immédiatement sur la gauche. Pour finir avec cet endroit si paisible et si beau, allez sur la tombe (vide) de *Garibaldi,* « le plus illustre Niçois » : c'est dans une petite allée à gauche, après le monument aux morts de l'incendie du théâtre (son corps repose en fait sur l'île de Caprera, où il mourut en 1882).

🏃 À côté, le **cimetière israélite** (plan couleur zoom, E5-6) : tombes très anciennes, et de nombreuses datant de la période de l'après-guerre. Beaucoup d'entre elles sont entretenues par le bureau de bienfaisance de la ville de Nice. Juste à l'entrée, après avoir passé la grille, sur la droite, une étrange, terrible et angoissante plaque : « Cette urne renferme du savon à la graisse humaine fabriqué par les Allemands du IIIe Reich avec les corps de nos frères déportés. »

Le port Lympia *(plan couleur II, F5-6)*

Pour mieux comprendre la réalité actuelle de ce port dont on laisse toujours planer l'éventuel agrandissement (au grand dam de ceux qui y résident), il faut revenir un peu en arrière. Son histoire est rattachée à celle du château qui trônait sur la colline et qui fut entièrement détruit sur l'ordre de Louis XIV. À cette époque, un bras du Paillon aboutissait à ce qui n'était que des marécages agrémentés de quelques cultures. Progressivement, cette échancrure naturelle devint l'anse Saint-Lambert (souvent ensablée). Mais rien à voir avec un vrai port puisque les pêcheurs ont toujours préféré tirer leurs barques sur la grève de la baie, de l'autre côté de la colline. Les ponchettes constituaient alors des abris pour leur matériel. La fin de la période militaire de Nice (symbolisée notamment par la destruction des remparts) et le développement commercial croissant de la ville basse rendirent le port indispensable. On dit que c'est la plantation d'eucalyptus qui aurait favorisé l'assèchement du bras du Paillon, nécessaire pour son creusement. Ce projet ne fut mis en œuvre qu'au milieu du XVIIIᵉ siècle, sous l'impulsion de Charles-Emmanuel III. Plusieurs centaines de forçats travaillèrent sur ce chantier mousse. Mais le port ne prit jamais un grand essor, toujours coincé entre les géants autrement plus anciens que furent et sont toujours Gênes et Marseille. Essentiellement voué au transport d'huile d'olive et de sel entre le continent, la Corse et la Sardaigne, le port et son ambition commerciale tomberont en désuétude à la fin du XIXᵉ siècle. La navigation de plaisance ne prendra le relais de manière notable que dans les années 1950. Ce sera dès lors sa principale activité malgré la persistance du transport de ciment (Lafarge). Ainsi peut-on expliquer que, à la différence de nombre de villes portuaires, l'animation principale de la cité se fait à l'écart du port, dans la vieille ville et le long de la plage. Sans parler de désamour pour autant, l'histoire de la ville ne s'est jamais faite là. Voilà pourquoi le quartier est si calme, si résidentiel... et tient à le rester. En effet, sa relative exiguïté au regard du développement international récent de la ville relance de manière récurrente le débat sur son agrandissement. Mais les eaux profondes et voisines de la baie de Villefranche (juste derrière) et la faiblesse du trafic industriel justifient-elles de tels travaux ? Quoi qu'il en soit, les navires pour la Corse sont un peu moins à l'étroit pour effectuer leurs manœuvres depuis l'allongement des quais.

C'est en fin d'après-midi que l'ensemble architectural du port et ses alentours possèdent le charme le plus vif : quand les couleurs des merveilleuses façades qui l'encadrent, élevées au cours du XIXᵉ siècle, sont comme dorées par le soleil. Le rouge sarde prend alors des nuances sublimes. On y trouve par ailleurs quelques excellentes tables, sans trop d'usines à bouffe comme c'est le cas souvent sur la côte. Authentique et tranquille, voilà un quartier qui invite à la promenade, à la flânerie sans raison ! Si vous arpentez les quais le soir, n'hésitez pas à lever les yeux. Certains salons (quand ils sont éclairés) présentent de superbes plafonds peints des XVIIIᵉ et XIXᵉ siècles. On ne fait alors que les apercevoir, mais on en devine la richesse exceptionnelle. Le port lui-même accueille voiliers du dimanche et yachts de pauvres et, au bout des quais, les bateaux des compagnies pour la Corse.

🚶🚶 **Balade sur le port** *(plan couleur II, F5-6)* : commençons notre promenade depuis le *quai Rauba-Capeu*. Passons devant le monument aux morts (dont on parle dans la partie « Le front de mer ») et descendons par le *quai Lunel* et le *quai Papacino*. Sur ce dernier, à l'angle de la rue Robilante, on trouve la *Confiserie Florian* (voir « Où acheter de bons produits ? ») ainsi que le marché aux puces (voir un peu plus loin). Presque à l'angle de la *rue Antoine-Gautier*, une demeure rouge et ocre (fin XIXᵉ siècle) présente une large porte cochère en bois. Au-dessus, ferronnerie au monogramme de la famille. La partie noble de la demeure (au 1ᵉʳ étage) possède de remarquables plafonds peints (qu'on devine le soir quand les proprios allument la lumière... et ne ferment pas les rideaux). La maison à côté, juste à l'angle, est le lieu de naissance de Garibaldi.

🚶 **Le quartier des antiquaires** : à noter, le *petit marché aux puces (ouv mar-sam ; début juin-fin sept, 10h-19h ; le reste de l'année, 10h-18h)*, installé sur le quai Papacino dans des structures modernes. Il n'est pas bien grand, mais les collections proposées sont très variées. Il faut aussi flâner dans les *rues Catherine-Ségurane, Antoine-Gautier et Emmanuel-Philibert* qui abritent quelques dizaines de boutiques et parfois de véritables hangars qui regorgent de richesses. Antiquaires (beaucoup de tableaux et mobilier des XVIIIe et XIXe siècles) et brocanteurs animent ce quartier par ailleurs bien sage. Attention, prix élevés. La rue Catherine-Ségurane permet de regagner la place Garibaldi en longeant la colline du château. Frédéric Nietzsche séjournera quelque temps dans cette rue en 1883. La folie le cueillera peu de temps après. Il y écrira des passages de *La Volonté de puissance* et de *Ainsi parlait Zarathoustra*. Le nom de cette rue rend hommage à la bugatière la plus connue de la ville, qui montra son séant aux Turcs et parvint à les faire fuir (selon la légende).

➢ Au fond du port, c'est la *place de l'Île-de-Beauté,* avec en son centre, protégeant le port et accueillant les marins de retour de mer, l'*église Notre-Dame-du-Port*. Messe en italien le dimanche à 11h. Les ensembles à arcades qui encadrent l'église sont un pur produit du style néoclassique génois du XIXe siècle. Le *quai des Deux-Emmanuel* (à l'est du bassin) constitue également une agréable balade. Il abrite une des meilleures tables de poisson de la ville (*L'Âne Rouge* – voir « Où manger ? Autour du port »).

🏃 *Le musée de Paléontologie humaine de Terra Amata* (*plan couleur II, F5*) : 25, bd Carnot, 06300. ☎ 04-93-55-59-93. Bus nos 1, 2, 7, 9, 10 14, 20 et 30, arrêt « Port » ; ou bus nos 30 ou 32, arrêt « Carnot-Gustavin ». En voiture, prendre la 1re rue à gauche (dans un tournant) en quittant le port par la basse corniche. Tlj sf lun 10h-18h. Entrée : 4 € ; réduc. Les fouilles ont été réalisées en 1966, alors qu'on allait construire un immeuble d'habitation. Le musée, installé sur le lieu même de la découverte, présente une reconstitution de cette hutte de branchages, avec un foyer aménagé protégé des vents dominants par une murette de pierres et de galets. Reconstitution également du chantier de fouilles avec son quadrillage. Dans les vitrines sont présentés tous les objets découverts au cours de ces fouilles : quantité d'outils taillés dans les galets, d'ossements de la faune de l'époque (lapins, sangliers, cerfs ou daims), coprolithes (excréments fossilisés... qui ont permis aux archéologues de connaître le régime alimentaire de ces hommes d'il y a 400 000 ans). Des dioramas évoquent les activités de ces lointains Niçois, comme la chasse à l'éléphant antique.

🏃 Encore quelques rues intéressantes à explorer autour du port : la *rue Bona-parte* (*plan couleur II, F5*), quelques rues derrière le port. Pour ceux que ça intéresse, Napoléon Bonaparte résida durant 9 mois (en 1794) au n° 6, en tant que général de brigade, lors de la première occupation française de Nice.

🏃 *La rue Cassini :* à explorer le nez en l'air. À l'angle de la rue Martin-Seytour, la *maison Orengo,* décorée d'une belle frise ornementale sous les fenêtres. On regagne enfin la place Garibaldi dont on parle déjà dans notre circuit sur le vieux Nice.

La promenade du Paillon et la promenade des Arts

Difficile à croire l'été, quand on voit le mince filet d'eau qui se jette dans la mer, à hauteur du jardin Albert-Ier, mais le Paillon est un torrent qui, par le passé, ne se gênait pas pour tout emporter sur son passage, avec un débit qui pouvait soudainement atteindre 500 m³/s. La décision de le recouvrir a été prise en 1860, lors du rattachement de Nice à la France. Et le torrent a disparu sous le square Masséna en 1868, puis sous le jardin Albert-Ier, secteur qui a logiquement pris le nom de promenade du Paillon. Au XXe siècle, le développement de la ville vers le nord (Acropolis, théâtre, MAMAC...) a rendu encore plus souterrain le cours du Paillon qu'on ne retrouve à l'air libre (mais bien contenu dans le béton) qu'au-delà du Palais des expositions. La concentration d'édifices à vocation culturelle dans le coin a fait baptiser ce quartier, dernier grand chantier urbanistique de la ville, la promenade des Arts.

🎬 **Le jardin Albert-Ier** *(plan couleur I, C-D5-6) :* *entre la place Masséna et la mer, au-dessus de l'embouchure du Paillon.* Conçu entre 1861 et 1890. Jardin à la française et belles plantations de palmiers et d'arbres exotiques (joliment mises en relief la nuit par un éclairage très étudié). Élégante fontaine des Tritons du XVIIIe siècle. Théâtre de verdure où ont lieu de nombreux concerts. Et l'énorme sculpture métallique *Arc 115,5°* signée Bernar Venet.

🎬🎬 **La place Masséna** *(plan couleur zoom, D5-6) :* c'est le vrai centre de Nice, là où se joue chaque année la grande scène du carnaval, l'endroit de rassemblement des manifs. Superbe ensemble architectural avec ses immeubles sur arcades, aux façades rouge ligure, construits à partir de 1815.

🎬 **L'espace Masséna** *(plan couleur zoom, D5) :* la démolition de l'ancien casino municipal (les Niçois, qui ne l'aimaient guère, l'appelaient la grange à foin...) a fait de la place pour ce vaste jardin aménagé en 1983. Large et moderne promenade bordée de pergolas fleuries, jets d'eau qui rappellent la présence souterraine du Paillon et ample forum que les skaters ont l'air de trouver à leur goût. Au-delà s'étendent les jardins suspendus, plantations un peu fatiguées qui tentent de masquer la maladroite architecture années 1970 de la gare routière et des parkings en silos...

🎬 **Le lycée Masséna** *(plan couleur zoom, D-E5) :* ancien couvent devenu lycée de garçons sous l'Empire. Le bâtiment actuel date du début du XXe siècle. Architecture entre néoclassicisme et Art déco. Mosaïques en façade et palmiers dans le jardin, très niçois quoi.

Autour de la promenade des Arts

🎬🎬 **La promenade des Arts** *(plan couleur II, E4-5) :* que l'on ne se méprenne pas sur le terme promenade, puisqu'on longe surtout des boulevards très passants. Mais du théâtre de Nice à l'Acropolis, ladite promenade permet de découvrir une impressionnante opération d'urbanisme moderne (qui en fera évidemment tiquer quelques-uns, entre les façades XIXe siècle des boulevards d'un côté et les toits de la vieille ville de l'autre). On lève d'abord les yeux sur le théâtre, rude bâtiment octogonal, plaqué de marbre (c'est, nous a-t-on expliqué, pour symboliser la force du théâtre élisabéthain...) ; une passerelle conduit ensuite au fameux MAMAC, à l'architecture plus aérée. Franchement insolite, la toute nouvelle bibliothèque Louis-Nucéra, dont les bâtiments administratifs sont installés dans une sculpture monumentale, une gigantesque *Tête carrée* signée Sacha Sosno. Sinon, ouvrez l'œil, la promenade est jalonnée de sculptures de grands noms de l'art contemporain, à commencer par ceux de l'école de Nice.

🎬🎬🎬 **Le musée d'Art moderne et d'Art contemporain** *(MAMAC ; plan couleur II, E5) :* promenade des Arts, 06300. ☎ 04-97-13-42-01. ● mamac-nice.org ● Bus n°s 5 et 17 de la gare. Pour les voitures, parking payant. Tlj sf lun, 10h-18h. Entrée : 4 € ; réduc.
Formé de quatre tours recouvertes de marbre de Carrare, reliées entre elles par des passerelles transparentes, le bâtiment du MAMAC (on ne l'appelle plus autrement à Nice) est dû à l'architecte Yves Bayard. En plus des expositions temporaires (au 1er étage et dans la galerie contemporaine), le musée présente un aperçu didactique et complet de l'art contemporain, des avant-gardes européennes et américaines des années 1960 à nos jours. Nice, faut-il le répéter, est une ville phare de l'art du XXe siècle. De l'*impressionnisme* à *Fluxus,* la liste des artistes ayant résidé ici (voire y étant nés) est impressionnante : Matisse, Picasso, Chagall, Renoir, Klein, Raysse, Arman, Malaval, Ben... Se référer également au texte d'introduction sur Nice.

NICE ET SES ENVIRONS

Des expos temporaires organisées tous les 3 mois viennent peu à peu enrichir les collections permanentes qui sont amenées, elles aussi, à évoluer et à se déplacer dans le musée.

– La visite débute au *2e étage* par une salle consacrée au Nouveau Réalisme, avec une *Dauphine* compressée par César, la *Nissa Bella* au néon de Martial Raysse, et quelques œuvres d'Arman, mais aussi au *Pop Art* américain avec, entre autres, une des toiles emblématiques du mouvement, *Love,* de Robert Indiana.

On enchaîne avec Niki de Saint Phalle et Jean Tinguely. Exceptionnel ensemble qui regroupe une partie des œuvres des deux célèbres artistes, intimement liés dans la vie comme dans le travail. De Tinguely, voir le grand triptyque *Relief bleu* (ou *Hommage à Schmela*), qui s'anime lorsqu'on actionne le bouton-poussoir sur le côté. De Niki de Saint Phalle, on découvre une œuvre (exposée par roulement) qui ne se résume pas à ses célébrissimes *Nanas,* beaucoup plus sombres et grinçantes : spectaculaires *Shooting Paintings,* étonnante série des *Study for King-Kong,* une *Marylin* grotesque, sinon vaguement inquiétante.

Pour finir, l'inévitable salle consacrée à l'iconoclaste enfant du pays, Yves Klein. À peintre monochrome, salle pas si monochrome que ça, puisque, aux côtés des hypnotiques « bleus Klein » *(Victoire de Samothrace...),* sont accrochées quelques œuvres du groupe des Nouveaux Réalistes, comme le touchant *Portrait robot de Yves Klein après sa mort* d'Arman. À voir aussi, le tableau de son mariage réalisé à quatre mains avec Christo en 1962, quelques mois avant sa mort d'une crise cardiaque, à l'âge de 34 ans. Du même Christo, ses esquisses d'empaquetages...

– Au *3e étage,* quelques représentants de l'école de Nice, notamment la *Colonne Morris* de François Dufrêne (affiches publicitaires décollées puis marouflées sur toile) et bien évidemment (et tellement plus rigolo !), la *Cambra* de Ben, « chambre noire » où il a accumulé ses citations, des objets assez délirants et le plus souvent détournés de leur usage. Toujours au 3e étage, une salle est consacrée à l'abstraction américaine avec un Warhol *(Dollars Sign),* et le géométrique et superbe *Damascus Gate II* de Franck Stella.

– On termine la visite par les *terrasses* avec leurs vues imprenables sur la ville. On y trouve également le *Mur du feu* (il fonctionne de façon occasionnelle) et le *Jardin d'Éden,* deux œuvres d'Yves Klein.

– Le MAMAC comprend également un *auditorium,* un *centre de documentation,* un *atelier d'art contemporain* pour les scolaires, ainsi qu'une *boutique.*

🎐 🏃 **Le muséum d'Histoire naturelle** *(plan couleur II, E5)* : 60, bd Risso, 06300. ☎ 04-97-13-46-80. *Fermé lun, 1er janv, dim de Pâques, 1er mai et 25 déc. Entrée gratuite.* Ouvert en 1846, ce qui en fait, historiquement, le premier musée de Nice. Riche collection (plus d'un million de spécimens) qui dort dans les réserves en attendant d'être exposée. Une exposition est consacrée aux céphalopodes : des calamars géants à l'invention de l'encre sépia, on y apprend tout (et bien d'autres choses encore !) sur ces sympathiques bestioles. Jolie muséographie (avec une ambiance à la *Vingt Mille Lieues sous les mers*), rigueur scientifique et anecdotes rigolotes : si l'ensemble du muséum est dans cet esprit-là, ça promet !

🎐 **Le théâtre de la Photographie et de l'Image** *(plan couleur II, D5)* : 27, bd Dubouchage, 06000. ☎ 04-97-13-42-20. 🎐 *Tlj sf lun 10h-18h. Entrée gratuite.* Expositions sur toutes les tendances de l'art photographique, dans un lieu intéressant : l'ancien théâtre de l'Artistique, où se tint en 1898 le premier Salon de la photo dans le sud de la France, haut lieu mondain qui accueillit, durant quelques décennies, nombre de têtes bien pleines et même de têtes couronnées. Saint-Saëns, Massenet, Fauré y donnèrent des représentations. Entre 1900 et 1917, Colette et Willy, Puccini et Mata-Hari (non, pas tous ensemble) firent partie des derniers visiteurs que la guerre allait éparpiller. Le temps va passer. Il faudra attendre les célèbres concerts Fluxus organisés par Ben pour refaire parler de l'Artistique. Lieu d'expositions à suivre donc, mais aussi centre de documentation *(ouv l'ap-m mar-ven),* et comptoir de vente.

🏃 **Acropolis** (plan couleur II, E4) : esplanade Kennedy et Parvis de l'Europe (voisins de l'esplanade du Maréchal-de-Lattre-de-Tassigny). ☎ 04-93-92-83-00. Gigantesque palais des congrès ouvert en 1984, qui abrite également un auditorium (appelé Apollon) d'une excellente qualité acoustique, pouvant recevoir 2 500 spectateurs, un bowling et une cinémathèque (une carte permet de voir trois films). Très bons programmes. Dans cet espace se déroulent, outre les nombreux congrès, diverses manifestations et des expositions temporaires. Et l'architecture dans tout ça ? Des pans immenses de béton et de verre fumé sur les côtés, que le manque de recul sur le boulevard Risso empêche d'apprécier vraiment. Là encore, plusieurs sculptures contemporaines.

🏃 **L'église Notre-Dame-Auxiliatrice** (hors plan couleur II par E4) : 30, pl. Don-Bosco. ♿ Avec ses palmiers et son architecture typiquement années 1930, elle ressemble plus à une villa qu'à une église. C'en est une pourtant, et même la plus vaste de Nice. Entièrement construite en béton armé (ce qui ne se voit pas beaucoup non plus). Cette technique du béton alvéolé s'inspire des architectes et frères Perret. Nef presque intégralement peinte (plafond superbe). Dans les chapelles, fresques attachantes (pour leur style années 1930 là encore, plus que pour leur hagiographie des prêtres missionnaires...).

Le centre-ville

🏃 **La rue Masséna** (plan couleur I, C-D5-6) : zone piétonne qui ressemble aux zones piétonnes de tant d'autres villes, les touristes en plus. Pas grand-chose à se mettre sous la dent, au propre comme au figuré. Quelques-unes des rues adjacentes (les avenues de Verdun et de Suède, les rues Paradis et Alphonse-Karr) forment le Nice chicos : boutiques couture, bar-restos branchés, salons de thé huppés.

🏃 **Le palais Masséna** (plan couleur I, B6) : 65, rue de France, 06000. ☎ 04-93-88-11-34. La villa Masséna, construite vers 1900 sur le modèle des villas italiennes du Premier Empire, était destinée au petit-fils du maréchal Masséna, Victor. Le fils de ce dernier en fit don à la ville après la guerre de 1914-1918, à condition que la villa soit transformée en un musée consacré à l'histoire locale : le musée fut inauguré en 1921.

🏃 **La rue de France** (plan couleur I, A-B-C6) : dans le prolongement de la rue Masséna. Une longue, très longue rue qu'on suivra au moins jusqu'au n° 125, parce qu'il serait dommage de rater la somptueuse façade de *Gloria Mansions*, un des plus beaux immeubles Art déco de la ville : puissant aigle de béton qui semble surveiller la rue, balcons qui ondulent comme des vagues. Dans le quartier, voir aussi l'*église anglicane Holy-Trinity* (au n° 11, rue de la Buffa) néogothique et du XIXᵉ siècle. Et son minuscule cimetière ancien auquel les modernes immeubles voisins n'ôtent pas son romantisme. Rue du Congrès, à deux pas de la promenade des Anglais, allez rendre visite à la galerie d'art *Ferrero*. On y découvre presque (on exagère à peine !) autant d'œuvres de l'école de Nice et de ses affiliés qu'au MAMAC. Et ici, on peut les acheter (enfin, si on en a les moyens...).

🏃🏃 **Le musée des Beaux-Arts** (plan couleur I, A6) : 33, av. des Baumettes, 06000. ☎ 04-92-15-28-28. ♿ (rez-de-chaussée). Bus nᵒˢ 38 (de Masséna), 12 ou 22 (de l'av. Jean-Médecin). Tlj sf lun 10h-18h. Entrée : 4 € ; réduc. Visite guidées jeu et sam à 15h (payant).
Ce musée est installé dans l'ancienne et somptueuse villa construite à partir de 1878 par la princesse ukrainienne Kotschoubey. Ce témoignage de l'importante colonie russe à Nice est racheté et achevé par l'Américain Thompson, et devient musée de la ville en 1928. C'est un des derniers témoignages du faste de la Belle Époque.
Le musée accueille, sur deux niveaux, peinture, sculpture et arts graphiques du XIIIᵉ au XXᵉ siècle. Évidemment, selon les donations, certains artistes ou tendances picturales dominent. Ainsi, les toiles de Vanloo, l'ensemble de Dufy, les sculp-

tures de Carpeaux et les pastels de Chéret. Expos temporaires régulières provoquant des changements notables dans l'accrochage du musée.

– **Rez-de-chaussée :** peinture primitive niçoise, avec de remarquables retables du
plus célèbre artiste du genre, Louis (ou Ludovic) Brea. Également des œuvres flamandes et italiennes, ainsi que des toiles plus académiques. Voir la salle Vanloo,
avec la plus grande toile du musée, *Thésée, vainqueur du taureau de Marathon.*
Vanloo, né à Nice, fut le premier peintre de Louis XV. Également des tableaux de
son neveu, Charles Amédée Philippe. Dans les salles suivantes, un Fragonard *(Tête
de vieillard)* et une très belle *Sainte Famille* de Batoni. Dans la salle médiévale, beaux
retables de Durandi, un Niçois du XVᵉ siècle, l'étonnante *Vierge d'Humilité* du
XIVᵉ siècle, ainsi que d'intéressantes œuvres religieuses des XVᵉ et XVIᵉ siècles
européens. Salle italienne avec *Deux jeunes oiseleurs aux œillets* de Donato Creti.
Chez les Flamands, *David tenant la tête de Goliath* de Van Somer et le marrant
Angélique et Medor de Bloomaert, où les amoureux gravent leurs noms sur l'écorce
de l'arbre.

– En repassant par le **hall d'entrée,** à droite de la caisse, *Allégorie de la Foi* (anonyme), admirable buste de Femme voilée (XIXᵉ siècle), d'une grande finesse. Le
mouvement du voile est tellement délicat qu'il semble vrai.

– **L'escalier** accueille quatre œuvres monumentales et de style assez pompier de
Nicaise de Keyser, censées rendre hommage à des personnages illustres.

– **En haut de l'escalier :** plusieurs huiles de Jules Chéret (1836-1932). Chéret,
avant d'être peintre, fut l'inventeur de l'affiche moderne. Décorateur, on lui doit
notamment des décors à l'hôtel de ville de Paris, le théâtre du musée Grévin et de
nombreux ouvrages dans la région. Il vécut à Nice et mourut aveugle. Entre-temps,
il peignit de nombreuses œuvres fraîches, acidulées même. Voir le froufroutant
Déjeuner sur l'herbe. Plus intéressant, *La Danseuse au tambour basque.* Quelques
sculptures de Carpeaux (1827-1875) : le buste de *Charles Garnier, Ugolin et ses
enfants* et une remarquable *Mater Dolorosa,* touchante de vérité. Et puis *Tête de la
Marseillaise* de Rude, puisqu'il triomphe à Paris sur l'Arc du même nom.

– **Salle Dufy :** exceptionnelle collection d'une vingtaine d'œuvres de l'ami Raoul
(1877-1953). Son épouse était niçoise et il fréquentait beaucoup la région : *Console
jaune aux deux fenêtres, Le Mai à Nice,* joyeux comme tout. Plusieurs toiles autour
de la musique. Pas étonnant, son père était musicien et il adorait cela. La présence
de la musique dans son univers est telle que dans *Nu au patio,* la partition prend
une place de premier choix, alors que la tête du musicien reste effacée. À l'arrière,
atmosphère typiquement niçoise (tomettes, volets...). Même effet dans *Les Musiciens mexicains* où la couleur des instruments prime sur les visages anonymes.
Vision à la Cézanne pour *Le Grand Arbre à Sainte-Maxime.* On aime bien *La Grande
Baigneuse* (1950), aux beaux yeux profonds.

– Non loin, une **salle dédiée à Marie Bashkirtseff :** une peintre russe très influente
dans le Nice du XIXᵉ siècle. Elle y vivait d'amour, d'art, de soirées animées... et
peut-être d'eau fraîche. Dans la galerie, toiles académiques et orientalistes (de
Trouillebert *Servante de harem*). Thèmes bibliques et mythologiques.

– **Salle des pastels de Jules Chéret et salle Mossa :** consacrées au père et au fils
(mort en 1971). Importante famille niçoise, les Mossa participèrent activement à
l'évolution du carnaval et créèrent le célèbre groupe folklorique Nissa la Bella. Leur
peinture, largement influencée par le symbolisme, montre des sentiments tourmen-
tés, où la débauche de la société est dénoncée de manière... disons, dérangeante.'

– **Salle d'art moderne :** Boudin, *Antibes, les remparts et la rade de Villefranche,*
Lebasque, Vuillard, Bonnard, deux Van Dongen et un Camoin avec *Terrasse à
Saint-Tropez.*

– En prime, quelques **œuvres d'arts asiatiques,** comme ce beau *portrait imagi-
naire de Ma Shouzen* (XVIIIᵉ siècle), courtisane chinoise célèbre en son temps.

🎨🎨 *Le musée international d'Art naïf Anatole Jakovsky (hors plan couleur I
par A6) : château Sainte-Hélène, av. Val-Marie, 06200. ☎ 04-93-71-78-33. Bus
nᵒˢ 8, 9, 10, 11, 12, 23 et 60 ; correspondance nᵒ 34. Tlj sf mar et certains j. fériés.
Entrée : 4 € ; réduc ; gratuit jusqu'à 18 ans.*

Installé au cœur d'un joli parc, dans l'ancien château Sainte-Hélène, construit à la demande du fondateur du casino de Monte-Carlo en 1882. Le dernier occupant de cette superbe villa fut le parfumeur François Coty. Ce musée, inauguré en 1982, a été créé grâce à la donation Anatole Jakovsky, critique d'art et défenseur de la peinture naïve.

Quelque 1 000 toiles, dessins et sculptures (la moitié est exposée) retracent l'histoire de la peinture naïve du XVIIIe siècle à nos jours. Cette expression artistique ne s'est en effet développée qu'au lendemain de la Révolution. Les Croates, comme Ivan Lackovic (voir notamment son *Village sous la neige*), maîtres du genre, sont très bien représentés. Les Français (René Rimbert, André Bauchant), Suisses, Belges, Italiens, Américains (Gertrude O'Brady et son *Moulin de Sannois*) ne sont pas en reste. Dans les vastes pièces de la villa, on s'offre une agréable balade à travers un genre pas si uniforme qu'on pourrait le croire : *Le Quai Morlaix* de Jules Lefranc est ainsi proche de l'art abstrait, les totems peints de Gaston Chaissac pourraient être catalogués art brut.

🏃 *L'avenue Jean-Médecin* (plan couleur I, C-D4-5) : la principale artère de la ville. C'est là que sont concentrés les grands magasins. Populaire et animée, de jour comme de nuit. Quelques bâtiments intéressants comme celui qui abrite le *Crédit Lyonnais* et le *Virgin*. On peut aussi jeter un coup d'œil à la basilique Notre-Dame, du XIXe siècle.

Autour de la gare

🏃 *La poste Thiers* (plan couleur I, B-C4-5) : bâtiment de brique, caractéristique de l'Art déco. Intéressant parti pris, mélange d'architecture et d'arts décoratifs : remarquez les sculptures, les vitraux, les ferronneries... Bas-reliefs des frères Martel, où ils se représentent eux-mêmes de profil sur la façade côté Thiers. Vitraux de Grüber.

🏃🏃 *La cathédrale orthodoxe russe Saint-Nicolas* (plan couleur I, B4-5) : av. Nicolas-II. ☎ 04-93-96-88-02. Mai-sept, tlj 9h-12h, 14h30-18h ; oct-avr 9h30-12h, 14h30-17h (à partir de 9h15 et jusqu'à 17h30 en oct et de mi-fév à fin avr). Pas de visite pdt les offices (sam à 18h en été et à 17h hors saison ; dim à 10h tte l'année). Tenue correcte de rigueur. Photos et films interdits. Entrée : 3 € ; gratuit jusqu'à 12 ans.

Un endroit assez inattendu, à quelques encablures de la voie rapide qui coupe Nice en deux. En 1865, le grand-duc Nicolas Alexandrovitch, héritier du trône de Russie, mourut ici même dans une villa aujourd'hui disparue. À son emplacement, l'ancienne promise du prince fit d'abord construire une chapelle commémorative de type byzantin à laquelle on ne manquera pas de jeter un coup d'œil au fond du parc. Une quarantaine d'années plus tard, devenue l'épouse du tsar Alexandre III, elle vit plus grand et commanda l'édification de ce qui fut la plus grande église russe dans le monde hors Russie. Les routards qui connaissent les églises de la région de Moscou, notamment l'église de Basile-le-Bienheureux de la place Rouge, remarqueront ici quelques similitudes (notamment ces cinq magnifiques coupoles dont la plus haute culmine à 52 m). Si la coupole du clocher brille autant, c'est qu'elle est (carrément !) recouverte de feuilles d'or.

À l'intérieur, nef et coupoles, fresques, boiseries d'une grande richesse et somptueuses icônes... L'iconostase (comprendre le mur du sanctuaire recouvert d'icônes) nécessita un an de travail de la part de douze ouvriers. La plus ancienne icône, peut-être la plus belle, remonte au XVIe siècle (c'est-à-dire à l'époque d'Ivan le Terrible !). Citons également *Notre-Dame de Kazan*, à droite du chœur, et l'icône personnelle de Nicolas Alexandrovitch, noircie et déformée par le soleil pour avoir été exposée devant la chapelle.

🏃 En sortant, ne manquez pas, à l'angle du boulevard du Tzarewitch et du boulevard Gambetta, le *Palladium,* imposant immeuble Art déco. Et la vitrine du calligraphe qui tient boutique au rez-de-chaussée, emplie de rigolos aphorismes et autres maximes. Sur le devant, imposante statue d'Athénée-Pallas.

🦐 *La gare du Sud* (plan couleur III, B4) : pl. de la Gare-du-Sud (bien sûr !). Délaissée pour de plus modernes infrastructures, l'ancienne gare de la célèbre Compagnie des chemins de fer de Provence n'a plus qu'une façade aux fenêtres s'ouvrant sur le vide. On voulait la raser définitivement, les Niçois se sont fâchés, l'idée a, à priori, été abandonnée... Reste à savoir ce que va devenir ce bel exemple d'une architecture XIXᵉ siècle (le projet d'implantation d'une nouvelle mairie semblant contrarié...) entre néoclassicisme et tentations éclectiques...

🦐🦐 *L'église Sainte-Jeanne-d'Arc* (plan couleur III, C3) : 11, rue Grammont. Une église toute blanche entièrement construite en béton armé, gentiment surnommée Notre-Dame-des-Œufs par les Niçois. De fait, ses monumentales coupoles évoquent irrésistiblement des œufs géants ! On invoquera l'influence de l'Art déco (elle a été construite en 1933), on pourra citer en référence certaines œuvres de Gaudí, mais l'édifice reste finalement inclassable. Et relativement étonnant : l'intérieur surprend par l'ampleur des volumes (les coupoles, hautes de 24 m, reposent sur des piliers très minces). Intéressant *Chemin de croix* dû au peintre russe Klementiev, qui mêle la technique traditionnelle des icônes et les avancées du cubisme.

Cimiez

La colline chic de Nice. Mais bien avant les retraités aisés d'aujourd'hui, bien avant même la reine Victoria qui s'y baladait dans une calèche tirée par un âne, entourée d'une cohorte de serviteurs indiens en saris et écossais en kilts, les Romains avaient trouvé le coin à leur goût. Au Iᵉʳ siècle av. J.-C. était fondée sur cette colline une petite ville appelée *Cemelenum*, qui devint capitale de la province des Alpes-Maritimes créée par Auguste en 14. Au IIIᵉ siècle apr. J.-C., Cemelenum comptait 15 000 habitants. Difficile à protéger des invasions barbares, elle est abandonnée au VIᵉ siècle. Au XVIᵉ siècle, c'est au tour d'une communauté franciscaine de s'installer sur cette colline dont le XVIIIᵉ siècle et les suivants feront le lieu de résidence privilégié de l'aristocratie et de la grande bourgeoisie. Un quartier qui se visite donc comme on lirait un livre d'histoire.

🦐🦐 *Le quartier Carabacel* (plan couleur II, D-E4) : petite mise en bouche (et en jambes) avec une rapide balade urbaine dans ce quartier bourgeois créé à partir de la fin du XVIIIᵉ siècle au pied de la colline de Cimiez : une poignée de rues dont la physionomie n'a guère changé depuis le début du XXᵉ siècle et qui cache donc quelques réjouissantes villas et autres grands hôtels. Une curiosité pour commencer (au nᵒ 2, av. Desambrois) avec une ancienne villa transformée en 1950 en *église orthodoxe grecque.* Remarquez en façade les fresques d'inspiration byzantine. Quelques intéressants immeubles boulevard Carabacel avec notamment, au nᵒ 8, l'ancien *Impérial Hôtel,* style Second Empire, ou au nᵒ 20, le petit palais néoclassique qui abrite la *Chambre de commerce.*
Au débouché de l'avenue Émile-Bieckert sur le boulevard Carabacel trône le *palais Langham,* qui, derrière ses palmiers, distille une indéfinissable nostalgie. On grimpera la sinueuse petite avenue Émile-Bieckert (le funiculaire qui reliait autrefois le palais Langham à un autre grand hôtel a malheureusement disparu...) pour découvrir d'abord, à droite (au nᵒ 7 montée de l'Hermitage), l'imposant et encore superbe *Carlton Carabacel,* très italianisant avec ses balcons ouvragés et cette frise sculptée qui court en façade. À hauteur du nᵒ 7 avenue Émile-Bieckert, on essaiera d'être aussi spirituel que Sacha Guitry qui habita cette villa, aujourd'hui transformée en hôtel (voir la rubrique « Où dormir ? »). Le plus majestueux bâtiment de Carabacel vous attend au nᵒ 42, avec *L'Ermitage,* un véritable palais à la façade d'un classicisme bon teint, style Louis XV et Louis XVI. La même avenue propose au nᵒ 33 l'originale *villa Reizian,* flanquée d'une tour très *modern style.* En la poursuivant jusqu'à son extrémité, on débouche sur le boulevard de Cimiez.

ポポポ *Le musée national Marc Chagall* (plan couleur III, D3-4) **:** av. Docteur-Mé-nard, 06000. ☎ 04-93-53-87-20. ● *musee-chagall.fr* ● *Bus n° 15 depuis la place Masséna. Tlj sf mar (et certains j. fériés) 10h-18h (17h nov-avr). Entrée : 6,50 € (7,70 € pour les expos temporaires) ; réduc ; gratuit jusqu'à 18 ans ; gratuit pour ts le 1er dim du mois.*

Un musée vraiment superbe, où l'on reste volontiers un long moment, malgré la taille relativement modeste de l'ensemble. Le site d'abord est très agréable et repo-sant. Parc planté d'oliviers, de cyprès et de chênes verts. Ensuite, l'architecture est vraiment réussie. Le musée a été spécialement conçu par l'architecte André Her-mant pour recevoir les œuvres de Chagall (1887-1985), en accord avec l'artiste qui a procédé lui-même à l'accrochage en 1973.

Indépendant et plutôt solitaire (sur le plan artistique, s'entend), Chagall frôla la plu-part des mouvements picturaux du XXe siècle, sans jamais en embrasser aucun. Il n'adhéra ni au cubisme, ni à l'abstraction, ni au surréalisme. Durant les 75 ans de sa « carrière » de peintre (Dieu, que ce mot s'adapte mal à cet artiste), il vit en effet défiler toutes les grandes tendances du siècle, en restant en marge de chacune d'entre elles. Pour lui, la peinture devait avoir un sens, raconter une histoire, porter un message spirituel. On comprend ainsi pourquoi la Bible fut pour le peintre « la plus grande source de poésie de tous les temps ». Il décida donc de l'illustrer pour tenter de mieux en faire comprendre le fondement, avec naïveté et une grande tendresse, en laissant parler les émotions, les couleurs, les atmosphères. Le vaste travail que l'on voit ici ne fut pas l'objet d'une commande, mais un choix déterminé de l'artiste qui y voyait une des œuvres les plus importantes de sa vie. Chagall, comme beaucoup d'artistes du XXe siècle, avait une vision très personnelle de la religion, mélange de foi sincère, d'expérience mystique et d'élan poétique. Preuve supplémentaire de son indépendance, de son originalité et de son décalage avec les grandes tendances picturales.

Au total, c'est la plus importante collection permanente consacrée à Chagall, la plupart des œuvres ayant fait l'objet de donations de la part de l'artiste. L'ensemble évoque l'histoire de la création de l'homme et le paradis terrestre. Parcourons le nez en l'air quelques-unes de ses œuvres et, même si l'art de Chagall n'a guère besoin d'explication, osons proposer quelques clés de lecture.

Cinq salles en tout, dont deux majeures : la salle du Message Biblique et celle du Cantique des Cantiques.

– La salle du Message biblique : 12 œuvres que l'artiste a accrochées lui-même, selon l'harmonie des couleurs. Manière de rappeler que, pour Chagall, la démarche artistique primait sur l'ordre religieux. À gauche, les dominantes de bleus, au fond le vert, et à droite les jaunes et les rouges.

Si la poésie et la bienveillance animent de manière quasi permanente le travail de Chagall, la violence et la terreur surgissent dans *Le Sacrifice d'Isaac*. Abraham sem-ble déjà couvert de sang avant d'avoir porté la main sur son fils à l'innocent et fragile visage. Noter la main surdimensionnée, tenant le poignard et arrêtée par les paroles divines. Dans la *Création de l'Homme,* un ange porte le premier humain, blanc et innocent comme un linge. L'homme est fait à l'image de l'ange, pur. Mais ça ne va pas durer, c'est moi qui vous l'dit ! D'ailleurs, apparaît déjà en haut, à droite, le tourbillon futur de l'histoire : le roi David, les Tables de la Loi, la Cruci-fixion... Chagall n'a jamais hésité à mélanger les espaces-temps dans une même toile, sans complexe, quitte à brouiller les cartes. La peinture n'est pas là pour don-ner des cours de religion, mais pour susciter des émotions. Les *Tables de la Loi* présentent Abraham clairement affublé de la lumière divine, qui prend la forme de curieuses cornes au sommet du crâne. Le corps est assez lourd en revanche. *Adam et Ève, chassés du Paradis* se révèle fort en couleurs, avec des touches brutales et en opposition. Noter, en haut et à droite, le peintre et sa palette. Toujours une manière pour Chagall de rappeler qu'il s'agit d'art et non de religion. Et partout, des animaux familiers qui reviennent en permanence dans le décor. L'archange, au cen-tre, ferme les yeux et ne veut rien savoir : « Allez, ouste, dehors ! » semble-t-il ordon-ner. Avec *Le Paradis,* Chagall montre l'harmonie de l'humain, de l'animal, du végétal, avec beaucoup de rondeur et de douceur. Mais déjà en haut à droite, presque effacé, le Christ est en croix. Dans la partie haute toujours, la ville natale de l'artiste, Vitebsk, qu'il évoque souvent dans un coin de toile. Et puis en bas, à gauche, une autre sympathique manie : l'artiste se représente avec sa femme, discrétos, mine de rien. Voir encore *La Lutte de Jacob et de l'Ange. L'Arche de Noé* offre une composition originale du déluge, vu et vécu de l'intérieur. Ne ratez pas cette scène du *Frappement du rocher*, à l'atmosphère assez sombre. Il s'agit d'une scène biblique assez peu représentée en général. Plus connue et plus rayonnante, la rencontre avec le Divin, racontée dans *Moïse devant le buisson ardent,* dans les tons bleus. À gauche du buisson, la population, joyeuse et surprise.

– **Le Cantique des Cantiques :** dans une petite salle intime. Ce qui frappe, c'est évidemment la dominante des rouges. Rappelons que ce récit appartient à l'Ancien Testament. Chagall a traduit ces poèmes, attribués à Salomon, en cinq tableaux très hauts en couleur, chargés en images lyriques et peints sur papier marouflé sur toile. Il a laissé libre cours à sa palette pour dire l'Amour de l'homme et de la femme. L'Amour, l'union éternelle, la complicité. Le peintre dédicaça cet ensemble à sa femme : « À Vava, ma femme, ma joie et mon allégresse. » Tout est dit. Le reste ne sera qu'interprétation de ceux qui croient avoir compris. Des explications, ça rassure toujours. Le rouge omniprésent dit aussi la vie, la circulation de la vie. Peut-être surtout sur le tableau n° IV, où des mariés s'envolent sur un cheval ailé. Le n° III fait apparaître au centre la ville de Vence, et en reflet inversé, en dessous, la cité natale de l'artiste, Vitebsk. En haut, à gauche, le peintre lui-même. Le n° V évoque la joie de tous, avec au centre, les visages des amoureux. En bas, à droite, un joueur de corne sous l'arbre. Dans le n° I, la ville est placée sur le flanc du tableau. Pourquoi ? Et pourquoi pas !

– **La Mosaïque :** deux autres salles présentent soit des œuvres de la collection du musée, soit des accrochages d'art contemporain. Au fond, une large baie vitrée et une petite pièce d'eau qui met en valeur une vaste mosaïque où le prophète Élie apparaît sur son char. Autour, les signes du zodiaque.

– **La salle de la terrasse :** consacrée aux expositions temporaires et aux nouveaux accrochages de la collection. Y sont présentées d'autres œuvres du maître, par roulement. Une vingtaine de toiles ou esquisses en tout, parmi plus de 800 que compte le fonds du musée. Au fond, la tapisserie *Paysage méditerranéen* évoquant Jérusalem, mais où la ville de Vence est également présente.

Petite buvette dans le jardin et concerts de musique moderne et contemporaine, films et conférences régulièrement donnés à l'auditorium.

Nouvelle librairie-boutique située dans la rotonde, à l'entrée du musée.

🚶🚶 **Le boulevard de Cimiez** *(plan couleur III, D2-3-4)* : ce boulevard large de 20 m, tracé en 1881, constitue l'axe principal de ce vaste et luxueux quartier résidentiel. Il concentre (avec quelques boulevards et autres avenues perpendiculaires) les plus belles réalisations architecturales de l'époque. Puisque nous étions, il y a quelques lignes, dans le quartier Carabacel, on vous propose de partir à la découverte de ces villas et palaces, témoins du faste d'un autre temps, en remontant le boulevard. Mais (ça grimpe un peu !), rien ne vous empêche de faire la balade en redescendant, après la visite du cœur de Cimiez (arènes, musée Matisse, etc.).

La grimpette commence au n° 2, face à l'immanquable et bien nommé *Grand Palais* (1912), prouesse technique pour l'époque puisqu'il fait 9 étages. Sa façade croulant sous les décorations cache donc une solide armature. Au n° 24, quelques notes de musique flottant dans l'air signalent la *villa Paradisio,* aujourd'hui transformée en conservatoire de musique. C'est, du coup, une des rares dont on peut détailler de près l'architecture, ici de style Louis XV. On peut même se balader dans le grand jardin, empli d'essences exotiques. Au n° 46 se planque au fond d'un joli parc (portail en principe ouvert dans la journée) un de nos chouchous dans le quartier, l'ancien *hôtel Alhambra* qui, hormis sa belle marquise, est d'un orientalisme clairement assumé : deux minarets à bulbe, des fresques d'inspiration mauresque sur la façade... Juste en face (au n° 35), orientaliste aussi (même si l'architecte était polonais !), mais avec moins d'exubérance, la *villa Surany*. Belles mosaïques sur la façade. Un peu plus haut, au n° 82, le joliment rénové *Winter Palace* qui, avec ses fenêtres encadrées de moulures de stuc, ressemble à pas mal de ses petits camarades niçois construits fin XIXᵉ-début XXᵉ siècle. On fait ensuite une petite infidélité au boulevard de Cimiez, en prenant à droite le boulevard Édouard-VII. Bel alignement de villas, classiques et un brin italianisantes, à une exception près et de taille : le *manoir Belgrano* (au n° 5), façon petit château gothique avec vitraux, tourelles... Enfin, surplombant un boulevard de Cimiez qui semble n'avoir été tracé que pour sublimer sa magnificence, surgit, au n° 71 de l'avenue Régina, l'exceptionnel *Excelsior Régina*. Un palace Belle Époque d'anthologie que l'on vous a gardé pour la fin parce que, quand on l'a vu, les autres édifices du quartier peuvent sembler un peu banals... Si surprenant que cela puisse paraître, 15 mois seulement ont été nécessaires pour en réaliser la construction. Invraisemblable façade longue de 200 m, qui, derrière son ordonnancement classique, abritait quelque 400 chambres (mais seulement 233 salles de bains...), les plus convoitées donnant côté sud, sur un parc qui a résisté à la pression immobilière. Impossible à visiter malheureusement, mais la taille du hall d'entrée vitré donne une idée du reste... La reine Victoria y a séjourné trois hivers de 1897 à 1899. Matisse y est mort en 1954. Aujourd'hui, le palace étant transformé en appartements, les jeux des enfants y ont remplacé les fêtes mondaines données dans le vaste rez-de-chaussée.

🏛 **Les arènes de Cimiez** *(plan couleur III, D2) : tlj 8h-20h juin-août, jusqu'à 19h en avr, mai et sept, 18h oct-mars. Entrée gratuite.* Unique vestige (avec les thermes dont la visite est décrite plus loin avec celle du Musée archéologique dans la partie « Les musées ») de la ville romaine de Cemelenum, elles furent édifiées entre le début du Iᵉʳ siècle et le IIIᵉ siècle. De dimensions relativement modestes (67 m de long sur 56 m de large à l'origine), elles n'ont pas le spectaculaire des arènes d'Arles, de Nîmes ou d'Orange. Elles ont de plus pas mal souffert des avanies de l'histoire (elles ont même servi de carrière de pierres). On distingue toutefois encore les couloirs d'accès, les socles pour les mâts qui soutenaient le velum afin de protéger les spectateurs du soleil. Les arènes accueillent l'été l'une des scènes du Festival de jazz. Une autre scène est installée dans le *jardin des Arènes* voisin, où les allées portent d'ailleurs les noms de jazzmen célèbres. Avec ses oliviers centenaires, ce jardin est un lieu de pique-nique prisé des Niçois. Juste à côté se trouvent le musée Matisse et le Musée archéologique.

🏛🏛🏛 🚶 **Le musée Matisse** *(plan couleur III, D-E2) : 164, av. des Arènes-de-Cimiez, 06000. ☎ 04-93-81-08-08. ● musee-matisse-nice.org ● ♿ Bus n° 17 depuis la Station centrale, le n° 20 depuis le port, ou le n° 22, derrière la pl. Masséna. Arrêt « Arènes ». Tlj sf mar 10h-18h. Entrée : 4 € ; réduc. Visite guidée (3 €) mer à 15h (rens au ☎ 04-93-53-40-53). Pour les ateliers-enfants, contacter le service pédagogique au même numéro.*

Henri Matisse : « Voulez-vous que je vous dise ? Nice... pourquoi Nice ? Dans mon art, j'ai tenté de créer un milieu cristallin pour l'esprit : cette limpidité nécessaire, je l'ai trouvée en plusieurs lieux du monde, à New York, en Océanie, à Nice. »

Superbe et incontournable musée, aménagé dans une admirable demeure du XVIIᵉ siècle inspirée des villas génoises, rouge brique et ocre, plantée dans un beau jardin. C'est à la suite d'une bronchite que Matisse séjourna pour la première fois à Nice, en 1917. Sur la Côte d'Azur, il fréquenta Renoir aux *Collettes,* puis Picasso, avec lequel il se lia d'amitié. Il vécut à Nice plusieurs années, de 1921 à 1938, dans la maison *Caïs de Pierlas,* au bout du cours Saleya, puis au *Régina,* résidence de grand luxe, juste à côté des jardins de Cimiez, où il aimait se promener. C'est ainsi que cette villa, au cœur des jardins, exposa tout naturellement des œuvres du maître dès 1963, pour finalement lui être entièrement consacrée en 1989.

– Si elle n'expose pas les toiles les plus illustres du peintre, la villa en dévoile toute l'évolution artistique, depuis ses débuts jusqu'à sa mort, démarche également adoptée par le musée Matisse du Cateau-Cambrésis, sa ville natale (dans le Nord-Pas-de-Calais). On découvre chronologiquement son œuvre, depuis les premiers tableaux de 1890 jusqu'aux gouaches découpées, organisées de manière thématique. Et puis deux salles importantes, consacrées à la décoration de la chapelle de Vence. Il faut donc considérer cette visite comme un parcours dans le temps, mais aussi dans l'esprit d'un homme qui cherchera en permanence à épurer, à simplifier sa vision du monde. Certaines salles exposent quelques objets ayant appartenu à l'artiste. De récents travaux ont amélioré le confort de la visite, notamment grâce à la mise en place de notes explicatives dans chaque salle. Nous vous proposons toutefois quelques clés de lecture, qui valent ce qu'elles valent, après tout.

– *Le vestibule :* noter la plante verte. Banale, somme toute. Et pourtant, on la retrouve dans un grand nombre de tableaux. Matisse en appréciait la forme ample et le style découpé des feuilles. Il reprendra ce découpage moult fois par la suite. Et puis des bronzes, deux nus de dos. Le premier plein en rondeur, l'autre comme taillé à la serpette, avec la colonne vertébrale en exergue.

– *1ʳᵉ salle (à droite du vestibule) :* on y trouve quelques-unes des premières peintures, où l'on découvre un Matisse méconnu. C'est l'époque où il travaille dur la technique, en copiant les grands maîtres hollandais comme Jan Davidsz de Heem, ainsi que Philippe de Champaigne (*Le Christ mort*). Il utilisera plus tard ce type de travail sur les études pour la chapelle de Vence. *La Desserte* de Heem sera un thème récurrent chez Matisse.

– *2ᵉ salle :* c'est la découverte de la lumière et l'approche des différentes voies picturales. Tenez, comparez *Village de Bretagne* (1896) et *Cour de moulin à Ajaccio* (1898). Tentative d'impressionnisme avec *Les Gourgues,* puis direction le pointillisme avec *Jeune femme à l'ombrelle,* à l'image du travail de Seurat et Signac. Et voilà le cubisme avec *Intérieur à l'harmonium*. Plus loin, la toile qui déclenche tout : *Portrait de Mme Matisse* (1905). Le peintre utilise la couleur pour signifier les ombres, alors que le noir et le blanc forment les contours. Et c'est là toute la nouveauté. Quelle brutalité, quelle violence chromatique ! Le fauvisme vient de naître. Et c'est le début des grands aplats de couleurs, de l'abolition des perspectives avec *Liseuse à table jaune*. Les deux grands thèmes de sa vie picturale se mettent en place : la femme et les fleurs. Dans un angle, deux fauteuils et un guéridon de style rocaille, avec la toile qui correspond. Avec *Nu au fauteuil,* on retrouve les thèmes classiques : femmes, plante verte et ses couleurs de prédilection.

– *Salle à gauche du vestibule :* dédiée aux arts graphiques. Fusains, linogravures, ainsi que la *Nymphe dans la forêt,* où il cherche la couleur.

– *La 2ᵉ salle* abrite une série de dessins, plus particulièrement des portraits et des sculptures. Les premiers portraits, très réalistes, presque scolaires, puis on se dirige vers un travail d'épuration, de simplification très nette du trait. Dans les années 1950, avant sa mort, en un seul trait, il parvient à exprimer l'essentiel. Voir encore l'évocation de la stylisation avec *Trois bronzes d'Henriette,* très évolutifs.

– *1ᵉʳ étage et les salles des gouaches découpées :* plusieurs chefs-d'œuvre, comme *Le Nu bleu IV,* ainsi que *La Danseuse créole.* La technique du travail du papier gouaché et découpé, mise au point par un Matisse malade et cloué au lit, condamné par le sort à « dessiner avec des ciseaux », sera considérée par l'artiste lui-même comme la synthèse de son art. Les aplats sont peints selon ses directives par des assistantes, puis intervient le travail de découpage et d'assemblage. Sublime de simplicité et de fraîcheur ! La tapisserie *La Mer* est une commande de la manufacture de Beauvais où les mondes aquatique et aérien sont allègrement mélangés (oiseaux et poissons). Matisse pensa à cet effet en s'immergeant dans l'eau jusqu'aux yeux lors d'un voyage à Tahiti. *Océanie, Le Ciel* et *La Mer* procèdent du même type de travail.

Les salles suivantes évoquent l'Asie et l'Orient. Moucharabieh de tissu qu'on retrouve dans plusieurs toiles et dans les découpages. C'est une étude qui servira pour la porte de la chapelle de Saint-Paul-de-Vence. Les deux salles suivantes sont dédiées à la chapelle. Son histoire avec Vence remonte à 1943, date à laquelle il fuit Nice pour s'installer dans ce village. Dans la communauté dominicaine voisine, il retrouve par hasard un de ses anciens modèles, devenue sœur Jacques-Marie. Ils travaillent ensemble à la conception d'une chapelle. Pour la petite histoire, les dominicaines trouveront que la sœur, modèle et artiste, prend trop d'importance au regard de ses vœux (vœux monastiques s'entend !). Elle sera écartée de la communauté et même pas invitée à l'inauguration. Voir la maquette extérieure du projet, où Matisse parvient à mêler ses différentes formes de recherche : architecture, grands dessins muraux, vitraux. Sur l'un d'eux, le cactus, l'arbre de vie. Toujours la simplicité, car cet arbuste n'a besoin de presque rien pour subsister. La salle suivante abrite, par roulement, dessins et découpages originaux, ainsi qu'études préparatoires aux panneaux de céramiques qui ornent aujourd'hui la chapelle, sans oublier les chasubles (vert pomme ou noir !). La maquette centrale présente l'intérieur de la chapelle.

– *La partie moderne :* ouverte en 1993 et enfouie en sous-sol, mais malgré tout lumineuse et blanche, elle abrite de passionnantes expos temporaires (changements tous les 3 mois), sur des thèmes variés tournant toujours autour du travail du maître des lieux. Le grand hall accueille une vaste composition en gouache découpée, *Fleurs et fruits* (1952-1953).

– *Le cabinet des dessins :* visitable sur demande écrite seulement. Dans cette salle hyper protégée sont conservés 300 dessins originaux qui couvrent toute la vie de l'artiste. Intéressera surtout les étudiants en histoire de l'art, les chercheurs et les passionnés qui veulent un – presque – tête-à-tête avec certaines œuvres de l'artiste.

🍴 *Le Musée archéologique – Nice Cemelenum* *(plan couleur III, D2) : 160, av. des Arènes-de-Cimiez, 06000.* ☎ *04-93-81-59-57.* ♿ *À côté du musée Matisse (entrée par le jardin). Tlj sf mar (et certains j. fériés) 10h-18h. Entrée : 4 € ; réduc. Visite guidée tte l'année jeu à 15h30.*

Vous y verrez les résultats des fouilles réalisées à Cimiez et dans les environs. Tous les objets trouvés – céramiques, bijoux, monnaies, etc. – illustrent la vie des anciens habitants de Cemelenum, à l'époque romaine. Verrerie gallo-romaine. Petits autels votifs trouvés sur le site même de Cimiez. Éléments de sarcophages et statues romaines. Au fond, maquette intéressante du site archéologique situé juste à l'extérieur, et qu'on visitera après, c'est promis. Reconstitution des trois ensembles thermaux de Cemelenum, datant du IIIe siècle de notre ère. À côté, trois petites maquettes montrent l'évolution des thermes du nord, aux IIIe, V^e et XIXe siècles, période à laquelle une ferme s'était installée dans l'un des bâtiments. Une partie du sous-sol est réservée aux fouilles des anciennes nécropoles de Cimiez. Stèles, sarcophages entiers ou en morceaux, certains avec épitaphes, autels, vitrines de mobilier funéraire (pots, lampes...).

Également plusieurs objets provenant de diverses collections, comme ces belles céramiques du VIe siècle avant notre ère, à figures rouge et noir, et ces superbes statuettes étrusques en bronze. Des amphores attestent de l'importance du commerce dans la région. Éléments en bronze provenant de la fouille d'une épave (voir les superbes accoudoirs de lit à tête de cheval, du Ier siècle av. J.-C.).

– *Le site archéologique :* ♿ *(partiel).* Après la visite du musée, il faut se promener au milieu des fouilles elles-mêmes (qui ont repris depuis 3 ans), composées d'un site paléochrétien, mais surtout (c'est la partie la plus visible et la mieux préservée) d'un ensemble de thermes (de l'ouest, de l'est et du nord). Plan du site disponible, ça aide, même si ce discrètes indications permettent de se repérer. Juste en sortant du musée, ce sont les *thermes de l'ouest* (réservés aux femmes), sur lesquels on élèvera plus tard un baptistère chrétien, juste au-dessus des salles de chauffe, et une cathédrale. Un évêque officia d'ailleurs ici jusqu'au VIe siècle. Ainsi les ruines sont constituées sans discernement des restes d'une salle froide et de ceux d'une cathédrale et d'un baptistère, ce qui ne rend pas la lecture aisée pour le visiteur. Juste au nord de ces thermes (entre ceux-ci et l'arrière du musée Matisse), on voit assez nettement le *cardo*, à savoir l'ancienne voie romaine, installée dans un axe nord-sud. Quelques pierres usées témoignent du passage des roues de char. Des *thermes de l'est* ne subsiste pas grand-chose de lisible. Les *thermes du nord* sont en revanche les mieux conservés. Ce sont de loin les plus importants. La noblesse des matériaux utilisés ainsi que leur ampleur laisse à penser qu'ils étaient réservés aux notables. Voir la piscine d'été, pas bien grande (pas de quoi faire un 200 m papillon) mais entourée d'une colonnade (il ne reste qu'une seule colonne debout). On pense que le fond était recouvert de marbre. Noter, sur le côté droit de la piscine, ce curieux banc de pierre, troué à intervalles réguliers. Il s'agit de latrines. Juste en dessous passait un courant d'eau qui servait de chasse permanente. Ingénieux. Le grand édifice au fond était le frigidarium, dont il subsiste de hauts murs de pierre et de brique. Comme vous l'aviez compris, on y prenait les eaux froides. Sur les côtés, dans le sol, on repère encore assez bien les canalisations (apports d'eau, évacuations des eaux usées...). Autour, les vestiges des salles tièdes, étuve sèche, courette pavée.

🎎 **Le monastère franciscain** *(plan couleur III, E2)* : au XVIᵉ siècle, les franciscains s'installent à Cimiez dans un ancien prieuré bénédictin. Ils restaurent l'église existante et construisent un petit cloître.
– *L'église :* sur le parvis, colonne torse en marbre blanc surmontée d'une croix tréflée du XVᵉ siècle, où est sculpté le séraphin qui apparut crucifié à saint François d'Assise. La façade de l'église, de style dit « troubadour » (1850), est précédée d'un porche du XVIIᵉ siècle. L'unique nef centrale (du XVᵉ siècle) abrite trois œuvres majeures du primitif niçois Louis Brea. Tout de suite à droite, on découvre (préparez votre monnaie, l'éclairage de chacune des toiles coûte 0,50 € !), une pietà de 1475, première œuvre connue de l'artiste ; œuvre de jeunesse donc, mais qui témoigne déjà d'une exceptionnelle maîtrise (remarquez le fond doré qui fait place à un paysage). Curieux angelots perchés sur la croix comme des hirondelles... La 3ᵉ chapelle à gauche abrite une *Crucifixion,* de 1512 ; en 30 ans et des poussières, Louis Brea a dû prendre des cours de perspective (le paysage en arrière-plan) ! Intéressante mise en scène inspirée des mystères joués au Moyen Âge sur les parvis des églises, mouvements encore un peu figés, mais grande expressivité des visages. Pour la *Déposition de croix* (dans une chapelle, à droite, au fond), pour laquelle le peintre s'est peut-être fait aider vers 1515-1520 par son frère Antoine, l'influence de la Renaissance se fait sentir. Au fond, imposant retable en bois sculpté de style baroque.
– *Le cloître :* à gauche, en sortant de l'église, les bâtiments conventuels sont émouvants de simplicité. Adorable petit cloître avec son puits fleuri et grand cloître dont les voûtes sont ornées d'étonnantes peintures ésotériques. Le grand cloître s'ouvre par une grille sur le jardin.
– *Les jardins :* en terrasses au-dessus de la ville. Citronniers et parterres fleuris, mignonnes pergolas où grimpent des roses anciennes. Les jeunes mariés niçois viennent souvent y prendre la pose. Jolie vue qui embrasse toute la ville : la coupole de l'observatoire, la vallée (un peu bétonnée) du Paillon, le cimetière et la colline du château, puis la mer...

🎎 **Le Musée franciscain** *(plan couleur III, E2) :* pl. du Monastère, 06000. ☎ 04-93-81-00-04. *Au 2ᵉ étage du monastère franciscain. Ouv 10h-12h, 15h-18h (jusqu'à 17h30 15 oct-30 avr). Fermé dim et j. fériés. Entrée gratuite.* Rapide, didactique mais intéressante évocation du franciscanisme à Nice et dans le monde, du XIIIᵉ siècle à nos jours. Présentation de quelques figures du mouvement comme frère Marc qui fut, en 1539, le premier Européen à explorer le Nouveau Mexique et l'Arizona (un moine routard !). Quelques documents anciens, dont un superbe recueil de chants liturgiques enluminé du XVIIᵉ siècle. Reconstitution d'une cellule (déco très épurée !) du XVIIᵉ siècle.

🎎 **Le cimetière de Cimiez** *(plan couleur III, E1-2) :* petit cimetière établi en 1840, évidemment à l'image du quartier avec un ensemble de tombes aux architectures les plus variées : pyramide égyptienne, portail gothique, sculpture contemporaine. Sépultures de vieilles familles niçoises (quelques noms que l'on retrouve sur les plaques de rues comme Malausséna) et d'artistes. Matisse repose sous un simple bloc de pierre à l'extérieur de l'enceinte du cimetière (c'est fléché), dans une oliveraie qui lui appartenait. Le long du mur de l'église sont inhumés les peintres Trachel, Raoul Dufy et l'écrivain Roger Martin du Gard.

🎥🎥 *Le parc de Valrose* (plan couleur III, C-D2) : *accès depuis Cimiez par une porte monumentale qui s'ouvre sur le bd du Prince-de-Galles. Lun-ven 7h-20h30 pdt l'année universitaire ; autre entrée par l'av. de Valrose (mais ça fait un sérieux détour !). Attention, c'est l'actuelle faculté des sciences de Nice et l'accès en est en principe réservé aux seuls étudiants, mais comme il n'y a pas de contrôle à l'entrée...* Vaste parc Second Empire qui a, on ne sait par quel miracle, conservé sa superficie d'origine. Bien sûr, quelques petits blocs de béton y ont été plantés dans les années 1960 pour accueillir les étudiants de la fac de sciences, mais ça n'a finalement pas trop chamboulé l'endroit (et c'est peut-être pour ça que le parc de Valrose existe toujours). Le baron Paul Derwies, illustre ingénieur anobli par les tsars, créateur et propriétaire du mythique Transsibérien, avait acheté, en 1865, cette dizaine d'hectares dans le quartier du vallon des Roses, au pied de la colline de Cimiez, pour y construire l'extravagant et néogothique château Valrose (propriété de l'université, il ne se visite pas). Monsieur le baron, qui goûtait la musique, fit également édifier juste à côté du château son propre opéra-théâtre. Les plus grands artistes lyriques du moment venaient animer des soirées mémorables en ces lieux, avant que les revers de fortune et les guerres ne mettent fin aux rêves du baron. Mais, même s'il n'y a plus une centaine de jardiniers pour l'entretenir, même si l'on n'y croise plus la reine Victoria (pour laquelle un souterrain avait carrément été creusé depuis l'*Excelsior*), le parc conserve belle allure avec ses jardins à la française, où les palmiers (on est à Nice !) voisinent des statues copiées sur celles de Versailles, qui ont d'ailleurs presque toutes perdu la tête (facétie d'étudiants ?).
Et le parc de Valrose abrite une vraie curiosité : une *isba*, tout ce qu'il y a de plus authentique. Elle a été démontée planche par planche dans l'un des grands domaines appartenant à la famille Derwies, près de Kiev.

Les collines de Nice *(hors plan couleur III par E2)*

Un petit morceau de campagne provençale aux portes de la ville. Les collines sont un peu aux Niçois ce que les calanques sont aux Marseillais : un jardin secret. Des villages qui sont encore des villages, de sinueuses petites routes qui jouent à saute-vallon, de vraies auberges de campagne où les déjeuners dominicaux se terminent en parties de pétanque et autour d'un verre de bellet. Les collines peuvent se découvrir au départ de Cimiez. Sortir de la ville par l'avenue Cap-de-Croix, puis le boulevard de Rimiez ; au lieu-dit l'aire Saint-Michel (connu par les randonneurs au long cours pour marquer la fin du célébrissime GR 5 Hollande-Méditerranée), on est déjà à la campagne. La rue des Romains par laquelle on continue sa route est d'ailleurs aussi une départementale (la D 114).

🎥 *La cascade de Gairaut* : *sur l'av. de Gairaut, en contrebas de la D 114 (c'est fléché sur la gauche).* Surplombée d'une rigolote maison entre gare de campagne et chalet alpin, une cascade artificielle mais jolie comme tout, aménagée en 1882. Petite église (fermée à la visite) en contrebas. Le chemin qui suit le canal de Gairaut (ou canal de la Vésubie) offre une vue réellement superbe sur la ville.

➤ Suivre tranquillou les petites routes (D 14 puis D 914) jusqu'à Saint-Pancrace.

🎥 *La maison de Ben :* 103, route de Saint-Pancrace. *Sur la droite, juste avt d'arriver à Saint-Pancrace (immanquable de tte façon...). Ne se visite pas, il faut le savoir !* Grande maison blanche où l'artiste, né à Naples de père suisse et de mère irlandaise, s'est installé après avoir parcouru pas mal de pays. Sa maison est évidemment un « prétexte à célébrer son ego ». La façade est entièrement recouverte d'une accumulation d'objets hétéroclites et d'œuvres de l'artiste. Accumulation qui a gagné le jardin planté de téléviseurs, de bidets transformés en jardinières... À l'entrée, une plaque : *Chez Malabar et Cunégonde.* Comprendre « Chez Ben Vautier et Madame » !

➤ On continue la traversée des collines par de tranquilles petites routes (enfin, attention tout de même aux retours du boulot en fin d'après-midi !) : la D 914 jusqu'à La Sirole puis la D 714 qui conduit à Saint-Roman, au cœur du vignoble de Bellet.

🍴 *Le vignoble de Bellet :* tout petit vignoble (70 ha env, dont 40 en AOC) exploité par une douzaine de viticulteurs autour des villages de Saint-Roman, Saquier et Crémat. Deux petites routes permettent de découvrir ces paysages où de petites parcelles de vigne voisinent de vastes serres vitrées (les viticulteurs font aussi pousser des œillets). Le chemin du Saquier traverse le mignon hameau des Seules, d'où l'on aperçoit la superbe propriété du château de Bellet (lire ci-dessous). Et un peu plus loin, après Saint-Roman, le chemin de Crémat suit la ligne de crête de la colline, avant de finir en cul-de-sac juste après le rococo château de Crémat et son imposante tour à mâchicoulis. Si les producteurs se sont alignés sur les prix (autour de 15-27 € la bouteille), la qualité est loin d'être égale. Raison de plus pour privilégier les bons ! *Pour plus de rens : • vinsdebellet.com* ●

Où goûter et acheter du vin de Bellet ?

🍷 *Les Coteaux de Bellet :* 325, chemin de Saquier, 06200. ☎ 04-93-29-92-99. Lun-ven 15h-18h. Visite du vignoble sur rendez-vous. On y trouve les trois couleurs du Bellet. Excellent blanc que les meilleures tables de la région se doivent d'avoir sur leur carte. Bon rapport qualité-prix pour ce vin élaboré avec passion par une femme vigneron.

🍷 *Château de Crémat :* 442, chemin du Crémat, 06200. ☎ 04-92-15-12-15. Ouv en sem ; le w-e pour les groupes sur rendez-vous. D'accord, le bâtiment du château peut prêter à sourire, mais, pour le vin, c'est du sérieux. Un des meilleurs producteurs de bellet, sans conteste.

🍷 *Domaine de Toasc :* 213, chemin de Crémat, 06200. ☎ 04-92-15-14-14. Visite de la cave sur rendez-vous. Belle maison provençale. Les trois couleurs du vignoble : blanc (rolle en majorité), rosé et rouge. Produit également un petit vin de pays « Lou vin d'Aqui », dont l'étiquette est signée Ben.

🍷 *Château de Bellet :* 440, chemin de Saquier, 06200. ☎ 04-93-37-81-57. Accueil sur rendez-vous ; pas de dégustation. Propriété de la famille de Charnacé depuis quatre siècles (d'où sans doute ce chemin du Baron voisin). Très belle maison flanquée de tours rondes, trompe-l'œil en façade.

À Saint-Barthélemy

🍴 *La villa Arson* (hors plan couleur III par B1) : 20, av. Stephen-Liégeard, 06100. ☎ 04-92-07-73-73. En voiture, de la promenade des Anglais, prendre le bd Gambetta, puis le bd Cessole. Bus nᵒˢ 4 ou 7, arrêt « Deux-Avenues » ; nº 20, arrêt « Fontaine du Temple » ; nᵒˢ 1 ou 18, arrêt « bd Gorbella » ; tramway ligne nº 1, arrêt « Le Ray ». Ouv slt pdt les expos : juil-sept, tlj 14h-19h ; oct-juin, tlj sf mar, 14h-18h. Entrée gratuite.
Une demeure patricienne niçoise du XVIIIᵉ siècle – où Talleyrand vint se reposer après le congrès de Vienne – enserrée dans un ensemble un peu labyrinthique de spartiates immeubles contemporains aux murs qui mêlent béton et galets de rivière et épousent parfaitement la topographie du site. C'est une structure originale qui accueille en un même lieu l'*École nationale supérieure d'art*, un centre national d'art contemporain et des résidences d'artistes. Il y a quatre expositions par an, d'artistes en général très pointus. Culture en art contemporain bien évidemment préférable pour bien comprendre, mais des médiateurs présents à l'entrée peuvent accompagner les visiteurs de manière individuelle pour leur faire découvrir l'exposition. Quoi qu'il en soit, le lieu est étonnant, et le panorama sur Nice et la baie des Anges superbe.

Le quartier de l'Arénas *(hors plan couleur I par A6)*

Petit (pour l'instant…) quartier d'affaires, construit dans le prolongement des pistes de l'aéroport, sur une ancienne zone marécageuse appelée les Reinettes (*las renas* en nissart). Pour amateurs d'architecture contemporaine (et encore). Quelques curiosités dans les quartiers résidentiels voisins de Saint-Augustin et Caucade.

🎎🎎 *Le musée des Arts asiatiques (hors plan couleur I par A6) :* 405, promenade des Anglais, 06200. ☎ 04-92-29-37-00. • arts-asiatiques.com • ♿ Bus nᵒˢ 9, 10 et 23. Tlj sf mar (et certains j. fériés), 10h-18h (17h de mi-oct à fin avr). Entrée : 6 € ; réduc ; gratuit jusqu'à 18 ans ; gratuit pour ts le 1ᵉʳ dim du mois. Visite guidée gratuite le 3ᵉ dim du mois.

C'est au Japonais Kenzô Tange que l'on doit cette architecture pure et minimaliste qui a influencé la conception même du musée. Ce dernier a été construit autour de cinq points forts : la Chine, le Japon, l'Inde, l'Asie du Sud-Est et le bouddhisme, avec une collection unique en son genre, issue à l'origine de prêts du musée Guimet, mais surtout enrichie par une politique d'achat d'œuvres de grande qualité. Jouant sur l'harmonie plus que sur l'accumulation, ce lieu magique ne sépare plus les arts dits « décoratifs » des beaux-arts, les collections anciennes servant de références historiques et esthétiques pour amener le contemporain, introduit sous la forme d'objets du quotidien.

Ici, il faut avancer selon ses envies de pièce en pièce, l'audioguide permettant cette évasion, ce voyage fantastique du disque Bi en jade de l'époque néolithique découvert en Chine du Sud au fauteuil en acier du designer Shiro Kuramata, en passant par un Haniwa du VIᵉ siècle, cheval en terre cuite du Japon…

– Une passerelle conduit au *pavillon du Thé,* présentant des grès remarquables, lieu d'éveil à une autre forme de culture, qui accueille certains dimanches (sf en août), à 15h et 16h, un maître de thé japonais pour des séances d'initiation tellement populaires qu'elles refusent du monde (résa obligatoire). Les jeudi et vendredi après-midi, dégustation de thés indiens, et le samedi après-midi de thés japonais. Nombreuses autres animations liées aux cultures asiatiques (calligraphie, papiers pliés ou découpés, démonstration d'ikebana, etc.), concerts et autres spectacles. *Boutique* également (textiles, artisanat, librairie, thé, encens…).

🎎 🚶 *Le parc Phœnix :* 405, promenade des Anglais, 06200. ☎ 04-92-29-77-00. Bus nᵒˢ 9, 10 et 23 ; en voiture, de la promenade des Anglais, prendre la direction de l'aéroport, ensuite à droite, vous verrez la grande serre, la suite du parcours est fléchée ! Tlj 9h30-19h30 avr-sept et jusqu'à 17h oct-mars. Entrée : 2 € ; réduc ; gratuit jusqu'à 12 ans. Possibilité de visites guidées en sem. Parking payant, mais 2h gratuites accordées les w-e et j. fériés. Ouvert en 1990, ce parc botanique regroupe plus de 2 000 espèces de végétaux. Jardins à thèmes sur 7 ha. Reconstitution de nombreux espaces naturels (garrigue, torrent alpin, dune de l'Hérault…) ou jardinés (jardin de curé, jardin de simples…). Pas inintéressant (joli jardin de cactées et autres plantes succulentes, par exemple), mais l'absence de plan lisible et de fléchage adéquat gâche le plaisir de la visite (tout comme le trafic de l'aéroport voisin). Mention spéciale tout de même à la serre géante (la plus grande du monde, avec ses 7 000 m²). Chaleur moite, iguanes et caïmans à lunettes, fausses ruines de temple ancien à la Indiana Jones, fougères arborescentes, orchidées, phasmes et mygales dans l'insectarium. Dépaysant !

🎎 *Les studios de la Victorine :* 16, av. Édouard-Grinda, 06200. Ne se visitent pas. Fondés en 1923 par Louis Nalpas qui rêvait de transformer Nice en un Hollywood européen. Si ces studios existent toujours, ils s'appellent désormais *Riviera Studios,* et une bande de jeunes Européens, enfermés en 2003 dans une villa sous l'œil des caméras de la télé-réalité, a succédé à la Arletty des *Enfants du paradis.* Drôle de postérité pour un endroit où furent tournés de nombreux classiques : *La Main au collet* d'Hitchcock, *La Mariée était en noir* de Truffaut, le sulfureux (pour l'époque)

Et Dieu créa la femme de Vadim, quelques polars de Verneuil (*Mélodie en sous-sol, Le Clan des Siciliens*). Aujourd'hui, à la Victorine, il ne reste plus que la vieille pancarte qui annonce qu'un tournage est en cours, et des souvenirs...

🎥 *Le cimetière russe de Caucade :* 78, av. de Sainte-Marguerite, dans le quartier de Caucade. Bus n° 6, arrêt « cimetière de Caucade » ; le cimetière russe se trouve au bout d'une petite allée, juste en face de l'arrêt de bus. Tlj 9h-17h. C'est une propriété privée, mais la visite est autorisée. Minuscule cimetière en escalier, créé en 1867 et dédié, comme la cathédrale orthodoxe, au grand-duc Nicolas Alexandrovitch. Il s'agit là aussi d'un témoignage de l'importance de la communauté russe sur la Côte d'Azur dès le XIXe siècle (beaucoup de Russes blancs s'installeront d'ailleurs définitivement dans le coin après la révolution de 1917). Quelques grands noms de l'aristocratie russe, le comte Stroganoff, y sont inhumés, mais aussi des artistes, le peintre Nicolas Fricero ou la duchesse et arrière-petite-fille du tsar, Alexandra de Beauharnais, écrivain à ses heures. Mais faute de déchiffrer l'alphabet cyrillique, difficile de trouver leurs tombes... Ironie du sort : ces représentants du régime tsariste reposent à côté d'un de leurs révolutionnaires ennemis, Alexandre Herzen, sur la tombe duquel Lénine est venu s'incliner en 1909...

Le mont Boron *(hors plan couleur II par G5)*

Le lieu originel de la ville puisque c'est à Terra Amata (voir plus haut le musée de Paléontologie humaine de Terra Amata), au pied du mont Boron, qu'ont été découverts les vestiges de la « villa » des premiers estivants niçois, un habitat de branchages parmi les plus anciens connus dans le monde. Les boulevards, qui longent la Méditerranée et grimpent sur les premières pentes, forment depuis le XIXe siècle, tout comme Cimiez, un quartier assez chic, et la forêt du mont Boron joue un peu le rôle de poumon vert de Nice.

🎥🎥 *Les boulevards du bord de mer :* avant d'aller découvrir les extravagances architecturales du quartier, on peut boire un coup boulevard Franck-Pilatte ou grignoter une salade au petit bar-resto idéalement installé sur le grand plongeoir en béton du club nautique (où Matisse pratiquait l'aviron). À peine plus loin, le parc Vigier, ancien jardin d'acclimatation (c'est d'ailleurs ici que s'est fort bien acclimaté, en 1864, le palmier culte de la Côte d'Azur, *Phœnix canariensis* de son nom savant). Le boulevard Jean-Lorrain, qui mène vers Villefranche-sur-Mer, surplombe l'ancienne *villa Orlamonde* de Maurice Maeterlinck. Le palais néoclassique où vivait le poète symboliste a considérablement changé depuis sa transformation en hôtel de luxe. Reste la piscine, hollywoodienne. Le boulevard Carnot qui grimpe vers le mont Boron conserve, entre autres, quelques extraordinaires maisons-pâtisseries comme (au n° 176) le *château de l'Anglais,* construit en 1858 pour Robert Smith, colonel de l'armée des Indes. Mélange assez osé de palais de maharajah et de château néogothique, le tout dans un rose du meilleur goût ! Juste au-dessus, le *château la Tour* construit en 1880 mais qu'on croirait né au Moyen Âge, avec sa tour à mâchicoulis.

🎥 *Le parc du mont Boron :* 50 ha de verdure recouvrant les pentes et le sommet du mont. Une forêt plantée à partir de 1860 et typiquement méditerranéenne : pins d'Alep, chênes verts, eucalyptus... Aires de pique-nique, sentiers balisés (11 km). Attention, l'accès au parc est interdit la nuit.

🎥🎥 *Le fort du mont Alban :* solide forteresse de pierre qui, pour une fois, n'a pas été construite par Vauban, mais, à partir de 1557, par Emmanuel-Philibert, duc de Savoie, qui craignait de se faire voler le comté de Nice. Architecture militaire sous influence Renaissance : les amateurs jugeront. S'il faut vraiment monter jusqu'à ce fort, c'est pour la vue franchement exceptionnelle qui s'ouvre au pied de ses murailles : d'un côté, la verte presqu'île du Cap-Ferrat entourée d'une Méditerranée aux eaux de lagon, plus loin le cap d'Ail et la pointe italienne de Bordighera ; de l'autre, la baie des Anges fermée par le cap d'Antibes.

🍴🍴 *L'observatoire (hors plan couleur II par G5)* : bd de l'Observatoire, 06300. ☎ 04-93-85-85-58 (association Parsec). À 370 m d'altitude, sur le mont Gros ; accès depuis le mont Boron par l'av. du Mont-Alban, les boulevards des Deux-Corniches, de Bischoffsheim et de l'Observatoire enfin. Visite mer et sam à 15h (précises !). Entrée : 6 € ; réduc. Deux grands noms se sont attelés à sa construction en 1881 (pour un banquier amateur d'astronomie). Charles Garnier, concepteur de l'opéra de Paris, s'est chargé de l'essentiel de la vingtaine de pavillons qui occupent ce site boisé (botaniste de formation, il a planté les 250 arbres de l'oliveraie !). Gustave Eiffel, qu'on ne présente plus, a conçu la plus grande des deux coupoles (100 t, 24 m de diamètre et notre Gustave pas peu fier, à l'époque, d'avoir fait plus grand que le Panthéon !) ; coupole dite « Bischoffsheim », du nom du commanditaire de l'observatoire et qui abrite une lunette de 76 cm, longtemps la plus grande du monde. Même si des scientifiques y travaillent encore aujourd'hui et que le matériel a bien évidemment été modernisé, l'endroit conserve le charme de l'ancien. *Intéressante visite guidée, en attendant l'espace muséographique qui devrait s'installer sur le site fin 2007-début 2008.*

Promenade en bateau

➢ La compagnie *Trans Côte d'Azur* propose plusieurs balades. *Billetterie et départs depuis le port, quai de Lunel. Pour infos et résa :* ☎ 04-92-00-42-30. ● trans-cote-azur.com ● Le *Circuit Promenade côtière (env 1h ; 12 € ; réduc enfants)* est une excellente balade qui permet d'aborder la ville et ses environs par la mer. Départ en théorie à 11h (sous réserve d'un nombre suffisant de passagers) et 15h tous les jours (se faire confirmer l'horaire par téléphone). Même si vous n'êtes pas plus branché que ça par ce genre de truc, ne loupez pas cette balade. La vision du port de Villefranche, de Saint-Jean-Cap-Ferrat et de Nice par la mer est un must. D'autres balades sont possibles à la journée vers Monaco, San Remo, Saint-Tropez et les îles de Lérins. Pour chacune d'elles, on vous laisse quelques heures sur place. Une excellente formule de visite pour les gens qui ne sont pas véhiculés et qui veulent découvrir d'autres aspects de la côte.

Fêtes, manifestations et festivals

– *Carnaval et bataille de fleurs :* 15 j. en fév. Infos et résa : 5, promenade des Anglais, 06000. ☎ 0892-707-407 (0,34 €/mn). ● nicecarnaval.com ● Voir le chapitre qui lui est consacré en introduction de Nice.
– *Festin des Cougourdons :* en mars, dans les jardins du monastère de Cimiez. Rens : ☎ 04-97-13-21-21. ● nice.fr ● Grande fête populaire avec danses niçoises pour célébrer l'arrivée du printemps. Les cougourdons, ces courges locales aux formes bizarres, servent pour l'occasion d'instruments de musique.
– *Fête des Mai :* ts les dim et j. fériés du mois dans le jardin et les arènes de Cimiez. Rens : ☎ 04-97-13-21-21. ● nice.fr ● Pour fêter le renouveau de la nature. Pique-niques, bals et spectacles folkloriques. Très familial.
– *Festival de musique sacrée :* en juin. Rens : ☎ 04-97-13-36-89. Large répertoire, de la musique baroque au gospel, dans les églises de la vieille ville.
– *Fête de la Saint-Jean :* en juin, port de Carras (à l'extrémité ouest de la promenade des Anglais). Rens : ☎ 04-97-13-41-13. Feux de la Saint-Jean au bord de la mer, danses et musiques folkloriques.
– *Festival du livre :* en juin, jardin Albert-Ier. Rens : ☎ 04-92-07-86-60. ● nice-livre. com ● Colloques, cafés littéraires ou philosophiques autour d'un thème qui change chaque année. Remise du prix Nice Baie des Anges.

– **Festival de jazz :** en juil à Cimiez. ● nicejazzfest.com ● Pour 35-40 € env (réduc et forfaits), trois scènes permanentes de 18h à minuit (problème, il faut choisir !), et ce pendant 8 jours ! Festival off en ville (places Rosseti et Wilson, jardin d'Alsace-Lorraine et port) matin et après-midi. Le premier du genre à avoir été créé en France, en 1974. Cadre plutôt idyllique entre les arènes, le jardin des Oliviers et la belle façade provençale du musée Matisse. Les plus grands noms s'y sont produits : Louis Armstrong, Sydney Bechet, Miles Davis, Dizzy Gillespie, etc. Moins jazz (s'ouvrant vers les musiques du monde ou la musique électronique) qu'il y a quelques années, il n'en reste pas moins l'un des meilleurs de France.

– **Musicalia :** ts les mer et sam en juil-août, au théâtre de verdure. ● nicetourisme. com ● Concerts de baroque ou musique du monde.

– **Nuits musicales :** en juil-août, jardin du monastère de Cimiez. ● http://concerts. hexagone.net ● Concerts classiques par de jeunes musiciens pleins d'avenir !

– **Lou Festin dou Pouort (la fête du Port) :** début sept. Rens : ☎ 0820-42-55-55. ● riviera-ports.com ● Animations festives et feux d'artifice.

– **Fête de la San Bertoumieu (de la Saint Barthélemy) :** début sept. Rens : ☎ 04-97-13-21-21. Grande fête du Vin dans le vieux Nice, en compagnie des producteurs.

– **Nice international Tattoo :** en oct, pdt 3 j., une année sur deux (années impaires). Rens : ☎ 0892-707-407. ● nice-tattoo.com ● Ce n'est pas une convention de tatoueurs, mais un des plus grands festivals d'Europe de fanfares militaires.

– **Festival des musiques actuelles Nice-Côte d'Azur (MANCA) :** en nov. Rens : ☎ 04-93-88-74-68. ● cirmmanca.org ● Très pointus concerts de musique contemporaine, électro-acoustique.

– **Fêtes de Noël :** marché de Noël sur le forum Masséna avec chalets d'artisanat et animations.

– Et bien d'autres manifestations encore (comme la crèche vivante place Rossetti).

Plongée sous-marine

La célèbre baie des Anges, les approches de la rade de Villefranche-sur-Mer, du cap Ferrat et de la baie de Beaulieu offrent une bonne trentaine de sites abrités, où plongeurs débutants et confirmés découvriront une vie sous-marine plutôt intéressante...

Club de plongée

■ **CIP Nice :** 2, ruelle des Moulins (rue du Lazaret). ☎ 04-93-55-59-50. ▯ 06-09-52-55-57. ● cip-nice.com ● Derrière le quai des Deux-Emmanuel. Ouv avr-nov, tlj sf dim. Résa conseillée. Baptême env 40 € ; plongée 30-40 € selon équipement ; forfaits dégressifs 5-10 plongées. Ambiance sportive et studieuse dans ce centre (FFESSM et PADI) réputé pour l'excellence de ses instructeurs, dirigés par Raymond Lefèvre. Ils vous conduisent sur les meilleurs spots du coin à bord du navire René Madeleine, et encadrent baptêmes et formations, jusqu'au monitorat fédéral et brevet PADI. Équipement complet fourni. Plongée de nuit, initiation enfants dès 8 ans, et sorties snorkelling.

Nos meilleurs spots

⚓ **La grotte à corail :** pour tous niveaux. Vers 15-20 m de fond, on se glisse sous une voûte constellée de corail rouge. La lampe torche s'impose alors pour allumer un véritable incendie... de couleurs ! Joli spectacle, mais surveillez donc votre palmage d'athlète qui pourrait endommager les précieuses branches !

⚓ **La pointe de la Cuisse :** à quelques encablures du cap Ferrat. Pour tous niveaux. Vous explorez les failles et cachettes de cette falaise sous-marine (5-20 m de fond), refuge des murènes et langoustes. Également pas mal de rascasses et mostelles ; et un petit tunnel amusant qu'empruntent seulement les plongeurs confirmés.

⚓ *La vallée des gorgones :* sous le cap de Nice, tout proche du port (attention aux hélices des bateaux). Pour plongeurs confirmés (niveau II). Un joli canyon (20-30 m de fond) entre deux roches couvertes de gorgones géantes écarlates, qui ondulent généreusement au gré de la houle. Accrochés à leurs larges rameaux, quelques œufs de roussettes, petits sacs translucides dans lesquels on voit s'agiter un inoffensif bébé requin. Ainsi va la vie... Quelques mérous et barracudas.

⚓ *Le sec à Merlot :* à l'est du cap Ferrat, cette plongée phare n'est accessible qu'aux confirmés (niveau II). Après une descente vertigineuse dans le bleu, braquez donc votre lampe torche sur cette magnifique arête rocheuse (environ 40 m de fond). Une jungle de gorgones rouges s'enflamme aussitôt, sans pour autant effrayer rascasses, murènes, sérioles et autres dentis louvoyant en nombre. Vraiment sympa, mais attention au courant, parfois violent.

➤ AUTOUR DE NICE : LES VILLAGES PERCHÉS

On quitte Nice par les boulevards Jean-Jaurès et Risso, et la route de Turin. À Pont-de-Peille, la D 21 remonte la rivière du Paillon. Après Saint-Thècle, la D 121, à droite, mène à Peillon.

Pour ceux qui n'ont pas de voiture, un moyen original de découvrir l'arrière-pays :

➤ *Le train des Merveilles :* infos auprès de l'association touristique Roya-Bévéra, ☎ 04-93-04-92-05 ; ● royabevera.com ● *Tte l'année, départ de Nice tlj à 9h, arrivée à Tende à 10h45. Train retour au départ de Tende à 17h21 et arrivée à Nice à 19h12. Tlj juin-fin sept et les w-e de mai et oct,* un guide conférencier commente le trajet. Voici un train qui part de Nice et qui remonte les vallées du Paillon, de la Bévéra et de la Roya, en passant par les villages de Peillon, Peille, L'Escarène, Sospel, Breil, Fontan-Saorge, Saint-Dalmas, La Brigue et Tende. On reste libre de descendre quand et où l'on veut, à chaque jour son village... On se promène, on mange et l'on attend tranquillement le train du retour en fin d'après-midi. Sur présentation du ticket de train des Merveilles, entrée à tarif réduit au *musée des Merveilles,* à Tende.

PEILLON (06440)

🎭🎭 Un des plus beaux villages de la Côte d'Azur. On y parvient par une route étroite et sinueuse, entre les oliviers, les genêts et les pins. La vue sur le village, qui semble figé depuis des siècles tant la restauration est parfaite, est saisissante : le bourg est là, ramassé en rond entre ses hautes maisons-remparts sur une falaise à pic. L'endroit a attiré de nombreux artistes dont Carné qui y tourna *Juliette ou la Clé des songes.* Mais c'est là que le bât blesse, hors saison : principalement constitué de résidences secondaires sans commerces et sans école, Peillon est un village très calme, mort diront certains, où seuls une poignée d'habitants et quelques touristes déambulent. D'un autre côté, en errant seul dans les ruelles, on se sent un peu le roi du monde ! En plus, Peillon est l'occasion d'une excellente étape gastronomique, dans l'un des meilleurs hôtels-restos de la Côte (si vous avez les moyens).

Comment y aller ?

➤ *En train :* ligne Nice-Sospel-Breil, descendre à l'arrêt Sainte-Thècle-de-Peillon. Petite marche d'environ 30 mn par un sentier (3 km par la route) pour se rendre au vieux village de Peillon.

Adresse utile

🏛 Syndicat d'initiative : 4, rue Centrale. 📞 06-24-97-42-25. ● si-peillon@orange.fr ●

Où dormir ? Où manger ?

Bon marché

🏠 Gîte rural : dans l'ancienne école, au cœur du vieux village, dans la montée de l'église. Réservations auprès des Gîtes de France.

|●| Auberge du Moulin : 📞 04-93-79-91-12. ⚓ Dans la vallée, tt près du carrefour entre la D 21 et la D 121 qui monte au vieux village, un peu à l'écart. En basse saison, ouv le midi tlj sf sam ; juin-sept, ouv midi et soir sf sam soir.

Congés : 20 août-1er sept. Menus 12 € (le midi)-21 €. Digestif maison offert sur présentation de ce guide. Une cuisine familiale, certes, mais digeste et plantureuse. Bons raviolis maison, lapin aux cèpes et beignets de fleurs de courgette. La patronne, vive et accueillante, fera l'impossible pour vous satisfaire. Beaucoup de routiers y font halte.

Beaucoup plus chic

🏠 |●| Auberge de la Madone : 2, pl. Auguste-Arnulf. 📞 04-93-79-91-17. ● auberge.de.la.madone@wanadoo.fr ● chateauxhotels.com/madone ● Juste au pied du village (bien fléché). Resto fermé mer. Congés : 9 janv-1er fév et 2 nov-24 déc. Doubles env 95-200 €. Formule déj en sem autour de 32 € ; autres menus 48-90 €. Chambres confortables, de style provençal, avec balcon et vue de rêve sur la vallée et Peillon. Tranquillité assurée. Terrasses joliment fleuries et arborées. À table et

depuis cinq générations, la famille Millo défend les couleurs d'une cuisine authentiquement provençale, d'une grande fraîcheur. Une cuisine pleine de chaleur qui sait allier la tradition avec le petit grain de génie faisant exploser les saveurs sur les papilles. Vraiment une table remarquable. Et puis pour une petite grignote du midi, en été, faites un tour dans leur *Bistrot du Pourtaï,* sur la place du village. Formule intéressante et belle terrasse ombragée.

À voir. À faire

🎋🎋 Le village : à l'entrée, belle *fontaine* datant de 1800. Ensuite, partez à la découverte de ce village si bien préservé, qui a su éviter la bimbeloterie à touristes et le pseudo-artisanat. C'est un bonheur que de flâner dans ses ruelles en pente, ses escaliers, d'admirer les façades austères des maisons restaurées, les passages voûtés et les arcades qui enjambent les rues ; au sommet, l'église a remplacé le château sur une petite place charmante ! À droite de l'église, petite table d'orientation et vue extra sur la vallée.

🎋 La chapelle des Pénitents-Blancs : à deux pas du parking au pied du village. Même si l'église est fermée, les fresques qu'elle abrite sont visibles à travers la grille de la porte, tous les jours. Éclairage à pièces sur le côté. Possibilité de visite guidée (1 €) sur réservation auprès du syndicat d'initiative (📞 06-24-97-42-25). Construite au XIIe siècle, sa voûte abrite de superbes fresques, attribuées à Jean Canavesio (1495). Elles racontent la Passion du Christ avec émotion et plein de détails, pour peu qu'on ait l'œil aguerri. Style très expressif et coloré. À noter que la chapelle fut édifiée contre le rocher même. L'autel fait d'ailleurs partie de la roche.

➢ Pour les randonneurs, un **sentier,** qui suit le tracé d'une ancienne voie romaine, relie Peillon à Peille en 2h.

Manifestation

– **Foire aux Santons :** *de fin nov à mi-déc.* Des santons de toutes les tailles et de tous les styles sont exposés dans l'ancien moulin à huile du village.

PEILLE *(06440)*

Un bien beau village perché dans un site âpre et sauvage, dominé par une paroi rocheuse et les ruines d'un château féodal, parmi les oliviers, figuiers et cyprès accrochés aux pentes des collines. Un endroit vraiment séduisant, vivant et accueillant. Ses petites vieilles alignées sur un banc vous saluent gentiment, ses habitants vous incitent à découvrir la particularité d'une ruelle ou à emprunter un passage oublié. Mais c'est la nuit que le village acquiert un charme vraiment magique : un éclairage savant, concocté par les experts des Monuments historiques, vous y retient longtemps. Il faut enfin savoir que Peille possède son propre dialecte, le parler *pelhasc,* proche du nissart et auquel un érudit, Pierre Gauberti, a consacré un *Dictionnaire encyclopédique de la langue de Peille.*

Un peu d'histoire

Peille fut créé par un peuple ligure, montagnards habitués aux rudes travaux et d'une frugalité exemplaire. La bourgade a longtemps connu puissance et renommée. Ainsi, la côte et le port de Monaco étaient vraisemblablement l'ouverture maritime de Peille, qui tenait la dragée haute à Nice ! De nombreuses communes de la région (Blausasc, La Turbie...) sont nées par détachement de Peille. Le village de Peillon lui-même est né d'une scission, les habitants se querellant à propos de leur rattachement à tel ou tel seigneur.

Peille connut donc des jours agités. Au Moyen Âge, c'était une commune libre administrée par des conseils élus, chef-lieu de bailliage. Refusant de payer des taxes à l'évêque de Nice, les habitants furent excommuniés par deux fois ! « Peille ne paie pas », devait ruminer le percepteur des impôts... On vous rassure, cela ne les a pas empêchés de vivre.

Comment y aller ?

➢ **De Nice en bus :** plusieurs départs/j. (par La Turbie), tlj sf dim et j. fériés. Compter 1h.
➢ **De Monaco en bus :** plusieurs départs/j. avec un changement à La Turbie.
➢ **De Nice en train :** par la ligne Nice-Sospel-Breil. Arrêt à la gare de Peille.
➢ **De Nice par l'autoroute :** prendre la direction Monte-Carlo. Sortir à La Turbie.

Adresse utile

🄸 **Mairie :** ☎ 04-93-91-71-71.

Où manger ?

🍽 **Restaurant Cauvin :** 5, pl. Carnot, sur une jolie placette. ☎ 04-93-79-90- | 41. Fermé mar et mer. Menus 18-25 €. Façade fleurie, tout comme la cuisine.

Une adresse tradition, bien connue des Niçois, qui montent jusque-là pour déguster des plats simples et fumants, aux saveurs délicates. Léo Ferré aimait bien y venir.

À voir

🐾 **Le vieux village :** belles maisons romanes aux ouvertures parfois gothiques, aux linteaux sculptés, ruelles en cascade, passages voûtés. La maison à l'angle de la place André-Laugier était le siège du consulat des comtes de Provence. Sur le côté, jolie maison au décor en trompe l'œil. De la place à arcades, décorée d'une fontaine du XVe siècle, passez sous l'arcade et montez, par la *ruelle Lascaris* puis la *rue Mary-Gorden*, à la plate-forme où se trouve le monument aux morts. Vue superbe sur les oliveraies et les jardins étagés de Peille, avec au loin une échappée sur Nice et l'Estérel. Belle église Sainte-Marie, qui conserve une intéressante nef romane du XIIe siècle.

🐾 **Le musée du Terroir Louis-Demay :** ☎ 04-93-91-71-83. *Dans une belle petite maison au cœur du village (bien fléché). Ouv tte l'année, visite mer et w-e 14h-18h. Entrée gratuite.* L'artisanat, les objets de la vie quotidienne du XIXe siècle, les traditions et la langue particulière du village.

À faire

➢ **Via ferrata :** *pour ttes infos, achat du ticket d'accès et loc de matériel, contacter Alexandre au bar* **L'Absinthe**, *6, rue Félix-Faure.* ☎ *04-93-79-95-75.* ● *viaferrata peille.fr* ● *Tlj en saison (fermé mar et jeu ap-m le reste de l'année). Droit d'accès : 3 €. Loc de matériel : 13 € (longe, baudrier, casque, longe de repos et poulie). Slt sur résa.* À réserver aux amateurs de sensations fortes. Un bel itinéraire de randonnée sportive, avec aménagements d'échelons, ponts de singe, câbles métalliques et broches, permettant de progresser sur des parois escarpées toutes proches du village. Assurage individuel par mousqueton. ATTENTION, une vraie expérience est requise. Seuls certains tronçons sont accessibles aux débutants accompagnés. Bien suivre les recommandations. Compter 3h pour effectuer le parcours dans son ensemble, sachant qu'il y a des « portes de sortie » qui vous permettent de quitter le circuit toutes les 45 mn environ. Le parcours n'est pas accessible en cas de mauvais temps.

Fêtes et manifestations

– **Fête de la Pomme fleurie :** *le 1er dim de janv en général.* Fête inspirée d'une coutume ancestrale autour d'une variété d'orange (eh oui !).
– **Fête du Blé et de la Lavande :** *le 1er dim d'août en théorie.* La lavande est distillée sur la place du village et le blé est lavé, battu et séché selon la tradition. On y fait le pain.
– **Fête des Baguettes :** *le 1er dim de sept.* Les « jeunes filles » offrent une baguette décorée à leur galant. Cette fête, à l'issue des récoltes, remonte aux temps païens.

Randonnées pédestres

➢ **Le mont Baudon :** au nord-est. Montez par le collet Saint-Bernard, le long d'une pinède. Deux heures de grimpette pour arriver au sommet et profiter de la jolie vue.

➢ **Peillon :** par une ancienne voie ligure, aujourd'hui chemin muletier.

➢ **Le col de la Madone :** 1h.

L'ESCARÈNE *(06440)*

Ancien relais routier sur la route de Nice à Turin, au confluent des torrents du Braus et du Lucéram qui forment le Paillon de L'Escarène. Le village, moins perché que les autres, était sur l'antique route du Sel qui venait de Hyères en bateau jusqu'à Villefranche, puis se dirigeait vers le Piémont en passant par L'Escarène. Plus de 30 000 mulets passaient par là chaque année, chargés de sel. Ils revenaient avec du blé, du vin, des pots et de la laine.

Adresse utile

🏠 *Office de tourisme :* 6, pl. Carnot. ☎ 04-93-79-62-93. ● *escarene.fr* ● *Ouv lun et mer-ven 9h-17h.* Possibilité de cir- cuit touristique tous les jours (3 € par personne), se renseigner sur place.

À voir

🍴 *L'église Saint-Pierre-aux-Liens :* sur la petite place ombragée de platanes, en arrivant dans le village, sur la droite. Tlj 9h-18h. Bâtie en 1646, elle est dotée d'une jolie façade baroque qui forme un ensemble monumental à la beauté assez exceptionnelle. À l'intérieur, beau décor dans le goût baroque italien, ainsi qu'un orgue classé Monument historique (1791) dû aux frères Grinda, facteurs d'orgues niçois très réputés. Dans le chœur à droite, *Vierge de l'Assomption* du XVIIIe siècle en bois sculpté polychrome. Elle est accolée de deux chapelles édifiées par les pénitents noirs et les pénitents blancs. Croix de procession des pénitents blancs datant du XIVe siècle et table de sacrifice gallo-romaine du IIIe siècle transformée en bénitier.

🍴 Possibilité de visiter l'un des deux *moulins à huile* du village. Prendre rendez-vous à l'office de tourisme. Également un circuit touristique organisé tous les jours en saison, avec visites commentées de l'église, des chapelles, des deux moulins et autres monuments historiques du village et des environs. *Infos à l'office de tourisme ; 3 €/pers.*

LUCÉRAM *(06440)*

C'est le type même du village perché et fortifié de l'arrière-pays niçois, avec ses hautes maisons accrochées au rocher, comme empilées les unes sur les autres. Le paysage est d'ailleurs beaucoup plus rocailleux qu'à Peillon. C'est également un bon point de départ pour les excursions. C'est surtout, pour ceux et celles qui ne voudraient pas revenir sur la Riviera, un moyen de rejoindre, émotions à la clé, l'arrière-pays mentonnais ou la vallée de la Roya par le col de Turini et Sospel.

Comment y aller ?

➤ *De Nice :* bus à la gare routière. Env 6 départs/j.

Adresse utile

🏠 *Office de tourisme du Pays de Lucéram et du Haut Paillon – Maison de pays :* pl. Adrien-Barralis. ☎ 04-93-79-46-50. ● *officedetourismedeluce* ram@wanadoo.fr ● Dans la rue principale, entre la poste et la mairie. Ouv tte l'année, tlj sf lun 9h-12h, 14h-18h. Documentation, livres et vente de produits régionaux (miel, huile d'olive). Accueil très aimable. À noter, la visite guidée du village (se reporter à la rubrique « À voir. À faire »).

Où manger ?

|●| **Restaurant Bocca Fina :** 4, pl. A.-Barralis. ☎ 04-93-79-51-54. ● info@ boccafina.net ● ☂. Fermé mer, plus dim soir en basse saison. Menus 15 € le midi en sem, 20 € le soir, 22 € le w-e ; le soir, c'est pizzas au feu de bois ou carte. On entre par le bar, puis on pénètre dans une étrange grotte, creusée dans la falaise. Cuisine simple et bien préparée : plats régionaux, pizzas au feu de bois, gibier à l'automne. Bon accueil.

|●| **Le Retour aux Sources :** 1, pl. Adrien-Barralis. ☎ 04-93-13-84-57. Extraordinaire menu du jour env 25 € ; carte env 30 €. C'est un enfant du pays qui, après avoir fait le tour du monde, a repris cette vénérable auberge, située au cœur du village et qui menaçait ruine. D'importants travaux ont déjà été réalisés dans la salle à manger pour lui redonner du cachet tout en collant à l'air du temps. Surtout, notre jeune chef a déjà fort à faire en cuisine où il se consacre passionnément à réinventer le terroir provençal avec, par exemple, des beignets d'aubergine au safran, un magret de canard au miel en croûte de pistache et une tarte fine aux fruits des bois... Belle terrasse. Un coup de cœur. L'adresse commence à être connue, mieux vaut réserver.

|●| Petit **salon de thé** dans la même rue, un peu plus bas, où l'on vend quelques produits locaux.

À voir. À faire

➤ **Visite guidée du village :** infos à l'office de tourisme. Visite organisée sur résa slt mar, mer et jeu à 11h, 14h30 et 16h ; également dim à 14h30 et 16h ; sur résa – slt pour les groupes – ven et sam. Tarif : 5 € ; gratuit jusqu'à 12 ans. On fait halte dans les principaux points d'intérêt du village : l'église Sainte-Marguerite, les remparts, la tour « ouverte à la gorge » unique dans la région, le musée des Vieux-Outils, le musée de la Crèche et le Centre d'interprétation du patrimoine.

🎋 **La vue sur le village :** prendre la D 2566 vers Coaraze. Vue idéale sur l'éperon rocheux occupé par la ville, qui fait comprendre comment les maisons hautes faisaient office de remparts. Mieux encore (car le stationnement sur le bas-côté de la route est tout à fait impossible), depuis le village, emprunter le sentier menant à la chapelle Bon-Cœur, qui rejoint la départementale au niveau du point de vue.

🎋 **Le vieux village :** il possède toutes les caractéristiques d'une place fortifiée médiévale (belles maisons gothiques restaurées, fours à pain, ruelles tortueuses et étroites, dédale d'escaliers, arcades, etc.). Pour gagner de la place, on n'hésitait pas à construire au-dessus de la rue de petits bâtiments reliant les maisons, appelés pontis.

🎋 **L'église Sainte-Marguerite :** ouv mar, mer et jeu 10h-12h, 14h-17h30 ; dim 14h-17h30. Entrée : 1,50 €. Visite commentée à 11h, 14h30 et 16h ; tarif : 2,50 €. Elle fut remaniée au XVIIIe siècle dans un style rococo italien absolument remarquable. Elle abrite bien des richesses derrière sa façade rose et blanc. Elle possède un ensemble unique de retables de l'école niçoise des XVe et XVIe siècles : retable de sainte Marguerite de Bréa (au-dessus du maître-autel) en dix compartiments. Noter que le style rococo du décor tranche singulièrement avec le travail de Bréa. Voir aussi le retable de saint Antoine de Canavesio (dans le bras droit du transept), sur glacis d'or travaillé au poinçon, retables de saint Pierre et saint Paul, saint Bernard de Menthon. L'un de ces retables fut volé (le Saint Claude), et d'autres ont été supprimés lors du rhabillage de l'église en rococo, entre 1763 et 1779 (les modes changent...). Ils sont visibles au musée de Nice. Certains furent même carrément amputés pour pouvoir rentrer dans les cadres. Incroyable !

Enfin, le trésor d'orfèvreries religieuses comprend une *statuette* en argent repoussé de 1500, *Sainte Marguerite au dragon,* ainsi que d'autres belles pièces, comme cette monstrance de sainte Rosalie. Vous vous demandez peut-être comment la patronne de Palerme s'est retrouvée là ? Tout simplement parce que son culte fut introduit au XVII⁵ siècle, lors de l'arrivée de la famille des Barralis qui quittait alors la Sicile. Nombreux bustes, reliquaires, encensoirs... Deux belles *pietà* des fins XV⁵ et XVII⁵ siècles. L'ancien presbytère abrite une voûte couverte de fresques. Petites expos également.

De la place de l'Église, très pittoresque avec sa fontaine et son lavoir, jolie vue sur Lucéram, les collines de l'arrière-pays et la côte.

🔆 *La tour :* en haut du village, accessible à pied. Haute de 15 m, flanquée d'une haute et mince muraille, elle protège le seul accès terrestre à la bourgade. Remarquer sa forme très particulière dite « ouverte à la gorge » : elle est ouverte côté village. Il était ainsi possible de ravitailler directement les défenseurs et les guetteurs (et de s'assurer que ceux-ci ne faisaient pas la sieste !). De plus, si l'ennemi s'emparait de la tour, il ne pouvait s'en servir pour diriger ses armes de jet contre la bourgade, puisqu'il était à découvert... Astucieux tout plein !

🔆 *Le moulin à huile de la ferme de Val del Prat :* de Lucéram, prendre la route de Nice, puis, à 1,5 km, avt un grand pont qui enjambe la vallée, emprunter à droite une très jolie route et la suivre sur 4,5 km à travers un paysage de collines aux versants abrupts couverts d'oliviers ; l'accès est indiqué. ☎ 04-93-79-54-66. Isolée sur un flanc de coteau en surplomb d'un paisible vallon, la ferme comporte une maison, une chapelle (entièrement et joliment retapée) et une belle oliveraie au milieu de laquelle se dresse le vieux pressoir à huile. On le visite (seulement l'après-midi sur rendez-vous) sous la conduite de la maîtresse de maison ou de son époux. Ils produisent de l'huile d'olive en famille, mais aussi d'excellentes confitures avec plein de fruits qui poussent dans leurs vergers. À noter, l'huile d'olive (bio !) est élaborée sans pesticide.

Fêtes et manifestations

– *La pastorale des Bergers :* le 24 déc à minuit. Bergers et bergères, les brebis et l'agneau enrubanné se rendent en procession à l'église Sainte-Marguerite, au son des fifres et des tambourins. Messe partage du pain, puis traditionnelle cérémonie de l'*ouferta.*

– *Le circuit des crèches :* en déc-janv. Depuis une dizaine d'années, les habitants du coin fabriquent de superbes crèches avec tous les matériaux possibles et imaginables : pâte à sel, pinces à linge, allumettes, terre cuite, laine, fruits séchés... Plus de 400 crèches exposées dans les rues des villages de Lucéram, Peïra-Cava, Turini et Camp-d'Argent. On les dispose un peu partout et le jeu consiste à se promener à la recherche de ces véritables œuvres d'art, qui témoignent parfois d'une incroyable force créatrice. Exposition des crèches du monde, dont une crèche napolitaine de collection au *musée de la Crèche (ouv tlj pdt le circuit des crèches ; 10h30-12h, 13h30-17h30, en continu le w-e ; accès gratuit. En dehors de cette période, s'adresser à l'office de tourisme ; tarif : 2 € ; gratuit jusqu'à 12 ans).*

COARAZE (06390)

Petit village médiéval perché dans un paysage d'oliviers et de cyprès, classé parmi les « Plus beaux villages de France ». Construit en rond et posé sur une colline avec la montagne en toile de fond, il est réputé pour son ensoleillement supérieur à la moyenne locale. Il fait bon se promener, quand le soleil est trop fort, dans ses rues en escaliers, ses passages voûtés, calmes et paisibles, décorés d'une jarre de fleurs, ses placettes ornées de fontaines. Du jardin en terrasses, au milieu des cyprès, vue sur la vallée et la cime de Rocca Sierra. Le village remonte à 1108 ; en tout cas, c'est ce qu'indique la première mention écrite concernant la ville de *Cauda Rasa*. Superbe balade dans les rues, ruelles, venelles, passages voûtés, le nez en l'air.

Comment y aller ?

➢ *De Nice :* 2 bus/j. sf dim et j. fériés.
➢ *Retour de Coaraze :* 2 bus/j. (1 direct et 1 via Contes).

Adresse utile

🛈 *Office de tourisme :* 7, montée du Portal. ☎ 04-93-79-37-47. ● officedu | tourismecoaraze@orange.fr ● Ouv lun-sam 9h-12h, 15h-18h.

À voir

🔏 *L'église :* on monte à l'église, décorée dans le style baroque, en se laissant guider par les ruelles du village. Elle date du XIVe siècle, fut trois fois détruite et à chaque fois reconstruite. Au-dessus de l'autel, ne loupez pas une petite *Vierge à l'Enfant* en marbre datant de 1600. Chapelles colorées et pleines de stucs et d'angelots. Voûte de la nef ornée de trompe-l'œil. Autel peint de couleurs naïves. La chaire ressemble à une grosse pâtisserie.

🔏 *Les cadrans solaires :* il y en a plusieurs à Coaraze. En effet, dans les années 1950 et 1960, plusieurs artistes séjournèrent à Coaraze, comme Jean Cocteau, mais aussi des artistes moins connus, qui eurent leur importance à l'époque. Citons Henri Goetz, Valentin, Douking, Ponce de Léon ou Mona Christi. On peut voir leur travail sur la façade de la mairie ou sur le long mur sur la place de l'Église.

🔏 *La chapelle Bleue :* sur le versant sud, à l'opposé du village. Demander la clé à l'office de tourisme ou au bar Les Arts. Bon, c'est un peu compliqué (chercher la clé, se rendre à l'église, rendre la clé...) pour aller voir cette charmante chapelle, dont les murs furent peints par Ponce de Léon au début des années 1960. Mais on peut venir ici simplement pour la vue sur le village et la vallée.

🔏 *La chapelle Saint-Sébastien :* à 1,5 km avt d'arriver à Coaraze, sur l'ancien chemin muletier reliant le village à Nice. Demander la clé à l'office de tourisme ou à M. et Mme Di Tommaso (en face de la chapelle). Édifiée vers 1530. À voir pour les fresques du début du XVIe siècle qui subsistent au chevet et sur la voûte. Sur le mur du fond, divisé à la manière d'un triptyque, on peut voir la « sagittation » de saint Sébastien.

Randonnées pédestres

Balisage jaune, bien fléché. Le médecin du village et l'*association APACHES* (randonnées, entretien et balisage des sentiers) ont édité une brochure avec toutes les randonnées autour du village. On en dénombre environ 25. La brochure est disponible à l'office de tourisme.

➢ *L'Escarène :* par la baisse de la Croix et Berre-les-Alpes, en 3h.

➢ *Rocca Sparvièra :* prendre la route qui passe devant la curieuse chapelle Notre-Dame-des-Sept-Douleurs (dite « chapelle Bleue ») et continuer pour amorcer une piste forestière. En passant par le col Saint-Michel, on arrive dans un hameau fantôme aux murailles en lambeaux, Rocca Sparvièra (littéralement « rocher des éperviers »), à 1 100 m d'altitude (2h). Les ruines de Rocca Sparvièra cachent une légende : la reine Jeanne, contrainte d'aller écouter la messe de Noël à Coaraze (suite à une manigance de ses ennemis qui avaient saoulé son aumônier), découvrit à son retour que ses jumeaux avaient été tués. Folle de douleur, celle-ci aurait proclamé « Plus jamais pain ne se fera ni coq ne chantera », ce qui expliquerait la ruine du village....

➤ **La cime de Rocca Sierra** *(1 501 m) :* prendre la route de la chapelle Bleue, suivre ensuite une piste de terre qui monte vers le nord au *col Saint-Michel* (950 m), dominé par les ruines du *château de Rocca-Sparvièra.* À l'ouest, on peut descendre une piste vers la nouvelle bergerie et vers Duranus (en 1h). Au sud-ouest, la piste monte vers la baisse de la Minière et le sommet du Férion (en 1h30). À l'est, un sentier muletier centenaire descend vers le hameau de l'Engarvin (en 45 mn environ).

➤ **Le mont Férion** *(1 410 m),* que l'on atteint en 2h.

➤ **Promenade au ruisseau de Plan Faë :** à ne pas manquer. À 7 km au nord de Coaraze sur la D 15, on arrive au pont qui enjambe le Paillon de Contes. En prenant le sentier qui le longe en amont, on parvient à une succession de cascatelles et de bassins à l'eau cristalline. Bain de pieds quasiment inévitable, mais ATTENTION, la baignade – la vraie – est dangereuse et de toute façon interdite en aval du pont. Avec ses frondaisons, ses voûtes de branchages percées par le soleil, l'endroit est fabuleux. Les habitants appellent ce coin « le petit paradis », et les amoureux s'y retrouvent le dimanche... Autant dire que garer correctement sa voiture relève de l'exploit ! Les amateurs de canyoning connaissent bien ce spot (équipement obligatoire).

CONTES *(06390)*

Ce village n'est pas perché comme les autres. Même s'il est moins intéressant que Coaraze, il mérite tout de même une petite halte. Au pied du village, on traverse une zone industrielle tristounette, dominée par une cimenterie.

Comment y aller ?

➤ **De Nice :** lun-sam, bus env ttes les heures jusqu'à 19h45 ; dim et j. fériés, horaires variables. Trajet : 40 mn. À peu près la même chose pour le retour.

Adresse utile

🛈 **Syndicat d'initiative :** *13, pl. Jean-Allardi.* ☎ *04-93-79-13-99.* ● *ville-contes.fr* ● *Tte l'année, lun-ven 14h-17h.*

Où dormir ? Où manger ?

⛺ 🏠 **Camping de la ferme Riola :** *5309 Sclos-de-Contes.* ☎ *04-93-79-03-02.* ● *la.riola@free.fr* ● *fermederiola.com* ● ♨ *Ouv avr-fin sept. Résa conseillée. Forfait journalier pour 2 pers 16 € en hte saison. Gîte tte l'année 200-400 €/sem.* Camping à la ferme dans un grand arboretum (120 espèces). Emplacements particulièrement agréables sous les oli-

viers. Piscine, terrain de volley, billard, baby-foot, ping-pong, etc.

|●| **La Fleur de Thym :** *3, bd Charles-Alunni.* ☎ *04-93-79-47-33.* ● *restaurant lafleurdethym@wanadoo.fr* ● *À l'entrée du village, au bord de la D 15. Fermé mar soir et mer. Congés : 23 déc-10 janv. Formule déj en sem 18 € ; menus 26-46 €.* Pour tout avouer, on a failli ne

pas s'arrêter au bord de la 4-voies (et à côté de la station-service, pour compléter le tableau !). Mais on ne regrette pas d'avoir finalement poussé la porte. Une fois à l'intérieur, on apprécie la déco, fraîche et jolie, et surtout la cuisine extrêmement soignée du jeune chef.

Ses assiettes sont joliment présentées, pleines de légumes et de couleurs : foie gras, pêche du jour accompagnée d'un petit riz au lait et aux petits pois, nougat glacé au miel, etc. Un bien bon souvenir.

À voir

🎣 **L'église :** en haut du village. Elle date de la fin du XVIe siècle et abrite un *polyptyque de sainte Marie Madeleine* attribué à François Bréa. Juste devant, fontaine Renaissance à deux étages (1587), classée Monument historique. De la terrasse voisine, vue sur la vallée.

🎣 On pourra encore voir le *site des moulins,* avec le *moulin à fer* (une forge) du XVIe siècle et le *vieux moulin à huile (sam 9h30-12h30, 14h-17h),* ainsi qu'un *musée de la Vigne et du Vin (ouv les 2e et 4e dim du mois 10h30-12h30, 14h-17h). Rens au musée : ☎ 04-93-79-19-17.*

CHÂTEAUNEUF-VILLE VIEILLE (06390)

Il ne faut pas craindre les épingles à cheveux pour monter de Contes à ce village perché (mais sans grand caractère si on le compare à Coaraze ou à Peille) sur une crête au milieu des oliviers et des vergers. Beau clocher en tuiles vernissées polychromes.

➤ Deux km plus loin, au sommet de la colline, un sentier à gauche mène aux ruines du *vieux village médiéval.* Au Moyen Âge, afin de lutter contre les agressions de toutes sortes (déjà à cette époque), les habitants s'étaient réfugiés sur cette butte. Du sommet, belle vue sur l'arrière-pays niçois. Les derniers 200 m sont à faire à pied. Suivez bien le sentier, ça peut être dangereux ! ATTENTION, la route est en théorie ouverte les week-end et jours fériés de mai à septembre de 9h à 20h et d'octobre à avril de 9h à 18h. Le mieux est de se renseigner au village de Contes.

Où manger ?

|●| **Restaurant Chez Rose :** 1, impasse du Vieux-Four. ☎ 04-93-79-26-84. 🍴 Fermé mar et dim soir. Congés : 3 sem en janv. Plat du jour le midi 9 € ; menus 20-23 €. Café offert sur présentation de ce guide. Dans un virage, à l'entrée du village sur la gauche en venant de Contes. Maison à la déco ordinaire mais où la cuisine traditionnelle nissarde est honnête et droite. Après avoir travaillé à Nice pour une grande table, Patrick Dalbera a repris l'auberge que sa grand-mère Rose dirigea de 1932 à 1978. Il est resté fidèle à la cuisine d'autrefois. Une belle histoire de famille pour un succès grandissant.

LEVENS (06670)

Cette petite ville n'est pas très haut perchée : rien de vertigineux ici, c'est un bon gros bourg qui se méfiait naguère de la plaine. À découvrir à pied à travers les vieilles ruelles, les passages voûtés et les porches anciens. S'il est sans doute moins « esthétisant », moins léché que certains autres villages, il est aussi plus vivant, notamment en basse saison. Avec ou sans touristes, on vit ici à l'année. Le village se trouve par ailleurs traversé par le GR 5, qui relie la Hollande à Nice. Il en constitue l'avant-dernière étape.

Adresses utiles

🛈 *Office de tourisme :* 3, placette Paul-Olivier. ☎ 04-93-79-71-00. ● levenstourisme.com ● Lun-sam 9h30-12h30, 14h30-18h30 ; dim en saison 10h-13h.
🛈 *Association touristique du canton* *de Levens :* N 202, La Manda, 06670 Colomars. ☎ 04-93-08-76-31. ● canton-de-levens.com ● N'hésitez pas à les contacter pour des suggestions d'itinéraires et circuits des villages du canton !

Où dormir ? Où manger ?

🛏 |●| *Le Mas Fleuri :* RD 19, quartier des Grands-Prés. ☎ 04-93-79-70-35. ● le.mas.fleuri@cegetel.net ● masfleuri. com ● ♿ (resto) À env 2 km de Levens, à droite quand on arrive de la vallée, sur la D 19 ; c'est à 200 m env après le carrefour avec la route de Saint-Martin-du-Var. Fermé mar et mer en basse saison, sf pour les pensionnaires et sur résa. Doubles 55 €. Menus 22-40 €. Une petite dizaine de chambres en tout, dont quelques familiales, dans une grande maison sans charme ni grâce, située au bord d'une route ombragée par des platanes. Qu'on se rassure, le jardin, la pelouse, les chambres refaites, simples, lumineuses et très propres, l'accueil affable et la sympathique cuisine provençale du chef en font une adresse recommandable.

🛏 |●| *La Vigneraie :* 82, route de Saint-Blaise. ☎ 04-93-79-77-60. Fax : 04-93-79-82-35. À 1,5 km au sud-est. Resto ouv le midi slt (sf pour les résidents). Fermé de mi-oct à mi-fév. ½ pens slt : 44-45 €/pers. Formule déj en sem 12 € ; menus 14-28 €. Une adresse toute simple, parfaite pour les petits budgets. Cuisine traditionnelle sans grande originalité mais correcte. Cadre provençal et au calme. Jardin reposant.

Où dormir ? Où manger dans les environs ?

🛏 |●| *Le Mas de Beauplan :* domaine de la Garde, 250, chemin du Collet-du-Couvent, 06670 Saint-Blaise. ☎ 04-93-08-57-39. ● masdebeauplan@aol. com ● À 9 km au sud de Levens par la D 19 et à 21 km env de Nice. Ouv tte l'année. Compter 80-120 € pour 2 pers selon confort et saison, petit déj compris. Réduc de 10 % pour 5 nuits ou 7e nuit offerte. Dans un mas provençal datant du XVIIIe siècle, situé dans un site protégé, splendide avec ses airs de bout du monde. On y accède par un chemin tout juste carrossable, c'est dire si les voisins et les importuns s'y font rares (on y croise tout juste quelques lapins et sangliers). Les amateurs de silence et de paysages grandioses seront comblés. La demeure surplombe un vallon où poussent les oliviers et au fond duquel coule une rivière. La maison, comme le domaine, regorge de recoins où il fait bon s'isoler. Il n'empêche que chaque repas devient un prétexte à la fête, au partage et à la convivialité. Restauration à toute heure, y compris pour les non-résidents : petit déjeuner, brunch, pique-nique, goûter, apéro dînatoire et table d'hôtes... Un cadre idyllique et des hôtes qui cultivent l'art des petites choses comme autant de petits bonheurs. Un total coup de cœur, à la fois atypique et authentique.

À voir. À faire

➢ *Balade dans le village :* remarquer en passant, dans la rue, à gauche de la chapelle des Pénitents-Blancs, la maison familiale de François Malausséna, premier maire de Nice en 1860. Puis monter tout en haut du village pour découvrir une vue splendide sur le confluent de la Vésubie et du Var, et sur la crête du Férion.

À noter que nombre de rues et ruelles sont agrémentées de plaques rendant hommage à telle ou telle personnalité locale, avec une phrase encensant le personnage en question (anciens maires, médecin, historien local...).

🐾 ***Le boutau :*** *pl. de la Liberté.* Levens fut une seigneurie des Riquier au XIIIᵉ siècle, puis des Grimaldi. En 1621, la population se rebelle contre le joug seigneurial et acquiert son indépendance. Le château est détruit et sur son emplacement on fixe une pierre, le *boutau*, qu'on voit encore aujourd'hui. Lors de la fête patronale, on se rend en farandole (le *brandi*) à cet endroit et chacun pose le pied sur le *boutau*, symbole du ventre du seigneur et de l'oppression détruite.

🐾 ***L'église :*** située tout en haut du village, elle présente un retable baroque et coloré. Grosse colonnade de style roman.

🐾 ***La maison du Portal :*** ☎ 04-93-79-85-84. *Ts les ap-m en juil et tlj en août ; slt l'ap-m des w-e et j. fériés le reste de l'année. Entrée libre.* Accueille des expos temporaires de sculpture, de peinture et de photographie. Sont installées à demeure les œuvres de J.-P. Augier, qui travaille le fer et détourne les outils.

Manifestations

– ***Cheval en fête :*** *le dernier w-e de juil.* Belle et grande manifestation, sur le *grand pré.* Démonstration de sauts d'obstacles, balades à dos de poneys et stands divers. On vient de loin pour ce grand spectacle animé et festif.

– ***Vide-greniers :*** *en juil et oct.* 300 exposants sur le site du *grand pré.*

Randonnée pédestre

➢ ***La chapelle*** *(1 258 m) :* on peut y parvenir depuis les Grands-Prés à Saint-Michel-du-Ferion (compter 3h30). Une superbe allée de cèdres conduit à cette jolie chapelle. Une belle balade à faire avant de reprendre la route et revenir sur Nice.

LA BASSE CORNICHE

VILLEFRANCHE-SUR-MER (06230)

Difficile de ne pas se laisser séduire par le cadre exceptionnel de Villefranche : une vieille ville qui étage ses maisons du XVIIᵉ siècle ; un petit port niché au creux d'une rade spectaculaire et, à l'immédiat horizon, le vert émeraude de la presqu'île du cap Ferrat... Les Niçois, séduits eux aussi et depuis longtemps, n'hésitent pas, le midi ou le soir, à venir y savourer quelques moments de calme.

Un peu d'histoire

Dans cette rade très protégée existait déjà, dès 130 av. J.-C., un port du nom d'Olivula. Une nouvelle ville est fondée au XIIIᵉ siècle par Charles II d'Anjou qui lui accorde la franchise de commerce (d'où son nom, pardi !). En 1388, Villefranche s'offre à la Savoie, en même temps que Nice, et devient le port des comtes et ducs de Savoie.
En 1538, Charles Quint, allié au duc de Savoie, réside à Villefranche (on peut encore voir la maison qu'il occupait, quai Courbet) pendant la trêve de Nice organisée par le pape Paul III afin de le réconcilier avec François Iᵉʳ. Si cette rencontre n'a pas laissé de souvenirs impérissables, il n'en est pas de même du bain forcé qu'ont pris Charles Quint, sa sœur, la reine de France, le duc de Savoie et les dames d'honneur, après que la passerelle de bois qui menait du quai à leur galère eut cédé sous

leur poids... Peu de temps après, en 1543, c'est Barberousse, à la tête de la flotte turque, qui jette l'ancre dans la rade de Villefranche. Cette alliance de François Ier (toujours en guerre avec Charles Quint...) avec les Turcs ne laisse pas que de bons souvenirs dans l'esprit des gens du coin.

En 1557, le duc de Savoie renforce le rôle défensif de Villefranche. Il fait construire la citadelle, le fort du mont Alban (voir à Nice) et creuser le port de la Darse. Est-ce de cette époque que date la devise de la ville : *Tocques y si gauses !* (« Touche si tu l'oses ! ») ? En tout cas, du XIVe au XVIIIe siècle, Villefranche s'affirme comme le grand port militaire du duché de Savoie, puis du royaume sarde.

Mais le développement du port de Nice signe le déclin de Villefranche ; au milieu du XIXe siècle, le roi de Sardaigne trouve une solution : il loue la rade à la flotte russe ! Napoléon III, après le rattachement du comté à la France, fait de Villefranche le cinquième port militaire du pays. Avant que la France ne quitte l'OTAN, Villefranche était, depuis 1945, une base navale américaine. Difficile aujourd'hui d'imaginer l'ambiance qui y régnait alors, quand bars et autres boîtes (un peu louches...), comme les prostituées débarquées de Marseille ou de Nice, se chargeaient de délester de leur solde les marins de l'US Navy en perm'.

Adresses et infos utiles

🛈 ***Office municipal de tourisme :*** *jardin François-Binon.* ☎ *04-93-01-73-68.* ● *villefranche-sur-mer.com* ● *Au bord de la basse Corniche. En juil-août, tlj 9h-19h ; hors saison, lun-sam 9h-12h, 14h-18h (18h30 en juin et sept).* Organise des visites guidées de la vieille ville et de la citadelle les mercredi et vendredi matin.

– ***Services d'autobus :*** lun-sam ttes les 15 mn et dim ttes les 20 mn pour Nice, Monte-Carlo et Menton, au jardin François-Binon.

🚃 ***Gare SNCF :*** ☎ *36-35 (0,34 €/mn).* ● *ter-sncf.com* ● *La gare se situe au bout de la rade, à 5 mn du port.* Sur la ligne reliant Saint-Raphaël à Vintimille, on peut encore une fois gagner Nice en un saut de puce mais aussi Menton, Monaco ou n'importe quelle plage de la Côte !

Où dormir ?

De prix moyens à beaucoup plus chic

🏠 ***Hôtel de la Darse :*** *32, av. du Général-de-Gaulle.* ☎ *04-93-01-72-54.* ● *info@hoteldeladarse.com* ● *hoteldeladarse.com* ● *Congés : de mi-nov à mi-fév. Doubles 53-82 € selon confort et saison.* Hôtel jouissant d'une situation privilégiée sur l'arsenal et le port de la Darse. Tout simple, mais on adore ! Si la façade est sympathiquement rétro, les chambres, entièrement rénovées, sont équipées de tout le confort moderne : douche ou bains, w-c, TV satellite... Les plus chères possèdent aussi un balcon. Idéal pour laisser flotter son regard vers le large et soupirer de bonheur.

🏠 ***Hôtel Provençal :*** *4, av. du Maréchal-Joffre.* ☎ *04-93-76-53-53.* ● *provencal@riviera.fr* ● *hotelprovencal.com* ● *Dans le centre. Doubles 54-115 €.* Sur présentation de ce guide, réduc de 10 % à partir de 2 nuits consécutives hors juil-août. Imposante maison, à laquelle les volets bleus à l'italienne et les trois tours donnent un cachet particulier. Chambres avec douche ou bains, TV et clim'. On aime bien celles des 2e et 3e étages qui donnent sur le jardin et sur la mer (elles sont évidemment très prisées). Adorable patio.

🏠 ***Hôtel Riviera :*** *2, av. Albert-Ier.* ☎ *04-93-76-62-76.* ● *contact@hotelrivieravillefranche.com* ● *hotelrivieravillefranche.com* ● *Dans le centre. Congés : 8-26 déc et 4-29 janv. Doubles avec douche et w-c ou bains, TV et clim' 50-130 € selon confort et saison ; appart avec cuisine 150-190 €. Garage 20 € !* Sur présentation de ce guide dès l'arrivée, réduc de 5 % sur le prix de la chambre à partir de 3 nuits consécutives en hte saison et 10 % le reste de l'année. Le petit hôtel balnéaire des familles. Chambres gentiment rénovées dont certaines ont vue sur mer. Vue sur mer également depuis la terrasse (posée sur le toit) où est servi le petit déjeuner aux beaux jours.

🏠 *Hôtel La Flore :* 5, bd Princesse-Grace-de-Monaco. ☎ 04-93-76-30-30. • *hotel-la-flore@wanadoo.fr* • *hotel-la-flore.fr* • *Doubles 49-140 € selon confort, vue et saison.* À l'entrée de la ville, difficile de rater cette grande maison ocre faisant face aux flots. Les chambres les plus chères possèdent une belle terrasse panoramique ou tout au moins un balcon. Les moins chères, tournées vers le parking, présentent moins d'intérêt côté vue mais nettement plus côté prix. Elles permettent au moins de profiter des joies de la piscine et de la table (l'établissement fait également resto, sauf en hiver). Chambres rénovées, tout confort (clim', minibar, écran plat, TV satellite et certaines avec jacuzzi) à la déco provençale, fraîche et sobre.

🏠 *La Fiancée du Pirate :* 8, bd de la Corne-d'Or. ☎ 04-93-76-67-40. • *info@fianceedupirate.com* • *fianceedupirate.com* • *Sur les hauteurs de la ville, sur la* route de la moyenne Corniche. Doubles avec douche et w-c ou bains, TV 72-92 € selon exposition et saison ; familiale pouvant accueillir jusqu'à 4 pers. Sur présentation de ce guide, 2 petits déj offerts pour 3 nuits min en basse saison et 7 nuits en hte saison. La banale façade d'un hôtel années 1950, encore témoin de la grande époque de la nationale 7 (celle qui allait à Rome, à Sète, comme le chantait Trénet), cache une adresse plutôt atypique. Quelques marches plus bas se dévoile une tout autre atmosphère : grande salle à la déco néo-exotique prolongée d'une terrasse d'où la vue plonge, au-delà du jardin et de la piscine, sur la rade. Quelques p'tits plats frais et malins l'été. Le soir, apéro dînatoire au bord de la piscine. Bon petit déjeuner avec des crêpes ! Chambres plaisantes ; celles à l'étage sont climatisées ; d'autres, de plain-pied, naturellement ventilées, donnent sur un petit jardin privatif (une seule donne sur la route). La jeune patronne sait entretenir l'ambiance à la fois paisible et enjouée d'une maison de famille. Et pour que la détente soit totale, massages possibles sur résa...

Où manger ?

De prix moyens à plus chic

🍽 *Michel's :* pl. Amélie-Pollonnais. ☎ 04-93-76-73-24. ♿ Sur la grande place, entre le port et le vieux Villefranche. Ouv tte l'année. Tlj sf mar hors juil-août. Plat du jour 17 € ; carte 25-30 €. Digestif maison offert sur présentation de ce guide, ainsi que le menu-enfants (aux enfants !). C'est évidemment par un soir d'été que cette grande terrasse à la déco très tendance se goûtera avec le plus de délectation. Bonne cuisine dans l'air du temps, produits de saison et jolies présentations. L'endroit est à la mode et l'ambiance franchement décontractée.

🍽 *La Grignotière :* 3, rue du Poilu. ☎ 04-93-76-79-83. Dans le vieux Villefranche. Carte env 30 €. Apéro maison offert sur présentation de ce guide. Généreuse cuisine provençale qui attire depuis longtemps sa cohorte d'habitués. Produits d'une belle fraîcheur, accueil et service « du pays », sans façons mais souriant. Le tout dans une petite salle cossue dans les tons roses.

De chic à beaucoup plus chic

🍽 *Joia :* 18, rue du Poilu. ☎ 04-93-76-62-40. • *bertrand.guillot@wanadoo.fr* • Ouv ts les soirs de mi-mai à fin sept, sinon fermé lun soir. Congés : nov-fin mars. Plats env 23 € ; compter 40 € pour un repas complet. Une terrasse magique et magnifique au cœur du vieux Villefranche. Bougies et ambiance tamisée, voire feutrée. Esprit lounge et cuisine conceptuelle, genre world fusion aux saveurs de France, Asie et Caraïbes. Pour une fois, on s'est laissé tenter et l'on n'a pas été déçu du voyage... Le pavé de thon savamment découpé et saisi à la seconde dans une croûte de sésame est une franche réussite. Parfait pour sortir et séduire sa dulcinée (ou son Roméo). Évidemment, mieux vaut être en fonds pour cette dînette en amoureux !

I●I *La Mère Germaine :* 9, quai Amiral-Courbet. ☎ 04-93-01-71-39. ●contact@ meregermaine.com ● ♿ *Sur le port. Ouv tlj. Congés : 16 nov-24 déc. Menu 39 € ; carte 49-110 €, voire beaucoup plus si vous craquez pour le homard ou la langouste. Café offert sur présentation de ce guide.* Salle d'un rustique depuis

longtemps amorti, terrasse idéalement située face au port de pêche, tables élégantes et nombreux serveurs tirés à quatre épingles : ambiance peut-être un peu collet monté... Rien d'étonnant, car voici l'une des institutions de cette portion de côte, et ce, depuis 1939 : acras de homard, bouillabaisse, sole Tante Marie, langouste ou saint-pierre grillé... Comme pour toute institution, la réputation est évidemment un peu surfaite et l'on regrette toutefois les prix, qui ont tendance à s'envoler.

Où prendre son petit déjeuner ? Où boire un verre ?

I●I ♟ Plusieurs restos et bars sur le port proposent des petits déj à prix raisonnables. Compter par exemple 5,50 € pour un café-croissant-orange pressée, en terrasse chez *Michel's* ou encore à *La Fille du Pêcheur.*

♟ *Wine Pier :* 3, quai Gustave-Courbet. ☎ 04-93-76-27-40. ● winepier@welco mehotel.com ● *Sur le port. Tlj à partir de 16h.* Bar à vin, à l'esprit *lounge,* si prisé aujourd'hui. La déco rend hommage à Cocteau qui vécut à l'hôtel *Welcome,*

juste au-dessus. Et même si ce bar n'existait pas à l'époque, on se laisse vite aller à l'imaginer griffonnant dans un coin, attendant Picasso, Stravinski ou quelque autre de ces célébrités dont les photos courent sur les murs. Un peu cher (7 € environ le verre de vin), mais la nostalgie n'a pas de prix... On regrette surtout que la carte, concoctée pour la clientèle américaine des ferries, ne mette pas plus en avant les grands vins de Provence.

À voir. À faire

🎥🎥 *La vieille ville :* autour de la *rue du Poilu,* artère principale du vieux Villefranche, s'emmêlent de vieilles ruelles tortueuses, qui s'élargissent ici en adorables placettes, se transforment là en volées de marches ou se cachent du bleu du ciel comme l'étonnante *rue Obscure,* quasi souterraine et complètement voûtée. Elle marque l'ancienne limite de la ville, à l'emplacement des remparts. À force de construire en tout sens par manque de place, la rue finit par être totalement recouverte. Au coin d'une de ces maisons qui reposent sur de solides caves voûtées, le bleu de la Méditerranée se dévoile parfois soudain au regard.

🎥 *L'église Saint-Michel :* au cœur de la vieille ville. Fondée au XVe siècle et remaniée au XVIIIe siècle, donc (presque) inévitablement baroque. Façade aux harmonieuses proportions. À l'intérieur, retables du XVIIe siècle, statue en bois polychrome du XVIe siècle représentant saint Roch (et son chien !), et un christ gisant, très réaliste, en bois de figuier, réalisé par un galérien au XVIIe siècle. Orgues de 1790.

🎥 *Le port de la Santé :* un petit air d'Italie avec la rangée de hautes façades rouges, blondes et ocre qui le bordent. Des terrasses, des cafés et restaurants, gentille vue sur la rade et la presqu'île du cap Ferrat.

🎥🎥🎥 *La chapelle Cocteau* (chapelle Saint-Pierre) : quai Courbet. À droite en allant vers le port. Printemps-été : 10h-12h, 15h-19h ; automne-hiver 10h-12h, 14h-18h. Fermé lun et de mi-nov à mi-déc. Rens : ☎ 04-93-76-90-70. Entrée : 2 €.

Cocteau, qui réside à Villefranche entre les deux guerres, y écrit *Orphée*. Il s'inté-resse à cette minuscule chapelle romane désaffectée qui s'élève sur le port qui sert alors de remise pour les filets de ses amis les pêcheurs. En 1956, après six années de tractations et des mois de travaux, la chapelle leur est offerte, et est surtout rendue au culte, qui a lieu depuis une fois par an le 29 juin. Cette modeste chapelle est devenue l'une des plus belles œuvres de l'artiste, qui l'a décorée de fresques surprenantes et symboliques, à la limite de l'érotisme. Il faut dire que Cocteau a une vision très personnelle de la religion et entretient avec elle des relations tantôt conflictuelles, tantôt fusionnelles, mais toujours mystiques et sensorielles. Remar-quez les candélabres à visage humain et surmontés de *fouanes*, fourches proven-çales servant à la pêche nocturne. Les fresques sont d'inspiration religieuse *(Vie de saint Pierre)* ou profane *(Hommage aux demoiselles de Villefranche)*. Mais il arrive aussi que le sacré rencontre le profane comme dans cet *Hommage aux gitans en pèlerinage aux Saintes-Maries-de-la-Mer*, où le guitariste n'est autre que son idole Django Reinhart.

Début juillet, pour la fête de saint Pierre, qui est le patron des pêcheurs, on brûle dans le port une barque décorée, avec jets de fleurs des habitants de Villefranche.

🕭 🕭 🕭 **La citadelle :** élevée par le duc de Savoie au milieu du XVIᵉ siècle pour pro-téger la rade, elle avait impressionné Vauban. C'est, avec le fort du mont Alban, le seul élément des défenses du comté de Nice qui soit resté intact, épargné par Louis XIV lors des destructions consécutives à sa conquête. La citadelle est encore entourée d'énormes fossés creusés dans le roc, dont on peut prendre la pleine mesure puisque des parkings y ont été aménagés. Spectaculaire ! Occupé par l'armée jusqu'en 1965, l'imposant bâtiment a été racheté ensuite par la commune. Il protège aujourd'hui un théâtre de verdure et un bel *hôtel de ville*, avec patio médi-terranéen, qui abrite au 1ᵉʳ étage quelques tableaux de Jean Cocteau. L'ancienne chapelle Saint-Elme reçoit des expositions temporaires. Et dans les anciennes casemates de la citadelle ont été aménagés plusieurs musées.

Les musées de la citadelle
Juin et sept, en sem 9h-12h, 14h30-18h ; juil-août, 10h-12h, 14h30-19h et dim 14h30-19h ; oct-mai, 9h-12h, 14h-17h30 et dim 13h30-18h ; fermés mar et en nov. Entrée gratuite. Animations pour les familles et les enfants. Rens : ☎ 04-93-76-33-27. Visite guidée de la citadelle (5 €), ven mat 1ᵉʳ avr-30 sept.

– *Le musée Volti :* abrite de nombreuses sculptures (bronzes, cuivres martelés, bois, plâtre, terres cuites) accompagnées de quelques sanguines sur le thème cher à cet artiste de Villefranche, le nu féminin (on peut lui trouver un cousinage artisti-que avec Maillol). Très bien agencé par l'artiste lui-même.

– *Le musée Goetz-Boumeester :* recèle certes quelques dessins de maîtres : Picasso, Picabia, Miró, Hartung... mais vous permettra surtout de découvrir Goetz et Boumeester, deux peintres enfin reconnus. Le premier film d'Alain Resnais fut consacré à Goetz peignant un des tableaux du musée, et Vercors lui consacra une monographie dans laquelle il écrivait : « Il me semble que Henri Goetz se trouve à ce point extrême où le pendule un temps s'immobilise dans une sorte d'attente annonciatrice, qui est le début de sa course dans l'autre sens. » Henri Goetz est né à New York en 1909 et s'est suicidé en 1989 en se jetant du haut d'un hôpital de Nice, si malheureux était-il de ne plus pouvoir peindre. Arrivé à Paris dans les années 1930, il rencontre sa future femme, Christine Boumeester, fait partie du groupe des surréalistes qu'il finit par quitter et choisit la nationalité française. Il sera un des plus grands graveurs du siècle. Quant au travail de sa femme, d'une intimité remarquable, il fascinera les plus grands, de Bachelard à Picabia, lequel écrira : « Dans la peinture de Christine Boumeester, beaucoup de secrets sortent de leur cachette pour être éclairés par son soleil. » Deux êtres merveilleux dans leur travail comme dans leur vie, où ils surent toujours s'engager quand il fallait le faire. Allez leur rendre visite.

– *La collection Roux :* petit musée qui présente des figurines en céramique repré-sentant les *Très Riches Heures du duc de Berry,* et d'autres scènes du Moyen Âge et de la Renaissance.

🥾 Promenade agréable *de la citadelle à la Darse,* par l'ancien chemin de ronde, entièrement réhabilité, qui surplombe la mer et offre une très jolie vue sur le cap Ferrat.

🥾🥾 Ce splendide *port de la Darse* est l'un des endroits méconnus de Villefranche et c'est fort dommage. À l'entrée, on est intrigué par un grand bâtiment jaune, tout en longueur (162 m exactement) : il s'agit de l'ancienne corderie, datant de l'époque où le petit port était arsenal royal. Elle abrite aujourd'hui (mais pour combien de temps ?) l'observatoire océanologique et un centre universitaire.

Le site était connu des Grecs et l'architecture date du XVIIIe siècle. Mais le port tel qu'on l'entend existe depuis le XVIe siècle, créé à l'instigation de la Maison de Savoie et du royaume de Sardaigne, dont dépendait Villefranche comme l'ensemble du comté de Nice. Ce territoire, essentiellement alpin, avait besoin d'un havre sûr pour abriter sa flotte, et Villefranche constituait le seul endroit accessible sur cette portion de côte (rade abritée, hauts fonds, etc.), c'est dire son importance stratégique ! D'autant plus que la Maison de Savoie faisait l'objet de toutes les convoitises, disputée par François Ier et Charles Quint.

Au XVIIIe siècle, le port, construit pour accueillir des galères, s'avéra obsolète pour les nouvelles frégates. Dès lors, Villefranche se retrouva à l'écart de tous les grands enjeux européens et continua à vivre tranquillement. Malgré tout, le port de la Darse ne cessa jamais d'être actif. Au contraire, la présence d'une base russe, puis américaine, contribua à maintenir l'ambiance (avec, à l'époque, un nombre incroyable de bars à marins et de maisons closes !).

L'ancien arsenal ne cessa jamais son activité. Sous ses superbes arcades blanches et autour du bassin du radoub, on trouve toujours un petit chantier naval où sont encore présents tous les corps de métier (avec quelques artisans prestigieux). C'est l'un des ensembles les mieux préservés en France, mais c'est surtout le seul qui soit encore un lieu vivant et animé.

Une association se bat aujourd'hui pour la sauvegarde et la valorisation du site et de ce précieux patrimoine maritime. Pari presque gagné dans le sens où le site est – à priori – sauvé, mais encore faut-il le faire vivre. C'est là tout l'enjeu. Il faut dire qu'avec 300 ans de savoir-faire ininterrompu, il serait vraiment triste que l'arsenal se transforme en un simple amas de belles vieilles pierres (ou, pire, ne devienne la proie des promoteurs, qui rêvent d'en faire une marina de luxe !).

L'association organise toutes sortes de visites guidées et d'ateliers thématiques (histoire de la Darse, trésors archéologiques, la conception d'un bateau, l'art de la corderie, les pointus et l'art de la pêche, l'observation océanologique, etc.). On a été totalement séduits par tant d'enthousiasme et de passion, et il y a de fortes chances que vous le soyez aussi. *Rens auprès de l'*ASPMV, *Les voûtes de la Darse :* ☎ 04-93-76-71-88 ; ● darse.org ●

◁ **Les plages :** deux plages, plus exactement, *les Marinières* (sable) et *la Darse* (galets)... La plus grande est celle des Marinières qui se situe dans le prolongement nord-ouest du port, au pied de la gare SNCF.

LE CAP FERRAT (06230)

La nature avait déjà fait de cette presqu'île fermant la rade de Villefranche un des plus beaux sites de la Côte ; elle l'est restée, protégée parce que chasse gardée de quelques *happy few* (il n'y a pas de secret !). Le béton n'a pas fait trop de ravages ici et le cap Ferrat, couvert d'une belle pinède où se cachent de luxueuses villas, est un havre de paix. Ce semblant de paradis a toujours été fréquenté par de nombreuses célébrités, de Charlie Chaplin à Jean-Paul Belmondo. Ils ont eu des prédécesseurs illustres tels que Nietzsche, le roi des Belges Léopold II (longtemps propriétaire de la moitié du cap), Otto Preminger, Somerset Maugham et Cocteau.

LA CÔTE DE NICE À MENTON

Comment y aller ?

➢ **De Nice :** env 10 bus/j., sf dim. Attention ! le terminus (notamment du n° 81) est à Saint-Jean-Port, non au cap. Possibilité de contacter le réseau *CréaBus (☎ 0800-006-007)* pour effectuer la navette, sur résa.

➢ **Retour de Saint-Jean :** dernier départ vers 20h.

Adresse utile

🛈 Office de tourisme : *59, av. Denis-Séméria. ☎ 04-93-76-08-90. ● ville-saint-jean-cap-ferrat.fr ● Au centre de la presqu'île (accès fléché). En été, tlj 8h30-18h ; hors saison, lun-ven 8h30-12h, 13h-17h. Autre bureau ouv sur le* port en saison. Se renseigner quant aux éventuelles visites de la villa Loscoglieto (organisées dans le cadre de l'année Cocteau en 2008), entièrement décorée par l'artiste.

Où dormir ? Où manger ?

De prix moyens à plus chic

🛏 |●| La Frégate : *11, av. Denis-Séméria. ☎ 04-93-76-04-51. Fax : 04-93-76-14-93. Juste au-dessus du port de plaisance. Congés : 20 déc-7 janv. Doubles 40-80 € selon confort et saison. ½ pens 40-60 €/pers selon saison.* La petite adresse de vacances à l'ancienne avec ses habitués à la quinzaine ou au mois. Déco hors du temps. Chambres pas immenses mais gentiment rénovées ; certaines disposent d'un balcon. Sympathique petit jardin sur l'arrière. Pour les pensionnaires uniquement, cuisine traditionnelle et spécialités régionales.

|●| La Goélette : *port Saint-Jean. ☎ 04-93-76-14-38. Sur le nouveau port de plaisance. Tlj midi et soir en saison ; en hiver, slt le midi. Résa très conseillée. Formule déj en sem 12,80 € ; menus 18,50-27,50 €. Digestif maison offert sur présentation de ce guide.* On y trouve du poisson, quelques plats espagnols comme la *zarzuela,* la paella, et des spécialités provençales à l'image de l'aïoli, la bouillabaisse. C'est vrai que ça part un peu dans tous les sens mais ça reste correct et à un prix raisonnable pour le coin.

De plus chic à beaucoup plus chic

🛏 Hôtel Clair Logis : *12, av. du Prince-Rainier-III-de-Monaco. ☎ 04-93-76-51-81. ● hotelclairlogis@orange.fr ● ho tel-clair-logis.fr ● ♿ À l'angle de l'allée des Brises. Au centre de la presqu'île. Congés : 6 janv-15 fév et 5 nov-20 déc. Doubles 80-170 € ; TV satellite pour les plus chères. Parking privé gratuit.* Un paradis de calme au cœur d'un grand jardin exotique. Même les plus grands (à commencer par le général de Gaulle, qui était d'une bonne taille, il est vrai) sont venus se reposer dans cette agréable maison. Chambres plaisantes, avec balcon ou petite terrasse. Prix élevés mais raisonnables pour la presqu'île. Une bonne adresse, idéale pour un week-end en amoureux sur la Côte.

🛏 Hôtel Brise Marine : *58, av. Jean-Mermoz. ☎ 04-93-76-04-36. ● info@ho tel-brisemarine.com ● hotel-brisemari ne.com ● Congés : nov-fin janv. Doubles 145-165 € ; triples 175-195 € ; petit déj 13 €. Parking payant (sur résa).* Difficile de ne pas craquer pour cette belle façade italianisante ! Et pourtant, c'est sa situation privilégiée sur la petite rade de Saint-Jean-Cap-Ferrat qui fait tout le charme de cette villa de 1878. La vue depuis certaines chambres ou depuis le joli jardin en terrasse est absolument splendide. Le quartier, à deux pas du centre, est relativement résidentiel et donc assez calme. Chambres rénovées, à la déco sobre, offrant un excellent confort : douche ou bains, sèche-cheveux, TV satellite, clim', coffre, mini-frigo, prise modem et même une cuisine pour les plus chères (de véritables studios pour 2 à 4 personnes). En prime, accueil adorable.

|●| *Plage de Passable :* chemin de Passable. ☎ 04-93-76-06-17. Ouv Pâques-début oct. Compter un bon 40 € pour un repas complet à la carte, mais vous pouvez tt aussi bien vous contenter d'un simple plat. Resto de plage (privée), joliment aménagé, face à la rade de Villefranche. Multiples terrasses dont une (évidemment) à même la plage. Cuisine simple (pâtes, salades, poisson grillé...), mais la qualité a tendance à être constante et le service à la hauteur.

À voir

🌾🌾🌾 🏃 *La villa et les jardins Ephrussi-de-Rothschild :* 1, av. Ephrussi-de-Rothschild. ☎ 04-93-01-45-90. À gauche, à l'entrée du cap (accès très bien fléché). Du 10 fév au 8 nov et la 1ʳᵉ sem de janv, tlj 10h-18h (19h en juil-août) ; le reste de l'année, lun-ven 14h-18h, w-e et pdt les vac scol 10h-18h ; derniers tickets vendus 30 mn avt la fermeture. Entrée : 9,50 € pour le rez-de-chaussée de la villa et les jardins (3 € en sus pour la visite guidée des collections du 1ᵉʳ étage) ; réduc ; gratuit jusqu'à 7 ans (demander le livret-jeux). Possibilité de billet groupé avec la villa grecque Kerylos à Beaulieu : 14,50 €. On peut visiter et évoluer librement sans contrainte ni guide, excepté pour les collections au 1ᵉʳ étage, visite guidée slt (env 45 mn et par groupes de 25 pers max ; certaines pièces étant très petites) à 11h30, 14h30, 15h30 et 16h30 (visite supplémentaire à 17h30 en juil-août). Pas de visites guidées hors saison.

Un site unique au-dessus de la Méditerranée et une maison de rêve, en rose et blanc, ainsi baptisée en souvenir d'un voyage mémorable que la propriétaire, la baronne Ephrussi, née Béatrice de Rothschild, effectua à bord d'un paquebot du nom de *La Villa Rose*. Du patio, la vue évoque, il est vrai, celle qu'on pourrait avoir de la proue d'un navire : la mer de chaque côté, dans laquelle semble plonger le somptueux parc de 7 ha (pour parfaire l'illusion, la baronne exigeait de ses jardiniers qu'ils se déguisent en matelots !). Pour situer un peu plus le personnage, sachez que cette milliardaire excentrique ne voyageait pas sans sa volière de 50 perroquets, emmenant avec elle une manucure chargée de leur limer les griffes ! Sa « villa » de Saint-Jean lui donna l'occasion de tromper son ennui quelque temps : les travaux ont duré 7 ans. Lorsque le résultat ne lui plaisait pas, elle changeait d'architecte et faisait tout reconstruire. Quarante architectes se sont ainsi succédé...

Ce *pallazzino* mi-vénitien mi-mauresque, entouré de magnolias et de bougainvillées, a été spécialement conçu pour recevoir les collections de celle qui, bien avant Barbara Cartland (encore que...), s'habillait de rose des pieds à la tête. Quelque 5 000 œuvres déménagées de ses hôtels particuliers parisiens, témoignant d'une réelle éducation artistique (son père, un mécène éclairé, a notamment grandement favorisé la carrière du couple maudit Rodin-Camille Claudel) et d'une véritable passion pour le XVIIIᵉ siècle. Cette hallucinante propriété a été léguée en 1934 par Mme Ephrussi à l'Académie des beaux-arts, à condition qu'elle reste en l'état, autant le musée que la maison habitée.

– *Au rez-de-chaussée,* on entre dans un vaste patio couvert, ceinturé d'arcades style Renaissance italienne, portées par d'élégantes colonnades en marbre rose de Vérone. Patio décoré de nombreuses œuvres d'art du Moyen Âge et de la Renaissance : retable de la fin du XVᵉ siècle, *Condottiere* vénitien de Carpaccio (non, ce n'est pas l'inventeur du...). Sur le patio s'ouvrent plusieurs salons richement meublés et présentant un exceptionnel ensemble d'œuvres d'art : superbe mobilier Louis XVI dans le salon... Louis XVI, où l'on remarquera également les tapis de la Manufacture royale de la Savonnerie, les superbes boiseries peintes de l'ancien *hôtel de Crillon* et la première des nombreuses tables de jeux (la baronne était un peu accro...) de la maison ; tapisseries des Gobelins et de Beauvais (sur les fauteuils de Boulard) dans le salon Louis XV au plafond peint par Pellegrini... Pas mal non plus dans leur genre, les appartements privés de Mme Ephrussi : mignon boudoir au secrétaire signé Riesener, étonnante salle de bains où de délicates boiseries peintes du XVIIIᵉ siècle camouflent lavabo et baignoire (eau chaude et froide, s'il vous plaît ! La villa était d'ailleurs, en 1912, pourvue d'un confort avant-gardiste pour l'époque : électricité, téléphone, ascenseur, chauffage central...). Exceptionnel ensemble de porcelaines de Sèvres et de Vincennes dans la salle à manger.

– **Au 1ᵉʳ étage,** la visite guidée vous fera découvrir l'étendue des collections de la baronne : un intéressant ensemble de dessins, gravures et lavis de Fragonard, encore de belles porcelaines, de Saxe cette fois, un « salon chinois » où s'ouvrent des portes du XVIIIᵉ siècle « empruntées » au palais impérial de Pékin, le « salon des singeries » aux rigolotes boiseries peintes... Vraiment un ensemble unique, dont la baronne ne profitait pas pleinement : la propriétaire des lieux n'y séjourna que 3 ans. Béatrice de Rothschild préférait résider dans l'une de ses deux propriétés monégasques ou dans la suite de l'*Hôtel de Paris* à Monte-Carlo, qu'elle louait à l'année. Elle se contentait d'organiser ici des fêtes que l'on ne se forcera pas beaucoup à imaginer somptueuses...

– **Les jardins :** très agréable balade dans le magnifique parc de la villa qui rassemble tous (ou presque) les jardins du monde en un seul : espagnol, avec son petit canal, ses papyrus et ses grenadiers ; florentin, au pied d'un romantique escalier en fer à cheval lapidaire où des gargouilles d'église jouent les nains de jardin ; japonais, avec son temple miniature, sa pergola de bambou et son jardin zen ; vaste jardin exotique qui croule sous les plantes succulentes ; jardin à la française, avec une reproduction du petit temple de l'Amour du Trianon et un escalier d'eau qui trace une superbe perspective face à la villa, sans oublier la Roseraie, le jardin provençal et celui de Sèvres. Un *salon de thé,* aménagé dans l'ancien salon oriental avec vue sur la mer bien sûr, accueille les visiteurs (aux horaires de la villa) ; des bancs dans les jardins permettent de se détendre, donnant à cette promenade un côté très convivial. L'été, animations culturelles, concerts et salle de projection.

🧍🏃 **Le zoo du Cap-Ferrat :** 117, bd du Général-de-Gaulle. ☎ 04-93-76-07-60. ● zoocapferrat.com ● ♿ Au centre de la presqu'île ; accès fléché. L'été, tlj 9h30-19h ; l'hiver, tlj 9h30-17h30. Entrée : 14 € ; réduc ; gratuit jusqu'à 3 ans. Compter 2h de visite. Animations tlj avr-sept ; les mer, w-e et j. fériés oct-mars. Resto sur place. Au cœur d'un vaste jardin qui faisait autrefois partie de l'immense propriété de Léopold II. Quelque 500 animaux dans une végétation luxuriante. Tigres de Sibérie, crocodiles du Nil, lions, zèbres, ours, loutres et plusieurs primates : singes araignées, siamangs de Sumatra (les plus grands, les plus rares et, peut-être bien aussi, les plus bruyants des gibbons !), lémuriens... Plusieurs de ces espèces font partie de programmes d'élevage d'espèces en voie d'extinction.

🧍 **Le musée des Coquillages :** quai du Vieux-Port. ☎ 04-93-76-17-61. ● musee-coquillages.com ● Lun-ven 10h-12h, 14h-18h ; w-e et j. fériés 14h-18h. Entrée adulte : 2 € ; réduc. Une collection de 4 000 coquillages à découvrir.

🧍 **Saint-Jean-Cap-Ferrat :** sur la côte est de la presqu'île, cet ancien village de pêcheurs s'est converti en station balnéaire et hivernale bien agréable. Il reste quelques vieilles maisons autour du port et de la petite église. La salle des mariages de la mairie est décorée d'une peinture de Cocteau, qui aimait beaucoup l'endroit et avait sa petite idée sur le sujet, ce qui ne pouvait donner qu'une vision assez originale.

➢ **Petite balade architecturale :** promenez-vous au hasard des calmes avenues du cap, à pied ou en voiture pour (tenter de...) découvrir les somptueuses villas qu'il abrite. Non loin de l'immanquable villa Ephrussi-de-Rothschild, on trouve, surplombant la plage de Passable, l'opulente villa *Les Cèdres,* ancienne propriété du roi des Belges. Si la façade de la villa côté mer se livre aux regards, on ne verra rien du jardin botanique, paraît-il un des plus beaux d'Europe. Sinon, il faudra ouvrir l'œil pour débusquer certaines de ces demeures, véritables palais avec colonnes, balustres, vasques (et entrée de service !), d'où les échappées sur la mer entre les pins font rêver...

À faire

Les plages

⚠ Plusieurs plages, de galets et/ou de sable, jalonnent la presqu'île. Sur la côte ouest, face à Villefranche, la mignonne petite *plage de Passable* (qui, comme son nom l'indique, manque un peu de sable...), au pied de l'imposante ancienne villa de Léopold II. Plus discrètes, adoptées par les habitants du cap, les *plages des Fosses* et *des Fossettes* au pied de la pointe Saint-Hospice. Sympathique aussi, la *plage de Paloma,* entre la pointe Saint-Hospice et le port. Une dernière plage jouxte le port de plaisance, plus urbaine, plus fréquentée (il y a un grand parking). Au gré des sentiers qui suivent le littoral (lire ci-dessous), on déniche quelques petites criques où se baigner (pour bons nageurs...). À signaler qu'en saison, tous les parkings sont payants (avec des forfaits à la journée ou pour l'après-midi).

Randonnées pédestres

Au-delà des villas de milliardaires surprotégées derrière des haies masquant tout au regard, grilles acérées et autres alarmes sophistiquées, le cap Ferrat (comme, d'ailleurs, la presqu'île de Saint-Tropez, autre repaire chicos) offre de chouettes petites balades le long de son littoral. Pour ceux qui auraient peur de se perdre (c'est, à vrai dire, presque impossible), carte IGN Nice-Menton-Côte d'Azur. Top 25 N° 3742 OT.

➤ *La pointe Saint-Hospice :* plaisante balade (compter de 30 mn à 1h) autour de cette pointe de terre qui marque la côte est du cap. Départ de la plage de Paloma ; le sentier longe ensuite toute la côte jusqu'à la pointe Saint-Hospice et offre de belles vues sur Beaulieu, Èze, Monaco. Arrivé à la pointe, on quittera le sentier du littoral pour grimper jusqu'à la petite chapelle construite en 1655 à l'emplacement de la sépulture de saint Hospice. À l'intérieur, reproduction de toiles de Louis Marchand sur la vie de cet ermite local. À côté de la chapelle trône une gigantesque Vierge de bronze ; avec ses 11 m, elle semble vouloir rivaliser de hauteur avec la solitaire tour voisine édifiée en 1706 pour lutter contre les pirates. Petit cimetière militaire de la Première Guerre mondiale, où sont inhumés une centaine de soldats belges qu'on tenta en vain de soigner des lésions causées par les gaz de combat... Rejoindre ensuite le sentier qui contourne la *pointe Saint-Hospice* et la *pointe du Colombier,* puis frôle la mignonne baie des Fossettes. Les curieux essaieront de deviner derrière les jardins en bordure du sentier les somptueuses villas bien dissimulées. On rallie enfin la plage de Paloma, par l'avenue Jean-Mermoz et le chemin de Saint-Hospice.

➤ *Le tour du cap Ferrat :* la plus belle balade du cap (5,9 km ; compter 2h), évidemment déconseillée lorsque la mer est mauvaise puisque le sentier longe en grande partie le littoral. Départ du port de Saint-Jean par l'avenue Jean-Mermoz, puis, à droite, le passage des Fosses qui conduit au sentier (fléché). On traverse d'abord une vaste carrière abandonnée (la roche extraite ici a servi à la construction du port de Monaco). La pointe Causinière marque le début de la partie la plus spectaculaire de l'itinéraire, au travers des roches calcaires aiguisées comme des lames par l'action conjuguée de la mer et du vent. Étonnant paysage presque lunaire, qu'égaient les jardins du *Grand Hôtel* du cap Ferrat, palace Belle Époque comme il n'y en a presque plus : piscine hollywoodienne creusée dans la roche, funiculaire pour descendre à la plage... Quelques marches (plutôt raides) grimpent vers le phare, reconstruit en 1951 après sa destruction par les troupes allemandes. Superbe panorama. Le sentier se faufile ensuite à travers la rocheuse côte ouest du cap, de pointes en petites criques (qui accueillent quelques adeptes du bronzage intégral, essentiellement masculins...), avant de rejoindre via le chemin du Roy (qui traverse ce qui était autrefois l'immense propriété du roi des Belges, Léopold II) la plage de Passable. Depuis la plage, on regagne le port en traversant la presqu'île par le chemin de Passable, puis un petit chemin qui se prend à hauteur de l'office de tourisme.

➤ *La promenade Maurice-Rouvier :* elle permet de gagner Beaulieu (lire ci-dessous) à pied en longeant la mer.

BEAULIEU-SUR-MER (06310)

La Perle de la Côte d'Azur est une petite ville aux multiples visages. Côté mer, autour de la *baie des Fourmis* au charmant côté rétro, Beaulieu se la joue dernier bastion Belle Époque entre palaces toujours en activité et alignements de palmiers. Au centre-ville, Beaulieu a des airs de gros bourg provençal avec son marché typique. Et autour de son port de plaisance creusé en 1968, elle ressemble à une station balnéaire familiale typique d'aujourd'hui. La ville est très abritée par la ceinture de montagnes qui l'entoure. Avec Menton, Beaulieu détiendrait le record de la ville la plus chaude de France. Un quartier s'appelle d'ailleurs la Petite Afrique. L'origine du nom de la station viendrait d'une exclamation de Bonaparte qui, découvrant l'endroit, s'écria : « Qual bel luogo ! » (si sa mère avait été de la partie, elle aurait pu dire, là aussi : « Pourvou que ça doure ! »). De nombreuses personnalités ont séjourné à Beaulieu, à commencer par Gustave Eiffel qui, à 90 ans, vantait le climat de la station. Gordon Bennett, le directeur du *New York Herald Tribune,* aimait beaucoup Beaulieu et proposa d'y construire à ses frais un port de plaisance, ce qui lui fut refusé !

Comment y aller ?

➤ *En bus :* depuis la gare de Villefranche, prendre le *CréaBus* n° 81. ☎ 0800-006-007 (appel gratuit depuis un poste fixe). ● lignedazur.com ●

Adresse utile

🛈 *Office de tourisme :* pl. Georges-Clemenceau. ☎ 04-93-01-02-21. ● ot beaulieusurmer.fr ● En juil-août, lun-sam 9h-12h30, 14h-19h et dim 9h-12h30. Hors saison, lun-sam 9h-12h15, 14h-18h (17h sam).

Où dormir ?

De prix moyens à plus chic

🛏 *Hôtel Riviera :* 6, rue Paul-Doumer. ☎ 04-93-01-04-92. ● contact@hotel-riviera.fr ● hotel-riviera.fr ● Entre le centre-ville et le port, à 150 m de la mer. Congés : 24 oct-27 déc. Doubles 52-68 € selon saison. Petit 2-étoiles dans une rue tranquille. Façade toute pimpante, très provençale avec ses balcons en ferronnerie. Chambres joyeusement rénovées (avec douche et w-c ou bains et clim', certaines avec TV) et quasiment à prix d'amis pour la région. Quelques-unes de plain-pied sur le patio ombragé où est servi le petit déjeuner. L'accueil fait qu'on a envie d'y prolonger son séjour. Peut-être bien notre meilleure adresse à Beaulieu.

🛏 *Hôtel Select :* 1, rue André-Cane (pl. du Général-de-Gaulle). ☎ 04-93-01-05-42. ● selectbeaulieu@wanadoo.fr ●

Ouv tte l'année. En plein centre. Doubles 47-67 €selon saison. Petit hôtel familial, gentil comme une pension de famille de sitcom. Chambres pas si select que ça, à la déco sans façons, mais rénovées, avec douche, w-c, TV, double vitrage et clim'. Elles offrent donc un honorable rapport confort-prix.

🏠 *Hôtel Comté de Nice :* 25, bd Marinoni. ☎ 04-93-01-19-70. ● contact@hotel-comtedenice.com ● hotel-comtedenice.com ● *Dans l'artère principale, à deux pas de la place centrale et à 5 mn du port. Ouv tte l'année. Doubles 70-105 € selon saison. Garage payant. Sur présentation de ce guide, 10 % de réduc sur le prix de la chambre.* Avec sa façade tout en longueur (et tout en béton), il a l'air d'avoir été construit dans les années 1950-1960. Les chambres sont pourtant bien de notre époque, toutes bien équipées, avec douche et w-c ou bains, TV satellite. La plupart offrent une jolie vue sur la mer et... la voie ferrée. Sauna et fitness dans l'hôtel. Accueil fort sympathique. Bon petit déjeuner.

Où manger ?

|●| *La Pignatelle :* 10, rue de Quincenet. ☎ 04-93-01-03-37. *Tlj sf mer. Menus 13 € (le midi)-29 €.* Rien de bien extraordinaire sur Beaulieu (ou alors à des tarifs tout aussi extraordinaires !) et c'est bien dommage. *La Pignatelle* réussit tout de même à se détacher du lot avec un accueil chaleureux, un cadre agréable et une honnête cuisine traditionnelle.

|●| *C'l'heure de... :* 15, bd du Maréchal-Joffre. ☎ 04-93-01-35-77. *Menus 25-35 €.* À peine était-il ouvert que ce petit resto de quartier devenait déjà la cantine des Berlugans (c'est comme ça qu'on appelle les habitants de Beaulieu). Spécialités provençales et plus particulièrement de cette portion de côte allant de Nice à Menton... Tout est cuisiné maison, longuement mijoté ou préparé à la demande. En tout cas, rien n'est jamais réchauffé. Attention néanmoins aux prix des desserts à la carte, ils peuvent faire flamber l'addition inutilement.

À voir

🏛🏛🏛 🚶 *La villa grecque Kerylos :* impasse Gustave-Eiffel. ☎ 04-93-01-01-44. ● villa-kerylos.com ● *Du 10 fév au 8 nov et 1re sem de janv, tlj 10h-18h (19h en juil-août) ; le reste de l'année, lun-ven 14h-18h, w-e et pdt les vac scol 10h-18h. Derniers tickets vendus 30 mn avt la fermeture. Entrée : 8 € ; réduc. Possibilité de billet groupé avec la villa Ephrussi-de-Rothschild du cap Ferrat : 14,50 €. Visite avec un audioguide :* commentaire assez remarquable, riche en infos sur la villa, comme sur l'Antiquité. *Livret-jeu (chasse au trésor) pour les enfants, ainsi qu'un atelier céramique.*

Fasciné par la Grèce antique, l'archéologue Théodore Reinach fit construire en 1902, à la pointe de la baie des Fourmis, cette imposante maison blanche, surplombée de terrasses et de pergolas ; une villa inspirée de celles édifiées sur l'île de Délos, entre les IIe et Ier siècles av. J.-C. *Kerylos* est le nom grec de l'alcyon, oiseau mythique considéré comme un heureux présage parce que, disait-on, la mer demeure calme quand l'alcyon fait son nid.

Cédée à l'Institut de France en 1928, la villa est restée telle quelle, un délicieux anachronisme, le seul monument de la Grèce antique à avoir été construit au XXe siècle ! Les plus nobles matériaux ont été employés dans sa construction : marbre, bronze et ivoire pour les thermes privés *(naïadès)*, marbre encore et de Carrare, pour les murs du salon *(andron)*, teck enrichi à la feuille d'or pour un plafond ici, bronze pour un lit copié de ceux de Pompéi là. Si la disposition des pièces est bien celle d'une villa antique (tout, jusqu'au moindre détail, a été conçu d'après de très sérieux documents archéologiques), on y découvre quand même quelques éléments de confort beaucoup plus contemporains, comme cette étonnante douche à ciel ouvert (pour profiter de l'eau de pluie !). Pourtant, Théodore Reinach et son épouse ne séjournaient qu'occasionnellement dans cette villa. Comme la voisine du cap Ferrat, Béatrice Ephrussi de Rothschild, qui se déguisait le temps de quelques fêtes en Marie-Antoinette, eux jouaient ici aux Grecs anciens : dans la salle à manger *(triklinos),* où les repas avec les invités (Gustave Eiffel, en voisin, était souvent du nombre) se prenaient allongés sur des lits tressés de cuir, devant le pupitre sur lequel Théodore Reinach travaillait debout, à l'antique... Quant à ce que faisait le distingué archéologue dans sa chambre à coucher dédiée à Éros... Visite étonnante, où le commentaire de l'audioguide est nécessaire pour distinguer les reconstitutions des pièces authentiques, comme cette mosaïque ou ces objets usuels (belle collection de tanagras, vases, lampes à huile dans la bibliothèque) du VIᵉ au Iᵉʳ siècle av. J.-C.

Copies aussi, les statues de la *galerie des Antiques* (au sous-sol de la villa) où l'on croise quelques-unes des œuvres les plus connues de l'époque : *Apollon du Belvédère, Discobole, Vénus de Milo...* Le parc reproduit le jardin idéal aux yeux d'un notable grec : fleurs méditerranéennes, lauriers-roses, oliviers et palmiers. Vue superbe sur le cap Ferrat, la baie des Fourmis et le cap d'Ail. Initiation à la mosaïque dans un atelier qui fonctionne en saison.

✎ *La rotonde :* av. Fernand-Dunan. Juste derrière la plage de la baie des Fourmis, un bâtiment témoin de la Belle Époque. Jadis salle de restaurant d'un grand hôtel, ce dernier fut reconverti en hôpital pendant la Seconde Guerre mondiale, comme le signale la plaque commémorative.

À faire

Les plages

⚲ À deux pas du centre, charmante *plage de la baie des Fourmis,* encore très Riviera de la Belle Époque. On trouvera d'autres plages au nord-ouest. À proximité de celle de la Petite Afrique se cache une dépaysante palmeraie.

Randonnées

➤ *La promenade Maurice-Rouvier :* agréable balade (compter entre 45 mn et 1h en prenant son temps, aller-retour) le long d'un chemin bitumé qui, en longeant le rivage, gagne Saint-Jean-Cap-Ferrat. Magnifiques points de vue. Balade à faire l'après-midi en été (c'est plus ombragé). Pour ceux qui en voudraient plus, du port de Saint-Jean, possibilité de faire le tour de la pointe Saint-Hospice ou du cap Ferrat (voir plus haut).

➤ *Le sentier du plateau Saint-Michel :* pour les bons mollets, car ça grimpe... Compter 2h aller-retour. Prendre le sentier qui part du boulevard Édouard-VII, derrière la gare. On emprunte ensuite les raides escaliers de la montée des Mandarines à travers l'exubérante et exotique végétation du quartier de la Petite Afrique. Un sentier grimpe alors en lacet vers la moyenne Corniche (la fameuse N 7, que malheureusement il faudra traverser : attention à la circulation !). Vous arriverez à la table d'orientation du plateau Saint-Michel par un sentier qui s'adoucit un peu. Aire de pique-nique, jardin botanique et superbe panorama jusqu'à l'Estérel à l'ouest, le cap d'Ail à l'est. Le retour peut se faire par le même chemin.

MONACO (LA PRINCIPAUTÉ DE)   (98000)   32 000 hab.

> Pour le plan de Monaco, se reporter au cahier couleur.

Y a-t-il un autre pays aussi petit (195 ha) qui soit autant médiatisé et connu dans le reste du monde ? Il faut dire que toutes les recettes du succès y sont réunies. Un rocher impressionnant sur lequel est juché *Monaco,* la vieille ville, impeccablement proprette, où des hordes de touristes viennent assister à la relève de la garde. Monaco, son palais séculaire, son Musée océanographique, ses boutiques de souvenirs, ses princes enchantés et ses princesses qu'on ne présente plus...

Monte-Carlo ensuite, avec sa clientèle internationale, ses palaces Belle Époque, son célèbre casino et ses appartements luxueux.

La principauté, c'est le rêve devenu réalité, le conte de fées contemporain, le *soap opera* grandeur nature. Et c'est aussi, ne l'oublions pas, une superbe place financière et économique au cœur de l'Europe. On aime ou on n'aime pas !

IMPRESSIONS DE VOYAGE

Le premier coup d'œil sur la principauté, serrée entre la montagne et la mer et hérissée de tours et de gratte-ciel, fait songer à une cité d'Asie comme Macao ou Hong Kong. Macao ? Peut-être à cause des jeux et des casinos. Hong Kong ? Sans doute pour les hautes tours agglutinées, mais elles sont tout de même moins nombreuses, moins hautes et moins impressionnantes. À vrai dire, cette petite principauté s'apparenterait historiquement à une civilisation latine et pencherait culturellement vers l'Amérique du Nord. Est-ce à cause des origines américaines de feue la princesse Grace ? Il y a quelque chose de lisse et de prospère qui rappelle les États-Unis, notamment la Californie (sauf pour le manque d'espace !) : on y retrouve la propreté et l'organisation des rues, l'aisance, le soleil et le ciel bleu. Mais à Monte-Carlo, le monde latin prévaut : les vieux palaces franco-italiens du XIXe siècle, entourés de bassins et de palmiers, évoquent une cité ancestrale qui aurait redoré son blason en devenant un lieu de villégiature pour gens fortunés. À Monte-Carlo, on se retrouve bel et bien dans une atmosphère romanesque où tradition et modernité se côtoient. En haut du Rocher, sur la place du Palais, à l'heure de la relève de la garde, on se croirait face à un spectacle (assez surréaliste) de figurines animées.

ABC DE MONACO

- **Superficie :** moins de 2 km², soit exactement 195 ha, dont 40 gagnés sur la mer et 42 ha d'espaces verts.
- **Population :** 32 000 hab. (2006). Environ 8 000 personnes possèdent la nationalité monégasque avec le droit de vote. Les autres habitants sont des résidents étrangers (peu fortunés à très fortunés). On compte 125 nationalités au total, avec près de 8 600 Français et 5 542 Italiens.
- **Capitale :** Monaco. Les principaux quartiers sont Monte-Carlo (le plus chic, le plus cher), la Condamine et Fontvieille (à l'ouest, gagné sur la mer).

MONACO

> • *Nature du régime :* monarchie héréditaire constitutionnelle. La principauté de Monaco est un État souverain, membre à part entière de l'Organisation des Nations unies et du Conseil de l'Europe.
> • *Chef de l'État :* S.A.S. le prince Albert II.
> • *Langue :* le français est la langue officielle. L'italien et l'anglais sont souvent parlés et compris. Il existe une langue monégasque (très imagée) qui est enseignée à l'école mais peu utilisée.
> • *Religions :* le catholicisme est religion d'État. La patronne des Monégasques est sainte Dévote. Les cultes anglican, baha'i, israélite et protestant sont représentés.
> • *Monnaie :* l'euro.
> • *Prix moyen du m² à Monte-Carlo :* 15 500 €.
> • *Banques :* 50 banques pour 32 000 hab., soit une banque pour 640 hab.
> • *Police :* un policier pour 26 résidents de nationalité monégasque.
> • *Hôtels :* 76 % des chambres sont de catégorie 3 étoiles et plus. Amis fauchés, passez votre chemin !

MONACO

UN PEU D'HISTOIRE

Un rocher abrupt facile à défendre, un petit port bien abrité dans une anse naturelle, il n'en fallait pas plus pour susciter des convoitises. Les Phéniciens occupaient l'endroit et y auraient élevé un temple à *Melkart,* dieu de Tyr, que les Grecs assimilèrent à Héraclès, qualifié ici de Monoïkos (dieu unique).

Après avoir connu les invasions des Goths, des Lombards et des sarrasins, Monaco appartint aux Génois. La ville était alors dominée par deux partis politiques : les *guelfes,* ralliés au pape et au comte de Provence, et les *gibelins,* partisans de l'empereur germanique, de souche plus modeste. En 1297, un Grimaldi, guelfe génois, François « la Malice », s'empare par la ruse (il s'était déguisé en moine franciscain !) de la seigneurie de Monaco, et depuis, le nom et les armes des Grimaldi ont toujours été portés par les héritiers. Charles Iᵉʳ Grimaldi acquiert aussi Menton en 1346 et Roquebrune en 1355.

Être seigneur à Monaco ne fut pas toujours facile : ainsi, en 1505, Jean II fut tué par son frère Lucien, mais il y a quand même une justice : Lucien fut assassiné à son tour par son neveu. Banal, direz-vous, en ce temps-là ! Et puis, en 1604, Honoré Iᵉʳ fut jeté à la mer par ses sujets.

En six siècles, Monaco va osciller entre Gênes, la Savoie, l'Espagne et la France.

Un département français sous la Révolution

En 1793, la République française annexe Monaco, qui devient un simple département sous le nom de **Fort Hercule.** La famille princière est arrêtée, ses biens sont saisis et dispersés. Le palais des Grimaldi est alors transformé en dépôt de mendicité. Il faudra attendre la fin de l'Empire, la chute de Napoléon Iᵉʳ et le traité de Paris du 30 mai 1814 pour que les Grimaldi soient rétablis dans leurs droits.

En 1848, Menton et Roquebrune se déclarent villes libres sous la protection du roi de Sardaigne. Résultat : la principauté est réduite à Monaco. En 1861, après avoir résisté, Charles III Grimaldi abandonne finalement à la France ses droits sur Menton et Roquebrune qui, de toute façon, se sont déterminées en faveur de leur rattachement à la France à 70 %.

L'ère des jeux et des casinos

La *Société des bains de mer* est créée en 1861, le Paris-Lyon-Méditerranée prolonge le chemin de fer jusqu'à Monaco ; on construit le splendide *Hôtel de Paris,* longtemps premier hôtel d'Europe. En 1866, le prince Charles III baptise, par ordonnance souveraine, le quartier des Spélugues du nom de Monte-Carlo. En 1872, le casino reçoit 160 000 visiteurs. François Blanc, lui, ne jouera pas une seule fois et mourra richissime...

Quant au prince de Monaco, il

CASINO ROYAL

Tombé dans les jeux de hasard dès son plus jeune âge, François Blanc ouvre une maison de jeux à Marseille puis à Paris. Suite à l'interdiction frappant ce type d'activité en France, il s'exile au Luxembourg pour continuer à pratiquer. De retour dans l'Hexagone, il fonde la Société des bains de mer à Monaco, puis en 1866 le Casino de Monte-Carlo. C'est à lui que l'on doit l'expression « Rouge manque, Noir passe, Blanc gagne ».

avait fortement contribué à attirer des grosses fortunes en supprimant les impôts en 1869 (exonération des contributions foncières, personnelles et mobilières, et de l'impôt des patentes). Monaco devient un « paradis fiscal ». En 1918, un traité prévoit que la France doit rester garante de l'intégrité territoriale de la principauté. En échange, Monaco s'engage à exercer ses droits de souveraineté en conformité avec les intérêts français.

Un coup dur allait être porté en 1933 : l'autorisation des jeux en France et en Italie... C'était la fin d'un monopole à l'origine de la fortune de la ville. Heureusement, des sociétés étrangères attirées par les privilèges fiscaux continuèrent d'affluer, trop nombreuses pour l'espace restreint de la principauté. À partir des années 1960, les gratte-ciel s'élevèrent un peu partout pour accueillir de nombreux résidents étrangers, et l'on gagna du terrain sur la mer, la superficie de la principauté passant de 150 à 195 ha. Les critiques ont été nombreuses devant cet urbanisme vertical (pas toujours du meilleur goût).

Le Maçon et le Prince

Une anecdote assure qu'à Monaco « il y a le Prince qui pèse tant de milliards et l'Empereur qui en pèse dix fois plus ». Qui est cet « empereur » mystérieux ? Descendant d'un maçon italien parti avec deux sous en poche, cet homme de l'ombre est aujourd'hui le promoteur immobilier le plus puissant de Monaco et de loin l'homme le plus riche de la principauté : une très, très grande fortune. Il posséderait à Monaco près de 6 000 appartements en location ! Son nom inscrit dans un logo coloré apparaît sur de nombreux murs de la ville. Dès qu'une grue se met en mouvement au-dessus d'un chantier : c'est son œuvre. Si une nouvelle tour se dresse dans le ciel : c'est encore lui... Il est omniprésent, omnipuissant et indispensable. Rainier III lui devait même la vie, dit-on. Un jour que le prince se noyait sur une plage, le petit-fils du maçon aurait volé à son secours. Depuis cette date, le sauveteur n'a pas été anobli, mais, mieux que cela, le prince magnanime lui a déroulé le plus beau des tapis rouges, lui donnant toute liberté pour accomplir son rêve de grand bâtisseur.

MONACO AUJOURD'HUI

On a tendance à associer Monaco aux amours de ses princes et princesses, à son rallye automobile ou encore à son équipe de football. Mais Monaco n'est pas seulement cela. Toutefois, sachez qu'au moment du Grand Prix, certaines artères sont fermées à la circulation. L'accès au circuit est bien entendu payant, sauf le vendredi matin. Pour le Grand Prix de F1, le tarif des places commence à 70 €.

Économie

Dans la principauté, où vivent quelque 32 000 habitants, 41 600 salariés travaillent dans le secteur privé (produits manufacturés, transformation de biens alimentaires) et on compte quelque 3 900 fonctionnaires, policiers et membres de professions libérales. Il faut ajouter que chaque jour 34 000 frontaliers viennent travailler ici (Français et Italiens). Heureusement pour la principauté que de nombreuses et diverses activités participent à sa prospérité, car le casino, qui rapportait 95 % des recettes de l'État en 1890, n'en rapporte plus que 3,8 % ! Près de 52 % des recettes proviennent de la taxe sur le chiffre d'affaires des sociétés. La deuxième source de revenus de la principauté serait le domaine immobilier (près de 9 %).

Institutions

La monarchie héréditaire et constitutionnelle fonctionne avec un conseil national, renouvelé tous les 5 ans, et un conseil communal élu pour 4 ans. Après la mort de Rainier III le 6 avril 2005, c'est le prince Albert II, son fils, qui lui succède au trône à l'âge de 47 ans. Seuls les quelque 6 000 Monégasques de plus de 18 ans votent. Ils ne paient pas d'impôts et sont exemptés de service militaire. Monaco est d'ailleurs le pays des superlatifs. C'est le seul au monde où le chef d'État peut réunir facilement tous ses sujets autour de lui !

Mais si vous voulez envoyer une carte postale, le timbre sera monégasque. De même, pour téléphoner, il faudra vous fendre d'un code international (00-377) avec le tarif idoine (c'est-à-dire approprié).

LE TOURISME ROI

La principauté reçoit chaque année plusieurs millions de touristes, d'où un taux d'occupation des hôtels très élevé (62 %). Les premiers visiteurs sont les Italiens (21 %), puis les Français (18 %), les Anglais (14 %) et les Américains (14 %). Viennent ensuite les Allemands et les Suisses. Les Japonais occupent une part de marché réduite mais non négligeable. Monaco est aussi un endroit privilégié pour le tourisme d'affaires et rivalise avec ses voisines, Nice et Cannes. Près de 700 manifestations professionnelles ont lieu chaque année dans les infrastructures monégasques. Celles de grande envergure se déroulent au *Grimaldi Forum,* centre de congrès inauguré en 2000.

Pour obtenir un tel résultat, la sécurité devient un objectif prioritaire et l'on dit que le palais de justice n'a que des affaires de divorce à se mettre sous la dent, la délinquance étant pratiquement inexistante ! Quand on voit le nombre de policiers dans les rues et le nombre de caméras de surveillance, on comprend qu'il vaut mieux ne pas avoir affaire au code pénal monégasque.

Comment y aller ? Comment se déplacer dans Monaco ?

La principauté comprend *Monaco-Ville* et son rocher, *Monte-Carlo,* le *quartier de la Condamine* qui relie les deux, et *Fontvieille,* à l'ouest.

🚆 **Gare SNCF** *(plan couleur A2) :* ☎ 36-35 *(0,34 € TTC/mn).* ● sncf.com ● Nombreux trains (TGV ou TER) depuis Nice ou Menton. À coup sûr la meilleure solution. La gare se situe à quelques minutes à peine du centre-ville. Compter 3,50 € env pour un aller-retour Menton-Monaco. Quand on vous dit que cela ne vaut pas la peine de s'embêter avec la voiture !

– **À pied :** logiquement le meilleur moyen, le plus économique et celui qui permet de découvrir les détails cachés de la ville. La principauté est petite et elle se traverse rapidement. À Monaco, de nombreux escaliers roulants et ascenseurs : pour les partisans du moindre effort ! Un détail tout à fait remarquable, les Monégasques sont hyper-respectueux de l'ordre : un piéton ne traversera jamais au rouge ; les automobilistes vous laisseront toujours passer.

– **En bus :** rens au ☎ 00-377-97-70-22-22 ; • cam.mc • Le bus n° 1 dessert le casino au départ de Monaco-Ville ; le n° 2 conduit au Jardin exotique ; le n° 4 part de la gare de Monaco et dessert la place des Moulins, le n° 6 conduit aux plages du Larvotto. Il existe une carte – vendue 6 € – valable pour 10 voyages, beaucoup plus économique que des tickets vendus à l'unité. Également une carte Pass pour la journée à 3 €.

– **Voitures et parkings souterrains :** la ville étant perpétuellement en travaux, les bouchons commencent à l'entrée de la principauté, surtout si l'on vient de l'autoroute. Il est conseillé de se garer dans l'un des nombreux parkings souterrains de la ville. Il y en a partout (une trentaine), ils sont très bien organisés et pas si chers. Le plus pratique (car situé sous la vieille ville) : le parking du chemin des Pêcheurs. Le stationnement d'une durée inférieure à 60 mn est gratuit. Au-delà, le tarif s'applique à compter de l'heure d'arrivée. En moyenne, compter 5-6 € pour 3h de stationnement.

Une journée de rêve à Monaco !

Mais oui, c'est possible ! Et sans casser sa tirelire, qui plus est. Allez, tordons le cou aux idées reçues, Monaco, ni même Monte-Carlo ne sont réservées aux seuls milliardaires. Et pour preuve, voici le détail d'une journée type, d'une journée parfaite dans la capitale monégasque.

On vous le dit et on vous le répète, venez en train... De la gare, descendez doucement jusqu'au marché de la Condamine, où vous ferez l'un des repas les plus typiques, les plus savoureux et les moins chers de votre séjour sur la côte. Ensuite, partez à l'assaut du Rocher et grimpez jusqu'au Musée océanographique, auquel vous consacrerez quelques heures, avant d'aller flâner dans les ruelles médiévales (il règne ici une alchimie toute particulière entre le kitsch, le luxe et l'histoire... à voir une fois dans sa vie !). En fin d'après-midi, en traversant les nombreux espaces verts dont le Jardin japonais, vous n'avez plus qu'à redescendre vers les plages, le temps d'un dernier verre avant de reprendre le train et de retrouver la vraie vie... Ça vous va comme programme ?

Adresses utiles

🏛 **Office de tourisme de Monaco** (plan couleur B1) : 2A, bd des Moulins, Monte-Carlo, 98030 Principauté de Monaco Cedex. ☎ 00-377-92-16-61-16. Infos et résas : • visitmonaco.com • Lun-sam 9h-19h ; dim et j. fériés 10h-12h. Mais aussi 6 petites annexes sur le port et en ville, 15 juin-30 sept, tlj 9h-20h. Office de tourisme aussi efficace et courtois qu'un Visitor Center aux États-Unis, et aussi moderne que la réception d'une multinationale japonaise.

🏛 **Office de tourisme de Beausoleil :** 32, bd de la République. ☎ 04-93-78-01-55. En face de la place de la Mairie. Lun-ven 9h-12h, 14h-18h ; sam 9h-12h. Parking souterrain « Libération » (gratuit pendant la 1re heure).

✉ **Poste** (plan couleur B2) : av. Dunant.

Où dormir dans les environs ?

Après cette journée parfaite, on vous conseille plutôt de dormir dans les environs, plus sympas et moins chers : Menton, Roquebrune, Cap-d'Ail... Si l'aventure vous tente (par exemple si vous voulez aller flamber au casino), la liste des hébergements est disponible à l'office de tourisme. On trouve de tout, à (presque) tous les prix.

MONACO

⌂ *Relais International de la Jeunesse « Thalassa » :* 2, av. R.-Granaglia, 06320 Cap-d'Ail. ☎ 04-93-78-18-58. ● contact@clajsud.fr ● clajsud.fr ● *De la gare, prendre le tunnel piéton, puis suivre le fléchage jusqu'à la mer.* Compter 17 €/pers en chambre de 6-11 lits, *petit déj inclus. ½ pens 26 €/pers.* Situation exceptionnelle, quasiment les pieds dans l'eau pour cette belle maison bourgeoise, à côté de l'ancienne demeure de Greta Garbo. Ambiance « famille nombreuse ».

Où manger ?

Il n'y a pas que des établissements luxueux à Monaco ! Beaucoup de petits restos de la vieille ville proposent des menus abordables.

De bon marché à prix moyens

|●| *Le marché de la Condamine (plan couleur A2, 20) :* notre coup de cœur à Monaco ! Pourquoi se casser la tête quand on sait que tous les jours, de 7h à 13h, on peut se régaler à tout petits prix ? Dans la partie couverte, plein de petits stands proposent des spécialités monégasques et provençales à emporter. On peut y faire le plein de fruits pour trois fois rien. Pour le *pan-bagnat*, on vous conseille le *bar du marché* ; pour la *socca*, on craque pour *Chez Roger* (premier arrivé, premier servi et quand y'en a plus, eh bien, y'en a plus !), même si *Mullot* (bd des Moulins, à côté du casino) reste une institution tout à fait fréquentable. Pour les *barbajuans*, rendez-vous au petit stand à côté de Roger... (À signaler que les *barbajuans* sont aussi très bons au *Castelroc*, pl. du Palais, à côté du château). Au fond du marché, *Le Petit Zinc* (mais il n'y a pas d'enseigne !), où l'on peut aussi déjeuner les mardi et jeudi, à condition d'avoir réservé auprès de la mamie (sauf qu'il n'y a pas de téléphone !).

|●| *Monte-Carlo Bar (plan couleur A2-3, 21) :* 1, av. Prince-Pierre. ☎ 00-377-92-05-73-80. *Très bien situé, au pied du Rocher et du palais. Tlj 9h-5h du mat. Menu 18,80 € ; carte env 15 €. Digestif maison offert sur présentation de ce guide.* Un snack-bar qui a le mérite d'être ouvert jour et nuit. Cuisine simple et économique : pâtes, pizzas, salades, soupes, omelettes.

De prix moyens à plus chic

|●| *Le Huit et Demi (plan couleur A2, 23) :* 4, rue Langlé, à Monaco. ☎ 00-377-93-50-97-02. ● info@huit-et-demi. com ● *Dans une rue tranquille. Fermé sam midi et dim. Formule déj en sem 12,50 € ; le soir, carte env 40 €. Digestif maison offert sur présentation de ce guide.* Pêcheurs, cadres, assureurs et visiteurs se retrouvent chez ce nostalgique des films de Fellini pour manger un plat du jour copieux, en terrasse. La spécialité du chef : les calamars sautés à l'ail et au persil. Bon accueil et service aimable. Un excellent rapport qualité-prix.

|●| *Polpetta (plan couleur A1, 26) :* 2, rue du Paradis, à Monte-Carlo. ☎ 00-377-93-50-67-84. ♿ *Fermé mar et sam midi. Congés : 3 sem en juin. Menu 23 € ; carte env 30 €.* À l'écart de l'agitation. « Italianissimement » vôtre depuis plus de deux décennies, avec ses délicieuses pâtes. Bons vins italiens à prix accessibles et atmosphère sympa.

Où boire un verre ? Où sortir ?

🍸 *La Note Bleue (hors plan couleur par B1, 32) :* plage du Larvotto. ☎ 00-377-93-50-05-02. ● contact@lanote bleue.mc ● lanotebleue.mc ● ♿ *Fermé* le soir hors saison. Congés : 15 déc-1er mars. Entrée gratuite au club de jazz, avec 4 concerts/sem de mi-mai à fin août. Consos 3-12 €. Sur présentation de ce guide, un verre de thé glacé offert aux lecteurs qui y prennent un repas. Une des bonnes surprises que réserve Monaco. Un bar de plage privée plutôt huppée, où les palmiers ont cédé la place aux oliviers et le plastique au teck. On y sirote tranquillement son petit verre de vin blanc (3 € !), confortablement installé dans un canapé en rotin garni de coussins, en profitant de l'humeur musicale du DJ. Parfait pour bien finir la journée. On peut aussi y déjeuner et y dîner à prix assez raisonnables.

♟ La Spiaggia (hors plan couleur par B1, 33) : plage du Larvotto. ☎ 00-377-93-50-50-80. ● info@la-spiaggia. com ● la-spiaggia.com ● À deux pas du précédent. Tte l'année, tlj. Pour ceux qui ne le savaient pas, spiaggia, ça veut dire « plage » en italien ! Ambiance plus jeune et moins feutrée mais bien sympa aussi. Dans un cas comme dans l'autre, tenue correcte exigée, mais on s'en serait douté ! Là aussi, le DJ est de rigueur, quand il n'y a pas carrément de la live music...

♟ Stars'n'Bars – Sports Bar & Club (plan couleur B2, 30) : 6, quai Antoine-Ier. ☎ 00-377-93-50-95-95. ● info @starsnbars.com ● ♖ Sur le port, face à Monte-Carlo. Tlj sf lun hors saison

estivale, 7h30-minuit (2h w-e). Voilà un établissement à l'image de Monaco. Certains vont détester, d'autres vont adorer (surtout les sportifs). C'est surtout pour le cadre hors du commun et démesurément « américain » que nous avons retenu l'endroit. Importante collection d'objets ayant appartenu à de grands sportifs (André Agassi, Michael Schumacher, Ayrton Senna...) ; il y a même la Formule 1 de Thierry Boutsen et le bobsleigh olympique du prince Albert ! Bref, le Stars (comme disent les habitués) est une sorte de gigantesque musée (1 500 m^2) qui peut se transformer en resto, en bar et boîte de nuit. Clientèle d'habitués avec de temps en temps quelques vedettes...

♟ Bar du Zebra Square (hors plan couleur par B1, 31) : Grimaldi Forum, av. Princesse-Grace, à Monte-Carlo. ☎ 00-377-99-99-25-50. ● monaco@zebrasqua re.com ● Près du Jardin japonais ; indiqué et facile à trouver ; ascenseur jusqu'au 2e étage du Forum. Compter 8-18 € pour une boisson au bar, ouv jusqu'à 2h du mat. Un des endroits les plus branchés de Monaco, qui commence par un bar et finit par une superbe terrasse extérieure avec vue sur la Méditerranée. Venir le soir pour boire un verre et admirer la décoration zébrée style « Tropical Club ».

♟ Au port de Fontvieille (plan couleur A3), plusieurs pubs sympas...

À voir

La vieille ville

Monaco-Ville est construite sur un rocher de 300 m de large, s'avançant de 800 m sur la mer. Le site est, bien sûr, superbe.

Partir de la jolie place d'Armes, avec ses arcades et son marché coloré. Dehors, poissons, fleurs et fruits. À l'intérieur, pâtisseries, charcuteries, boucheries et toutes sortes de bars et de snacks où l'on peut manger (voir plus haut). De la place d'Armes, on voit l'enceinte du château, bâti à la fin du XVIe siècle, à la pointe ouest du rocher.

La rampe Major, qui date de 1714, permet d'accéder à la place du Palais, après avoir franchi trois portes des XVIe et XVIIe siècles.

Évitez le Monte-Carlo Story à la sortie des parkings : spectacle de 30 mn sur la vie des princes de Monaco.

🐾🐾🐾 ⚎ Le Musée océanographique (plan couleur B3) : av. Saint-Martin. ☎ 00-377-93-15-36-00. ● oceano.mc ● ♖ En bordure du rocher. Avr-sept, tlj 9h30-19h

(19h30 en juil-août) ; oct-mars, tlj 10h-18h. Entrée : 12,50 € ; réduc ; gratuit pour les moins de 6 ans. Compter 2h de visite.

Une visite à ne manquer sous aucun prétexte : le plus célèbre et sans doute le plus important musée du genre. Ceux qui n'aimaient pas les poissons en ressortent immanquablement ébahis, voire... amoureux ! Déjà, l'édifice lui-même a fière allure : ses 100 000 tonnes de pierres de taille de La Turbie dominent la mer de 85 m... L'ensemble fut créé au début du XXᵉ siècle par Albert Iᵉʳ pour abriter les étonnantes collections récoltées au cours de ses expéditions à travers les mers du globe. Il fut dirigé de 1957 à 1989 par le commandant Cousteau, qu'il n'est pas nécessaire de présenter. Depuis octobre 2007, c'est Jean-Louis Étienne qui est aux commandes. Il faut commencer en priorité par l'*aquarium* occupant un étage entier. Des milliers de spécimens de la faune et de la flore marines évoluent dans 90 bassins qui reconstituent fidèlement des écosystèmes marins. Après l'accueil d'un banc de petits requins, on s'étonne devant le poisson-lime, bleu à taches orange, et le poisson-rasoir, en forme de lame. Puis on se pâme devant la bécasse à carreaux et le porte-enseigne en forme de faucille, avant de s'extasier face aux rascasses volantes, inimaginables et ô combien venimeuses ! Suivent les poissons-papillons ou vaches, ou encore les poissons-balances, avec leur coiffure punk. Plus loin, un arbalétrier vous fixe et suit votre regard, tandis qu'un baliste bleu montre ses dents orange ! Ne pas manquer non plus les terribles poissons-pierres. Amusant : le crabe honteux qui se cache derrière ses pinces démesurées ! et l'esturgeon au long nez à moustaches ! Le plus étonnant est sans doute le turbot. Essayez de le trouver dans l'aquarium... Ce poisson plat, presque caméléon, se cache dans le sable avant de bondir sur sa proie ! Un sous-sol féerique où l'on resterait des heures. Le clou de cette visite est sans aucun doute le lagon aux requins, un bassin géant de 450 000 litres, où vous pouvez voir d'un côté des centaines de petits poissons arborant leurs couleurs vives, et de l'autre les grands prédateurs (requins, mérous, raies...). Ils évoluent à l'abri d'un écosystème corallien, le récif de Djibouti, que les chercheurs du musée ont réussi à acclimater en aquarium, créant ainsi un écosystème entièrement autonome. Une première dans l'histoire de l'aquariophilie. Sûr que ça va vous changer de votre poisson rouge ! Atelier avec bassin tactile et autres animations pour les familles pendant les vacances scolaires.

Au *rez-de-chaussée*, une expo temporaire sur le milieu polaire et les enjeux de ces régions. Au mur, une horloge électronique nous apprend qu'un bébé baleine grossit d'un gramme par seconde.

Au *1ᵉʳ étage*, le *musée*, où trône un squelette de baleine de 20 m de long avec, en dessous, deux fanons : on comprend enfin comment fonctionne cet étonnant filtre géant. Expo permanente consacrée à Albert Iᵉʳ, fondateur du musée. Vous pourrez également visiter le laboratoire de l'*Hirondelle II*, l'un des navires océanographiques d'Albert Iᵉʳ, et admirer une reconstitution du premier sous-marin, datant de 1774.

À voir également, une dent de mammifère marin de taille impressionnante (sachant qu'il mesurait 7 m, on vous laisse imaginer sa dent !). On termine par la terrasse au *2ᵉ étage*, d'où la vue est superbe.

En été et en période de vacances scolaires, on peut compléter la visite de l'endroit par un des documentaires ou des films sur la mer projetés dans la salle de conférences. En été, on peut même communiquer en direct avec des plongeurs en mer. C'est beau la technique !

Un café-restaurant accueille les visiteurs qui souhaitent faire une petite pause. Également une boutique.

🎋 *Les jardins Saint-Martin (plan couleur B2-3)* **:** aménagés vers les années 1830, face à la mer, tournant le dos à la cathédrale, ils sont très reposants et constituent une halte agréable au milieu d'une étonnante végétation tropicale et méditerranéenne.

🎋 *La place du Palais (plan couleur A3)* **:** impeccablement propre et archibondée aux heures de pointe, c'est-à-dire avant la relève de la garde des carabiniers, à

11h55 précisément... Facile de les reconnaître, au milieu de la foule : ils sont vêtus de noir en hiver et de blanc en été ! De la place, vue superbe d'un côté sur le port, Monte-Carlo et l'Italie, de l'autre sous une promenade ombragée de pins, sur Fontvieille, la côte vers Cap-d'Ail. Des boulets et canons offerts par Louis XIV au prince de Monaco ornent la place. Face au palais, caserne des carabiniers, de style génois.

🚶 **Le Palais princier** (plan couleur A3) : ☎ 00-377-93-25-18-31. ● palais-princier. mc ● Visites en avr tlj 10h30-13h ; mai-sept, tlj 9h30-18h ; et oct 10h-17h30. Entrée : 9,50 € ; réduc. Audioguidage proposé. Photos interdites.

Peu de vestiges de la forteresse du XIIIe siècle, si ce n'est la tour de Serravale, isolée, et une partie de l'enceinte agrandie sous Vauban, qui s'encastre dans le rocher. Vous pénétrez dans une superbe *cour d'honneur,* pavée de galets blancs et de couleur, entourée de galeries à arcades. Puis un bel escalier conduit à la *galerie d'Hercule,* ornée de fresques du XVIIe siècle. Vous verrez aussi la *salle du Trône,* où fut célébré le mariage civil du prince Rainier et de Grace Kelly, ainsi qu'une série de salons somptueux, décorés de tapis, meubles d'époque, tableaux de maître (Rigaud, Van Loo, Largillierre, etc.). Mais l'accès aux appartements privés est interdit (les fans de Stéphanie ou d'Albert seront déçus). La présence du prince dans le palais est indiquée par un étendard hissé sur la tour principale.

🚶 **Le musée des Souvenirs napoléoniens et des Archives du Palais** (plan couleur A3) : mai-sept, tlj 9h30-18h30 ; oct, 10h30-17h30 ; janv-fin mars, 10h30-17h (jusqu'à 18h en avr). Fermé nov. Entrée : 4 € ; réduc ; gratuit jusqu'à 8 ans. Installé dans une aile du palais, ce musée fut créé par le prince Rainier III, la famille Grimaldi étant apparentée à Stéphanie de Beauharnais, fille adoptive de Napoléon Ier. Vous y découvrirez beaucoup d'objets ayant appartenu à l'empereur, qui devait avoir une sacrée garde-robe avec tout ce qu'on retrouve à droite et à gauche. Au 1er étage, évocation du passé de la principauté : charte d'indépendance de Monaco, signée du roi de France Louis XII, lettre de Louis XIV au prince Antoine Ier, décorations monégasques.

🚶 **Les vieilles rues :** un peu trop pimpantes à notre goût (avec un petit côté décor d'opérette et de carton-pâte), avec des façades souvent ravalées, sauf peut-être la *rue Basse,* relativement bien préservée. Et surtout, pléthore de boutiques. Cela donne parfois une impression de toc. À l'angle de la rue Émile-de-Loth et de la ruelle Sainte-Dévote, une plaque posée sur un mur de l'hôtel de ville évoque le souvenir du poète Guillaume Apollinaire. Il fit ses études de 1888 à 1896 au collège Saint-Charles, qui était situé autrefois dans cet immeuble, devenu aujourd'hui la mairie de Monaco.

🚶 **La cathédrale** (plan couleur B3) : 4, rue Colonel-Bellando-de-Castro. Accès libre. De style néoroman (elle date de la fin du XIXe siècle), en pierre blanche de La Turbie, elle n'a rien d'extraordinaire. Pour la construire, on a dû démolir l'ancienne église Saint-Nicolas, du XIIIe siècle. Il faut y entrer pour admirer le *retable de saint Nicolas,* un des chefs-d'œuvre de Louis Bréa, entièrement restauré, à l'entrée gauche du déambulatoire, et la *Pietà du curé Teste,* au-dessus de la porte de la sacristie. La majorité des visiteurs venant pour voir la **tombe de la princesse Grace et celle du prince Rainier III,** on admire le chef-d'œuvre sans bousculade. Dans le déambulatoire se trouvent les tombeaux des princes ; sur celui de Grace, cette simple inscription : « Gratia Patricia Principis Rainier III Uxor. » Pas de gerbes, mais d'émouvants petits bouquets offerts par les Monégasques.

La Condamine

Le quartier de la Condamine s'étage en amphithéâtre au-dessus du port, sous la muraille rocheuse qui domine la principauté. Dommage quand même qu'on ait tant construit ici. C'est là que se situe le sympathique marché de la Condamine (voir plus haut « Où manger ? »).

🎏 **Le port,** dont l'aménagement date de 1901, abrite de splendides yachts ; on a tous (ou presque !) en mémoire l'arrivée de Grace Kelly en bateau pour la première fois à Monaco (mais si, rappelez-vous, les actualités à *La Dernière Séance*). À côté se trouve la piscine olympique. Sur le port, quelques snacks abordables.

Mais la curiosité, c'est la digue semi-flottante de 352 m et 160 000 t qui a été construite à Algesira et transportée à Monaco en 2002. Elle permet d'étendre le port de la Condamine et d'accueillir les bateaux de croisière. On peut se promener agréablement sur la jetée. Joli point de vue sur le Rocher...

🎏 **L'église Sainte-Dévote** *(plan couleur A2)* : d'après la tradition, sainte Dévote, après avoir été martyrisée en Corse vers 305, fut abandonnée dans une barque qui échoua à Monaco. Au XIᵉ siècle, les reliques de la sainte furent dérobées, et emportées en bateau. Mais les malfrats furent rattrapés et leur embarcation fut brûlée. Depuis, chaque année, le soir du 26 janvier, on brûle une barque devant l'église ; le lendemain, les reliques de la sainte sont portées en procession jusqu'à la place du Palais.

L'église est bâtie sur l'emplacement d'une chapelle du XIᵉ siècle ; à l'intérieur, autel en marbre du XVIIIᵉ siècle.

Monte-Carlo

🎏 **Le casino de Monte-Carlo** *(plan couleur B1)* : on l'a décrit à l'époque comme « la cathédrale d'enfer qui dresse les deux cornes de ses tours mauresques sur cet éden de perversité »... Bon, faut quand même pas exagérer ! Sans être aussi critique, on peut trouver sa décoration assez étonnante. Il se compose de plusieurs corps d'édifice, dont le plus ancien (datant de 1878), face à la mer, est dû à Charles Garnier, l'architecte de l'opéra de Paris.

N'hésitez pas à entrer dans le hall central. Devant vous, le théâtre ; sur la gauche, les salles de jeu. Même combat.

– *Visite du casino : accès réglementé. Interdit aux moins de 18 ans. Pièce d'identité obligatoire. Infos :* ☎ 00-377-98-06-20-00. ● *casinomontecarlo.com* ● ♿ *Durée de la visite : 30-40 mn. Entrée payante : salons européens 10 € ; salons privés 20 €.* Regardez les plafonds, d'une richesse inouïe. Beaucoup de monde se presse devant les machines à sous, dans un vacarme étourdissant. Les enjeux sont pourtant bien modestes, comparés à ceux des autres salles. Que de fortunes envolées... comme celle de la *Belle Otero*, favorite du Kaiser, qui perdit en une nuit ce qu'elle avait gagné au cours d'une tournée triomphale aux États-Unis.

De la terrasse du casino, vue splendide jusqu'à la pointe de Bordighera. En contrebas s'étend un vaste centre des congrès. Plus loin, à l'est du casino, se succèdent les plages artificielles, les piscines et palaces de Monte-Carlo.

🎏 **L'opéra :** à l'intérieur du casino. La « salle Garnier » a rouvert ses portes en novembre 2005. Cet opéra fut en effet construit par Charles Garnier dans un délai record de 6 mois. Il s'inspira des nouvelles conceptions scénographiques dictées par Wagner à Bayreuth. Ce qui en fit, pour l'époque, un théâtre un peu révolutionnaire : pas de balcon, et un parterre rectangulaire. L'intérieur, tout petit, est charmant. On se croirait dans une bonbonnière de style Belle Époque. La grande curiosité est la loge princière, en baldaquin, qui se détache du fond au-dessus du vide. C'est dans ce bijou, inauguré par Sarah Bernhardt le 25 janvier 1879, que furent créées de nombreuses œuvres, comme *L'Enfant et les Sortilèges* de Maurice Ravel en 1925. Les plus grandes voix du monde se sont produites ici, ainsi que la compagnie de ballets de Serge de Diaghilev, célèbre chorégraphe exilé. Donnant en 1909 les premières représentations des *Ballets russes,* Diaghilev fera souffler durant vingt ans – après une interruption forcée pour cause de guerre ici et de révolution là-bas – le vent de l'avant-garde sur Monaco, où se succèdent d'exceptionnelles créations. À sa mort, en 1929, nombreux furent ceux qui rivalisèrent pour

MONACO

lui succéder. Le poète-musicien *Léo Ferré* (né à Monaco où son père travaillait à la *Société des bains de mer*) y dirigea même des concerts dans les années 1960.
Conseil : essayez d'assister à un spectacle, mais n'oubliez pas qu'ici, on s'habille pour sortir, et que vous risquez d'être refoulé si vous arrivez en jean (location de tenues de soirée : *Ets Bourdin*, 5, rue Princesse-Caroline). N'oubliez pas non plus de vous lever lorsque la famille princière entre dans sa loge !
– *Réservations* : infos et service loc, ☎ 00-377-98-06-28-28. ● *opera.mc* ● Pas facile, il n'y a que 400 places et les représentations sont très courues.

🍃 *Le jardin des Boulingrins et les terrasses du Casino* : pl. du Casino ; entre le casino et le bd des Moulins. Accès libre. Il est agréable de flâner, en toute simplicité, dans les *jardins des Boulingrins* attenants, composés de magnifiques parterres de fleurs et agrémentés de pièces d'eau, ainsi que dans les jardins de la *Petite Afrique,* où les essences rares côtoient les espèces exotiques. À l'opposé des *Boulingrins,* derrière le *casino,* côté mer, une œuvre géométrique et multicolore de Vasarely orne la toiture très moderne de l'*Auditorium Rainier III.*

🍃 *L'Hôtel de Paris :* remarquez sa superbe façade décorée de belles statues et d'une splendide marquise. Ce palace a reçu les hôtes les plus prestigieux, tels que *Sarah Bernhardt* qui tenta même de s'y suicider (cabotine !), le *grand-duc Michel de Russie* qui louait plusieurs étages et commandait 60 magnums de champagne par nuit, ou *Churchill,* venu avec sa perruche Toby qui s'envola, laissant le grand homme au bord du désespoir. Seule une fine champagne de 1810 le consola... Allez-y à l'heure du thé, pour admirer le spectacle.
Évidemment, la nostalgie n'est plus ce qu'elle était. Il n'y a plus grand monde à avoir ici un domicile fixe à l'année. Il faut aujourd'hui 5 000 personnes pour remplacer les 50 familles à domicile fixe d'autrefois... et remplir ses 269 chambres, ses 42 appartements, faire vivre ses 500 employés. Une des vedettes actuelles de ce prestigieux palace s'appelle Alain Ducasse, grand monsieur tout simple qui nous fait saliver lorsqu'il explique les saveurs du terroir à la télé. Dommage qu'il ne casse pas ses prix pour les routards...

À *Monte-Carlo* (vers la plage du Larvotto)

🍃 👣 *Le Nouveau Musée national de Monaco – Collection de Poupées et Automates* (hors plan couleur par B1) : 17, av. Princesse-Grace. ☎ 00-377-98-98-91-26. ● *nmnm.mc* ● Ouv tte l'année, tlj 10h-18h. Fermé 1er janv, 1er mai, pdt le Grand Prix, 19 nov et 25 déc. Entrée : 6 € ; réduc ; 3,50 € sur présentation de ce guide. Le musée, installé depuis 1972 dans la villa Sauber, est une jolie demeure sur fond de roseraie, construite par Charles Garnier, qui abrite une exceptionnelle collection d'automates du XIXe siècle et de poupées, très bien présentée. Cette collection appartenait à Mme de Galéa. Une crèche napolitaine du XVIIIe siècle, qui réunit 250 personnages, complète l'ensemble. Quatre expositions temporaires par an.

🍃 *Le Jardin japonais :* av. Princesse-Grace. ♿ À côté du très moderne Grimaldi Forum. Ouv 9h-18h (19h avr-oct). Entrée libre. Dépaysement assuré sur 7 000 m². En fait, voilà un petit conservatoire naturel de la culture nippone. Conçu par l'architecte-paysagiste Yasuo Beppu, ce jardin a été béni par un grand prêtre shintoïste. De nombreux éléments ont été entièrement confectionnés au Japon, comme les barrières de bambou, la maison de thé, les lanternes en pierre, les tuiles, les poupées HINA et les portails en bois. Au centre, une superbe cascade *(Taki)* de 3 m de haut, on se croirait en pleine montagne. Une plage japonaise en galets varois a été reconstituée avec un petit pont cintré de couleur rouge, qui symbolise le bonheur. D'autres endroits où règne la sérénité, comme le *parcours initiatique de la cérémonie du thé.* Bref, aussi insolite que soit le site choisi (face à la Méditerranée, au pied des immeubles luxueux, le long d'un boulevard), ce jardin incite à la réflexion philosophique. On en ressort zen.

MONACO

À voir encore

Au Moneghetti

🐾 **Le Jardin exotique** (plan couleur A3) : bd du Jardin-Exotique, près de la moyenne Corniche. ☎ 00-377-93-15-29-80. Pour y aller, bus n° 2 depuis le Palais ou le centre-ville. Fermé 19 nov et 25 déc. Tlj 9h-18h (19h de mi-mai à mi-sept). Entrée : 6,90 € ; réduc. Tarif global permettant de visiter aussi les grottes de l'Observatoire et le musée d'Anthropologie préhistorique. Superbe vue sur la principauté. En raison du microclimat méditerranéen avec des accents tropicaux, les plantes tropicales les plus fragiles ont pu être acclimatées sur cette pente de rochers exposée au soleil et bien abritée. Exceptionnelle collection de 7 000 « succulentes », euphorbes, figuiers de Barbarie, etc. Et bien sûr des cactées venues du Mexique ou d'Amérique latine.

🐾🚶 **Le Nouveau Musée national de Monaco** (hors plan couleur par A3) : Villa Paloma, 56, bd du Jardin-Exotique. ☎ 00-377-98-98-03-16. À partir de 2009, ce nouveau musée ouvrira ses portes au public dans un bâtiment provisoire, la Villa Paloma, située à proximité du Jardin exotique, dans l'attente de la construction d'un musée définitif (prévu en 2015 !) offrant à Monaco sa grande institution consacrée exclusivement à l'art. Sur trois niveaux, représentant plus de 400 m², vous y découvrirez, à la faveur d'accrochages fréquemment renouvelés, des collections d'art ancien, moderne, contemporain et arts du spectacle. Les grands axes et les originalités du musée : l'œuvre de Kees Van Dongen, les liens entre les arts et le spectacle, les créations contemporaines d'Europe occidentale depuis 1945. Le musée continuera de proposer au public une grande exposition annuelle dans la salle du 4, quai Antoine-Ier à Monaco, permettant ainsi un déploiement plus important de ses collections, et des expositions temporaires à la villa Saube.

🐾 **Les grottes de l'Observatoire** : elles s'ouvrent dans le Jardin exotique, en contrebas. Attention : dernière visite à 18h10 en été. Durée : 40 mn. À 60 m sous terre, on effectue un circuit à travers une succession de salles ornées de stalactites et de stalagmites. Ce sont les seules grottes en Europe où plus vous descendez, plus la température monte.

🐾 **Le musée d'Anthropologie préhistorique** (hors plan couleur par A3) : mêmes horaires que le jardin exotique. Il abrite des ossements d'hommes et d'animaux préhistoriques trouvés dans des grottes près de Menton. À la sortie, dans le jardin, une belle table d'orientation. Des dessins indiquent les bâtiments visibles. On apprend que Paris est à 900 km, Mexico à 9 700 km !

À Fontvieille (à l'ouest de Monaco)

Le quartier de Fontvieille a été construit de toutes pièces en empiétant sur la mer. C'est le plus grand agrandissement de territoire jamais réalisé à Monaco au XXe siècle. Le décor fait penser à un quartier prospère d'une ville neuve d'Amérique, la foule et la joyeuse pagaille en moins : tours de verre sous le soleil, végétation tropicale, immeubles luxueux face à la mer. La comparaison s'arrête là.

🐾🚶 **Le Jardin animalier** (plan couleur A3) : terrasse de Fontvieille. ☎ 00-377-93-25-18-31. Mars-mai, tlj 10h-12h, 14h-19h ; juin-sept, tlj 9h-12h, 14h-19h ; oct-fév, tlj 10h-12h, 14h-17h. Entrée : 4 € ; réduc. Situé sur le flanc sud du Rocher de Grimaldi, surplombant le port moderne de Fontvieille, il abrite de nombreux spécimens d'animaux : panthère noire, hippopotame, tigre blanc, rhinocéros.

🐾🚶 **L'exposition de voitures anciennes de S.A.S. le prince de Monaco** (plan couleur A3, **40**) : terrasse de Fontvieille. ☎ 00-377-92-05-28-56. Tlj 10h-18h. Entrée : 6 € ; réduc ; gratuit jusqu'à 8 ans. Une centaine de voitures y sont présen-

PLANS ET CARTES
EN COULEURS

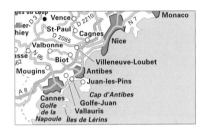

SOMMAIRE

LA CÔTE D'AZUR

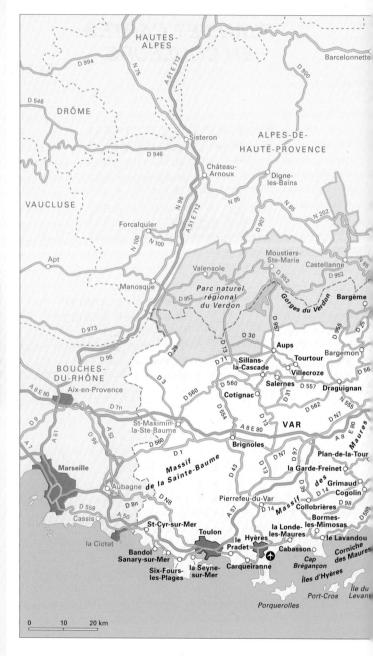

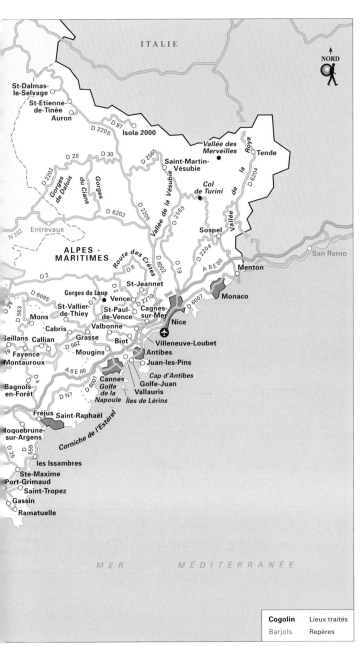

LA CÔTE D'AZUR

NICE – SUD-OUEST (PLAN I)

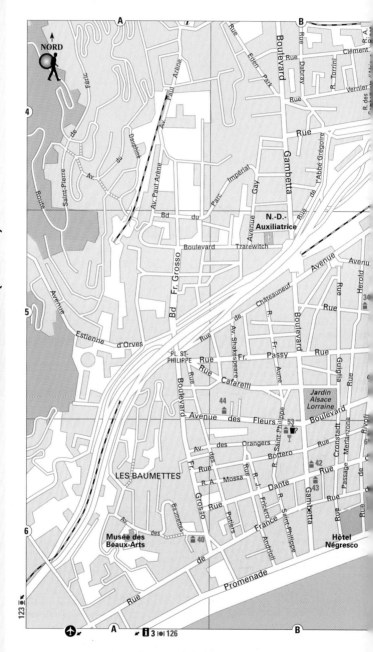

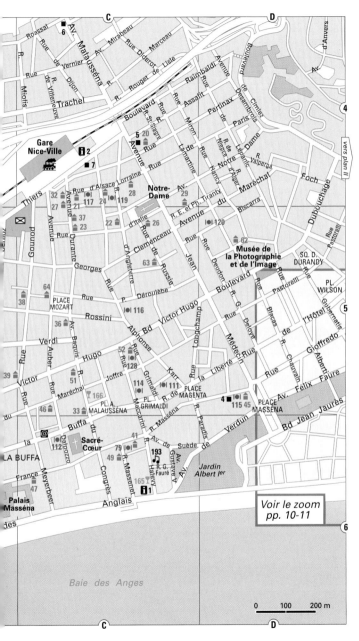

NICE – SUD-OUEST (PLAN I)

Voir le zoom
pp. 10-11

0   100   200 m

Baie des Anges

NICE – SUD-OUEST (PLAN I)

NICE – REPORTS DU PLAN I

NICE – REPORTS DU PLAN I

NICE – REPORTS DU PLAN II

NICE – REPORTS DU PLAN II

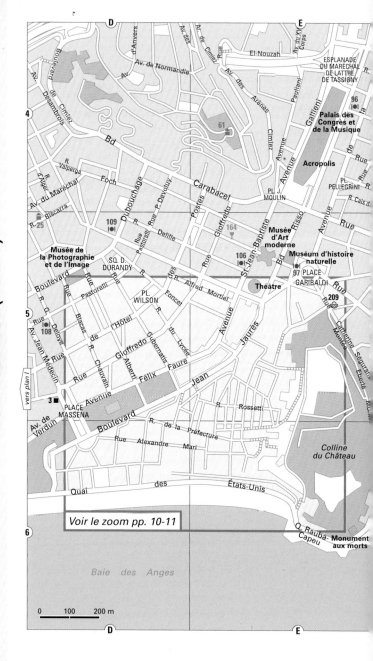

NICE – SUD-EST (PLAN II)

vers plan I

Av. d'Anvers
Av. de Normandie
Av. des
Av. de Cimiez
Rue
El-Nouzah
Av. du XV
Corps

ESPLANADE
DU MARÉCHAL
DE LATTRE
DE TASSIGNY
Paulhiani
Gallieni
96

Palais des
Congrès et
de la Musique

Acropolis

PL.
PELLEGRINI
R. Cais d.

Bd
de Cimiez
Av. de Desambrois
Boulevard
Av. du Maréchal
Biscarra
R. d'Alger
R. Valperga
Foch
Dubouchage
R. P. Devoluy
Postes
Carabacel
Cimiez
Avenue
Risso
Rue
61

R-25

109
R.
Pastorelli
Delfille
des
Rue
Giofredo
PL. J
MOULIN

164

Musée de
la Photographie
et de l'Image

SQ. D.
DURANDY
Rue
R. Alfred Mortier
106
St-Jean-Baptiste
Bd

Musée
d'Art
moderne

Muséum d'histoire
naturelle
97 PLACE
GARIBALDI

Rue
Boulevard
Rue
Pastorelli
PL.
WILSON
Foncet
Mortier
Avenue
Jaurès

Théâtre

209

Rue
R. G.
Deloye
108
Blacas
de
l'Hôtel
Gioffredo
Gubernatis
du Lycée

Av. Jean Médecin
Rue
Chauvain
Alberti
Faure
Félix
Jean
Rossetti

3
PLACE
MASSÉNA
Avenue
R.

Colline
du Château

Av. de
Verdun
Boulevard
Rue
Alexandre
Mari
R. de la Préfecture

Quai
des
États-Unis

Voir le zoom pp. 10-11

Q. Rauba-
Capeu
Monument
aux morts

Baie des Anges

0   100   200 m

D   E

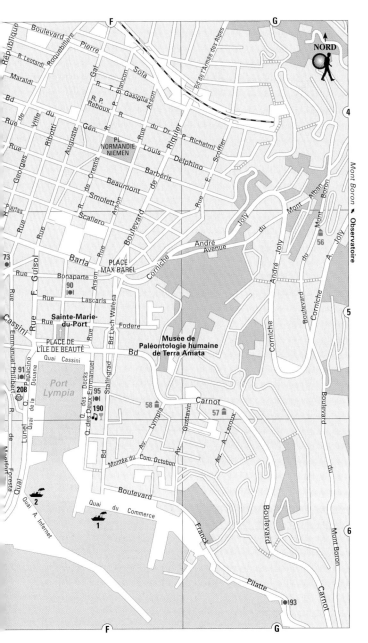

NORD

Mont Boron ← Observatoire

NICE – SUD-EST (PLAN II)

République
Boulevard
R. Léotardi
Roquebillière
Pierre
Maraldi
Bd
de
Ville
du
Sola
Gasiglia
Arson
Rue
Ribotti
Auguste
Gén.
R. T. Blancard
R. P.
Reboux
R.
du Dr
P. Richelmi
Scoffier
Rue
Georges
de Orestis
PL.
NORMANDIE
NIEMEN
Louis
Rue
Riguier
Delphino
Pierlas
R.
de Smolett
Beaumont
Barbéris
de
André
Avenue
Joly
Mont Alban
Mont Boron
56
Scatiero
Arson
Boulevard
Rue
Rue
R.
Rue
Rue
du
Mont
André
Joly
Corniche
Av.
73
Barla
PLACE
MAX BAREL
Corniche
Boulevard
Rue
F. Guisol
Bonaparte
90
Lascaris
Arson
Corniche
Cassini
Rue
Rue
Sainte-Marie-
du-Port
Fodere
Bd Jech Walesa
Musée de
Paléontologie humaine
de Terra Amata
Corniche
Emmanuel Philibert
91
PLACE DE
L'ÎLE DE BEAUTÉ
Quai
Cassini
Bd
208
Papacino
Q. de la Douane
Port
Lympia
Q. des Docks
Emmanuel
Stalingrad
95
190
58
Carnot
57
de
Montaforesta
Bd
des Deux
Av.
Lympia
Av.
Gustavin
A. Leroux
Quai
Lunel
Av.
Montée du Com. Octobon
Boulevard
Boulevard
du
2
Quai
A. Infernet
Quai
du
Commerce
1
Franck
Mont Boron
Pilatte
93
Carnot

NICE – SUD-EST (PLAN II)

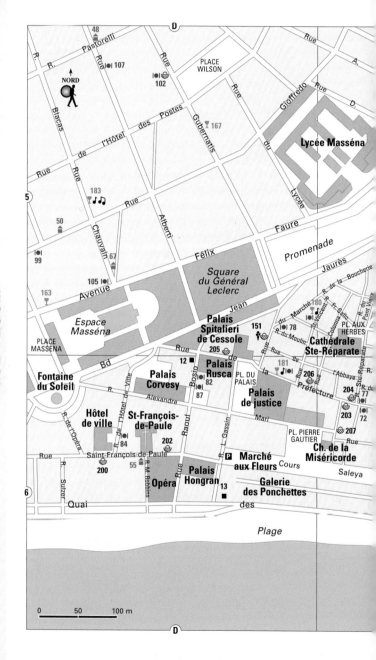

NICE – ZOOM

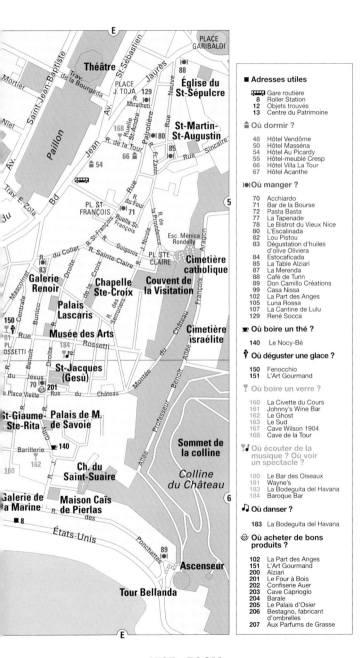

NICE – NORD (PLAN III)

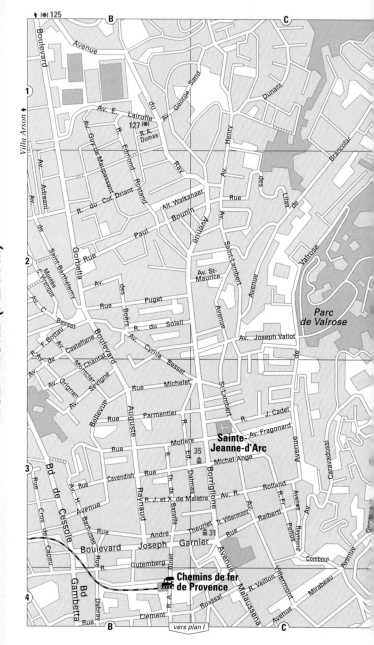

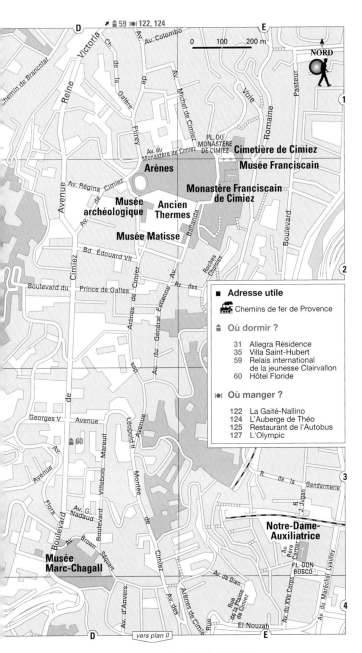

CANNES

ST-RAPHAËL, N 98

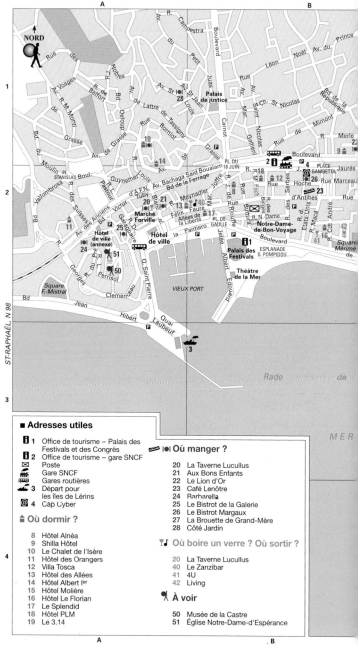

■ **Adresses utiles**

🛈 1 Office de tourisme – Palais des
      Festivals et des Congrès
🛈 2 Office de tourisme – gare SNCF
✉ Poste
🚂 Gare SNCF
🚌 Gares routières
⛴ 3 Départ pour
      les îles de Lérins
@ 4 Cap Cyber

🛏 **Où dormir ?**

8   Hôtel Alnéa
9   Shilla Hôtel
10   Le Chalet de l'Isère
11   Hôtel des Orangers
12   Villa Tosca
13   Hôtel des Allées
14   Hôtel Albert Ier
15   Hôtel Molière
16   Hôtel Le Florian
17   Le Splendid
18   Hôtel PLM
19   Le 3.14

🍽 **Où manger ?**

20   La Taverne Lucullus
21   Aux Bons Enfants
22   Le Lion d'Or
23   Café Lenôtre
24   Barbarella
25   Le Bistrot de la Galerie
26   Le Bistrot Margaux
27   La Brouette de Grand-Mère
28   Côté Jardin

🍸 **Où boire un verre ? Où sortir ?**

20   La Taverne Lucullus
40   Le Zanzibar
41   4U
42   Living

🎭 **À voir**

50   Musée de la Castre
51   Église Notre-Dame-d'Espérance

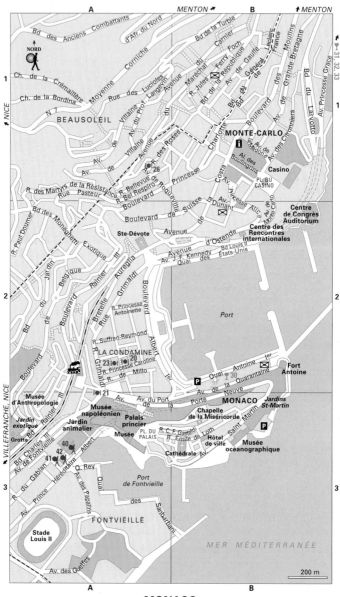

MONACO

■ **Adresses utiles**

🏛 Office de tourisme de Monaco
🚂 Gare SNCF
✉ Postes

|●| **Où manger ?**

20 Les snacks du marché
   de la Condamine

21 Monte-Carlo Bar
23 Le Huit et Demi
26 Polpetta

🍷 **Où boire un verre ?**
   Où sortir ?

30 Stars'n'Bars – Sports Bar & Club
31 Bar du Zebra Square

32 La Note Bleue
33 La Spiaggia

🔭 **À voir**

40 Exposition de voitures anciennes
41 Musée des Timbres et des
   Monnaies
42 Musée naval

tées, dont quelques modèles rares comme la *Bugatti* 1929, la *Rolls-Royce* 1952 ou la *De Dion Bouton* 1903. Six vieux carrosses sont également exposés.

🏛 *Le stade Louis-II (plan couleur A3) :* 7, av. des Castelans. ☎ 00-377-92-05-40-11. *Visites guidées les lun, mar, jeu et ven à 10h30, 11h30, 14h30 et 16h précises. Entrée : 4 € ; réduc.* Inauguré en 1985, il a la particularité architecturale d'abriter des bureaux dans les hauts murs de son enceinte ovale. Il peut recevoir 16 000 spectateurs. Le stade abrite également une salle omnisports de 3 000 places et une piscine olympique (fermée en août et le mercredi).

🏛 *Le musée des Timbres et des Monnaies (plan couleur A3, 41) :* terrasse de Fontvieille. ☎ 00-377-93-15-41-50. ✋ *Tlj 10h-17h (18h en été). Entrée : 3 € ; réduc ; gratuit jusqu'à 8 ans.* Abrite une collection de pièces philatéliques retraçant l'histoire postale de Monaco ainsi que des documents ayant servi à l'impression des timbres depuis Charles III en 1885 jusqu'à nos jours. Un coin est consacré à la numismatique : pièces de monnaie, billets de banque et médailles monégasques depuis 1640.

🏛 *Le Musée naval (plan couleur A3, 42) :* terrasses du centre commercial de Fontvieille. ☎ 00-377-92-05-28-48. *Tlj 10h-18h. Entrée : 4 € ; réduc ; gratuit jusqu'à 8 ans.* On peut y admirer près de 250 maquettes de navires célèbres, dont certaines provenant de la collection personnelle du prince Rainier III. Parmi les pièces les plus remarquables : une barque funéraire antique, le paquebot *Normandie*, le *Titanic* ou le porte-avion *Nimitz* qui mesure 5 m de long. Sont présentées aussi des maquettes de navires d'exploration, telles que la *Calypso* et l'*Alcyon* du commandant Cousteau, sans oublier l'*Antarctica* du docteur Jean-Louis Étienne.

À faire

– *Survol en hélicoptère :* Héli-Air. ☎ 00-377-92-050-050. Héliport de Monaco, av. des Ligures. *Voyage de 10 mn au-dessus de la principauté 52 €/pers.* Cette compagnie propose plusieurs vols différents au-dessus de la principauté. Beaucoup d'autres vols, comme celui du bord de mer jusqu'à Villefranche-sur-Mer, et dans l'arrière-pays jusqu'à Èze. Une superbe idée de découverte.

Fêtes et manifestations

– *Fête de Sainte-Dévote :* le 27 janv. Sainte Dévote est la patronne protectrice de la principauté. Feu d'artifice le 26 janvier.
– *Rallye automobile de Monte-Carlo :* en janv. Routes de l'arrière-pays.
– *Printemps des Arts :* pdt 3 sem en avr. Programme et infos : ● printemps-des-arts.mc ● Festival de musique classique, musique du monde, danse, théâtre, etc. Très nombreux événements.
– *Masters Series Monte-Carlo :* en avr. Programme, infos, résas : ● montecarlo.masters-series.com ● Tournoi international de tennis.
– *Grand Prix automobile de Monaco F1 :* en mai. Programme, infos, résas : ● grand-prix-monaco.com ● Se déroule entièrement dans la ville. Très spectaculaire.
– *Fête-Dieu :* le jeu suivant le dim de la Trinité.
– *Fête nationale :* le 19 nov depuis 1857. Jour de la Saint-Rainier. C'est la fête du Prince. La veille au soir, grand feu d'artifice tiré dans la rade du port, avec embrasement du Rocher.
– *Monaco Jazz Festival :* fin nov-début déc.
– *Immaculée Conception :* le 8 déc. Jour férié.

LA MOYENNE CORNICHE

La moyenne Corniche (panneaux indicateurs devant Notre-Dame-du-Port à Nice), tracée à flanc de montagne, offre des vues superbes et permet surtout de visiter le splendide village d'Èze. La campagne sur fond d'azur, qu'ils disaient !

ÈZE (06360)

« Les ruines d'Èze, plantées sur un cône de rochers avec un pittoresque village en pain de sucre, arrêtent forcément le regard. C'est le plus beau point de vue de la route, le plus complet, le mieux composé. » Cette citation de George Sand décrit toujours à merveille ce remarquable nid d'aigle. C'est le village de France le plus haut perché au-dessus de la mer (429 m).

Le nom d'Èze viendrait d'Isis, la déesse égyptienne à laquelle les Phéniciens auraient dédié un temple. Son histoire remonte en fait à l'installation des Ligures plus à l'ouest, sur un *oppidum*. Et c'est au Moyen Âge que la population du village est venue se réfugier en haut du rocher, pour mieux se protéger. Au XIIe siècle, on construisit les remparts que Louis XIV, qui n'aimait pas qu'on lui cache le soleil, se fit un devoir de démanteler. Ceux qui s'inquiètent pour son intégrité, aujourd'hui, en la voyant livrée à des hordes venues de tous pays, devraient relire son histoire. Elle, qui défia les Ottomans comme les armées françaises, ferme seulement ses fenêtres quand débarquent les croisiéristes faisant halte en rade de Villefranche.

Èze étant un des villages les plus touristiques de France – mais à visiter absolument –, nous vous conseillons simplement d'y aller tôt le matin. Vous nous bénirez ensuite, en redescendant à l'église !

Adresse utile

1 *Office de tourisme :* pl. du Général-de-Gaulle. ☎ 04-93-41-26-00. ● eze-riviera. com ● À l'entrée du village sur le 1er parking. Ouv lun-sam 9h-19h (18h sept-mai) ; dim 10h-13h, 14h-18h (fermé dim en déc-janv sf pdt les vac scol). Mai-oct, une permanence à Èze-bord de mer : ☎ 04-93-01-52-00. Visite guidée de la cité et du jardin d'Èze, tlj sf dim, en fonction des disponibilités (6 €).

Où dormir ?

Camping

⚌ *Les Romarins :* 250, av. des Diables-Bleus, Grande-Corniche. ☎ 04-93-01-81-64. ● romarins06@aol.com ● campingromarins.com ● À partir d'Èze-Village, emprunter la D 46, puis la grande Corniche ou la D 2564 sur la gauche ; c'est à env 2 km. Ouv de mi-avr à fin sept. Réservé exclusivement aux tentes. Compter 27,90 € en hte saison pour 2 pers avec voiture et tente. L'un des plus beaux campings de la région (voire de France ?), non pas pour ses installations (très simples) mais pour sa vue en cinémascope, absolument époustouflante, sur la mer et sur Cap-Ferrat. Le camping est peu ombragé mais bien venté et aménagé en restanques (terrasses). Sanitaires récents. La mer, que l'on contemple sans cesse, n'est qu'à 5 km...

De prix moyens à beaucoup plus chic

🛏 *L'Auberge du Col d'Èze :* au col d'Èze. ☎ 04-93-41-03-21. Doubles 45 € ; triples 60 €. À ce prix-là, si près de la côte, on ne peut rien espérer d'extraordinaire... Néanmoins, les budgets les plus serrés trouveront là des chambres propres et relativement confortables. Aucune raison, donc, de bouder cette petite adresse, rétro et populaire à souhait. Accueil plutôt rustique.

🛏 *Èze Hermitage Hôtel :* 1951, av. des Diables-Bleus. ☎ 04-93-41-00-68. ●eze hermitage@wanadoo.fr ●ezehermitage. com ● ⚿ À 2,5 km d'Èze-Village par la D 46, le col d'Èze et la grande Corniche. Ouv tte l'année. Doubles 65-125 € selon saison. Fait également resto et lounge bar. Parking privé gratuit. Une adresse en altitude, au calme, avec piscine et au départ des sentiers de grande randonnée. Hôtel entièrement rénové par les nouveaux proprios. Des chambres et de la terrasse, on a une vue splendide sur les Alpes du Sud.

Où manger ?

À Èze-Village

|●| *Le Nid d'Aigle :* 1, rue du Château. ☎ 04-93-41-19-08. ● leniddaigle@hot mail.fr ●En haut du vieux village, à côté du Jardin exotique. Ouv ts les midis sf mer oct-Pâques ; le reste de l'année, tlj sf le soir des mar, mer et jeu ; ouv tlj en juil-août. Congés : de mi-janv à mi-fév. Carte env 40 €. Sur présentation de ce guide, digestif maison offert pour tt repas pris. « Le domaine des plaisirs simples », telle est l'enseigne de ce restaurant au cadre et à l'accueil très agréables : salle dominant les toits d'Èze, terrasses entourées de vignes et d'arbres, dont un mûrier vieux de plus de 300 ans, donnant une fraîcheur très appréciée (en saison, vous retrouverez parfois ses mûres en dessert, dans une tarte). Une adresse charmante pour s'offrir un bon petit déjeuner, grignoter à l'heure du thé ou goûter à l'heure des repas une cuisine largement axée sur le terroir provençal, salades, tartines chaudes, daurade au pistou, lapin à la provençale... Accueil sympathique.

|●| *Le Troubadour :* 4, rue du Brec. ☎ 04-93-41-19-03. ● troubadoureze@ wanadoo.fr ●En montant dans le vieux village. Tlj sf dim et lun midi, plus lun soir hors juil-août. Congés : vac scol de fév, 1er-10 juil et 20 nov-20 déc. Menus 35-48 € ; carte 50-55 €. Une cuisine de beaux produits bien mariés, qui a (en)chanté plus d'un été (25 ans, en fait). Cadre mi-luxueux, mi-rustique.

À voir. À faire

🔨 *Les vieilles rues :* on pénètre dans le vieux village par une belle double porte fortifiée qui semble s'être lassée, aux grands jours, de décourager les hordes de touristes pourtant prévenus qu'ils vont devoir, ici, utiliser leurs pieds pour avancer. On découvre alors un empilement de maisons médiévales, bien restaurées, véritable lacis de ruelles étroites, pentues et escarpées, parfois voûtées ou coupées d'escaliers. Beaucoup de fleurs et des jardinets égaient ces vieilles pierres. Il ne faut pas hésiter à quitter la rue principale et à s'engager dans les ruelles latérales, qui réservent parfois de beaux points de vue. En montant, vous remarquerez l'homogénéité des toits de tuiles et l'architecture circulaire du village.

Depuis quelques années, l'image du village évolue, ce dernier accueillant de plus en plus d'artistes. Dommage toutefois que la plupart des visiteurs n'aient pas l'occasion de rester passer la soirée en ces lieux, qui semblent n'attendre que leur départ pour se métamorphoser et retrouver leur quiétude. On s'attendrait presque à rencontrer, au lieu des ânes appartenant au château *Eza,* un mulet revenant des champs en terrasses du vallon, chargé de figues, d'olives, de mandarines du pays...

La nuit, les anciennes caves à moutons – qui ont été converties en boutiques d'artisanat ou de souvenirs (moutons d'hier, moutons de demain...) – retrouvent, comme les maisons transformées en luxueuses chambres d'hôtel, un air hors du temps.

🥾 *L'église Notre-Dame-de-l'Assomption :* construite au XVIIIe siècle, elle présente une belle façade classique qui contraste avec la magnificence de la nef. Un bonheur pour les amateurs de baroque niçois. À l'intérieur, on a aimé la chaire d'où apparaît un bras tendu tenant un crucifix sur la droite, et surtout une *Adoration des mages* de l'école italienne. Une église curieusement détachée du village dont les maisons sont masquées à la vue par la roche. De l'autre côté de la place de l'Église, dans le cimetière avec vue sur la montagne, le comédien Francis Blanche repose depuis 1974. Appréciez l'épitaphe : « Laissez-moi dormir, j'étais fait pour ça ! ». D'autres tombes sont creusées dans le rocher.

🥾 *Les établissements Fragonard :* visite gratuite de l'usine sur la moyenne Corniche tlj 8h15-18h30. ☎ 04-93-41-05-05. La maison mère est toujours basée à Grasse. L'usine d'Èze s'est spécialisée dans la savonnerie et la cosmétique, c'est donc un tout autre aspect que l'on découvre ici, même si la visite finit par vous mener de toute façon tout droit à la boutique ! Cela dit, le personnel est charmant et la visite (gratuite) est plutôt intéressante. Quant aux produits, ils sont vendus à prix d'usine, c'est toujours bon à prendre. On peut aussi visiter au village le « musée » des concurrents, *Galimard,* et éventuellement s'inscrire au « Studio des Fragrances » pour une immersion dans le monde du parfum : sensibilisation aux fragrances et arômes, jusqu'à la création d'un parfum en compagnie d'un « nez » et d'un maître-parfumeur (compter quand même 200 à... 10 000 € par personne ! ● studio galimard.com ●).

🥾 *La chapelle des Pénitents-Blancs :* elle abrite une *Crucifixion* de l'école de Bréa. Remarquez la *Madone des Forêts,* statue du XIVe siècle, ainsi appelée parce que l'enfant qu'elle porte tient une pomme de pin dans la main. Datée de 1306, la chapelle de la Sainte-Croix (c'est son vrai nom) serait le plus ancien édifice de la commune.

🥾🥾 *Le jardin d'Èze :* ouv tlj à partir de 9h. Entrée : 5 € ; réduc. Parcours thématique agrémenté de quinze sculptures en terre représentant des femmes. Belle collection de plantes grasses, agaves, aloès, euphorbes, cactus gigantesques... Mais il faut y aller surtout pour la vue des ruines du château. Le panorama sur la Riviera y est vertigineux et, si le temps est dégagé, vous apercevrez la Corse.

➤ *Le sentier Frédéric-Nietzsche :* il relie Èze-Bord de mer (plus concrètement la plage) à Èze-Village, au milieu des oliviers et des chênes verts. Il est ainsi dénommé car le philosophe y conçut la troisième partie d'*Ainsi parlait Zarathoustra.* Nietzsche lui-même écrit : « Cette partie fut composée pendant une montée des plus pénible de la gare au merveilleux village maure d'Èze, bâti au milieu des rochers. » Compter 1h à 1h30 de marche. Pour les paresseux ou ceux qui détestent méditer en marchant, navettes (n° 83) régulières entre Èze-Plage et Èze-Village de mi-mai à mi-septembre.

🥾🥾 *L'observation des astres (Astrorama de La Trinité) :* infos au ☎ 04-93-85-85-58. ● astrorama.net ● Soirées « ciel ouvert » 18h-22h30 les ven et sam mars-oct ; en juil-août, tlj sf dim à partir de 18h. Sur la crête de la grande Corniche, au col d'Èze dans le parc départemental de la grande Corniche, vous pourrez observer le ciel à travers lunettes et télescopes. Sans oublier les observations et les « Spectacles aux Étoiles » proposés régulièrement. Ambiance étonnante et lieu exceptionnel.

🦌 *Le parc départemental de la Revère :* en continuant sur la grande Corniche. Un lieu fabuleux pour prendre l'air et le grand, le bon. Sentier botanique pour découvrir les plantes du maquis méditerranéen (1h) et la géologie du plateau (dolines, *baou* ou lapiaz). *Maison de la Nature* ouverte sur demande (☎ 04-93-41-24-36). Panorama sur la Méditerranée et l'arrière-pays jusqu'au parc du Mercantour. Quant au fort de la Revère, endormi sur son passé, il fut le théâtre en 1942 de deux des plus importantes évasions de la Seconde Guerre mondiale, une soixantaine de détenus britanniques s'étant fait la belle. Depuis le musée, départ de deux balades, outre le sentier botanique. L'une, à gauche, contourne le fort par le nord et revient au parking, ou se poursuit jusqu'à l'*Astrorama.* La seconde (à droite) conduit au massif de la Forna en 1h30, et offre des points de vue splendides.

↗ À *Èze-Bord de mer,* plage de galets et de rochers. Un peu en retrait. Se garer le long de la route. Naturisme dans les criques (à vos risques et périls, des scènes dignes du *Gendarme de Saint-Tropez* s'étant encore déroulées là ces dernières années...). Deux plages privées, l'une classique, l'autre un peu plus branchée, mais toutes deux à prix raisonnables pour la Côte.

LA GRANDE CORNICHE
··

La grande Corniche suit en partie le tracé de l'ancienne *via Julia Augusta.* Les vues y sont spectaculaires.

LA TURBIE (06320)

Le village est célèbre pour son trophée des Alpes, chef-d'œuvre de l'art romain. Mais il offre aussi un panorama inoubliable sur la Riviera. C'est d'ailleurs de La Turbie que le duc de Savoie faisait surveiller Monaco. Dommage toutefois que, même là-haut, les maisonnettes poussent comme des champignons.

Comment y aller ?

➢ *De Nice :* 5 bus/j. lun-sam (sf j. fériés). Trajet : env 40 mn.
➢ *De Monaco :* 6 bus/j. lun-ven et sam (sf j. fériés) à 7h40, 10h30 et 12h05.

Adresse utile

🛈 *Point informations tourisme :* 2, pl. Detras. ☎ 04-93-41-21-15. ● ville-la-turbie.fr ● Juil-août, tlj sf dim ap-m 9h30-13h30, 15h-18h30 ; avr-juin et sept-oct, tlj sf dim, mer ap-m et sam mat, 9h30-13h, 14h30-18h ; nov-mars, mêmes j. 10h-13h, 15h-17h.

Où manger ?

|●| *Le Café de La Fontaine :* 4, av. du Général-de-Gaulle. ☎ 04-93-28-52-79. Tlj tte l'année sf lun en hiver. Menu-carte 22 €. Néo-bistrot pour une cuisine et des prix d'autrefois ! La carte change tous les jours, voire deux fois par jour. On est loin du cliché du bistrot de chef souvent surfait, parfois prétentieux. Bruno Cirino, deux macarons au Michelin à l'*Hostellerie Jérôme,* a voulu recréer l'atmosphère des cafés de village d'autrefois mais sans esbroufe ni nostalgie. L'adresse est on ne peut plus conviviale et a su tout de suite imposer

une mixité sociale qui nous a tout autant séduits que le reste. Car ici s'entassent pêle-mêle, dans la grande salle, l'entrepreneur et ses ouvriers, les routards de passage, les *golden boys* monégasques et les petits vieux du coin, ravis de venir casser la graine ou boire le canon...

À voir

🍖 *La vieille ville :* on y pénètre par la porte ouest et la rue Comte-de-Cessole, l'ancienne *via Julia Augusta*, qui monte vers le Trophée. Dans la pierre d'angle d'une tour sont gravés des vers de la *Divine Comédie* de Dante qui évoquent le village. Promenez-vous dans les vieilles rues, passages, voûtes, ruelles étroites où le médiéval, le classique et le baroque se côtoient. Nombreuses maisons anciennes bien restaurées : remarquez, *rue Dominique-Durandy,* la maison à fenêtre géminée, et celle à l'angle de la *rue de l'Empereur-Auguste* et de la *rue Droite*. Il subsiste aussi des vestiges de l'enceinte médiévale.

🍖 *Le Trophée des Alpes :* en été, on y accède (à pied) en traversant le vieux village, sinon par le cours Albert-Ier. ☎ 04-93-41-20-84. 21 sept-18 mai, tlj sf lun 10h-13h30, 14h30-17h ; 19 mai-20 sept, tlj sf lun 9h30-13h, 14h30-18h30. Entrée : 5 € ; réduc.

C'est le plus beau monument romain de la région. Il commémore la victoire d'Auguste sur les peuplades insoumises qui occupaient les Alpes à la mort de César, entravant les communications entre Rome et la Gaule. Le sénat décida d'élever un temple au plus haut point de la route créée pendant les opérations, lieu stratégique sur la voie Aurélienne. Achevé en l'an 6 ou 7 av. J.-C., le trophée est à l'origine du nom de la ville : *Tropea Sebastou* ou *Turris in Via* (selon les sources), qui, par déformations successives, donnera « Turbie ».

> ## UN TROPHÉE POUR TUCK !
>
> *Le Trophée des Alpes fut utilisé comme forteresse et carrière de pierres, et servit, entre autres, à l'édification de l'église Saint-Michel. Il fallut attendre l'aide généreuse d'un mécène américain du nom d'Edward Tuck pour reconstruire le monument (en effet, ce ne sont pas des ruines que l'on voit mais une reconstitution). Cependant, le Trophée, qui devait mesurer 50 m de hauteur, n'atteint plus que 35 m, et une grande partie n'a pas pu être restaurée.*

Pour la petite histoire, sachez qu'au Moyen Âge le Trophée abritait, paraît-il, un oracle que les maris venaient consulter de très loin pour en savoir plus sur la fidélité de leurs épouses (pendant ce temps-là, Dieu sait ce qu'elles pouvaient faire, d'ailleurs...).

On peut monter en haut du Trophée si le nombre de visiteurs est suffisant.

Un *musée* retrace son histoire et renferme une maquette de l'édifice reconstitué. Très beau jardin où l'on peut pique-niquer et rêvasser, à condition de ne pas dégrader le paysage.

🍖 *Les terrasses :* prendre le petit sentier au fond du parc du Trophée. Immense panorama sur toute la Riviera, en particulier sur Monaco et les gratte-ciel de Monte-Carlo, qu'on surplombe de 400 m.

🍖 *L'église Saint-Michel :* de la belle ouvrage du XVIIIe siècle, de forme ellipsoïdale. Riche décoration intérieure : autel fait de 17 marbres différents, deux triptyques du XVIIe siècle dans le chœur, table de communion en onyx et agate, crâne du martyr saint Vincent dans sa vitrine, une copie de Raphaël, *Vierge en majesté* de François Bréa, *Saint Marc écrivant les Évangiles*, tableau attribué à Véronèse, toiles de Van Loo et d'un élève de Rembrandt.

ROQUEBRUNE-CAP-MARTIN *(06190)*

Le vieux village perché au-dessus de la grande Corniche est dominé par une étonnante forteresse carolingienne, la seule à peu près intacte en France. Les vieilles rues du village, au passé chargé, montent au château féodal. Elles constituent un bel ensemble bien restauré : hautes maisons, placettes tranquilles (quand elles ne sont pas la proie des touristes), jolies fontaines, passages sous voûtes, etc. La *rue Montcollet,* taillée dans le rocher, est particulièrement étonnante avec ses longs passages voûtés et ses escaliers. Belles demeures médiévales aux fenêtres munies de barreaux. La *place des Deux-Frères* doit son nom aux deux blocs de rocher qui l'encadrent.

Du XVᵉ siècle jusqu'en 1793, Roquebrune forma avec Menton et Monaco un petit État indépendant, connu sous le nom de principauté de Monaco. À cette époque, la principauté fut temporairement rattachée à la toute jeune République française. Roquebrune ne retrouva son indépendance qu'en 1814, bien que l'ensemble de la principauté fût placée sous la tutelle du roi de Sardaigne. Crises économiques, famines, rébellions et révolutions aboutirent à la sécession. Monaco était décidément trop pauvre ! Et c'est par référendum que les Roquebrunois décidèrent, en 1860, de leur rattachement définitif à la France... On en connaît qui s'en mordent les doigts !

Adresse utile

🛈 *Office de tourisme :* 218, av. Aristide-Briand. ☎ 04-93-35-62-87. • roquebrune-cap-martin.com • À côté de la place du Marché. Lun-sam 9h-12h30, 14h-18h ; jusqu'à 18h30 en juin et sept, ainsi que dim 10h-12h30 ; en juil-août, lun-sam 9h-19h, dim et j. fériés, 10h-17h.

Où dormir ? Où manger ?

🏠 **|●| Les Deux Frères :** pl. des Deux-Frères, au village. ☎ 04-93-28-99-00. • info@lesdeuxfreres.com • lesdeuxfreres.com • ♿ Resto fermé dim soir, lun et mar midi. Congés : 2ᵉ sem de mars et 15 nov-15 déc. Doubles 75-110 €. Menus 28 € le midi et 48 € le soir ; carte env 60 €. Posée à l'entrée du vieux village, sur un belvédère, voici une adresse où l'on se laisse aller à la rêverie. La vue est extraordinaire. Le jeune patron, hollandais, a entièrement rénové et redécoré l'ancienne école du village. Le résultat est plein de charme, à l'image de la salle de restaurant. Les chambres à thème, toutes différentes, sont splendides, contemporaines et confortables (et climatisées). On goûte ici au bonheur de vivre. Cuisine aux saveurs très travaillées grâce à des produits de grande qualité et une pointe d'imagination.

|●| **La Roquebrunoise :** 12, av. Raymond-Poincaré. ☎ 04-93-35-02-19. • la roquebrunoise@wanadoo.fr • Au 1ᵉʳ étage d'une maison rose, à l'entrée du vieux village de Roquebrune. Ouv ts les soirs sf lun ; en juil-août, ouv également lun soir ainsi que le midi des w-e et j. fériés. Congés : nov-déc. « Menu du village » 21 € le midi, 24 € le soir ; carte env 30 €. Digestif maison offert sur présentation de ce guide. Ce restaurant, tenu par des routards de longue date, mérite une halte prolongée. Accueil chaleureux et familial. Avec sa petite vue sur la mer et sur le vieux village (et le parking), la vaste et jolie terrasse s'avère très agréable. Carte variée et appétissante, déclinant une cuisine provençale qui sort un peu de l'ordinaire, en inscrivant notamment des recettes traditionnelles trop souvent dédaignées des autres restos, comme des daubes ou autres bons plats de famille.

À voir. À faire

🚶🚶 👣 *Le château :* *tte l'année. En été, tlj 10h-12h30, 15h-19h30. Se renseigner pour les autres périodes. Entrée : 3,70 € ; réduc. Possibilité de visite guidée (5 €), rens auprès de l'office de tourisme. Audioguides disponibles.* L'endroit eut une histoire agitée : construit en 970 par le comte de Vintimille, le château est racheté (avec tout le village) par un Grimaldi au XIVᵉ siècle, puis confisqué en 1793 avec la principauté de Monaco. Quelle étonnante période postrévolutionnaire : en 1808, cinq citoyens de Roquebrune rachètent le château aux enchères... pour une somme dérisoire ! Vendu ensuite à un Anglais, il est rendu au village en 1926... À l'intérieur du donjon, au 1ᵉʳ étage, salle des cérémonies et, en contrebas, le magasin aux vivres creusé dans le roc. La prison du 2ᵉ étage ne servit qu'au temps des Grimaldi (vers 1400). Avant, le cachot se trouvait sous le donjon et ne faisait que 2 m² ! Au 3ᵉ étage, les appartements seigneuriaux : la salle d'armes où le seigneur recevait, la salle commune où il vivait, meublée très simplement, la cuisine avec sa hotte de cheminée en bois d'olivier et son four à pain. Du 4ᵉ étage, très belle vue sur les toits du village, avec, au premier plan, le cap Martin et Monaco.

🚶 *L'église Sainte-Marguerite :* *tlj 15h-17h.* C'est une ancienne chapelle du XIIIᵉ siècle, remaniée jusqu'au XVIIᵉ siècle. À l'intérieur, deux tableaux intéressants : la *Crucifixion* et la *Déploration du Christ* dus à Marc-Antoine Otto (sur la droite), habitant de Roquebrune au XVIIᵉ siècle. Dans l'aile gauche, copie du *Jugement dernier* de Michel-Ange de la chapelle Sixtine. Réduit 54 fois.

🚶 *La tombe de Le Corbusier :* avant d'aller voir l'olivier millénaire, prendre sur la gauche l'escalier qui monte au cimetière. Très belle vue sur le cap Martin depuis ce dernier. Dans le carré J, sur la droite, se trouve la tombe qu'avait construite l'architecte et où il repose en compagnie de sa femme. Rappelons que Le Corbusier a longtemps vécu à Roquebrune et qu'il a trouvé la mort au cours d'une baignade en mer en 1965.

🚶 *L'olivier millénaire :* *chemin de Menton, 200 m après la sortie du village.* Ce serait le plus vieux du monde. Sa circonférence atteint 18 m et sa hauteur 10 m. Hanotaux, qui habitait Roquebrune, le fit admirer par ses invités : Clemenceau, Poincaré, Briand. Il n'hésitait pas à affirmer que l'arbre devait avoir 4 000 ans. On estime aujourd'hui son âge plus près de 1 800-2 200 ans... Vénérable, quoi qu'il en soit ! ·

🚶🚶🚶 *Le cabanon Le Corbusier :* *accessible slt à l'occasion d'une visite guidée (chaque mar et ven mat). Nombre de pers extrêmement limité : résa obligatoire auprès de l'office de tourisme. Adulte : 8 € ; réduc.* En 1952, quand Le Corbusier offrit en cadeau à sa femme ce cabanon (imaginé en moins d'une heure !), il espérait encore lancer un projet révolutionnaire d'« unité de vacances ». Non seulement il fallait que l'ensemble s'intègre au paysage, mais il fallait aussi (et surtout) minimiser les frais pour permettre à tout « congé payé » d'en profiter. C'est pourquoi les règles de construction sont extrêmement rigoureuses : genre cabine de bateau ou cabane au Canada de 3,66 m de côté, une pièce unique et un grand dépouillement du point de vue du mobilier, fonctionnel avant tout. Au-delà de l'aspect technique qu'on vous expliquera en long, en large et en travers (c'est généralement ce que le néophyte retient des proportions idéales du Modulor !), la visite s'avère passionnante car elle insiste beaucoup sur le côté humain de l'aventure. On apprend qu'une amitié hors du commun unissait l'architecte de renommée internationale au tenancier du bar *L'Étoile de Mer*, le drôle de restaurant intimement accolé à la cabane. À la mort tragique de Le Corbusier, le cabanon revint au Conservatoire du littoral, la famille Rebutato (propriétaire de *L'Étoile de Mer*) légua à son tour les restes des constructions. Les enfants y viennent encore en vacances chaque année. En été, la visite se concentre donc sur le cabanon proprement dit (son « château secret » comme disait *Corbu*), alors que le reste de l'année on accède également à la buvette et aux unités de camping construites juste à côté. On ne peut qu'être fasciné par le côté marginal et sauvage du lieu. N'oublions pas tout de même que le cabanon reste en soi une prouesse que les architectes du monde entier viennent encore étudier et dont ils saluent la pertinence et l'intelligence.

🕯 *Le cap Martin :* un site miraculeusement préservé, annexe de luxe de Menton, où les somptueuses propriétés disparaissent sous les pins, les oliviers centenaires et les mimosas. Des hôtes célèbres contribuèrent à la notoriété de l'endroit, à commencer par l'impératrice d'Autriche Élisabeth, dite « Sissi », qui s'installa au *Grand Hôtel* de Roquebrune-Cap-Martin peu après sa construction. Il n'y avait alors aucune villa, et le grand plaisir de l'impératrice consistait à gambader dans la campagne et à se perdre dans les sentiers muletiers. L'impératrice Eugénie l'imita et l'accompagna dans ses promenades. Le bon air dut lui réussir puisqu'elle vécut jusqu'à l'âge de 94 ans. La côte orientale du cap est longée par une belle route de corniche qui offre des points de vue superbes sur Menton et l'Italie. Plan des sentiers pédestres disponible à l'office de tourisme.

➢ *La promenade Le Corbusier :* un ancien chemin des douaniers, qui longe le bord de mer et vous fera découvrir un beau panel de végétation typiquement méditerranéenne. Il mène tout droit au cabanon que se construisit Le Corbusier (voir plus haut).

Fêtes et manifestations

Roquebrune est célèbre pour ses cortèges traditionnels qui rythment chaque année la vie du village.

– *Procession des Limaces :* le *Vendredi saint.* Toutes les rues sont illuminées par des coquilles d'escargots remplies d'huile d'olive et transformées ainsi en lampes à huile. La procession existe, paraît-il, depuis l'an 1315.

– *Festival de théâtre et de danse :* en juil, sur le parvis du château.

– *Soirées musicales :* en juil-août, sur le parvis du château.

– *Procession de la Passion :* le *5 août.* Une procession rassemblant plus d'une centaine d'acteurs et représentant les scènes de la Passion. Elle honore le vœu prononcé en 1467 alors qu'une épidémie de peste avait éclaté à Monaco et à Vintimille, gagnant vite toute la région. Le 9e jour de prière, la peste arrêta ses ravages. Pour remercier le Ciel, les habitants promirent de représenter chaque année les scènes de la Passion. La procession attire évidemment un grand nombre de touristes et de pèlerins.

MENTON
(06500)   29 300 hab.

Ici, on est au bout de la France et l'on se sent presque au bout du monde : un **climat incroyable qui vous fait parfois déjeuner dehors en décembre, et des montagnes qui tombent dans la mer.** La vieille ville et son cimetière, les places ombragées de platanes où le pastis est plus léger qu'ailleurs, le marché débordant de couleurs, tout cela a beaucoup de charme. Citronniers et mandariniers – surtout pendant la fête du Citron, en février – embaument une cité qui n'est pas moribonde pour autant ! Indifférente en apparence au temps qui passe, toute imprégnée des douceurs de l'Italie baroque et du passé des princes de Monaco, elle descend vers la mer comme une coulée de lave ocre. Certes, il y a belle lurette que les dandies à monocle et les grandes dames ont quitté les palaces – l'*Orient* ou le *Winter Palace,* l'*Impérial* et le *Riviera* – aujourd'hui divisés en appartements. Mais dans ses jardins extraordinaires, qui méritent à eux seuls une journée de visite, comme *Fontana Rosa,* dernière passion de Blasco Ibáñez, ou Serre de la Madone, flotte encore un parfum d'autrefois.

Pas étonnant que Menton ait de nouveau la cote. Loin des clichés, Menton « ville des retraités et des citrons », on découvre ici une station humaine, admirablement préservée et où il fait incroyablement bon vivre. Que vous soyez plage ou patrimoine, vous trouverez ici votre bonheur. Ses jardins, nous l'avons dit, valent le détour, mais la vieille ville a aussi été classée « Ville d'art et d'histoire » pour son architecture XVIIᵉ siècle, et un grand musée Cocteau est annoncé pour « bientôt » (en attendant, vous pourrez visiter le petit musée qui lui est consacré sur le port et la salle des mariages à l'hôtel de ville).

Et pour ceux qui ne peuvent se passer des plages, bien sûr bondées en été et aux galets inconfortables, une seule solution : arriver tôt le matin (eh oui, on n'est pas là pour roupiller à l'hôtel jusqu'à midi !), avec un matelas de plage et des sandales en plastique pour faire couleur locale !

Décidément, on a eu le béguin pour Menton !

UN PEU D'HISTOIRE

« À Menton, il y a longtemps, on était Grimaldi. Pas assez longtemps pour qu'à Sainte-Agnès ou Castillon on ait oublié que, là-haut, on était plutôt duc de Savoie. La France ? Oui, naturellement, mais même Nice paraît déjà loin. » En 1346, Charles Grimaldi, seigneur de Monaco, achète la ville puis, dix ans plus tard, Roquebrune. Mais dès 1466 éclate la première révolte de Menton : la ville se donne au duc de Savoie. Deux ans plus tard, c'est le duc de Milan, Galeazzo Maria Sforza, qui s'en empare. Lambert Grimaldi reprend Menton en 1477. En 1524, le traité de Burgos place la seigneurie sous protectorat espagnol, Grimaldi ayant embrassé la cause de Charles Quint. Le traité de Péronne de 1641 voit Menton passer sous protectorat français, Honoré II Grimaldi a en effet tourné casaque ! Ces revirements d'alliance n'empêchent pas la ville de se développer, au contraire : de nouvelles rues sont percées, les hôtels particuliers des nobles familles locales (de Brea, Massa, de Monléon) édifiés. La belle église Saint-Michel est construite de 1640 à 1653. Avec la Révolution, l'ancienne principauté est rattachée en 1793 au département des Alpes-Maritimes ; on devine la suite : le traité de Paris (1814) rendra la ville aux Grimaldi. En 1848, Menton et son acolyte Roquebrune se proclament « villes libres »... sous la protection du gouvernement sarde. Après un vote massif en faveur de leur rattachement à la France en 1860, le prince Charles III de Monaco vend les deux villes à Napoléon III. La ville, connue pour son microclimat (17 °C de moyenne en janvier), devient un centre de séjour réputé et accueille les hôtes les plus prestigieux, entre autres Gustave V de Suède, la reine Astrid de Belgique, le roi de Wurtemberg, etc.

Adresses et infos utiles

🛈 *Office de tourisme* (plan A2) : palais de l'Europe, 8, av. Boyer, BP 239, 06506 Menton Cedex. ☎ 04-92-41-76-76. ● menton.fr ● De mi-sept à mi-juin, lunsam 8h30-12h30, 14h-18h et dim 9h-12h30 ; de mi-juin à mi-sept, tlj 9h-19h. Délivre, entre autres, un plan de la ville, une liste d'hôtels et un guide pratique.

🛈 *Service du Patrimoine :* palais Adhémar-de-Lantagnac, 24, rue Saint-Michel. ☎ 04-92-10-97-10. ● vpah. culture.fr ● Tlj sf dim-lun. Fermé nov.

Même si on le sait peu, la ville fait partie du réseau « Ville d'art et d'histoire ». Intéressant patrimoine médiéval, baroque ou moderne de la ville. Dans le cadre du label, visites (5-8 €) commentées par des guides conférenciers, agréés par le ministère de la Culture. Idéal pour découvrir Menton autrement. Calendrier des visites et animations disponible sur demande. La plupart des jardins (voir plus loin) dépendent du service du Patrimoine. **🚌** *Gare routière* (plan A1) : av. de

GARAVAN, ITALIE

↙ 15 Palais Carnolès, MONACO

MENTON

■ **Adresses utiles**	**15** Hôtel Prince de Galles
	16 Chambres d'hôtes chez Anna Bret
ℹ Office de tourisme	**17** Hôtel-restaurant de Belgique
✉ Poste	**18** Hôtel Parisien
🚂 Gare SNCF	
🚌 Gare routière	
@ 30 Le Café des Arts	

⚑ ⌂ Où dormir ?

- **9** Hôtel Paris-Rome
- **10** Auberge de jeunesse
- **11** Hôtel Chambord
- **12** Hôtel Napoléon
- **13** Camping municipal Saint-Michel
- **14** Hôtel Beauregard

|●| Où manger ?

- **9** Paris-Rome
- **21** A Braïjade Meridionale
- **22** Le Bouquet Garni
- **24** Ou Pastré

🍸 Où boire un verre ?

- **30** Le Café des Arts

Sospel. ☎ 04-93-35-93-60. ***TAM :*** ☎ 04-93-85-64-44. Menton est reliée à toutes les villes de la Côte par de nombreux bus et autocars. Liaisons avec Nice, Monaco, Èze, Sospel, Sainte-Agnès, Roquebrune-Village... Renseignements à l'office de tourisme.
🚂 *Gare SNCF* *(plan A1) :* proche de la gare routière. ☎ 36-35 (0,34 € TTC/mn). ● ter-sncf.com/paca ● Pour

gagner les autres villes et villages de la côte, de Saint-Raphaël à Vintimille. Sans oublier le *train des Merveilles,* qui permet de gagner l'intérieur des terres. **@ *Le Café des Arts*** *(plan B1, **30**) :* voir plus loin « Où boire un verre ? Où surfer sur Internet ? »
– ***Le marché de Vintimille :*** *ts les ven.* C'est 2 km de bord de mer recouverts de marchandises.

Où dormir ?

Campings

⚠ *Camping municipal Saint-Michel* (plan A1, **13**) : route des Ciappes, plateau Saint-Michel. ☎ 04-93-35-81-23. Pour s'y rendre : minibus depuis la gare routière. En voiture, route des Ciappes et de Castellar de l'hôtel de ville de Menton (dans le centre). À pied, de la gare SNCF, suivre la route des Terres-Chaudes à gauche de l'av. de la Gare, puis prendre les escaliers. Congés : janv-mars et nov-fin déc. Pas de résa ; arriver le mat. En saison, compter 18 € l'emplacement pour 2 pers avec voiture et tente. Propose 130 emplacements. On dort sous les eucalyptus et les oliviers (peu d'ombre, mais ça sent très bon). De là-haut, vue superbe. À proximité : laverie, snack, alimentation et bar. ⚠ Si tout est complet, essayez les *campings de Gorbio,* à quelques pas de Menton. Pas le grand luxe, mais vous verrez l'Italie !

Bon marché

🏠 *Auberge de jeunesse* (plan A1, **10**) : plateau Saint-Michel. ☎ 04-93-35-93-14. ● ajmenton@.wanadoo.fr ● ajmenton.com ● Pour s'y rendre, route des Ciappes et de Castellar que l'on prend juste à côté de l'hôtel de ville (il est plus simple de suivre les panneaux du camping, c'est bien indiqué). Minibus de la gare routière (bus n° 6). Ça grimpe pour y aller. Congés : 1er nov-1er fév. Compter 16 € la nuitée en dortoir de 6 à 8 lits avec petit déj et douche (adhésion obligatoire). Repas complet 9,30 €. Dispose de 80 lits. Apéro maison offert sur présentation de ce guide. Le dortoir n° 10 a un balcon et vue sur la mer... Il faut arriver le matin dans les premiers. Vue extra de là-haut.

De bon marché à prix moyens

🏠 *Hôtel Beauregard* (hors plan par A2, **14**) : 10, rue Albert-Ier ; à l'angle avec la rue Morgan. ☎ 04-93-28-63-63. ● beauregard.menton@wanadoo.fr ● À l'ouest du centre-ville et à 300 m de la gare SNCF. Doubles 31,50-42 € selon confort et saison. Apéro maison ou café offert sur présentation de ce guide. Dans un jardin planté de palmiers, de citronniers et de bougainvillées, une maison centenaire ayant du charme et du caractère. Étonnante et discrète adresse, à l'écart de l'agitation, entourée d'un terrain de basket, d'une école, d'une salle des ventes et d'une chapelle évangéliste ! Jolies chambres rénovées et calmes, certaines donnant sur le jardin. Accueil chaleureux.

🏠 *Hôtel Parisien* (hors plan par A2, **18**) : 27, av. Cernuschi. ☎ 04-93-35-54-08. ● hotel.parisien@wanadoo.fr ● hotel-le-parisien.com ● Entre le cours du Centenaire et l'av. des Bruyères, à l'ouest de la ville. Doubles 35,80-59,80 € selon confort et saison. Grand parking public à côté. Petit hôtel (deux étages seulement) bien tenu, avec une quinzaine de chambres toutes simples. Celles donnant sur la rue sont plus lumineuses que celles de l'arrière (plus calmes mais sans vue). L'ensemble est insonorisé et climatisé. Salle de petit déjeuner agréable, à la déco marine.

🏠 |●| *Hôtel-restaurant de Belgique* (plan A1, **17**) : 1, av. de la Gare. ☎ 04-93-35-72-66. ● hoteldebelgique@wanadoo.fr ● Proche de la gare SNCF. Resto fermé dim. Congés : 15 nov-5 déc. Doubles 41-48 € selon confort. ½ pens 36-44 €/pers, demandée en fév et juil-sept. Plat du jour 9,50 € et menu unique 12,80 €. Café offert ainsi que 10 % de réduc accordée en oct-nov, janv et mars sur présentation de ce guide. Un petit immeuble ordinaire abritant un restaurant et un hôtel économique, où les chambres sont fort bien tenues. Repris et rénové par une équipe jeune et sympa. Un paradis pour les petits budgets.

De plus chic à beaucoup plus chic

≜ **Chambres d'hôtes chez Anna Bret** (plan A1, **16**) : « Le Victoria Palace », 14, av. Boyer. ☎ 04-93-28-42-49. ●g.bret@orange.fr ● En plein centre-ville. Résa conseillée. Doubles 75 €, petit déj compris. Sur présentation de ce guide, réduc de 10 % en basse saison. À droite de la grande bâtisse, au 1er étage, Mme Bret loue deux chambres assez simples (pour 2, 3 ou 4 personnes), de préférence à la semaine. Nuits calmes assurées en plein cœur de Menton dans une demeure historique qui hébergea naguère la reine Victoria, des princes et des têtes couronnées. Petit déjeuner dehors ou dans la salle à manger.

≜ **Hôtel Paris-Rome** (hors plan par B1, **9**) : 79, porte de France. ☎ 04-93-35-70-35. ● info@paris-rome.com ● paris-rome.com ● Fermé lun et mar midi. Congés : 7-15 janv et 11 nov-28 déc. À 1 km à l'est du centre-ville. En face du port de plaisance de Garavan, au niveau d'un discret monument : la fontaine de la Frontière, où les voyageurs se désaltéraient naguère avt de passer en Italie. Doubles avec douche et w-c ou bains 59-114 € selon confort et saison. Parkings privé ou public payants. L'hôtel est une demeure cossue du début du XXe siècle avec de belles chambres, charmantes, cosy et dotées de tout le confort que l'on peut souhaiter : clim', TV satellite... Elles donnent à l'arrière sur une cour tranquille où se prennent les petits déjeuners. C'est également une des meilleures tables de la ville (voir « Où manger ? »).

≜ **Hôtel Chambord** (plan A2, **11**) : 6, av. Boyer. ☎ 04-93-35-94-19. ●hotel.chambord@wanadoo.fr ● hotel-chambord.com ● En plein centre, juste à côté du casino, sur la grande avenue de Menton. Doubles 95-120 € selon saison.

Parking payant. Voilà une affaire de famille accueillante. Avec grand lit, vue sur l'arrière du bâtiment ; avec deux lits, vue sur les jardins. Chambres très spacieuses et vraiment confortables, avec TV câblée et salle de bains, à deux pas de la mer.

≜ **Hôtel Napoléon** (hors plan par B1, **12**) : 29, porte de France, dans la baie de Garavan. ☎ 04-93-35-89-50. ●info@napoleon-menton.com ●napoleon-menton.com ● Doubles 94-139 € selon saison et vue (mer ou montagne). Parking privé. Grand bâtiment des années 1960-1970, totalement rénové. La déco et l'aménagement ont été entièrement repensés et le Napoléon peut affronter fièrement le 3e millénaire ! Chambres élégantes, spacieuses et confortables, donnant pour la plupart sur la mer et possédant une terrasse. Équipement dernier cri : clim', TV satellite, Internet, minibar, coffre... Service soigné et attentif. Jardin, piscine et salle de fitness. Plage privée, ouverte toute l'année avec petite restauration sympa.

≜ **Hôtel Prince de Galles** (hors plan par A2, **15**) : 4, av. du Général-de-Gaulle. ☎ 04-93-28-21-21. ●hotel@princedegalles.com ● princedegalles.com ● Côté Roquebrune, situé en bord de mer. Ouv tte l'année. Doubles avec bains 71-120 € selon confort, vue et saison. Apéro maison offert sur présentation de ce guide. Cet hôtel appartient à la chaîne Best Western mais n'en possède pas pour autant moins de charme et perpétue l'esprit de l'hôtellerie traditionnelle. Certaines chambres disposent d'un balcon sur mer. TV satellite. Cadre chaleureux, bon accueil et confort assuré. Fait aussi resto.

Où manger ?

De bon marché à prix moyens

|●| **Ou Pastré** (plan B1, **24**) : 9, rue Trenca et 9, rue Saint-Michel. ☎ 04-93-57-29-58. ● gambarini.pierrette@wanadoo.fr ● ஃ Service à tte heure, et ouv une partie de la nuit. Fermé jeu en basse

saison. Congés : 3 sem en janv et en mars, 1 sem en juin. Menus 15,50 € (sf w-e) et 19 € ; carte env 20 €. Apéro maison offert sur présentation de ce guide. Dans un décor rustique à dominante bois, vous pourrez manger, c'est sûr, midi et soir, ou emporter de quoi casser une croûte locale. Le four à pizza ne chôme pas : c'est la spécialité de la maison, comme les pâtes fraîches servies dans des poêlons. Quelques irrégularités dans la qualité toutefois.

|●| *Le Bouquet Garni* (plan B1, **22**) : 1, rue Palmaro. ☎ 04-93-35-85-91. ● bouquet-garni.restaurant@laposte.net ● Fermé dim et lun. Compter 28 € pour un repas complet à la carte. Gentil resto tenu par une petite dame qui connaît bien son affaire. En s'inspirant des vieilles recettes de grand-mère, elle concocte une excellente cuisine provençale typiquement mentonnaise. Et il faut savoir que les variantes sont nombreuses (mais honnêtement assez ténues) dans les farces, les aromates... : fleurs de courgette (délicieuses), stockfish (parfait), *barbajuan,* poche de veau farcie. La carte, très courte, change régulièrement. Une excellente adresse. Terrasse dans la petite rue piétonne.

|●| *A Braïjade Meridiounale* (plan B1, **21**) : 66, rue Longue. ☎ 04-93-35-65-65. ● contact@abraijade.com ● Fermé mer sept-juin. Ouv midi et soir slt le soir en été. Menu 29-34 € ; carte env 32 €. Salle rustique aux murs en pierre apparente et, derrière le comptoir, une jolie cheminée. Beaucoup de brochettes, de viandes marinées et grillées, mais également quelques standards de la cuisine provençale.

De plus chic à beaucoup plus chic

|●| *Paris-Rome* (hors plan par B1, **9**) : 79, porte de France. ☎ 04-93-35-70-35. ● info@paris-rome.com ● Fermé lun et mar midi. Congés : 7-15 janv et 11 nov-28 déc. Formule déj 30 € servie tlj, menu-carte 44 € et menu-dégustation 90 €. Digestif maison offert sur présentation de ce guide. C'est le resto gastronomique de l'hôtel du même nom. Le chef Yannick Fauriès concocte une cuisine méridionale particulièrement inventive et parfumée. Pour le dessert, ne ratez pas la déclinaison autour du citron de Menton.

Où manger dans les environs ?

À *Castillon* (à 12 km au nord de Menton)

|●| *Auberge Chai Moi :* 5136, route de Sospel, 06500. ☎ 06-15-31-41-62. À 3 km du village de Castillon, sur la gauche de la route du col de Castillon, en direction de Sospel. Ouv sur résa slt mars-oct. Fermé nov-tin fév. Menu 20 €, apéro compris. Digestif maison offert sur présentation de ce guide. Accrochée à un versant de montagne en contrebas de la route, l'auberge n'est pas facile d'accès. Le patron attend généralement ses hôtes au bord du chemin. Tout est fait maison : apéritif, digestif, pain, et bien sûr la cuisine (faite au four à bois). Spécialités : les gnocchis aux blettes, la *socca,* le lapin farci aux herbes.

Où boire un verre ? Où surfer sur Internet ?

🍸 🖳 *Le Café des Arts* (plan B1, **30**) : 16, rue de la République. ☎ 04-93-35-78-67. ● angelalex06@hotmail.com ● Tlj sf dim. Congés : 2de quinzaine d'août. Plat du jour 10 € ; repas à la carte 18 €. Sur présentation de ce guide, digestif maison offert pour tt repas pris. En plus d'être un petit troquet sympa, ce café dispose de quelques écrans. Parfait pour checker ses e-mails tout en buvant une mousse.

Circuit dans la vieille ville

Menton est une étape incontournable sur la route du baroque nisso-ligure. Pour l'apprécier avec suffisamment de recul, allez d'abord sur la jetée qui longe le vieux port. Soutenu par des arcades, le vieux Menton, sur fond de montagne, dominé par les cyprès du cimetière, offre une belle unité architecturale. Prenez ensuite la *rue des Logettes,* à droite de la rue Saint-Michel, qui vous mènera sur la petite *place des Logettes,* très calme. Continuez par l'étroite *rue Longue* (sous le porche), ancienne rue principale de la vieille ville.

🐾 Par les rampes du Chanoine-Ortmans ou du Chanoine-Gouget (dans la rue Longue), vous arrivez sur le beau *parvis Saint-Michel* ; sur le sol, mosaïque de petits galets blancs et noirs aux armes des Grimaldi. Avec ses deux églises baroques, sa vue sur la mer, c'est un des plus ravissants décors à l'italienne que l'on puisse voir en France. C'est d'ailleurs ici qu'ont lieu les concerts du Festival de musique, en août.

🐾 *La basilique Saint-Michel-Archange* (plan B1) **: ☎ 04-93-35-81-63.** *Tlj sf w-e et j. fériés 10h-12h, 15h-17h15.* Elle offre une façade baroque, colorée, à deux étages, et deux clochers à terrasses. À l'intérieur, décoration dans le goût italien, inspirée de l'église de l'Annunziata de Gênes. Retable d'Antoine Manchello (1565) dans le chœur, représentant saint Michel, saint Pierre et saint Jean-Baptiste. Sur les voûtes, les fresques racontent la vie de saint Michel *(Saint Michel terrassant le démon).* Au fond du chœur, superbe buffet d'orgue du XVIIᵉ siècle. De splendides tentures rouges en damas de Gênes, datant de 1757, recouvrent (mais seulement dans les grandes occasions !) toutes les colonnes de l'église et forment un baldaquin somptueux au-dessus de l'autel, transformant l'église en l'un des plus beaux lieux de culte de France ! On a vraiment eu le coup de cœur... et surtout la chance de pouvoir les admirer.

🐾 *La chapelle de l'Immaculée-Conception ou des Pénitents-Blancs* (plan B1) **:** *visite, sous réserve que quelqu'un soit disponible à la basilique Saint-Michel pour vous ouvrir la porte, lun et mer 15h-17h.* Au fond de la place, elle dresse sa belle façade Renaissance et ses guirlandes de fleurs en stuc ; voûtes ornées. Trompe-l'œil sous la coupole de l'autel. Nombreuses lanternes servant aux processions.

🐾 Continuez à monter : *rue Mattoni* d'abord, avec ses passages couverts ; *rue de la Côte* ensuite, plus raide, qui rattrape la *rue du Vieux-Château.* Une impression de calme et de fraîcheur se dégage de ces très vieilles maisons où sèche le linge.

🐾 Vous parviendrez ensuite au *cimetière du vieux château* de Menton. *Ouv 7h-18h* (20h mai-sept). Il est établi à l'emplacement de l'ancien château fort et comporte quatre terrasses, d'où vous découvrirez une vue magnifique : d'un côté la France, de l'autre l'Italie, les montagnes plongeant dans la mer d'un bleu éclatant. Les cyprès ajoutent à la sérénité de l'endroit. La lecture des inscriptions sur les tombes vous éclairera sur la vocation de Menton à la fin du XIXᵉ siècle : une cité où bon nombre de riches étrangers venaient chercher le soleil et souvent la guérison d'une tuberculose. On ne reculait pas devant les distances : ainsi cette tombe d'Evelyn, femme de William Rosamond de Toronto (Canada !), morte à l'âge de 19 ans. À côté, tombe de Veronica Christine, fille du général Genkin Jones, morte à 15 ans ; et plus loin, après des inscriptions russes, Henri Taylor, de Dundee, qui mourut à Menton en 1888 à 25 ans. Vous vous trouvez à présent tout à la proue du cimetière, surplombant la vieille ville que domine le clocher de l'église Saint-Michel.

🐾 Redescendez *place Saint-Michel* par la rue des Écoles-Pies très escarpée, puis prenez la rue Brea. Au bout se trouve l'*église des Pénitents-Noirs.* Continuer par la rue du Général-Gallieni. De l'ancienne enceinte fortifiée ne subsistent que la *porte Saint-Julien,* la *tour hexagonale* et la *porte Saint-Antoine.*

🍴 Vous retrouvez la *rue Saint-Michel*, rue commerçante de la ville, et ses orangers ; tout de suite à gauche, la charmante **place aux Herbes** avec ses terrasses de café, ses platanes et sa colonnade qui rythme des échappées sur la mer. Marché à la brocante tous les vendredis. À côté, le marché couvert, sa place et son marché aux fleurs. Ambiance assurée le matin. Goûtez *pichade* (tomate, oignons) et *barbajuan* au *ban de la Tatoune,* célébrité locale qui en vendit sans faiblir ici de 1917 à 1970. À l'intérieur du marché, *Au baiser du mitron* : achetez-y une fougasse mentonnaise, à la fleur d'oranger, aux amandes ou à l'anis.

🍴 À signaler encore, la *rue Brea,* ouverte en 1618, plus bas que l'église Saint-Michel. Au *n° 3* logea l'inévitable Bonaparte, en 1796. Il en aura visité des maisons ! Au *n° 2* naquit le futur général de Brea, fusillé en 1848 par les insurgés parisiens.

🍴 **La promenade du Soleil** *(plan A-B2)* : elle s'étend en bordure de mer et mérite bien son nom. Les retraités la colonisent, passant leur journée à se réchauffer au soleil de banc en banc. Menton est la ville de France où la proportion de retraités est la plus élevée (quelque 30 % de la population) et en même temps celle où la jeunesse pointe de plus en plus son nez.

Les sites et les musées

🍴 **Le palais Carnolès** *(hors plan par A2)* : av. de la Madone. ☎ 04-93-35-49-71. *À l'ouest de la ville. Bus n° 7, arrêt « Madone Parc ». Tlj sf mar et j. fériés 10h-12h, 14h-18h. Entrée gratuite.*
Ce fut la résidence d'été (1715) d'Antoine Ier, prince de Monaco, avant de devenir casino, puis propriété privée jusqu'en 1961. La demeure est entourée d'agréables jardins qui constituent la plus importante collection d'agrumes en Europe (environ 400 arbres pour une cinquantaine d'espèces différentes).
Aujourd'hui, le palais abrite à l'étage la collection Wakefield Mori, léguée en 1959. Primitifs niçois (*Vierge à l'Enfant* de Louis Bréa), écoles européennes des XVIIe et XVIIIe siècles. Enfin, école de Paris (1920-1940) avec Derain, R. Dufy, etc. Au rez-de-chaussée, exposition temporaire d'œuvres modernes ou contemporaines.

🍴 **Les jardins Biovès** *(plan A1-2)* : entrée libre *(sf pdt la fête du Citron)*. Palmiers, citronniers, fleurs et fontaines au centre de la ville ; belle perspective sur les montagnes environnantes. Monument du rattachement à la France. C'est ici que se déroule la fête du Citron. Elle commence avant le Mardi gras, pour s'achever le dimanche suivant. Une tradition qui remonte aux années 1930, Menton étant encore le premier producteur de citrons du continent. Un hôtelier a l'idée d'organiser une expo de fleurs et d'agrumes dans les jardins de l'hôtel *Riviera.* Un succès tel que la fête va vite descendre dans la rue, les Mentonnaises – les plus jolies – prenant la tête des chariots d'arbustes plantés d'oranges et de citrons. Ces derniers seront vraiment à la fête en 1934. Deux ans après est lancée la première exposition d'agrumes et de fleurs dans les jardins Biovès. Depuis, c'est une telle réussite que vous n'avez pas intérêt à venir ici en voiture à pareille époque... Pendant cette fête, les jardins Biovès sont surmontés d'une passerelle d'où l'on peut voir les « Jardins » d'agrumes.

🍴 **Le palais de l'Europe et sa façade rétro** *(plan A1-2)* : av. Boyer. Siège actuel de l'office de tourisme, c'était autrefois le casino (1909). Cadre de nombreuses manifestations culturelles, il abrite une galerie d'art contemporain. Le reste, en revanche, date un peu.

🍴🍴🍴 **L'hôtel de ville** (1860) **et la salle des Mariages décorée par Jean Cocteau** *(plan B1)* : *visite 8h30-12h30, 14h-17h. Fermé w-e et j. fériés (mais mieux vaut téléphoner pour savoir si la salle est accessible). Entrée : 1,50 € ; réduc ; gratuit jusqu'à 18 ans.*

Écoutons le Maître expliquer la démarche qui l'a conduit à cette belle œuvre datant de 1958 : « Contrairement à une chapelle qui doit être nue et vêtue de sa seule innocence, une salle de mariage civil doit présenter quelque faste. C'est pourquoi, tout en n'oubliant pas le style officiel des moquettes rouges et des plantes vertes, je le transporte un peu plus haut, un peu plus loin, mais l'ensemble de la salle conserve une allure à ne point dépayser l'écharpe du maire et le profil de la République. Rien ne porte au songe du cortège qui pénètre dans la mairie, rien ne lui offre la chance des candélabres, de l'encens et des orgues. Je me suis attaché, faute de mieux, à lui suggérer quelque pompe. » Ainsi, Cocteau a dessiné lui-même les lampadaires en forme d'aloès et de figue de barbarie, et déterminé l'ensemble des éléments du décor.

Mais le plus intéressant, c'est bien sûr ses fresques. Au fond, une œuvre très fraîche illustrant l'amour de deux jeunes gens entourés de vagues d'eau bleue : le pêcheur (à l'œil-poisson comme dans la chapelle de Villefranche) est coiffé de l'ancien bonnet des pêcheurs de Menton ; sa future épouse porte également un chapeau typiquement mentonnais, la capeline. Sur les murs latéraux, une noce gitane incluant la formule ancestrale : « La femme doit suivre son mari » et la tragique histoire d'Orphée et de sa belle Eurydice. Un dernier détail : contrairement aux injonctions du code civil, il n'y a pas de Marianne sculptée dans la salle des Mariages mais *Deux Mariannes,* que Cocteau a dessinées sur les miroirs se faisant face de chaque côté de l'entrée d'honneur.

%% **Le musée Jean-Cocteau** *(plan B1) : bastion du Vieux-Port (XVIIᵉ siècle).* ☎ 04-93-57-72-30. *Tlj sf mar et j. fériés 10h-12h, 14h-18h. Entrée : 3 € ; réduc ; gratuit jusqu'à 18 ans ; gratuit pour ts le 1ᵉʳ dim du mois.*

Le bastion qui abrite le musée est un édifice militaire de 1636, date à laquelle les Espagnols exerçaient un protectorat sur la principauté de Monaco (Menton fait partie intégrante de la principauté à cette époque). Cocteau, après avoir décoré la salle des Mariages, avait exprimé le désir de créer dans ce bastion un musée destiné à recevoir ses œuvres. Il a présidé lui-même à la restauration de l'édifice, conçu les vitrines en fer forgé, dessiné les mosaïques des embrasures des fenêtres de l'étage, et surtout celles des galets du sol, tant à l'extérieur qu'à l'intérieur (pour une fois, vous allez marcher sur une œuvre d'art, *La Salamandre* !). Mais il ne verra pas son achèvement puisque le musée est inauguré le 30 avril 1966.

Modeste en taille, mais riche en œuvres de qualité, sélectionnées parmi les 1 525 issues de la donation d'un collectionneur privé américain, Séverin Wunderman. On pourra voir notamment une soixantaine de peintures, pastels, gravures et poteries, que l'artiste réalisa entre 1950 et 1963, au cours de sa « période méditerranéenne ». Également, les *Innamorati* (variation sur les amoureux), série de dessins inspirés par les amours des pêcheurs de Menton, façon commedia dell' arte. Les fans seront ravis d'apprendre qu'est prévu pour 2010 un grand musée Cocteau – collection Séverin Wunderman.

% **Le quai Napoléon-III :** il protège le vieux port par une digue de 600 m. Vue superbe sur Menton et les montagnes.

% %% **Le musée municipal de Préhistoire régionale** *(plan B1) : rue Lorédan-Larchey.* ☎ 04-93-35-84-64. *Dans le centre-ville, non loin de la mairie. Tlj sf mar et j. fériés 10h-12h, 14h-18h. Entrée gratuite.*

On y voit des reconstitutions de scènes, des ossements, des pierres taillées, des mâchoires d'éléphants et surtout le squelette de l'*homme de Menton* (25 000 ans av. J.-C. !), découvert dans l'une des grottes Grimaldi, actuellement en territoire italien (voir plus loin). Saisissant : son crâne est recouvert d'une multitude de coquillages et de dents de cerf... Son bonnet décoré se serait incrusté sur les os avec le temps !

À voir également, d'intéressants documentaires projetés dans une salle attenante. On appuie sur un bouton pour sélectionner et on s'assoit ; une bonne idée. Ne pas rater le film sur la vallée des Merveilles si vous comptez vous y rendre. Enfin, une nouvelle salle a été inaugurée en septembre 2006, consacrée à l'Antiquité régionale qui couvre l'âge de fer jusqu'au haut Moyen Âge. Un intéressant complément. Pour achever de renseigner les curieux, un personnel aimable, passionné et compétent.

🦌 *Garavan :* un quartier mythique. Tout près de la frontière, les collines de Menton y forment un arc face à la mer, à l'abri des vents du nord, où la température est la plus clémente de la Côte d'Azur. De nombreux étrangers, « poitrinaires » fortunés, s'y étaient installés à la fin du XIXᵉ siècle et avaient construit de somptueuses villas au milieu des oliviers. Beaucoup sont laissées un peu à l'abandon, prêtant à la nostalgie...

Les jardins de Menton

ATTENTION, quelques-uns des lieux que nous vous indiquons, en dehors du Mois des Jardins en juin et des Journées méditerranéennes du jardin en septembre, ne sont visibles que lors de visites guidées. Renseignements au service du Patrimoine, palais Adhémar-de-Lantagnac (voir plus haut « Adresses utiles »). C'est là qu'il vous faudra aller chercher LE guide qui vous permettra, au travers d'une visite guidée mémorable, de mieux comprendre Menton et ses jardins.

🦌🦌 *Le jardin botanique exotique de Val Rahmeh :* av. Saint-Jacques. ☎ 04-93-35-86-72. ● http://pagesperso-orange.fr/.mnhn.valrahmeh ● Avr-sept, visite 10h-12h30, 15h-18h ; oct-mars, 10h-12h30, 14h-17h. Entrée : 5 € ; réduc. Créé au début du XXᵉ siècle par des Anglais passionnés de botanique, il est géré depuis 1966 par le Muséum national d'Histoire naturelle. Tonnelles, bassins à nénuphars et fontaines agrémentent ce jardin qui présente, sur 1 ha en terrasses, un grand nombre de plantes méditerranéennes et exotiques. Parmi les 1 400 taxons en cultures sont cultivées une dizaine d'espèces exceptionnelles ou rares, dont le seul exemplaire du *Sophora toromiro,* l'arbre mythique de l'île de Pâques et disparu dans son milieu naturel, qui pousse ici en pleine terre. Parmi les plantes remarquables réunies au sein de leur biotope reconstitué : des agrumes, des fougères, des fruitiers tropicaux, des plantes alimentaires et médicinales. L'allée des palmiers des Canaries conduit sur la terrasse de la villa, d'où l'on admire la baie de Garavan. Un jardin d'exception.

🦌 *Le parc du Pian :* juste à côté. Très agréable avec sa belle plantation d'oliviers centenaires (certains seraient même plus que millénaires !) qui évoque la Grèce antique. Certaines manifestations culturelles s'y déroulent en été. Entrée libre.

🦌🦌 *Le jardin Fontana Rosa :* av. Blasco-Ibáñez. Bus nº 3, arrêt « Blasco-Ibáñez ». Visite guidée slt, ven 10h. Tarif : 5 €. Ici habita Vicente Blasco Ibáñez, de 1922 à sa mort en 1928. Le romancier espagnol y écrivit *Mare Nostrum.* À voir absolument, les célèbres mosaïques qui recouvrent aquarium, bassins et bancs.

🦌 *Le jardin des Colombières :* route des Colombières, à Garavan. Ouv 1ᵉʳ juil-14 août (sf 14 juil), en visite guidée avec le service du Patrimoine, tlj 16h. Tarif : 8 €. Créé par le peintre et romancier Ferdinand Bac entre 1918 et 1927, ce jardin – longtemps fermé pour cause de restauration – est composé comme un voyage autour de la grande bleue. Il est planté surtout de cyprès et d'oliviers, et propose une quinzaine d'arrêts auprès de « fabriques » offrant des vues superbes sur la vieille ville et sur la baie.

🦌🦌 *Serre de la Madone :* 74, route de Gorbio. ☎ 04-93-57-73-90. ● serredelama done.com ● Bus nº 7, arrêt « Mer-et-Monts ». Tlj sf lun 10h-17h (18h avr-oct). Fermé nov. Visites guidées ou libres. Entrée : 8 € ; réduc ; gratuit jusqu'à 12 ans. Pour les groupes, résa au ☎ 04-92-10-33-66. À la différence du précédent, ce jardin n'a pas de vue sur la mer, mais il met en valeur les essences rares (même très rares) rapportées par son créateur, le major Lawrence Johnston, de ses nombreux voyages en Asie, Afrique, Australie... Un beau modèle d'architecture paysagère, avec ses bassins et ses fontaines qui créent une atmosphère hors du temps. Surtout, un des plus beaux exemples d'acclimatation sur les bords de la Méditerranée de l'éclectisme et de l'intimité des jardins anglais du début du XXe siècle.

🕯 *La villa de Maria Serena : promenade Reine-Astrid. Près de la frontière italienne. Bus n° 3. Ouv en visite guidée slt, mar 10h. Tarif : 5 €.* Propriété de la ville, donc à découvrir au cours d'une visite guidée, elle offre une vue superbe sur Menton, au milieu des plantes subtropicales et des palmiers. Ici, vous comprendrez mieux pourquoi la cité du citron, abritée des vents froids du nord grâce aux massifs rocheux qui l'entourent, bénéficie d'un microclimat idéal pour l'acclimatation des espèces tropicales.

– Pour finir, un tour de l'autre côté de la frontière est quasiment obligatoire, ne serait-ce qu'avec la visite du fabuleux jardin Hanbury. Se renseigner auprès du service du Patrimoine.

Activités nautiques

■ *Compagnie de navigation et de tourisme de Menton : 3 bis, traverse de Bastion.* ☎ 04-93-35-51-72. Promenade très touristique mais agréable, qui permet de découvrir les rivages de Monaco, Saint-Jean-Cap-Ferrat et toute la Riviera française depuis la mer. Différents tarifs en fonction de la destination.

■ *Base nautique de Menton :* ☎ 04-93-35-49-70. 📱 06-70-48-95-63. ● *menton.fr/voile* ● *Loc tte l'année. Pdt les vac scol de la zone B, cours collectifs et particuliers.* Planche à voile, kayak, catamaran, Laser, Optimist. Garderie éducative en plus, en été, pour les enfants de 4 à 11 ans.

Achats

🍯 *Confitures Herbin : 2, rue du Vieux-Collège.* ☎ 04-93-57-20-29. ● *confitures-herbin@wanadoo.fr* ● *confitures-herbin.com* ● *Tlj sf dim et j. fériés 9h15-12h30, 15h15-19h. Visite de la fabrique à deux pas (accès au 2, rue Palmaro), libre lun-ven, et commentée à 10h30 lun, mer et ven, tte l'année.* Une maison spécialisée depuis des lustres dans la fabrication de confitures artisanales, notamment d'agrumes (citrons, oranges, bigarades, cédrats, bergamotes...), réputées au-delà de la ville.

Fêtes et manifestations

– *Fête du Citron : chaque année en fév, autour du Mardi gras.* Au programme, corsos d'agrumes (oranges et citrons), expo d'orchidées et de motifs géants en agrumes. Menton importe alors près de 300 t de citrons.

– *Journées méditerranéennes du jardin : en juin et sept. Rens au service du Patrimoine ou à l'office de tourisme.* Le slogan de la ville de Menton est : « Ma ville est un jardin. » Pour nous le prouver, pendant plusieurs jours, la ville ouvre les jardins privés au public, en juin, mois traditionnellement consacré à cette nouvelle forme de culture populaire, et en septembre, le temps d'un week-end, lors des fameuses « Journées méditerranéennes ».

– *Fête des Bazaïs : début août.* Tous les Mentonnais se retrouvent autour d'un chaudron rempli de soupe de haricots. Une fête qui tire ses origines du Moyen Âge.

– *Festival de musique : début août. Sur le parvis de la basilique Saint-Michel.* Un rendez-vous réputé pour les mélomanes depuis maintenant plus de 50 ans. Deux concerts par jour.

➤ *DANS LES ENVIRONS DE MENTON*

LES GROTTES GRIMALDI, À LA FRONTIÈRE ITALIENNE

Traverser le quartier de Garavan et longer la mer jusqu'à la douane ; c'est immédiatement après le poste-frontière, derrière un resto, sur la droite. Visite tlj sf lun 8h30-19h30. Entrée : 2 € ; réduc.

Sous cette puissante arête en calcaire dolomitique vécurent nos ancêtres ! C'est dans l'une de ces grottes que les archéologues ont retrouvé l'*homme de Menton* (pour les Français) ou *homme de Grimaldi* (pour les Italiens !). On visite d'abord un petit *musée* (moins intéressant que celui de Menton, où l'on peut voir ledit squelette), puis un guide fait franchir la voie de chemin de fer jusqu'à la *grotte Caviglione,* très haute mais peu profonde. À 5 m des têtes (le sol était plus haut avant), une gravure rupestre représentant un cheval. Contrairement à ce que l'on pourrait croire, la noirceur de la roche n'est pas due au feu de nos ancêtres mais... aux vapeurs des trains ! Un peu plus loin, la *grotte de Florestano,* plus belle mais sans trace de vie.

SAINTE-AGNÈS (06500)

Prenez au nord la D 22, par l'av. des Alliés. Le village, accroché au flanc d'un pic qui culmine à 780 m en surplomb de la Méditerranée, se confondant presque avec la falaise, occupe un site exceptionnel. C'est l'archétype du vieux village pittoresque, avec ses rues enchevêtrées et pavées, ses porches anciens, ses passages voûtés. Nombreuses boutiques d'artisanat en tout genre (tissage, bijoux fantaisie, etc.), pour qui aime. La rue Longue, pavée de galets, conduit à un belvédère d'où l'on découvre une vue superbe sur la Riviera. Par beau temps, on aperçoit la Corse. Les marcheurs pourront descendre au *collet de Saint-Sébastien,* où se trouve une chapelle. De là, des sentiers permettent de gagner Menton ou Gorbio.

Adresse et info utiles

🖪 *Mairie :* ☎ 04-93-35-84-58. ●*mairies teagnes@wanadoo.fr* ●

– Deux *bus*/j. depuis la gare routière de Menton.

Où manger ?

|●| *Le Logis Sarrasin :* ☎ 04-93-35-86-89. *Fermé lun, plus le soir mar-jeu et dim en basse saison. Congés : de mi-oct à mi-nov. Plat du jour 10 € ; menus 15-22 €. Café offert sur présentation de ce guide.* Auberge familiale d'un bon rapport qualité-prix. Les portions y sont copieuses. Cuisine simple de la patronne : tourte maison, lapin aux herbes, pintade aux champignons, pissaladière, etc.

À voir

🏃🏃 🚶 *Le fort de Sainte-Agnès :* ☎ 04-93-35-84-58 (mairie). *Oct-juin, w-e 14h30-17h30 ; juil-sept (ainsi que pdt la fête du Citron de Menton), tlj sf lun 15h-18h. Adulte : 4 € ; 2 € jusqu'à 14 ans ; gratuit pour les moins de 7 ans ; réduc.* Construit en 1932 et 1938, ce fort a largement contribué à la défense du littoral en juin 1940. Il a été laissé en l'état par l'armée et est depuis peu ouvert à la visite. Véritable ville souterraine (2 000 m²), on peut voir les cuisines, les casemates, les machineries.

Une scénographie moderne redonne vie à l'ensemble. Émouvant et impressionnant. Attention, la température à l'intérieur du fort est de 13 °C. Ne pas manquer le belvédère, avec un des plus beaux points de vue sur la côte.

🦌 *Le château et le jardin médiéval :* un sentier abrupt vous y mène depuis le village. Là-haut, on gambade au milieu des ruines (discrètes mais ravissantes) de l'ancien château fort. La végétation a gagné, et un joli jardin en terrasse rend hommage au Moyen Âge (entrée payante, selon votre bon cœur)...

GORBIO (06500)

Après avoir longé les murs du palais Carnolès, prenez à droite la rue A.-Reglion et la D 23 qui remonte le torrent de Gorbio, bordée de somptueuses villas au milieu des oliviers. Gorbio, perché dans un site sauvage, est célèbre pour sa *procession aux* *Limaces* à la Fête-Dieu. Comme à Roquebrune, on remplit les coquilles d'escargots (*limassa* en provençal) avec de l'huile dans laquelle on trempe une mèche ; on dispose des milliers de coquilles lumineuses le long des rues, sur les rebords des fenêtres. Ces lumignons éclairent le chemin du saint sacrement parcourant la ville sous un dais. À Gorbio, cette procession, qui tire son origine de l'arrivée nocturne d'un pape dans le comté, prend un caractère particulier. Elle est le rendez-vous annuel des pénitents du Midi.
Les ruelles de galets, reliées par des arcades, sont marquées par l'usure du temps. Remarquez l'orme de 1713, aux proportions impressionnantes, et la vieille fontaine à l'entrée du village.

➤ *Promenades à pied :* des sentiers conduisent à Roquebrune (en 1h30, de la place centrale) et à Sainte-Agnès, offrant de jolis points de vue.

Où manger ?

|●| *Restaurant Beau Séjour :* 14, pl. République. ☎ 04-93-41-46-15. Ouv avr-fin oct, tlj sf mer ; slt le midi au printemps, midi et soir à partir de juil jusque plus tard dans l'arrière-saison. Le midi, formule 15 € et menus 25-38 € ; le soir, carte slt, 35-40 €. CB refusées. Digestif maison offert sur présentation de ce guide. Sur la place du village, une superbe maison pleine de charme, avec une salle panoramique et une terrasse ombragée où l'on peut se régaler avec une cuisine toute simple, pleine de soleil et de goût.

CASTELLAR (06500)

Deux routes permettent de gagner Castellar depuis Menton : soit la D 24 par la promenade du val de Menton, soit la route des Ciappes. Elles se rejoignent au lieu- dit La Pinède.
Le village perché est le point de départ de nombreuses promenades balisées par le GR 52. De la terrasse de l'*Hôtel des Alpes,* vue sur la côte. Des rues parallèles sont reliées entre elles par des passages voûtés. L'ancien *palais des Lascaris* est traversé par la rue de la République. Émouvante chapelle au cimetière, en contrebas.

➤ *Randonnées :* le *Restaud* (1 145 m), compter 1h45 d'ascension ; le *Grammont* (1 380 m), en 3h ; les *ruines du vieux Castellar,* en 1h.

Où dormir ? Où manger ?

Camping

⚕ |●| *Ferme Saint-Bernard :* 2600, chemin Saint-Bernard. ☎ 04-93-28-28- 31. Fax : 04-92-10-10-54. Une ferme accrochée dans la montagne, acces-

*sible slt par une piste qui oblige le pro-
priétaire à venir vous chercher en 4x4.
Resto fermé lun. Dortoir sous toile 10 €/
pers ; emplacement 10 € pour 2 pers
avec voiture et tente. Menus 15 et 22 €.
CB refusées. Apéritif ou digestif maison
offert sur présentation de ce guide.*

Dépaysement total. Malgré l'austérité
du terrain de camping (quelques caravanes disponibles), on est reçu avec
soin et attention. Chiens, chevaux, sangliers et canards y vivent en harmonie.
Bonne table avec produits de la ferme.

De bon marché à prix moyens

🛏 |●| **Hôtel des Alpes :** 1, pl. Clemen-
ceau. ☎ 04-93-35-82-83. *Tte l'année.
Réserver l'été. Doubles 39-49 € selon
saison. Formule 11,50 € ; menus 16 et
19 €.* Huit chambres en cours de rénovation, certaines avec vue panoramique sur les montagnes. Très calme.

|●| **Le Palais Lascaris :** 58, rue de la
République. ☎ 04-93-57-13-63. *Dans
l'ancienne salle des Gardes du palais
Lascaris. Fermé dim soir et lun.*

*Congés : 2de quinzaine d'oct. Menus
10 € en sem, puis 16 et 21 €.* La direction perpétue avec finesse et dextérité
la tradition culinaire ligure et provençale : assiette castellaroise, *barba-
juans* façon ligure (à base de courge),
le veau « tonne », ou encore les raviolis
à la daube. Accueil aimable et souriant. Bon rapport qualité-prix. Idéal
pour terminer en beauté un séjour sur
la Côte d'Azur.

MENTON

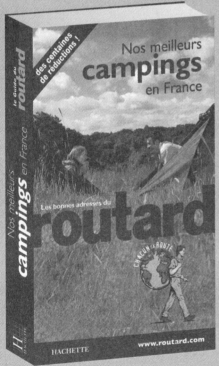

Les peuples indigènes croient qu'on vole leur âme quand on les prend en photo. Et si c'était vrai ?

Pollution, corruption, déculturation : pour les peuples indigènes, le tourisme peut être d'autant plus dévastateur qu'il paraît inoffensif. Aussi, lorsque vous partez à la découverte d'autres territoires, assurez-vous que vous y pénétrez avec le consentement libre et informé de leurs habitants. Ne photographiez pas sans autorisation, soyez vigilants et respectueux. Survival, mouvement mondial de soutien aux peuples indigènes s'attache à promouvoir un tourisme responsable et appelle les organisateurs de voyages et les touristes à bannir toute forme d'exploitation, de paternalisme et d'humiliation à leur encontre.

Survival
pour les peuples indigènes

Espace offert par le Guide du Routard

❏ envoyez-moi une documentation sur vos activités   ❏ j'effectue un don

NOM   PRÉNOM   ADRESSE

CODE POSTAL   VILLE

Merci d'adresser vos dons à Survival France. 45, rue du Faubourg du Temple, 75010 Paris.
Tél. 01 42 41 47 62. CCP 158-50J Paris. e-mail : info@survivalfrance.org

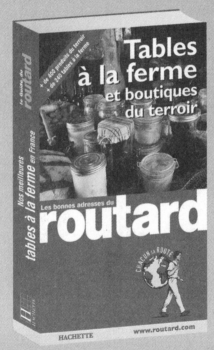

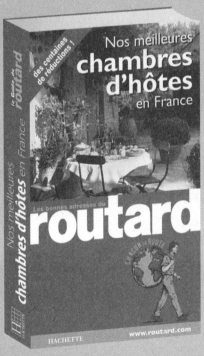

Cour pénale internationale :
face aux dictateurs et aux tortionnaires,
la meilleure force de frappe,
c'est le droit.

L'impunité, espèce en voie d'arrestation.

Fédération Internationale des ligues des droits de l'homme.

www.fidh.org

NOS NOUVEAUTÉS

NORVÈGE (avril 2008)

Des grands voyageurs classent ce royaume septentrional de l'Europe parmi les plus beaux pays du monde. Ils n'ont pas tort. La Norvège est un cadeau de Dame Nature fait aux humains. Et c'est vrai qu'au printemps, le spectacle des fjords aux eaux émeraude, bordés de vertes prairies fleuries dévalant des glaciers, est d'un romantisme absolu. Ici, la préservation de la nature est élevée au rang de religion. Oslo, Bergen, Trondheim sont des villes très agréables en été, mais ne peuvent rivaliser avec le bonheur intense d'un séjour dans les villages de marins aux îles Lofoten ou avec le spectacle émouvant d'une aurore boréale qui embrase la voûte céleste. Les plus intrépides de nos lecteurs continueront vers le mythique cap Nord et feront aussi un crochet par le Finnmark pour découvrir la culture étonnante des éleveurs de rennes.

FLORIDE (paru)

Du soleil toute l'année, des centaines de kilomètres de sable blanc bordés par des cocotiers et une mer turquoise. Voilà pour la carte postale. Mais la Floride a bien d'autres atouts dans son sac : une ambiance glamour et latino à Miami qui, au cœur de son quartier Art déco, attire une foule de fêtards venus s'encanailler sous les *sunlights* des tropiques ; des parcs d'attractions de folie qui feront rêver petits et grands ; une atmosphère haute en couleur et *gay-friendly* à Key West où l'âme de « Papa » Hemingway plane toujours. Là, on circule à bicyclette au milieu de charmantes maisons de bois. Et pour les amateurs de nature, le parc national des Everglades, un gigantesque marais envahi par la mangrove et peuplé d'alligators, qui se découvre à pied (eh oui) ou en canoë. Alors, *see you later alligator* !

La Chaîne de l'Espoir

Ensemble, sauvons des enfants !

Chirurgiens, médecins, infirmiers, familles d'accueil… se mobilisent pour sauver des enfants gravement malades condamnés dans leur pays.

Pour les sauver nous avons besoin de vous !

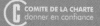

INDEX GÉNÉRAL

D

E

F

M

N

O

P

R

S

T

U-V

OÙ TROUVER LES CARTES ET LES PLANS ?

Les **Routards** *parlent aux* **Routards**

Faites-nous part de vos expériences, de vos découvertes, de vos tuyaux.
Indiquez-nous les renseignements périmés. Aidez-nous à remettre l'ouvrage à jour.
Faites profiter les autres de vos adresses nouvelles, combines géniales... On adresse
un exemplaire gratuit de la prochaine édition à ceux qui nous envoient les lettres les
meilleures, pour la qualité et la pertinence des informations. Quelques conseils cependant :
– Envoyez-nous votre courrier le plus tôt possible afin que l'on puisse insérer vos
tuyaux sur la prochaine édition.
– N'oubliez pas de préciser l'ouvrage que vous désirez recevoir.
– Vérifiez que vos remarques concernent l'édition en cours et notez les pages du
guide concernées par vos observations.
– Quand vous indiquez des hôtels ou des restaurants, pensez à signaler leur adresse
précise et, pour les grandes villes, les moyens de transport pour y aller. Si vous le
pouvez, joignez la carte de visite de l'hôtel ou du resto décrit.
– N'écrivez si possible que d'un côté de la lettre (et non recto verso).
– Bien sûr, on s'arrache moins les yeux sur les lettres dactylographiées ou correctement écrites !
En tout état de cause, merci pour vos nombreuses lettres.

Les Routards parlent aux Routards :
122, rue du Moulin des Prés, 75013 Paris

e-mail : guide@routard.com
Internet : www.routard.com

Le Trophée du voyage humanitaire ROUTARD.COM s'associe à VOYAGES-SNCF.COM

Parce que le *Guide du routard* défend certaines valeurs : Droits de l'homme, solidarité,
respect des autres, des cultures et de l'environnement, il s'associe, pour la prochaine
édition du Trophée du voyage humanitaire routard.com, aux Trophées du tourisme
responsable, initiés par Voyages-sncf.com.
Le Trophée du voyage humanitaire routard.com doit manifester une réelle ambition
d'aide aux populations défavorisées, en France ou à l'étranger. Ce projet peut concerner les domaines culturel, artisanal, agricole, écologique et pédagogique, en favorisant
la solidarité entre les hommes.
Renseignements et inscriptions sur ● www.routard.com ● et ● www.voyages-sncf.com ●

Routard Assistance *2008*

Routard Assistance et Routard Assistance Famille, c'est l'Assurance Voyage Intégrale
sans franchise que nous avons négociée avec les meilleures compagnies, Assistance
complète avec rapatriement médical illimité. Dépenses de santé et frais d'hôpital pris en
charge directement sans franchise jusqu'à 300 000 € + caution + défense pénale +
responsabilité civile + tous risques bagages et photos. Assurance personnelle accidents : 75 000 €. Très complet ! Le tarif à la semaine vous donne une grande souplesse.
Tableau des garanties et bulletin d'inscription à la fin de chaque *Guide du routard* étranger. Pour les départs en famille (4 à 7 personnes), demandez-nous le bulletin d'inscription famille. Pour les longs séjours, un nouveau contrat *Plan Marco Polo « spécial
famille »* à partir de 4 personnes. Enfin pour ceux qui partent en voyage « éclair » de
3 à 8 jours visiter une ville d'Europe, vous trouverez dans les Guides Villes un bulletin
d'inscription avec des garanties allégées et un tarif « light ». Pour les villes hors Europe,
nous vous recommandons Routard Assistance ou Routard Assistance Famille, mieux
adaptés. Si votre départ est très proche, vous pouvez vous assurer par fax : 01-42-80-
41-57, en indiquant le numéro de votre carte de paiement. Pour en savoir plus : ☎ 01-
44-63-51-00 ; ou, encore mieux, sur notre site : ● www.routard.com ●

Photocomposé par MCP - Groupe Jouve
Imprimé en France par Aubin
Dépôt légal : février 2008
Collection n° 15 - Édition n° 01
24/4224/2
I.S.B.N. 978-2-01-244224-5